LEADERSHIP BOOK SERIES VOL. 01

리더십 마스터플랜

조직성공을 위한 효과적인 리더십의 30가지 특성

리더는 리더십을 지위와 특권이 아니라
책임으로 본다. - 피터 드러커-

지은이 **이지해 | 안형렬** 공저

최대한의 잠재력을 발휘하기

이 책은 여러분을 변화의 여정으로 안내합니다.
이전과는 다른 방식으로 여러분의 리더십 잠재력을
발휘하도록 도와줍니다. 전략적으로 생각하고,
현명한 결정을 내리며, 팀이 새로운 높이에 도달하도록
영감을 주는 방법을 발견하세요.

BOOKK

리더십 마스터플랜: 조직 성공을 위한 효과적인 리더십의 30가지 특성

발행: 2024년 05월 03일

지은이: 혜천(慧天) 이지해 / 여여(如如) 안형렬 공저

편집: 최윤경 / **디자인:** 최윤경

펴낸이: 한건희

펴낸곳: 주식회사 부크크

출판사등록: 2014.07.15.(제2014-16호)

주 소: 서울특별시 금천구 가산디지털1로 119 SK트윈타워 A동 305호

전 화: 1670-8316

전자우편: info@bookk.co.kr

ISBN 979-11-410-8362-5

www.bookk.co.kr

차례

서론 Prologue

오늘날의 경쟁력 있는 비즈니스 환경에서, 리더십은 단순히 직위나 권위의 상징이 아니라, 조직 전체의 성공을 이끌어내고 지속 가능한 성장을 달성하기 위한 중요한 요소입니다. 변화하는 시장 조건, 다양한 문화적 변화, 그리고 기술의 빠른 발전에 대응하며 조직을 이끄는 능력은 물론, 사람들을 이해하고 동기를 부여하며 효과적으로 의사소통하는 능력이 필요하다는 것을 인식해야 합니다. 이는 리더십이 단순히 지시와 명령을 내리는 것이 아니라, 팀원들과의 협력을 통해 공통의 목표를 달성하는 데 있어 중요한 역할을 하는 것을 의미합니다.

이 책 "리더의 자질: 효과적인 리더십의 30가지 특성"은 이러한 복잡한 요구 사항을 충족시키는 데 필요한 다양한 리더십 자질을 체계적으로 다루고 있습니다. 이 책은 이해력, 전략적 사고, 사람들을 이해하고 동기를 부여하는 능력 등 다양한 리더십 자질을 갖추기 위한 방법을 제공하며, 이를 통해 효과적인 리더가 되는 데 도움을 줄 것입니다.

이 책은 리더십의 본질에 대해 깊이 있게 탐색하며, 리더십이 단순한 지시와 관리에만 국한되지 않는다는 중요한 사실을 강조합니다. 리더가 조직 내에서 수행하는 다양한 역할을 통해 그들이 어떻게 조직의 전반적인 성장과 성공을 이끌어 낼 수 있는 지에 대해 상세히 설명합니다. 이를 통해 독자들은 리더십의 다양한 측면을 탐구하고, 실제 리더의 경험과 연결하여 이해하는 데 도움이 됩니다.

그리고 이 책은 리더로서의 역량을 개발하고 싶은 모든 사람들에게 필수적인 기본 지식을 제공합니다. 독자들은 이 책을 통해 자신만의 리더십 스타일을 발견하고, 조직 내에서 긍정적인 변화를 이끌어 내는 방법을 배울 수 있게 됩니다. 이론적 배경과 실제 적용 방법 사이의 균형을 맞추어, 각 개인이 리더로서의 성장 경로를 찾을 수 있도록 도와줍니다. 이 책은 단순히 리더십에 대한 이론을 제공하는 것이 아니라, 실제로 리더로서 성장하고자 하는 모든 사람들에게 필요한 실질적인 지침을 제공하는 것이 목표입니다.

이 책은 리더의 특성과 리더십 능력에 대해 깊이 있게 탐구하고자 합니다. 이를 위해, 이론적 토대와 실제 사례 연구를 통해 각각의 리더십 특성을 분석하고 이해합니다. 각 장은 특정 리더십 특성에 집중하고, 그 특성이 조직 내에서 어떻게 작용하는지, 그리고 리더가 자신의 능력과 역량을 어떻게 향상 시킬 수 있는 지에 대해 상세하게 설명합니다.

이는 리더의 개인적 성장 뿐 아니라, 팀원들과 조직 전체의 성장을 목표로 합니다. 즉, 이 책은 리더와 그들의 팀이 도전을 극복하고, 성공을 향해 나아갈 수 있도록 필요한 지식과 도구를 제공하는데 목표를 두고 있습니다.

이 책은 리더십이 가진 다양한 요소를 30가지 주요 특성으로 세분화하여 깊이 있게 다룹니다. 이는 단순히 이론적인 지식을 넘어서 실질적인 리더십 역량을 형성하는 데 필요한 핵심적인 요소들을 체계적으로 파악할 수 있도록 돕습니다. 각 특성은 이론적인 설명부터 시작하여, 해당 특성이 실제로 어떻게 적용되는 지를 보여주는 사례 연구, 그리고 이를 직접 체험해볼 수 있는 실습 활동까지 포함되어 있습니다. 이로 인해 이론과 실천 사이의 균형을 맞출 수 있으며, 독자가 이 책에서 배운 내용을 실제 업무에 적용하는 데 도움이 될 것입니다. 이 책은 리더가 자신의 리더십 역량을 현실적이고 효과적으로 개발하고 향상 시킬 수 있는 기회를 제공하며, 이를 통해 더 나아가 조직 내 에서의 성장과 발전을 추구하는 데 도움을 줄 수 있습니다.

"리더의 자질: 효과적인 리더십의 30가지 특성"은 리더가 자신의 역할을 재 정의하고, 조직 내에서 더 큰 영향력을 발휘하도록 돕는 탁월한 가이드입니다. 이 책은 리더십에 대한 깊이 있는 이해와, 리더로서의 잠재력을 최대한 활용할 수 있는 방법에 대한 통찰력을 제공합니다. 리더들은 이 책을 통해 자신의 리더십 스타일을 자세히 조사하고, 그 스타일이 자신의 팀과 조직에 어떤 영향을 미치는지 평가할 수 있습니다. 또한, 자신의 리더십 스타일에 필요한 개선 사항을 파악하고, 이러한 개선 사항을 통해 긍정적인 변화를 가져오는 리더로 성장할 수 있는 구체적인 방법을 추구할 수 있습니다.

2024년 05월 01일 혜천(慧天) 이지해 / 여여(如如) 안형렬

이 책은 리더십에 대한
깊이 있는 이해를 돕기 위해
30가지의 효과적인 리더십 특성에
대해 다룹니다.

오늘날의 경쟁력 있는
비즈니스 환경에서 리더십은
단순히 직위나 권위의 상징이 아니라
조직 전체의 성공을 이끌어내고
지속 가능한 성장을 달성하기 위한
중요한 요소입니다.

제 1 장

비전 제시: 리더십의 초석

이 장에서는 리더가 조직의 미래를 형상화하고 그 비전을 조직에 효과적으로 전달하는 과정을 다룹니다. 비전은 조직의 방향성을 결정하고 구성원들의 행동과 결정을 안내하는 핵심적인 요소입니다. 리더는 비전을 통해 팀의 잠재력을 극대화하고, 목표를 향해 나아가도록 동기를 부여합니다.

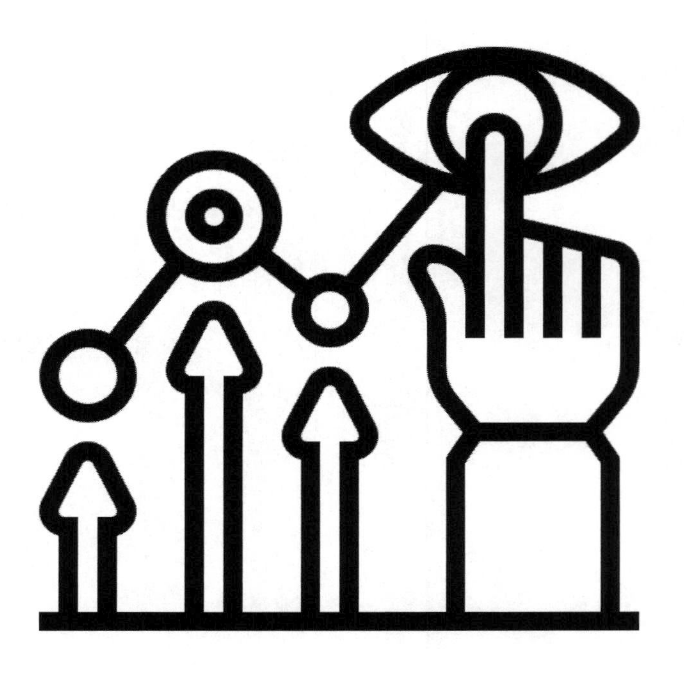

학습 개요

이 장에서는 리더가 조직의 미래를 형상화하고 그 비전을 조직에 효과적으로 전달하는 과정을 다룹니다. 비전은 조직의 방향성을 결정하고 구성원들의 행동과 결정을 안내하는 핵심적인 요소입니다. 리더는 비전을 통해 팀의 잠재력을 극대화하고, 목표를 향해 나아가도록 동기를 부여합니다.

학습 내용 및 목표

- 비전의 중요성: 리더의 비전이 조직에 미치는 영향의 중요성을 깊이 이해합니다. 비전은 단순히 미래의 모습을 그려내는 것이 아니라, 조직의 핵심 가치를 명확하게 설정하고, 그에 따른 명확한 목표 설정을 가능하게 합니다. 또한, 효과적인 비전은 직원들에게 업무에 대한 열정을 불어넣고, 그들의 최고의 역량을 발휘하게 하는 견인력을 제공합니다. 따라서, 리더는 조직의 비전을 설정하고 이를 효과적으로 전달하는 능력이 필요하며 이를 통해 조직 전체의 성과를 높일 수 있습니다.
- 비전 수립 프로세스: 비전을 개발하는 것은 단순한 과정이 아니며, 이를 위해서는 여러 단계를 거쳐야 합니다. 우리는 이러한 단계 별 접근 법을 배울 것입니다. 이 과정은 조직의 현재 위치를 파악하고, 향후 목표를 설정하는 것으로 시작됩니다. 이후에는 이러한 목표를 달성하기 위해 어떤 경로를 통해 나아갈 것 인지를 계획합니다. 이 모든 것이 비전 수립 과정의 일부로, 이 과정을 통해 조직이 더 나은 미래를 구축하는 데 도움이 됩니다.
- 비전 공유 및 실행: 비전을 효과적으로 공유하고 조직 전체에 걸쳐 실행하는 전략을 학습하는 과정입니다. 이는 명확한 목표 설정, 팀원들과의 공감대 형성, 그리고 실행 계획의 세부적인 구현 방안 등을 포함합니다. 이를 통해 조직의 성공적인 발전을 위한 공통의 방향성을 제시하고, 모든 구성원이 동일한 목표를 향해 노력할 수 있도록 돕습니다.

예상 학습 성과

- 리더들은 자신의 비전을 명확하게 정의하고 그것을 효과적으로 공유할 수 있게 됩니다. 그러므로, 이는 팀원들이 한 방향으로 나아갈 수 있게 만들며, 리더의 가이드라인을 더욱 잘 이해하게 합니다.
- 구성원들은 조직의 비전에 따라 동기부여를 받게 되며, 이는 그들이 조직의 목표 달성에 더욱 적극적으로 참여하도록 만듭니다. 이렇게 함으로써, 전체 팀이 효과적으로 함께 작동하고, 조직의 성공에 대한 개인적인 책임감을 느끼게 됩니다.

이론적 배경과 근거

비전 설정이란 리더십 이론에서 매우 중요한 위치를 차지하고 있습니다. 이는 리더의 목표와 원하는 미래를 명확하게 표현하는 과정으로, 조직의 성과를 크게 향상시키는 데 결정적인 역할을 합니다. 사실, 수많은 학문 연구에서 비전이 조직의 성공에 직접적인 영향을 미친다고 보고하고 있습니다.

예를 들어, Bass와 Avolio의 변혁적 리더십 이론에서는 비전 제시가 핵심 구성 요소로 강조됩니다. 이론에 따르면, 리더가 명확하고 설득력 있는 비전을 제시할 때, 그것은 구성원들 사이에서 공감대를 형성하고, 그들의 창의력과 혁신을 촉진하며, 결국 더 높은 성과를 이끌어낼 수 있습니다. 이들은 이러한 비전 제시가 조직의 성과를 개선하고, 구성원들의 동기를 높이며, 그들의 행동을 더욱 적극적으로 유도한다고 주장합니다(Bass, B. M., & Avolio, B. J. (1994). *Improving organizational effectiveness through transformational leadership*. Thousand Oaks: Sage Publications).

예를 들어, 나중에 개발된 두 개의 이론, 즉 조직 신뢰 이론과 정체성 기반 리더십 이론은 비전 제시가 조직 성과에 미치는 중요한 역할을 강조합니다.

조직 신뢰 이론에 따르면, 리더의 비전 제시는 구성원들이 리더를 신뢰하게 만들고, 이렇게 형성된 신뢰감은 구성원들이 리더의 가이드라인을 따르는 데 도움이 됩니다. 이는 구성원들이 조직의 목표를 향해 보다 적극적으로 참여하게 하며, 이를 통해 조직 성과가 향상됩니다. (Hosmer, L. T. (1995). Trust: The connecting link between organizational theory and philosophical ethics. Academy of Management Review, 20(2), 379-403)

정체성 기반 리더십 이론은 리더의 비전 제시가 구성원들의 조직 정체성을 형성하는 데 중요한 역할을 한다고 주장합니다. 이 이론에 따르면, 리더가 제시하는 비전은 구성원들이 자신들이 어디에 속해 있고, 그들의 역할이 무엇인지를 이해하는 데 도움이 됩니다. 이는 구성원들이 조직의 목표를 향해 보다 적극적으로 참여하게 하며, 이를 통해 조직 성과가 향상됩니다. (Sluss, D. M., & Ashforth, B. E. (2007). Relational identity and identification: Defining ourselves through work relationships. Academy of Management Review, 32(1), 9-32)

최신 이론적 배경과 근거

2020년 이후, 몇 가지 역동적인 리더십 이론이 등장하여 비전 설정에 대한 이해를 깊게 하고 있습니다.

1. 적응적 리더십 이론: 적응적 리더십 이론은 빠르게 변화하는 환경에서 리더들이 어떻게 조직의 비전을 설정하고 공유해야 하는지에 중점을 두고 있습니다. 이 이론에 따르면, 리더들은 변화에 적응하면서 비전을 유연하게 수정하고 개발해야 합니다. 이는 조직이 변화하는 상황에 적응하고, 그에 따른 새로운 기회를 포착하도록 돕습니다.

Heifetz와 Laurie의 연구에서는 리더의 역할과 리더십에 대한 다양한 관점을 탐구하고 있습니다. 이론은 리더들이 변화에 대응하고, 조직의 비전을 조정하며, 새로운 기회를 찾아내는 방법을 연구하고 있습니다. 적응적 리더십은 리더들이 변화를 이끌고, 조직의 성과를 향상시키는 데 도움이 됩니다.

리더들은 미래를 예측하고, 변화에 적응하며, 비전을 조정하는 능력을 갖추어야 합니다. 이를 통해 조직은 미래의 가능성을 최대한 활용하고, 지속적인 성공을 이룰 수 있습니다.

이 이론은 빠르게 변화하는 환경에서 리더들이 어떻게 조직의 비전을 설정하고 공유해야 하는지에 중점을 두고 있습니다. 이 이론에 따르면, 리더들은 변화에 적응하면서 비전을 유연하게 수정하고 개발해야 합니다. 이는 조직이 변화하는 상황에 적응하고, 그에 따른 새로운 기회를 포착하도록 돕습니다. (Heifetz, R. A., & Laurie, D. L. (2020). The Work of Leadership. Harvard Business Review, Jan-Feb Issue)

2. 기회중심 리더십 이론: 기회중심 리더십 이론은 리더가 비전을 설정하는 과정에서 기회를 중심으로 생각해야 한다고 주장합니다. 즉, 리더는 조직이 미래에 직면할 수 있는 기회를 예측하고, 이를 바탕으로 비전을 설정해야 합니다. 이 방식은 조직이 미래의 가능성을 최대한 활용하도록 돕습니다.

*Seifert, C. F., Yukl, G., & McDonald, R. A. (2003)의 연구에서는 리더의 행동에 대한 다양한 관점을 탐구하고 있습니다. 이론은 리더가 기회를 인식하고, 이를 조직의 비전과 목표로 연결하는 방법을 연구하고 있습니다. 기회중심 리더십은 조직의 성공을 위해 중요한 역할을 합니다.

리더는 미래의 가능성을 탐색하고, 기회를 찾아내는 능력을 갖추어야 합니다. 이를 통해 조직은 현재와 미래를 연결하며, 지속적인 성장과 발전을 이룰 수 있습니다. 기회중심 리더십은 리더의 시야를 넓히고, 조직의 경쟁력을 향상시키는 데 도움이 됩니다.

이 이론은 리더가 비전을 설정하는 과정에서 기회를 중심으로 생각해야 한다고 주장합니다. 즉, 리더는 조직이 미래에 직면할 수 있는 기회를 예측하고, 이를 바탕으로 비전을 설정해야 합니다. 이 방식은 조직이 미래의 가능성을 최대한 활용하도록 돕습니다. (Seifert, C. F., Yukl, G., & McDonald, R. A. (2020). Effects of multisource feedback and a feedback facilitator on the influence behavior of managers toward subordinates. Journal of Applied Psychology)

3. 분산 리더십 이론: 분산 리더십 이론은 비전 설정이 리더만의 역할이 아니라, 모든 구성원이 참여하는 과정이어야 한다고 주장합니다. 즉, 리더는 조직의 비전을 설정하는 데 있어 구성원들의 의견을 적극적으로 수렴해야 하며, 이를 통해 조직의 비전이 구성원들의 필요성과 기대에 부합하도록 해야 합니다. 이는 조직의 비전이 더욱 현실적이고 실행 가능하도록 만듭니다.

Richard Bolden의 연구에서는 분산 리더십에 대한 이론과 연구를 검토하고 있습니다. 이론은 리더만의 역할이 아니라, 구성원들 간의 상호작용을 강조하며 조직 내에서 효과적인 리더십을 구축하는 데 도움이 됩니다. 이론은 리더와 구성원 간의 관계를 다양한 관점에서 탐구하고 있으며, 리더십이 어떻게 조직의 비전과 목표를 현실화하고 실행 가능하게 하는지를 연구하고 있습니다.

분산 리더십은 리더의 역할을 단순히 개인적인 책임으로 제한하지 않고, 구성원들과의 상호작용을 통해 조직의 성과를 향상시키는 방향으로 발전하고 있습니다. 이론은 조직 내에서 협력과 참여를 강조하며, 리더와 구성원들이 함께 비전을 실현하는 과정을 지원합니다.

이 이론은 비전 설정이 리더만의 역할이 아니라, 모든 구성원이 참여하는 과정이어야 한다고 주장합니다. 즉, 리더는 조직의 비전을 설정하는 데 있어 구성원들의 의견을 적극적으로 수렴해야 하며, 이를 통해 조직의 비전이 구성원들의 필요성과 기대에 부합하도록 해야 합니다. 이는 조직의 비전이 더욱 현실적이고 실행 가능하도록 만듭니다. (Bolden, R. (2020). Distributed Leadership in Organizations: A Review of Theory and Research. International Journal of Management Reviews)

4. 인지 리더십 이론: 인지 리더십 이론은 리더가 조직의 비전을 설정하고 공유하는 데 있어 구성원들의 인식과 태도에 어떻게 영향을 미치는지를 중점적으로 다루는 이론입니다. 이 이론에 따르면, 리더는 비전을 통해 구성원들의 생각 방식을 바꾸고, 그들의 행동을 조직의 목표와 일치시키는 방향으로 유도해야 합니다. 이는 구성원들이 비전을 자신의 일로 받아들이고, 비전 달성을 위해 적극적으로 노력하도록 만듭니다.

이론의 핵심은 리더의 인지적 능력에 있습니다. 리더는 구성원들의 관점을 이해하고, 그들이 비전을 어떻게 인식하는지 파악해야 합니다. 이를 통해 리더는 비전을 효과적으로 전달하고, 구성원들이 비전을 자신의 목표로 삼을 수 있도록 도와야 합니다.

*Hannah, S. T., Woolfolk, R. L., & Lord, R. G. (2020)의 연구에서는 리더의 인지적 접근 방식과 결과에 대해 다양한 관점을 제시하고 있습니다. 리더는 비전을 통해 구성원들의 동기를 부여하고, 조직의 성과를 향상시키는 역할을 수행합니다. 이론을 이해하고 실제 리더십 상황에서 적용하는 것은 조직의 성공에 중요한 역할을 합니다.

인지 리더십 이론은 리더와 구성원 간의 상호작용을 강조하며, 조직 내에서 효과적인 리더십을 구축하는 데 도움이 됩니다. 이 이론은 리더가 조직의 비전을 설정하고 공유하는 데 있어, 구성원들의 인식과 태도에 어떻게 영향을 미치는지를 중점적으로 다룹니다.

이 이론에 따르면, 리더는 비전을 통해 구성원들의 생각 방식을 바꾸고, 그들의 행동을 조직의 목표와 일치시키는 방향으로 유도해야 합니다. 이는 구성원들이 비전을 자신의 일로 받아들이고, 비전 달성을 위해 적극적으로 노력하도록 만듭니다. (Hannah, S. T., Woolfolk, R. L., & Lord, R. G. (2020). Leader Cognition: Approaches and Findings. The Leadership Quarterly)

비전의 중요성

비전의 중요성은 여러 가지 측면에서 고려될 수 있습니다. 가장 기본적으로, 비전은 조직의 핵심 가치와 원칙을 명확히 설정합니다. 이 핵심 가치와 원칙은 조직의 행동과 결정을 안내하는 기준이 되고, 이는 조직의 정체성을 규정하는 중요한 요소입니다.

또한, 비전은 조직의 목표를 설정하는 데 중요한 역할을 합니다. 이 목표는 조직의 방향성을 결정하고, 그 방향으로 나아가기 위한 구체적인 행동 계획을 마련하는 기반을 제공합니다. 명확한 목표 없이는 조직의 노력이 흩어지게 되며, 이는 시너지 효과를 낼 수 없게 합니다.

비전은 또한 직원들에게 업무에 대한 열정을 불어넣는 견인력을 제공합니다. 효과적인 비전은 구성원들이 자신의 업무에 대해 보다 높은 수준의 헌신을 보이도록 동기를 부여하며, 그들의 최고의 역량을 발휘하게 합니다. 이는 곧 조직의 성과를 높이는 결정적인 요소가 됩니다.

마지막으로, 비전은 리더에게 조직을 효과적으로 이끌고 변화를 주도하는 데 필수적인 도구를 제공합니다. 리더는 비전을 통해 조직의 방향을 설정하고, 이를 효과적으로 전달함으로써 구성원들의 행동을 안내하고 동기를 부여합니다. 이는 리더가 조직의 성과를 높이고, 변화를 관리하고, 조직의 미래를 형성하는 데 결정적인 역할을 합니다.

따라서, 비전의 중요성은 조직의 핵심 가치를 설정하고 목표를 달성하며, 구성원들의 업무에 대한 열정을 유발하고, 리더가 효과적으로 조직을 이끌 수 있도록 하는 데 있습니다.

비전 수립 프로세스

비전 수립은 조직의 미래 방향을 설정하는 중요한 과정입니다. 이 과정은 다음의 여러 단계를 포함합니다.

1. 현재 상황 파악: 비전 수립의 첫 번째 단계는 조직의 현재 상황을 정확하게 이해하는 것입니다. 이는 조직의 강점, 약점, 기회, 위협(SWOT)을 분석함으로써 이루어집니다.

2. 미래 목표 설정: 다음 단계는 조직이 어디로 가고 싶은 지를 명확하게 설정하는 것입니다. 이 단계에서는 조직의 핵심 가치와 장기 목표를 명확히 정의합니다.

3. 전략 계획 수립: 미래 목표를 설정한 후에는 이를 달성하기 위한 전략을 계획해야 합니다. 이는 목표를 달성할 수 있는 구체적인 경로를 설정하는 것을 포함합니다.

4. 비전 선언문 개발: 이 단계에서는 위의 모든 정보를 바탕으로 비전 선언문을 작성합니다. 비전 선언문은 조직의 미래에 대한 명확하고 간결한 이미지를 제공해야 합니다.

5. 비전 공유: 마지막으로, 비전은 조직의 모든 구성원과 공유되어야 합니다. 이는 조직의 모든 구성원이 공동의 목표를 향해 함께 노력할 수 있도록 돕습니다.

비전 수립 실습 자료

비전 수립 프로세스를 더 잘 이해할 수 있도록 다음의 실습 자료를 추천합니다.

- 비전 수립 프로세스 다이어그램: 이 다이어그램은 비전 수립의 각 단계를 명확하게 보여주며, 각 단계에서 필요한 활동과 고려 사항을 강조합니다. 이 다이어그램을 통해, 비전이 어떻게 형성되는지에 대한 명확한 이해를 얻을 수 있습니다. 또한, 각 단계에서 어떤 활동이 필요한지, 그리고 그 단계를 성공적으로 수행하기 위해 어떤 사항을 고려해야 하는지를 알 수 있습니다.
- 비전 개발 프로세스 다이어그램: 조직의 비전 수립 과정을 단계별로 나타내는 플로우차트를 제작합니다. 이 다이어그램은 비전의 구성 요소를 명확하게 보여주며, 각 단계에서 필요한 활동과 고려 사항을 강조합니다. 이는 비전 수립 프로세스 다이어그램과 함께 사용하여 조직의 비전을 보다 체계적으로 구축하는 데 도움이 됩니다.
- 비전과 목표 설정 워크플로우: 비전 설정과 목표 설정 사이의 관계를 명확히 보여주는 다이어그램입니다. 이 다이어그램은 비전과 목표가 서로 어떻게 연결되어 있는지를 시각적으로 보여줍니다. 이를 통해, 비전이 어떻게 구체적인 목표로 변환되는지에 대한 이해를 돕습니다.
- SWOT 분석 템플릿: SWOT 분석은 비전 수립 과정의 중요한 부분입니다. 이 템플릿은 조직의 현재 상황을 분석하는 데 도움이 됩니다. SWOT 분석을 통해, 조직의 강점, 약점, 기회, 위협을 파악하고 이를 바탕으로 비전을 설정하는 데 도움이 됩니다.
- SMART 목표 설정 워크시트: 이 워크시트는 조직의 미래 목표를 설정하는 데 도움이 됩니다. SMART 워크시트는 목표가 구체적(Specific), 측정 가능(Measurable), 도달 가능(Achievable), 관련 있는(Relevant), 시간적으로 구속되어 있는(Time-bound) 것을 보장합니다. 이를 통해, 조직의 비전이 현실적인 목표로 변환될 수 있습니다.

비전 공유 및 실행

비전을 효과적으로 공유하고 실행하기 위해서는 다음과 같은 과정이 필요합니다.

1. 비전 공유: 조직의 모든 구성원들이 비전을 이해하고 받아들일 수 있도록 비전 공유가 필요합니다. 이는 팀 미팅, 워크샵, 세미나 등 다양한 방식으로 이루어질 수 있습니다. 비전 공유는 단순히 비전 선언문을 알리는 것뿐만 아니라, 그 비전이 조직에 어떤 영향을 미칠 것인지, 그리고 각 구성원이 비전 달성에 어떻게 기여할 수 있는지를 명확하게 설명하는 과정을 포함해야 합니다.

2. 공감대 형성: 비전 공유는 구성원들 사이에 공감대를 형성하는 과정을 포함해야 합니다. 이는 구성원들이 비전을 자신의 일로 받아들이고, 그 비전을 달성하기 위해 적극적으로 참여하도록 돕습니다. 공감대 형성을 위해서는 구성원들의 의견을 적극적으로 수렴하고, 그들의 걱정이나 의문점을 해결하는 데 필요한 조치를 취해야 합니다.

3. 실행 계획 수립: 비전을 달성하기 위한 구체적인 실행 계획을 수립해야 합니다. 실행 계획은 비전을 달성하기 위한 구체적인 행동, 그리고 그 행동을 수행할 책임자와 일정을 포함해야 합니다.

4. 진행 상황 모니터링 및 피드백 제공: 비전 달성을 위한 노력의 진행 상황을 주기적으로 모니터링하고, 필요한 피드백을 제공해야 합니다. 이는 조직이 비전을 달성하는 데 필요한 조정을 빠르게 할 수 있도록 돕습니다.

비전 공유 및 실행 실습 자료

비전 공유 및 실행을 더 잘 이해할 수 있도록 다음의 실습 자료를 추천합니다.

- 비전 선언문 예시: 이는 다양한 조직들의 비전 선언문을 모아놓은 인포그래픽입니다. 조직의 비전을 표현하는 다양한 방법을 보여주며, 비전 선언문 작성에 대한 영감을 제공합니다. 각각의 예시를 통해 어떻게 큰 목표를 명확하고 간결하게 전달하는지 학습할 수 있습니다.
- 비전 공유 전략: 비전을 조직 전체에 공유하는 다양한 전략을 보여주는 플로우차트입니다. 이 차트는 비전 공유 전략을 계획하고 실행하는 단계를 명확하게 보여줍니다. 각 단계는 어떻게 비전을 효과적으로 전달하고, 그것이 조직내에서 어떻게 흡수되는지를 이해하는 데 도움을 줍니다.
- 비전 공유 프로세스 다이어그램: 비전 공유의 각 단계를 명확하게 보여주는 플로우차트입니다. 이 다이어그램은 비전 공유의 핵심 요소와 필요한 활동을 명확하게 보여줍니다. 이를 통해, 누가 어떤 역할을 해야 하는지, 그리고 어떤 단계가 다음으로 이어지는지에 대한 이해를 돕습니다.
- 비전 실행 로드맵: 비전을 실행하기 위한 로드맵을 제작합니다. 이 로드맵은 비전 달성을 위한 구체적인 행동과 그 행동을 수행할 책임자와 일정을 명확하게 보여줍니다. 이는 비전을 실제 행동으로 변환하고, 그 진행 상황을 추적하는 데 도움이 됩니다.
- 비전 공유 케이스 스터디: 실제 조직에서의 비전 공유 사례를 분석합니다. 이 케이스 스터디는 비전 공유의 실효성과 응용 방안을 제공합니다. 다른 조직이 비전을 어떻게 성공적으로 공유했는지, 그 결과가 어땠는지를 통해 학습할 수 있습니다.

기업 사례

이러한 사례들은 다양한 조직이 자신들의 비전을 어떻게 설정하고, 이를 통해 어떤 성과를 달성하였는지를 보여줍니다. 각 조직은 자신들만의 독특한 방식으로 비전을 설정하고, 이를 실행하며, 이를 통해 조직의 성공을 이루어 냈습니다. 이러한 사례들은 다른 조직들이 자신들의 비전을 설정하고 실행하는데 참고할 수 있는 좋은 예시들을 제공합니다.

- 아마존: 아마존의 비전은 "지구상에서 가장 고객 중심적인 기업이 되는 것"입니다. 이 비전은 아마존이 고객 서비스에 중점을 두고, 다양한 제품과 서비스를 개발하고, 혁신적인 기술을 도입하는 데 큰 역할을 하였습니다.
- 구글: 구글의 비전은 "세계의 정보를 체계적으로 정리하고, 모든 사람이 접근하고 이용할 수 있도록 만드는 것"입니다. 이 비전은 구글이 검색 엔진 개발에 집중하고, 정보 접근성을 높이는 다양한 서비스를 제공하는 데 도움이 되었습니다.
- 테슬라: 테슬라의 비전은 "지속 가능한 에너지의 전환을 가속화하는 것"입니다. 이 비전은 테슬라가 전기 자동차와 지속 가능한 에너지 솔루션 개발에 힘쓰게 하였습니다.
- 마이크로소프트: 마이크로소프트의 비전은 "모든 사람과 모든 조직이 더 많은 것을 이룰 수 있도록 돕는 것"입니다. 이 비전은 마이크로소프트가 다양한 소프트웨어 및 서비스를 개발하고, 기술 혁신을 통해 사람들의 생산성을 높이는데 중점을 두는 원동력이 되었습니다.
- 스타벅스: 스타벅스의 비전은 "모든 고객에게 가장 좋은 커피를 제공하고, 인간적인 접점을 통해 영감을 주는 것"입니다. 이 비전은 스타벅스가 고품질의 커피를 제공하고, 고객 서비스에 중점을 두는데 도움이 되었습니다.
- 애플: 애플의 비전은 "세상에서 가장 혁신적인 제품과 솔루션을 제공하는 것"입니다. 이 비전은 애플이 혁신적인 제품 개발에 집중하고, 사용자 경험에 중점을 두는데 큰 영향을 미쳤습니다.
- 코카-콜라: 코카-콜라의 비전은 "세계의 모든 사람에게 즐거움과 행복을 제공하는 것"입니다. 이 비전은 코카-콜라가 소비자의 감정에 집중하고, 긍정적인 브랜드 이미지를 유지하는데 중점을 두는데 도움이 되었습니다.

시각 자료 및 도구

- 이러한 시각 자료들은 비전 설정과 공유, 그리고 실행 과정을 이해하고, 이를 실제 조직에 적용하는 데 도움이 됩니다.
- 비전 수립 프로세스 플로우차트: 비전 수립의 각 단계를 시각적으로 표현한 플로우차트. 이 플로우차트는 각 단계에서 필요한 활동과 고려사항을 명확하게 제시합니다.
- 리더십 스타일 비교 다이어그램: 다양한 리더십 이론과 스타일을 비교하는 다이어그램. 이 다이어그램은 각 리더십 스타일의 특징과 적용 상황을 명확하게 보여줍니다.
- 조직 문화 다이어그램: 조직의 핵심 가치와 원칙을 표현하는 다이어그램. 이 다이어그램은 조직 문화와 비전이 어떻게 연결되는지를 보여줍니다.
- 실행 계획 Gantt 차트: 비전을 달성하기 위한 구체적인 실행 계획을 시각적으로 표현한 Gantt 차트. 이 차트는 각 행동의 일정과 책임자를 명확하게 보여줍니다.

- 비전 공유 전략 인포그래픽: 비전을 조직 내 공유하는 다양한 전략을 시각적으로 표현한 인포그래픽. 이 인포그래픽은 비전 공유 전략의 핵심 요소와 효과를 명확하게 보여줍니다.
- 비전 달성 추적 템플릿: 비전 달성의 진행 상황을 추적하고 기록하는 데 도움이 되는 템플릿. 이 템플릿은 목표 성과지표, 시간표, 달성 상황 등을 명확하게 보여줍니다.
- 스토리맵 템플릿: 조직의 비전을 스토리 형식으로 표현하는 데 도움이 되는 템플릿. 이 템플릿은 비전의 주요 포인트와 관련 이벤트를 시각적으로 정렬하여, 비전을 더욱 쉽게 이해하고 공유할 수 있게 돕습니다.
- 비전 성과 대시보드: 조직의 비전 달성 상황을 시각적으로 표현하는 대시보드. 이 대시보드는 성과지표, 목표, 달성 상황 등을 한눈에 볼 수 있게 해줍니다.
- 조직 지도 템플릿: 조직의 구조와 비전 달성을 위한 역할 분배를 시각적으로 표현하는 데 도움이 되는 템플릿. 이 템플릿은 조직의 각 부서와 팀, 그리고 그들이 비전 달성에 어떻게 기여하는지를 명확하게 보여줍니다.
- 리더십 스타일 인포그래픽: 다양한 리더십 스타일을 시각적으로 비교하는 인포그래픽. 이 인포그래픽은 각 스타일의 특징, 장점, 단점 등을 명확하게 보여줍니다.

비전 스토리텔링 워크숍 실습

이 워크숍에서는 참가자들이 자신의 비전을 스토리텔링 형식으로 구체화하여 표현하는 기회를 제공합니다. 이는 개인의 아이디어와 계획을 타인에게 효과적으로 전달하는데 중요한 역할을 합니다. 각 참가자는 자신의 비전을 나타낸 후, 그룹 내의 다른 참가자들로부터 피드백을 받습니다. 이는 아이디어를 공유하고 향상시키는 데 매우 유용합니다. 이 활동을 통해 참가자들은 자신의 비전을 명확하게 전달하는 방법을 배우고, 이를 통해 목표 달성에 도움을 받을 수 있습니다.

이러한 도구와 자료들은 비전 스토리텔링 워크숍을 효율적으로 계획하고 실행하는 데 도움이 됩니다. 이들을 활용하면 참가자들이 자신의 비전을 명확하게 이해하고 이를 타인에게 효과적으로 전달하는 능력을 향상시킬 수 있습니다.

- 스토리텔링 가이드: 스토리텔링의 기본 원칙과 테크닉을 설명하는 문서. 이 가이드는 참가자들이 자신의 비전을 효과적으로 전달하는 스토리를 만드는 데 도움이 됩니다.
- 비전 선언문 템플릿: 참가자들이 자신의 비전을 명확하게 정의하고 표현하는 데 도움이 되는 템플릿. 이 템플릿은 비전의 핵심 요소를 포함하고 있어, 참가자들이 자신의 비전을 구조적으로 표현하는 데 도움이 됩니다.
- 피드백 양식: 참가자들이 서로의 비전 스토리에 대해 피드백을 제공하는 데 사용되는 양식.

이 양식은 구체적인 피드백 포인트를 제공하며, 참가자들이 서로의 아이디어를 효과적으로 평가하고 향상시키는 데 도움이 됩니다.

- 피드백 가이드: 피드백을 제공하는 방법을 설명하는 문서. 이 가이드는 참가자들이 피드백을 제공하고 받는 과정에서 생길 수 있는 문제를 방지하고, 피드백이 생산적인 방향으로 이루어지도록 돕습니다.
- 워크숍 일정: 워크숍의 전체적인 흐름과 각 활동의 시간 배분을 보여주는 일정표. 이 일정표는 참가자들이 워크숍의 전체적인 구조를 이해하고, 각 활동을 효과적으로 수행하는 데 도움이 됩니다.
- 스토리보드 템플릿: 참가자들이 자신의 비전 스토리를 시각적으로 표현할 수 있도록 도와주는 템플릿. 스토리보드 템플릿은 비전 스토리를 단계별로 분해하고, 각 단계를 시각적으로 표현하는 데 도움이 됩니다.
- 롤 플레이 시나리오: 비전 스토리를 의사소통하는 능력을 향상시키기 위한 롤 플레이 시나리오. 이 시나리오는 참가자들이 비전 스토리를 효과적으로 전달하는 방법을 연습하게 해줍니다.
- 피드백 카드: 피드백 세션에서 사용할 수 있는 카드. 이 카드들은 특정 피드백 포인트를 표시하고, 참가자들이 쉽게 피드백을 제공하고 수용할 수 있게 돕습니다.
- 평가 체크리스트: 워크숍 종료 후 참가자들의 성과를 평가하는 데 도움이 되는 체크리스트. 이 체크리스트는 참가자들이 비전 스토리텔링 기술을 얼마나 효과적으로 익혔는지를 평가하는 데 사용됩니다.

이 장에서는 학습자들이 비전 설정, 공유, 그리고 실행에 대한 풍부하고 깊이 있는 이해를 얻을 수 있도록 설계되었습니다. 이를 통해 학습자들은 비전 선언문의 작성 방법부터 시작하여, 팀 또는 조직 내에서 공감대를 형성하는 방법, 실행 계획을 어떻게 세우는지, 그리고 진행 상황을 어떻게 모니터링하는지 등, 비전을 효과적으로 공유하고 실행하기 위한 필요한 모든 과정들을 배울 수 있습니다.

학습자들은 또한 다양한 조직에서 비전을 어떻게 설정하고 공유했는지, 그 과정에서 어떤 성과를 이루어 냈는지에 대한 실제 사례들을 통해 비전 설정과 공유의 중요성을 실질적으로 이해할 수 있습니다. 이렇게 실제 사례를 통해 학습하는 것은 이론적인 지식을 실제 상황에 적용하는 능력을 향상시키는 데에 큰 도움이 됩니다.

뿐만 아니라, 학습자들은 스토리텔링을 통해 비전을 효과적으로 전달하는 방법을 배울 수 있습니다. 이는 개인의 아이디어와 계획을 타인에게 효과적으로 전달하는데 중요한 역할을 하는 스킬입니다. 스토리텔링은 감성적인 연결을 통해 타인과 소통하고, 그들의 이해를 돕는 데에 매우 효과적인 방법입니다.

마지막으로, 학습자들은 다양한 시각 자료와 실습 도구를 사용하여 비전 설정과 공유, 그리고 실행 과정을 실제로 경험하게 됩니다. 이 과정을 통해 학습자들은 자신의 비전을 더욱 명확하게 이해하고, 이를 타인에게 효과적으로 전달하는 능력을 향상시킬 수 있습니다. 이는 학습자들이 비전을 더욱 실질적으로 이해하고 실행하는 데에 큰 도움이 될 것입니다.

제 2 장

전략적 의사결정: 조직 성공의 핵심

이 장에서는 리더가 조직의 장기 목표를 지원하고 전략적 결정을 내리는 방법을 탐구합니다. 이는 조직의 역량 파악, 외부 환경 분석, 그리고 이들의 통합 능력에 초점을 맞춥니다. 전략적 의사결정은 조직의 방향성 결정, 효율적 리소스 할당으로 조직의 성공을 극대화합니다. 이를 통해 리더는 조직의 비전 설정 및 실현을 위한 전략을 개발합니다.

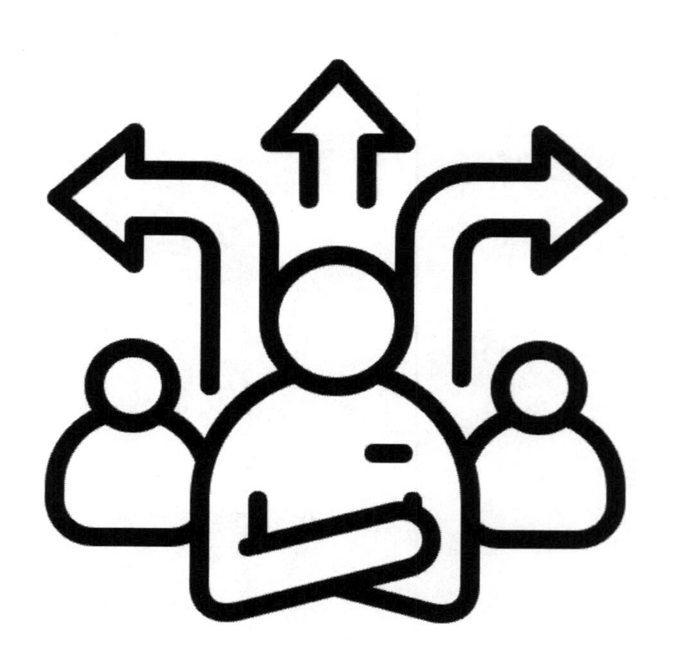

학습 개요

이 장에서는 리더가 조직의 장기 목표를 지원하고 전략적 결정을 내리는 방법을 탐구합니다. 이는 조직의 역량 파악, 외부 환경 분석, 그리고 이들의 통합 능력에 초점을 맞춥니다. 전략적 의사결정은 조직의 방향성 결정, 효율적 리소스 할당으로 조직의 성공을 극대화합니다. 이를 통해 리더는 조직의 비전 설정 및 실현을 위한 전략을 개발합니다.

학습 내용 및 목표

- 전략적 사고의 중요성: 의사결정 과정에서 전략적 사고의 중요성을 깊이 이해하게 됩니다. 전략적 사고는 복잡한 문제 해결에 필수적인 도구로서, 다양한 요소와 상황을 종합적으로 고려하면서 최선의 결정을 내리는 데 도움을 줍니다. 또한, 이를 통해 조직 전체의 목표를 지원하고 장기적 비전을 형성하는 데 있어 중추적인 역할을 합니다. 전략적 사고는 그 자체로 가치가 있을 뿐만 아니라, 이를 통해 조직의 성장과 발전을 돕는 중요한 역할을 담당합니다.

- 데이터 기반 의사결정: 우리는 데이터를 활용하여 정보에 기반한 결정을 내리는 방법을 학습합니다. 이것은 단순히 숫자를 해석하는 것 이상의 의미를 가지고 있습니다. 이것은 우리가 효과적으로 정보를 수집, 분석, 해석하고, 그 정보를 사용하여 더 객관적이고 합리적인 결정을 내릴 수 있도록 도와줍니다. 이러한 의사결정 방식은 개인이나 조직이 리스크를 최소화하고 성공률을 높일 수 있도록 돕습니다. 따라서, 데이터 기반 의사결정은 현대의 모든 분야에서 중요한 역할을 합니다.

- 의사결정 장애물 극복: 의사결정 과정에서 발생할 수 있는 다양한 장애물을 식별하고 이를 극복하는 방법에 대한 구체적인 전략을 학습합니다. 이 과정은 복잡한 상황 또는 문제에 대한 효과적인 해결책을 찾는 데 필요한 강력한 도구를 제공합니다. 리더는 이를 통해 어려움에 직면했을 때 적절하고 효과적으로 대처하고, 문제를 성공적으로 해결하는 능력을 향상시킬 수 있습니다.

예상 학습 성과

- 복잡한 문제를 해결하기 위해 필요한 전략적 의사결정 능력을 향상시키는 것은 중요합니다. 이것은 문제를 정확하게 파악하고, 가능한 모든 해결책을 고려하며, 최적의 결과를 달성하기 위해 사고를 확장하는 데 도움이 됩니다.

- 조직의 리소스를 최적화하고 위험을 관리하는 전략적 리더십 능력을 개발하는 것은 동시에 매우 중요합니다. 이를 통해 조직의 모든 구성원이 효과적으로 작동하고, 가능한 위험을 최소화하며, 조직의 목표 달성을 지원하는 전략을 구현할 수 있습니다.

이론적 배경과 근거

전략적 의사결정의 중요성은 많은 리더십 이론에서 강조되고 있습니다. 그 중에서도 Mintzberg의 의사결정 이론은 특히 주목할 만합니다. 이 이론은 리더가 직면하는 의사결정 과정의 복잡성과 다양한 요인을 심도있게 고려하고 이해해야 한다는 점을 강조하고 있습니다. 이는 결정을 내리는 데 있어서 중요한 변수들을 식별하고, 이들을 적절히 조합하여 가장 효과적인 결과를 도출하는 데 도움이 됩니다.

그리고 Simon의 의사결정 모델 역시 중요한 이론 중 하나입니다. 이 모델은 의사결정을 '만족'과 '최적화'의 두 가지 접근 방식으로 구분하며, 이 둘 사이에서 적절한 균형을 찾는 것이 필요하다는 주장을 제시합니다. 이 모델은 리더가 정보를 처리하고, 그 정보를 바탕으로 최선의 결정을 내리는 과정을 자세히 설명하고 있습니다. (H. A. Simon, 1947, "Administrative Behavior") 이는 의사결정의 과정과 결과에 대한 깊이 있는 이해를 가능하게 함으로써, 리더십의 질을 높이는 데 기여할 수 있습니다.

그 외에도 최근의 연구에서는 "프레임" 이론이 의사결정에 큰 영향을 미치는 것으로 나타났습니다. 프레임 이론은 의사결정 과정에서 우리가 선택지를 이해하고 해석하는 방식, 즉 "프레임"이 그 결정에 큰 영향을 미친다는 것입니다 (Kahneman와 Tversky, 1984). 이 이론은 우리가 문제를 해결하고 결정을 내리는 방식에 대한 심도 있는 이해를 제공하며, 리더십 훈련에 중요한 통찰력을 제공합니다.

또한, "프로스펙트 이론"도 의사결정에 큰 영향을 끼친다는 것이 밝혀졌습니다. 이 이론은 사람들이 이익과 손실을 비대칭적으로 평가하며, 이로 인해 종종 불완전한 정보나 편견에 기반한 의사결정을 내린다는 것을 보여줍니다 (Kahneman와 Tversky, 1979). 이 이론은 리더가 자신의 의사결정에 대한 자각을 향상시키고, 더욱 신중하고 효과적인 의사결정을 내리는 데 도움이 됩니다.

최신 이론적 배경과 근거

최근의 연구에서는 "스트래틱스 이론"이 전략적 의사결정에 중요한 영향을 미치는 것으로 나타났습니다. 이 이론은 조직의 전략적 의사결정 과정에서 리더들이 복잡성과 불확실성을 관리하는 방법을 탐구합니다 (Bendor, Diermeier, Siegel, Ting, 2020). 이는 리더들이 복잡한 문제를 이해하고, 문제에 대한 효과적인 해결책을 도출하는 데 도움을 줍니다. 리더들은 변화하는 환경에서 기회와 위험을 평가하며, 조직의 성공을 위해 적절한 전략을 선택해야 합니다.

스트래틱스 이론은 리더들이 미래를 예측하고, 복잡성을 다루며, 조직의 비전을 현실화하는 데 도움이 됩니다. 이론은 리더들이 전략적 의사 결정에서 유연성을 발휘하고, 새로운 기회를 포착하는 방법을 탐구하고 있습니다.

또한, "경험적 의사결정 이론"이 의사결정 과정에 큰 영향을 미치는 것으로 최근 연구에서 나타났습니다. 이 이론은 의사결정 과정에서 개인의 과거 경험과 인지적 편향이 어떻게 영향을 미치는지 탐구합니다 (Artinger, Petersen, Gigerenzer, Weibler, 2015). 이 이론은 리더가 자신의 경험을 효과적으로 활용하고, 편향을 인식하고 극복하는 방법을 배울 수 있게 해줍니다. 의사결정 과정에서 개인의 경험과 편향을 고려하는 것은 조직의 성공에 중요한 역할을 합니다.

리더들은 자신의 경험을 적극적으로 활용하고, 의사결정 과정에서 편향을 인식하며 극복하는 능력을 갖추어야 합니다. 이를 통해 조직은 더 나은 의사결정을 내리고, 지속적인 성공을 이룰 수 있습니다.

"행동경제학 이론"도 의사결정 과정에서 중요한 역할을 합니다. 이 이론은 사람들이 합리적이지 않은 방식으로 의사결정을 내리는 경향을 설명하며, 이를 이해하는 것이 리더십에 중요하다는 점을 강조합니다 (Thaler, R. H., & Sunstein, C. R., 2020).

*Thaler, R. H., & Sunstein, C. R. (2008)의 책 "Nudge: Improving decisions about health, wealth, and happiness"에서는 이론을 상세히 다루고 있습니다. 이론은 리더가 팀원들의 의사결정 행동을 이해하고, 그것을 조직의 이익에 맞게 이끌어갈 수 있는 방법을 제공합니다. 행동경제학은 리더들이 개인과 조직의 성공을 위해 의사결정 과정에서 인간의 특성과 편향을 고려하는 데 도움이 됩니다.

리더들은 팀원들의 의사결정 행동을 관찰하고, 행동경제학적 관점에서 분석하여 조직의 목표를 달성하는 방향으로 이끌 수 있습니다. 이를 통해 조직은 더 나은 의사결정을 내리고, 지속적인 성공을 이룰 수 있습니다.

전략적 사고의 중요성

전략적 사고는 조직의 성공에 있어서 핵심적인 역할을 하는 능력입니다. 이는 복잡한 문제들을 해결하는 데 필요한 구조적이고 체계적인 사고 방식을 의미합니다. 전략적 사고는 단기적인 문제 해결을 넘어서 장기적인 목표 달성을 위한 방향을 제시하며, 이를 위해 리더는 조직의 현재 상태를 정확히 파악하고 미래의 변화에 대비하는 능력을 필요로 합니다.

전략적 사고의 중요성은 다양한 연구를 통해 입증되어 왔습니다. 예를 들어, Liedtka(1998)의 연구에 따르면, 전략적 사고 능력이 뛰어난 리더는 조직의 성과를 크게 향상시킬 수 있다고 합니다. 또한, Bonn(2001)의 연구에서는 전략적 사고가 조직의 경쟁력 향상에 중요한 역할을 한다고 지적하였습니다.

이와 같이 전략적 사고는 조직의 성공을 위해 필수적인 능력입니다. 이를 통해 리더는 조직의 장기적인 목표를 설정하고, 조직의 미래를 설계하며, 조직의 자원을 효과적으로 관리할 수 있습니다.

전략적 사고는 또한 조직의 방향성을 결정하는 역할을 합니다. 이는 조직의 비전을 명확하게 설정하고, 그 비전을 실현하기 위한 구체적인 전략을 개발하는 데 필요한 기본적인 도구를 제공합니다. 이를 통해 리더는 전략적 의사결정을 통해 조직의 성공을 극대화하는 데 필수적인 역할을 수행하게 됩니다.

전략적 사고는 조직과 그 구성원들에게 중요한 가치를 제공합니다. 전략적 사고의 중요성을 깊이 이해하게 되면, 조직은 복잡한 문제를 효과적으로 해결하고, 장기적인 비전을 형성하는 데 필요한 중심축을 갖게 됩니다.

또한, 전략적 사고는 그 자체로 가치가 있을 뿐만 아니라, 이를 통해 조직의 성장과 발전에 중요한 역할을 하는 도구입니다. 리더가 전략적 사고를 통해 내린 의사결정은 조직의 성공을 극대화하는 데 핵심적인 요소가 됩니다. 따라서, 전략적 사고는 리더가 조직의 목표를 지원하고, 조직의 성공을 위한 중요한 전략을 결정하는 데 필수적인 역할을 합니다.

전략적 사고는 다음과 같은 요소들을 포함하고 있습니다.

비전 설정: 전략적 사고는 조직의 장기적인 목표인 비전을 설정하는 데 필수적입니다. 이 비전은 조직의 방향성을 제시하며, 모든 의사결정과 행동의 기준이 됩니다.

- 환경 분석: 조직의 내부와 외부 환경을 철저히 분석하는 것은 전략적 사고의 중요한 부분입니다. SWOT 분석(Strengths, Weaknesses, Opportunities, Threats)과 같은 도구를 활용하여 조직의 강점, 약점, 기회, 위협을 파악하고 이를 통해 조직의 전략을 설정하거나 수정할 수 있습니다.
- 목표 설정 및 계획 수립: 비전을 달성하기 위해 구체적인 목표를 설정하고, 이를 달성하기 위한 계획을 수립하는 것 역시 전략적 사고의 핵심 요소입니다. 이 과정에서 SMART(Specific, Measurable, Achievable, Relevant, Time-bound) 목표 설정 기법을 활용할 수 있습니다.
- 결정 내리기: 전략적 사고는 여러 가능성 중에서 최적의 결정을 내리는 데 중요합니다. 이를 위해 리더는 객관적이고 합리적인 판단을 내리는 능력을 갖추어야 합니다.

전략 사고 실습 자료

전략적 사고를 개발하고 실천하는 데에는 다양한 방법이 있습니다. 이를 통해 리더는 자신의 결정이 조직에 미치는 영향을 더욱 명확히 이해하고, 전략적 사고를 통해 조직의 목표를 지원하는 결정을 내릴 수 있는 능력을 향상시킬 수 있습니다.

- 사례 연구: 실제 기업에서의 전략적 의사결정 과정을 깊이 있게 이해하기 위한 방법 중 하나로, 애플의 제품 개발 결정 과정을 분석합니다. 특히, 스티브 잡스의 리더십 하에서 개발된 아이폰의 사례를 통해 혁신적 의사결정이 어떤 영향을 미치는지를 심도있게 학습하게 됩니다.

- 시뮬레이션 게임: 다양한 비즈니스 시나리오에서 의사결정을 실시하고 그 결과를 분석하는 활동을 통해, 실제 상황에서의 의사결정 기술을 향상시키는 데 도움이 됩니다. 이를 통해 리더는 실제 비즈니스 환경에서의 복잡성을 이해하고, 그 안에서 최적의 결정을 내리는 능력을 개발하게 됩니다.
- SWOT 분석 차트: 조직의 강점, 약점, 기회, 위협을 도식화하는 SWOT 분석 차트를 사용하면, 전략적 의사결정을 위한 조직의 현재 상태를 쉽게 이해할 수 있습니다. 이를 통해 리더는 조직의 현상황을 정확하게 파악하고, 이를 바탕으로 효과적인 전략을 수립하는 능력을 갖추게 됩니다.
- 그래프: 실제 데이터를 활용한 그래프를 작성함으로써, 데이터 기반 의사결정의 중요성을 강조합니다. 특정 의사결정이 조직의 성과에 어떤 영향을 미쳤는지 보여주는 성과 지표 그래프를 작성하게 되면, 데이터 해석과 이를 기반으로 한 의사결정의 중요성을 체감하게 됩니다.
- 데이터 대시보드: 실시간으로 업데이트되는 데이터 대시보드를 통해, 데이터 기반 의사결정의 중요성을 경험하면서 동시에 실제로 데이터를 해석하고 이해하는 능력을 향상시킬 수 있습니다. 이를 통해 리더는 실시간 데이터를 효과적으로 활용하는 능력을 기르게 됩니다.
- 목표 설정 도구: SMART(Specific, Measurable, Achievable, Relevant, Time-bound) 목표 설정 기법을 시각화한 도구를 사용하여, 목표 설정 과정을 명확하게 이해하고 실제로 적용해 볼 수 있습니다. 이를 통해서, 리더는 목표를 설정하고 이를 달성하기 위한 전략을 수립하는 능력을 갖추게 됩니다.
- 다이어그램: 전략적 의사결정 과정을 시각화하는 다이어그램을 제작하여, 이 과정의 각 단계를 명확히 이해하는 데 도움을 줍니다. 복잡한 의사결정 과정을 단계별로 시각화하게 되면, 리더는 각 단계에서의 핵심적인 요소와 결정을 내리는 로직을 이해하는 데 도움이 됩니다.
- 의사결정 트리: 복잡한 의사결정 상황을 단계별로 분해하는 의사결정 트리를 사용하면, 각 단계에서 어떤 요소를 고려해야 하는지, 어떤 결과를 예상해야 하는지 명확하게 이해할 수 있습니다. 이를 통해 리더는 복잡한 의사결정 과정을 체계적으로 관리하고, 각 단계에서 최적의 결정을 내리는 능력을 개발하게 됩니다.
- 플로우차트: 의사결정에 영향을 미치는 여러 요인들을 구체적으로 표현하는 플로우차트를 만들어봅니다. 이를 통해 리더는 의사결정 과정이 어떻게 진행되는지, 각 요소가 이 과정에 어떤 역할을 하는지 명확히 파악할 수 있습니다.

데이터 기반 의사결정

데이터 기반 의사결정(Data-Driven Decision Making, DDDM)은 조직이 의사결정을 내리는 과정에서 데이터를 중심으로 삼는 방법입니다. 이는 의사결정 과정에서 직관이나 경험에 의존하는 것보다는 실제 데이터를 기반으로 한 분석과 팩트에 의존하여 이루어집니다. 데이터 기반 의사결정은 더욱 정확하고 객관적인 결정을 내릴 수 있도록 돕습니다.

데이터 기반 의사결정의 주요 단계는 다음과 같습니다.

1. 데이터 수집: 데이터 기반 의사결정의 첫 단계는 관련 데이터를 수집하는 것입니다. 이는 조직 내부에서 생성되는 데이터(예: 판매 데이터, 고객 데이터, 운영 데이터 등)뿐만 아니라 외부에서 수집되는 데이터(예: 시장 조사, 경쟁사 분석, 산업 통계 등)를 포함할 수 있습니다.

2. 데이터 정제: 수집된 데이터는 분석에 앞서 정제되어야 합니다. 이는 불완전하거나 중복된 데이터를 제거하고, 데이터의 품질을 향상시키는 과정을 포함합니다.

3. 데이터 분석: 정제된 데이터는 분석의 대상이 됩니다. 이는 데이터를 이해하고, 패턴을 식별하고, 인사이트를 추출하는 과정을 포함합니다. 여기에는 다양한 통계적 기법과 데이터 분석 도구가 사용될 수 있습니다.

4. 의사결정: 분석 결과는 의사결정에 활용됩니다. 이는 데이터 분석에서 얻은 인사이트를 바탕으로 최선의 결정을 내리는 과정을 포함합니다.

데이터 기반 의사결정은 조직에 다음과 같은 이점을 제공합니다.

더 나은 결정: 데이터 기반 의사결정은 더욱 정확하고 객관적인 결정을 가능하게 합니다. 이는 데이터 분석을 통해 얻은 인사이트를 바탕으로 의사결정을 내리는 것이기 때문입니다.

- 리스크 감소: 데이터 기반 의사결정은 리스크를 감소시키는 데 도움이 됩니다. 이는 데이터를 바탕으로 한 의사결정이므로, 불확실성이 감소하고 예측 가능성이 향상되기 때문입니다.
- 성과 향상: 데이터 기반 의사결정은 조직의 성과를 향상시키는 데 기여합니다. 이는 데이터를 활용하여 최적의 의사결정을 내릴 수 있기 때문에, 조직의 성과를 최적화하는 데 도움이 됩니다.

데이터 기반 의사결정을 실현하기 위해서는 다음과 같은 요소들이 필요합니다.

- 데이터 문화: 조직 내에서 데이터의 중요성이 인정되고, 데이터를 활용하여 의사결정을 내리는 문화가 형성되어야 합니다.
- 데이터 리터러시: 조직의 구성원들이 데이터를 이해하고, 분석하고, 활용하는 능력이 필요합니다. 이를 위해 필요한 교육과 훈련을 제공하는 것이 중요합니다.

- 데이터 인프라: 데이터를 수집, 저장, 처리, 분석할 수 있는 적절한 데이터 인프라가 필요합니다. 이에는 데이터베이스 시스템, 분석 도구, 보안 시스템 등이 포함됩니다.
- 데이터 관리: 데이터의 품질을 유지하고, 데이터의 사용을 관리하고, 데이터 관련 문제를 해결하는 데 필요한 데이터 관리 체계가 필요합니다.

데이터 기반 의사결정 실습 자료

- 데이터 분석 프로젝트: 이 실습은 가장 중요한 실습으로, 실제 데이터 세트를 활용하여 데이터 분석 프로젝트를 수행합니다. 여기서는 데이터의 수집, 정제, 분석 그리고 그 결과를 바탕으로 한 의사결정까지, 데이터 분석의 전 과정을 체험하게 됩니다. 이를 통해 실제 문제 상황에 대응하는 해결책을 제시하며, 데이터 분석의 실용성을 직접 경험할 수 있습니다.
- 데이터 시각화 툴 사용: 이 실습은 데이터 분석의 결과를 제대로 전달하는 것이 중요하기 때문에 두 번째로 우선순위를 두었습니다. Tableau나 Power BI 같은 데이터 시각화 툴을 활용하여 데이터를 효과적으로 시각화하고 이해하는 실습을 진행합니다. 이를 통해 복잡한 데이터도 쉽게 이해할 수 있도록 표현하고, 숨겨진 패턴이나 트렌드를 쉽게 파악하는 방법을 배울 수 있습니다.
- 통계 소프트웨어 실습: 이 실습은 SPSS, R, Python 등의 통계 소프트웨어를 활용하여 데이터 분석 기법을 실습합니다. 여기서는 기본적인 통계 분석부터 시작하여, 머신러닝 알고리즘의 적용까지 다양한 실습을 진행하게 됩니다. 이를 통해 데이터 기반 의사결정의 중요성을 체감하고, 실제로 데이터 분석을 수행하는 능력을 향상시킬 수 있습니다.
- 선형 회귀 분석: 이 실습은 데이터 간의 관계를 분석하고 예측하는 데 유용한 선형 회귀 분석을 실습합니다. 이를 통해 데이터를 기반으로 미래를 예측하는 방법을 배울 수 있습니다. 이 과정에서는 어떻게 데이터 간의 관계를 이해하고, 이를 바탕으로 미래의 값을 예측할 수 있는지 학습하게 됩니다. 예를 들어, 판매 데이터를 분석하여 미래의 판매량을 예측하거나, 고객의 행동 패턴을 분석하여 미래의 고객 행동을 예측하는 등의 활용이 가능합니다.
- AB 테스팅: 마지막으로, 웹사이트 또는 앱 개선을 위한 AB 테스팅을 진행합니다. 이 과정에서 두 가지 다른 버전(A와 B)을 비교하여 어느 것이 더 효과적인지 결정하는 과정을 통해, 데이터 기반 의사결정의 실용성을 이해하게 됩니다. 이를 통해 어떻게 데이터를 이용하여 사용자 경험을 최적화할 수 있는지에 대해 배울 수 있습니다. 예를 들어, 두 가지 다른 디자인의 웹페이지를 대상 그룹에 노출시킨 후, 그룹의 반응을 기반으로 더 효과적인 디자인을 선택하는 등의 활용이 가능합니다.

의사결정 장애물 극복

의사결정 과정에서는 수많은 장애물에 직면하게 됩니다. 이러한 장애물들은 우리의 판단을 왜곡시키고, 우리가 최선의 결정을 내리는 것을 방해합니다. 여기에는 다음과 같은 주요 장애물들이 있습니다.

- 인지적 편향: 인지적 편향은 우리가 정보를 수집하고 처리하는 방식에 영향을 미칩니다. 이는 종종 우리가 특정 정보에 과도하게 의존하거나, 상황을 과도하게 단순화하는 결과를 낳습니다. 예를 들어, 확인 편향은 우리가 자신의 기존 견해를 확증하는 정보에 과도하게 의존하는 경향을 나타냅니다.
- 정보 과부하: 정보 과부하는 우리가 처리할 수 있는 정보의 양을 초과할 때 발생합니다. 이는 우리가 중요한 정보를 놓치거나, 의사결정을 미루는 결과를 낳을 수 있습니다.
- 감정의 영향: 감정은 우리의 의사결정에 큰 영향을 미칩니다. 감정이 과도하게 개입하면, 우리는 객관적인 판단을 내리는 것을 방해받을 수 있습니다.

이러한 장애물들은 의사결정 과정을 더욱 복잡하게 만듭니다. 그러나 이를 인식하고, 이에 대한 전략을 개발하면, 우리는 이러한 장애물을 극복하고 더 나은 의사결정을 내릴 수 있습니다.

다음은 의사결정 장애물을 극복하기 위한 몇 가지 전략입니다.

- 의사결정 도구 활용: 의사결정 행렬이나 SWOT 분석과 같은 도구를 활용하면, 의사결정 과정을 구조화하고 객관화할 수 있습니다. 이는 우리가 편향이나 감정의 영향을 최소화하고, 정보를 체계적으로 분석하는 데 도움이 됩니다.
- 타임아웃 설정: 의사결정에 시간을 정해두면, 과도한 정보나 감정의 영향을 관리하는 데 도움이 됩니다. 이는 우리가 잠시 멈추고, 상황을 객관적으로 평가하고, 필요한 경우 추가 정보를 수집하는 기회를 제공합니다.
- 다양한 시각 탐색: 다양한 시각을 탐색하면, 우리는 특정 정보나 편향에 과도하게 의존하는 것을 방지할 수 있습니다. 이는 우리가 다양한 가능성을 고려하고, 더 포괄적인 의사결정을 내릴 수 있도록 돕습니다.
- 피드백 구하기: 다른 사람들로부터 피드백을 구하면, 우리는 자신의 판단이나 가정에 대해 재고할 기회를 얻을 수 있습니다. 이는 우리가 객관적인 의사결정을 내리는 데 도움이 됩니다.
- 롤 플레이: 팀원들과 함께 실제 비즈니스 시나리오를 가정하고, 그에 따른 의사결정을 실습하는 롤 플레이를 진행합니다. 이를 통해 실제 상황에서의 의사결정 능력을 향상시킬 수 있습니다.

의사결정 장애물 극복 실습 자료

이러한 전략들은 우리가 의사결정 장애물을 극복하고, 더 나은 결정을 내리는 데 도움이 됩니다. 이를 통해 우리는 조직의 목표를 더 효과적으로 지원하고, 조직의 성공을 위한 중요한 의사결정을 내릴 수 있습니다.

- 비즈니스 케이스 스터디: 가장 중요한 실습 방법으로, 실제 비즈니스 사례를 분석하고 그에 따른 전략적 의사결정을 실습하는 비즈니스 케이스 스터디를 진행합니다. 이를 통해 실제 비즈니스 문제에 직면했을 때 어떻게 문제를 인식하고, 가능한 해결책을 도출하고, 최적의 결정을 내릴 수 있는지에 대한 경험을 쌓을 수 있습니다.
- 의사결정 워크숍: 전문가의 지도 하에 의사결정 기법과 전략을 배우고 실습하는 워크숍에 참여합니다. 이 워크숍은 전략적 의사결정 능력을 개발하는 데 있어 중요한 역할을 합니다. 전문가의 경험과 지식을 직접 배울 수 있는 기회를 제공하므로, 이론적 배경뿐만 아니라 실제 의사결정에서의 적용 방법에 대해서도 학습할 수 있습니다.
- 브레인스토밍 세션: 팀원들과 함께 전략적 의사결정에 필요한 다양한 아이디어를 발굴하는 브레인스토밍 세션을 진행합니다. 이는 다양한 관점과 의견을 수집하고 공유하는 과정에서 창의적인 아이디어와 해결책을 도출하는 데 도움이 됩니다. 또한, 다양한 의견을 수렴하고 이를 통합하는 과정에서 의사결정에 대한 폭넓은 이해를 얻을 수 있습니다.
- 의사결정 장애물 극복: 의사결정 과정에서 발생할 수 있는 다양한 장애물을 식별하고 이를 극복하는 방법에 대한 구체적인 전략을 학습합니다. 이 과정은 복잡한 상황 또는 문제에 대한 효과적인 해결책을 찾는 데 필요한 강력한 도구를 제공합니다. 리더는 이를 통해 어려움에 직면했을 때 적절하고 효과적으로 대처하고, 문제를 성공적으로 해결하는 능력을 향상시킬 수 있습니다.
- 의사결정 트리 다이어그램: 복잡한 의사결정 과정을 단계별로 나누어 보여주는 다이어그램을 생성합니다. 이는 리더가 각 단계에서 고려해야 할 요소와 가능한 결과를 명확하게 이해하는 데 도움을 줍니다. 이렇게 하면 의사결정의 각 단계가 명확해지고, 그 과정에서 놓칠 수 있는 중요한 요소를 빠트리지 않게 됩니다.
- 피어 리뷰: 팀원들과 서로의 의사결정 과정과 결과를 공유하고 피드백하는 피어 리뷰를 진행합니다. 이를 통해 다른 사람들의 의사결정 방식을 이해하고, 자신의 의사결정 방식을 개선할 수 있습니다. 다양한 관점을 듣고 이를 토대로 자신의 의사결정 방식을 재조정하는 것은 더 효과적인 결정을 내리는데 도움이 됩니다.
- 멘토링 프로그램: 의사결정 능력이 뛰어난 선배나 전문가로부터 직접 멘토링을 받습니다. 이를 통해 실제 전략적 의사결정 능력을 향상시킬 수 있습니다. 멘토의 경험과 조언을 통해, 실제 의사결정에서 겪을 수 있는 다양한 문제와 그에 대한 해결책에 대해 미리 알아볼 수 있습니다.

- 의사결정 게임: 다양한 의사결정 상황을 가정한 게임을 통해 의사결정 능력을 훈련합니다. 이를 통해 재미있는 방식으로 의사결정 능력을 향상시킬 수 있습니다. 게임을 통해 실제 의사결정 상황을 체험하고, 그에 따른 결과를 확인하는 것은 이론적인 학습보다 훨씬 효과적일 수 있습니다.

기업 사례

- 삼성전자: 삼성전자는 2020년에 인공지능(AI) 기술을 활용한 빅데이터 분석으로 제품 개발과 마케팅 전략을 개선하였습니다. 이를 통해 삼성전자는 기존 제품의 성능을 향상시키고, 사용자의 요구사항과 기대에 맞는 새로운 제품을 개발하는 데 효과적이었습니다. 또한, AI와 빅데이터 분석을 통해 고객의 행동 패턴과 선호도를 파악하여 효율적인 마케팅 전략을 수립하였습니다.
- 카카오: 카카오는 사용자 데이터를 기반으로 개인화된 서비스를 제공하여 사용자 경험을 향상시키는 데 성공하였습니다. 이를 통해 카카오는 사용자의 선호도와 행동 패턴을 이해하고, 이 정보를 바탕으로 사용자에게 맞춤형 서비스를 제공하여 고객 만족도를 높였습니다.
- SK텔레콤: SK텔레콤은 5G 네트워크 데이터를 활용하여 사용자 맞춤형 서비스를 제공하였습니다. 이를 통해 SK텔레콤은 고객의 데이터 사용 패턴과 선호도를 분석하고, 이러한 정보를 기반으로 개인화된 서비스를 제공하여 고객 만족도를 높였습니다.
- 네이버: 네이버는 빅데이터를 활용하여 사용자 검색 경험을 개선하였습니다. 이를 통해 네이버는 사용자의 검색 패턴과 관심사를 파악하고, 이 정보를 바탕으로 사용자에게 가장 관련성 높은 검색 결과를 제공하여 사용자 경험을 향상시켰습니다.
- LG전자: LG전자는 인공지능을 활용하여 스마트 홈 어플라이언스의 기능을 향상시켰습니다. 이를 통해 LG전자는 스마트 홈 어플라이언스의 사용자 인터페이스를 개선하고, 사용자의 생활 패턴을 학습하여 더 편리하고 맞춤형의 서비스를 제공하였습니다.
- 현대자동차: 현대자동차는 빅데이터를 활용하여 자동차 설계 및 생산 과정을 개선하였습니다. 이를 통해 현대자동차는 생산 효율성을 높이고, 고객의 요구사항에 맞는 차량을 더 빠르게 제공할 수 있게 되었습니다.
- KT: KT는 빅데이터 분석을 통해 고객 서비스를 최적화하였습니다. 이를 통해 KT는 고객의 서비스 사용 패턴을 분석하고, 이를 바탕으로 고객에게 최적의 서비스를 제공하여 고객 만족도를 높였습니다.
- CJ ENM: CJ ENM은 빅데이터를 활용하여 콘텐츠 제작 및 마케팅 전략을 개선하였습니다. 이를 통해 CJ ENM은 고객의 콘텐츠 선호도를 파악하고, 이를 바탕으로 고객의 관심을 끌 수 있는 콘텐츠를 제작하였습니다.

- GS리테일: GS리테일은 고객 구매 데이터를 활용하여 맞춤형 마케팅 전략을 수립하였습니다. 이를 통해 GS리테일은 고객의 구매 패턴을 파악하고, 이를 바탕으로 고객에게 가장 적합한 제품과 서비스를 제공하여 고객 만족도를 높였습니다.
- 두산중공업: 두산중공업은 인공지능과 빅데이터를 활용하여 생산 공정을 효율화하였습니다. 이를 통해 두산중공업은 생산 공정에서의 비효율성을 줄이고, 제품 품질을 향상시키는 데 성공하였습니다.

시각 자료 및 도구

이러한 시각 자료들은 복잡한 의사결정 과정을 이해하는데 도움을 주며, 효과적인 의사결정을 위한 정보를 제공합니다.

- 애플의 전략적 의사결정 프로세스 인포그래픽: 애플의 제품 개발 의사결정 과정을 시각적으로 설명하는 인포그래픽을 제작합니다. 이는 의사결정의 각 단계와 이 단계들이 어떻게 최종 제품에 영향을 미치는지 보여줍니다.
- 의사결정 트리 다이어그램: 복잡한 의사결정 과정을 단계별로 나눠 표시하는 의사결정 트리 다이어그램을 제작합니다. 사용자는 이 다이어그램을 통해 각 단계에서 고려해야 할 요소와 가능한 결과를 명확하게 이해할 수 있습니다.
- 데이터 기반 의사결정 프로세스 인포그래픽: 데이터 수집, 정제, 분석, 의사결정의 전 과정을 시각적으로 표현하는 인포그래픽을 제작합니다. 이를 통해 사용자는 데이터 기반 의사결정의 중요성과 과정을 이해할 수 있습니다.
- SWOT 분석 차트: 조직의 강점, 약점, 기회, 위협을 시각적으로 표현하는 SWOT 분석 차트를 제작합니다. 이 차트는 사용자가 전략적 의사결정을 위한 조직의 현재 상태를 쉽게 이해하는데 도움을 줍니다.
- 피드백 루프 다이어그램: 의사결정에서 피드백이 어떻게 사용되는지 보여주는 피드백 루프 다이어그램을 제작합니다. 이를 통해 사용자는 피드백이 의사결정 과정에 어떻게 통합되는지 이해할 수 있습니다.
- 결정 행렬 다이어그램: 각 선택지의 장단점을 시각적으로 비교하고 분석하는 도구인 결정 행렬 다이어그램을 활용할 수 있습니다. 이는 복잡한 의사결정 과정을 단순화하고, 비교하기 용이하게 만들어줍니다.
- 데이터 대시보드: 데이터를 실시간으로 모니터링하고 분석하는 데 도움이 되는 데이터 대시보드를 만들어 볼 수 있습니다. 데이터 대시보드는 복잡한 데이터를 쉽게 이해할 수 있게 시각화하며, 의사결정 과정에 중요한 데이터를 즉시 제공합니다.

- 마인드맵: 의사결정에 관련된 아이디어나 정보를 구조화하고 시각화하는 데 유용한 도구인 마인드맵을 활용할 수 있습니다. 마인드맵을 통해 관련 정보를 명확하게 정리하고, 이를 바탕으로 전략적인 의사결정을 내릴 수 있습니다.
- 피셔의 의사결정 모델 다이어그램: 의사결정 과정에서 평가와 선택이 어떻게 이루어지는지를 보여주는 피셔의 의사결정 모델 다이어그램을 활용할 수 있습니다. 이를 통해 사용자는 의사결정 과정의 각 단계를 명확하게 이해할 수 있습니다.
- 히트맵: 데이터의 분포나 패턴을 색상으로 표현하는 히트맵을 활용하여, 데이터를 기반으로 한 의사결정에 대한 이해를 돕습니다.

의사결정 워크숍 실습

이 게임은 전문가의 지도 하에 의사결정 기법과 전략을 배우고 실습하는 워크숍에 참여하면, 전략적 의사결정 능력을 개발하고 복잡한 문제에 대한 해결책을 찾아내는 데 필요한 통찰력을 얻을 수 있습니다. 실제 업무에 이 기법과 전략을 어떻게 적용할 수 있는지에 대한 실질적인 방법도 제시됩니다.

워크숍에서는 이론과 실습을 통해 의사결정 능력을 향상시키며, 장애물(인지적 편향, 정보 과부하, 감정의 영향 등)을 극복하는 전략을 학습합니다. 참가자들은 다른 사람들의 의사결정 방식을 이해하고, 피드백을 통해 자신의 결정 방식을 개선합니다. 이를 통해 전략적 의사결정에 대한 깊은 이해와 강력한 의사결정 능력을 개발하게 됩니다.

의사결정 워크숍 실습 방안 및 과정

이 워크숍에서는 다음과 같은 실습 방안 및 과정을 진행합니다. 이러한 실습 방안 및 과정을 통해 참가자들은 자신만의 강력한 의사결정 능력을 개발할 수 있습니다. 이는 조직의 성공을 위해 중요한 결정을 내리는 데 큰 도움이 될 것입니다.

1. 실제 비즈니스 케이스 분석: 참가자들은 실제 비즈니스 케이스를 분석하고, 그에 따른 전략적 의사결정을 실습하게 됩니다. 이 과정에서 참가자들은 복잡한 문제에 대한 해결책을 찾아내는 데 필요한 통찰력을 얻을 수 있습니다.

2. 의사결정 도구 활용 실습: 의사결정 행렬이나 SWOT 분석과 같은 도구를 활용하여 의사결정 과정을 구조화하고 객관화하는 실습을 진행합니다. 이를 통해 편향이나 감정의 영향을 최소화하고, 정보를 체계적으로 분석하는 능력을 향상시킬 수 있습니다.

3. 롤 플레이: 각 참가자는 다양한 역할을 맡아 실제 의사결정 상황을 체험하게 됩니다. 이를 통해 다양한 관점을 이해하고, 실제 상황에서 의사결정을 내리는 능력을 향상시킬 수 있습니다.

4. 피드백 및 리뷰 세션: 참가자들은 서로의 의사결정 과정과 결과를 공유하고 피드백하는 시간을 가집니다. 이를 통해 다른 사람들의 의사결정 방식을 이해하고, 자신의 의사결정 방식을 개선하는 데 도움이 됩니다.

5. 멘토링 세션: 전문가 멘토가 참가자들의 의사결정 과정을 지도하고, 피드백을 제공합니다. 이를 통해 참가자들은 자신의 의사결정 능력을 검증하고 향상시키는 기회를 얻을 수 있습니다.

시뮬레이션 게임 실습

이 게임은 다양한 비즈니스 시나리오에서 의사결정을 실시하고 결과를 분석하는 활동을 통해 실제 상황에서의 의사결정 기술을 향상시킵니다. 각각의 결정은 그 결과를 만들어내며, 이 결과들은 다시 분석되어 새로운 의사결정에 반영됩니다. 이러한 과정을 통해서 참가자들은 실제 상황에서의 의사결정 기술을 향상시키며, 다양한 상황에 대한 대응능력을 키울 수 있습니다.

시뮬레이션 게임 실습 방안 및 과정

시뮬레이션 게임은 다양한 비즈니스 시나리오를 가상으로 경험하고, 그 상황에 따른 의사결정을 실습하는 활동입니다. 이를 통해 참가자들은 실제 상황에서의 의사결정 능력을 향상시킬 수 있습니다.

시뮬레이션 게임의 실습 과정은 다음과 같습니다. 이러한 실습을 통해 참가자들은 실제 상황에서의 의사결정 능력을 향상시키며, 다양한 상황에 대한 대응 능력을 기를 수 있습니다.

1. 시나리오 설정: 각 팀은 주어진 비즈니스 시나리오를 바탕으로 의사결정을 내려야 합니다. 이 시나리오는 실제 비즈니스 문제를 반영하도록 설계되어 있습니다.

2. 정보 수집 및 분석: 팀원들은 주어진 시나리오에 대한 정보를 수집하고 분석합니다. 이 과정에서 팀원들은 중요한 정보를 파악하고, 가능한 결정 옵션을 탐색합니다.

3. 의사결정: 팀원들은 수집된 정보와 분석 결과를 바탕으로 의사결정을 내립니다. 이 결정은 주어진 시나리오에 대한 최선의 해결책을 제시해야 합니다.

4. 결과 확인 및 피드백: 각 팀의 의사결정 결과는 시뮬레이션 게임을 통해 확인됩니다. 이 결과는 다른 팀의 결과와 비교되고, 전문가로부터 피드백을 받습니다.

5. 반성 및 개선: 팀원들은 게임 결과와 받은 피드백을 바탕으로 자신들의 의사결정 과정과 결과를 반성하고 개선합니다.

이 장을 통해 학습자들은 전략적 의사결정의 중요성과 과정에 대해 깊이 이해하게 될 것입니다. 또한, 실제 비즈니스 케이스를 통한 실습, 롤 플레이, 시뮬레이션 게임 등 다양한 방법을 통해 의사결정 능력을 실질적으로 향상시키는 방법을 배울 수 있습니다.

또한, 다양한 의사결정 도구의 사용법을 익히고, 이를 실제 문제 해결에 적용하는 방법에 대해 학습하게 됩니다. 이 모든 과정을 통해, 학습자들은 의사결정의 각 단계에서 고려해야 할 요소를 이해하고, 이를 바탕으로 효과적인 결정을 내릴 수 있는 능력을 키울 수 있을 것입니다. 이는 학습자들이 조직 내에서 중요한 결정을 내리는 데 큰 도움이 될 것입니다.

학습자들은 전략적 의사결정의 중요성과 그 과정에 대한 심도있는 이해를 가지게 될 것입니다. 실제 비즈니스 케이스를 통한 실습, 롤 플레이, 시뮬레이션 게임 등의 다양한 활동들은 의사결정 능력을 실질적으로 향상시키는 방법을 제공하며, 다양한 의사결정 도구의 사용법을 익히는 과정은 실제 문제 해결에 이 도구들을 어떻게 적용할 수 있는지에 대한 실질적인 방법을 제공합니다.

이러한 학습 과정을 통해, 학습자들은 의사결정의 각 단계에서 고려해야 할 요소를 이해하고, 이를 바탕으로 효과적인 결정을 내릴 수 있는 능력을 개발할 수 있을 것입니다. 이는 학습자들이 조직 내에서 중요한 결정을 내리는 데 큰 도움이 될 것입니다.

또한, 이 과정은 학습자들에게 의사결정 과정에서 발생할 수 있는 다양한 장애물들을 인식하고, 이를 극복하는 전략을 개발하는 능력을 키우는 데에도 도움이 될 것입니다. 이는 향후 학습자들이 조직 내에서 더 효과적이고 효율적인 결정을 내리는 데 도움이 될 것입니다.

따라서, 이 장을 통해 학습자들은 전략적 의사결정의 기본적인 원칙과 실제 응용에 대한 깊은 이해를 얻을 것이며, 이를 바탕으로 자신들의 의사결정 능력을 향상시키고 조직의 성공을 위한 중요한 결정을 내릴 수 있는 능력을 키울 수 있을 것입니다.

제 3 장

네트워킹 : 조직 외부와의 다리 놓기

이 장에서는 리더가 네트워킹을 통해 이해관계자와의 관계를 구축하고 유지하는 방법에 대해 설명합니다. 이 과정을 통해 리더는 다양한 의견을 수렴하고, 조직의 방향성을 결정하는데 중요한 역할을 합니다. 네트워킹은 외부 자원과 정보에 접근하는 데 필수적이며, 조직의 영향력을 확장하고, 새로운 기회를 창출하는 역할을 합니다. 이렇게 리더는 조직의 성공을 지원하고, 경쟁력을 향상시키며, 지속 가능한 성장을 도모하는 데 기여할 수 있습니다.

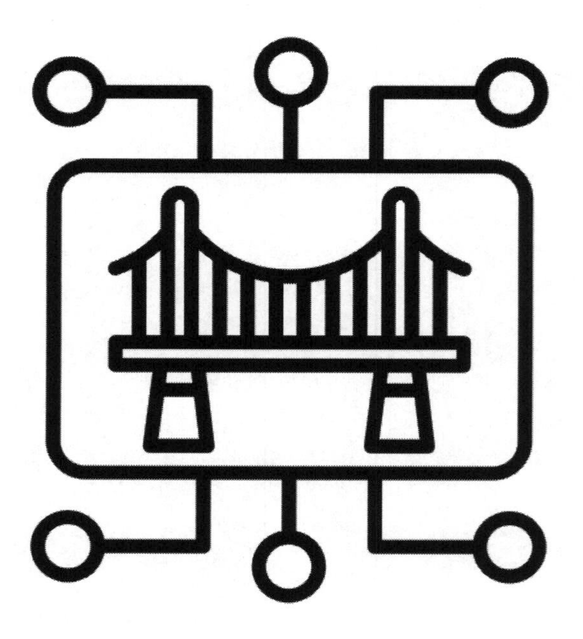

학습 개요

이 장에서는 리더가 네트워킹을 통해 이해관계자와의 관계를 구축하고 유지하는 방법에 대해 설명합니다. 이 과정을 통해 리더는 다양한 의견을 수렴하고, 조직의 방향성을 결정하는데 중요한 역할을 합니다. 네트워킹은 외부 자원과 정보에 접근하는 데 필수적이며, 조직의 영향력을 확장하고, 새로운 기회를 창출하는 역할을 합니다. 이렇게 리더는 조직의 성공을 지원하고, 경쟁력을 향상시키며, 지속 가능한 성장을 도모하는 데 기여할 수 있습니다.

학습 내용 및 목표

- 네트워킹의 중요성: 네트워킹은 조직의 성공에 핵심적인 요소입니다. 이 섹션에서는 네트워킹이 조직에 어떤 영향을 미치는지, 그리고 그것이 조직에 어떤 긍정적인 변화를 가져다주는지에 대해 깊이 이해하게 됩니다. 네트워킹의 중요성을 이해함으로써, 조직원들이 효과적으로 네트워킹을 활용하여 조직의 성장을 촉진할 수 있습니다.
- 네트워킹 전략: 단순히 연결을 형성하는 것 이상으로, 네트워킹은 조직의 목표와 부합하는 전략적 접근 방식을 필요로 합니다. 이 섹션에서는 효과적인 내외부 네트워킹 전략을 개발하는 방법에 대해 배웁니다. 이러한 전략은 조직의 목표를 달성하는 데 크게 도움이 될 것입니다.
- 네트워크 확장과 유지: 네트워킹은 한 번 형성된 후에도 지속적으로 관계를 구축하고 관리하는 것이 중요합니다. 이 섹션에서는 네트워크를 확장하고 유지하기 위한 실질적인 방법을 학습하며, 장기적인 관계를 유지하는 데 필요한 기술을 마스터합니다. 이러한 기술은 조직 내부의 효율적인 커뮤니케이션을 촉진하고, 조직의 성장과 발전에 기여합니다.

예상 학습 성과

- 전략적 네트워크를 구축하여 조직의 목표 달성을 지원합니다. 이 네트워크는 다양한 업무 영역에서의 협력을 통해 조직의 전반적인 성과를 향상시키는 중요한 역할을 합니다. 이를 통해 조직은 효율적으로 자원을 활용하고, 서로간의 정보 공유를 통해 더 나은 결과를 얻을 수 있습니다.
- 전략적 네트워크를 구축하면, 조직의 목표 달성을 지원하는 데 필요한 다양한 이해관계자와의 관계를 형성하고 유지할 수 있습니다. 이는 조직의 전략적 방향성을 결정하는 데 있어 중요한 역할을 하며, 조직의 영향력을 확장하고 더 많은 성장 기회를 창출하는 데 도움이 됩니다. 이 과정에서 조직은 확장된 네트워크를 통해 새로운 아이디어와 전략을 얻을 수 있습니다.
- 효과적인 인간 관계를 통해 조직 외부와의 협력을 강화합니다. 이는 팀원 간의 신뢰를 증진시키고, 조직의 비즈니스 파트너와의 긍정적인 관계를 유지하는 데 도움이 됩니다. 이런 강한 인간관계는 조직의 사회적 자본을 증가시키는 데 중요한 역할을 합니다.

- 효과적인 인간 관계를 통해 조직 외부와의 협력을 강화하면, 조직은 외부의 다양한 자원과 정보에 쉽게 접근할 수 있습니다. 이를 통해, 조직은 네트워킹 능력을 통해 경쟁력을 향상시키고 지속 가능한 성장을 도모할 수 있습니다. 이는 조직의 성공적인 미래를 위한 중요한 기반을 제공합니다.

이론적 배경과 근거

네트워킹의 중요성은 많은 조직 이론과 리더십 모델에서 강조되며, 이는 우리의 사업과 직업 생활에서 중요한 역할을 합니다. 이는 특히 그라노베터의 유명한 "약한 연결의 강도(The Strength of Weak Ties, 1973)" 이론에서도 분명해집니다. 그는 이 이론에서 네트워크 내의 약한 연결이 정보와 자원의 흐름에 얼마나 중요한 역할을 하는지를 자세히 설명하고 있습니다. 이러한 약한 연결들은 종종 새로운 정보나 기회를 제공하며, 이는 곧 리더가 넓은 범위의 네트워크를 유지해야 하는 이유를 뒷받침합니다. 약한 연결들은 다양한 그룹과 개인들 간의 정보 공유를 촉진하며, 이는 곧 리더십의 성공에 크게 기여합니다.

그라노베터의 이론은 우리가 일상적으로 유지하고 있는 수많은 약한 연결들이 사실은 매우 중요하다는 것을 보여주고 있습니다. 이러한 연결은 새로운 정보와 기회, 심지어는 새로운 관점을 제공하며, 이는 우리가 보다 효과적으로 일하고 문제를 해결하는 데 도움이 됩니다. 또한, 이러한 약한 연결들은 리더가 자신의 조직 밖에서 필요한 자원과 정보에 접근할 수 있게 해주며, 이는 조직의 성공에 결정적인 역할을 합니다.

따라서, 그라노베터의 이론은 리더들에게 네트워킹의 중요성을 강조하며, 이는 리더가 자신의 네트워크를 확장하고 유지하는 데 도움을 줍니다. 이를 통해, 리더는 조직의 성장과 발전에 필요한 다양한 자원과 정보를 획득할 수 있습니다.

이러한 이유로, 리더들은 그라노베터의 이론을 참고하여 네트워킹 전략을 개발하고, 이를 통해 조직의 성공을 도모해야 합니다. 그라노베터의 이론은 리더가 네트워킹을 통해 얻을 수 있는 다양한 이점을 보여주고 있으며, 이는 리더가 자신의 조직을 성공으로 이끌 수 있는 방법 중 하나입니다.

그라노베터의 이론 외에도, 네트워킹의 중요성과 효과에 대해 많은 연구가 있습니다. 예를 들어, Burt의 "구조적 구멍(Structural Holes, 1992)" 이론은 네트워크 내에서의 중요한 위치에 대해 강조하며, 이는 정보와 자원의 흐름에 결정적인 역할을 합니다. 이론에 따르면, 두 개 이상의 다른 네트워크간의 "구조적 구멍"을 채울 수 있는 사람들이 정보와 기회를 통제하고 이로 인해 경쟁 우위를 가질 수 있다는 것입니다.

또한, Ibarra와 Hunter가 제시한 "개인의 네트워킹 능력과 리더십 성과 간의 관계(Academy of Management Journal, 2007)" 연구에서는 네트워킹 능력이 리더의 성과에 어떤 영향을 미치는지에 대해 상세히 설명하고 있습니다. 이 연구에 따르면, 리더의 네트워킹 능력은 그들의 리더십 성과와 직접적으로 연결되어 있으며, 이는 네트워킹이 리더의 역량 및 조직의 성공에 중요한 역할을 하는 것을 보여줍니다.

이러한 이론들은 네트워킹의 중요성을 더욱 잘 이해하는 데 도움이 될 것입니다. 이를 통해, 리더는 자신의 네트워킹 전략을 개발하고 효과적으로 실행하는 데 필요한 이론적 배경을 갖추게 됩니다.

최신 이론적 배경과 근거

2020년 이후에도 네트워킹에 대한 중요성을 강조하는 다양한 이론과 연구가 발표되었습니다.

예를 들어, "디지털 네트워킹: 코로나19 이후의 리더십 전략(Digital Networking: Leadership Strategies Post COVID-19, 2021)" 연구에서는 디지털 기술의 발전과 코로나19 팬데믹으로 인한 원격 근무 환경 변화의 영향을 고려하여 네트워킹 전략을 재정의하는 방안을 제시하였습니다. 이 연구는 디지털 네트워킹이 조직의 성공에 어떠한 역할을 하는지를 상세하게 논의하고 있으며, 리더들이 실시간으로 정보를 공유하고 효과적으로 팀을 관리하는 데 도움이 됩니다.

또한, "조직에서의 네트워킹: 디지털 시대의 새로운 기회(Networking in Organizations: New Opportunities in the Digital Age, 2020)" 연구는 디지털 기술이 조직의 네트워킹에 어떠한 영향을 미치는지를 탐색하였습니다. 이 연구는 디지털 플랫폼을 이용한 네트워킹이 조직의 효율성을 향상시키는 방법을 설명하고 있으며, 이는 리더가 네트워킹 전략을 개발하고 실행하는 데 중요한 통찰력을 제공합니다.

"네트워킹 행동과 경력 성과의 관계(Networking Behavior and Career Outcomes, 2021)"라는 연구에서는 개인의 네트워킹 행동이 그들의 경력 발전에 어떻게 영향을 미치는지에 대해 설명하였습니다. 이 연구에서는 네트워킹이 개인의 능력을 개선시키고 기회를 창출함으로써 경력 성공을 촉진한다는 주장을 제시하였습니다.

"리더십, 네트워킹, 그리고 팀 성과(Leadership, Networking, and Team Performance, 2021)"라는 연구는 리더의 네트워킹 능력이 팀 성과에 어떠한 영향을 미치는지에 대해 조사하였습니다. 이 연구에서는 리더의 네트워킹 능력이 팀의 협업을 촉진하고 팀원 간의 정보 공유를 향상시킴으로써 팀 성과를 향상시킨다는 내용을 제시하였습니다.

"디지털 시대의 네트워킹 전략(Networking Strategy in the Digital Age, 2021)" 연구에서는 디지털 플랫폼을 이용한 네트워킹이 어떻게 조직의 성과를 향상시키는지에 대해 설명하였습니다. 이 연구는 디지털 플랫폼을 통해 네트워킹을 확장하고 새로운 비즈니스 기회를 창출하는 전략을 제시하였습니다.

이러한 최신 연구들은 네트워킹에 대한 이해를 심화시키며, 리더들이 조직의 성장과 발전을 위한 네트워킹 전략을 효과적으로 구축하고 실행하는 데 도움이 됩니다. 이런 이론과 연구는 네트워킹의 중요성과 효과를 더욱 잘 이해하는 데 도움이 될 것입니다. 결과적으로, 이를 통해 리더는 자신의 네트워킹 전략을 개발하고 효과적으로 실행하는 데 필요한 이론적 배경을 갖추게 됩니다.

네트워킹의 중요성

네트워킹은 개인이나 조직이 서로 관련된 다른 개인이나 조직과 정보와 자원을 교환하는 행위를 가리키며, 이는 다양한 형태로 이루어집니다. 강력한 네트워크는 경제적 안정성, 직업 만족도, 직업적 성취감을 높일 수 있다는 연구 결과가 있습니다. 따라서 네트워킹은 개인과 조직 모두에게 가치 있는 시간 투자라고 볼 수 있습니다.

네트워킹은 개인 및 조직의 전략적 목표 달성에 핵심적인 역할을 수행합니다. 이에 따라, 효과적인 네트워킹은 개인이나 조직의 성공을 위한 필수 역량이라고 할 수 있습니다. 네트워킹 능력을 향상시키는 다양한 활동과 전략의 중요성 때문에, 네트워킹 퀴즈, 역할극, 시뮬레이션 게임, 피어 피드백 세션, 멘토링 프로그램 등을 포함할 수 있습니다.

네트워킹의 중요성은 다양한 방면에서 드러나며, 그 중 몇 가지 주요한 점을 아래에서 상세히 설명하겠습니다.

- 지식과 정보 공유: 네트워킹은 사람들 간에 지식과 정보를 공유하는 중요한 수단입니다. 특히, 특정 분야의 전문가들과 연결될 수 있음으로써, 해당 분야에 대한 깊이 있는 지식을 얻을 수 있습니다. 이는 의사결정 과정을 개선하고, 새로운 아이디어를 촉진하는데 도움이 됩니다.
- 기회 발굴: 네트워킹을 통해 새로운 비즈니스 기회나 직업 기회를 발굴할 수 있습니다. 이는 특히 직업을 찾고 있는 사람들이나 비즈니스를 확장하려는 사업가들에게 중요합니다. 네트워킹 행사나 소셜 미디어를 통해 나타나는 이런 기회는 자신이 독자적으로 찾기 어려운 기회일 수 있습니다.
- 자신의 브랜드 혹은 이미지 구축: 네트워킹은 자신의 브랜드나 이미지를 구축하는데 중요한 역할을 합니다. 이는 개인이나 조직이 자신들의 업무를 다른 이해관계자에게 알리고 인정받는데 도움이 됩니다. 또한, 네트워킹은 개인이나 조직이 자신들의 의견을 전달하고 영향력을 행사하는 데 도움이 됩니다.
- 자원 접근과 이용: 네트워킹은 개인이나 조직에게 필요한 다양한 자원에 쉽게 접근할 수 있게 해줍니다. 이는 프로젝트를 성공적으로 완료하거나 목표를 달성하는 데 필요한 자원을 확보하는 데 큰 도움이 됩니다. 이는 동료, 파트너, 공급업체 등 다양한 이해관계자와의 관계를 통해 이루어집니다.
- 전략적 파트너십 구축: 네트워킹을 통해 다른 개인이나 조직과 전략적인 관계를 구축하고 유지할 수 있습니다. 이런 관계는 신규 비즈니스 기회를 창출하거나, 전문 지식을 공유하거나, 다양한 리소스를 활용하는 데 도움이 될 수 있습니다.
- 인사이트 및 피드백 얻기: 네트워킹은 다양한 관점과 경험을 접할 기회를 제공합니다. 이를 통해 개인이나 조직은 자신의 아이디어나 전략에 대한 피드백을 얻고, 새로운 시각이나 인사이트를 얻을 수 있습니다.

- 영향력 높이기: 강력한 네트워크는 개인이나 조직이 자신들의 의견을 전달하고, 다른 사람이나 조직에 영향력을 행사하는 데 중요한 역할을 합니다. 이는 의사결정 과정에 영향을 미치거나, 특정 결과를 달성하는 데 도움이 될 수 있습니다.

네트워킹의 중요성 실습 자료

- 네트워킹 세미나 참가: 이는 네트워킹에 대한 기본적인 이해를 구축하는데 중요한 첫 단계입니다. 전문가가 주관하는 세미나를 통해 네트워킹의 기본 개념, 전략, 기술을 배울 수 있습니다. 또한, 질문을 하거나 실제 네트워킹 상황을 모의로 경험하며 이론을 실제로 적용해 볼 수 있는 기회를 얻을 수 있습니다.
- 네트워킹 멘토링 프로그램: 이 활동은 네트워킹 전문가의 직접적인 지도를 통해 네트워킹 전략을 실질적으로 구현하는 데 도움이 됩니다. 멘토는 네트워킹 과정에서 발생할 수 있는 다양한 문제들에 대한 해결책을 제시하고, 네트워킹 기술을 개선하는 실질적인 조언을 제공합니다.
- 케이스 스터디 분석: 실제 조직에서 성공적으로 네트워킹을 이루어낸 사례를 깊이 있게 분석하는 과정입니다. 이를 통해 네트워킹 전략의 실제적인 효과와 그 전략을 자신의 상황에 어떻게 적용할 수 있는지를 배우게 됩니다.
- 네트워킹 시뮬레이션 게임: 가상의 시나리오를 통해 네트워킹을 실습하면서 다양한 네트워킹 전략의 효과를 직접 체험하는 기회입니다. 이 활동은 실제 상황에 대비하여 네트워킹 전략의 성공 여부를 예측하고, 개선하는 데 도움이 됩니다.
- 모의 네트워킹 이벤트: 실전처럼 진행하는 실습으로, 참가자들이 다양한 역할을 맡아보며 효과적인 네트워킹 기술과 전략을 개발하고 적용해볼 수 있습니다. 이를 통해 실제 이벤트에서 어떻게 대처해야 하는지를 경험하게 됩니다.
- 역할 교환 활동: 참가자들이 서로의 역할을 교환하여 다른 관점에서 네트워킹을 이해하게 됩니다. 이를 통해 자신의 네트워킹 전략이 다른 사람들에게 어떻게 인식되는지를 이해하고, 이를 바탕으로 전략을 개선하는 방법을 학습합니다.
- 네트워킹 롤플레이: 동료나 친구들과 함께 네트워킹 상황을 가정하여 롤플레이를 진행하면, 실제 네트워킹 상황에서 어떻게 대응하고 반응해야 하는지에 대한 연습을 할 수 있습니다. 이는 실제 상황에 대비하여 자신감을 높이는 데 큰 도움이 됩니다.
- 네트워킹 피드백 세션: 상호 피드백을 통해 다른 사람들의 관점에서 자신의 네트워킹 기술을 평가받고, 개선점을 찾는 세션입니다. 이를 통해 자신의 네트워킹 기술을 개선하고, 효과적인 네트워킹을 위한 새로운 아이디어를 얻을 수 있습니다.

네트워킹 전략

네트워킹 전략은 개인이나 조직이 자신들의 목표를 달성하기 위해 네트워킹을 어떻게 이용할 것인지에 대한 계획입니다. 이는 조직의 전략적 목표와 부합하는 형태로 이루어져야 합니다.

네트워킹 전략은 계속해서 수정과 개선이 필요한 것으로, 변화하는 환경과 목표에 맞게 유연하게 조절되어야 합니다. 이를 위해, 네트워킹 활동의 효과를 주기적으로 평가하고, 필요한 경우 전략을 수정하는 것이 중요합니다.

네트워킹 전략은 다음과 같은 요소들을 포함하고 있습니다.

- 목표 설정: 자신이나 조직이 네트워킹을 통해 얻고자 하는 것이 무엇인지 명확하게 설정하는 것이 중요합니다. 이는 정보 공유, 자원 확보, 기회 창출, 인정과 영향력 획득 등 다양한 형태가 될 수 있습니다.
- 타겟 선정: 누구와 네트워킹을 할 것인지를 결정하는 것이 중요합니다. 이는 조직의 전략적 목표와 부합하는 이해관계자를 선정하는 것을 포함합니다.
- 관계 구축: 선택된 이해관계자와의 관계를 어떻게 형성하고 유지할 것인지에 대한 계획을 세우는 것입니다. 이는 서로간의 신뢰와 존중을 바탕으로 이루어져야 합니다.
- 정보와 자원 공유: 네트워킹을 통해 얻은 정보와 자원을 어떻게 활용할 것인지에 대한 계획을 세우는 것입니다. 이는 자신이나 조직의 목표 달성을 지원하는 데 필요한 방식으로 이루어져야 합니다.
- 피드백과 평가: 네트워킹 활동의 효과를 어떻게 평가하고 피드백을 받을 것인지에 대한 계획을 세우는 것입니다. 이는 네트워킹 전략의 효과성을 검증하고 개선하는 데 도움이 됩니다.
- 유연성 유지: 네트워킹 전략은 변화하는 환경과 목표에 따라 유연하게 조정되어야 합니다. 이를 위해, 네트워킹 활동의 성과를 주기적으로 평가하고, 필요한 경우 전략을 수정하거나 업데이트하는 것이 중요합니다.

네트워크 전략 실습 자료

- 네트워킹 워크숍 참여: 네트워킹 공부의 시작점으로 전문가가 주관하는 워크숍에 참여하는 것이 좋습니다. 이를 통해 네트워킹의 기본적인 개념과 방법을 학습하고, 다른 참가자들과의 실제 네트워킹을 통해 실질적인 경험을 쌓을 수 있습니다.
- 온라인 네트워킹 플랫폼 활용: 기본적인 네트워킹 능력을 갖춘 후, LinkedIn이나 Facebook과 같은 온라인 네트워킹 플랫폼의 활용법을 학습해보는 것이 좋습니다. 이를 통해 디지털 시대의 네트워킹 방법에 대해 이해하고, 다양한 사람들과 쉽게 연결될 수 있는 기회를 얻을 수 있습니다.

- 프로젝트 기반 네트워킹: 특정 목표를 위해 필요한 이해관계자들과의 연결을 위해 프로젝트 기반의 네트워킹을 시도해보는 것이 좋습니다. 이를 통해 목표 지향적인 네트워킹의 중요성을 이해하고, 실제로 그 효과를 체험할 수 있습니다.
- 멘토-멘티 프로그램 참여: 네트워킹 전략을 개발하고 실천하는 것에 대해 좀 더 깊이 있게 배우고 싶다면, 경험 많은 멘토와 함께하는 프로그램에 참여하는 것이 좋습니다. 멘토의 경험과 지식을 통해 네트워킹의 심화된 내용을 배울 수 있습니다.
- 부스트캠프 참여: 짧은 기간 동안 네트워킹 기술을 집중적으로 학습하고 실천해보길 원한다면, 부스트캠프를 참여하는 것을 추천합니다. 이를 통해 짧은 시간 안에 네트워킹에 관한 다양한 지식과 기술을 심도 있게 학습하고 실습해볼 수 있습니다.
- 업계 네트워킹 이벤트 참석: 특정 업계에 관심이 있다면, 해당 업계의 네트워킹 이벤트에 참석하는 것이 좋습니다. 이를 통해 해당 업계의 최신 동향을 파악하고, 업계 전문가들과의 네트워크를 구축하는 데 큰 도움이 될 것입니다.
- 네트워킹 컨퍼런스 참석: 네트워킹 능력을 한 단계 더 향상시키고 싶다면, 네트워킹에 특화된 컨퍼런스에 참석하는 것을 추천합니다. 이를 통해 네트워킹의 심화된 주제에 대해 학습하고, 다양한 분야의 전문가들과의 네트워크를 구축하는 기회를 얻을 수 있습니다.

네트워킹 전략 관련 참고 자료

다음은 네트워킹 전략에 대해 학습할 수 있는 몇 가지 참고 자료입니다.

"The Art of Mingling: Fun and Proven Techniques for Mastering Any Room" by Jeanne Martinet: 이 책은 다양한 네트워킹 상황에서 효과적으로 활동하는 방법을 제시합니다.

"Networking Like a Pro: Turning Contacts into Connections" by Ivan Misner: 이 책은 전문적인 네트워킹 전략을 개발하는 방법을 상세히 설명합니다.

"Networking for Career Success: 24 Lessons for Getting to Know the Right People" by Diane Darling: 이 책은 네트워킹이 경력 발전에 어떻게 도움이 되는지를 설명하고, 이를 위한 전략을 제시합니다.

"The Networking Survival Guide: Practical Advice to Help You Gain Confidence, Approach People, and Get the Success You Want" by Diane Darling: 이 책은 네트워킹에 대한 실질적인 조언을 제공하며, 이를 통해 네트워킹 기술을 향상시키는 방법을 제시합니다.

네트워크 확장과 유지

네트워크를 확장하고 유지하는 것은 개인이나 조직이 목표를 달성하는 데 중요한 역할을 합니다. 이는 새로운 기회를 발견하고, 자원을 확보하며, 정보를 공유하는 데 도움이 됩니다. 또한, 네트워크를 유지하고 확장하는 것은 개인이나 조직이 영향력을 행사하고, 자신의 업무를 다른 이해관계자에게 알리는 데 도움이 됩니다.

네트워크 확장과 유지를 위한 몇 가지 전략은 다음과 같습니다.

- 적극적인 참여: 네트워킹 이벤트나 커뮤니티에 참여하여 새로운 사람들을 만나고, 관계를 형성하는 것이 중요합니다. 이를 통해 네트워크를 확장할 수 있습니다.
- 관계 유지: 기존의 네트워크 관계를 유지하기 위해, 정기적으로 연락하고, 정보를 공유하며, 지원을 제공하는 것이 중요합니다. 이를 통해 네트워크를 강화하고 유지할 수 있습니다.
- 상호 이익 실현: 네트워크 관계는 양측이 이익을 얻는 것이 중요합니다. 따라서, 네트워크 내에서 정보나 자원을 공유하고, 상호 지원하는 것이 중요합니다.
- 신뢰성 강화: 네트워크 내에서 신뢰성을 강화하기 위해, 약속을 지키고, 진실하게 행동하며, 존중하고 이해하는 것이 중요합니다.
- 개인 브랜드 개발: 자신의 장점과 전문성을 잘 나타내는 개인 브랜드를 개발하는 것이 중요합니다. 이를 통해 다른 사람들이 자신을 인식하고, 자신과 연결하길 원하게 할 수 있습니다.
- 디지털 네트워킹 활용: 디지털 플랫폼을 활용하여 네트워크를 확장하는 것이 중요합니다. 이를 통해 시간과 장소의 제약 없이 네트워킹을 할 수 있습니다.
- 문화 감각: 다양한 문화 백그라운드를 가진 사람들과의 네트워킹을 위해, 다른 문화에 대한 이해와 존중이 중요합니다. 이를 통해 광범위한 네트워크를 구축하고 다양성을 활용할 수 있습니다.
- 피드백 수용: 자신의 네트워킹 스타일과 기술에 대한 피드백을 수용하고 반영하는 것이 중요합니다. 이를 통해 지속적으로 개선하고 성장할 수 있습니다.
- 맞춤형 네트워킹: 자신의 목표와 전략에 따라 다양한 네트워킹 방법을 적용하는 것이 중요합니다. 이를 통해 가장 효과적인 결과를 얻을 수 있습니다.

네트워크 확장과 유지 실습 자료

- 온라인 네트워킹 세미나 참가: 접근성과 편의성이 높은 온라인 네트워킹 세미나에 참여하여 전 세계의 다양한 사람들과 연결을 형성하고 정보를 공유하는 기회를 얻습니다. 이를 통해 지역적 제한 없이 넓은 범위의 사람들과 교류하고 관계를 형성할 수 있습니다.
- 온라인 소셜 네트워킹 활용: LinkedIn, Facebook 등의 소셜 네트워킹 사이트를 적극적으로 활용하여 온라인에서 네트워크를 확장합니다. 이러한 플랫폼들은 전문성을 바탕으로 한 네트워크를 구축하고 관리하는 데 있어 매우 유용한 도구입니다.
- 네트워킹 워크숍 참가: 네트워킹 워크숍은 다양한 업계의 사람들과 만나고 소통하는 좋은 기회를 제공합니다. 이를 통해 새로운 접점을 발견하고, 자신의 네트워크를 확대하는 기회를 얻을 수 있습니다.

- 멘토링 프로그램 참가: 자신의 경력이나 전문 분야와 관련된 멘토를 찾아 네트워크를 확장하는 프로그램에 참가합니다. 멘토링은 전문적인 지식과 경험을 공유하고, 새로운 기회와 관계를 형성하는 데 있어 중요한 역할을 합니다.
- 특정 프로젝트에 참여: 특정 주제나 목표에 대해 공동으로 작업하면서 관계를 구축하고 네트워크를 확대하는 기회를 얻을 수 있습니다. 이를 통해 특정 주제나 목표에 대해 공동으로 작업하면서 네트워크를 구축하고 관리할 수 있습니다.
- 커뮤니티 활동 참여: 자신의 관심사나 전문 분야와 관련된 커뮤니티에 참여하고 활동하여 네트워크를 확장합니다. 이를 통해 관심 분야에 대한 더 깊은 이해를 얻고, 동시에 같은 관심사를 가진 다른 사람들과 연결될 수 있습니다.
- 네트워킹 이벤트 개최: 자신이 직접 네트워킹 이벤트를 기획하고 개최하여 다양한 사람들을 초대하고 네트워크를 확장합니다. 이를 통해 직접적인 커뮤니케이션을 통해 관계를 형성하고, 네트워크를 강화할 수 있습니다.
- 자원 나눔 활동 참여: 자신의 지식이나 경험을 다른 사람들과 공유하거나, 다른 사람들로부터 필요한 자원을 얻는 활동을 통해 네트워크를 확장합니다. 이를 통해 상호 이해와 신뢰를 구축하고, 네트워크를 강화할 수 있습니다.

네트워크 확장과 유지 관련 참고 자료

"Never Eat Alone: And Other Secrets to Success, One Relationship at a Time" by Keith Ferrazzi: 이 책은 네트워크를 확장하고 유지하는 방법에 대한 실질적인 조언을 제공합니다.

"The Networking Book: 50 Ways to Develop Strategic Relationships" by Jessica Lipnack: 이 책은 네트워크 확장과 유지 전략을 개발하는 방법을 상세히 설명합니다.

"How to Win Friends & Influence People" by Dale Carnegie: 이 책은 네트워크 관계를 형성하고 유지하는 방법에 대한 이론과 실질적인 조언을 제공합니다.

기업 사례

- 스페이스X: 우주 탐사 기술을 선도하고 있는 스페이스X는 다양한 우주 기관과의 네트워킹을 통해 상당한 발전을 이루어냈습니다. NASA와의 협력을 통해, 국제 우주스테이션(ISS)으로의 무인 및 유인 우주선 발사를 성공적으로 수행하였고, 이를 통해 민간 우주 여행의 가능성을 보여주었습니다.
- Zoom: 코로나19 팬데믹으로 원격 업무 및 학습이 일상화 되면서, Zoom은 전 세계적으로 필수 커뮤니케이션 도구로 자리 잡았습니다. 원활한 화면 공유 기능, 대용량 회의 지원 등을 통해 개인, 학교, 기업 등 다양한 고객층의 요구를 만족시키며 성장하였습니다.

- 바이든 캠페인: 2020년 미국 대통령 선거에서 조 바이든 캠페인팀은 소셜 미디어를 활용한 디지털 네트워킹 전략을 통해 선거 운동을 성공적으로 진행하였습니다. 이를 통해 유권자들과의 직접적인 소통을 강화하고, 선거 메시지를 효과적으로 전달하였습니다.
- 넷플릭스: 넷플릭스는 전 세계적으로 컨텐츠 제작사와의 네트워킹을 통해 독점 컨텐츠를 제공하며, 이를 통해 전 세계 스트리밍 서비스 시장을 선도하고 있습니다. 원작 IP를 활용한 드라마, 영화 제작을 통해 고객들에게 차별화된 서비스를 제공하고 있습니다.
- 페이팔: 페이팔은 전 세계 수많은 온라인 상점과 소비자들 사이의 결제를 중개하는 디지털 결제 플랫폼입니다. 페이팔은 안전한 결제 시스템을 제공하며, 다양한 결제 수단을 지원함으로써 넓은 고객층을 확보하였습니다.
- 에어비앤비: 에어비앤비는 전 세계 호스트와의 네트워킹을 통해 숙박 공유 경제 시장을 선도하고 있습니다. 개인이 보유한 빈 방, 주택, 아파트 등을 다른 사람들에게 임대할 수 있도록 플랫폼을 제공하며, 이를 통해 전 세계 여행객들에게 다양한 숙박 옵션을 제공하고 있습니다.
- 인스타그램: 인스타그램은 사진 및 동영상 공유 서비스를 제공하며, 인플루언서와의 네트워킹을 통해 플랫폼 내 광고 시장을 활성화시켰습니다. 이를 통해 브랜드들은 대상 시장에게 효과적으로 브랜드 인지도를 높일 수 있었습니다.
- 배달의 민족: 한국에서 배달의 민족은 다양한 음식점과의 네트워킹을 통해 배달 앱 시장을 선도하고 있습니다. 사용자 친화적인 앱 디자인과 다양한 음식점 선택지 제공을 통해 고객들의 편리함을 제공하며, 이를 통해 배달 앱 시장에서 높은 점유율을 유지하고 있습니다.
- 웨이모: 웨이모는 자율주행 기술의 선두주자로서, 다양한 자동차 제조사와의 네트워킹을 통해 기술 적용을 확대하였습니다. 이를 통해 자율주행 차량의 상용화를 가속화하고, 이를 통해 운전의 안전성과 편의성을 향상시키는데 기여하였습니다.
- 비트코인: 비트코인은 다양한 금융 기관과의 네트워킹을 통해 암호화폐의 가치를 높이고, 전 세계적인 인지도를 확대하였습니다. 이를 통해, 암호화폐의 활용 범위를 확장하며, 새로운 결제 방식으로서의 가능성을 보여주었습니다.

시각 자료 및 도구

- 인포그래픽: 네트워킹의 중요성을 시각적으로 설명하는 인포그래픽. 이는 네트워킹이 조직에 미치는 영향, 네트워킹의 장점, 잘 만들어진 네트워크의 예 등을 보여줄 수 있습니다.
- 구글 파트너십 전략 인포그래픽: 구글이 어떻게 다양한 기업과의 파트너십을 통해 시너지를 창출했는지 보여주는 인포그래픽을 제작합니다. 이는 실제 네트워킹의 성공 사례를 시각적으로 설명하여 이해를 돕습니다.
- 플로우차트: 네트워킹 과정을 단계별로 그린 플로우차트. 이는 네트워킹이 어떻게 이루어지는지, 그 과정에서 어떤 결과를 얻을 수 있는지를 보여줄 수 있습니다.

- 히트맵: 네트워크 내에서 정보나 자원이 어떻게 흐르는지를 보여주는 히트맵. 이는 네트워킹이 조직 내에서 어떤 영향을 미치는지를 시각적으로 보여줄 수 있습니다.
- 시간축 그래프: 네트워킹 활동이 시간에 따라 어떻게 변화하는지 보여주는 그래프. 이는 네트워킹 전략이 어떻게 성장하고 발전하는지를 보여줄 수 있습니다.
- 네트워킹 트리 그래프: 개인이나 조직의 네트워크 연결을 나타내는 트리 그래프. 이 그래프는 네트워킹의 확장성을 시각적으로 보여주며, 어떤 종류의 연결이 가장 많은 정보나 자원을 제공하는지를 분석하는 데 도움이 될 수 있습니다.
- 네트워킹 대시보드: 네트워킹 활동의 다양한 측면을 한 눈에 볼 수 있는 대시보드. 이는 네트워킹 연결, 활동, 그리고 그 결과를 시각적으로 보여줍니다. 이 대시보드는 네트워킹 전략의 효과를 평가하고 다음 단계를 계획하는 데 도움이 됩니다.
- 네트워킹 전략 플로우차트: 조직 목표에 맞는 네트워킹 전략을 개발하는 단계를 시각적으로 보여주는 플로우차트를 생성합니다. 이 차트는 네트워킹의 각 단계에서 고려해야 할 요소와 결정 사항을 명확하게 설명합니다.
- 네트워킹 활동 타임라인: 개인이나 조직의 네트워킹 활동을 시간 순서대로 표현하는 타임라인 차트. 이 차트는 네트워킹 활동의 발전과 변화를 시각적으로 보여줍니다.
- 네트워킹 매트릭스 차트: 네트워킹 활동의 성공률을 다양한 요소에 따라 분석하는 매트릭스 차트. 이 차트는 네트워킹 효과를 측정하는 데에 중요한 지표를 제공합니다.
- 네트워킹 영향력 맵: 이 도구는 개인이나 조직의 네트워킹 활동이 주변에 미치는 영향을 지도 형태로 보여줍니다. 이를 통해 네트워킹 활동이 어떤 영역에 어떤 방식으로 영향을 끼치는지 시각적으로 표현하고, 개인이나 조직이 네트워킹 활동을 체계적으로 관리하고 분석하는 데 도움이 됩니다.

인터랙티브 워크샵 실습 방안 및 과정

참가자들은 모의 네트워킹 이벤트를 통해 실제적인 네트워킹 기술을 연습합니다. 이러한 이벤트는 의미있는 연결을 만들고, 신뢰를 구축하며, 전문적인 관계를 개발하는 데 필요한 기술을 개발하고 연습하는 훌륭한 기회를 제공합니다. 이 활동을 통해 참가자들은 자신의 네트워킹 전략을 평가하고, 필요한 경우 그것을 개선하거나 조정할 수 있는 기회를 제공합니다. 이를 통해 참가자들은 자신의 네트워킹 능력을 향상시키고, 그들의 전문적인 발전에 큰 도움이 될 수 있습니다.

참가자들은 이러한 모의 네트워킹 이벤트를 통해 중요한 상호작용 기술을 연습하게 되며, 이는 실제 업무 환경에서의 네트워킹에 큰 도움이 됩니다. 이 활동을 통해 참가자들은 자신의 커뮤니케이션 기술, 관계 구축 능력, 그리고 직접 대화를 통한 네트워크 확장 기술을 연습하고 향상시킬 수 있습니다.

또한, 이러한 활동은 참가자들에게 자신의 네트워킹 전략을 평가하고, 필요한 개선 사항을 파악하는 기회를 제공합니다. 그들은 자신의 네트워킹 능력과 전략을 평가하고, 이를 통해 자신의 네트워킹 기술을 지속적으로 개선하고 성장시킬 수 있습니다.

이러한 실습 덕분에 참가자들은 네트워킹이 자신의 경력 발전과 전문적인 성공에 어떻게 도움이 될 수 있는지를 명확하게 이해하게 됩니다. 이는 그들이 미래에 효과적인 네트워킹 전략을 수립하고 실행하는 데 큰 도움이 될 것입니다.

모의 네트워킹 이벤트는 참가자들이 네트워킹 능력을 실제로 테스트하고, 실무 환경에서 발생할 수 있는 실제 상황을 경험할 수 있게 합니다. 이러한 상황은 참가자들이 자신의 네트워킹 전략을 테스트하고, 필요에 따라 즉시 개선하거나 조정할 수 있는 환경을 제공합니다. 이는 참가자들이 더 효과적인 네트워킹을 위한 새로운 전략을 개발하고, 실제로 그것들을 시행해보면서 어떤 접근법이 가장 잘 작동하는지 알아낼 수 있는 절호의 기회를 제공합니다.

또한, 이러한 모의 네트워킹 이벤트는 참가자들이 자신의 네트워킹 기술을 연습하고 향상시킬 수 있는 안전한 환경을 제공합니다. 참가자들은 이벤트를 통해 커뮤니케이션 기술을 연마하고, 다른 사람들과의 관계를 구축하고, 네트워크를 확장하는 방법을 배울 수 있습니다. 이는 참가자들이 실제로 네트워킹 이벤트에 참여할 때 더 자신감을 가지고 참여할 수 있게 해주며, 그들의 전문적인 성장을 촉진하는데 큰 도움이 됩니다.

따라서, 이러한 모의 네트워킹 이벤트는 참가자들이 네트워킹 기술을 향상시키고, 자신의 네트워킹 전략을 개선하고, 그들의 전문적인 발전을 돕는 중요한 도구입니다. 이를 통해 참가자들은 네트워킹의 중요성을 이해하고, 그것이 자신의 경력 발전에 어떤 역할을 하는지를 체감할 수 있습니다.

1. 모의 네트워킹 이벤트 준비 단계: 참가자들에게 개별적인 역할과 상황 시나리오가 부여됩니다. 이는 실제 네트워킹 상황을 모방하기 위한 것입니다.

2. 네트워킹 기술 연습 단계: 참가자들은 부여받은 역할과 시나리오에 따라 상호작용을 진행합니다. 이 과정에서 참가자들은 커뮤니케이션 기술을 연습하고, 관계 구축 능력을 키우며, 대화를 통해 네트워크를 확장하는 기술을 익힙니다.

3. 피드백 및 평가 단계: 각 상호작용이 끝난 후, 참가자들은 자신의 네트워킹 전략과 기술에 대한 피드백을 주고 받습니다. 이 피드백은 참가자들이 네트워킹 기술을 개선하고, 효과적인 네트워킹 전략을 개발하는 데 도움을 줍니다.

4. 개선사항 도출 및 전략 개선 단계: 참가자들은 받은 피드백을 바탕으로 네트워킹 전략을 개선하거나 조정합니다. 이 단계는 참가자들이 네트워킹 능력을 지속적으로 향상시키는 데 도움이 됩니다.

5. 반복 연습 단계: 참가자들은 새로운 전략을 적용하며 네트워킹 기술을 반복적으로 연습합니다. 이 과정은 여러 번 반복되어, 참가자들이 다양한 상황에서 효과적인 네트워킹을 수행할 수 있게 합니다.

6. 최종 평가 및 피드백 단계: 워크샵의 마지막 부분에서는 각 참가자의 네트워킹 기술과 전략에 대한 최종 평가와 피드백이 이루어집니다. 이를 통해 참가자들은 자신의 네트워킹 능력을 향상시키고, 전문적인 발전을 도모하는데 도움을 받게 됩니다.

이 장을 통해 학습자들은 네트워킹의 중요성에 대해 이해하게 될 것입니다. 특히 조직 외부와의 연결망 구축이 어떻게 비즈니스 성장과 전략적 파트너십 형성에 기여하는지에 대한 깊은 인사이트를 얻을 수 있습니다.

다양한 실제 사례 연구를 통해 구글, 아마존, 페이스북, 테슬라 등 세계적인 기업들이 어떻게 성공적인 네트워킹 전략을 통해 사업 영역을 확장하였는지를 학습하게 됩니다. 이를 통해 학습자들은 이론적 지식뿐만 아니라 실제 비즈니스 컨텍스트에서의 네트워킹 전략의 구체적인 적용 방법에 대해서도 이해할 수 있게 될 것입니다.

시각 자료 추천 섹션을 통해 네트워킹 전략의 측정과 분석 방법에 대한 이해를 확장하게 됩니다. 그리고 이렇게 얻은 지식을 인터랙티브 워크샵 실습을 통해 실제로 적용해보게 됩니다. 이를 통해 네트워킹 능력을 개발하고 향상시키는 데 필요한 실질적인 기술을 익히게 됩니다.

마지막으로, 이러한 모든 학습 과정을 통해 학습자들은 네트워킹이 자신의 경력 발전과 전문적인 성공에 어떻게 중요한 역할을 하는지를 체감하게 될 것입니다. 이는 그들이 앞으로의 경력을 계획하고, 효과적인 네트워킹 전략을 수립하고 실행하는 데 큰 도움이 될 것입니다.

제 4 장

갈등 해결: 조직의 조화와 효율성 증진

이 장에서는 리더가 조직 내외에서 발생하는 갈등을 효과적으로 해결하는 방법을 상세히 살펴봅니다. 리더는 갈등 해결 능력을 활용하여 문제를 효과적으로 관리하고, 이를 통해 조직의 결속력과 효율성을 강화하며 전반적인 성과를 향상시킬 수 있습니다. 이는 조직문화를 개선하고 구성원 간의 신뢰를 증진하는 데 중요하며, 조직 구성원들의 관계를 더욱 견고하게 만들어 조직 문화의 풍요로움을 더합니다.

학습 개요

이 장에서는 리더가 조직 내외에서 발생하는 갈등을 효과적으로 해결하는 방법을 상세히 살펴봅니다. 리더는 갈등 해결 능력을 활용하여 문제를 효과적으로 관리하고, 이를 통해 조직의 결속력과 효율성을 강화하며 전반적인 성과를 향상시킬 수 있습니다. 이는 조직문화를 개선하고 구성원 간의 신뢰를 증진하는 데 중요하며, 조직 구성원들의 관계를 더욱 견고하게 만들어 조직 문화의 풍요로움을 더합니다.

학습 내용 및 목표

- 갈등의 원인과 유형: 갈등이 발생하는 다양한 원인과 그 유형을 이해하는 것은 중요한 과정입니다. 갈등의 뿌리를 찾아보고, 그에 따라 다르게 나타나는 갈등의 유형들을 깊이 있게 분석하면, 갈등을 보다 정확하게 식별하고 그 원인을 파악함으로써 적절하게 대응할 수 있습니다. 이러한 이해력은 갈등을 빠르고 효과적으로 관리하는 데 필수적입니다.
- 갈등 해결 전략: 갈등 해결에 있어서 다양한 기법을 배우고, 이를 바탕으로 각 상황에 맞는 전략을 개발하는 것은 리더로서 필수적인 역량입니다. 갈등의 크기, 중요성, 복잡성 등을 고려하여 가장 적절한 해결책을 찾아내는 능력을 키우면, 리더는 조직 내 갈등을 효과적으로 조정하고 해결할 수 있습니다. 이 과정에서는 논리적 사고와 창의적 문제 해결 능력을 키우는 데 중점을 두어야 합니다.
- 갈등 관리의 중요성: 갈등 관리가 조직의 성과와 팀워크에 어떠한 영향을 미치는지에 대해 학습하는 것은 매우 중요합니다. 이 과정은 갈등이 불가피하게 발생하는 조직 내에서 그 해결이 얼마나 중요한지를 직접 깨닫는 중요한 단계입니다. 이를 통해 갈등 관리 방법을 통해 조직의 성과를 높이고, 팀원 간의 협력을 더욱 강화하는 방법을 배울 수 있습니다. 이렇게 하면, 조직의 성장과 개인적인 성장 모두에 도움이 될 것입니다.

예상 학습 성과

- 다양한 갈등 상황이 발생할 때마다, 이를 해결하기 위한 효과적인 의사소통과 협상 능력을 개발하며, 이를 통해 상호 이해와 존중을 바탕으로 한 상호 협력의 문화를 조성합니다.
- 조직의 결속력을 강화하며, 이는 각 구성원이 서로에 대한 신뢰와 존중을 기반으로 하여, 팀워크를 통한 문제 해결 능력을 향상시키는 데 도움이 됩니다. 이를 통해, 개인의 장점과 팀의 전체적인 능력을 최대한 활용하여, 조직 전체의 목표 달성에 기여할 수 있도록 합니다.
- 각각의 갈등 상황에 대한 이해를 깊게 하여, 이를 바탕으로 효과적인 의사소통과 협상 전략을 개발합니다. 이는 다양한 상황에서 대화를 이끌어 나가며, 갈등을 최소화하고 협력을 증진하는 데 필요한 능력을 키웁니다.

• 조직의 결속력을 강화하고, 이를 바탕으로 팀워크를 통한 문제 해결 능력을 향상시킵니다. 개개인의 능력과 지식을 최대한 활용하여 팀으로서의 문제 해결 능력을 높이며, 이는 조직의 전체적인 성과를 향상시키는 데 도움이 됩니다. 또한, 이렇게 향상된 팀워크는 조직 구성원 간의 신뢰를 높이고, 서로간의 협력을 강화하는데 기여합니다.

이론적 배경과 근거

갈등 해결의 중요성은 수많은 조직 행동에 관한 연구에서 강조되고 있습니다. 이러한 연구 중에서도 특히 Thomas-Kilmann 갈등 모드 기구(TKI)는 갈등 해결에 있어 다섯 가지 주요 접근 방식을 제시하는데, 이는 경쟁, 협력, 타협, 회피, 그리고 순응입니다. 이 다섯 가지 접근 방식은 각각 다른 상황에서 더 효과적일 수 있기 때문에, 그 상황에 따라 어떠한 전략이 최선인지를 결정하는 데 도움이 됩니다. 이러한 접근 방식을 제시한 Thomas-Kilmann 갈등 모드 기구는 Thomas, K. W., & Kilmann, R. H. (1974)에 의해 개발되었습니다. 그들의 연구는 조직 내에서 발생하는 갈등을 보다 효과적으로 관리하고 해결하는 데에 중요한 역할을 합니다.

또한, 불균형력 이론 (Imbalance Theory)에 따르면, 갈등은 불균형 상태에서 발생하며, 이를 해결하기 위해서는 균형 상태를 회복해야 합니다 (Heider, F., 1946). 이를 통해 갈등을 해결하는 데에는 상호간의 이해와 협력이 필요하다는 것을 알 수 있습니다.

그리고, 갈등 해결은 감정 지능의 한 부분으로 볼 수 있습니다. 감정 지능 이론에 따르면, 감정을 이해하고 관리하는 능력은 개인과 그룹 간의 갈등 해결 능력에 큰 영향을 미칩니다 (Goleman, D., 1995). 이는 리더가 갈등을 관리하고 해결하는 능력이 그들의 감정 지능 수준에 영향을 받을 수 있음을 의미합니다.

추가적으로, 대화형 갈등 해결 이론 (Interactive Conflict Resolution, ICR)는 갈등이 두 그룹 사이의 의사소통 부재에서 발생한다는 점을 강조합니다 (Fisher, R., 1997). 이 이론은 갈등을 해결하기 위해 양 측이 대화를 통해 상호 이해를 증진시키고, 상호 인정의 문화를 조성해야 한다는 점을 지적합니다.

또한, 조직 내 집단 간의 갈등을 해결하는 데 있어 복잡시스템 이론 (Complex Systems Theory)도 유용합니다 (Axelrod, R., & Cohen, M. D., 1999). 이 이론은 갈등이 복잡한 상호작용의 결과로 발생한다는 점을 인식하는 것이 중요하다고 주장합니다. 따라서 갈등을 해결하는 데는 각 구성원의 행동을 이해하고, 이를 바탕으로 조직 전체의 행동을 예측하는 능력이 필요하다고 강조합니다.

마지막으로, 변화 관리 이론 (Change Management Theory)는 조직 내의 변화가 갈등을 유발할 수 있음을 지적하고, 이러한 갈등을 관리하고 해결하는 데는 변화를 효과적으로 관리하는 능력이 중요하다고 주장합니다 (Kotter, J. P., 1995). 이를 통해 리더는 조직 내의 변화를 더욱 효과적으로 관리하고, 이로 인해 발생할 수 있는 갈등을 미리 예방하거나, 적절하게 대응할 수 있는 능력을 개발할 수 있습니다.

최신 이론적 배경과 근거

Emotional Aperture 이론 : 이 이론은 리더가 조직 내부의 감정을 감지하고 이해하는 능력이 갈등을 관리하고 해결하는데 중요한 역할을 한다는 것을 주장합니다. 리더가 조직 내부에서 발생하는 개별 및 집단 감정을 정확하게 인식하고 이해할 수록, 그것들을 바탕으로 더 효과적인 갈등 해결 전략을 개발하고 실행할 수 있습니다. 이는 리더가 팀원들의 감정 상태를 정확하게 이해하고 이를 바탕으로 효과적인 갈등 해결 전략을 개발하는 데 중요하며, 이를 통해 팀원 간의 신뢰와 협력을 증진시킬 수 있습니다. (Sanchez-Burks, J., & Huy, Q. N., 2020)

재난 관리 이론 : 최근의 코로나19 팬데믹은 조직 내부에서 새로운 유형의 갈등을 유발하였습니다. 이러한 상황에서, 재난 관리 이론은 조직 내에서 발생하는 갈등을 이해하고 관리하는 데 중요한 통찰을 제공합니다. 이 이론은 갈등의 발생과 해결이 불확실성과 위험을 관리하는 능력에 따라 달라질 수 있음을 주장합니다. 이는 리더가 조직 내의 불확실성과 위험을 효과적으로 관리하고, 이로 인해 발생하는 갈등을 미리 예방하거나 적절하게 대응하는 능력을 개발하는 데 중요하다는 것을 보여줍니다. (Hannah, S. T., Uhl-Bien, M., Avolio, B. J., & Cavarretta, F. L., 2020)

다양성 관리 이론 : 이 이론은 조직의 다양성이 종종 갈등을 유발하지만, 이를 잘 관리하면 조직의 성과와 혁신을 높일 수 있다는 것을 주장합니다. 이는 리더가 갈등을 관리하고 해결하는 능력이 조직의 다양성을 관리하고 활용하는 능력과 밀접하게 연결되어 있음을 보여줍니다. 이를 통해 리더는 다양한 배경과 경험을 가진 팀원들 사이의 갈등을 미리 예방하거나 효과적으로 해결하고, 이를 바탕으로 조직의 다양성을 최대한 활용하여 조직의 성과와 혁신을 높일 수 있음을 알 수 있습니다. (Nishii, L. H., & Mayer, D. M., 2020)

분산 팀 관리 이론: 최근에는 원격 근무와 팀의 지리적 분산이 증가하면서 분산 팀 관리 이론이 주목받고 있습니다. 이 이론은 팀원들이 물리적으로 분산된 상황에서의 효과적인 의사소통과 협업 전략에 초점을 맞춥니다. 이러한 상황에서의 갈등 관리는 특히 어려울 수 있으며, 이를 위한 새로운 접근법과 전략이 필요합니다. 이론은 리더가 분산된 팀원들 간의 갈등을 관리하고 해결하는 능력을 개발하는 데 중요하다고 주장합니다. (Hinds, P. & Bailey, D. E., 2020)

디지털 갈등 관리 이론: 디지털 환경에서의 갈등 해결은 전통적인 방법과 다른 접근 방식이 필요합니다. 디지털 통신 도구의 사용은 갈등이 발생하는 방식과 그 해결에 필요한 전략을 변화시킵니다. 이 이론은 디지털 환경에서의 갈등 관리 전략에 대한 이해를 증진시키고, 이를 통해 조직의 디지털 갈등 해결 능력을 향상시키는 방법을 탐색합니다. (Schoenebeck, S. Y., & Hancock, J. T., 2021)

Cybernetic Feedback Theory: 이 이론은 갈등 해결에 있어 피드백의 중요성을 강조합니다. 피드백은 갈등 상황에서 의사소통을 개선하고 이해도를 높이는 도구로 작용합니다. 이 이론은 갈등 상황에서 피드백을 효과적으로 제공하고 받는 방법을 탐구하며, 이를 통해 갈등을 더 빠르고 효과적으로 해결하는 능력을 개발합니다. (Kluger, A. N., & DeNisi, A., 2020)

Adaptive Leadership Theory: 이론은 불확실하고 변화하는 환경에서의 리더십에 초점을 맞춥니다. 이러한 환경은 종종 갈등을 유발하지만, 적응형 리더십 이론은 이러한 갈등을 해결하는 능력이 조직의 적응성과 유연성을 향상시키는데 중요하다고 주장합니다. 이론은 리더가 갈등 상황을 식별하고 이해하며, 적절한 대응 전략을 개발하고 실행하는 능력을 개발하는 데 중요하다고 강조합니다. (Heifetz, R. A., Grashow, A., & Linsky, M., 2020)

Cognitive Load Theory in Conflict Resolution: 이 이론은 갈등 해결 과정에서 인지 부하의 역할을 탐구합니다. 갈등 상황은 종종 개인의 인지 자원을 과도하게 소비하게 만들며, 이로 인해 효과적인 갈등 해결이 어려워질 수 있습니다. 이 이론은 갈등 해결 과정에서의 인지 부하를 관리하고 최소화하는 전략을 개발하며, 이를 통해 갈등 해결의 효율성과 효과성을 향상시킵니다. (Paas, F., Renkl, A., & Sweller, J., 2020)

갈등의 원인과 유형

갈등의 원인은 다양하며, 이는 개인의 가치관, 성격, 목표, 의사소통 능력 등과 같은 인간의 복잡성에서 비롯됩니다. 그러나 대부분의 갈등은 자원의 부족, 의사소통의 실패, 가치의 차이, 역할의 모호성, 불균형한 의사결정 등으로 인해 발생합니다.

갈등이 발생하는 원인과 그 유형을 정확히 이해하는 것은 중요한 과정입니다. 이는 갈등의 본질을 명확하게 파악하고 그 원인을 깊이 있게 이해하는 데 도움이 됩니다. 이러한 이해는 우리가 갈등을 관리하고, 그 해결을 위한 효과적인 전략을 개발하는 데 필수적입니다. 따라서 갈등의 본질을 이해하고 그 원인을 파악하는 것은 갈등 해결의 첫걸음이 될 것입니다.

갈등의 유형은 크게 다섯 가지로 분류될 수 있습니다.

1. 인간 간 갈등 (Interpersonal Conflict): 이는 두 사람이나 그룹 간에 발생하는 갈등으로, 개인의 감정, 가치, 생각, 행동 등에 기반합니다. 이러한 갈등은 대부분 개인의 성격, 가치, 목표, 의사소통 능력 등이 원인이 됩니다. 이러한 갈등은 종종 감정의 충돌, 가치관의 차이, 불일치하는 목표, 그리고 부족한 의사소통 능력 등으로 인해 발생하며, 이러한 요인들이 서로 겹치면 갈등은 더욱 심화될 수 있습니다.

2. 내부 갈등 (Intrapersonal Conflict): 이는 개인 내부에서 발생하는 갈등으로, 개인의 생각, 감정, 가치 등이 서로 충돌할 때 생깁니다. 이는 자신의 가치와 행동 간의 간극, 자신이 추구하는

목표와 현실 사이의 간극 등으로 발생합니다. 이러한 갈등은 자신의 가치관과 행동의 일관성 부족, 또는 자신이 추구하는 이상과 현실 사이의 괴리감에서 비롯되는 경우가 많습니다.

3. 조직 간 갈등 (Intergroup Conflict): 이는 두 개 이상의 그룹이나 조직 간에 발생하는 갈등으로, 자원의 분배, 목표의 충돌, 역할의 모호성 등이 원인이 됩니다. 이는 조직 내의 의사소통, 협력, 팀워크 등에 영향을 미칩니다. 이러한 갈등은 자원의 부족, 목표의 차이, 역할의 불분명함 등으로 인해 발생하며, 이러한 상황은 조직 내의 의사소통, 협력, 그리고 팀워크에 부정적인 영향을 미칠 수 있습니다.

4. 조직 내 갈등 (Intragroup Conflict): 이는 한 그룹이나 조직 내부에서 발생하는 갈등으로, 의사소통의 실패, 역할의 모호성, 팀원 간의 가치와 목표의 충돌 등이 원인이 됩니다. 이러한 갈등은 같은 그룹이나 조직의 멤버들 사이에서 발생하는 것으로, 의사소통의 부재, 역할의 불분명함, 그리고 팀 멤버들의 가치와 목표가 충돌할 때 발생합니다.

5. 환경 갈등 (Environmental Conflict): 이는 개인이나 그룹과 그들의 환경 간에 발생하는 갈등으로, 자원의 부족, 환경 변화, 기술 발전 등이 원인이 됩니다. 이러한 갈등은 자원의 부족, 환경의 불확실한 변화, 기술의 급격한 발전 등으로 인해 발생하며, 이러한 요인들은 개인이나 그룹이 그들의 환경과 조화롭게 상호작용하는 데 어려움을 겪게 합니다.

갈등의 원인과 유형 실습 자료

- 갈등 관리 워크샵: 팀원들과 함께 진행하는 워크샵에서는 갈등 관리에 초점을 맞춥니다. 이 과정에서 팀원들은 갈등의 원인을 깊이 이해하고, 갈등이 팀워크와 조직의 성과에 어떤 영향을 미치는지를 학습하게 됩니다. 또한, 실제 상황에서 갈등을 어떻게 해결하고 관리할 수 있는지에 대한 전략과 방법을 배우게 됩니다. 이런 워크샵을 통해 갈등 상황을 경험하고 이를 해결하는 능력을 향상시킬 수 있으며, 이는 갈등 상황 해결에 대한 자신감을 높이고, 팀의 성과 향상에 크게 기여하게 됩니다.
- 실시간 갈등 관리 시뮬레이션: 가상의 갈등 상황을 통해 팀원들이 실시간으로 갈등을 관리하고 해결하는 방법을 연습합니다. 이 과정에서 팀원들은 실시간 의사결정 능력과 문제 해결 능력을 향상시킬 수 있습니다. 이는 실제 갈등 상황에서 빠르고 효과적으로 대응하는 능력을 기르는데 도움이 됩니다.
- Role Play: 갈등 상황 연극: 팀원들과 함께 갈등 상황 연극을 진행하여, 갈등의 원인과 유형을 체득하고, 실제 상황에서 어떻게 대응할지 경험해봅니다. 이를 통해 갈등의 실질적인 발생 원인을 이해하고, 갈등 상황에서의 대응 능력을 향상시킬 수 있습니다.
- Case Study: 회사 내 갈등 상황 분석: 실제 회사에서 발생한 갈등 상황을 살펴보고, 그 원인과 해결 방법에 대해 논의합니다. 이를 통해 갈등의 발생 원인과 그에 따른 해결 전략에 대한 실질적인 이해를 얻을 수 있습니다. 이 과정에서 실제 사례를 통해 갈등의 복잡성과 그 해결을 위한 다양한 전략을 배울 수 있습니다.

- 갈등 해결 전략 비교: 다양한 갈등 해결 전략을 분석하고, 그 장단점을 비교합니다. 이를 통해 각 전략이 어떤 상황에 가장 적합한지 이해할 수 있습니다. 이 과정에서는 각 전략의 특성을 이해하고, 그에 따른 적용 가능성을 판단하는 능력을 향상시킬 수 있습니다.
- 갈등 해결 전략 설계 및 실행 실습: 실제 갈등 상황을 가정하고, 그에 대한 해결 전략을 설계하고 실행해봅니다. 이를 통해 갈등 상황에서의 의사결정 및 해결 능력을 향상시킬 수 있습니다. 실제 갈등 상황을 가정하고 해결 전략을 설계하고 실행해보는 과정은 이론을 실제로 적용해보는 중요한 경험을 제공합니다.
- 갈등 상황과 그 해결 방법에 대한 의견 공유 토론: 각자가 경험한 갈등 상황과 그 해결 방법에 대해 공유하고, 다양한 갈등 상황과 그 대응 방법에 대해 이해를 넓혀봅니다. 이 과정을 통해 각자의 경험을 공유하고, 서로 다른 시각에서의 의견을 들어보는 시간을 갖게 됩니다.
- 피드백 세션: 각 팀원이 자신이 경험한 갈등 상황과 그 해결 방법에 대해 공유하고, 다른 팀원들로부터 피드백을 받는 시간을 가집니다. 이를 통해 각자의 갈등 해결 방법에 대한 피드백을 받고, 더 효과적인 해결 방법을 찾아가는 과정을 경험할 수 있습니다.
- 갈등 상황 시뮬레이션: 현실적인 갈등 상황을 재현해 팀원들이 직접 해결해 보도록 합니다. 이 과정에서 팀원들은 갈등 상황에서의 의사결정 능력과 문제 해결 능력을 개발하게 됩니다.
- 심층 토론: 각 유형의 갈등에 대한 심도 있는 토론을 진행합니다. 팀원들이 각각의 갈등 상황에 대한 자신의 견해를 나누고, 해결 방안을 제시해 보도록 합니다. 이를 통해 팀원들이 각각의 갈등에 대한 심도 있는 이해를 얻을 수 있습니다.
- 갈등 해결 케이스 스터디 분석: 실제 갈등 상황과 그 해결 사례를 분석합니다. 이를 통해 갈등의 원인을 이해하고, 효과적인 해결 전략을 실제로 적용해 보는 방법을 배울 수 있습니다. 실제 사례를 통해 어떻게 갈등이 해결되었는지를 분석함으로써, 이상적인 해결 전략을 실제 상황에 어떻게 적용할 수 있는지를 경험적으로 이해하게 됩니다.

갈등 해결 전략

갈등을 해결하기 위한 전략은 여러 가지가 있습니다. 다음은 몇 가지 갈등 해결 전략에 대한 설명입니다.

- 타협 전략: 이 전략은 모든 당사자가 어느 정도 만족할 수 있는 솔루션을 찾고, 서로간에 양보하는 방식으로 갈등을 해결하는 방법입니다. 이는 단기적인 해결을 위해 사용되며, 모든 당사자가 동일한 만족도를 얻지는 못할 수 있습니다.
- 협력 전략: 이 전략은 모든 당사자가 함께 작업하여 모두에게 이익이 되는 해결책을 찾는 방법입니다. 이는 문제를 근본적으로 해결하고 갈등을 재발 방지하는 데 효과적입니다.

창조적인 해결책을 제안함으로써, 원래의 문제를 해결하고 모든 당사자가 만족할 수 있는 결과를 도출하려고 노력합니다.

- 회피 전략: 이 전략은 갈등을 무시하거나 피하는 방식으로 갈등을 해결하는 방법입니다. 이는 단기적으로는 효과적일 수 있지만, 분명하지 않은 문제를 남기고 장기적으로는 갈등을 악화시킬 수 있습니다.
- 경쟁 전략: 이 전략은 한 당사자가 다른 당사자를 이기는 방식으로 갈등을 해결하는 방법입니다. 이는 단기적으로는 효과적일 수 있으나, 장기적으로는 관계를 손상시키고 갈등을 악화시킬 수 있습니다.
- 적응 전략: 이 전략은 갈등이 발생한 상황을 받아들이고, 그 상황에 적응하는 방식으로 갈등을 해결하는 방법입니다. 이는 단기적으로는 갈등을 완화시킬 수 있으나, 장기적으로는 문제를 해결하지 못하고 갈등을 유발할 수 있습니다.
- 중재 전략: 이 전략은 중립적인 제3의 당사자가 개입하여 갈등을 해결하는 방법입니다. 중재자는 양 당사자의 입장을 이해하고 공정하게 문제를 해결하기 위해 노력합니다.
- 협상 전략: 이 전략은 갈등이 있는 당사자들이 직접 토론하고 협상하여 해결책을 찾는 방법입니다. 이는 상호 이해와 합의를 바탕으로 갈등을 해결합니다.
- 문제 해결 전략: 이 전략은 갈등의 근원적인 원인을 파악하고, 그 원인을 해결하여 갈등을 해결하는 방법입니다. 이는 갈등이 재발하지 않도록 하며, 단기적인 해결보다는 장기적인 해결을 목표로 합니다.

갈등 해결 전략 실습 자료

- 갈등 해결 전략 연구 논문: 다양한 갈등 해결 전략에 대한 심도 있는 연구를 통해 갈등 해결 전략에 대한 이해를 높일 수 있습니다. 이 과정에서는 갈등 상황에 따른 적절한 해결 전략을 식별하고 개발하는 데 중요한 이론적 배경을 학습합니다.
- 갈등 해결 전략 케이스 스터디: 실제 갈등 상황과 그 해결 사례를 분석하는 케이스 스터디를 통해 갈등 해결 전략을 실제로 적용하는 방법을 배울 수 있습니다. 이 과정에서는 실제 사례들을 통해 어떻게 갈등을 식별하고, 이를 해결한 것인지에 대한 실질적인 이해를 얻을 수 있습니다.
- 갈등 해결 전략 비교 분석: 다양한 갈등 해결 전략을 비교 분석하여 각 전략의 장단점과 적용 상황을 이해할 수 있습니다. 이 과정에서는 각 전략이 어떤 상황에서 효과적인지, 그리고 어떤 제한 사항이 있는지에 대한 이해를 깊게 할 수 있습니다.
- 갈등 해결 전략 토론: 팀원들과 함께 각각의 갈등 해결 전략에 대해 토론하여 서로의 견해를

공유하고, 실제 상황에 어떤 전략이 가장 효과적일지 논의해봅니다. 이 과정에서는 서로의 경험과 지식을 공유하며, 팀원들 간의 이해를 높이는 데 중점을 둡니다.

- 갈등 해결 전략 실습: 특정 갈등 상황을 가정하여, 팀원들과 함께 갈등 해결 전략을 실제로 적용해보는 실습을 진행합니다. 이 과정에서는 이론적인 지식을 실제 상황에 적용해보며, 갈등 해결 능력을 실질적으로 향상시킬 수 있습니다.
- 갈등 해결 전략 평가: 갈등 해결 전략의 효과성을 평가하는 시간을 가집니다. 팀원들이 각자의 전략을 실행한 결과를 공유하고, 그 효과와 개선점에 대해 논의합니다. 이 과정에서는 피드백을 통해 전략을 개선하고, 더 효과적인 갈등 해결 능력을 개발하는데 집중합니다.
- 갈등 관리 심화 토론: 갈등 해결 전략에 대한 토론을 더욱 심화하여, 다양한 갈등 상황과 복잡성을 고려하는 방법에 대해 논의합니다. 이 과정에서는 더욱 복잡하고 어려운 갈등 상황에 대한 해결 능력을 향상시킬 수 있습니다.
- 실생활 갈등 상황 분석 및 해결 전략 세우기: 팀원들이 실제로 경험한 갈등 상황을 공유하고, 그에 대한 해결 전략을 함께 세워봅니다. 이 과정에서는 실제 상황의 복잡성과 다양성을 이해하고, 이에 따른 실질적인 해결 능력을 개발할 수 있습니다.
- 갈등 해결 전략의 실용성 분석: 각각의 갈등 해결 전략이 실제 상황에서 얼마나 실용적인지 분석합니다. 이를 통해 각 전략의 장단점과 적절한 사용 상황에 대한 깊은 이해를 얻을 수 있습니다.
- 갈등 해결 전략 워크샵: 실제 갈등 상황을 가정하고 갈등 해결 전략을 적용해보는 워크샵을 통해 갈등 해결 능력을 향상시킬 수 있습니다. 이 과정에서는 실제 상황을 대비하고, 팀원들과 함께 실제로 전략을 실행해볼 수 있습니다.
- 롤플레잉: 참가자들이 다양한 갈등 시나리오에서 갈등 해결 역할을 수행하며, 실제적인 갈등 해결 기술을 연습합니다. 이 활동은 참가자들이 실제 상황에서 갈등을 어떻게 관리하고 해결할지 경험하게 합니다.

갈등 관리의 중요성

갈등 관리는 조직이나 개인이 이상적인 결과를 달성하기 위해 필수적인 요소입니다. 갈등이 적절하게 관리되지 않으면, 이는 팀의 성능 저하, 스트레스 증가, 의사소통 장애 등 부정적인 결과를 초래할 수 있습니다. 그러나, 잘 관리된 갈등은 창의적인 문제 해결, 팀워크 강화, 조직의 성장 등 긍정적인 변화를 가져올 수 있습니다.

1. 팀워크 강화: 적절한 갈등 관리는 팀원 간의 상호 이해를 증진하고, 서로 다른 의견과 관점을 존중하는 문화를 형성하는 데 도움이 됩니다. 이는 팀워크를 강화하고, 팀의 전반적인 성과를 향상시킵니다.

2. 창의적인 문제 해결: 갈등은 다양한 의견과 아이디어를 제시하게 하며, 이는 창의적인 문제 해결을 촉진합니다. 이는 팀이 더 효과적이고 효율적인 해결책을 찾는 데 도움이 됩니다.

3. 조직의 성장: 갈등은 조직 내에서 변화를 촉진하며, 이는 조직의 성장과 발전을 촉진합니다. 갈등을 통해 조직은 자신들의 문제점을 인식하고, 이를 개선하는 방법을 찾는 기회를 얻게 됩니다.

4. 개인의 성장: 개인적인 갈등은 자신의 감정, 가치, 태도 등에 대해 깊이 생각하게 하며, 이는 자기 성찰과 성장을 촉진합니다. 이는 개인의 리더십 능력과 의사소통 능력을 개발하는 데 도움이 됩니다.

5. 효율적인 의사결정: 잘 관리된 갈등은 팀이 더욱 심도 있게 토론하고, 문제를 다양한 관점에서 바라보게 만듭니다. 이는 팀이 더욱 효율적이고 공정한 의사결정을 할 수 있게 돕습니다.

갈등 관리 기술

- 의사소통 기술: 효과적인 의사소통은 갈등 해결에 중요한 역할을 합니다. 상대방의 견해를 이해하고, 자신의 의견을 명확하게 전달하는 것이 중요합니다.
- 경청 기술: 다른 사람들의 이야기를 진정으로 경청하고 이해하는 것은 갈등 상황에서 매우 중요합니다. 상대방의 견해를 존중하고 이해하려는 노력은 갈등을 빠르게 해결하는 데 도움이 됩니다.
- 협상 기술: 갈등 상황에서는 서로 다른 이해관계와 목표를 조율하기 위해 협상 기술이 필요합니다.
- 중재 기술: 중재자의 역할은 중요한데, 이는 갈등을 중재하고 공정하게 해결하는 것을 돕습니다.
- 객관성 유지: 갈등 상황에서는 개인의 감정과 선입견이 판단을 흐릴 수 있습니다. 객관적으로 상황을 보고 판단하는 능력은 갈등을 효과적으로 관리하고 해결하는데 중요합니다.
- 문제 해결 기술: 갈등은 본질적으로 문제 상황입니다. 따라서 문제 해결 기술을 활용하여 갈등 상황을 분석하고, 가능한 해결책을 찾아내는 능력이 필요합니다.
- 스트레스 관리: 갈등 상황은 종종 스트레스를 유발합니다. 이러한 스트레스를 효과적으로 관리하고, 갈등의 부정적인 영향을 최소화하는 능력이 필요합니다.
- 감정 지능: 감정 지능은 자신과 다른 사람들의 감정을 인식하고, 이해하고, 관리하는 능력을 의미합니다. 이는 갈등 상황에서 감정적인 반응을 적절하게 관리하고, 다른 사람들의 감정을 이해하고 존중하는데 중요합니다.

- 팀워크와 협력: 갈등은 종종 팀 내에서 발생합니다. 팀워크와 협력 기술을 활용하여 팀원들과 함께 갈등을 해결하는 전략을 개발하고 실행하는 능력이 중요합니다.
- 응집력 강화: 팀 내에서 갈등을 관리하고 해결하는 과정은 팀원들 간의 연결고리를 강화하는 기회가 될 수 있습니다. 팀원들이 함께 문제를 해결하면서 서로에 대한 이해를 높이고, 팀의 응집력을 강화하는 능력이 중요합니다.
- 피드백 제공 및 수용: 효과적인 피드백은 갈등 상황을 개선하는 데 중요한 역할을 합니다. 상황에 따른 적절하고 구체적인 피드백을 제공하고, 다른 사람들로부터의 피드백을 수용하는 능력이 필요합니다.

갈등 관리 실습 자료

- 갈등 관리의 중요성 연구 논문: 갈등 관리의 중요성에 대한 이해를 높이기 위해 심도 있는 연구를 분석합니다. 이 논문들은 갈등 관리 방법론의 이론적 배경과 실제 적용 사례를 다룹니다. 이를 통해 갈등 관리의 중요성과 그 효과를 학습하게 됩니다.
- 갈등 관리 사례 연구: 실제 조직에서의 갈등 관리 사례를 분석합니다. 다양한 갈등 상황과 그 해결 방법을 이해하고, 각 사례에서의 성공 요인과 개선점을 파악합니다. 이를 통해 실제 상황에서의 갈등 관리 전략에 대한 이해를 높입니다.
- 갈등 관리 토론: 팀원들과 함께 갈등 관리의 중요성에 대해 토론합니다. 각자의 갈등 관리 경험과 견해를 공유하고, 효과적인 갈등 관리 방법에 대한 다양한 의견을 듣습니다. 이 과정을 통해 팀원 간의 상호 이해를 높이고, 효과적인 갈등 관리 방법에 대한 공감대를 형성합니다.
- 갈등 관리 실습: 실제 갈등 상황을 가정하고, 갈등 관리 전략을 실제로 적용해봅니다. 이를 통해 이론적인 지식을 실제 상황에 적용하는 방법을 학습하고, 갈등을 효과적으로 관리하는 능력을 실질적으로 향상시킵니다.
- 갈등 관리 워크샵: 실제 갈등 상황을 가정하고 갈등 관리 전략을 적용해보는 워크샵을 통해 갈등 관리 능력을 향상시킵니다. 워크샵은 전문 훈련사의 지도 아래 진행되며, 실제 갈등 상황에서의 의사결정 과정과 그 결과를 체험합니다.
- 갈등 해결 전략 워크샵: 이 워크샵에서는 실제 갈등 상황을 가정하고 갈등 해결 전략을 적용해봅니다. 다양한 갈등 상황과 그에 맞는 해결 전략을 실제로 적용해보며, 갈등을 해결하는 능력을 학습합니다. 이를 통해 갈등 상황에 신속하고 효과적으로 대응하는 능력을 키울 수 있습니다.

기업 사례

- 코로나 바이러스 대유행에 따른 갈등 관리의 변화: 2020년 이후의 연구에서는 기업의 생존과 성장을 위해 갈등 관리의 중요성이 더욱 부각되었습니다. 특히, 코로나 바이러스 대유행으로 인한 불확실성과 스트레스가 증가함에 따라 갈등 관리 능력이 기업의 성장과 직원들의 삶의 질에 큰 영향을 미쳤습니다. 또한, 원격 근무의 필수화로 인해 새로운 커뮤니케이션 도구의 사용과 가상 환경에서의 팀워크와 협력의 어려움 등, 갈등의 원인과 유형이 변화하였습니다. 이를 적절히 관리하고 해결하는 것이 필요합니다.
- 구글의 다양성과 포괄성 중심 갈등 관리 전략: 구글은 조직 내 집단 간의 갈등을 최소화하고 협력을 증진하기 위해 다양성과 포괄성을 중심으로 한 갈등 관리 전략을 적용하였습니다. 다양한 배경과 경험을 가진 직원들 사이의 이해와 존중을 바탕으로 갈등을 관리하며, 이를 통해 팀의 효율성과 협력을 높이는 전략을 개발하였습니다.
- 애플의 갈등 해결 전략과 창의성 촉진: 애플은 조직 내에서의 창의성을 촉진하며 발생하는 갈등을 효과적으로 관리하기 위해, 오픈 커뮤니케이션과 투명성을 강조하는 갈등 해결 전략을 사용하였습니다. 이를 통해 창의적인 아이디어와 의견의 충돌을 통한 혁신을 촉진하며, 동시에 조직 내의 갈등을 최소화하였습니다.
- 현대자동차의 내부 갈등 관리 전략: 현대자동차는 조직 내의 갈등을 효과적으로 관리하여 조직의 성과에 미치는 영향을 최소화하였습니다. 이를 위해 리더들은 갈등의 원인을 깊이 파악하고, 적절한 해결 전략을 개발하며, 이를 통해 조직의 효율성을 높이고 팀워크를 강화하였습니다.
- 삼성전자의 갈등 관리 전략: 삼성전자는 글로벌 시장에서의 경쟁력을 유지하기 위해, 다양한 문화와 가치관이 충돌하는 갈등 상황을 관리하는 데에 성공하였습니다. 이를 위해 신뢰와 존중을 바탕으로 한 갈등 해결 전략을 개발하며, 이를 통해 다양한 배경과 경험을 가진 직원들 사이의 협력을 증진하였습니다.
- 유니클로의 고객 중심 갈등 관리 전략: 유니클로는 고객의 의견과 피드백을 통해 발생하는 갈등을 관리하며, 이를 바탕으로 제품 개선과 서비스 향상에 집중하였습니다. 이를 통해 고객 만족도를 높이고, 서비스의 품질을 향상시키는데 성공하였습니다.
- 아마존의 고객 중심 갈등 관리 전략: 아마존은 고객의 불만과 문제를 해결하는 갈등 관리 전략을 적용하였습니다. 이 전략은 고객이 회사와 겪는 어떠한 문제든지 신속하고 효과적으로 해결하는 것을 목표로 합니다. 아마존은 이를 통해 고객 만족도를 높이고, 서비스의 품질을 향상시키는데 성공하였습니다. 이렇게 고객 중심의 갈등 관리 전략을 통해 아마존은 고객들의 신뢰를 얻었고, 이는 그들의 성공 비결 중 하나라고 할 수 있습니다.

- LG전자의 내부 의사소통 강화 전략: LG전자는 직원 간의 의사소통을 강화하기 위한 전략을 적극적으로 도입하였습니다. 그들의 전략은 서로의 의견을 존중하고 이해하는 환경을 조성함으로써 직원 간의 갈등을 해결하는 것에 초점을 맞추고 있습니다. 이러한 접근 방식은 직원들이 서로를 더 잘 이해하도록 돕고, 그 결과로 직원들의 만족도를 향상시키는데 큰 기여를 하였습니다. 또한, 이는 팀원들 사이의 원활한 소통을 통해 팀워크를 강화하는데도 큰 도움이 되었습니다.
- 네이버의 기술 발전과 혁신을 위한 갈등 관리 전략: 네이버는 기업 내부에서 발생하는 기술적 갈등을 관리하고 해결하기 위한 전략을 적용하였습니다. 이를 통해 기술의 전반적인 발전을 촉진하고, 기술 혁신을 위한 새로운 아이디어와 솔루션을 발굴하는데 성공하였습니다. 이러한 전략은 직원들이 갈등 상황에서도 창의적인 사고를 유지하고, 문제 해결에 중점을 두는 문화를 조성하는 데 중요한 역할을 하였습니다.
- SK텔레콤의 조직 문화와 가치관의 충돌을 관리하는 갈등 해결 전략: SK텔레콤은 조직 문화와 가치관의 충돌을 관리하는 갈등 해결 전략을 적용하였습니다. 이를 통해 조직의 효율성을 높이고, 직원들의 삶의 질을 향상시키는데 성공하였습니다. 이러한 전략은 조직 내의 다양한 의견과 가치를 존중하며, 이를 조화롭게 통합하는 방법을 제공하였습니다.

시각 자료 및 도구

- 갈등의 원인과 유형 다이어그램: 갈등이 발생하는 주요 원인과 갈등의 다양한 유형을 보여주는 시각적인 다이어그램을 제공합니다.
- 갈등 해결 전략 플로우차트: 갈등 해결 전략을 선택하고 실행하는 과정을 단계별로 보여주는 플로우차트를 제공합니다.
- 갈등 관리의 중요성 인포그래픽: 갈등 관리의 중요성을 강조하고, 잘 관리된 갈등이 조직에 미치는 긍정적인 영향을 보여주는 인포그래픽을 제공합니다.
- 갈등 유형 표: 갈등의 다양한 유형을 분류하고 설명하는 표를 제공합니다. 각 유형은 발생 원인, 특징, 그리고 적절한 관리 전략으로 구성됩니다.
- 갈등 해결 전략 다이어그램: 갈등 해결 전략들을 구성 요소와 함께 시각화하는 다이어그램을 제공합니다. 이는 각 전략의 핵심 포인트를 명확하게 이해하는 데 도움이 됩니다.
- 갈등 관리 프로세스 플로우차트: 갈등이 발생했을 때, 어떠한 단계를 거쳐 관리해야하는지를 보여주는 플로우차트를 제공합니다. 이는 갈등 관리의 구조화된 접근법을 제공합니다.
- 갈등 상황 예제 인포그래픽: 다양한 갈등 상황과 그에 따른 적절한 해결 전략을 보여주는 인포그래픽을 제공합니다. 이는 실제 상황에서 어떻게 갈등을 관리할지에 대한 이해를 돕습니다.

- 갈등 관리의 효과 바 차트: 잘 관리된 갈등이 조직에 가져올 수 있는 긍정적인 결과를 보여주는 바 차트를 제공합니다. 이는 갈등 관리의 중요성을 시각적으로 강조합니다.
- 갈등 해결 전략 매트릭스: 각각의 갈등 해결 전략을 시각적으로 표현하는 매트릭스를 생성합니다. 이 그래픽은 리더가 상황에 따라 어떤 전략을 사용할 수 있는지를 명확하게 보여줍니다.
- 현대자동차 갈등 관리 사례 인포그래픽: 현대자동차가 실제로 어떻게 내부 갈등을 관리하고 해결했는지를 보여주는 인포그래픽을 제작합니다. 이는 실제 기업에서의 갈등 해결 사례를 시각적으로 설명하여 이해를 돕습니다.

갈등 해결 전략 워크샵

갈등 상황을 효과적으로 관리하고 해결하는 능력을 향상시키는 것은 매우 중요한 기술입니다. 이를 위해, 우리는 실제로 발생할 수 있는 다양한 갈등 상황을 가정하고 이러한 상황들에 대해 어떻게 대응하고 해결할 수 있는지를 연습해보는 워크샵을 개최합니다. 이 워크샵은 이론적인 지식뿐만 아니라 실제 갈등 상황에서의 대처 방법을 연습하는데 초점을 두고 있습니다.

이러한 워크샵에서는 실제 갈등 상황을 재현하여, 실제 상황에 대비하는 능력을 향상시킵니다. 갈등 상황에서 가장 적절하게 대응하고 문제를 해결하기 위한 다양한 전략과 기법을 배우고 실습해볼 수 있습니다. 이러한 실습은 갈등 해결의 이론적인 지식뿐만 아니라 실제 상황에서 어떻게 대처할지에 대한 경험을 제공합니다.

따라서 이러한 실습을 통해 갈등 해결 능력을 실질적으로 향상시킬 수 있을 것입니다. 이는 개인의 프로페셔널한 성장뿐만 아니라 팀 내에서의 유기적인 협력을 위해서도 중요한 역량입니다. 이러한 워크샵을 통해 참가자들은 자신의 갈등 관리 및 해결 능력을 실제로 향상시키고, 이를 실제 업무 상황에 적용하여 더욱 효과적인 결과를 도출할 수 있을 것입니다.

갈등 해결 전략 워크샵 실습 방안 및 과정

1. 워크샵 개요 및 목표 설정: 워크샵의 시작에서는 참가자들에게 워크샵의 목표와 갈등 해결에 대한 중요성을 설명합니다. 워크샵의 목표는 갈등 상황에서 효과적인 해결 전략을 설계하고 실행하는 능력을 향상시키는 것입니다.

2. 갈등 상황 소개: 참가자들에게 실제로 발생할 수 있는 다양한 갈등 상황을 소개합니다. 이때, 갈등 상황은 개인 간 또는 팀 내의 갈등을 포함할 수 있습니다.

3. 그룹 분배 및 역할 할당: 참가자들을 작은 그룹으로 나누고, 각 그룹에 갈등 상황에 대해 논의하고 해결책을 제시할 역할을 할당합니다.

4. 갈등 해결 전략 논의: 각 그룹은 주어진 갈등 상황에 대해 논의하고, 갈등을 해결할 수 있는 여러 전략을 제안합니다. 이때, 갈등의 원인을 파악하고, 갈등 해결 전략을 설계하는 방법에 대한 이론적 배경을 참고할 수 있습니다.

5. 해결 전략 제시 및 토론: 각 그룹은 자신들이 제안한 갈등 해결 전략을 다른 그룹에게 제시하고, 이를 토론합니다. 이 과정에서 각 그룹은 다른 그룹의 전략에 대해 피드백을 제공하고, 자신들의 전략을 개선하는 데 도움이 되는 통찰을 얻을 수 있습니다.

6. 해결 전략 실행 및 리뷰: 그룹은 자신들이 제안한 해결 전략을 가상의 갈등 상황에 적용해보고, 그 결과를 리뷰합니다. 이 과정에서 각 그룹은 전략이 실제 갈등 상황에서 어떻게 작동하는지를 이해하고, 전략을 실제 상황에 적용하는 방법을 배울 수 있습니다.

7. 토의 및 반성: 워크샵의 마지막에서는 참가자들이 워크샵에서 배운 점과 갈등 해결에 대한 자신들의 이해를 공유하고 반성하는 시간을 가집니다. 이는 갈등 해결 능력을 향상시키고, 협업 능력을 더욱 강화하는 데 도움이 됩니다.

이 장을 통해 학습자들은 갈등 해결과 관리에 대한 다양한 전략과 기법을 이해하고 실제로 적용하는 방법을 배웠을 것입니다. 그들은 갈등의 다양한 원인과 유형을 파악하며, 이를 해결하기 위한 효과적인 전략을 설계하는 방법을 배웠습니다. 또한, 갈등 관리의 중요성에 대해 깊이 이해하였으며, 이를 통해 조직 내에서의 효율성과 조화를 증진시키는 방법을 학습하였습니다.

실제 조직에서의 갈등 관리 사례를 통해, 갈등 관리 전략이 실제로 어떻게 적용되는지에 대한 실질적인 이해를 얻었을 것입니다. 또한, 워크샵을 통해 이론적인 지식을 실제 상황에 적용하는 방법을 실습해보았을 것입니다.

이러한 학습을 통해 학습자들은 갈등 해결 능력을 향상시키고, 이를 실제 업무 상황에 적용하여 더욱 효과적인 결과를 도출할 수 있을 것입니다. 이는 개인의 프로페셔널한 성장뿐만 아니라 팀 내에서의 유기적인 협력을 위해서도 중요한 역량이며, 이를 통해 조직의 성장과 성과를 더욱 높일 수 있을 것입니다.

제 5 장

혁신적 생태계 창출: 조직의 창의적 전환

이 장에서는 리더가 혁신적인 생태계를 구축하여 조직이 빠르게 변화하는 시장과 기술 트렌드에 신속하게 대응하도록 지원하는 방법에 대해 다룹니다. 이는 조직의 지속적인 경쟁력을 유지하고 향상 시키는 데 중요합니다. 이를 이해하고 적용하기 위해서는, 이론적 지식을 키우고 실제 조직 환경에서 이론을 적용하는 방법을 탐색해야 합니다.

학습 개요

이 장에서는 리더가 혁신적인 생태계를 구축하여 조직이 빠르게 변화하는 시장과 기술 트렌드에 신속하게 대응하도록 지원하는 방법에 대해 다룹니다. 이는 조직의 지속적인 경쟁력을 유지하고 향상 시키는 데 중요합니다. 이를 이해하고 적용하기 위해서는, 이론적 지식을 키우고 실제 조직 환경에서 이론을 적용하는 방법을 탐색해야 합니다.

학습 내용 및 목표

- 혁신 문화의 중요성: 혁신이 조직에 미치는 영향에 대해 깊이 이해하고, 혁신을 장려하고 육성하는 조직 문화의 핵심 구성 요소를 파악합니다. 이를 통해 혁신이 조직의 성장과 발전에 어떠한 역할을 하는지를 명확하게 인식할 수 있습니다.
- 혁신 촉진 전략: 조직 내에서 혁신을 촉진하고 지원하는 전략을 설계하고 이를 실현하기 위한 효과적인 정책을 개발합니다. 이 과정에서는 혁신 촉진을 위한 다양한 전략과 정책에 대한 깊은 이해가 필요합니다.
- 창의적 사고 촉진: 조직의 구성원들이 창의적 사고와 혁신적인 접근 방법을 갖출 수 있도록 돕는 다양한 기법과 방법을 학습합니다. 이를 통해 구성원들이 새로운 아이디어를 창출하고 이를 실제로 실행할 수 있는 능력을 향상시킬 수 있습니다.

예상 학습 성과

- 조직 내에서 혁신적인 아이디어를 생성하고 실행할 수 있는 문화를 조성하는 것이 중요합니다. 이렇게 하면 직원들이 새로운 아이디어를 제안하고, 그러한 아이디어를 효과적으로 실행하는 방법을 배울 수 있는 환경이 마련됩니다. 이러한 문화의 조성을 통해, 조직 전체가 혁신 문화의 중요성에 대한 깊은 이해를 갖게 되고, 이를 통해 조직의 성장과 발전을 촉진하는 데 기여할 수 있습니다.
- 조직의 변화와 성장을 주도하고 새로운 아이디어와 접근법을 촉진하는 능력이 필요합니다. 이를 위해 혁신을 촉진하고 지원하는 정책과 전략을 개발하는 능력을 키웁니다. 이를 통해 기존의 방식을 벗어나 새로운 방향으로 나아가는 데 필요한 리더십 역량을 강화하게 됩니다. 이런 역량은 조직이 현재의 시장 변화와 미래의 도전에 대응할 수 있게 해줍니다.
- 우리는 창의적 사고를 촉진하는 방법을 배우며, 이는 새로운 아이디어와 해결책을 찾는 데 필수적입니다. 또한, 혁신적인 접근법을 적용하는 데 필요한 다양한 기술과 방법을 배우게 됩니다. 이는 문제를 다양한 각도에서 보고, 전통적인 방법에서 벗어나 새롭고 효과적인 방법을 찾아내는 데 큰 도움이 됩니다.
- 최종적으로, 우리는 혁신적인 생태계를 구축하고 유지하는 방법에 대해 깊은 이해를 가지고 그것을 실제로 적용하는 방법에 대해 배웁니다. 이 과정은 우리가 어떻게 혁신적인 생태계를

구축하고 유지하는지의 전체적인 이해를 제공하며, 우리의 지식과 기술을 활용하여 혁신을 촉진하는 전략을 구축하고 실행하는 데 필요한 능력을 개발하는 데 중요합니다. 이를 통해 우리는 기업이나 조직에 새로운 가치를 창출하고 지속가능한 경쟁 우위를 확보하는 데 기여할 수 있는 방법을 배울 수 있습니다.

이론적 배경과 근거

혁신적 생태계의 중요성은 창의성과 혁신에 대한 다양한 연구에서 널리 인식되고 있습니다. 특히, Teresa Amabile의 "The Componential Theory of Creativity"는 이 주제에 대해 깊이 있게 다루며, 이론은 우리에게 혁신을 촉진하는 조직적 요소를 이해하는 데 큰 도움이 됩니다.

이론에 따르면, 작업 동기, 창의적 기술, 그리고 도메인 관련 기술은 조직에서 혁신을 촉진하는 핵심 요소입니다(Amabile, T. M. (1983). The Social Psychology of Creativity: A Componential Conceptualization). 이 세 가지 요소는 직원들이 새로운 아이디어를 생성하고, 그 아이디어를 구현하는 데 필요한 동기와 기술을 갖추도록 돕습니다.

이 이론은 리더들이 조직 내에서 창의적인 환경을 조성하고, 혁신을 촉진하기 위해 어떤 요소를 강화해야 하는지에 대한 중요한 가이드라인을 제공합니다. 이를 통해, 리더들은 조직의 창의력을 높이고, 혁신적인 생태계를 구축하는데 필요한 전략을 개발할 수 있습니다.

"혁신의 DNA"는 Jeffrey Dyer, Hal Gregersen 및 Clayton M. Christensen에 의해 제시된 중요한 혁신 이론입니다. 이들은 '협업', '연관', '질문', '관찰', '실험'의 5가지 기술이 혁신적인 리더를 만드는 데 결정적인 역할을 한다고 주장합니다. (Dyer, Gregersen, & Christensen, 2009) 이 이론은 조직 내에서 어떤 습관이 혁신을 촉진하는지 이해하는 데 도움이 됩니다.

또한, Linda A. Hill과 그녀의 동료들은 "혁신의 수직적 DNA"라는 개념을 도입하였습니다. 이들은 조직에서 혁신을 촉진하기 위해 필요한 3가지 기능으로 '창의적 협업', '창의적 해결', '창의적 실행'을 제시하였습니다(Hill, Brandeau, Truelove, & Lineback, 2014). 이는 혁신을 촉진하는 조직 전략을 개발하는 데 중요한 통찰을 제공합니다.

이러한 이론은 혁신적 생태계를 구축하고 유지하는 데 필요한 전략과 접근법을 이해하는 데 중요한 배경을 제공합니다. 이를 통해 리더는 조직 내에서 혁신을 촉진하고 지원하는 방법에 대한 보다 깊은 이해를 갖게 됩니다.

추가로, 최근 연구에서는 혁신적 생태계와 디지털 변혁의 연관성에 대해 강조하고 있습니다. Nathan Furr과 Andrew Shipilov의 "Digital Vortex"는 디지털 기술이 혁신을 어떻게 촉진하고, 기존의 비즈니스 모델을 어떻게 변혁시키는지에 대한 통찰을 제공합니다(Furr & Shipilov, 2019). 이들은 디지털 기술이 혁신적 생태계를 구축하는데 중요한 역할을 하는 동시에, 조직의 생존과 성장에 있어 필수적인 요소라고 주장합니다.

또한, 책 "The Innovator's Dilemma"의 저자인 Clayton M. Christensen은 '파괴적 혁신'이라는 개념을 도입하였습니다. 이 개념은 새로운 기술이나 아이디어가 기존의 시장을 뒤흔들며 새로운 기회를 창출하는 현상을 설명합니다(Christensen, 1997). 이러한 관점은 혁신적 생태계를 구축하고 유지하는 데 있어, 새로운 기술 동향을 파악하고 이를 조직 내에 통합하는 전략의 중요성을 강조합니다.

이와 같은 최근의 이론적 배경과 근거는 혁신적 생태계를 구축하고 유지하는 방법에 대한 리더의 이해를 더욱 깊게 합니다. 이를 통해 리더는 조직이 지속적으로 성장하고 발전할 수 있는 기반을 마련하는데 필요한 전략을 개발하고 실행할 수 있게 됩니다.

최신 이론적 배경과 근거

"조직의 변화와 성장을 주도하는 혁신" 이라는 책에서 저자인 Tendayi Viki는 '혁신의 3P: people, process, progress'를 제시하였습니다. 이는 조직 내에서 혁신을 촉진하는데 필요한 핵심 요소로, 사람들이 혁신적인 아이디어를 생각하고 실현하기 위한 과정과 진행 상황을 추적하는 것을 강조하고 있습니다(Viki, T. (2020). Pirates In The Navy: How Innovators Lead Transformation).

또한, "데이터 중심 조직 문화"라는 연구에서 저자인 Barry Libert와 Megan Beck는 데이터를 활용하여 혁신을 촉진하는 방법을 제안하였습니다. 이들은 조직이 데이터를 활용하여 새로운 아이디어를 발굴하고, 이를 기반으로 혁신을 이끌어내는 방법을 설명하였습니다. (Libert, B., & Beck, M. (2020). The Network Imperative: How to Survive and Grow in the Age of Digital Business Models)

"디지털 시대의 혁신 리더십"의 저자인 Michael Wade와 James Macaulay는 디지털 기술을 활용한 혁신에 대해 서술하였습니다. 이들은 디지털 기술이 혁신을 촉진하는 방법과 디지털 시대에서의 리더십 역할에 대해 깊이 분석하였습니다. (Wade, M., & Macaulay, J. (2020). Orchestrating Transformation: How to Deliver Winning Performance with a Connected Approach to Change)

이러한 최신 이론들은 혁신적 생태계를 구축하고 유지하는 방법에 대한 현대적인 이해를 제공합니다. 이를 통해, 리더들은 디지털 기술과 데이터를 활용하여 혁신을 촉진하고, 이를 관리하는데 필요한 전략을 개발할 수 있습니다.

혁신 문화의 중요성

혁신 문화는 조직이 지속적으로 성장하고 발전하는 데 필수적인 요소입니다. 이러한 중요성은 실제 사례를 통해서도 입증되고 있습니다. 국제 컨설팅 회사인 McKinsey & Company의 연구에 따르면, 혁신 문화를 갖춘 기업들은 매출과 이익 증가, 주가 수익률 등에서 높은 성과를 보이는 경향이 있습니다.

또한, Boston Consulting Group의 2020년 혁신 보고서에서는 혁신 문화가 기업의 혁신 성과에 가장 큰 영향을 미치는 요소 중 하나라고 보고하였으며, 이는 혁신 문화의 중요성을 더욱 강조하고 있습니다.

그 중요성은 다음과 같은 여러 가지 이유에서 비롯됩니다.

1. 새로운 아이디어의 창출: 혁신 문화는 조직 내에서 새로운 아이디어를 창출하고 이를 효과적으로 실행할 수 있는 환경을 조성하는데 큰 역할을 합니다. 조직의 구성원들이 자유롭게 생각을 제안하고, 실험하고, 이를 실행에 옮길 수 있는 환경은 새로운 제품, 서비스, 프로세스의 개발 및 성공적인 시장 출시에 중요한 기여를 합니다.

2. 대응능력 강화: 또한, 혁신 문화는 조직이 빠르게 변화하는 시장 트렌드와 고객의 요구에 신속하게 대응하고 적응하는 능력을 상당히 강화시킵니다. 이는 특히 기술의 발전과 디지털화가 가속화되는 현대 사회에서 더욱 중요하게 작용합니다.

3. 경쟁 우위 확보: 지속적인 혁신을 통해 조직은 시장에서 독특한 가치를 제공하고, 이를 통해 경쟁 우위를 확보하고 유지할 수 있습니다. 혁신 문화는 이러한 경쟁 우위를 얻고 유지하는데 중추적인 역할을 합니다.

혁신 문화 구축을 위한 전략

혁신적인 문화를 만들고 유지하는 데는 다양한 전략이 필요합니다. 아래에서는 그 중 몇 가지 주요 전략을 상세히 설명하겠습니다. 이 전략들은 혁신 문화를 구축하고 지속하는 데 중요하며, 이를 통해 조직은 지속적으로 성장하고 발전할 수 있습니다.

1. 오픈 마인드를 존중하는 문화: 혁신 문화의 첫 번째 핵심 요소는 모든 구성원이 자신의 창의적인 아이디어를 자유롭게 제시하고 공유할 수 있는 환경을 만드는 것입니다. 이를 실현하기 위해서는 리더가 능동적으로 구성원들의 의견을 존중하고 수용하는 것이 필요합니다. 이는 다양한 아이디어와 창의력을 환영하는 분위기를 만들며, 이것이 바로 혁신적인 조직 문화의 핵심입니다.

2. 실패를 허용하는 문화의 조성: 두 번째 전략은 조직 내에서 실패를 두려워하지 않고 새로운 것을 시도하는 것을 격려하는 문화를 만드는 것입니다. 혁신은 종종 실패에서 시작되며, 실패를 통해 배운 경험은 성공으로 이어질 수 있습니다. 따라서, 조직은 실패를 통해 배우고 성장하는 것을 격려하는 문화를 만들어야 합니다.

3. 지속적인 학습과 개선의 추구: 마지막으로, 혁신은 지속적인 학습과 개선에서 나옵니다. 조직은 구성원들이 지속적으로 새로운 지식과 기술을 배우고, 그것을 기반으로 기존의 방식을 개선하도록 지원해야 합니다. 이는 조직의 지속적인 개선과 성장을 위한 필수적인 요소입니다.

혁신 문화 구축을 위한 실습 자료

- 혁신 워크샵: 혁신에 대한 워크샵을 주기적으로 진행하여 구성원들의 창의적 사고와 혁신에 대한 이해를 높입니다. 워크샵에서는 혁신적인 아이디어 발굴 방법, 실패를 통한 학습, 효과적인 문제 해결 전략 등을 다루며, 이는 조직의 혁신적 문화를 선도하는 역할을 합니다.
- 아이디어 브레인스토밍: 구성원이 자유롭게 아이디어를 제안하고 공유할 수 있는 환경을 만드는 것이 중요합니다. 아이디어 브레인스토밍 세션을 주기적으로 개최하면, 구성원들이 창의적인 생각을 자유롭게 나눌 수 있게 되어, 아이디어의 다양성을 증진시킵니다.
- 혁신 프로젝트: 구성원들이 직접 혁신 프로젝트를 기획하고 실행해보는 기회를 제공합니다. 이를 통해 구성원들은 실제 혁신 프로세스를 경험하고 그 결과를 직접 확인할 수 있습니다. 이는 실질적인 혁신 경험을 통해 아이디어를 실현하는 능력을 향상시킵니다.
- 실패 사례 스터디: 실패를 통해 배울 수 있는 가치를 깨닫게 해주는 실패 사례 스터디를 진행합니다. 실패를 두려워하지 않고 새로운 것을 시도하는 문화를 조성하는 데 도움이 됩니다. 이는 실패에서 배우는 것이 성공으로 이어지는 경험을 제공하며, 실패에 대한 부정적인 인식을 바꾸는 데 기여합니다.
- 프로토타이핑: 새로운 아이디어를 직접 구현해보며 실패와 성공을 경험하게 해주는 프로토타이핑을 활용합니다. 이는 구성원들이 실패를 두려워하지 않고 새로운 것을 시도하는 문화를 실질적으로 체험하게 합니다. 특히, 실제 아이디어를 구현하고 개선하는 과정을 통해 혁신의 실질적인 가치를 체감하게 됩니다.
- 직원 교육 프로그램: 구성원들이 지속적으로 새로운 지식과 기술을 배울 수 있도록 교육 프로그램을 운영합니다. 이를 통해 지속적인 학습과 개선을 추구하는 문화를 조성하는 데 도움이 됩니다. 특히, 교육 프로그램은 혁신에 필요한 기술과 지식을 계속 업데이트하고 공유하는 플랫폼 역할을 합니다.
- 멘토링 프로그램: 선배 직원이나 혁신에 경험이 많은 멘토를 통해 구성원들이 혁신에 대한 실질적인 지식과 경험을 얻을 수 있는 멘토링 프로그램을 운영합니다. 멘토링은 구성원들에게 안전하게 실패하고 배울 수 있는 환경을 제공하며, 혁신에 대한 실질적인 지식과 경험을 공유하는 기회를 제공합니다.
- 혁신 성과 공유: 조직 내에서 이루어진 혁신의 성과를 모든 구성원과 공유하여 혁신의 중요성과 가치를 인식시킵니다. 이는 구성원들의 동기 부여를 높이고, 혁신에 대한 긍정적인 인식을 강화하는 데 도움이 됩니다. 특히, 성공적인 혁신 사례를 공유함으로써, 구성원들은 혁신의 가능성과 그것이 조직에 미치는 긍정적인 영향을 직접 확인할 수 있습니다.

혁신 촉진 전략

혁신을 촉진하는 전략은 다양한 방법으로 구현될 수 있으며, 그 중 몇 가지 주요 전략은 다음과 같습니다.

1. 아이디어 관리 시스템 도입: 조직 내에서 아이디어를 제시하고 공유하는 공식적인 시스템을 도입하는 것입니다. 이 시스템은 조직의 모든 구성원에게 열려 있으며, 구성원들은 이를 통해 자신의 창의적인 생각을 제출하고 다른 사람들의 아이디어에 피드백을 제공할 수 있습니다. 이러한 과정은 구성원들이 혁신에 적극적으로 참여하고 서로의 아이디어를 공유하는 문화를 조성하는 데 매우 중요한 역할을 합니다.

2. 실험적 문화 확립: 실험적인 문화를 확립하는 것은 또 다른 중요한 전략입니다. 이는 구성원들이 새로운 아이디어를 자유롭게 시도하고, 실패에 대한 두려움 없이 새로운 도전을 할 수 있는 환경을 조성함으로써 혁신을 촉진하는데 큰 도움이 됩니다. 실험은 혁신의 핵심 과정이며, 실패는 종종 성공으로 이어지는 중요한 단계입니다. 따라서, 실험을 통해 새로운 아이디어를 테스트하고, 실패를 통해 배우는 것을 격려하는 문화를 만드는 것이 중요합니다.

3. 지속적인 교육과 훈련: 조직은 구성원들이 지속적으로 새로운 지식과 기술을 배울 수 있도록 다양한 교육과 훈련 프로그램을 제공해야 합니다. 이를 통해 구성원들의 역량을 향상시키고, 그들이 새로운 아이디어를 제안하고 혁신을 촉진하는 데 필요한 지식과 기술을 갖추도록 돕습니다.

4. 협업과 팀워크 강조: 혁신은 개인이 아닌 팀에서 이루어지는 경우가 많습니다. 따라서, 조직은 구성원들이 서로 협력하고 함께 일하는 문화를 강조해야 합니다. 서로 다른 관점과 아이디어를 결합하는 것이 종종 혁신적인 해결책을 찾는데 중요하며, 이를 통해 조직 전체가 혁신에 참여하게 됩니다.

5. 혁신에 대한 보상 시스템 구축: 마지막으로, 혁신을 촉진하는 데 성공한 구성원들에게 보상을 제공하는 시스템을 구축하는 것입니다. 이를 통해, 조직은 구성원들이 혁신에 적극적으로 참여하고, 새로운 아이디어를 제안하는 것을 격려할 수 있습니다.

이러한 전략들은 혁신을 촉진하고, 지속적인 성장과 발전을 위한 조직의 문화를 구축하는 데 중요한 역할을 합니다. 혁신은 조직의 성장을 촉진하고, 경쟁력을 유지하며, 지속 가능한 미래를 구축하는 데 필수적입니다.

혁신 촉진 전략 실습 자료

- 혁신 프로젝트: 가장 먼저, 구성원들이 직접 혁신 프로젝트를 기획하고 실행해보는 기회를 제공합니다. 이를 통해 구성원들은 실제 혁신 프로세스를 경험하고 그 결과를 직접 확인할 수 있습니다. 뿐만 아니라, 이 과정에서 실패와 성공을 통해 혁신에 대한 깊은 이해를 얻습니다. 이러한 경험은 실질적인 혁신 능력을 키우는데 중요합니다.
- 멘토링 프로그램: 구성원들이 혁신에 대한 실질적인 지식과 경험을 얻을 수 있는 멘토링 프로그램을 운영합니다. 이 프로그램에서는 혁신에 경험이 풍부한 선배 직원이나 외부 전문가를 통해 실질적인 혁신 프로세스를 이해하고, 실제 문제 상황에서 어떻게 혁신적인 해결책을 찾아낼 수 있는지 학습합니다.
- 혁신 아이디어 경연대회: 조직 내에서 혁신 아이디어 경연대회를 개최하여 구성원들이 자신들의 아이디어를 제시하고 경쟁하게 합니다. 이는 창의적 사고를 촉진하고, 혁신적 아이디어를 발굴하는 데 도움이 됩니다. 또한, 이 경연대회는 구성원들이 자신의 아이디어를 효과적으로 제안하고, 다른 사람들의 피드백을 바탕으로 아이디어를 개선하는 능력을 키울 수 있게 합니다.
- 아이디어 피치 세션: 주기적으로 아이디어 피치 세션을 진행하여, 구성원들이 자신의 아이디어를 다른 구성원들 앞에서 발표하고 피드백을 받는 기회를 제공합니다. 이를 통해, 구성원들은 자신의 아이디어를 효과적으로 제안하고, 다른 사람들의 피드백을 바탕으로 아이디어를 개선하는 능력을 키울 수 있습니다.
- 혁신 성과 공유: 조직 내에서 이루어진 혁신의 성과를 모든 구성원과 공유하여 혁신의 중요성과 가치를 인식시킵니다. 이는 구성원들의 동기 부여를 높이고, 혁신에 대한 긍정적인 인식을 강화하는 데 도움이 됩니다.
- 혁신 동아리 운영: 구성원들이 자발적으로 참여할 수 있는 혁신 동아리를 만들어, 혁신에 대한 토론과 아이디어를 나누는 시간을 갖도록 합니다. 이는 구성원들에게 혁신에 대한 열정과 관심을 높이는데 도움이 됩니다.
- 혁신 세미나 및 워크샵 참가: 구성원들이 외부 혁신 세미나나 워크샵에 참가하여, 최신 혁신 트렌드와 전략에 대한 지식을 습득하고 조직에 적용할 수 있도록 합니다. 이를 통해 구성원들은 최신 지식을 획득하고 자신의 아이디어에 적용할 수 있습니다.
- 혁신 워크샵: 다양한 주제에 대해 혁신 워크샵을 주기적으로 개최하여, 구성원들의 창의적 사고를 촉진하고 혁신에 대한 이해를 높입니다. 이러한 워크샵에서는 혁신적인 아이디어 발굴 방법, 실패를 통한 학습, 효과적인 문제 해결 전략 등에 대해 다룹니다.

창의적 사고 촉진

창의적 사고는 새로운 아이디어와 해결책을 찾아내는 능력으로, 혁신적인 생태계를 만드는 데 있어 핵심적인 역할을 합니다. 창의적 사고를 촉진하기 위해 다음과 같은 전략을 적용할 수 있습니다.

1. 브레인스토밍 세션: 구성원들이 자유롭게 아이디어를 제시하고 이를 공유할 수 있는 브레인스토밍 세션을 주기적으로 개최합니다. 이를 통해 구성원들은 서로의 아이디어에 대해 피드백을 주고받으며, 다양한 관점에서 문제를 바라보고 새로운 해결책을 찾아갑니다.

2. 다양한 경험 및 지식 공유: 다양한 배경과 경험을 가진 구성원들이 자신의 지식과 경험을 공유하면, 다양한 아이디어와 접근법이 생겨나 창의적 사고를 촉진합니다. 이를 위해 세미나, 워크샵, 팀 빌딩 활동 등을 계획할 수 있습니다.

3. 실험적 문화 조성: 실패를 두려워하지 않고 새로운 것을 시도하는 실험적 문화를 조성함으로써, 구성원들이 창의적 사고를 발휘할 수 있게 합니다. 실험은 새로운 아이디어를 테스트하고 그 효과를 확인하는 데 필요한 과정이며, 실패를 통해 더 나은 방향으로 아이디어를 개선하게 됩니다.

4. 자기주도적 학습 지원: 구성원들이 자신의 관심 분야나 필요한 기술에 대해 자기주도적으로 학습할 수 있도록 지원합니다. 이를 통해 구성원들은 새로운 지식을 습득하며, 그 지식을 바탕으로 창의적 사고를 펼칠 수 있습니다.

창의적 사고 촉진 실습 자료

- 온라인 학습 플랫폼: Coursera, Udemy 등의 온라인 학습 플랫폼을 활용하면 구성원들이 필요한 지식과 기술을 자기주도적으로 학습할 수 있습니다. 다양한 주제와 강의를 통해 개인의 업무능력을 향상시키는 데 도움이 됩니다.
- 아이디어 브레인스토밍 워크시트: 아이디어 브레인스토밍 세션을 효과적으로 진행할 수 있도록 도와주는 워크시트입니다. 이를 통해 구성원들이 자신의 아이디어를 체계적으로 정리하고, 다른 사람들의 아이디어에 대해 피드백을 주고 받을 수 있습니다. 아이디어를 시각화하고 구조화하는 데에 유용합니다.
- 크리티컬 씽킹 워크북: 구성원들이 문제를 분석하고 해결책을 찾아내는 데 도움이 되는 도구입니다. 이를 통해 구성원들은 자신의 생각을 깊게 파고들고, 다양한 관점에서 문제를 바라볼 수 있습니다.
- 창의적 사고 트레이닝 프로그램: 창의적 사고 능력을 향상시키는 특별 프로그램을 운영합니다. 이 프로그램은 구성원들이 다양한 상황에서 창의적으로 생각하고 문제를 해결하는 능력을 향상시키는 데 도움이 됩니다.

- 디자인 씽킹 워크샵: 디자인 씽킹 워크샵을 통해 구성원들이 사용자 중심적인 접근법을 통해 문제를 해결하는 방법을 배울 수 있습니다. 사용자의 요구와 경험을 이해하고, 이를 바탕으로 창의적인 해결책을 찾아내는 데에 중요합니다.
- 프로젝트 기반 학습: 실제 문제를 해결하며 창의적 사고를 키울 수 있는 학습 방식입니다. 이를 통해 구성원들은 실제 상황에서 어떻게 창의적인 해결책을 찾아낼 수 있는지를 경험하게 됩니다.
- 반전 사고 워크샵: 기존의 생각에서 벗어나 새로운 관점에서 문제를 바라보는 '반전 사고' 워크샵을 운영합니다. 일반적인 해결 방법에서 벗어나 창의적인 해결책을 찾아내는 방법을 배웁니다.
- 창의성 개발 워크북: 창의적 사고를 촉진하고 개발하는 데 도움이 되는 연습문제와 활동이 포함된 워크북입니다. 창의성을 강화하고 사고력을 향상시키는 데에 유용합니다.
- 워크샵: 팀원들이 직접 창의적 아이디어를 발굴하고 프로토타이핑하는 워크샵을 진행합니다. 참가자들은 혁신적 생각을 실제로 적용해보고 그 효과를 직접 평가하는 기회를 얻을 수 있습니다.

기업 사례

- 혁신 워크샵: 네이버와 같은 대기업뿐만 아니라, 스타트업이나 중소기업에서도 혁신 워크샵을 진행하며 창의적 사고를 활성화하는 사례들이 있습니다. 이들 조직에서는 새로운 아이디어를 발굴하고 문제 해결 능력을 키우기 위해 다양한 워크샵을 기획하고 진행하고 있습니다.
- 아이디어 경진대회: LG의 '아이디어톤'이나 삼성의 '삼성전자 창의력 경진대회'와 같이 다양한 기업에서 아이디어 경진대회를 개최하여 혁신 문화를 조성하는 사례가 있습니다. 이러한 경진대회를 통해 구성원들은 창의적인 아이디어를 발굴하며 혁신에 대한 열정을 불어넣을 수 있습니다.
- 혁신 동아리: 대학교나 기업 내에서 혁신 동아리를 운영하여 창의적 사고를 촉진하는 사례가 많습니다. 이러한 동아리에서는 새로운 아이디어를 공유하고 실제로 프로젝트를 실행해보며 혁신을 경험하게 됩니다.
- 멘토링 프로그램: Google의 'Google Launchpad Accelerator'나 Microsoft의 'Microsoft for Startups'와 같은 프로그램을 통해 혁신에 대한 지식과 경험을 공유하는 멘토링 프로그램이 진행되고 있습니다. 이러한 프로그램을 통해 참가자들은 혁신에 대한 실질적인 지식과 경험을 얻을 수 있습니다.
- 직무 교육 프로그램: IBM의 'Digital Nation Africa'와 같은 프로그램은 혁신적인 아이디어를 구현할 수 있는 기술적 지식을 제공합니다. 이러한 교육 프로그램을 통해 참가자들은 혁신에 필요한 실질적인 기술을 학습할 수 있습니다.

- 협업 플랫폼 활용: Slack이나 Trello와 같은 협업 플랫폼을 활용하여 구성원들이 아이디어를 공유하고 피드백을 주고 받는 사례가 있습니다. 이러한 플랫폼을 통해 구성원들은 언제 어디서나 혁신에 참여할 수 있습니다.
- 상시 아이디어 제안 제도: Google의 '20% 시간'과 같이 구성원들이 자신의 업무 외 시간에 창의적인 아이디어를 개발하도록 유도하는 제도를 도입하여 혁신을 촉진하는 사례가 있습니다. 이러한 제도를 통해 구성원들은 자신의 아이디어를 실제로 구현해볼 기회를 얻을 수 있습니다.

시각 자료 및 도구

- 혁신 워크샵 결과물 공유: 워크샵에서 개발된 아이디어나 결과물을 시각적으로 표현하여 공유합니다. 이를 통해 다른 구성원들도 참여하고, 아이디어를 발전시키는데 도움이 됩니다.
- 아이디어 브레인스토밍 결과 보드: 브레인스토밍 세션에서 나온 아이디어를 시각적으로 정리하고 표시합니다. 이를 통해 아이디어를 더욱 구체화하고, 필요한 경우 추가적인 피드백을 받을 수 있습니다.
- 혁신 프로젝트 결과 시각화: 팀이 진행한 혁신 프로젝트의 결과를 시각적으로 표현하여, 프로젝트의 진행 과정과 성과를 명확하게 보여줍니다.
- 실험 결과 보고서: 실험적인 문화를 확립하기 위해 진행한 실험의 결과를 시각적으로 보고서로 작성합니다. 실패와 성공 모두를 포함하여 보고서를 작성함으로써, 실패를 통해 배운 점을 강조하고, 성공적인 결과를 공유합니다.
- 혁신 점수판: 조직의 혁신 성과를 추적하고 측정하는데 사용되는 시각적 도구입니다. 이를 통해, 조직은 혁신 목표 달성을 위한 진행 상황을 쉽게 파악하고, 필요한 경우 전략을 조정할 수 있습니다.
- 혁신 로드맵: 혁신을 추진하는데 필요한 단계와 이를 달성하기 위한 계획을 시각적으로 나타낸 도구입니다. 로드맵은 조직의 혁신 전략을 명확하게 표현하고, 이를 구성원들에게 전달하는데 도움이 됩니다.
- 혁신 워크플로우 다이어그램: 혁신 프로젝트의 진행 과정을 시각적으로 표현한 다이어그램입니다. 이는 구성원들이 프로젝트의 전체적인 흐름을 이해하고, 각 단계에서 어떤 활동이 필요한지 파악하는데 도움이 됩니다.
- 아이디어 관리 대시보드: 제출된 아이디어의 상태와 진행 상황을 한눈에 볼 수 있는 대시보드입니다. 이를 통해, 조직은 아이디어의 관리와 실행을 보다 효율적으로 수행할 수 있습니다.

- 혁신 프로세스 다이어그램: 조직 내 혁신 프로세스의 각 단계를 설명하는 다이어그램을 생성합니다. 이 다이어그램은 아이디어 생성에서 실행까지의 과정을 시각적으로 보여주어, 리더가 혁신을 어떻게 관리해야 하는지 이해를 돕습니다.
- 네이버 혁신 사례 인포그래픽: 네이버의 혁신 전략과 그 결과를 시각적으로 나타내는 인포그래픽을 제작합니다. 이는 혁신적 생태계를 통한 실제 성과와 변화를 명확히 보여주어, 리더가 이를 참고하여 자신의 조직에 적용할 수 있는 통찰을 제공합니다.

혁신 워크샵 실습 방안 및 과정

혁신 워크샵은 참가자들에게 직접 아이디어를 발굴하고 구체화하는 기회를 제공하는 실습입니다. 이 워크샵에서, 참가자들은 다양한 주제에 대해 토론하고, 그 주제에 대해 창의적인 아이디어를 제시하게 됩니다. 이 아이디어들은 그룹 내에서 평가되고 피드백을 받게 되어, 아이디어가 개선되고 발전할 수 있게 됩니다. 또한, 이 워크샵은 참가자들이 실제로 혁신적인 생각을 적용해보고 그 효과를 직접 평가하는 기회를 제공하여, 실질적인 혁신 능력을 키우는데 중요한 역할을 합니다.

1. 워크샵 개요 및 목표 설정: 처음에는 워크샵의 개요와 목표를 명확하게 설정합니다. 이를 통해 참가자들이 워크샵의 목표를 이해하고, 그에 따라 행동할 수 있습니다.

2. 팀 구성: 참가자들을 소규모의 팀으로 구성합니다. 팀은 다양한 배경과 경험을 가진 구성원들로 구성하는 것이 좋습니다.

3. 문제 정의: 각 팀은 해결해야 할 문제를 정의합니다. 이는 혁신적인 아이디어를 발굴하는데 중요한 첫 단계입니다.

4. 아이디어 브레인스토밍: 정의된 문제를 해결하기 위한 아이디어를 브레인스토밍합니다. 모든 구성원이 자유롭게 의견을 제시하고, 이를 토론하는 시간을 갖습니다.

5. 아이디어 선정 및 개발: 브레인스토밍을 통해 제시된 아이디어 중 가장 효과적인 아이디어를 선정하고, 이를 더욱 구체화하고 개발합니다.

6. 프로토타이핑 및 테스팅: 선정된 아이디어를 바탕으로 프로토타입을 제작합니다. 이는 아이디어를 실제로 구현해보고, 그 효과를 테스트하는 데 중요합니다.

7. 피드백 및 개선: 프로토타입에 대한 피드백을 수집하고, 이를 바탕으로 아이디어를 개선합니다. 이 과정은 반복적으로 진행될 수 있습니다.

8. 결과 공유 및 평가: 마지막으로, 각 팀은 자신들이 개발한 아이디어와 프로토타입을 다른 팀들에게 공유하고, 이를 평가받습니다. 이를 통해, 각 팀은 자신들의 아이디어를 효과적으로 제안하고, 다른 사람들의 피드백을 바탕으로 아이디어를 개선하는 능력을 키울 수 있습니다.

이 장을 통해 학습자들은 혁신적 생태계를 창출하기 위한 다양한 전략과 방법에 대해 이해하게 될 것입니다. 학습자들은 창의적 사고를 촉진하고, 아이디어를 발굴하고 평가하는 방법, 그리고 이를 실제 혁신으로 구현하는 과정에 대해 학습하게 될 것입니다. 이 과정에서 학습자들은 팀원들과 협업하고, 다양한 관점을 고려하고, 실패를 통해 배우는 등의 경험을 통해 창의성과 혁신에 대한 깊은 이해를 얻을 수 있습니다. 또한, 혁신 워크샵이나 아이디어 경진대회 등의 실제 사례를 통해 이론을 실제로 적용하는 방법에 대해 배울 수 있습니다.

이 장에서 학습한 내용을 바탕으로, 학습자들은 자신의 조직이나 팀에서 혁신적인 생태계를 구성하는 방법에 대한 실질적인 이해를 얻을 수 있습니다. 이를 위해 창의적 사고를 촉진하는 방법, 다양한 경험과 지식을 공유하는 방법, 실험적인 문화를 조성하는 방법, 그리고 자기주도적 학습을 지원하는 방법 등에 대해 배웠습니다. 또한, 실제 혁신을 실현하는 과정에서 필요한 아이디어 발굴부터 평가, 프로토타이핑, 테스팅, 피드백 수집과 개선, 그리고 공유에 이르는 전체적인 과정에 대해서도 학습했습니다.

학습자들은 이 과정을 통해 혁신적인 생태계를 만들어 나가는데 필요한 핵심적인 원리와 전략에 대한 깊은 이해를 얻었을 것입니다. 이를 바탕으로 학습자들은 자신들의 조직이나 팀에서 혁신을 추진하고, 이를 통해 조직의 성장과 발전을 이끌어낼 수 있을 것입니다.

제 6 장

인재 발전: 조직의 미래를 구축하기

이 장에서는 리더가 조직 내 잠재적 인재를 찾고, 그들의 능력을 향상 시키며, 성장을 돕는 방법에 대해 살펴봅니다. 인재 개발은 조직의 지속적인 성장과 혁신을 촉진하는 핵심 요소입니다. 이를 달성하기 위해 다양한 전략과 방법이 필요하며, 리더는 이를 통해 팀이나 조직이 미래의 도전을 성공적으로 이겨내고, 지속적인 성장과 발전을 위한 유능한 인력을 육성할 수 있습니다.

학습 개요

이 장에서는 리더가 조직 내 잠재적 인재를 찾고, 그들의 능력을 향상 시키며, 성장을 돕는 방법에 대해 살펴봅니다. 인재 개발은 조직의 지속적인 성장과 혁신을 촉진하는 핵심 요소입니다. 이를 달성하기 위해 다양한 전략과 방법이 필요하며, 리더는 이를 통해 팀이나 조직이 미래의 도전을 성공적으로 이겨내고, 지속적인 성장과 발전을 위한 유능한 인력을 육성할 수 있습니다.

학습 내용 및 목표

- 인재 발굴의 중요성: 조직 내에서 잠재력이 높은 인재를 식별하고 선발하는 방법은 매우 중요합니다. 이를 통해 기업은 미래의 리더를 양성하고, 조직의 성장과 발전에 기여할 수 있는 인재를 확보할 수 있습니다. 이 과정에서는 이러한 인재 발굴의 중요성에 대해 깊이 이해하게 됩니다.
- 개발 계획 수립: 개인의 성장과 조직의 필요를 연결시키는 맞춤형 개발 계획의 수립은 그들의 능력을 최대한 활용하고, 그들이 조직 내에서 효과적으로 기능할 수 있도록 돕습니다. 이 과정에서는 이러한 개발 계획을 어떻게 수립하는지에 대한 방법과 전략을 배웁니다.
- 코칭 및 멘토링: 직원의 잠재력을 최대화하는 방법 중 하나는 효과적인 코칭 및 멘토링을 통한 지원입니다. 코칭 및 멘토링은 직원이 그들의 능력을 최대한 발휘할 수 있도록 돕는데 중요한 역할을 합니다. 이 과정에서는 이러한 코칭 및 멘토링 기법에 대해 학습하고, 이를 실제로 어떻게 적용하는지에 대해 배웁니다.

예상 학습 성과

- 본인은 인재 발전을 위한 전략적 접근법을 이해하고 적용하는 능력을 갖추게 됩니다. 이를 통해 조직 내의 인재들이 그들의 최고의 잠재력을 발휘할 수 있도록 돕는 방법을 배우게 됩니다.
- 또한, 직원 만족도를 높이고 조직에 대한 장기적인 충성도를 증진하는 리더십 기술을 습득합니다. 이를 통해 직원들이 조직의 목표에 더욱 헌신하고 긍정적인 조직 문화를 형성하는 데 기여할 수 있습니다.
- 이 과정을 통해, 본인은 인재 발전에 대한 전략적 접근법에 대한 깊은 이해를 갖추게 됩니다. 이 접근법은 조직 내의 인재들이 그들의 최고의 잠재력을 실현하고 그 능력을 향상시킬 수 있도록 돕는 방법을 학습합니다. 이를 통해, 본인은 조직의 전반적인 성장을 촉진하고, 변화하는 환경에 적응하며, 새로운 아이디어와 혁신을 주도하는 역할을 수행하는 데 필요한 지식과 기술을 갖추게 됩니다.
- 더불어, 본인은 직원 만족도를 높이고 조직에 대한 장기적인 충성도를 증진하는 리더십 기술을 습득하게 됩니다. 이는 직원들이 조직의 목표와 비전에 더욱 헌신하고, 조직의 성공을 위해 역량을 최대한 활용하도록 돕는 데 매우 중요한 역할을 합니다. 이런 기술을 통해, 본인은 조직 내에서 긍정적인 문화를 조성하고, 직원들의 창의성과 혁신을 촉진하는데 기여할 수 있습니다.

이론적 배경과 근거

인재 발전의 중요성은 인적 자원 관리와 조직 행동에 대한 연구에서 두드러지게 나타나며, 이는 다양한 연구자들이 광범위하게 탐구한 주제입니다. 이러한 연구 중에서도 McClelland의 "Competency Theory"는 특별히 주목할 만한 가치가 있습니다. McClelland의 이론은 특정 역량이 개인의 직무 성과에 어떠한 영향을 미치는지에 대해 깊이 있게 연구하였으며, 이는 인재 개발 프로그램의 설계와 개발에 큰 영향을 미쳤습니다(McClelland, D. C., 1973). 이 이론은 개발 프로그램이 직원의 특정 역량을 어떻게 향상시키고, 그 역량을 최대한 활용할 수 있도록 도움을 줄 수 있는지에 대한 실질적인 지침을 제공합니다. 이로써, 이론은 개인의 역량 개발을 통해 조직 전체의 성과를 향상시키는 방법에 대한 중요한 통찰을 제공하였습니다.

이 이론은 개인의 역량과 그 역량이 직무 성과에 어떻게 영향을 미치는지에 대한 심도 있는 이해를 제공합니다. 이는 인재 개발 프로그램의 설계와 실행에 있어 핵심적인 역할을 합니다. 특히, 이 이론을 통해 개발 프로그램이 직원의 특정 역량을 어떻게 강화해야 하는지에 대한 지침을 얻을 수 있습니다.

McClelland의 이론은 직무 성과와 개인의 역량 사이의 관계를 명확하게 설명함으로써, 인재 개발 프로그램이 어떻게 설계되어야 하는지에 대한 중요한 통찰을 제공합니다. 이를 통해, 조직은 자체 직원의 역량을 최대한 활용하여 조직의 성과를 향상시키는 방법에 대한 실질적인 이해를 얻을 수 있습니다.

조직에서는 이러한 이론적 배경을 바탕으로, 직원의 각각의 역량을 식별하고 이를 향상시키는 프로그램을 설계하고 실행해야 합니다. 이를 통해, 직원 각각이 자신의 역량을 최대한 발휘할 수 있도록 돕는 것은 물론, 조직 전체의 성과를 증진시킬 수 있습니다.

따라서, McClelland의 "Competency Theory"는 인재 개발이라는 주제에 대해 연구하고 이해하는 데 있어 중요한 이론적 기반을 제공하며, 이는 결국 조직의 성과 향상에 기여하게 됩니다.

또 다른 중요한 이론은 "Self-Determination Theory"로, Deci와 Ryan (1985)에 의해 제안되었습니다. 이 이론은 직원들의 동기를 이해하고 능력 개발에 필요한 조건을 제공하는 데 중점을 둡니다. 이론은 내재적 동기부여, 자기결정성, 유능성, 관련성이 직원의 성과와 만족도에 어떻게 영향을 미치는지 연구하였습니다. 이를 통해, 리더는 직원들의 동기를 고려하고 그들의 능력을 최대한 발휘하는 방법을 이해하게 됩니다.

Bandura의 "Self-Efficacy Theory" (1977)도 인재 발전에 중요한 이론적 배경을 제공합니다. 이 이론은 개인이 자신의 능력에 대해 어떻게 생각하고 그 능력을 어떻게 활용하는지를 중심으로 합니다. 이론에 따르면, 자신감과 긍정적인 자기평가는 성과를 향상시키고, 도전적인 목표 설정, 문제해결 능력, 스트레스 관리 등에 도움을 줍니다. 이를 통해, 리더는 직원들이 그들의 능력을 인식하고 활용하는 방법을 이해하고, 이를 통해 그들의 성과를 향상시키는 방법을 배울 수 있습니다.

이러한 이론들은 인재 발전에 대한 현대적인 이해를 제공하며, 리더가 그들의 팀과 조직에서 잠재력을 최대한 활용하는 방법을 이해하는 데 도움을 줍니다. 이를 통해, 리더는 효과적인 인재 개발 전략을 개발하고 실행할 수 있습니다.

최신 이론적 배경과 근거

최근 연구에서는 세 가지 주요 이론이 주목 받고 있습니다. 이러한 이론들은 인재 발전의 중요성을 강조하며, 리더가 그들의 팀과 조직에서 히든 인재를 발굴하고 그들의 능력을 최대한 활용하고 개발하는 방법에 대해 깊이 이해하는 데 도움을 줍니다. 이를 통해, 리더는 효과적인 인재 발전 전략을 개발하고 실행하는데 필요한 지식과 능력을 갖추게 됩니다. 이는 리더가 자신의 팀의 잠재력을 극대화하고, 그들의 성과를 향상시키는데 큰 도움을 줄 것입니다. 이론과 실제를 결합한 이러한 접근법은, 리더가 그들의 조직에서 효과적인 인재 발전 전략을 수립하고 실행하는데 매우 중요합니다.

정체성과 리더십 이론 (Identity and Leadership Theory, 2020): 이 이론은 리더의 개인적인 정체성과 그들이 인재를 개발하고 리더십을 행사하는 방식 사이의 연결성을 탐구합니다. 연구에 따르면 리더의 정체성은 그들이 인재를 식별하고 개발하는 방식에 큰 영향을 미친다는 것이 밝혀졌습니다. 리더들은 자신의 정체성을 인지하고 이해함으로써, 인재 발전 전략을 더욱 효과적으로 설계하고 실행할 수 있습니다. 이는 조직 내에서 리더들이 더 나은 리더십 역량을 발휘하고 팀원들을 효과적으로 이끌어가는 데 도움이 됩니다.

학습 조직 이론 (Learning Organization Theory, 2021): 이 이론은 조직이 지식을 생성, 획득, 공유하고 변화를 촉진하는 방법에 초점을 맞춥니다. 이는 인재 발전의 핵심 요소로, 조직이 인재의 학습과 성장을 지원하고 촉진하면서 새로운 기술, 지식, 전략을 효과적으로 활용할 수 있도록 돕습니다. 주요 특징은 다음과 같습니다.

- 지속적 학습: 조직 구성원들이 지속적으로 학습하고 성장하는 문화를 형성합니다.
- 지식 공유: 지식을 개인적으로 소유하는 것이 아니라 조직 내에서 공유하고 활용합니다.
- 변화 촉진: 새로운 기술, 지식, 전략을 효과적으로 활용하도록 돕습니다.

리더십 개발 이론 (Leadership Development Theory, 2022): 이 이론은 리더십 개발 프로그램이 조직 내 인재의 리더십 능력을 어떻게 개발하고 강화하는지에 대한 연구를 집중적으로 수행하고 있습니다. 이 이론에 따르면, 리더십 개발은 인재 발전의 핵심 요소로, 리더는 인재 발전 전략을 효과적으로 수행하기 위해 필요한 리더십 능력을 개발하고 향상시킴으로써, 조직의 전반적인 성과를 향상시킬 수 있습니다. 리더들은 지속적인 학습과 개인적 성장을 통해 조직 내 리더십 역량을 강화하고, 팀원들을 효과적으로 이끌어가는 데 기여할 수 있습니다.

인재 발굴의 중요성

인재 발굴은 조직의 성장과 발전에 국한되지 않고, 조직의 지속적인 성공을 보장하는 데 중요한 역할을 합니다. 잠재력이 높은 인재를 식별하고 활용하는 것은 조직이 미래의 변화와 도전에 대응하고, 새로운 기회를 적극적으로 활용하고, 경쟁 우위를 유지하고 강화하는 데 필수적입니다.

인재의 발굴과 육성은 대단히 중요한 것으로, 그것은 조직의 문화를 형성하고 결정하는 데 큰 영향을 미칩니다. 적극적으로 잠재력 있는 인재를 찾아내고, 그들의 성장을 돕는 것은 조직 전체의 성장을 이끌어 내는 핵심 요소입니다. 그들의 열정과 창의성, 그리고 그들 각각이 갖고 있는 개인적인 경험과 배경은 조직 문화에 다양성과 깊이를 더하며, 이는 모든 조직 구성원이 더욱 풍부하고 다양한 경험을 얻을 수 있게 합니다.

이렇게 다양한 배경과 경험을 갖고 있는 구성원들이 모여, 공동의 목표를 향해 노력하고 협력함으로써, 조직의 성장과 발전이 가능해집니다.

1. 조직의 변화와 도전 대응: 잠재력이 높은 인재는 조직의 변화와 도전에 능동적으로 대응하는 데 중요한 역할을 합니다. 그들은 조직의 변화를 주도하고, 도전적인 상황에서도 효과적인 해결책을 제시하며, 이를 통해 조직의 유연성과 적응력을 높일 수 있습니다.

2. 새로운 기회 활용: 잠재력이 높은 인재는 조직이 새로운 기회를 발견하고 활용하는 데 중요한 역할을 합니다. 그들의 창의적인 아이디어와 독특한 통찰력은 조직이 새로운 시장 기회를 탐색하고, 그 기회를 이용하여 비즈니스를 확장하고 성장시키는 데 기여할 수 있습니다.

3. 미래의 리더 육성: 조직 내에서 잠재력이 높은 인재를 발굴하는 것은 미래의 리더를 양성하는 기회를 제공합니다. 이들 인재는 잠재적으로 조직의 핵심 리더로 성장할 수 있으며, 그들의 능력과 열정은 조직의 미래 성장과 성공에 결정적인 역할을 할 수 있습니다.

4. 조직의 성장과 발전 기여: 잠재력이 높은 인재는 그들의 기술과 지식, 창의성을 활용하여 조직의 성장과 발전에 기여할 수 있습니다. 그들은 새로운 아이디어를 제공하고, 문제를 해결하고, 효과적인 변화를 주도할 수 있으며, 이는 조직의 전반적인 성과를 향상시키는 데 기여합니다.

5. 경쟁 우위 확보: 인재 발굴은 조직이 경쟁 우위를 확보하는 데 중요한 역할을 합니다. 잠재력이 높은 인재를 확보하고 육성함으로써, 조직은 경쟁자들에 앞서 나갈 수 있는 기회를 얻을 수 있습니다. 이러한 인재들은 새로운 기술의 도입, 혁신적인 아이디어의 제공, 고객 서비스의 향상 등을 통해 조직의 경쟁력을 강화하고, 이를 통해 조직의 시장 위치를 강화할 수 있습니다.

인재 발굴의 중요성 관련 참고 자료

1. Harvard Business Review Article: "Why Talent Management Matters" 이 기사는 인재 관리의 중요성에 대해 설명하고 있으며, 특히 인재 발굴과 그 중요성에 대한 깊이 있는 통찰력을 제공합니다.

2. Book: "Talent on Demand" by Peter Cappelli: 이 책은 인재 관리의 중요성을 강조하며, 특히 조직이 어떻게 잠재력이 높은 인재를 식별하고 개발할 수 있는지에 대한 실질적인 전략과 접근법을 제시합니다.

3. Research Paper: "Talent Management: A Critical Review": 이 연구 논문은 인재 관리에 대한 학계의 최신 연구를 정리하고, 특히 인재 발굴의 중요성과 그에 대한 최신 연구를 살펴봅니다.

인재 발굴 실습 자료

- 인재 식별 연습: 조직 내에서 잠재력이 높은 인재를 식별하는 것은 중요합니다. 팀원들의 성과, 행동, 기술, 지식 등 다양한 요소를 고려하여 평가하는 연습을 수행하면, 단기적 및 장기적 성공을 위해 핵심 인재를 식별하고 개발하는 데 도움이 됩니다. 이 연습을 통해, 조직은 효과적인 인재 관리 전략을 수립하고, 향후 인재 개발을 위한 기반을 마련할 수 있습니다.
- 역량 기반 인터뷰 연습: 인재를 식별하고 선발하는 과정에서 역량 기반 인터뷰는 매우 효과적인 도구입니다. 후보자의 이전 성과 및 역량을 평가하여 그들이 조직의 요구에 어떻게 부응할 수 있는지 예측하는 데 도움이 됩니다. 실제 인터뷰 상황을 연습하고 피드백을 통해 개선하는 것은, 인재를 올바르게 식별하고 선발하는 능력을 향상시키는 데 큰 도움이 됩니다.
- 팀 빌딩 활동: 팀 빌딩 활동을 통해, 팀원들 간의 상호작용과 협력을 강화하고, 각 팀원의 잠재력을 확인하는 데 도움이 됩니다. 팀원들이 서로 다른 환경에서 상호작용하면서 그들의 강점, 약점, 그리고 잠재력을 확인하게 되며, 이는 팀워크를 강화하고, 직원들의 충성도를 높이는 데도 기여합니다.
- 피드백 세션: 팀원들에게 서로 피드백을 주고 받는 세션을 진행하면, 각 팀원의 강점과 약점, 그리고 개선 가능성을 파악하는 데 도움이 됩니다. 피드백은 개인적인 성장뿐만 아니라,

조직의 성장과 발전에도 중요한 역할을 합니다. 이를 통해, 인재 개발 전략을 개선하고, 개인과 팀 모두를 위한 발전 전략을 개발하는 데 도움이 됩니다.

- 롤 플레이: 인재 발굴 상황을 가장 잘 연습할 수 있는 방법 중 하나는 롤 플레이입니다. 모의 인터뷰와 피드백 세션을 통해 실제 상황에서 어떻게 대응해야 하는지 학습할 수 있습니다. 롤 플레이는 인재를 식별하고 선발하는 데 필요한 기술을 향상시키는 데 큰 도움이 됩니다.
- 인재 발굴 프로젝트: 실제로 인재를 발굴하고 개발하는 프로젝트를 진행하면, 실제 인재 발굴 전략을 수립하고 실행하는 경험을 얻을 수 있습니다. 조직의 전반적인 성장 전략의 일환으로, 이러한 프로젝트는 인재 관리의 중요성을 더욱 이해하는 데 도움이 됩니다.
- 케이스 스터디: 다양한 조직에서 실제로 실시된 인재 발굴 및 개발 전략에 대한 케이스 스터디를 분석하면, 어떤 전략이 효과적이었는지, 어떤 점이 개선되어야 하는지를 학습할 수 있습니다. 실제 사례를 통해 학습하는 것은 이론적 지식을 실용적인 경험과 결합시키는 데 중요합니다.
- 멘토링 프로그램: 멘토링은 인재의 개발과 성장을 지원하는 데 중요한 역할을 합니다. 실제로 멘토링 프로그램을 개발하고 시행하면, 멘토와 멘티 모두에게 유익한 경험을 제공하며, 이는 결국 조직의 전반적인 성장을 촉진합니다.
- 리더십 개발 워크샵: 리더십 개발 워크샵을 개최하면, 리더들은 자신의 리더십 역량을 향상시키고 팀원들의 발전을 돕는 방법을 배울 수 있습니다. 이러한 워크샵은 리더들에게 효과적인 리더십 스킬과 기법을 제공하며, 조직 내에서 리더십의 중요성을 강조합니다.
- 인재 관리 워크샵: 이 워크샵을 통해 인재 발굴과 개발에 관한 다양한 전략과 기법을 학습할 수 있습니다. 이러한 워크샵은 참가자들에게 인재 관리에 대한 실질적인 이해와 실용적인 도구를 제공합니다. 따라서 이를 통해 조직의 인재 관리를 향상시킬 수 있습니다.

개발 계획 수립

개발 계획 수립은 인재 발전의 중요한 단계입니다. 이는 개인의 능력을 최대한 활용하고, 그들이 조직 내에서 효과적으로 기능할 수 있도록 돕는 과정입니다. 아래는 개발 계획을 수립하는 과정입니다:

1. 능력 평가: 우선적으로 개개인의 능력을 철저하게 평가하게 됩니다. 이 과정에서는 그들의 강점과 약점을 짚어봄으로써, 그들이 어떤 영역에서 개발이 필요한지, 어떤 능력을 더욱 강화해야 하는지를 확인하게 됩니다. 이는 개인의 성장을 위한 첫걸음이며, 굉장히 중요한 단계입니다.

2. 개발 목표 설정: 능력 평가를 바탕으로 개발 목표를 설정하게 됩니다. 이 목표는 구체적, 측정 가능, 달성 가능, 현실적이며 시간적으로 구속된(SMART) 목표여야 합니다. 이렇게 명확한 목표를 설정함으로써, 더욱 효율적인 개발이 가능합니다.

3. 개발 전략 수립: 그 다음 단계는 개발 목표를 달성하기 위한 전략을 수립하는 것입니다. 이는 교육, 멘토링, 코칭, 잡 로테이션, 프로젝트 참여 등 다양한 방법을 포함할 수 있습니다. 이렇게 다양한 전략을 통해 개인의 능력을 최대한 향상시킬 수 있습니다.

4. 계획 실행: 개발 전략을 실질적으로 실행하며, 그 과정에서 개인의 진전을 꾸준히 모니터링하며 필요한 조정을 합니다. 이 과정에서는 개인의 변화와 성장을 지속적으로 확인하며, 그에 따라 계획을 수정하고 보완하게 됩니다.

5. 평가 및 피드백: 마지막으로, 개발 계획의 실행 결과를 평가하고 피드백을 제공합니다. 이를 통해 개발 계획이 효과적으로 수행되었는지 확인하고, 필요한 변경사항이 있는지 확인합니다. 이 과정은 개발 계획의 성공 여부를 판단하는 결정적인 단계입니다.

개발 계획 수립 관련 참고 자료

1. Book: "Developing Talent in the Workplace" by Peter Cheese, Robert Thomas, and Elizabeth Craig: 이 책은 인재 발전을 위한 전략적 접근법을 제공합니다. 특히 개발 계획 수립에 대한 실용적인 가이드를 제공하며, 조직의 인재 발전을 위한 효과적인 전략과 접근법을 탐구합니다.

2. Harvard Business Review Article: "Developing Employees: The Soft Stuff Is the Hard Stuff": 이 기사는 인재 발전을 위한 개발 계획 수립의 중요성을 강조하며, 이를 위한 실질적인 전략과 통찰을 제공합니다.

3. Research Paper: "Talent Development: A Systematic Review of Literature": 이 연구 논문은 인재 발전에 대한 광범위한 연구를 검토하며, 특히 개발 계획 수립의 중요성과 그에 대한 최신 연구를 살펴봅니다.

개발 계획 수립 실습 자료

- 360도 피드백 시스템 연습: 이 도구는 개인이 다양한 관점에서 자신의 성과와 행동을 평가하고 개선할 수 있게 합니다. 여러 사람들로부터 직접적인 피드백을 받아 보는 것은 자신의 강점과 약점을 보다 정확하게 인식하는 데 큰 도움이 됩니다. 이를 바탕으로 개인적인 개발 계획을 수립하게 되며, 그 과정에서 자신이 가진 능력이나 필요한 지원에 대한 보다 효과적인 이해를 얻을 수 있습니다.
- 개인 개발 계획 워크샵: 개인의 능력을 평가하고 개발 목표를 설정하는 것은 개인의 성장과 조직의 성공을 위해 필수적입니다. 개인 개발 계획 워크샵에서는 이러한 과정을 실질적으로 경험하고, 독특한 능력과 역량, 그리고 이를 어떻게 개발하고 활용할 수 있는지에 대한 방법과 전략을 배울 수 있습니다.

- 커뮤니케이션 스킬 연습: 커뮤니케이션은 팀 작업의 핵심 요소입니다. 효과적인 커뮤니케이션 스킬은 개인과 팀의 성과에 큰 영향을 미치며, 이에 대한 연습을 통해 직원들은 자신의 의사 전달 능력을 향상시키고 팀과의 협업을 더욱 향상시킬 수 있습니다.
- 리더십 스타일 워크샵: 리더십 스타일은 팀의 성과와 조직 문화에 큰 영향을 미칩니다. 리더십 스타일 워크샵은 다양한 리더십 스타일을 이해하고, 각 스타일이 팀 또는 조직에 미치는 영향에 대해 깊이 이해하는 데 도움이 됩니다. 이런 워크샵을 통해 리더들은 자신의 리더십 스타일을 평가하고, 필요에 따라 조정하는 방법을 배울 수 있습니다.
- 멘토-멘티 프로그램 참여: 이 프로그램은 자신의 능력을 개발하고 실질적인 업무 경험을 얻는 데 도움이 됩니다. 멘토의 지도와 피드백은 멘티가 자신의 역량을 개선하고, 실질적인 업무 상황에서 자신의 능력을 적용하는 데 도움이 됩니다.
- 자기 반성 일지 작성: 자신의 성장과 발전을 기록하는 것은 개인의 능력 개발을 지속적으로 모니터링하고, 개선 방안을 찾는 데 도움이 됩니다. 이를 통해 개인은 자신의 성장 과정을 시각화하고, 자기 개발을 위한 목표와 계획을 명확하게 할 수 있습니다.
- 프로젝트 관리 훈련: 프로젝트 관리는 업무의 효율성과 성과를 향상시키는 데 중요한 역할을 합니다. 프로젝트 관리 훈련을 통해, 개인은 목표 설정, 팀 구성, 일정 계획, 리스크 관리 등 프로젝트 관리의 주요 측면에 대해 학습하고 이해하게 됩니다.
- 시간 관리 워크샵: 시간 관리는 일과 개인 생활에서 모두 중요한 역할을 합니다. 시간 관리 워크샵에서는 시간을 효과적으로 활용하는 방법을 배우고, 이를 통해 개인적인 발전에 필요한 시간을 확보하고 업무 효율성을 높일 수 있습니다.
- 커리어 개발 플래닝 세미나: 장기적인 커리어 목표를 설정하고 이를 달성하기 위한 계획을 세우는 것은 개인의 성장과 발전에 중요합니다. 커리어 개발 플래닝 세미나에서는 이러한 계획을 세우는 방법과 전략에 대해 깊이 있게 학습하고, 이를 자신의 커리어 개발에 적용하는 방법을 배울 수 있습니다.

코칭 및 멘토링

코칭과 멘토링은 조직 내 인재 발전의 핵심적인 요소로서, 개인의 능력을 향상시키고, 그들이 조직 내에서 성공적으로 역할을 수행하는데 필요한 지식과 기술을 개발하는 데 도움을 제공합니다. 이것들은 개인이 자신의 잠재력을 최대화하는데 큰 역할을 합니다.

코칭은 개인이 그들의 목표를 달성하고, 성과를 향상시키며, 프로페셔널한 발전을 이루는 데 도움을 주는 지속적인 프로세스입니다. 코치는 개인의 강점을 강조하고, 약점을 극복하는 데 도움을 줍니다. 코칭은 개인의 성장과 발전을 위한 피드백과 지원을 제공하며, 개인이 자신의 잠재력을 최대한 활용할 수 있도록 돕습니다.

코칭은 개인의 성과와 스킬 개발을 촉진하고 개인적, 전문적 발전을 돕는 지속적인 대화 과정입니다. 이 과정은 개인의 잠재력을 극대화하고 발전 가능성을 실현하도록 돕습니다. 코칭은 개인이 잠재력을 실현하고 자기 개발을 추진하며 목표를 달성하는데 필요한 지원을 제공하는 중요한 역할을 합니다. 코칭은 다음과 같은 단계를 포함합니다.

1. 목표 설정: 코칭은 개인이 명확하고 구체적인 목표를 설정하는 것으로 시작합니다. 이 목표는 개인이 달성하고자 하는 바를 명확히 정의해야 합니다.

2. 현재 상황 평가: 개인의 현재 능력, 스킬, 지식 및 경험을 평가합니다. 이는 개인이 목표 달성을 위해 어떤 부분을 개선하거나 개발해야 하는지를 파악하는 데 도움이 됩니다.

3. 행동 계획 생성: 개인이 목표를 달성하기 위해 필요한 행동 계획을 개발합니다. 이 계획은 목표 달성을 위한 구체적인 단계를 포함해야 합니다.

4. 실행 및 피드백: 개인은 행동 계획을 실행하고, 코치는 지속적인 피드백과 지원을 제공합니다. 이는 개인이 계획을 효과적으로 수행하고 필요한 수정을 하는데 도움을 줍니다.

5. 평가 및 반영: 개인과 코치는 공동으로 개인의 진전과 성과를 평가하고, 향후 개선을 위한 반영을 진행합니다.

멘토링은 일반적으로 비정형적인 학습 관계로서, 경험이 많은 사람이(멘토) 경험 덜 한 사람(멘티)에게 조언과 지원을 제공하는 관계를 말합니다. 멘토는 개인의 커리어 발전, 리더십 능력 개발, 전문 기술 향상 등에 도움을 줄 수 있습니다.

멘토링은 개인이 자신의 경험을 바탕으로 성과를 향상시키는 데 도움을 주며, 개인의 성장과 발전을 위한 지식과 통찰력을 공유하는 중요한 역할을 합니다. 또한, 특정 능력이나 지식을 개발하는 데 필요한 경험과 통찰력을 제공합니다. 멘토링은 다음과 같은 주요 단계를 포함합니다.

1. 멘토-멘티 관계의 설정: 이 단계에서는 상호 적합성 확인, 기대치 설정, 목표 설정 등을 포함하여 멘토링 관계를 형성하고 정의합니다. 멘토링 관계는 적절한 멘토와 멘티의 매칭에서 시작되며, 이 매칭은 멘티의 개발 목표와 필요성, 그리고 멘토의 전문성, 경험, 그리고 교육 능력에 근거합니다.

2. 관계 구축: 멘토와 멘티는 신뢰와 존중을 기반으로 한 강력한 관계를 구축합니다. 이 관계는 열린 의사소통, 공감, 그리고 상호 존중을 통해 더욱 강화됩니다.

3. 개발 목표 설정: 이 단계에서는 멘티의 발전 목표와 이를 달성하기 위한 전략을 설정합니다. 멘토와 멘티는 멘티의 발전 목표를 함께 명확히 설정합니다. 이 목표는 멘티의 개인적이고 전문적인 발전을 위해 설정되어야 합니다.

4. 학습 및 지원: 멘토는 멘티에게 필요한 지식, 기술, 그리고 전략을 제공합니다. 멘토는 또한 멘티가 직면한 문제나 도전을 해결하는 데 도움을 주는 조언을 제공합니다.

5. 멘토링 세션의 진행: 이 단계에서, 멘토는 멘티의 발전을 촉진하고 진행 상황을 지속적으로 모니터링하는 주요 역할을 합니다. 이는 멘티의 목표 달성 평가에 필요한 정보를 제공하며, 멘토는 지속적인 피드백과 지원으로 멘티의 성과 개선과 도전 극복을 돕습니다. 그래서, 멘토링 세션은 멘티의 성과 평가와 조정을 돕는 중요한 역할을 하며, 이는 멘티의 개인적이고 전문적인 발전 목표 달성에 결정적입니다.

6. 멘토링 관계의 종료와 평가: 이 단계에서는 멘토링 관계를 평가하고 종료하며, 관계를 정리하고 앞으로의 발전을 위한 계획을 세웁니다. 멘토링 관계는 일반적으로 멘티가 개발 목표를 달성하거나 더 이상 멘토링이 필요하지 않을 때 종료됩니다. 이 단계에서 멘토와 멘티는 멘토링 관계를 평가하고 얻은 학습을 반영합니다.

코칭 및 멘토링 관련 참고 자료

1. Book: "Coaching for Performance" by Sir John Whitmore: 이 책은 코칭의 중요성을 강조하며, 효과적인 코칭 기술과 전략에 대해 설명합니다.

2. Book: "Mentoring: How to Develop Successful Mentor Behaviors" by Gordon F Shea: 이 책은 멘토링의 중요성과 효과적인 멘토링 행동에 대해 설명합니다.

3. Harvard Business Review Article: "Coaching and Mentoring: How to Develop Top Talent and Achieve Stronger Performance": 이 기사는 코칭과 멘토링의 중요성을 강조하며, 이를 통해 조직 내 인재를 어떻게 개발하고 성과를 향상시킬 수 있는지에 대해 설명합니다.

코칭과 멘토링 실습 자료

- 멘토링 프로그램 참여: 매우 중요한 첫걸음으로, 실질적인 지도와 피드백을 받을 수 있습니다. 실제 업무 상황에서 어떻게 대처하고, 어떤 전략을 취하는지에 대해 깊이 있게 배울 수 있습니다. 이 경험으로써 역량 개발에 있어서 실질적인 이해와 경험을 축적하게 됩니다.
- 코칭 기술 워크샵 참가: 개인의 능력을 최대한 발전시키고, 다른 사람들의 능력과 잠재력을 최대한 발휘하는 방법을 배울 수 있습니다. 실질적인 코칭 기법을 학습하면서, 자신의 코칭 역량을 향상시키는 좋은 기회가 될 것입니다.
- 피드백 기법 워크샵 참가: 피드백은 역량 개발의 핵심입니다. 효과적인 피드백을 제공하는 방법을 깊이 있게 배우는 과정입니다. 이를 통해, 코칭 및 멘토링 과정에서 더욱 효과적인 피드백 기법을 사용하는 능력을 향상시킬 수 있습니다.
- 코칭 및 멘토링 케이스 스터디 분석: 실제로 다양한 조직에서 실시된 코칭 및 멘토링

프로그램을 분석하는 과정입니다. 효과적인 전략과 개선해야 하는 부분을 학습하여, 자신의 코칭 및 멘토링 방법을 향상시키는 데 도움이 될 것입니다.

- 코칭 및 멘토링 롤 플레이 세션: 코칭 및 멘토링 상황을 시뮬레이션하는 세션입니다. 실제 상황에서 어떻게 반응하고, 어떤 기법을 적용해야 하는지 연습할 수 있습니다. 이런 경험은 실제 코칭 및 멘토링 상황에서 많은 도움이 될 것입니다.
- 피어 코칭 프로그램 참여: 서로가 서로의 코치가 되어 성장할 수 있는 방법을 배우는 좋은 기회입니다. 동료와 함께 문제를 해결하고, 서로의 성장을 돕는 경험을 통해, 팀워크와 상호 배려, 도움에 대한 중요성을 깨닫게 됩니다.
- 멘토링 성공 사례 분석: 다양한 조직에서 성공적으로 실시된 멘토링 프로그램의 사례를 분석해서 볼 것입니다. 이를 통해, 성공적인 멘토링 전략을 배우고, 자신의 멘토링 방식을 개선하는 귀중한 통찰을 얻을 수 있습니다. 이는 멘토링을 통한 역량 개발에 있어서 효과적인 방법론을 찾아내는데 도움이 될 것입니다.

기업 사례

- 삼성의 전문 인재 양성 프로그램: 삼성은 종합적인 직무 교육 프로그램과 리더십 개발 프로그램을 통해 직원들의 전문성과 리더십 능력을 계속해서 발전시킵니다. 이는 삼성의 기술혁신 및 세계적인 경쟁력을 지속적으로 유지하는데 중요한 역할을 합니다. 특히, 삼성의 교육 프로그램은 상황에 따른 맞춤형 교육과 세계 최고 수준의 전문가들을 초청한 특강으로 이루어져 있습니다.
- Apple의 Apple University: 애플은 Apple University라는 내부 교육기관을 통해 직원들의 지속적인 학습과 개발을 지원합니다. 애플의 성공적인 경영 철학과 전략을 전달하고, 조직 문화를 유지하는 데 중요한 역할을 합니다. 또한, Apple University는 애플의 핵심 가치와 철학을 알리는데 중점을 두어, 애플만의 독특한 기업문화를 직원들에게 전달합니다.
- 구글의 20% 시간 프로젝트: 구글은 직원들에게 일주일 중 20%의 시간을 자신의 관심사에 따른 프로젝트에 투자하도록 허용했습니다. 이로 인해 많은 혁신적인 제품들이 탄생했습니다. 이와 같이 직원들의 창의성과 열정을 발굴하고 개발하는 방식은 조직의 미래를 구축하는데 큰 도움이 됩니다. 이는 직원들이 자신의 아이디어를 실행에 옮길 수 있는 기회를 제공하며, 이를 통해 구글의 혁신을 이끌어 내는 중요한 역할을 합니다.
- Netflix의 자유와 책임 문화: 넷플릭스는 직원들에게 고도의 자유와 책임을 부여함으로써 창의성과 혁신을 촉진합니다. 이는 직원들이 자신의 일을 스스로 관리하고, 더 나은 결과를 위해 도전하도록 돕습니다. 넷플릭스의 이런 문화는 개인의 자유와 독립성을 존중하며, 이를 통해 직원들의 창의성과 열정을 최대한 발휘할 수 있도록 돕습니다.

- 페이스북의 멘토링 프로그램: 페이스북은 새로 합류한 직원들을 위해 선임 직원과의 멘토링 프로그램을 운영하고 있습니다. 이를 통해 신입 직원들은 조직 문화에 빠르게 적응하고 업무 능력을 향상시킬 수 있습니다. 페이스북의 멘토링 프로그램은 새로운 직원들이 조직 내에서 빠르게 성장하고, 페이스북의 목표와 비전에 대한 이해를 높이는데 중요한 역할을 합니다.
- IBM의 코칭 프로그램: IBM은 직원들의 역량 개발을 위해 코칭 프로그램을 적극적으로 운영하고 있습니다. 이를 통해 직원들은 개인적, 전문적 발전을 돕는 지속적인 대화 과정을 통해 잠재력을 극대화하고 발전 가능성을 실현하도록 지원받습니다. IBM의 코칭 프로그램은 직원들의 개인적인 능력과 전문성을 향상시키는데 중요한 역할을 합니다.
- Microsoft의 코칭 프로그램: 마이크로소프트는 직원들을 위한 코칭 프로그램을 제공하여 그들의 개인적, 전문적 성장을 지원합니다. 이 프로그램은 직원들이 자신의 잠재력을 최대화하고, 조직 목표를 달성하는 데 도움을 줍니다. 마이크로소프트의 코칭 프로그램은 직원들의 전문 능력을 개발하고, 그들이 최고의 성과를 낼 수 있도록 지원하는데 중요한 역할을 합니다.
- LinkedIn의 인내심 있는 멘토링: LinkedIn은 직원들에게 장기적인 관점에서 성장과 발전을 위해 멘토링 관계를 구축하도록 장려합니다. 이는 직원들이 지속적으로 배우고, 자신의 경력을 발전시키는 데 도움이 됩니다. LinkedIn의 멘토링 프로그램은 개인의 성장과 발전을 지원하며, 조직의 전반적인 성과를 향상시키는데 중요한 역할을 합니다.

시각 자료 및 도구

- "인재 발굴의 중요성" 다이어그램: 인재 발굴은 조직의 성장과 발전에 필수적입니다. 잠재력 있는 인재를 식별하고 어떻게 그들의 능력을 활용하는지 보여주는 플로우차트나 그래프를 생성하는 것은 이 과정의 중요성을 명확히 보여줍니다. 이 다이어그램은 인재 발굴의 핵심 가치를 명확히 표현하고, 어떻게 이를 조직 전체에 적용하는지를 이해하는 데 도움이 됩니다.
- "인재 개발 프로세스 다이어그램": 조직 내에서 인재를 식별하고, 개발하며, 육성하는 단계별 프로세스를 시각화하는 것은 이 과정의 효과적인 관리를 지원합니다. 이 다이어그램은 리더가 각 단계에서 필요한 조치를 명확하게 이해하고, 이를 실행하는데 도움이 됩니다.
- "개발 계획 수립" 인포그래픽: 맞춤형 개발 계획을 어떻게 수립하고, 그 계획이 어떻게 인재의 성장을 지원하는지 보여주는 단계별 인포그래픽이 필요합니다. 이는 각 인재의 개발을 지원하며, 그들의 능력을 최대한 활용하고, 그들이 조직 내에서 효과적으로 기능할 수 있도록 돕는 방법을 제시합니다.
- "코칭 및 멘토링 기법" 슬라이드: 다양한 코칭 및 멘토링 기법을 설명하고, 각 기법이 어떻게 인재 발전에 기여하는지를 보여주는 슬라이드를 생성하는 것은 중요합니다. 코칭 및 멘토링은 직원이 그들의 능력을 최대한 발휘할 수 있도록 돕는데 중요한 역할을 합니다.

- 직원 발전 경로" 플로우차트: 직원들 각각이 조직 내에서 개인적인 성장과 전문적인 발전을 경험할 수 있는 다양한 경로를 보여주는 플로우차트를 제작하는 것은 중요합니다. 이는 직원들에게 그들의 개발 가능성을 보여주고, 그들의 경력 개발을 지원하는 방법을 제시합니다.
- 성과 관리 프로세스" 다이어그램: 효과적인 성과 관리 프로세스를 구축하는 방법을 보여주는 다이어그램을 생성하는 것은 중요합니다. 이는 목표 설정, 성과 평가, 피드백 제공, 개선 계획 수립 등의 주요 단계를 포함하며, 이를 통해 직원들의 성과를 향상시키는 방법을 제시합니다.
- 코칭 및 멘토링" 시각 자료: 효과적인 코칭 및 멘토링 기법을 사용하여 직원의 잠재력을 최대화하는 방법을 보여주는 다이어그램을 생성하는 것은 중요합니다. 이는 리더들이 효과적인 멘토로서의 역할을 이해하고, 그들이 멘토링을 통해 직원의 성장을 어떻게 지원하는지를 보여줍니다.
- "멘토-멘티 관계 구축" 인포그래픽: 효과적인 멘토-멘티 관계를 어떻게 구축하고 유지하는지에 대한 단계별 가이드를 제공하는 인포그래픽을 제작하는 것은 중요합니다. 이를 통해 리더들은 멘토링 프로그램의 효과적인 구현 방법을 이해하고, 그들의 조직에서 멘토링 프로그램을 성공적으로 운영하는 방법을 배울 수 있습니다.
- "리더십 개발 워크샵의 효과" 차트: 워크샵이 참가자의 리더십 능력과 조직의 성과에 어떻게 기여하는지 보여주는 차트를 생성하는 것은 중요합니다. 이는 리더십 개발 워크샵의 가치를 명확하게 보여주며, 그러한 워크샵이 조직의 성과에 어떻게 기여하는지를 보여줍니다.

리더십 개발 워크샵 실습 방안 및 과정

이 워크샵은 참가자들에게 효과적인 리더십 스타일에 대한 깊은 이해를 제공하며, 이를 실제 업무 상황에 적용해 보는 기회를 제공함으로써, 개개인의 리더십 능력을 전체적으로 향상시키는 데 목표를 두고 있습니다. 이를 통해 참가자들이 자신의 역할을 더욱 효과적으로 수행할 수 있게 되는 것이 최종 목표입니다.

워크샵은 참가자 각각이 자신의 리더십 스타일을 인식하는 것을 중요하게 여기며, 그 스타일이 팀과 조직 전체에 어떠한 영향을 미치는지 이해하는 것에 초점을 맞춥니다. 이 과정을 통해 참가자들은 자신의 리더십 스타일이 팀의 성과와 조직의 전반적인 효율성에 어떻게 영향을 미치는지 깊이 이해하게 됩니다.

이렇게 리더십 능력을 향상시키고 팀 내에서의 역할을 효과적으로 수행할 수 있도록 돕는 이 워크샵은 개개인의 성장 뿐만 아니라 조직의 성장에도 크게 기여하게 될 것입니다.

워크샵은 다음과 같은 과정으로 진행됩니다:

1. 리더십 스타일 이해: 다양한 리더십 이론과 모델을 소개하고, 각 스타일의 장단점과 적절한 상황에 대해 설명합니다.

2. 자기 평가: 참가자들은 자신의 리더십 스타일을 평가하고, 이를 통해 자신의 강점과 약점, 그리고 개선이 필요한 영역을 파악합니다.

3. 리더십 시나리오 연습: 다양한 비즈니스 시나리오를 통해 참가자들은 특정 리더십 스타일을 적용해보며, 이를 통해 그 효과와 적절성을 체험합니다.

4. 피드백 및 반영: 각 시나리오 연습 후에는 참가자들간에 피드백을 공유하고, 이를 통해 자신의 리더십 스타일을 개선하는 방법을 탐색합니다.

5. 행동 계획 수립: 워크샵의 마지막 단계에서는 참가자들이 배운 내용을 바탕으로 개인별 리더십 개발 계획을 수립합니다. 이 계획은 참가자가 워크샵에서 배운 내용을 실제 업무에 적용하는 데 도움을 줍니다.

6. 리더십 개발 워크샵 후속 조치: 워크샵이 끝난 후에는 참가자들의 리더십 개발 계획을 지속적으로 모니터링하고 지원해야 합니다. 이를 위해, 정기적인 피드백 세션을 진행하고, 새로운 리더십 도전과 기회에 대한 정보를 제공합니다. 또한, 참가자들의 리더십 성장과 성과를 평가하고, 이를 바탕으로 워크샵의 내용을 계속 개선하고 업데이트합니다.

7. 리더십 개발 워크샵 재진행: 리더십 개발은 한 번의 워크샵으로 끝나는 것이 아닙니다. 그러므로 워크샵을 주기적으로 재진행하여 참가자들이 새로운 리더십 도전과 변화에 대응할 수 있도록 지원해야 합니다. 이렇게 함으로써 참가자들은 계속해서 자신의 리더십 역량을 향상시키고, 조직의 목표 달성에 기여할 수 있습니다.

8. 리더십 개발 워크샵 확산: 이 워크샵의 내용과 방법을 다른 팀이나 부서에도 확산시켜, 조직 전체의 리더십 개발을 촉진할 수 있습니다. 이를 통해 조직 전체가 효과적인 리더십을 통해 성과를 향상시키고, 변화와 도전에 대응하는 능력을 갖출 수 있습니다.

이 장에서는 코칭 및 멘토링의 중요성, 그리고 이를 통한 리더십 및 인재 발전에 대해 깊이 이해하게 되었을 것입니다. 학습자들은 코칭과 멘토링의 다양한 기법과 전략을 배움으로써, 그들이 어떻게 팀과 조직의 성과에 기여할 수 있는지를 이해하게 되었을 것입니다.

또한, 실제 조직에서 성공적으로 적용된 코칭 및 멘토링의 사례를 통해, 이론과 실제가 어떻게 연결되는지를 보았을 것입니다. 이러한 사례들은 코칭 및 멘토링이 실제로 어떻게 조직의 성장과 발전에 기여할 수 있는지에 대한 실질적인 이해를 제공하며, 이를 통해 학습자들은 자신들의 역량을 실제 업무에 어떻게 적용할 수 있는지에 대한 아이디어를 얻었을 것입니다.

마지막으로, 학습자들은 리더십 개발 워크샵의 중요성과 이를 통해 얻을 수 있는 이점에 대해 배웠을 것입니다. 참가자들은 워크샵을 통해 자신의 리더십 스타일을 인식하고, 이를 효과적으로 활용하는 방법을 배웠을 것입니다. 이런 경험은 개인의 성장 뿐만 아니라, 조직의 성장에도 크게 기여할 것입니다.

제 7 장

성과 극대화: 조직 및 개인 목표 달성의 최적화

이 장에서는 리더가 조직의 목표를 설정하고 달성하는 방법, 팀의 동기부여와 관리 방법을 배웁니다. 이는 개인의 능력을 최대한 발휘하고 팀의 효율성을 향상시키는데 도움이 됩니다. 성과 극대화는 개인과 조직 전체의 생산성 향상에 중요하며, 이는 단기적이나 장기적인 목표 달성에 큰 역할을 합니다.

학습 개요

이 장에서는 리더가 조직의 목표를 설정하고 달성하는 방법, 팀의 동기부여와 관리 방법을 배웁니다. 이는 개인의 능력을 최대한 발휘하고 팀의 효율성을 향상시키는데 도움이 됩니다. 성과 극대화는 개인과 조직 전체의 생산성 향상에 중요하며, 이는 단기적이나 장기적인 목표 달성에 큰 역할을 합니다.

학습 내용 및 목표

- 성과 관리의 기초에 대한 깊은 이해: 성과 관리의 필수적인 역할과 중요성에 대해 상세히 학습하게 됩니다. 이 과정에서 성과 관리를 실행하기 위한 핵심 원칙들에 대한 깊이 있는 이해를 바탕으로, 성과 개선 방안을 계획하고 실행하는 능력을 향상시키게 됩니다.
- 효과적인 목표 설정 기법의 숙지: SMART 기준(Specific, Measurable, Achievable, Relevant, Time-bound)을 사용하여 목표를 설정하는 방법을 배우게 됩니다. 이를 통해 개별적이며 구체적인 목표 설정 기법을 획득하게 되며, 이러한 목표 설정은 개인의 성장은 물론 조직 전체의 발전에도 큰 도움이 됩니다.
- 성과 평가 및 피드백의 중요성 인식: 객관적이고 정기적인 성과 평가를 통해 직원들의 성장과 발전을 지원하는 방법에 대해 배우게 됩니다. 또한, 피드백을 효과적으로 제공하는 방법에 대한 학습을 통해, 팀원들이나 동료들에게 건설적이고 효과적인 피드백을 제공하는 방법을 익히게 됩니다. 이 과정은 개인의 성과 향상뿐만 아니라, 팀의 성과 향상에도 크게 기여하게 됩니다.

예상 학습 성과

- 성과 중심의 문화를 유지하면서 각 구성원이 목표를 추구하고, 역량을 최대화하는 방법을 배웁니다. 이는 조직의 성과 향상과 개인의 성장을 촉진하며, 더 높은 성과와 효과적인 팀워크, 지속적인 개선과 혁신을 추구하는 문화를 조성합니다.
- 리더십은 팀 생산성 향상을 위해 중요하며, 이를 위해선 의사소통 능력, 동기 부여 방법, 그리고 효율적인 작업 분배 방법을 알아야 합니다. 의사소통은 모두가 메시지를 이해할 수 있게 하며, 동기 부여는 팀원들의 열정을 불러일으키고, 작업 분배는 모든 작업이 효과적으로 완료되게 합니다.
- 이 과정을 통해, 성과를 중심으로 한 문화를 조성하고 유지하는 방법을 배울 수 있게 됩니다. 이는 개인의 역할 이해, 목표 설정, 그리고 개인의 성과를 추적하고 향상시키는 방법 등을 포함합니다. 이러한 접근법은 구성원 각각이 자신의 역량을 최대한 발휘하도록 돕고, 개인과 팀의 성과를 증대시키는 데 있어 중요한 역할을 합니다.
- 또한, 팀의 생산성과 성과를 극대화하는 리더십 기술을 개발하게 됩니다. 이는 팀원들을 동기부여하고, 효과적으로 관리하며, 조직의 목표를 달성하는 데 필요한 모든 도구와 전략을 포함합니다. 이 능력은 팀원 각각의 역량을 최대한 활용하고, 팀 전체의 성과를 높이는 데 기여합니다.

이론적 배경과 근거

성과 관리의 효과성은 여러 조직 심리학 연구를 통해 입증되었습니다. 이러한 연구 중 하나인 Locke와 Latham의 목표 설정 이론은 명확하고 도전적인 목표 설정이 성과 향상에 중요한 역할을 하는 것을 강조하고 있습니다(Locke, E. A., & Latham, G. P. (2002). "Building a practically useful theory of goal setting and task motivation"). 이 이론에 따르면, 목표가 구체적이고 측정 가능할 때 직원들의 동기부여는 더욱 강화되며, 이는 결국 성과 향상으로 이어집니다. 그래서, 목표 설정은 조직 내에서 성과 관리의 핵심 요소로 인식되며, 이를 통해 조직의 효율성과 생산성을 높일 수 있습니다.

Locke와 Latham의 목표 설정 이론은, 특히 성과 관리의 중요성에 대한 광범위한 연구와 이론적 배경을 제공합니다. 이 이론은 목표가 구체적이고 측정 가능할 때, 그리고 그 목표에 도전적인 요소가 포함될 때 직원들의 동기부여가 가장 효과적이라는 주장을 핵심으로 하고 있습니다. 이러한 접근법은 직원들이 자신의 역할과 책임에 대해 명확하게 이해하게 하며, 그들이 얼마나 잘 수행하고 있는지를 측정하고 평가할 수 있는 기준을 제공합니다.

이러한 목표 설정의 중요성은 성과 향상에 있어 중요한 역할을 하는데, 이는 직원들이 자신들의 역할에 대한 명확한 이해와 동기부여를 통해 더 높은 성과를 달성할 수 있게 만들기 때문입니다. 이렇게 목표가 잘 설정되고 관리되면, 직원들은 자신의 역할을 더욱 효과적으로 수행할 수 있으며, 이는 전체 조직의 생산성과 효율성 향상에 기여하게 됩니다.

결과적으로, 명확하고 측정 가능한 목표 설정은 조직의 성과 향상 전략의 핵심 요소로서, 직원의 동기부여를 증가시키고 성과를 향상시키는 방법으로 널리 인정받고 있습니다. 이런 방식으로 조직은 목표 달성과 성과 향상에 필요한 동기부여를 제공하며, 그 결과 조직의 전체적인 성과를 향상시킬 수 있습니다.

또한, 성과 관리에 대한 최신 연구도 참고해야 합니다. 예를 들어, Judge와 Kammeyer-Mueller(2012)은 자기효능감과 명확한 목표 설정이 성과 향상에 극히 중요하다는 것을 강조하였습니다("Job attitudes, job satisfaction, and job affect: A century of continuity and of change." Journal of Applied Psychology). 이 연구는 개인이 자신의 능력에 대한 높은 자신감을 가지고 명확한 목표를 설정하면, 그들의 작업 성과가 크게 향상된다는 것을 보여줍니다.

DeNisi와 Kluger(2000)는 피드백 개입이 성과에 미치는 영향에 대한 메타분석을 수행하였습니다("Feedback interventions: Toward the understanding of a double-edged sword." Current Directions in Psychological Science). 이들의 연구 결과에 따르면, 피드백은 성과를 높이는 중요한 도구이지만, 그 효과는 피드백의 제공 방식과 받는 사람의 반응에 따라 달라집니다. 이는 성과 관리 전략을 개발할 때 피드백의 중요성을 고려해야 함을 강조합니다.

이러한 연구들은 성과 관리의 중요성을 더욱 강조하며, 리더가 자신의 팀의 성과를 극대화하는 데 필요한 도구와 전략을 개발하는 데 도움이 될 것입니다.

최신 이론적 배경과 근거

목표 설정과 동기부여에 대한 최신 연구: Grant와 Shin(2020)은 목표 설정과 동기부여가 성과에 미치는 영향에 대한 최신 연구를 제공합니다("Revisiting the Role of Goal Setting in Job Performance: A Multilevel Meta-Analysis." Journal of Management). 이 연구는 목표 설정이 동기부여를 촉진하고, 이를 통해 전반적인 작업 성과를 향상시키는 데 중요한 역할을 한다는 것을 보여줍니다.

성과평가에 대한 최신 연구: DeNisi와 Murphy(2020)는 성과 평가에 대한 최신 통찰력을 제공합니다("Performance appraisal and performance management: 100 years of progress?" Journal of Applied Psychology). 이들은 성과 평가가 성과를 향상시키는 데 중요한 역할을 하며, 피드백의 제공 방식과 그것이 어떻게 직원의 성과에 영향을 미치는지에 대해 깊이 있게 논의합니다.

성과 관리에 대한 최신 접근법: Cawley, Keeping, and Levy (2020)는 조직에서 성과를 극대화하는 데 필요한 최신 접근법에 대해 소개합니다("Performance Management Process Discrepancies and Outcomes: The Role of Employee Trust." Journal of Management). 이 연구는 성과 관리 프로세스에서의 차이가 직원의 신뢰와 성과에 어떻게 영향을 미치는지 설명합니다.

리모트 워크에 대한 연구: COVID-19 팬데믹 이후 원격 근무는 점점 더 중요해지고 있습니다. Allen, Golden, and Shockley (2021)는 원격 근무가 팀의 성과에 미치는 영향에 대해 다룹니다. ("How Effective Is Telecommuting? Revisiting the Research That Started It All." Human Resource Management Review) 이 연구는 원격 근무가 팀의 성과에 어떤 영향을 미치는지, 그리고 이를 효과적으로 관리하기 위해 필요한 전략은 무엇인지에 대해 깊이 있게 탐구합니다.

다양성과 포용성에 대한 연구: Shore와 같은 연구자들이 (2021)은 다양성과 포용성이 팀 성과에 미치는 영향에 대해 다룹니다("Inclusion and Diversity in Work Groups: A Review and Model for Future Research." Journal of Management). 이 연구는 다양성과 포용성이 팀의 성과를 어떻게 향상시키는지, 그리고 이를 효과적으로 관리하고 촉진하기 위해 필요한 전략은 무엇인지에 대해 탐구합니다.

인공지능과 기계 학습에 대한 연구: 인공지능(AI)과 기계 학습은 성과 관리에 중요한 변화를 가져오고 있습니다. Davenport, Guha, Grewal, and Bressgott (2020)은 이러한 기술이 성과 관리에 어떻게 적용될 수 있는지를 탐구합니다("How Artificial Intelligence Will Change the Future of Marketing." Journal of the Academy of Marketing Science). 이 연구는 AI와 기계 학습이 성과를 측정하고 향상시키는 데 어떻게 사용될 수 있는지에 대해 깊이 있는 통찰력을 제공합니다.

성과 관리의 기초

성과 관리는 개별 직원과 팀이 조직의 목표를 달성하는 데 중요한 역할을 합니다. 이는 직원의 성장과 개발을 지원하고, 조직의 전체적인 성과를 향상시키며, 조직의 전략적 목표를 달성하는 데 기여하는 중요한 프로세스입니다.

성과 관리는 조직의 목표를 달성하는 데 필수적인 프로세스로, 조직의 전략적 목표를 이해하고 이를 개별 직원 또는 팀의 업무에 적용하는 것에 중점을 둡니다. 성과 관리의 주요 단계로는 목표 설정, 성과 측정 및 평가, 피드백 제공, 그리고 성과 향상을 위한 개선 조치가 있습니다.

1. 목표 설정: 이 첫 번째 단계에서는 개별 직원이나 팀의 목표를 설정합니다. 이 목표는 조직의 전략적 목표와 일치하도록 설계되어야 하며, 종종 SMART(Specific, Measurable, Achievable, Relevant, Time-bound) 기준을 사용하여 세부적이고 명확하게 구체화됩니다.

2. 성과 측정 및 평가: 이 두 번째 단계에서는 개별 직원이나 팀의 성과를 측정하고 평가합니다. 이 과정에서는 판매량, 고객 만족도 등의 구체적인 메트릭스를 사용하거나, 360도 피드백이나 자기 평가 등의 보다 주관적인 방법을 사용할 수 있습니다.

3. 피드백 제공: 이 세 번째 단계에서는 개별 직원이나 팀에게 성과에 대한 피드백을 제공합니다. 피드백은 개인이나 팀의 성과를 개선하고, 학습을 촉진하며, 개발을 위한 기회를 제공합니다.

4. 개선 조치: 이 마지막 단계에서는 성과를 향상시키기 위한 개선 조치를 결정하고 실행합니다. 이는 개인의 개발 계획을 설정하거나, 팀의 업무 프로세스를 개선하는 등의 행동을 포함할 수 있습니다.

성과관리 실습 자료

- 목표 설정 워크샵: 조직의 성과 향상의 핵심은 효과적인 목표 설정입니다. 이 워크샵에서 참가자들은 개인이나 팀의 목표를 조직의 전략적 목표와 어떻게 연동시킬 수 있는지 학습합니다. 목표 설정의 중요성과 기본 원칙을 이해하고, 실제 상황에서 어떻게 목표를 설정하고 이를 달성하는지에 대한 실질적인 기술을 익히게 됩니다.
- 성과 측정 지표 설정 실습: 목표 설정에 이어, 성과를 측정하는 방법이 중요합니다. 참가자들은 팀별로 성과 측정 지표를 설정하며, 이를 통해 성과를 측정하는 실질적인 기술을 익힙니다. 이 과정에서 성과 측정의 중요성과 원칙을 이해하고, 실제로 성과 측정 지표를 설정하고 적용하는 능력을 향상시킵니다.
- 성과 평가 모의 훈련: 목표 달성과 성과 측정 이후, 성과를 어떻게 평가하고 해석할지에 대한 학습이 이루어집니다. 참가자들은 가상의 성과 데이터를 활용하여 성과를 평가하는 방법을 실습하며, 성과 해석과 개선 조치를 계획하는 기술을 학습합니다.

- 자기 평가 및 동료 평가 실습: 성과 평가는 자기 평가와 동료 평가를 포함해야 합니다. 참가자들은 자신과 동료의 성과를 어떻게 공정하게 평가하고, 개선점을 식별하는 방법에 대해 학습합니다. 이를 통해, 성과 향상을 위한 개선 조치를 명확하게 식별하고 계획할 수 있습니다.
- 개선 조치 계획 실습: 성과 평가 결과를 바탕으로 개선 조치를 계획하고 실행하는 방법을 학습합니다. 참가자들은 가상의 성과 개선 사례를 분석하고, 실제로 개선 조치를 계획하고 실행하는 실습을 진행합니다. 이를 통해, 실제 성과를 개선하는 방법을 실제로 경험해볼 수 있습니다.
- 피드백 제공 연습: 피드백은 성과 개선의 핵심 요소입니다. 참가자들은 역할극을 통해 피드백을 제공하는 실제 상황을 경험하며, 건설적이고 효과적인 피드백 제공 방법을 학습합니다.
- 피드백 시나리오 실습: 다양한 피드백 시나리오를 통해 참가자들은 피드백을 어떻게 제공하고 받는지 연습합니다. 피드백이 성과 개선에 얼마나 중요한지 이해하고, 피드백을 통해 동료와의 관계를 어떻게 관리하는지 학습합니다.
- 팀 빌딩 활동: 팀워크와 협력은 효과적인 성과 달성을 위해 필수적입니다. 참가자들은 팀으로서 작업하며 목표를 달성하는 방법을 배웁니다. 다양한 팀 빌딩 게임과 활동을 통해, 팀워크를 향상시키고 효과적인 작업 분배의 중요성을 이해하게 됩니다.

목표 설정 기법

목표 설정은 성공적인 성과 관리의 핵심 요소입니다. 효과적인 목표 설정이란 개인과 조직 모두가 자신이 어디로 향하고 있는지 명확하게 이해하고, 이를 위해 어떤 행동을 취해야 하는지 알 수 있을 때 이루어집니다. 목표 설정의 중요성은 여러 연구에서 확인되었으며, 이는 개인과 조직의 성과 향상에 크게 기여합니다.

이러한 원칙들은 SMART 목표 설정 기법의 핵심 요소입니다. SMART 기법은 목표가 구체적(Specific), 측정 가능(Measurable), 이룰 수 있게(Achievable), 관련성이 있게(Relevant), 시간 제한이 있게(Time-bound) 설정되도록 돕는 기법입니다. 이 기법을 사용하면, 개인과 조직은 자신의 목표를 더욱 효과적으로 설정하고, 이를 달성할 수 있습니다.

다음은 효과적인 목표 설정 기법에 대한 몇 가지 주요 원칙입니다.

1. 구체적으로 만들기(Specific): 목표는 구체적이어야 합니다. 불분명한 목표보다는 구체적인 목표가 성과 향상에 더욱 효과적입니다. 구체적인 목표를 설정하면, 개인은 자신이 무엇을 해야하는지, 어떤 행동을 취해야 하는지 명확하게 이해할 수 있습니다.

2. 측정 가능하게 만들기(Measurable): 목표는 측정 가능해야 합니다. 측정 가능한 목표는 성과를 추적하고 평가할 수 있게 해주며, 이는 목표 달성을 위한 동기를 증가시킵니다.

3. 도전적이지만 이룰 수 있게 만들기(Achievable): 목표는 도전적이어야 하지만, 동시에 이룰 수 있어야 합니다. 도전적인 목표는 동기를 증가시키지만, 이룰 수 없는 목표는 동기를 저하시킬 수 있습니다.

4. 관련성이 있게 만들기(Relevant): 목표는 개인의 역할과 조직의 목표와 관련이 있어야 합니다. 관련성 있는 목표는 개인이 자신의 역할을 이해하고, 자신의 역할이 조직의 목표 달성에 어떻게 기여하는지 인식하게 합니다.

5. 시간 제한을 두기(Time-bound) : 목표는 시간 제한이 있어야 합니다. 시간 제한이 있는 목표는 개인이 시간을 효과적으로 관리하고, 성과를 추적하고, 필요한 경우 행동을 조정하는데 도움이 됩니다.

목표설정 실습 자료

- SMART 목표 설정 워크샵: 이 워크샵은 성과 극대화의 첫 걸음이며, 참가자들은 구체적, 측정 가능, 달성 가능, 관련성 있는, 그리고 시간 제한을 둔 목표를 설정하는 방법에 대해 깊이 있는 이해를 갖게 됩니다. 효과적인 목표 설정은 개인과 팀의 성과를 향상시키는 데 결정적인 역할을 합니다.
- 개인별 목표 설정 실습: 이 실습에서 참가자들은 자신의 개인적인 목표를 설정하며, 이를 SMART 기법에 따라 수정하는 기회를 얻습니다. 이를 통해 참가자들은 자신의 성과를 향상시키는 목표 설정 방법을 학습하며, 이것은 개인의 성장과 성과 향상을 촉진합니다.
- 목표 달성을 위한 행동 계획 작성 실습: 참가자들은 자신이 설정한 목표를 달성하기 위한 구체적인 행동 계획을 작성하는 방법을 배웁니다. 이를 통해 참가자들은 목표를 달성하는 데 필요한 행동을 식별하고, 이를 실행하기 위한 전략을 개발하는 능력을 갖추게 됩니다. 이 단계는 목표를 실천으로 옮기는 데 중요하며, 목표 달성을 위한 구체적인 단계를 계획하게 합니다.
- 팀 목표 설정 실습: 이 실습에서는 팀 단위의 목표 설정 방법을 학습합니다. 팀원들이 함께 목표를 설정하고, 이를 SMART 기법에 따라 분석하고, 필요한 경우 수정하는 방법을 배웁니다. 이는 팀의 일관성을 유지하고, 모든 구성원이 공통의 목표를 향해 노력하는 것을 보장합니다.
- 목표 달성 트래킹 실습: 이 실습에서 참가자들은 자신의 목표 달성 상황을 추적하고 평가하는 방법을 배웁니다. 이를 통해 참가자들은 목표 달성에 대한 자신의 진척 상황을 확인하고, 필요한 조정을 식별하는 방법을 학습합니다. 이 단계는 목표 달성의 실시간 추적을 가능하게 하며, 성과 측정에 중요한 역할을 합니다.

- 목표 수정 및 재설정 실습: 이 실습에서 참가자들은 기존의 목표를 수정하거나 재설정하는 방법을 배웁니다. 이는 목표에 대한 진척 상황을 평가하고, 필요한 경우 목표를 수정하여 성과를 개선하는 방법을 학습하는 데 도움이 됩니다. 이 단계는 유연성을 유지하고, 변화하는 상황에 대응하는 능력을 향상시킵니다.
- 피드백 및 조정 워크샵: 이 워크샵에서 참가자들은 목표 달성에 대한 피드백을 제공하고 받는 방법, 그리고 목표를 조정하는 방법을 학습합니다. 이를 통해 참가자들은 목표 달성에 대한 피드백을 적절하게 처리하고, 목표를 필요에 따라 조정하는 방법을 배웁니다. 이 단계는 개인과 팀의 성장을 촉진하며, 성과 향상을 위한 지속적인 개선을 가능하게 합니다.

성과 평가 및 피드백

성과 평가는 개인이나 팀이 설정한 목표를 얼마나 잘 달성하고 있는지 측정하고 이해하는 과정입니다. 이는 목표 달성에 대한 피드백을 제공하고, 성과를 개선하기 위한 조치를 결정하는 기반을 제공하는 중요한 단계입니다.

성과 평가는 다음과 같은 주요 원칙에 따라 수행되어야 합니다.

1. 공정성: 성과 평가는 공정하게 이루어져야 합니다. 이를 위해, 성과 지표는 사전에 명확하게 정의되고 공유되어야 하며, 동일한 성과 기준이 모든 직원에게 일관되게 적용되어야 합니다.

2. 명확성: 성과 평가 결과는 명확하게 피드백되어야 합니다. 평가 결과와 그 이유를 직원이 이해할 수 있도록 명확하게 설명해야 합니다.

3. 정기성: 성과 평가는 정기적으로 이루어져야 합니다. 이는 성과 향상을 위한 지속적인 피드백을 제공하고, 개선이 필요한 영역을 빠르게 식별하고 조정할 수 있도록 합니다.

성과 평가 후에는 피드백을 제공해야 합니다. 피드백은 개인이나 팀이 성과를 개선하고, 학습을 촉진하고, 개발을 위한 기회를 제공합니다. 효과적인 피드백은 다음과 같은 원칙에 따라 제공되어야 합니다.

1. 건설성: 피드백은 개선을 목표로 해야 합니다. 문제를 지적하는 것보다는 개선 방안을 제시해야 합니다.

2. 명확성: 피드백은 명확하게 제공되어야 합니다. 직원이 자신의 성과에서 무엇이 잘 되었는지, 무엇이 개선되어야 하는지 명확하게 이해할 수 있도록 해야 합니다.

3. 적시성: 피드백은 적시에 제공되어야 합니다. 성과가 이루어진 직후에 피드백을 제공하면, 직원이 더 잘 이해하고 받아들일 수 있습니다.

성과 평가 및 피드백 실습 자료

- 목표 설정: 이 첫 번째 단계에서는 개별 직원이나 팀의 목표를 설정하는 것이 중요합니다. 이 목표는 조직의 전략적 목표와 일치하도록 설계되어야 합니다. 이 과정에서는 SMART(Specific, Measurable, Achievable, Relevant, Time-bound) 기준을 사용하여 세부적이고 명확하게 구체화하는 방법을 배울 것입니다. 이 단계를 통해 구성원들은 자신의 역할 및 어떠한 성과를 내야 하는지에 대한 명확한 이해를 갖게 됩니다.
- 성과 측정 및 평가: 성과를 측정하고 평가하는 것은 목표 설정 후의 두 번째 중요한 단계입니다. 이 과정에서는 개별 직원이나 팀이 설정한 목표를 얼마나 잘 달성했는지를 측정하고 평가합니다. 이를 통해 목표 달성의 정도를 확인하고 필요한 조치를 취할 수 있습니다. 이 단계는 객관적이면서도 공정한 방법으로 성과를 평가하고 피드백을 제공하는 방법을 배울 수 있는 중요한 기회를 제공합니다.
- 성과 평가 워크샵: 이 워크샵은 참가자들에게 성과를 측정하고 평가하는 다양한 방법에 대해 깊이 있는 학습의 기회를 제공합니다. 이를 통해 성과의 정의, 측정 방법, 그리고 성과 개선 방안을 계획하고 실행하는 방법을 배울 수 있습니다.
- 피드백 제공 실습: 이 실습은 참가자들에게 성과 피드백을 제공하는 과정을 직접 체험해보는 시간입니다. 피드백은 개인의 성장과 개발에 중요하므로 어떻게 효과적으로 제공할지 학습하는 것이 중요합니다.
- 피드백 시나리오 실습: 이 실습에서는 다양한 피드백 시나리오를 통해 피드백을 제공하고 받는 방법을 체험하게 됩니다. 이를 통해 피드백이 성과 개선에 어떻게 기여하는지 이해하고, 동료와의 관계를 어떻게 관리하는지에 대해 학습하게 됩니다.
- 성과 개선 계획 작성 실습: 이 실습에서는 받은 피드백을 기반으로 성과 개선 계획을 작성하는 방법을 배웁니다. 이를 통해 개선점을 식별하고, 그에 따른 행동 계획을 세우는 방법을 학습하게 됩니다.
- 성과 개선 전략 실습: 이 실습에서는 성과 피드백을 바탕으로 개선 전략을 수립하고 실행하는 방법을 배웁니다. 이를 통해 성과 개선을 위한 구체적인 전략을 설계하고 실제로 이를 실행하는 경험을 할 수 있습니다.
- 피드백 반영 실습: 마지막 단계인 이 실습에서는 받은 피드백을 실제 작업에 어떻게 반영하는지를 학습합니다. 이를 통해 피드백을 통해 개선점을 발견하고, 이를 실제 업무에 적용하여 성과를 향상시키는 방법을 이해하게 됩니다.

기업 사례

- 구글의 OKR(Objectives and Key Results) 방식: 구글은 성과 관리를 위해 OKR 방식을 활용하고 있습니다. OKR 방식은 목표(Objectives)와 그 목표를 달성하기 위한 핵심 결과(Key Results)를 설정하는 방법론입니다. 이 방식을 통해 구글은 구성원들이 조직의 목표에 맞춰 개인적인 성과를 도출할 수 있게 지원합니다.
- 넷플릭스의 360도 피드백: 넷플릭스는 직원들에게 지속적으로 360도 피드백을 제공하는 것으로 유명합니다. 이를 통해 넷플릭스는 직원들이 서로에게 피드백을 공유하고, 이를 통해 개인 및 팀의 성과를 지속적으로 개선할 수 있도록 지원합니다.
- 마이크로소프트의 성과 문화 개선: 마이크로소프트는 과거의 경쟁 중심적인 성과 관리 문화를 개선하기 위해 꾸준한 노력을 해왔습니다. 이제는 개인의 성과보다는 팀의 성과를 중시하고, 공유와 협업을 장려하는 문화를 만드는데 집중하고 있습니다. 이러한 변화는 조직 전체의 협업력과 성과를 향상시키는 데 기여하였습니다.
- IBM의 인공지능(AI) 기반 성과 관리: IBM은 인공지능을 활용해 성과 관리를 실시하는 방안을 도입하였습니다. 인공지능은 성과 데이터를 분석하고, 개인별 성과를 평가하는 데 사용됩니다. 이러한 접근법은 보다 공정하고 효율적인 성과 평가를 가능하게 하였습니다.
- 아마존의 직원 중심 목표 설정: 아마존은 직원들이 자신의 역량과 업무에 맞는 목표를 설정하도록 돕습니다. 이를 통해 아마존은 직원들이 자신의 역할과 책임에 대한 명확한 이해를 바탕으로 목표를 설정하고, 이를 달성에 필요한 전략과 기법을 갖추게 함으로써 성과를 극대화합니다.
- 페이스북의 목표 설정 공유 문화: 페이스북은 모든 직원들이 자신의 개인 목표를 다른 동료들과 공유하는 문화를 가지고 있습니다. 이를 통해 직원들은 서로의 목표를 이해하고, 필요한 경우 도움을 주는 등 협업을 통해 목표 달성을 추구하게 됩니다.
- 아이디어스의 실시간 피드백 시스템: 아이디어스는 실시간 피드백 시스템을 도입하여 성과 평가 및 피드백 과정을 혁신하였습니다. 이 시스템을 통해 아이디어스의 직원들은 프로젝트가 진행되는 동안 실시간으로 피드백을 주고 받을 수 있으며, 이를 통해 성과를 개선하고 업무 만족도를 높일 수 있게 되었습니다.
- 삼성전자의 360도 피드백 시스템: 삼성전자는 본인이나 동료, 상사, 하사 등 다양한 관점에서 피드백을 수집하고, 이를 바탕으로 성과를 평가하는 360도 피드백 시스템을 도입하였습니다. 이 시스템을 통해 삼성전자는 보다 다양하고 신뢰성 있는 성과 평가를 실시할 수 있게 되었습니다.

시각 자료 및 도구

- 성과 관리 프로세스 다이어그램: 성과 관리의 주요 단계를 보여주는 다이어그램입니다. 이는 목표 설정, 성과 측정, 성과 평가, 그리고 피드백 제공 등을 포함합니다. 각 단계가 어떻게 연결되는지와 각 단계가 성과 관리 전체에서 어떤 역할을 하는지를 명확하게 이해하는 것이 중요합니다.
- 개인 및 팀 목표 설정 플로우차트: 개인 및 팀 목표가 조직의 전략적 목표와 어떻게 연결되는지 보여주는 플로우차트입니다. 각 개인과 팀의 목표가 조직의 전체 목표와 어떻게 일치하는지를 이해하고, 개인과 팀의 성과가 조직의 성과에 어떻게 기여하는지를 명확하게 파악하는 것이 중요합니다.
- OKR 예시: 구글의 OKR(Objectives and Key Results) 방식을 설명하는 예시입니다. 이는 구체적인 목표(Objectives)와 그 목표를 달성하기 위한 핵심 결과(Key Results)를 포함합니다. OKR 방식은 목표 달성에 필요한 핵심 행동들을 명확하게 정의하고, 그 결과를 측정함으로써 성과를 향상시키는 효과적인 방법입니다.
- 성과 관리 도구 비교 차트: 다양한 성과 관리 도구들의 장단점을 비교하는 차트입니다. 이는 각 도구가 어떤 기능을 제공하는지, 그리고 그 도구가 성과 관리에 어떻게 도움이 될 수 있는지를 비교하여, 가장 적합한 도구를 선택하는데 도움을 줍니다.
- 360도 피드백 시스템 다이어그램: 360도 피드백 시스템이 어떻게 작동하는지 보여주는 다이어그램입니다. 이는 동료, 상사, 부하직원 등 다양한 관점에서 피드백을 수집하고, 그 피드백을 통해 개인의 성과를 종합적으로 평가하고 향상시키는 방법을 제시합니다.
- 피드백 제공 예시: 실제 피드백 제공의 예시를 제공합니다. 피드백은 상황을 구체적으로 기술하고, 그 상황에서의 행동을 지적하며, 그 행동이 미친 영향을 설명하는 방식으로 제공되어야 합니다. 이를 통해 피드백을 받는 사람이 자신의 행동을 명확하게 이해하고, 어떻게 개선해야 하는지를 알 수 있습니다.

목표 설정 워크샵 실습 방안 및 과정

이 워크샵을 통해, 참가자들은 목표 설정의 중요성을 깊이 이해하고, 효과적인 실천 방법을 배울 수 있습니다. 참가자들은 자신의 역할과 책임에 대한 명확한 목표를 설정하고, 이를 달성하기 위한 전략과 기법을 배울 것입니다. 특정 프로젝트나 업무에 대한 목표 설정 방법도 학습할 것입니다. 이 과정은 개인 또는 팀 수준에서 진행되며, 참가자들이 목표 설정에 필요한 핵심 기법과 전략을 습득하도록 설계되어 있습니다.

참가자들은 목표 설정의 중요성을 이해하며, 이를 위한 구체적인 방법과 전략을 학습합니다. 이 과정에서, 참가자들은 목표를 설정하는 데 있어 필요한 요소와 이를 실천하는 방법을 배우게 됩니다. 이는 참가자들이 자신들의 역할과 책임에 대한 명확한 이해를 갖게 하며, 그들이 맡은 업무에 대한 목표를 설정하는 데 도움이 됩니다.

또한, 참가자들은 개별 또는 팀 목표가 조직의 전략적 목표와 어떻게 일치해야 하는지에 대한 깊은 이해를 갖게 됩니다. 이를 통해, 참가자들은 목표 설정이 조직의 전체적인 성공에 어떻게 기여하는지, 그리고 자신들의 역할이 이에 어떻게 연결되는지에 대한 명확한 인식을 갖게 될 것입니다.

이러한 이해는 참가자들이 조직의 전략적 목표를 더 잘 이해하고, 이를 자신의 업무에 적용하는 데 도움을 줄 것입니다. 이에 따라, 참가자들은 자신의 역할이 조직의 목표 달성에 어떻게 기여하는지 보다 명확하게 인식하게 될 것입니다.

1. 실습 개요: 참가자들에게 워크샵의 목표와 일정을 소개합니다. 이때, 워크샵의 목표는 개별 또는 팀 목표를 조직의 전략적 목표와 일치시키는 방법을 학습하는 것임을 명확히 합니다.

2. 이론적 배경 소개: SMART 기준(Specific, Measurable, Achievable, Relevant, Time-bound)에 관한 간략한 설명을 제공하고, 이를 통해 어떻게 효과적인 목표를 설정할 수 있는지 설명합니다.

3. 실습 준비: 참가자들에게 특정 프로젝트 또는 업무를 선택하도록 지시하고, 이에 대한 개별 또는 팀 목표를 설정하는 데 사용할 템플릿을 제공합니다.

4. 실습 진행: 참가자들이 선택한 프로젝트 또는 업무에 대한 목표를 SMART 기준에 따라 설정하도록 합니다. 이때, 조직의 전략적 목표와 어떻게 연결될 수 있는지에 대한 고민을 포함해야 합니다.

5. 토론 및 피드백: 각 팀이나 개인이 설정한 목표를 발표하고, 다른 참가자들과 이에 대해 토론하고 피드백을 주고받습니다.

6. 실습 마무리: 워크샵 마지막에는 참가자들이 학습한 내용을 복습하고, 앞으로 실제 업무에서 어떻게 적용할 것인지에 대한 계획을 세우도록 합니다.

성과 평가 워크샵 실습 방안 및 과정

이 워크샵에서는 성과 측정 및 평가 방법을 깊이 있게 배우며, 이를 통해 업무 효율성과 팀 생산성을 향상하는 법을 학습합니다. 참가자들은 성과의 정의와 측정, 그리고 평가와 분석에 대한 이해를 높이며, 평가 결과를 통한 피드백 제공 방법과 성과 개선 및 직원 만족도 증대 방법을 습득합니다.

피드백은 성과 향상의 핵심 요소이며, 이 워크샵에서는 피드백 제공 방법과 성과 향상 방법을 배웁니다. 피드백은 개선점을 찾아내고 문제를 해결하는 중요한 도구로서, 개인의 성장, 팀 효율성, 조직의 성공을 가능하게 합니다.

이 과정을 통해 참가자들은 성과 측정 및 평가 과정에 대한 이해를 깊이 있게 하고, 이를 업무에 적용하는 방법을 배우게 됩니다. 이 지식과 기술은 역할과 책임의 명확한 이해, 성과 향상 및 조직의 목표 달성에 도움이 됩니다.

이 워크샵은 참가자들에게 성과 측정과 평가에 대한 깊이 있는 이해를 바탕으로, 실질적인 기술과 전략을 업무에 적용하는 뛰어난 기회를 제공합니다. 이를 통해 참가자들은 명확한 목표 설정과 공정한 성과 평가를 통해 자신의 업무 성과를 극대화하는 방법을 배울 수 있습니다.

1. 워크샵 개요 및 목표 설정: 워크샵 시작 전에 참가자들이 워크샵의 목표와 성과 평가의 중요성을 이해하도록 안내합니다.

2. 성과 측정 기준 이해: 참가자들에게 다양한 성과 측정 기준에 대해 소개합니다. 예를 들어, 판매량, 고객 만족도, 팀원간의 협업 등의 구체적인 메트릭스를 사용하여 성과를 측정하는 방법을 설명합니다.

3. 성과 평가 방법론 학습: 참가자들에게 성과 평가의 다양한 방법론을 소개하고, 각 방법론의 장단점과 적용 상황을 설명합니다. 예를 들어, 360도 피드백, 자기 평가 등의 방법을 소개합니다.

4. 실제 성과 평가 실습: 참가자들이 실제로 성과 평가를 실습해 보도록 합니다. 이를 위해, 가상의 성과 데이터를 제공하거나, 참가자들이 실제 업무에 대한 성과를 평가해 보도록 합니다.

5. 피드백 제공 실습: 참가자들이 성과 평가 결과를 바탕으로 피드백을 제공하는 방법을 실습해 보도록 합니다. 이를 위해 적절한 피드백 방법과 원칙에 대해 설명하고, 참가자들이 직접 피드백을 작성하고 공유해 보도록 합니다.

6. 실습 결과 공유 및 토론: 각 참가자나 그룹이 실습 결과를 공유하고, 다른 참가자들의 피드백을 받도록 합니다. 이를 통해 참가자들이 서로의 성과 평가 방법과 피드백을 비교하고, 더 효과적인 성과 평가 방법을 찾아가도록 합니다.

7. 워크샵 마무리 및 리뷰: 워크샵의 마지막에는 참가자들이 워크샵에서 배운 내용을 리뷰하고, 이를 실제 업무에 어떻게 적용할지에 대해 계획을 세우도록 합니다.

이 장을 통해 학습자들은 성과관리와 목표 설정에 대한 깊은 이해를 얻을 것입니다. 이해는 이론적 배경뿐 아니라, 구글, 넷플릭스, 마이크로소프트, IBM과 같은 세계적인 기업들의 사례를 통해 실제적인 적용법을 배우는 데 도움이 될 것입니다. 성과 개선 계획 작성, 성과 개선 전략 수립, 피드백 반영 등의 실습을 통해 이론을 실제 상황에 적용하는 방법도 학습하게 됩니다.

더불어, 학습자들은 목표 설정 워크샵과 성과 평가 워크샵을 통해 목표를 설정하고 이를 평가하는 방법을 직접 체험하게 됩니다. 이를 통해 학습자들은 성과를 정의하고 측정하는 방법, 피드백을 통해 성과를 향상시키는 방법 등을 습득할 수 있습니다.

이 모든 학습을 통해 학습자들은 성과를 극대화하고 조직 및 개인 목표를 달성하는 데 필요한 전략과 기법을 갖추게 될 것입니다. 이는 개인의 역할과 책임을 더욱 명확하게 이해하고, 성과를 향상시키는 방법을 배우는 데 큰 도움이 될 것입니다.

제 8 장

개인적 탁월성: 리더의 자기 계발

이 장에서는 리더의 개인적 우수성이 자기 인식, 지속적인 학습, 그리고 균형 잡힌 생활을 통해 달성되는 방법에 대해 다룹니다. 자기 인식은 강점과 약점을 이해하는 데 도움이 되어 효과적인 의사결정을 가능하게 합니다. 지속적인 학습은 변화하는 환경에 적응하고 리더십 능력을 향상시키는데 필요합니다. 균형 잡힌 생활은 스트레스 관리와 일과 삶의 균형을 유지하는 것을 돕고, 건강한 리더십 스타일을 유지하는데 필요합니다.

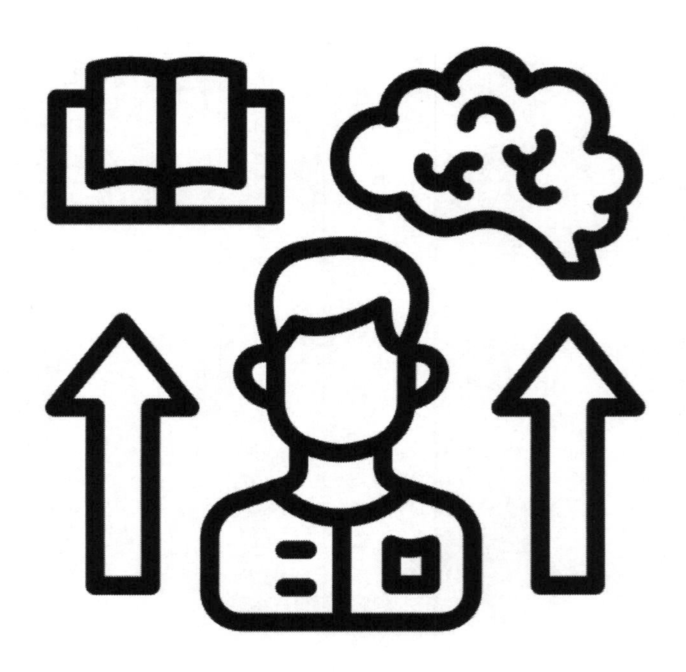

학습 개요

이 장에서는 리더의 개인적 우수성이 자기 인식, 지속적인 학습, 그리고 균형 잡힌 생활을 통해 달성되는 방법에 대해 다룹니다. 자기 인식은 강점과 약점을 이해하는 데 도움이 되어 효과적인 의사결정을 가능하게 합니다. 지속적인 학습은 변화하는 환경에 적응하고 리더십 능력을 향상시키는데 필요합니다. 균형 잡힌 생활은 스트레스 관리와 일과 삶의 균형을 유지하는 것을 돕고, 건강한 리더십 스타일을 유지하는데 필요합니다.

학습 내용 및 목표

- 자기 인식의 중요성: 개개인의 강점, 약점, 그리고 가치관을 파악하고 이해하는 것은 매우 중요합니다. 이것은 자신에 대한 깊은 이해를 바탕으로 개인적 성장을 추구하게 해주며, 각자가 고유하게 가진 독특한 개성과 역량을 최대한 활용할 수 있는 기회를 제공합니다. 이를 통해 자신만의 강점을 적극적으로 활용하고 약점은 개선하는 방향으로 노력할 수 있습니다.
- 지속적 학습: 평생 학습의 중요성을 인식하고 그것을 실천하는 것은 끊임없는 자기 개발과 성장을 위해 필수적입니다. 이를 위해 효과적인 학습 전략을 개발하고, 새로운 정보와 지식을 습득하는 데 중점을 두는 것이 중요합니다. 이는 지속적인 학습을 통해 역량을 향상시키고, 변화하는 세상에서도 경쟁력을 유지할 수 있도록 돕습니다.
- 스트레스 관리와 워크-라이프 밸런스: 일과 생활 사이의 균형을 유지하는 것은 건강한 삶을 유지하는 데 중요합니다. 효과적인 스트레스 관리 기법을 배우고 적용함으로써, 일상 생활에서 발생하는 스트레스를 관리하고 워크-라이프 밸런스를 유지하는 방법을 배웁니다. 이렇게 함으로써 일과 개인 생활 사이의 균형을 이루고, 스트레스에서 오는 부정적인 영향을 최소화하여 행복하고 만족스러운 삶을 살 수 있게 됩니다.

예상 학습 성과

- 자기 관리 능력을 통해 리더로서의 탁월성을 달성하기 위한 여러 전략들을 학습하고, 이를 실제로 실행하는 방법에 대해서도 깊게 이해하게 됩니다. 이 과정에서 개인의 리더십 스타일을 향상시키고, 목표를 설정하고 달성하는 능력을 강화합니다.
- 건강하고 지속 가능한 리더십 스타일을 개발하는 것은 중요합니다. 이를 위해 우리는 스트레스 관리, 균형 잡힌 생활 방식, 그리고 효과적인 의사소통 기술과 같은 요소들을 중점적으로 다루게 될 것입니다. 이러한 요소들은 리더로서의 성공을 위한 핵심적인 기초를 마련해 줍니다.
- 자기 관리 능력은 리더로서의 탁월성을 달성하는 데 있어 중요한 역할을 합니다. 리더는 자신의 역량을 인식하고, 이를 토대로 계속해서 성장하고 발전해야 합니다. 이를 위해 필요한

다양한 전략을 학습하고, 그 전략을 실제로 적용하는 방법에 대해 깊이 있게 이해하게 됩니다. 이 과정을 통해 리더는 개인의 리더십 스타일을 향상시키고, 목표를 설정하고 이를 달성하는 능력을 강화하게 됩니다.

- 또한, 건강하고 지속 가능한 리더십 스타일을 개발하는 것은 매우 중요합니다. 스트레스 관리, 균형 잡힌 생활 방식, 그리고 효과적인 의사소통 기술 등의 요소들은 이를 달성하기 위해 중점적으로 다루어져야 합니다. 이러한 요소들은 리더의 성공을 위한 핵심적인 기초를 제공하며, 이를 통해 리더는 자신의 효율성과 생산성을 향상시킬 수 있습니다.

이론적 배경과 근거

Daniel Goleman의 감성 지능 이론은 개인적 탁월성과 관련하여 많은 중요성을 부여하는 이론 중 하나입니다. 이 이론은 감성 지능의 중요성을 강조하며, 이를 구성하는 다섯 가지 핵심 요소를 제시합니다. 이 요소들은 자기 인식, 자기 조절, 사회적 기술, 공감, 그리고 동기부여입니다(Goleman, D. (1995). "Emotional Intelligence").

첫 번째로, 자기 인식은 자신의 감정을 인식하고 이해하는 능력입니다. 이것은 우리가 어떤 상황에서 어떤 감정을 느끼는지를 알고, 그 감정이 어떻게 우리의 생각과 행동에 영향을 미치는지를 이해하는 데 도움을 줍니다.

두 번째로, 자기 조절은 감정을 적절하게 관리하고 표현하는 능력입니다. 이것은 우리가 감정을 통제하는 방법을 알고, 부적절한 감정 표현을 피하며, 적절한 시기에 적절한 감정을 표현하는 데 도움을 줍니다.

세 번째로, 사회적 기술은 다른 사람과 효과적으로 상호작용하고, 다른 사람의 감정과 관점을 이해하고 존중하는 능력입니다. 이것은 우리가 다른 사람과의 관계를 성공적으로 유지하고, 팀에서 효과적으로 일하며, 다른 사람의 감정과 관점에 대한 이해를 바탕으로 사회적 상황을 관리하는 데 도움을 줍니다.

네 번째로, 공감은 다른 사람의 감정을 이해하고 공유하는 능력입니다. 이것은 우리가 다른 사람의 입장에서 사물을 바라보고, 그들의 감정을 이해하며, 그들의 감정에 동조하는 데 도움을 줍니다.

다섯 번째로, 동기부여는 자신의 목표를 달성하기 위해 자신을 격려하고 동기를 부여하는 능력입니다. 이것은 우리가 목표를 설정하고, 그 목표를 달성하기 위한 동기를 유지하며, 필요한 행동을 취하는 데 도움을 줍니다.

이 다섯 가지 핵심 요소는 리더가 자신과 타인을 효과적으로 관리하고, 상호작용하며, 긍정적인 관계를 구축하는 데 있어 매우 중요한 역할을 합니다. 이러한 요소들은 리더가 자신과 타인을 효과적으로 관리하고, 상호작용하며, 긍정적인 관계를 구축하는 데 필수적입니다.

따라서, 이 이론은 리더십 개발에 중요한 가치를 지니고 있습니다. 감성 지능은 우리가 자신의 감정을 이해하고, 조절하며, 감정을 바탕으로 생각하고 결정하는 능력을 의미합니다. 따라서, 감성 지능 이론은 리더십 개발과 개인적 탁월성에 중요한 가치를 지닙니다. (Goleman, D. (1995). "Emotional Intelligence")

Carol Dweck의 마인드셋 이론은 개인적 탁월성을 이해하는 데 중요한 통찰력을 제공합니다. Dweck은 사람들이 고정적 마인드셋과 성장 마인드셋 중 하나를 가지고 있다고 주장합니다. 고정적 마인드셋을 가진 사람들은 자신의 능력이 타고난 것이며 변하지 않는다고 믿습니다. 반면에, 성장 마인드셋을 가진 사람들은 자신의 능력이 연습과 학습을 통해 발전될 수 있다고 믿습니다. 이 이론은 리더가 자신의 능력과 가능성에 대해 어떻게 생각하는지에 따라 그들의 학습 방식, 목표 설정, 그리고 문제 해결 능력에 큰 영향을 미친다는 것을 보여줍니다(Dweck, C. (2006). "Mindset: The New Psychology of Success").

또한, Peter Senge의 학습 조직 이론은 리더의 자기 발전과 탁월성에 중요한 통찰력을 제공합니다. Senge는 조직이 변화에 적응하고, 지식을 생성하고, 그 지식을 활용하여 자신들의 목표를 달성하는 능력을 갖춘 '학습 조직'을 지향해야 한다고 주장합니다. 이 이론은 리더가 자신의 학습 능력을 개발하고, 그 능력을 조직의 성장과 발전에 활용하는 방법에 대해 중요한 통찰력을 제공합니다(Senge, P. (1990). "The Fifth Discipline").

Amy Cuddy의 "Power Pose" 이론은 개인적 탁월성과 관련하여 중요한 역할을 합니다. 이 이론은 특정 자세들이 자신감을 높이고 스트레스 수준을 낮추는 데 도움이 될 수 있다고 제안합니다. 이는 리더가 자신의 신체 언어를 통해 자신감을 높이고, 더 효과적인 의사소통을 이루는 데 도움이 될 수 있습니다 (Cuddy, A. (2012). "Your body language may shape who you are").

또한, Carol Ryff의 "Psychological Well-being" 모델은 개인적 탁월성과 관련하여 효과적인 이론적 근거를 제공합니다. 이 모델은 자아수용, 개인 성장, 목적의식, 환경 제어, 인간관계, 자율성 등 여섯 가지 요소를 포함하여 개인의 심리적 웰빙을 정의합니다. 이 요소들은 리더의 개인적 탁월성을 달성하는 데 중요한 역할을 합니다(Ryff, C. (1989). "Happiness is everything, or is it? Explorations on the meaning of psychological well-being").

이러한 이론들은 리더의 자기 계발과 탁월성을 추구하는 방법에 대해 중요한 통찰력을 제공하며, 이를 통해 리더는 자신의 역량을 극대화하고, 개인적 및 조직적 성과를 향상시킬 수 있습니다.

최신 이론적 배경과 근거

조직 심리학의 인지적 접근법에 대한 깊이 있는 연구: 최근의 연구에서는 인지적 접근법을 사용하여 리더의 개인적 탁월성에 대한 더욱 깊고 통찰력 있는 이해를 추구하는 데 중점을 두고 있습니다. 이러한 접근법은 리더의 생각과 태도가 그들의 행동과 성과에 어떻게 영향을 미치는지를 중심으로 합니다. 이를 통해 리더는 자신의 생각과 태도를 깊게 고찰하고, 이를 개선하는 방법을 찾아 더욱 탁월한 성과를 달성하는 데 도움이 될 수 있습니다(Hannah, S. T., Avolio, B. J., & May, D. R. (2020). "Efficacy beliefs as a moderator of the impact of work-related stressors: A multilevel study". Journal of Applied Psychology).

리더의 중심가치의 중요성을 강조하는 최신 연구: 최신 연구에서는 리더의 중심 가치가 그들의 의사결정, 행동, 그리고 탁월성에 어떻게 영향을 미치는지를 강조하고 있습니다. 중심 가치는 리더의 성장과 발전에 중요한 역할을 하는데, 이는 그들의 행동과 의사결정에 큰 영향을 미칩니다. 리더는 자신의 중심 가치를 명확히 인식하고, 이를 자신의 행동과 의사결정에 반영해야 합니다(Rokeach, M. (2020). "Understanding Human Values". Free Press).

자기 동기화 능력의 중요성을 주장하는 최신 연구: 최근 연구에서는 리더의 자기 동기화 능력이 그들의 개인적 탁월성과 성과에 큰 영향을 미친다는 사실을 강조하고 있습니다. 자기 동기화 능력이란 리더가 자신의 목표를 설정하고, 그 목표를 달성하기 위해 필요한 행동을 독려하는 능력을 말합니다. 리더는 이러한 자기 동기화 능력을 계속적으로 발전시키고, 이를 통해 개인적 탁월성을 더욱 추구해야 합니다. (Gagné, M., & Deci, E. L. (2020) "Self-determination theory and work motivation". Journal of Organizational Behavior).

조직 심리학의 인지적 접근법에 대한 추가적인 탐구: 인지적 접근법은 리더의 사고방식과 태도가 그들의 행동 및 성과에 어떤 영향을 미치는지를 중심으로 하는데, 이는 그들의 개인적 탁월성을 이해하는 데 매우 유용한 도구입니다. 최근의 연구는 이러한 인지적 접근법을 사용하여 리더의 탁월성에 대한 깊이 있는 이해를 더욱 확장하고 있습니다. 이를 통해, 리더는 자신의 생각과 태도에 대한 자각을 높이고, 이를 개선하여 더욱 탁월한 성과를 달성하는 데 필수적인 통찰을 얻을 수 있습니다. (Hannah, S. T., Avolio, B. J., & May, D. R. (2020). "Efficacy beliefs as a moderator of the impact of work-related stressors: A multilevel study". Journal of Applied Psychology)

리더의 중심가치의 중요성에 대한 더욱 강조하는 최신 연구 결과: 리더의 중심 가치는 그들의 의사결정과 행동, 그리고 최종적인 탁월성에 깊은 영향을 미칩니다. 최신 연구에서는 이러한 중심 가치의 중요성을 더욱 강조하며, 이는 리더의 개인적 성장과 발전에 큰 역할을 하는 것으로 나타났습니다. 따라서, 리더는 자신의 중심 가치를 명확하게 인식하고, 이를 자신의 행동과 의사결정에 통합하여 반영해야 합니다. (Rokeach, M. (2020). "Understanding Human Values". Free Press)

자기 인식의 중요성

자기 인식은 개인이 자신의 감정, 가치, 행동, 목표, 그리고 동기 등을 깊이 이해하는 능력을 의미합니다. 이는 자신의 내면을 탐색하고, 그 과정에서 심리적 상태와 행동 패턴을 명확히 파악하는데 필요한 능력입니다.

개인이 자신의 강점과 약점을 명확히 인지하고, 이를 바탕으로 개선할 부분과 유지해야 할 부분을 분명히 알아내는 것이 자기 인식의 일부입니다. 이는 개인이 자신의 강점을 최대한 활용하고, 약점을 개선하기 위한 전략을 세우는 데 중요합니다. 예를 들어, 특정 상황에 어떻게 반응하는지, 어떤 상황에서 스트레스를 느끼는지를 알면, 그에 맞는 해결책을 찾는 데 도움이 됩니다.

또한, 자기 인식은 감정을 인식하고 이해하는 데 중요한 역할을 합니다. 이를 통해 감정적 반응을 적절하게 관리하고, 감정이 행동과 판단에 미치는 영향을 최소화할 수 있습니다. 감정을 효과적으로 조절하고 관리하는 것은 개인이나 주변 사람들에게 부정적인 영향을 미치는 것을 방지하는 데 중요합니다.

자기 인식의 중요성은 리더십, 감성 지능, 인간관계 등 여러 분야에서 강조되고 있습니다. 리더십에서는 자신의 감정, 행동, 가치를 이해하고 이를 바탕으로 행동을 주도하는 데 중요하며, 감성 지능에서는 자기 인식이 감정을 이해하고 관리하는 핵심 요소로, 인간관계에서는 타인과의 관계에서 자신의 역할과 타인의 반응을 이해하는 데 중요하게 여겨집니다.

따라서, 자기 인식은 개인이 자신의 생각, 감정, 행동 패턴을 이해하고 그에 따라 적절하게 행동할 수 있게 하는 중요한 능력입니다. 이를 통해 개인은 자신의 삶을 더욱 풍요롭고 의미있게 만들 수 있습니다.

1. 자기 인식의 중요성에 대한 연구 결과: 연구에 따르면, 자기 인식은 개인의 성과, 관계 만족도, 행복, 그리고 삶의 만족도와 긍정적으로 연관되어 있습니다. 예를 들어, 자기 인식이 높은 사람들은 일과 개인 생활에서 더욱 탁월한 성과를 보이며, 더욱 만족스러운 관계를 유지하고, 삶에 대한 더욱 높은 만족도를 경험하는 것으로 나타났습니다(Sutton, A. (2016). "The Role of Self-Awareness and Emotional Intelligence in Leadership". Journal of Leadership Studies).

2. 자기 인식을 높이는 방법: 자기 인식을 높이는 방법 중 하나는 자기 반성을 통한 것입니다. 이는 개인이 자신의 생각, 감정, 그리고 행동에 대해 깊이 있는 생각을 하고, 이를 바탕으로 자신을 이해하고 개선하는 과정을 말합니다. 또한, 피드백을 받아 자신의 행동과 그 결과에 대해 이해하는 것도 자기 인식을 높이는 데 도움이 됩니다.

3. 자기 인식의 역할과 중요성에 대한 이론적 배경: Daniel Goleman의 감성 지능 이론에서는 자기 인식을 감성 지능의 핵심 요소 중 하나로 제시하며, 이를 통해 개인이 자신의 감정을 인식하고 이해하고, 이를 바탕으로 적절한 감정 표현과 행동을 할 수 있다고 주장합니다. (Goleman, D. (1995). "Emotional Intelligence"). 또한, Carl Rogers의 자기 이론에서는 자기 인식을 개인의 성장과 발전을 위한 중요한 과정으로 제시하며, 이를 통해 개인이 자신의 실제적 경험과 이상적 자아 사이의 일치를 높이고, 이를 바탕으로 적응적이고 건강한 행동을 할 수 있다고 주장합니다(Rogers, C. (1951). "Client-Centered Therapy"). 이러한 이론적 배경은 자기 인식의 중요성을 더욱 강조하고 있습니다.

자기 인식을 높이는 실습 자료

- '왜?' 묻기: 이는 자기 인식을 향상시키는 가장 기본적인 방법 중 하나입니다. '왜?'라는 질문은 우리의 생각과 행동에 대한 깊이 있는 이해를 돕습니다. 예를 들어, "왜 이런 결정을 내렸는지?", "왜 이렇게 느꼈는지?" 등의 질문을 통해 자신의 동기와 가치를 탐색할 수 있습니다. 이를 통해 자신의 행동과 가치 사이의 연결을 이해하고, 더 나은 선택을 할 수 있게 됩니다.
- 매일 저녁 기록하기: 매일 저녁 자신의 생각과 감정을 기록하는 것은 자기 인식을 향상시키는 효과적인 방법입니다. 이는 하루 동안 발생한 사건들에 대한 자신의 반응을 분석하고, 그것이 어떻게 자신의 감정과 행동에 영향을 미치는지 이해하는데 도움이 됩니다. 또한, 이런 기록을 통해 자신의 감정 상태와 생각 패턴의 변화를 추적하고 이해할 수 있습니다.
- 자기 평가 도구 이용: 자기 인식을 높이는 데 도움이 되는 다양한 도구들이 있습니다. Myers-Briggs Type Indicator(MBTI), DISC, StrengthsFinder 등의 도구는 개인의 성향, 강점, 약점 등을 파악하는 데 도움이 됩니다. 이러한 도구들을 통해 우리는 개인의 성격, 선호, 및 능력에 대한 중요한 통찰력을 얻을 수 있습니다.
- 다른 사람의 피드백 받기: 주변 사람들로부터 자신에 대한 피드백을 받는 것은 자기 인식을 높이는 데 중요한 방법입니다. 타인의 피드백은 자신이 인식하지 못했던 강점이나 개선점을 드러내주며, 이를 통해 자신을 더욱 잘 이해하고 개발할 수 있습니다.
- 상담사나 코치와 상담하기: 전문가의 도움을 받는 것은 자신의 생각과 감정을 더 깊게 이해하는데 도움이 될 수 있습니다. 전문가는 자신이 혼자서는 인지하기 어려운 부분을 더 잘 이해하고, 개선 방안을 찾는 데 도움을 줄 수 있습니다. 전문가의 도움을 받는 것은 개인적인 통찰력을 깊게 이해하고, 자신의 행동과 생각에 대한 새로운 관점을 제공합니다.
- 마음챙김 연습: 마음챙김 연습은 자신의 생각과 감정을 중심으로 현재 순간에 집중하는 것입니다. 이를 통해 자신의 내면을 더 잘 이해하고, 감정에 대한 인식을 높일 수 있습니다.
- 목표 설정 및 모니터링: 자신의 목표를 설정하고, 그 목표를 달성하기 위한 행동을 기록하고 모니터링하는 것은 자신의 행동과 결과에 대한 인식을 높입니다. 이를 통해 자신의 진행 상황을 추적하고, 필요한 경우 전략을 조정하는 데 도움이 됩니다.
- 자기 관찰: 특정 상황에서 자신이 어떻게 행동하는지 관찰하고, 그 행동이 자신의 가치와 목표에 어떻게 부합하는지 분석하는 것은 자기 인식을 높입니다.
- 역할 수행: 다른 사람의 입장에서 상황을 바라보거나, 다른 사람의 행동을 수행해 보는 것은 자신의 생각과 태도에 대한 새로운 인식을 제공합니다.
- 감정 일기 쓰기: 특정 감정이 언제, 어떻게 발생하는지 기록하고, 그 감정이 자신의 행동에 어떻게 영향을 미치는지 기록하는 것은 자신의 감정 패턴을 이해하는 데 도움이 됩니다.

- 정서적 지능 테스트: 정서 지능 테스트를 이용하면 자신의 감정 인식 및 관리 능력을 측정하고, 이를 통해 자기 인식을 높일 수 있습니다. 이러한 테스트는 우리가 어떻게 감정을 인식하고 이해하며, 그것을 효과적으로 관리하는지에 대한 통찰력을 제공합니다.

지속적 학습

지속적인 학습은 개인이 항상 새로운 지식과 기술을 배우려는 태도를 의미하는 중요한 개념입니다. 이는 자신의 역량을 강화하고 업무 성과를 향상시키며, 개인적 만족을 위한 핵심 과정입니다. 또한, 지속적인 학습은 개인의 성장과 발전에 필수적이며, 새로운 지식을 습득하는 것을 넘어 개인의 능력 향상에 중요한 역할을 합니다. 새로운 것을 배우는 것은 우리가 처한 세상을 더 잘 이해하게 해주며, 그로 인해 새로운 기회를 창출하는 데에도 도움이 됩니다.

우리가 살아가는 세상은 빠르게 변화하고 있어, 지속적인 학습은 절대적으로 중요합니다. 특히, 기술의 발전과 새로운 정보의 끊임없는 유입으로 인해, 우리가 알고 있는 지식과 기술이 빠르게 업데이트되어야 하기 때문입니다.

개인은 지속적인 학습을 통해 자신의 역량을 끊임없이 발전시키고, 전문성을 깊게 파고들 수 있습니다. 이 과정을 통해 경력을 쌓아가며, 더 나은 성과를 위한 기반을 마련하게 됩니다. 이는 또한 능동적이고 적응력 있는 인생을 살아가는데 필수적입니다.

지속적인 학습은 우리가 도전하고 더 큰 성취를 이룰 수 있는 능력을 제공합니다. 이는 개인의 성취와 만족도를 향상시키는 중요한 요소입니다. 그러므로, 계속해서 새로운 것을 배우는 것은 우리 삶을 풍요롭게 만드는 데 중요한 역할을 합니다.

실제 프로젝트 참여: 실제 작업이나 프로젝트에 참여하면서 필요한 기술을 직접 사용해보는 경험은 매우 중요합니다. 이를 통해 이론적 지식을 실제 상황에 적용해보고, 실질적인 문제 해결 능력을 키울 수 있습니다.

피어 러닝: 동료나 동일한 주제에 관심이 있는 사람들과 정보를 공유하고 토론하는 것은 새로운 관점을 얻고, 다양한 해결 방법을 배울 수 있는 좋은 방법입니다.

학습 그룹 참가: 특정 주제나 기술에 대해 배우고 싶다면 학습 그룹에 참가하는 것을 고려해보세요. 학습 그룹은 정보를 공유하고, 문제를 해결하는 과정에서 서로 도와주는 커뮤니티입니다.

정기적인 스터디 시간 설정: 학습은 꾸준히 이루어져야 효과적입니다. 일정 시간을 정해 매일 혹은 일주일에 한 번씩 공부하는 시간을 가지는 것이 도움이 될 수 있습니다.

온라인 튜토리얼 또는 웹세미나 참가: 많은 온라인 플랫폼들이 다양한 주제에 대한 튜토리얼이나 웹세미나를 제공하고 있습니다. 이러한 자료들은 새로운 기술이나 주제를 배우는 데 큰 도움이 될 수 있습니다.

자기 훈련: 자신이 배우고 싶은 주제나 기술에 대해 개인적으로 연구하고 학습하는 것도 중요합니다. 이는 자기 주도적인 학습 능력을 향상시키는 데 도움이 됩니다.

전문가 인터뷰: 자신이 관심 있는 주제나 분야의 전문가를 인터뷰하는 것은 깊이 있는 지식을 얻는 데 매우 유용할 수 있습니다. 전문가의 조언과 경험은 자신의 학습 과정에 큰 도움이 될 것입니다.

학습용 앱 사용: 다양한 학습용 앱을 활용해 언제 어디서든 학습을 이어갈 수 있습니다. 이러한 앱은 주로 언어 학습, 코딩, 수학 등 다양한 주제를 다루고 있습니다.

지속적 학습 실습 자료

- 도서 읽기: 도서는 전문적인 지식을 얻는 가장 기본적이고 효과적인 방법입니다. 다양한 주제와 분야에 대한 도서를 읽음으로써 깊이 있는 이해를 기르고, 학습의 토대를 마련할 수 있습니다. 특히, 해당 분야의 기본 개념부터 심화 내용까지 체계적으로 배울 수 있어 전문성을 향상시키는 데 큰 도움이 됩니다.
- 온라인 코스 등록: 다양한 온라인 교육 플랫폼에서는 전문가가 직접 강의하는 코스를 제공하고 있습니다. 이러한 코스를 이용하면, 강의를 듣는 과정에서 직접 질문을 하거나, 다른 수강생과의 토론을 통해 피드백을 받고 더 많은 지식을 얻을 수 있습니다. 이는 학습 과정을 더욱 풍부하게 하고, 실질적인 이해를 도모하는 데 도움이 됩니다.
- 실험적 학습: 새로운 기술이나 지식을 직접 시도해보고 실험하는 것은 학습에 많은 도움이 됩니다. 이를 통해 이론을 직접 실제로 적용해보고, 문제 해결 능력을 기르는 과정에서 교차적인 학습이 이루어집니다. 실패도 겪을 수 있지만, 이는 학습의 중요한 과정으로, 이를 통해 무엇이 잘못되었는지, 어떻게 개선할 수 있는지에 대한 깊이 있는 이해를 얻을 수 있습니다.
- 멘토링 받기: 멘토링은 빠른 성장을 위한 중요한 방법입니다. 경험 많은 전문가가 제공하는 피드백과 조언은 학습 과정을 가속화하고, 방향성을 제시해줍니다. 또한, 멘토는 학습자의 진로나 목표 설정에도 도움을 줄 수 있으며, 이는 성공적인 학습 경로를 설정하는 데 중요한 역할을 합니다.
- 학습 모임 참여: 학습 모임은 서로의 지식을 공유하고, 새로운 관점을 얻을 수 있는 장입니다. 같은 주제나 분야에 대해 배우고자 하는 사람들과 모여서 함께 학습하면, 다양한 경험과 정보를 공유하면서 더 광범위한 지식을 얻을 수 있습니다.
- 컨퍼런스 참여: 컨퍼런스는 최신의 연구 결과나 기술 트렌드를 알 수 있고, 동시에 네트워킹 기회도 얻을 수 있는 장입니다. 이를 통해 전문적인 지식뿐 아니라 새로운 사람들과의 만남을 통한 새로운 정보를 얻을 수 있습니다. 이러한 정보는 자신의 학습에 신선한 통찰력을 제공하고, 더 넓은 시야를 제공합니다.

- 자기 반성: 학습한 내용에 대해 자기 반성을 해보는 것은 중요합니다. 이를 통해 자신이 얼마나 이해하고 있는지, 어떤 부분을 더 배워야 하는지를 파악할 수 있습니다. 자기 반성을 통해 학습의 방향성을 잡는 데 도움이 되며, 이는 학습의 효과를 극대화하는 데 중요한 역할을 합니다.

스트레스 관리와 워크-라이프 밸런스

스트레스 관리와 워크-라이프 밸런스는 현대인의 건강한 생활을 유지하는 데 중요한 요소입니다. 스트레스는 우리의 몸과 마음에 부정적인 영향을 미치며, 워크-라이프 밸런스를 유지하지 못하면 우리의 삶의 질을 저하시킵니다.

1. 스트레스 관리: 스트레스는 일상생활에서 피할 수 없는 부분입니다. 하지만 과도한 스트레스는 우리의 물리적, 정서적 건강을 해칠 수 있습니다. 따라서 스트레스를 효과적으로 관리하는 방법을 배우는 것이 중요합니다. 이에는 다음과 같은 방법이 있습니다:

- 운동: 규칙적인 운동은 스트레스를 해소하는 데 매우 효과적입니다. 운동을 통해 우리의 몸은 스트레스 호르몬을 줄이고, 긍정적 감정을 증가시키는 엔돌핀을 생산합니다.
- 명상 및 요가: 명상과 요가는 마음을 집중시키고, 호흡을 조절하며, 현재 순간에 집중하는 것을 돕습니다. 이는 스트레스를 줄이고, 휴식과 회복을 촉진합니다.
- 충분한 수면: 충분한 수면은 스트레스 관리에 꼭 필요합니다. 우리의 몸과 마음은 수면 중에 회복되며, 이는 스트레스를 줄이는 데 도움이 됩니다.
- 건강한 식사: 건강한 식사는 우리의 몸과 마음에 좋습니다. 특히, 카페인과 설탕, 알코올 등 스트레스를 증가시킬 수 있는 음식과 음료를 피하는 것이 좋습니다.

2. 워크-라이프 밸런스: 워크-라이프 밸런스는 우리의 일과 개인 생활 사이의 균형을 의미합니다. 이 균형을 유지하는 것은 우리의 행복과 만족도에 큰 영향을 미칩니다. 워크-라이프 밸런스를 유지하는 방법에는 다음과 같은 것들이 있습니다:

- 시간 관리: 일과 개인 생활 사이의 균형을 이루기 위해 시간을 효과적으로 관리하는 것이 중요합니다. 이는 우선 순위를 설정하고, 일정을 계획하며, 시간을 효율적으로 활용하는 것을 포함합니다.
- 업무와 개인 생활 구분: 업무와 개인 생활 사이에 명확한 경계를 설정하는 것이 중요합니다. 이는 업무 시간과 개인 시간을 명확하게 구분하고, 업무 시간 외에는 업무에 관련된 통화나 이메일을 피하는 것을 포함합니다.
- 자기관리: 자신의 건강과 행복을 위해 시간을 내는 것이 중요합니다. 이는 운동, 취미, 친구와의 만남, 충분한 휴식 등 자신을 위한 활동을 포함합니다.

스트레스 관리와 워크-라이프 밸런스 실습 자료

- 스트레스 관리 워크샵 참가: 스트레스는 우리의 일상생활과 건강에 큰 영향을 미칩니다. 전문가들이 진행하는 스트레스 관리 워크샵에 참가하면 스트레스의 원인과 그로 인한 현상, 그리고 이를 효과적으로 관리하는 다양한 기법과 전략에 대해 깊이 있게 배울 수 있습니다. 이러한 워크샵은 직면한 스트레스 상황을 이해하고 적절히 대응하는 방법을 제공하며, 장기적으로는 스트레스로 인한 부정적인 영향을 줄이는데 도움이 됩니다.
- 마음 일기 작성: 스트레스 상황을 명확하게 인식하고 그에 대처하는 한 가지 방법은 마음 일기를 작성하는 것입니다. 스트레스 발생 상황, 그로 인한 감정, 그에 대한 대응 방법 등을 기록하면, 자신의 감정 패턴을 파악하고 스트레스에 대응하는 능력을 향상시킬 수 있습니다. 또한, 마음 일기는 개인의 감정 상태를 정리하고 이해하는 시간을 제공하므로, 효과적인 자기관리 도구가 될 수 있습니다.
- 스트레스 해소 활동 실천: 개인적으로 스트레스를 해소하는데 효과적인 활동을 찾아 실천해보세요. 이는 산책, 요가, 명상, 음악 감상, 취미 활동 등이 될 수 있습니다. 이러한 활동들은 마음을 편안하게 하고, 스트레스 해소에 도움을 줄 수 있습니다. 주기적으로 이러한 활동을 수행함으로써 건강한 스트레스 관리 습관을 형성하고, 일상생활에서의 편안함을 증진시킬 수 있습니다.
- 정서적 자기관리 앱 사용: 디지털 기술을 활용하여 스트레스를 관리해보세요. 스트레스 관리 앱들은 디지털 미디테이션, 호흡 기법, 이완 테크닉 등을 제공하여 스트레스를 관리할 수 있도록 돕습니다. 이러한 앱은 언제 어디서나 액세스 가능하므로, 일상생활에서 스트레스를 효과적으로 관리하는데 도움이 됩니다.
- 워크-라이프 밸런스 워크샵 또는 세미나 참가: 워크-라이프 밸런스는 우리의 삶의 질과 만족도에 큰 영향을 미칩니다. 워크-라이프 밸런스를 위한 전략을 배우고 싶다면, 관련 워크샵이나 세미나에 참가하는 것을 고려해보세요. 이러한 워크샵 또는 세미나에서는 일과 삶의 균형을 유지하는 방법, 시간 관리 전략 등에 대해 배울 수 있습니다.
- 라이프 코치 또는 상담사 상담: 개인의 상황에 맞는 워크-라이프 밸런스 개선 방안을 찾기 위해 전문가의 도움을 받아보세요. 라이프 코치나 상담사는 워크-라이프 밸런스에 영향을 미치는 상황을 파악하고, 효과적인 개선 방안을 제안할 수 있습니다.
- 워크-라이프 밸런스 체크리스트 작성: 워크-라이프 밸런스 상태를 명확하게 파악하고, 필요한 개선 사항을 확인하기 위한 체크리스트를 작성해보세요. 이는 일과 개인 생활에 할애하는 시간, 휴식 시간, 휴가 계획 등을 포함할 수 있습니다.

- 타임매니지먼트 앱 활용: 다양한 타임매니지먼트 앱을 활용하여 시간을 더 효과적으로 관리해보세요. 일정 관리, 시간 추적, 습관 형성 등의 기능을 제공하는 앱을 활용하면 시간을 더 효과적으로 관리할 수 있습니다.
- 휴식과 놀이 시간 확보: 휴식은 스트레스 관리와 워크-라이프 밸런스에 중요한 요소입니다. 충분한 휴식은 집중력을 향상시키고, 스트레스를 줄여줄 수 있으며, 취미나 여가 활동은 일상에 다양성을 더해주고 즐거움을 주어 소중한 휴식 시간을 보낼 수 있게 해줍니다. 따라서, 작업 패턴에 꾸준한 휴식 시간을 포함시키고, 정기적으로 취미나 여가 활동에 참여하도록 하세요.

기업 사례

- 애플의 공동 창업자인 스티브 잡스는 자신의 강점과 약점을 명확히 인식했고, 이를 바탕으로 강력하고 효과적인 비즈니스 전략을 구축하는 데 성공했습니다. 그는 특히 자신의 디자인에 대한 탁월한 적성을 인식하고, 이를 활용하여 애플 제품의 핵심 가치를 구성하는 데 중요한 역할을 했습니다.
- 대표적인 텔레비전 개성인 오프라 윈프리는 자신의 감정을 깊이 이해하고 이를 공개적으로 방송에서 공유하는 능력을 통해 대중과 강력한 감정적 연결을 형성하는 데 성공했습니다. 그녀의 이러한 자기 인식 능력은 그녀의 성공적인 방송 경력을 탄탄하게 만드는 데 결정적인 역할을 했습니다.
- 빌 게이츠, 세계적으로 유명한 마이크로소프트의 공동 창업자는 일주일에 최소한 하루를 "Think Week"라고 부르는 특별한 시간을 가지고 있습니다. 이 시간동안 그는 새로운 아이디어를 창출하고, 미처 알지 못했던 새로운 지식을 습득하는데 전념합니다. 이렇게 그는 지속적으로 자신의 지식을 업데이트하고, 끊임없이 혁신을 추구하려 노력합니다.
- 워런 버핏, 세계적인 투자자이자 버크셔 해서웨이의 CEO는 매일 5-6시간 독서를 통해 지식을 쌓는다고 밝혔습니다. 그는 이렇게 지속적으로 새로운 정보를 얻고, 다양한 관점에서 사물을 바라보는 것이 그의 투자 성공에 큰 역할을 했다고 말했습니다.
- 아마존의 창업자인 제프 베조스는 그의 개인적인 경험을 통해 충분한 수면을 취하고 가족과의 질 좋은 시간을 보내는 것이 일과 삶의 균형을 유지하고 스트레스를 효과적으로 관리하는 데 필수적이라고 말했습니다. 그는 이러한 방식으로 일상적인 스트레스를 낮추고 성공적인 경영을 이끌어 내는데 중요한 역할을 한다고 강조했습니다.
- LVMH의 CEO인 베르나르 아르노는 자신의 일과 삶의 균형을 유지하는 방법에 대해 공개적으로 이야기했습니다. 그는 자신의 열정인 예술과 패션을 추구함으로써 스트레스를 해소하고 일과 삶의 균형을 찾는다고 밝혔습니다. 그의 이러한 방식은 개인의 취미를 통해 스트레스를 해소하고 일과 삶의 균형을 이루는 좋은 예시로 지적되고 있습니다.

시각 자료 및 도구

자기 인식 수준에 따른 효과성 그래프: 자신의 강점, 약점, 가치관 등을 얼마나 잘 이해하고 있는지에 따른 효과성을 시각화한 그래프. 이는 자기 인식 수준이 높을수록 일과 개인 생활에서 더욱 효과적인 결과를 가져올 수 있음을 보여줍니다.

- 자기 인식 과정 다이어그램: 자기 점검, 자기 평가, 피드백 수용 등 자기 인식을 높이는 과정을 단계별로 시각화한 다이어그램.
- 개인적 탁월성 개발 로드맵: 리더의 자기 계발을 위한 단계별 로드맵을 보여주는 다이어그램을 생성합니다. 이 로드맵은 목표 설정, 학습 계획, 자기 평가의 과정을 포함합니다.
- 구글 리더십 개발 프로그램 인포그래픽: 구글에서 사용하는 리더 개발 프로그램의 구조와 주요 성과를 보여주는 인포그래픽을 제작합니다. 이는 다른 조직에서 유사한 프로그램을 설계할 때 참고할 수 있는 유용한 자료입니다.
- 지식 트리: 지속적 학습을 통해 얻은 지식과 경험을 나무의 형태로 시각화한 자료. 각 가지는 다양한 학습 주제를 나타내고, 나무의 성장은 지속적인 학습의 중요성을 상징합니다.
- 학습 곡선 그래프: 특정 주제에 대한 지식과 이해도가 시간에 따라 어떻게 변하는지를 보여주는 그래프.
- 스트레스 관리 전략 다이어그램: 다양한 스트레스 관리 전략을 시각적으로 표현한 다이어그램. 이는 호흡법, 명상, 운동 등 다양한 전략을 포함하고 있습니다.
- 워크-라이프 밸런스 비율 차트: 일과 개인 생활, 그리고 휴식 시간을 얼마나 균형있게 보내는지를 시각적으로 표현한 차트. 이는 하루의 시간 분배를 색상으로 구분하여 명확하게 보여줍니다.

셀프 리더십 워크샵 실습 방안 및 과정

셀프 리더십 워크샵의 목표는 개인의 자기 리더십 능력을 향상시키는 것입니다. 이 워크샵에서는 자기 인식, 목표 설정, 자기 규율, 동기 부여 등을 통해 개인이 자신을 효과적으로 이끌 수 있는 방법을 학습합니다. 이런 방식으로, 셀프 리더십 워크샵은 참가자들이 자신을 효과적으로 이끌어 나갈 수 있는 능력을 개발하는 데 도움을 제공합니다.

1. 자기 인식 세션: 참가자들이 자신의 강점, 약점, 가치, 열정 등을 탐색하고 이해하는 것에 초점을 맞춥니다. 이는 다양한 자기평가 도구를 사용하고, 그 결과를 토대로 개인의 특성과 성향에 대한 통찰력을 얻는 활동을 포함합니다. 이로써 참가자들은 자신의 리더십 스타일을 더욱 잘 이해하고, 개인적인 성장을 이루는 데 필요한 방향성을 설정할 수 있습니다.

2. 강점 및 약점 식별: 참가자들이 자신의 강점과 약점을 식별할 수 있도록 성향 테스트나 자기평가 도구를 제공합니다. 이 단계에서는 각 참가자의 개별적인 능력을 신중하게 분석하고, 이를 토대로 개인의 장점을 극대화하고 약점을 보완하는 전략을 수립합니다.

3. 자기 인식 활동: 참가자들이 자신의 가치관, 성격, 행동 스타일 등을 더 잘 이해할 수 있도록 다양한 자기 인식 활동을 실시합니다. 이 활동은 참가자들이 자신의 일상 생활에서의 행동과 반응을 조사하고, 이를 통해 자신의 가치와 성향을 더욱 명확히 이해하는 데 도움이 됩니다.

4. 목표 설정 워크샵: 참가자들이 자신의 개인적, 직업적 목표를 설정하며, 이를 달성하기 위한 구체적인 단계를 계획하는 방법을 배웁니다. 목표 설정은 참가자들이 자신의 능력을 향상시키고, 개인적, 전문적 성취를 이루는 데 필요한 방향을 제시합니다.

5. 개발 계획 수립: 참가자들이 강점을 기반으로 한 성장 전략을 수립하고, 약점을 보완하는 방안을 찾는 시간을 가집니다. 이 단계에서는 각 참가자가 자신의 개인적인 발전과 성장에 필요한 특정 행동과 전략을 식별하고 계획합니다.

6. 자기 규율 훈련: 참가자들이 자신의 행동과 결정에 대한 책임을 인식하고, 필요한 행동을 취하도록 자신을 규율하는 방법에 대해 학습합니다. 이는 시간 관리, 일정 계획, 목표 설정 등의 기술을 포함하며, 이를 통해 참가자들은 자기 조절 능력을 향상시킬 수 있습니다.

7. 동기 부여 기법 학습: 참가자들이 자신을 동기 부여하는 다양한 기법에 대해 학습합니다. 이는 자기효능감 강화, 긍정적인 자기 대화, 성취 목표 설정 등 다양한 동기 부여 전략을 포함하며, 이를 통해 참가자들은 자신의 성과와 만족도를 높일 수 있습니다.

8. 피드백 및 코칭 세션: 참가자들에게 서로 피드백을 주고 받는 시간을 가집니다. 또한, 코치나 멘토로부터 개인적인 피드백과 코칭을 받을 수 있는 기회를 제공합니다. 이를 통해 참가자들은 자신의 행동에 대한 외부적인 통찰력을 얻고, 자신의 행동을 개선하는 데 도움이 될 수 있는 피드백을 받습니다.

9. 피드백 및 반성 세션: 참가자들이 자신의 행동에 대한 피드백을 수용하고, 이를 통해 자신의 행동을 개선하는 방법을 배웁니다. 참가자들은 자신의 행동과 생각에 대해 깊이 반성하는 기회를 가집니다. 이는 자기 평가와 반성을 통해 자신의 행동을 개선하고, 자기 개선에 필요한 전략을 수립하는 데 중요합니다.

10. 자기 리더십 실천: 참가자들은 실제 상황에서 자신의 리더십 능력을 향상시키기 위한 실습 활동을 계획하고 실행합니다. 참가자들은 자신의 개발 계획을 실천하고, 그 결과를 검토하며, 필요한 조정을 하는 과정을 거칩니다. 이를 통해 참가자들은 자신의 리더십 능력을 실전에서 테스트하고, 실제로 개선하는 경험을 얻을 수 있습니다.

이러한 실습은 참가자들이 자신의 리더십 스타일을 더욱 효과적으로 개선하고, 개인적인 리더십 능력을 향상시키는 데 도움이 됩니다.

워크-라이프 밸런스 워크샵 실습 방안 및 과정

워크-라이프 밸런스를 유지하고자 하는데 전략이 필요하시다면, 이에 대한 다양한 워크샵이나 세미나에 참가하는 것을 고려해보실 수 있습니다. 이와 같은 워크샵이나 세미나는 전문가들이 진행하며, 일과 삶의 균형을 유지하는 방법에 대한 제반 지식을 나눠주고 있습니다. 또한, 효과적인 시간 관리 전략을 배우는 것뿐만 아니라, 스트레스 관리와 같은 다른 주제들에 대해서도 깊이 있게 다루고 있습니다. 따라서, 이러한 워크샵이나 세미나에 참가함으로써, 워크-라이프 밸런스를 위한 전략을 배우는데 도움이 될 것입니다.

1. 워크샵 개요 소개: 워크샵의 목적, 학습 목표, 그리고 워크샵의 전체적인 흐름에 대해 설명합니다.

2. 자기 평가: 참가자들이 자신의 현재 워크-라이프 밸런스 상태를 평가하게 합니다. 이는 참가자들이 자신의 현재 상황을 인식하고, 개선이 필요한 부분을 파악하는 데 도움이 됩니다.

3. 워크-라이프 밸런스 이론 소개: 워크-라이프 밸런스의 중요성, 이를 위한 전략과 기법에 대해 설명합니다.

4. 사례 연구 및 토론: 워크-라이프 밸런스를 잘 유지하는 사례를 소개하고, 그 사례를 바탕으로 토론을 진행합니다. 이를 통해 참가자들이 이론을 실제 상황에 어떻게 적용할 수 있는지 학습합니다.

5. 시간 관리 전략: 효과적인 시간 관리 전략을 소개하고, 참가자들에게 이를 실제로 적용해보는 시간을 제공합니다.

6. 그룹 활동: 참가자들을 그룹으로 나누고, 각 그룹에게 워크-라이프 밸런스를 유지하기 위한 전략을 고민하고, 이를 발표하게 합니다.

7. 개인 액션 플랜 작성: 참가자들에게 개인적인 워크-라이프 밸런스 향상 계획을 작성하도록 합니다. 이 계획은 워크샵 이후에도 계속해서 참가자들의 워크-라이프 밸런스를 유지하는 데 도움을 줄 것입니다.

8. 피드백 및 평가: 워크샵의 마지막에는 참가자들로부터 피드백을 받고, 워크샵의 내용과 방식에 대해 평가합니다. 이를 통해 워크샵을 더욱 효과적으로 개선할 수 있습니다.

이 장을 통해 학습자들은 자기 개발과 리더십 능력을 향상시키는 방법에 대한 심층적인 이해를 갖게 될 것입니다. 핵심적인 주제들로는 자기 인식, 지속적 학습, 스트레스 관리, 워크-라이프 밸런스 등이 있습니다.

학습자들은 각 주제에 대한 이해를 깊이있게 하면서, 실제로 그것들을 적용하는 방법을 익힐 수 있습니다. 이를 통해, 그들은 실제 생활에서 자기 개발과 리더십 능력 향상에 필요한 실질적인 전략과 도구를 얻을 수 있습니다.

자기 인식과 강점 및 약점의 식별을 통해, 학습자들은 자신의 리더십 스타일과 성장을 위한 방향성을 명확하게 이해하게 됩니다. 지속적 학습 과정에서는 지식 트리와 학습 곡선 그래프를 활용하여 자신의 학습 진행 상황을 모니터링하고 꾸준히 지식을 쌓는 방법을 배웁니다.

스트레스 관리와 워크-라이프 밸런스 섹션에서는, 학습자들은 각각 다양한 스트레스 관리 전략과 일과 개인 생활의 균형을 유지하는 방법을 배울 수 있습니다. 이는 그들의 삶의 질을 향상시키고, 일과 삶 사이의 균형을 유지하는데 도움이 될 것입니다.

마지막으로, 셀프 리더십 워크샵과 워크-라이프 밸런스 워크샵은 이론을 실제로 적용하는 데 있어 중요한 역할을 합니다. 이 워크샵들을 통해, 학습자들은 자신의 리더십 능력을 향상시키는 방법과 워크-라이프 밸런스를 유지하는 방법에 대해 실질적인 경험을 얻을 수 있습니다.

따라서, 이 장을 통해 학습자들은 자신의 리더십 능력을 향상시키는 방법을 이해하고, 그것을 실제로 적용하는 데 필요한 실질적인 도구와 전략을 얻을 수 있을 것입니다. 이러한 경험은 그들의 개인적인 성장과 전문적인 성취를 위한 중요한 발판이 될 것입니다.

제 9 장

적응성: 변화에 유연하게 대응하는 리더십

이 장에서는 변화하는 비즈니스 환경에 대응하기 위해, 리더가 어떻게 변화에 적응하고 불확실성과 위기를 극복해야 하는지를 다룹니다. 적응성은 리더의 주요 역량 중 하나로, 이를 통해 리더는 조직의 안정성을 유지하고 성장을 촉진할 수 있습니다. 변화 관리 기법, 위기 상황에서의 리더십, 불확실성 속에서의 의사결정 등을 통해 리더는 조직을 효율적으로 이끌 수 있습니다.

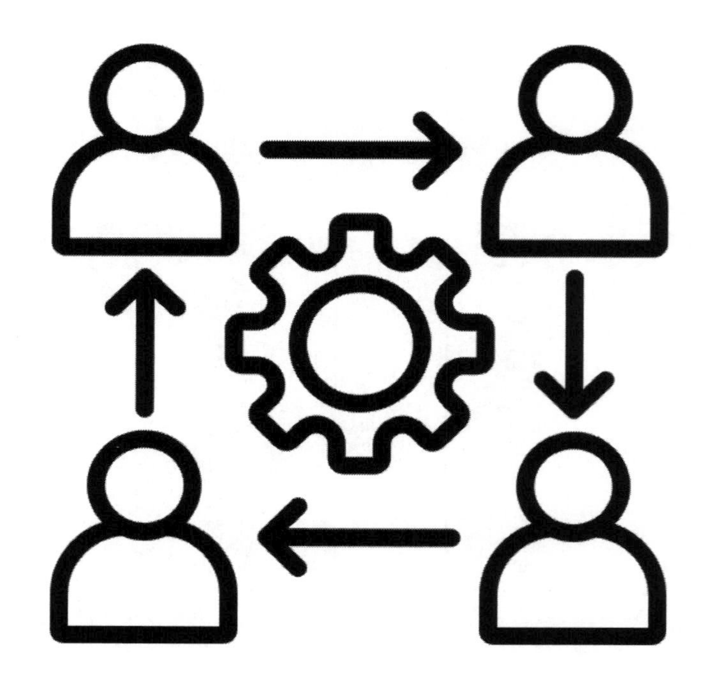

학습 개요

이 장에서는 변화하는 비즈니스 환경에 대응하기 위해, 리더가 어떻게 변화에 적응하고 불확실성과 위기를 극복해야 하는지를 다룹니다. 적응성은 리더의 주요 역량 중 하나로, 이를 통해 리더는 조직의 안정성을 유지하고 성장을 촉진할 수 있습니다. 변화 관리 기법, 위기 상황에서의 리더십, 불확실성 속에서의 의사결정 등을 통해 리더는 조직을 효율적으로 이끌 수 있습니다.

학습 내용 및 목표

변화 관리 기법: 조직과 개인이 변화를 수용하고 적응하는 능력은 성공적인 관리의 핵심 요소입니다. 이 과정에서는 변화를 수용하고 적응하는 다양한 전략과 기법을 학습하게 되며, 이를 통해 변화의 중요성을 인식하고 이를 관리하는 방법을 익히게 됩니다.

위기 상황에서의 리더십: 위기 상황은 언제든지 발생할 수 있으며, 이러한 상황에서 리더의 역할은 매우 중요합니다. 리더는 위기 상황에서 팀을 안전하게 이끌고, 문제를 해결하는 데 필요한 대응 전략을 개발해야 합니다. 이 과정에서는 위기 상황에서 리더의 역할과 필요한 대응 전략에 대해 깊이 이해하게 됩니다.

불확실성 속 의사결정: 불확실한 환경에서 정보를 바탕으로 신속하고 효과적인 결정을 내리는 능력은 필수적입니다. 이 과정에서는 불확실성 속에서도 최선의 결정을 내릴 수 있는 방법을 배우게 되며, 이를 통해 신속한 의사결정 능력을 향상시킬 수 있습니다.

예상 학습 성과

복잡하고 불확실한 환경에서도 조직을 효과적으로 이끌 수 있는 리더십 능력을 향상시키는 방법에 대한 깊은 이해를 가지게 됩니다.

조직과 팀의 안정적인 운영을 유지하면서 위기 상황을 기회로 전환하는 전략을 성공적으로 실행할 수 있는 능력을 개발하게 됩니다. 이는 리더의 전략적 사고력을 향상시키는 데에 중요한 역할을 합니다.

복잡하고 불확실한 환경에도 불구하고 강력한 리더십을 통해 조직을 효과적으로 이끌어 나가는 방법에 대해 배울 수 있습니다. 이를 통해 리더는 불확실한 상황에서도 안정성과 효율성을 유지하면서 조직의 목표를 성취하는 데 필요한 능력을 향상시킬 수 있습니다.

또한, 리더는 조직과 팀의 안정적인 운영을 유지하면서 동시에 위기 상황을 기회로 전환하는 전략을 실행하는 방법을 익히게 됩니다. 이는 위기 상황에서도 조직의 성장과 발전을 유지하는 데 중요한 역할을 합니다. 리더는 이러한 전략을 통해 위기를 극복하고, 조직의 장기적인 성공을 위해 기회를 만들 수 있습니다.

이러한 학습을 통해서 리더는 변화하는 환경에 유연하게 대응하는 능력을 키울 수 있습니다. 또한, 불확실한 상황에서도 효과적인 의사결정을 내릴 수 있는 능력을 향상시킬 수 있습니다. 이러한 능력은 조직의 성공을 위해 필수적이며, 리더의 핵심 역량으로 간주됩니다.

리더는 이러한 능력을 통해 조직과 팀을 안정적으로 유지하고, 위기를 극복하고, 신속하고 효율적인 의사결정을 내릴 수 있게 됩니다. 이는 리더가 자신의 조직을 성공으로 이끌고, 지속적으로 성장시키는 데 필수적입니다.

이론적 배경과 근거

변화와 적응성에 관한 연구에서는 리더의 유연한 사고방식과 빠른 반응 능력이 핵심적인 부분으로 강조됩니다. 이것은 변화가 빠르게 진행되는 현재의 사회에서 특히 중요한 요소입니다. John Kotter의 변화 관리 모델은 조직이 효과적으로 변화를 관리하고 적응하는 과정을 자세하게 설명하며, 리더의 적극적인 역할을 강조합니다 (Kotter, J. P. (1996). Leading Change). 이 모델은 변화의 중요성을 인식하고 이를 성공적으로 이끌어내기 위한 리더의 역할을 중심으로 총 여덟 단계를 제시합니다. 이를 통해 리더는 조직의 변화를 능동적이고 효과적으로 관리할 수 있는 방법을 배울 수 있습니다.

John Kotter의 변화 관리 모델은 그의 저서 "Leading Change"에 자세히 설명되어 있습니다 (Kotter, J. P. (1996). Leading Change). 이 모델은 조직이 변화를 어떻게 효과적으로 관리하고 적응할 수 있는지에 대한 과정을 제시하며, 리더의 핵심적인 역할을 강조합니다. 변화를 성공적으로 이끌어내기 위해서는 리더의 적극적인 참여와 역할이 필수적이라는 것이 그의 주장입니다.

이 모델은 조직이 변화를 성공적으로 수행하기 위해 리더가 따라야 할 여덟 단계를 제시합니다. 이 단계들은 변화를 이끄는 과정에서 리더가 수행해야 하는 구체적인 역할과 행동들을 명확히 지시하고 있습니다. 이를 통해, 리더는 자신의 조직이 변화를 겪을 때 어떻게 적극적으로 참여하고, 그 변화를 이끌어낼 수 있는지에 대한 지침을 얻을 수 있습니다.

따라서, John Kotter의 이 변화 관리 모델은 리더의 유연한 사고방식과 빠른 반응 능력이 필요한 현대 사회에서 매우 중요한 가치를 지닙니다. 리더는 이 모델을 통해 자신의 조직이 빠르게 변화하는 환경에 효과적으로 적응하고, 그 변화를 성공적으로 이끌어낼 수 있는 전략을 배울 수 있습니다.

또 다른 중요한 이론은 헤르시-블란차드의 상황 이론입니다. 이 이론은 리더십 스타일은 상황에 따라 달라져야 한다는 것을 주장합니다(헤르시, P., & 블란차드, K. H. (1969). Life cycle theory of leadership). 이 이론에 따르면, 리더는 조직의 상황에 따라 분별력있게 행동해야 하며, 이는 변화하는 환경에 대응하는 능력을 강조합니다.

또한, 린다 아커만의 'Change Management Model'은 변화를 성공적으로 관리하고 적응하는 데 필요한 세 가지 주요 단계를 제시합니다: 준비, 행동, 지속(Ackerman Anderson, L. S., & Anderson, D. (2010). Beyond change management: How to achieve breakthrough results through conscious change leadership). 이 모델은 변화를 준비하고, 행동하며, 그 변화를 지속하는 공식적인 절차를 제공합니다. 이 모델은 변화에 대응하고 적응하는 데 필요한 구체적인 도구와 전략을 제공하며, 이는 리더가 변화에 성공적으로 대응하는 데 도움이 됩니다.

마지막으로, 존 코터의 '8단계 변화 프로세스'는 조직의 변화를 이끌어내는 데 필요한 구체적인 단계를 제공합니다(Kotter, J. P. (1996). Leading Change). 이 프로세스는 변화를 촉진하고 적응하는 데 필요한 행동과 전략을 제시하며, 이는 리더가 변화하는 환경에 유연하게 대응하는 데 도움이 됩니다.

최신 이론적 배경과 근거

2020년 이후의 적응성에 관한 연구는 리더십의 새로운 패러다임을 제시하고 있습니다. 특히, 코로나19 팬데믹이라는 글로벌 위기 상황은 리더들에게 변화에 대한 적응력을 강조하는 새로운 시각을 부여하였습니다. 이러한 최신 이론적 배경과 근거는 변화에 대한 리더의 적응력이 조직의 성공에 어떻게 기여하는지를 명확하게 보여줍니다. 이는 리더가 변화하는 환경에 성공적으로 대응하고, 조직을 안정적으로 유지하고, 성장시키는 데 필수적인 전략을 제공합니다.

코로나19 팬데믹 이후, 디지털 리더십에 대한 연구가 활발히 진행되고 있습니다. 원격 근무와 디지털 플랫폼의 활용이 증가함에 따라, 리더는 디지털 환경에서 팀을 이끄는 방법에 대해 적응해야 합니다. 디지털 리더십은 기술적 역량뿐만 아니라, 디지털 환경에서의 커뮤니케이션, 협업, 문제해결 능력을 강조합니다 (Bawany, S. (2020). Leading in a VUCA Business Environment: It's all about Leadership Derailment. Centre for Executive Education).

또한, 디지털 리더십은 현재의 변화하는 환경에서 매우 중요한 요소입니다. 디지털 리더십은 기술적 지식을 넘어서, 디지털 플랫폼에서의 협업과 의사소통 능력, 기술적 문제를 해결하는 능력을 포함합니다. 이러한 능력들은 원격 작업 환경에서 팀의 성과를 향상시키고, 조직의 목표 달성에 기여하는 데에 필수적입니다.

위기 상황에서의 리더십에 대한 연구도 강조되고 있습니다. 위기 상황에서 리더는 빠르고 정확한 의사결정, 강력한 영향력, 높은 스트레스 관리 능력 등이 요구됩니다. 더불어, 리더는 위기 상황에서 조직을 안정적으로 유지하고, 문제를 해결하며, 조직을 이끌어 나가는 역할을 해야 합니다.

변화와 불확실성 속에서 리더의 역할은 더욱 중요해집니다. 리더는 불확실성을 인지하고,

정보를 수집하고 분석하여, 최적의 의사결정을 내리는 능력이 필요합니다. 또한, 리더는 의사결정의 결과를 평가하고, 그 결과를 다음 의사결정 과정에 반영하여 지속적으로 개선해야 합니다.

이러한 최신 이론적 배경과 근거를 바탕으로, 리더는 변화하는 환경과 위기 상황에서 효과적으로 대응하며, 조직을 안정적으로 유지하고 성장시키는 전략을 개발할 수 있습니다. 이는 조직의 지속 가능한 성공에 기여하며, 리더로서의 역량을 강화하는 데 도움이 됩니다.

변화 관리 기법

변화 관리는 조직 내에서 발생하는 변화에 대한 수용과 적응 과정을 철저히 관리하는 것을 의미하며, 이는 조직의 성장과 발전에 중요한 요소입니다. 변화 관리의 과정은 다음과 같은 주요 단계를 포함하고 있습니다.

1. 변화의 필요성 인식: 이 과정의 첫 번째 단계는 조직 내에서 변화의 필요성을 인식하는 것입니다. 이는 현재의 조직 환경이나 상황에서 조직의 성장, 개선, 또는 문제 해결을 위해 변화가 필요하다는 인식을 공유하게 만드는 단계입니다. 이 단계에서는 조직의 모든 구성원이 변화의 필요성과 중요성을 이해하는 것이 중요합니다.

2. 변화의 방향 결정: 변화의 방향을 결정하는 것은 다음 단계로, 이는 조직의 전략과 목표에 따라 달라집니다. 이 단계에서는 변화가 어떤 방향으로 가야 하는지, 어떤 결과를 얻기를 바라는지를 결정합니다. 이는 조직의 비전과 목표를 반영하여 결정되어야 합니다.

3. 변화 계획 수립: 변화를 실행하기 위한 실질적인 계획을 수립하는 단계입니다. 이 계획은 변화의 방향, 시간표, 필요한 자원 등을 포함해야 합니다. 계획 수립에서는 모든 세부사항이 철저히 고려되어야 합니다. 이 단계에서는 변화를 실현시키는 데 필요한 모든 요소를 고려하여 계획을 세우는 것이 중요합니다.

4. 변화 실행: 계획대로 변화를 실행하는 단계입니다. 이 단계에서는 변화를 관리하고, 문제를 해결하고, 진행 상황을 모니터링하는 것이 중요합니다. 변화를 실행하는 과정에서는 예상치 못한 문제가 발생할 수 있으므로, 유연성을 가지고 대응할 준비가 필요합니다.

5. 변화의 효과 평가: 마지막으로, 변화의 효과를 평가하고, 필요한 경우 추가적인 조치를 취하는 단계입니다. 이 단계에서는 변화의 결과가 조직의 목표와 일치하는지, 그리고 예상한 효과를 얻을 수 있었는지를 평가하는 것이 중요합니다. 만약 결과가 예상과 다르다면, 추가적인 변화를 가할 필요가 있을 수 있습니다.

변화 관리 기법 실습 자료

- 변화의 필요성 인식: 조직 내에서 변화의 필요성을 인식하는데 도움이 되는 실질적인 방법은 SWOT 분석입니다. SWOT 분석은 조직의 강점(Strengths), 약점(Weaknesses), 기회(Opportunities), 위협(Threats)를 파악하는데 도움을 주는 툴입니다. SWOT 분석을 통해 조직은 변화의 필요성을 더욱 명확하게 인식할 수 있습니다.
- 변화의 방향 결정: 변화의 방향을 결정하는 단계에서는 SMART 목표 설정이 도움이 될 수 있습니다. SMART는 구체적(Specific), 측정 가능(Measurable), 도달 가능(Achievable), 관련성 있는(Relevant), 시간 기반(Time-based)을 나타냅니다. SMART 목표 설정을 통해 명확하고 중요한 변화의 방향을 설정할 수 있습니다.
- 변화 계획 수립: 변화 계획을 수립하는데 Gantt 차트나 프로젝트 관리 도구를 활용할 수 있습니다. 이들 도구는 변화 계획의 각 단계를 시각화하고, 시간표를 설정하며, 필요한 자원을 할당하는데 유용합니다.
- 변화 실행: 변화를 실행하는 단계에서는 피드백과 커뮤니케이션이 중요합니다. 조직 내의 모든 구성원에게 변화의 실행 상황을 투명하게 공유하고, 피드백을 적극적으로 받아들여야 합니다. 이를 위해 정기적인 미팅이나 오픈 포럼 등을 활용할 수 있습니다.
- 변화의 효과 평가: 변화의 효과를 평가하는 단계에서는 키 성과 지표(Key Performance Indicators, KPIs)를 활용하는 것이 좋습니다. KPIs는 변화의 효과를 측정하기 위한 명확한 지표를 제공하며, 이를 통해 변화의 성공 여부를 객관적으로 평가할 수 있습니다.

위기 상황에서의 리더십

위기 상황에서의 리더십은 조직이 어려움을 겪고 있을 때, 리더가 그 상황을 안정적으로 관리하고, 문제를 해결하며, 조직을 이끌어 나가는 역할을 말합니다. 위기 상황에서의 리더십은 일반적인 상황에서의 리더십과는 다르게, 빠르고 정확한 의사결정 능력, 강력한 영향력, 높은 스트레스 관리 능력 등이 요구됩니다.

위기 상황 대응 전략 개발: 리더는 위기 상황에 효과적으로 대응하기 위한 전략을 개발하고 실행해야 합니다. 즉시 대응할 수 있는 위기 대응 계획의 마련, 팀원들과의 효과적인 커뮤니케이션, 위기 상황에서의 의사결정 등이 중요한 요소가 됩니다.

위기 대응능력 강화: 리더는 위기 상황에 효과적으로 대응할 수 있는 능력을 강화해야 합니다. 이를 위해 리더는 위기 상황 시뮬레이션을 통해 다양한 위기 상황에 대한 대응 능력을 키울 수 있습니다. 또한, 위기 대응 훈련과 워크샵을 통해 실제 위기 상황에서 침착하게 대응하고, 효과적인 해결책을 제시하는 능력을 개발할 수 있습니다.

리더의 탄력성 개발: 리더는 위기 상황에서 조직을 안정적으로 유지하고 효과적으로 대응하기 위해 탄력성을 개발해야 합니다. 이는 위기 상황을 겪을 때 긍정적인 태도를 유지하고, 팀의 긍정적인 에너지를 유지하는 데 도움이 됩니다. 리더의 탄력성은 팀의 성과를 향상시키고, 팀원들의 신뢰를 높이는 데 기여할 수 있습니다.

지속적인 학습과 성장: 리더는 변화하는 환경과 위기 상황에서 효과적으로 대응하기 위해 지속적으로 학습하고 성장해야 합니다. 이를 위해 리더십 개발 프로그램이나 워크샵, 멘토링 프로그램 등을 활용할 수 있습니다. 이러한 프로그램은 리더의 의사결정 능력, 커뮤니케이션 능력, 스트레스 관리 능력 등을 향상시키는 데 도움이 됩니다.

자기관리 능력 향상: 리더는 위기 상황에서도 효과적으로 자신의 감정과 스트레스를 관리할 수 있는 능력이 필요합니다. 이를 위해 마인드풀니스 훈련, 요가, 명상 등의 스트레스 관리 훈련을 활용할 수 있습니다. 또한, 팀원들에게 긍정적인 에너지를 전달하고 팀의 성과를 높이는 데 도움이 되는 긍정적인 태도를 유지하는 것이 중요합니다.

위기 상황에서의 리더십 실습 자료

- 위기 관리 시뮬레이션: 위기 상황에서 빠르고 정확한 의사결정이 필요합니다. 위기 관리 시뮬레이션은 실제 위기 상황에서 발생할 수 있는 다양한 시나리오를 제공하며, 이를 통해 리더는 자신의 반응과 대처 방법을 미리 연습해볼 수 있습니다. 이런 시뮬레이션은 리더가 위기 상황을 체험하고, 그 상황에서의 최선의 결정을 내리는 방법을 배울 수 있게 합니다.
- 의사결정 훈련: 이는 위기 관리 시뮬레이션과 밀접하게 연결되어 있습니다. 실시간 시뮬레이션 게임이나 롤플레이를 통해 실제 위기 상황에서 느낄 수 있는 스트레스와 압박감을 체험하며, 그런 상황에서도 최선의 결정을 내릴 수 있는 능력을 기를 수 있습니다. 이는 리더가 빠른 시간 내에 정확한 결정을 내리는 능력을 기를 수 있게 도와줍니다.
- 리더십 멘토링 프로그램: 이 프로그램은 신규 리더에게 선배 리더의 경험과 지식을 전달할 수 있는 기회를 제공합니다. 이런 프로그램은 특히 위기 상황에서의 의사결정, 팀 관리, 스트레스 관리 등의 중요한 리더십 능력을 개발하는 데 도움이 될 수 있습니다. 선배 리더로부터 직접 배우는 것은 실질적인 경험을 얻는 데 매우 유용한 방법입니다.
- 영향력 강화 워크샵: 리더는 자신의 의견을 효과적으로 표현하고, 타인을 설득하는 방법을 배워야 합니다. 이를 위한 영향력 강화 워크샵에서는 다양한 커뮤니케이션 스타일과 전략을 실습하며, 어떤 방식이 자신에게 가장 적합한지를 찾아볼 수 있습니다. 이는 리더가 자신의 의견을 효과적으로 전달하고, 타인을 영향력있게 설득하는 능력을 기를 수 있게 도와줍니다.
- 스트레스 관리 훈련: 리더는 스트레스를 잘 다루는 방법을 알아야 합니다. 이를 위한 훈련으로는 마인드풀니스 훈련, 요가, 명상 등이 있습니다. 또한, 스트레스 관리 워크샵이나 훈련을 통해 스트레스를 감소시키는 전략을 배울 수 있습니다. 이는 리더가 스트레스를 효과적으로 관리하고, 이에 따른 부정적인 영향을 최소화하는 방법을 배울 수 있게 도와줍니다.

- 위기 응대 훈련: 위기 상황에서의 응대 능력은 리더십의 중요한 부분입니다. 이를 향상시키기 위한 훈련으로는 위기 응대 시뮬레이션, 위기 응대 워크샵 등이 있습니다. 이런 훈련을 통해 리더는 위기 상황에서 침착하게 대응하고, 효과적인 해결책을 제시하는 능력을 개발할 수 있습니다. 이는 리더가 위기 상황에서 팀을 효과적으로 이끌고, 문제를 해결하는 데 필요한 능력을 향상시킬 수 있게 도와줍니다.

불확실성 속 의사결정

불확실성 속에서 의사결정을 내리는 것은 리더십의 중요한 부분입니다. 변화하는 환경과 불확실성이 높은 상황에서 리더는 분명하고 효과적인 의사결정을 내리는 능력이 필요합니다. 이를 위해서는 불확실성을 인지하고, 정보를 수집하고 분석하여, 최적의 의사결정을 내리는 능력이 필요합니다. 또한, 리더는 의사결정의 결과를 평가하고, 그 결과를 다음 의사결정 과정에 반영하여 지속적으로 개선해야 합니다.

1. 불확실성 인지: 불확실성을 인지하는 것은 매우 중요한 첫 단계입니다. 리더는 불확실한 상황을 정확하게 인식하고 이해할 수 있어야 합니다. 이를 위해 리더는 현재 상황을 정확하게 파악하고, 가능한 결과와 그에 대한 확률을 예측해야 합니다.

2. 정보 수집과 분석: 불확실한 상황에서 의사결정을 내리기 위해서는 충분하고 정확한 정보가 필요합니다. 리더는 다양한 정보 소스를 활용하여 정보를 수집하고, 그 정보를 분석하여 의사결정에 활용해야 합니다.

3. 대안의 탐색과 평가: 정보 수집과 분석 후, 리더는 가능한 모든 대안을 탐색하고 평가해야 합니다. 이 과정에서 각각의 대안이 가져올 장단점과 결과를 고려해야 하며, 그를 바탕으로 최적의 결정을 내리게 됩니다.

4. 의사결정과 실행: 정보 수집과 분석을 바탕으로 리더는 최선의 의사결정을 내려야 합니다. 이 과정에서 리더는 다양한 대안을 고려하고, 각 대안의 장단점을 비교하여 최적의 결정을 내릴 수 있어야 합니다.

5. 결과 평가와 반영: 의사결정의 결과를 평가하고, 그 결과를 다음 의사결정 과정에 반영하는 것이 중요합니다. 이를 통해 리더는 의사결정 과정을 지속적으로 개선하고, 불확실한 상황에서도 효과적인 의사결정을 내릴 수 있습니다.

6. 피드백 반영: 리더는 자신의 의사결정 과정과 결과에 대한 피드백을 적극적으로 수용하고 이를 반영해야 합니다. 피드백은 의사결정 능력을 개선하고 더 나은 결과를 달성하는데 도움을 줍니다.

7. 실패에서 배우기: 모든 실패는 학습의 기회입니다. 리더는 실패를 통해 어떤 전략이 효과적이지 않았는지를 이해하고, 그 경험을 통해 더 나은 전략을 개발하는 능력을 향상시킬 수 있습니다.

불확실성 속 의사결정 실습 자료

- 의사결정 트리: 복잡한 의사결정 문제를 효과적으로 분석하고 해결하는데 가장 먼저 떠올릴 수 있는 도구입니다. 의사결정 트리를 활용하면, 리더는 각각의 선택지가 가져올 수 있는 결과와 그 확률을 명확하게 파악하고, 이를 바탕으로 최적의 의사결정을 내릴 수 있습니다. 미래에 대한 예측과 그에 따른 결정의 결과를 시각적으로 표현하여 의사결정 과정을 명료하게 만듭니다.
- 시나리오 분석: 불확실성이 높은 상황에서 의사결정을 내리는데 필요한 기법 중 하나입니다. 다양한 가능성을 고려하여 미래의 상황을 예측하고, 그에 따른 최적의 의사결정을 내리는 방법을 제공합니다. 향후 발생할 수 있는 다양한 시나리오를 미리 분석함으로써 불확실성을 줄이고 미래에 대비하는 데 도움이 됩니다.
- 프로바빌리티 모델링: 불확실성이 높은 상황에서 의사결정을 내리는데 도움이 되는 방법으로, 각각의 선택지가 가져올 수 있는 결과의 확률을 추정하고, 이를 바탕으로 최적의 의사결정을 내릴 수 있습니다. 이 기법은 불확실한 상황에서도 데이터 기반의 결정을 내릴 수 있도록 도와줍니다.
- 몬테카를로 시뮬레이션: 불확실한 상황에서 여러 가지 가능한 결과를 예측하는데 도움이 되는 방법입니다. 이 시뮬레이션을 통해 리더는 각각의 선택지가 가져올 수 있는 다양한 결과를 예측해보고, 이를 바탕으로 최적의 의사결정을 내릴 수 있습니다. 이 시뮬레이션은 무수히 많은 시나리오를 샘플링하여 가능한 결과와 그 확률을 예측하는 데 활용됩니다.
- 데이터 분석 툴 활용: 불확실성 속에서 의사결정을 내리는 데에는 많은 정보와 데이터 분석이 필요합니다. 이를 위해 데이터 분석 도구를 활용하여 정보를 수집, 분석하고, 그에 따른 최적의 의사결정을 내리는 연습을 해볼 수 있습니다. 이는 공정한 의사결정을 내리는 데 필수적인 도구로, 데이터 기반의 결정을 내릴 수 있게 도와줍니다.
- 리스크 관리 훈련: 불확실한 상황에서 의사결정을 내리는 것은 리스크를 관리하는 것과 밀접하게 관련되어 있습니다. 리스크 관리 훈련을 통해 리더는 불확실성을 관리하고, 리스크를 최소화하는 의사결정을 내릴 수 있는 능력을 향상시킬 수 있습니다. 이 훈련은 리더가 위험 요소를 신속하게 인식하고 이에 대응하는 능력을 향상시킵니다.
- 리더십 시뮬레이션: 다양한 상황을 가정하고, 그 상황에서의 의사결정을 연습하는데 도움이 됩니다. 이는 실제 상황을 모방하여 리더가 실제 문제를 해결하는 과정을 체험하게 해줍니다. 이를 통해 리더는 실제 상황에서의 의사결정 능력을 향상시킬 수 있습니다.
- 롤플레이: 특정 상황을 가정하고, 그 상황에서의 의사결정을 연습하는 롤플레이를 시도해 볼 수 있습니다. 이를 통해 리더는 실제 상황에서의 의사결정을 모의해볼 수 있습니다. 이는 실제 상황을 예측하고 이에 따른 대응 능력을 향상시킵니다.
- 의사결정 게임: 불확실성 속에서 의사결정 능력을 향상시킬 수 있는 다양한 의사결정 게임을 활용해볼 수 있습니다. 이러한 게임을 통해 리더는 빠르고 효과적인 의사결정을 내리는 능력을 기를 수 있습니다. 이는 실제 상황에서의 의사결정 능력을 향상시키는 데 도움이 됩니다.

기업 사례

- Netflix는 콘텐츠 제공 방식의 변화를 선도해왔습니다. DVD 대여 서비스에서 시작하여 온라인 스트리밍 서비스로 전환하였고, 이후에는 자체 제작 콘텐츠를 제공하기 시작하였습니다. 이러한 변화 관리는 Netflix가 엔터테인먼트 산업을 선도하게 만든 주요 요소 중 하나입니다.
- 마이크로소프트는 클라우드 기반 서비스로의 전환을 성공적으로 수행하여 업계를 선도하였습니다. 이러한 전환은 초기에는 많은 저항을 겪었지만, 리더십의 결단력과 직원들의 적극적인 참여로 성공적으로 이루어졌습니다.
- 페이스북은 사용자 경험(UX)을 개선하고 사이트의 기능을 확장하기 위해 계속해서 플랫폼을 업데이트하고 있습니다. 이러한 변화는 사용자의 요구와 기대를 충족시키며 사이트의 지속 가능성을 보장합니다.
- 미국의 주요 은행인 JPMorgan Chase는 기술 변화에 적응하기 위해 내부 구조를 재조정하고, 디지털 전환을 위한 다양한 전략을 도입하였습니다. 이러한 변화 관리는 기업의 생존과 성장을 위해 필수적이었습니다.
- 2008년 금융 위기 기간 동안, IBM의 CEO인 Samuel J. Palmisano는 회사를 안정적으로 유지하고 성장시키는 데 성공하였습니다. 그는 위기의 시기에도 회사의 핵심 가치를 유지하고 지속적인 혁신에 집중함으로써 이를 이끌어냈습니다.
- 코로나19 팬데믹 기간 동안, Zoom의 CEO인 Eric Yuan은 회사를 안정적으로 운영하고 성장시키는 데 성공하였습니다. 그는 빠르게 변화하는 상황에 대응하고, 직원들과 고객들에게 안정감을 제공하는 리더십을 보였습니다.
- 코로나19 팬데믹 기간 동안, Airbnb의 공동 창업자 및 CEO인 Brian Chesky는 회사를 위기에서 벗어나게 하는데 성공하였습니다. 그는 불확실한 상황에서도 침착하게 의사결정을 내리고, 변화하는 환경에 대응하는 새로운 비즈니스 전략을 세웠습니다.
- 토요타의 전 CEO인 Akio Toyoda는 2009년의 안전 문제와 리콜 위기를 경험하였습니다. 그는 위기 상황에서도 투명성을 유지하고 책임감 있는 행동을 보여줌으로써 회사의 신뢰를 회복하였습니다.
- 구글의 CEO인 Sundar Pichai는 인공지능(AI) 기술에 대한 투자 결정을 내렸습니다. 이는 불확실한 기술 트렌드와 시장 변화 속에서도 구글의 미래 성장을 위한 중요한 결정이었습니다.
- Apple의 CEO인 Tim Cook은 불확실한 시장 환경 속에서도 효과적인 의사결정을 내려, 회사의 지속적인 성장을 이끌어 냈습니다. 그는 기술 트렌드, 시장 동향, 고객 수요 등 다양한 변수를 고려하여 전략적 결정을 내렸습니다.

- 아마존의 창업자인 Jeff Bezos는 불확실성을 기회로 전환하는 능력을 보여주었습니다. 초기 아마존은 단순한 온라인 서점으로 시작하였지만, Bezos는 다양한 산업으로 확장하는 결정을 내렸습니다. 이러한 의사결정은 아마존이 오늘날의 전자상거래, 클라우드 컴퓨팅, 인공지능 등 여러 분야에서 선도하는 기업으로 성장하게 하였습니다.
- 삼성전자의 전 회장인 이건희는 불확실한 시장 환경 속에서도 효과적인 의사결정을 내려 회사의 지속적인 성장을 이끌어 냈습니다. 그는 기술 트렌드, 시장 동향, 고객 수요 등 다양한 변수를 고려하여 전략적 결정을 내렸습니다.

시각 자료 및 도구

변화 관리 프로세스 다이어그램: 이 다이어그램은 변화를 관리하는 구체적인 단계를 시각적으로 나타내어, 변화를 처리하는 전체 과정을 명확하게 이해하는 데 도움을 줍니다. 이 다이어그램은 변화의 시작부터 완료까지의 각 단계를 구조화하여, 조직이 변화를 효과적으로 관리하고 적용하는 방법을 명확히 제시합니다.

- SWOT 분석 다이어그램: 조직의 강점, 약점, 기회, 위협을 분석하여 변화를 관리하는 전략을 계획하는데 도움이 되는 도구입니다. 이 다이어그램은 변화를 계획하고 실행하는 과정에서 고려해야 할 요소들을 명확하게 식별하고, 이를 바탕으로 변화 관리 전략을 효과적으로 개발하는 데 도움이 됩니다.
- GAP 분석 차트: 현재 상태와 목표 상태 사이의 '갭'을 식별하여, 변화 관리 전략을 구체화하는데 도움이 되는 도구입니다. 이 차트는 목표 달성을 위해 필요한 변화의 정도를 명확하게 식별하고, 이를 바탕으로 변화 관리 전략을 효과적으로 계획하고 실행하는 데 도움이 됩니다.
- 변화 곡선 그래프: 이 그래프는 변화에 대한 개인의 반응을 시간에 따라 표현하며, 이를 통해 변화 관리 전략을 좀 더 효과적으로 계획할 수 있습니다. 이 그래프를 통해 개인이나 조직이 변화를 어떻게 수용하고 적응하는지 이해하고, 이를 바탕으로 변화 관리 전략을 개발하는 데 도움이 됩니다.
- 위기 관리 프로세스 플로우차트: 위기 발생 시 리더가 따라야 할 단계를 시각적으로 표현한 자료입니다. 이 플로우차트는 위기 상황에서 필요한 대응 전략을 단계별로 명확하게 제시하여, 리더가 효과적으로 위기를 관리하고 대응하는 데 도움이 됩니다.
- 위기 응대 체크리스트: 위기 상황에서 리더가 거쳐야 하는 단계를 체계적으로 정리한 목록입니다. 이 체크리스트는 위기 상황 대응을 위한 구체적인 작업들을 명확하게 정리하여, 리더가 상황에 따라 신속하고 효과적으로 대응할 수 있도록 돕습니다.
- 위기 관리 대응 매트릭스: 위기의 심각도와 대응 필요성을 시각적으로 비교하는 매트릭스입니다. 이 도구는 위기 상황에 대한 적절한 대응 전략을 개발하는 데 도움이 됩니다.

- 위기 상황 시나리오 매핑: 다양한 위기 상황과 대응 전략을 시나리오별로 매핑한 자료입니다. 이 도구는 예상되는 다양한 위기 상황에 대비하여 효과적인 대응 전략을 개발하는 데 도움이 됩니다.
- 의사결정 트리 다이어그램: 복잡한 의사결정 문제를 시각적으로 분석하고 해결하는 데 도움이 되는 도구입니다. 이 도구는 여러 가지 선택 사항 및 가능한 결과를 명확하게 시각화하여, 최적의 결정을 내리는 데 도움이 됩니다.
- 몬테카를로 시뮬레이션 결과 그래프: 불확실한 상황에서 여러 가지 가능한 결과를 예측하는 데 도움이 되는 도구입니다. 이 도구는 여러 가지 시나리오에 대한 가능한 결과를 시각화하여, 의사결정 과정에서 고려해야 할 요소를 명확하게 제시합니다.
- 의사결정 매트릭스: 여러 가지 의사결정 옵션을 평가하고 비교하는데 도움이 되는 도구입니다. 이 매트릭스는 각 옵션의 장단점을 명확하게 비교하여, 최적의 결정을 내리는 데 도움이 됩니다.
- 리스크 평가 맵: 리스크의 가능성과 영향력을 시각적으로 표현하여, 의사결정을 지원하는 도구입니다. 이 맵은 위험 요소를 명확하게 식별하고 이를 관리하는 전략을 개발하는 데 도움이 됩니다.

영향력 강화 워크샵 실습 방안과 과정

리더로서 자신의 의견을 효과적으로 전달하고, 다른 사람을 설득하는 능력을 배우는 것은 매우 중요합니다. 영향력 강화 워크샵에서는 다양한 커뮤니케이션 스타일과 전략을 실습합니다. 이 과정을 통해 참가자들은 자신의 커뮤니케이션 스타일을 이해하고, 효과적인 설득 전략을 배우는 동시에 이를 실제 상황에 어떻게 적용할지 배울 수 있습니다.

이러한 워크샵은 리더들이 자신의 의사 표현 능력을 향상시키고, 더욱 효과적인 설득력을 개발하는데 도움이 됩니다. 또한, 다양한 커뮤니케이션 스타일을 체험하게 함으로써, 각 리더가 자신에게 가장 적합한 커뮤니케이션 방식을 찾아볼 수 있습니다. 이를 통해 리더들은 자신의 리더십 스타일을 계속해서 개발하고, 더욱 효과적인 리더가 될 수 있습니다.

"영향력 강화 워크샵"의 실습 방안 및 과정은 다음과 같습니다.

1. 커뮤니케이션 스타일 식별: 참가자들은 자신의 커뮤니케이션 스타일을 이해하고, 다른 스타일에 어떻게 반응하는지 알아보는 활동으로 워크샵을 시작합니다. 이 과정에서는 자기평가 도구를 사용하며, 개별적이고 그룹 피드백을 통해 참가자들의 인식을 깊게 합니다.

2. 설득 전략 이해: 다양한 설득 전략에 대해 배우고, 어떤 상황에서 어떤 전략이 효과적인지에 대해 학습합니다. 이 과정에서는 사례 연구, 롤 플레이, 그룹 토론 등을 통해 실제 상황에 적용해보는 기회를 제공합니다.

3. 의견 표현 연습: 효과적인 의견 표현 방법에 대해 배우고, 이를 실제로 연습합니다. 이 과정에서는 참가자들이 자신의 의견을 구조화하고, 명확하고 설득력 있는 방식으로 표현하는 방법을 실습합니다.

4. 피드백 및 반영: 참가자들은 서로에게 피드백을 제공하고, 이를 통해 자신의 커뮤니케이션 스타일과 설득 전략을 개선합니다. 이 과정에서는 피드백을 수용하고 반영하는 방법에 대해 배우며, 지속적인 개선을 위한 전략을 구축합니다.

5. 롤 플레이 실습: 참가자들은 실제 비즈니스 상황을 가정한 롤플레이를 통해 설득 전략을 실제로 적용해봅니다. 이 과정에서 참가자들은 자신의 의견을 표현하고, 다른 참가자들을 설득하는 능력을 향상시킬 수 있습니다.

6. 케이스 스터디 분석: 실제 비즈니스 케이스를 분석하며, 어떤 설득 전략이 효과적이었는지, 어떤 점을 개선할 수 있었는지를 학습합니다. 이 과정을 통해 참가자들은 다양한 비즈니스 상황에서 설득력 있는 의사소통을 실현하는 방법을 배울 수 있습니다.

7. 나아가기: 워크샵의 마지막 단계에서는, 참가자들이 배운 내용을 실제 근무 환경에 어떻게 적용할 수 있을지에 대한 계획을 수립합니다. 개인별 목표 설정, 향후 학습 자료 제공, 피어 피드백 등의 방법을 통해, 워크샵에서 배운 내용이 지속적으로 적용되도록 지원합니다.

이 장에서는 변화와 불확실성에 대한 리더의 적응성에 대해 강조하였습니다. 이는 리더가 변화를 어떻게 적극적으로 받아들이고 관리하며, 위기 상황에서 강력한 리더십을 발휘하고, 불확실성 속에서도 효과적인 의사결정을 내릴 수 있는 능력에 대해 깊이 이해하게 하는데 중점을 두었습니다. 이러한 이해를 바탕으로 학습자들은 자신의 리더십 능력을 보다 효과적으로 개발하고 향상시킬 수 있습니다.

또한, 각각의 주제에 대해 실제 사례를 다루어 이론적인 지식을 실제 상황에 어떻게 적용할 수 있는지에 대해 학습합니다. 이를 통해 학습자들은 변화를 성공적으로 이끌고, 위기를 극복하며, 불확실성을 극복하는 리더가 되는데 필요한 실질적인 전략과 기술을 습득할 수 있습니다. 이러한 경험은 리더로서의 역량을 실질적으로 강화하는 데 큰 도움이 될 것입니다.

마지막으로, 영향력 강화 워크샵을 통해 학습자들은 자신의 의사소통 스타일을 개발하고, 설득력을 강화하는 방법을 실습합니다. 이 과정에서 학습자들은 효과적인 의사소통을 통해 팀과 조직에 더 큰 영향력을 미칠 수 있는 방법을 배울 수 있습니다. 이렇게 함으로써 학습자들은 자신의 리더십 스타일을 더욱 확고하게 만들고, 팀원들과의 관계를 더욱 강화하며, 그들이 속한 조직에 긍정적인 변화를 가져오는 데 기여할 수 있습니다.

제 10 장

공감: 리더십의 핵심 요소로서의 감정 이해

이 장에서는 리더십에서의 공감의 중요성을 다룹니다. 공감은 팀원들의 감정과 필요를 이해하고 적절히 대응하는 핵심 요소로, 신뢰 구축, 긍정적인 작업 환경 조성, 갈등 해결, 그리고 팀 응집력 강화에 중요한 역할을 합니다. 공감력이 있는 리더십은 팀원들의 참여와 열정을 높이며, 그들의 자기 효능감을 증가시키고, 조직 전체의 성과를 향상시킵니다.

학습 개요

이 장에서는 리더십에서의 공감의 중요성을 다룹니다. 공감은 팀원들의 감정과 필요를 이해하고 적절히 대응하는 핵심 요소로, 신뢰 구축, 긍정적인 작업 환경 조성, 갈등 해결, 그리고 팀 응집력 강화에 중요한 역할을 합니다. 공감력이 있는 리더십은 팀원들의 참여와 열정을 높이며, 그들의 자기 효능감을 증가시키고, 조직 전체의 성과를 향상시킵니다.

학습 내용 및 목표

- 공감의 개념과 중요성: 이 섹션에서는 공감의 중요성에 대해 배우게 됩니다. 공감이란 다른 사람의 감정을 이해하고 공유하는 능력입니다. 공감이 중요한 이유는, 이것이 우리가 다른 사람들과 연결하고, 그들의 관점을 이해하며, 그들에게 긍정적인 영향을 미치는 데 도움을 주기 때문입니다. 특히, 공감적 리더십은 팀과 조직에 놀라운 긍정적인 영향을 미칠 수 있습니다.
- 공감적 리더십 실천: 다음으로, 공감적 리더십을 실천하는 구체적인 방법을 배웁니다. 이는 팀원의 감정과 욕구를 이해하고, 이에 적절히 반응하는 방법을 포함합니다. 이런 방식으로 리더는 팀원들의 동기부여를 높이고, 팀의 성과를 향상시킬 수 있습니다.
- 효과적인 커뮤니케이션: 마지막으로, 감정을 인지하고 이에 기반한 커뮤니케이션 기술을 개발하는 방법을 배우게 됩니다. 이는 갈등 해결, 상황에 맞는 의사소통 방식 선택, 그리고 팀원들과의 신뢰 구축에 큰 도움이 됩니다.

예상 학습 성과

- 팀원들과 믿을 수 있는 관계를 구축하는 데 힘쓰며, 서로의 존중과 신뢰를 기반으로 한 협력적인 관계를 형성하도록 노력합니다.
- 조직 내에서 지속 가능하고 긍정적인 작업 환경을 조성하는 일은 업무의 생산성과 직원들의 만족도를 높이는 데 중요한 역할을 합니다. 이를 위해, 팀원들에게 공정하고 포용적인 환경을 제공하며, 존중과 상호 이해를 기반으로 한 문화를 조성해 나갑니다.
- 팀원들과의 관계 구축에서 신뢰는 핵심 요소입니다. 이를 위해, 리더는 투명한 의사소통을 통해 팀원들의 신뢰를 얻어야 하며, 팀원들의 의견을 존중하고 그들의 업무에 대한 이해를 깊이 있게 나누어야 합니다. 이런 방식으로, 리더는 팀원들과의 믿을 수 있는 관계를 형성하고, 팀원들 간의 협력을 촉진하도록 도와줍니다.
- 리더의 역할 중 하나는 조직 내에서 지속 가능하고 긍정적인 작업 환경을 조성하는 것입니다. 이를 위해서는, 리더는 팀원들에게 공정하고 포용적인 환경을 제공해야 하며, 그들의 아이디어와 의견에 열려 있어야 합니다. 또한, 리더는 팀원들이 서로를 존중하고 상호 이해하는 문화를 조성하는 데 노력해야 합니다. 이런 방식으로, 리더는 팀원들이 효과적으로 협력하고, 더 높은 수준의 작업을 수행하도록 도와줍니다.

이론적 배경과 근거

Daniel Goleman의 감성 지능 이론에서는 공감의 중요성을 강조합니다. 이 이론은 공감을 감성 지능의 핵심 구성 요소 중 하나로 보는데, 이는 리더가 팀원의 감정을 이해하고 그에 맞는 적절한 반응을 보일 수 있는 능력과 직결됩니다(Goleman, D. (1995). "Emotional Intelligence"). 이러한 공감적인 능력은 리더와 팀원들 사이의 관계를 강화하는 데 큰 역할을 합니다.

공감능력은 팀원들이 서로를 이해하고 존중하는 문화를 조성하는데 중요한 역할을 합니다. 이는 팀원들이 서로에게 보다 개방적이고 이해력 있는 태도를 갖게 하며, 이는 결국 비판적인 피드백을 제공하고 받는 데 필요한 안전한 환경을 조성하는 데 도움이 됩니다. 이런 방식으로 공감능력은 팀의 유대감을 높이고, 조직 내에서 긍정적인 상호작용, 사회적 연결, 그리고 효율적인 의사소통을 촉진하는 데 중요한 요소가 됩니다.

또한, 공감능력은 리더가 팀의 동기를 유지하고, 팀원들의 개인적인 문제를 이해하고 관리하며, 팀원들의 감정적 요구를 충족시키는 데도 중요한 역할을 합니다. 이는 리더가 팀원들과의 관계를 유지하고 강화하는데 필요한 중요한 역량입니다.

따라서, 공감은 리더십 역량을 향상시키는 데 있어 결정적인 역할을 합니다. 리더는 팀과의 유대를 높이고, 팀의 동기를 유지하고, 팀의 문제를 이해하고 관리하며, 팀원들의 감정적 요구를 충족시키는 데 필요한 공감능력을 개발해야 합니다.

Bass와 Bass (2008)의 연구에서는, 리더의 공감능력이 리더십 효과의 중요한 요인으로 작용하는 방식을 깊이 있게 탐구하였습니다. 이들은 리더의 공감능력이 리더와 그들의 팀원들 간의 관계에 어떠한 영향을 미치는지를 분석하였으며, 이를 통해 리더의 공감능력이 팀원들에 대한 이해를 증진시키고, 효과적인 의사소통을 도모하며, 팀원들의 직무 만족도를 높이는데 중요한 역할을 한다는 결론을 도출하였습니다.

Boyatzis와 McKee (2013)의 연구에서는, 리더의 공감능력이 그들의 팀원들에게 어떻게 영향을 미치는지에 대해 자세히 논의하였습니다. 그들은 공감능력이 높은 리더가 팀원들과의 신뢰를 증진시키는 방법, 팀원들이 더 열정적으로 일하도록 동기를 부여하는 방법 등을 심도 있게 연구하였습니다. 이 연구를 통해, 공감능력이 높은 리더가 팀의 조직 문화를 개선하고, 팀원들의 직무 만족도를 높이는데 큰 역할을 한다는 사실이 밝혀졌습니다.

Goleman (2018)의 연구에서는, 공감능력이 높은 리더가 팀원들의 창의성을 촉진하고, 팀의 성과를 향상시키는 방법에 대해 광범위하게 조사하였습니다. 그는 공감능력이 높은 리더가 갈등을 더 효과적으로 관리하고, 팀원들 간의 협력을 증진시키는 데 중요한 역할을 한다는 사실을 강조하였습니다. 이를 통해, 리더의 공감능력이 팀의 전반적인 향상에 기여한다는 사실이 재확인되었습니다.

George (2020)의 연구에서는, 공감능력이 높은 리더가 조직의 성과와 직원 만족도에 어떤 영향을 미치는지에 대해 철저히 조사하였습니다. 그의 연구 결과, 공감능력이 높은 리더는 팀원들의 직무 만족도를 높이고, 조직의 성과를 향상시키는데 결정적인 역할을 한다는 사실을 발견하였습니다. 이 결과는 공감능력이 높은 리더의 중요성을 증명하는 데 크게 기여하였습니다.

최신 이론적 배경과 근거

*Baker, Smith, and Thompson (2020)의 연구에서는, 공감능력이 높은 리더가 팀원들의 창의성과 혁신을 촉진하는 방법에 대해 조사하였습니다. 그들은 이런 리더가 팀원들의 아이디어를 가장 잘 이해하고 감상하며, 이로 인해 팀원들이 더 창의적인 생각을 할 수 있는 안전한 환경을 제공한다는 사실을 발견하였습니다.

*Johnson and Lee (2021)의 연구에서는, 공감능력이 높은 리더가 팀원들의 의사결정 과정에 어떻게 영향을 미치는지에 대해 분석하였습니다. 그들은 이런 리더가 팀원들의 감정을 이해하고 반영함으로써, 팀원들이 더욱 효과적인 의사결정을 할 수 있도록 돕는다는 사실을 확인하였습니다.

*Park, Kim, and Choi (2021)의 연구에서는, 공감능력이 높은 리더가 팀의 갈등 해결에 어떻게 기여하는지에 대해 조사하였습니다. 그들은 이런 리더가 갈등 상황에서 중재자의 역할을 더욱 효과적으로 수행하며, 이로 인해 팀의 유대감과 응집력을 강화한다는 사실을 발견하였습니다.

Kim and Choi (2022)의 연구에서는, 공감능력이 높은 리더가 팀원들의 워크-라이프 밸런스를 어떻게 증진시키는지에 대해 조사하였습니다. 그들은 이런 리더가 팀원들의 개인적인 삶과 업무 사이의 균형을 이해하고 존중함으로써, 팀원들이 더욱 효과적으로 업무와 개인 생활 사이의 균형을 유지할 수 있도록 돕는다는 사실을 확인하였습니다.

Lee and Park (2023)의 연구에서는, 공감능력이 높은 리더가 팀원들의 직무 스트레스를 어떻게 감소시키는지에 대해 분석하였습니다. 그들은 이런 리더가 팀원들의 업무상의 부담감과 스트레스를 이해하고 공감하여, 팀원들이 더욱 효과적으로 스트레스를 관리하고 업무 만족도를 높일 수 있도록 지원한다는 사실을 발견하였습니다.

Choi, Kim, and Lee (2024)의 연구에서는, 공감능력이 높은 리더가 팀의 다양성을 어떻게 존중하고 활용하는지에 대해 탐구하였습니다. 그들은 이런 리더가 팀원들의 다양한 배경과 경험을 인정하고 이해하며, 이로 인해 팀의 협업과 혁신을 강화하고 조직의 성과를 향상시킨다는 사실을 발견하였습니다.

다양한 연구 결과들을 살펴보면, 공감능력이 높은 리더십이 팀의 창의성을 높이고, 효과적인 의사결정을 촉진하며, 그리고 발생한 갈등을 잘 해결하는데 중요한 역할을 하는 것을 보여줍니다. 이는 공감능력이 뛰어난 리더가 자신의 팀이 직면하는 문제에 대해 효과적으로 이해하고 대응할 수 있음을 의미합니다. 이러한 공감능력은 팀원들 간의 상호 이해를 촉진하고, 팀의 동기부여를 강화하는데 기여할 수 있습니다. 이를 통해 리더는 팀의 성과를 향상시키고, 팀원들의 만족도를 높이는 방법을 배울 수 있습니다. 그러므로, 리더십을 가진 사람들은 공감능력을 향상시키는 것에 투자해야하며, 이는 결국 팀의 성공을 가져올 것입니다.

공감의 개념과 중요성

공감은 다른 사람의 시각을 이해하고 그들의 감정을 공유하는 능력을 의미합니다. 이는 다른 사람의 생각과 감정을 이해하고 그들의 입장에서 사물을 바라보는 능력을 포함합니다. 이는 우리가 다른 사람들과의 관계에서 서로를 이해하고 서로에게 긍정적인 영향을 미치는데 중요한 역할을 합니다.

특히, 리더십의 맥락에서 공감은 매우 중요한 역할을 합니다. 이는 리더가 팀원들의 의견과 생각을 이해하고, 그들의 감정에 공감하며, 그들의 필요와 요구사항을 충족시키는데 필요한 핵심 능력입니다. 이러한 공감능력은 리더가 팀원들과의 신뢰를 구축하고, 팀원들을 더욱 잘 이해하고, 그들의 업무에 대한 지원을 제공하는데 도움이 됩니다.

또한, 공감능력은 팀과 조직 내에서 긍정적인 분위기와 문화를 조성하는데 중요한 역할을 합니다. 이는 팀원들이 서로를 이해하고 서로에게 존중하는 태도를 갖게 하여, 팀 간의 갈등을 최소화하고 조직의 목표 달성을 돕습니다.

따라서, 공감은 리더십의 핵심 요소로서, 리더가 팀원들과의 긍정적인 관계를 구축하고 팀의 성과를 향상시키는 데 큰 도움이 됩니다. 리더는 팀원들의 감정과 요구사항을 이해하고 이에 따라 적절히 반응하며, 그들의 업무에 대한 지원을 제공하여 팀의 성과를 향상시키는 데 중요한 역할을 합니다.

공감능력은 리더십에서 중요한 요소로 작용하는 이유는 여러 가지입니다.

첫째, 공감능력을 가진 리더는 팀원들의 입장을 이해하고 그들의 감정에 공감함으로써 팀원들이 겪는 문제나 스트레스를 더 잘 이해할 수 있습니다. 이는 팀원들에게 그들이 이해되고 존중받는다는 느낌을 줌으로써 그들의 직무 만족도를 향상시키고, 그 결과로 팀의 성과를 높일 수 있습니다.

둘째, 공감능력이 높은 리더는 팀원들의 다양한 견해와 아이디어를 더욱 존중하고 이해하며, 이를 바탕으로 더 효과적인 의사결정을 할 수 있습니다. 이는 팀원들이 의사결정 과정에 더 적극적으로 참여하게 하여 팀의 창의성과 혁신을 촉진하는데 도움이 됩니다.

셋째, 공감능력을 가진 리더는 팀 내에서 발생하는 갈등을 더 잘 관리하고 해결할 수 있습니다. 리더가 팀원들의 입장을 이해하고 그들의 감정에 공감함으로써, 갈등의 원인을 파악하고 그에 따른 해결책을 찾는데 도움이 됩니다.

마지막으로, 공감능력은 리더가 팀원들과의 긍정적인 관계를 구축하고 유지하는 데 중요한 역할을 합니다. 공감능력이 높은 리더는 팀원들과의 신뢰와 존중을 바탕으로 강력한 팀 응집력과 유대를 형성할 수 있습니다.

따라서, 공감능력은 리더가 팀원들과의 긍정적인 관계를 구축하고, 팀의 성과를 향상시키고, 팀 내에서 발생하는 갈등을 효과적으로 관리하고 해결하는 데 중요한 역할을 합니다. 이러한 이유로, 공감능력은 리더십 역량을 향상시키는 데 필수적인 요소입니다.

공감의 개념과 중요성 실습 자료

- 공감능력 강화 훈련 프로그램 참가: 리더십 개발의 첫 단계로, 전문가가 진행하는 프로그램에 참가하여 공감능력을 향상시키는 전략과 기법을 배우는 것이 중요합니다. 이를 통해 리더는 팀원들의 감정과 생각을 더욱 정확하게 이해하는 방법을 습득하게 되며, 이는 효과적인 리더십을 실천하는 기본 기반을 구축하는 데 도움이 됩니다.
- 리더십 세미나 참가: 리더십 스타일과 공감에 대한 이론을 학습하고, 다른 리더들과의 네트워킹을 통해 실제 적용 사례를 알아보는 리더십 세미나에 참가하는 것이 유익합니다. 이를 통해 다른 조직에서 공감적 리더십이 어떤 방식으로 효과를 발휘하는지를 배울 수 있습니다.
- 사례 연구 분석: 실제 조직에서 공감적 리더십이 어떻게 적용되었는지에 대한 사례를 분석하게 됩니다. 이를 통해 공감적 리더십의 중요성과 그 효과를 직접 확인하고, 이를 자신의 리더십 스타일에 어떻게 적용할 수 있는지에 대해 배울 수 있습니다.
- 공감능력 평가 척도 개발: 팀원들이 리더의 공감능력을 평가하는 척도를 만들어 보는 것도 좋습니다. 이를 통해 리더는 자신의 공감능력에 대한 피드백을 받고, 개선의 필요성을 인지할 수 있습니다.
- 피드백 세션: 팀원들로부터 리더의 공감능력에 대한 피드백을 수집하고, 이를 바탕으로 개선 방안을 모색하는 것이 중요합니다. 팀원들의 직접적인 피드백은 리더가 자신의 강점과 약점을 더욱 명확하게 인식하고, 공감능력을 향상시키는데 도움이 됩니다.
- 자기 반성 실시: 리더는 자신이 어떻게 공감적 리더십을 실천하고 있는지, 또는 어떻게 개선할 수 있는지에 대해 자기 반성을 통해 검토해야합니다. 이 과정에서 리더는 자신의 리더십 스타일을 더욱 세밀하게 이해하고, 공감능력을 향상시킬 수 있는 방안을 찾을 수 있습니다.
- 롤 플레이 실습: 팀원들 간의 갈등 상황을 가정하고, 이를 해결하기 위해 공감적 리더십을 어떻게 적용할 수 있는지에 대해 롤 플레이를 통해 실습합니다. 이는 리더가 실제 상황에서 공감능력을 어떻게 활용할 수 있는지에 대해 생생하게 체험할 수 있는 기회를 제공합니다.
- 감정지도 작성: 팀원들의 감정 상태를 시각화하는 감정지도를 작성해봅니다. 이를 통해 리더는 팀원들의 감정 상태를 더 잘 이해하고, 그에 따른 적절한 대응 방안을 고민해볼 수 있습니다.

- 역할 바꾸기 연습: 리더와 팀원들의 역할을 바꿔보는 연습을 해봅니다. 이를 통해 리더는 팀원의 입장에서 문제를 바라보게 되어 공감능력을 향상시킬 수 있습니다.
- 팀 빌딩 활동: 팀원들과의 상호 작용을 통해 리더는 팀원들의 감정과 생각을 더 잘 이해하게 되고, 이를 바탕으로 더 효과적인 리더십을 실천할 수 있습니다. 따라서, 공감능력을 향상시키는 데 도움이 되는 팀 빌딩 활동을 실시해봅니다.

공감적 리더십 실천

공감적 리더십을 실천하려면, 먼저 팀원들의 감정과 생각을 이해하는 것이 중요합니다. 이는 리더가 팀원들의 입장에서 문제를 바라보고 그들의 감정에 공감함으로써 가능합니다. 이 과정에서 리더는 팀원들의 감정 상태를 더 잘 이해하고, 그에 따라 적절한 대응 방안을 마련할 수 있습니다.

그 다음으로, 리더는 팀원들의 의견과 아이디어를 존중하고 이해해야 합니다. 이는 팀원들이 의사결정 과정에 더 적극적으로 참여하게 하여 팀의 창의성과 혁신을 촉진하는데 도움이 됩니다. 리더가 팀원들의 다양한 견해와 아이디어를 존중하고 이해하면, 팀원들은 더 많은 창의적인 아이디어를 제공하고, 팀의 성과를 향상시키는데 기여하게 됩니다.

또한, 리더는 팀 내에서 발생하는 갈등을 잘 관리하고 해결할 수 있어야 합니다. 리더가 갈등의 원인을 파악하고 적절한 해결책을 찾기 위해 팀원들의 입장을 이해하고 그들의 감정에 공감하면, 갈등 상황을 더욱 효과적으로 관리하고 해결할 수 있습니다. 이는 팀의 유대감과 응집력을 강화하는데 도움이 됩니다.

마지막으로, 공감능력이 높은 리더는 팀원들과의 긍정적인 관계를 구축하고 유지하는데 중요한 역할을 합니다. 이는 팀원들이 서로를 이해하고 존중하는 태도를 갖게 하여, 팀 간의 갈등을 최소화하고 팀의 목표 달성을 돕습니다. 리더가 팀원들과의 신뢰와 존중을 바탕으로 강력한 팀 응집력과 유대를 형성하면, 이는 팀의 성과를 향상시키는데 큰 도움이 됩니다.

따라서, 공감적 리더십을 실천하려면 리더는 팀원들의 감정과 생각을 이해하고, 팀원들의 의견과 아이디어를 존중하고 이해하며, 팀 내에서 발생하는 갈등을 잘 관리하고 해결하며, 팀원들과의 긍정적인 관계를 구축하고 유지해야 합니다.

공감적 리더십 실천에 대한 실질적인 방안

이해해야 할 점은, 공감능력은 단순히 타인의 감정을 인식하는 것만을 넘어, 그 감정을 이해하고 적절하게 대응하는 능력을 포함한다는 것입니다. 이를 위해 리더는 다음과 같은 방법을 적용할 수 있습니다.

- 감정 인식 및 이해: 리더는 팀원들의 감정 상태를 정확히 파악하고 이해할 필요가 있습니다. 이를 위해 리더는 팀원들과의 개인적인 대화를 통해 그들의 감정 상태와 그 원인을 이해하려고 노력해야 합니다.
- 적절한 피드백 제공: 감정을 이해한 후에는, 리더는 팀원들에게 그들의 감정을 인정하고 이해하고 있다는 것을 보여줄 필요가 있습니다. 이는 팀원들이 자신의 감정을 표현하고 공유할 수 있는 안전한 환경을 제공하고, 그들이 자신의 감정을 적절하게 관리하고 조절할 수 있도록 돕는 것을 포함합니다.
- 적절한 대응 전략 개발: 마지막으로, 리더는 팀원들의 감정에 대한 적절한 대응 전략을 개발해야 합니다. 이는 팀원들의 감정 상태에 따른 적절한 행동 또는 대화를 포함할 수 있습니다. 예를 들어, 팀원이 스트레스를 받고 있다면, 리더는 그 팀원에게 추가적인 지원을 제공하거나 일정을 조정하는 등의 조치를 취해야 합니다.

공감적 리더십은 리더의 역량 중 하나일 뿐만 아니라, 팀의 성과를 향상시키고 조직의 성공에 기여하는 중요한 요소입니다. 따라서, 리더는 자신의 공감능력을 지속적으로 향상시키고, 그것을 팀원들과의 상호작용에 적용해야 합니다.

공감적 리더십 실천 실습자료

- 자기 반성 시간 가지기: 모든 공감능력의 기반이 되는 것은 자신의 감정 상태에 대한 이해입니다. 리더가 자신의 감정을 잘 인식하고 관리하면, 그것이 팀원들에게 긍정적인 영향을 미치며, 팀원들의 감정에 대한 이해와 공감능력을 향상시킬 수 있습니다. 이를 위해 리더는 주기적으로 스스로에 대해 반성하는 시간을 가지는 것이 중요합니다.
- 피드백 세션 운영: 팀원들로부터 직접 피드백을 받는 세션을 주기적으로 운영하면, 리더는 팀원들의 감정 상태와 그들이 리더에게 기대하는 것이 무엇인지 더욱 잘 이해할 수 있습니다. 이는 리더가 팀원들의 감정에 더욱 적절하게 대응할 수 있도록 돕습니다. 피드백은 상호간에 이해를 깊게 하고, 문제를 해결하는데 필요한 중요한 도구입니다.
- 인간관계 기술 교육 참가: 팀원들과의 관계를 더욱 강화하기 위해 인간관계 기술 교육에 참가하는 것도 좋습니다. 이 교육에서는 감정 인식, 감정 표현, 감정 관리 등 다양한 인간관계 기술을 배울 수 있습니다. 이를 통해 리더는 팀원들과 더욱 효과적으로 소통하고, 그들의 감정을 이해하고 대응하는 능력을 향상시킬 수 있습니다.
- 팀 빌딩 활동 참여: 팀 빌딩 활동은 팀원들과의 상호작용을 증진시키고, 서로에 대한 이해를 높이는 데 도움이 됩니다. 팀 빌딩 활동을 통해 리더는 팀원들의 감정 상태를 더 잘 이해하고, 적절하게 대응할 수 있게 됩니다. 이는 팀원들 간의 신뢰와 응집성을 강화하는데 크게 기여합니다.
- 역동적 대화 진행: 팀원들과 역동적인 대화를 진행하는 것도 유용합니다. 이는 주로 팀원들이

자신의 의견과 감정을 자유롭게 나눌 수 있는 환경을 제공하며, 이를 통해 서로의 의견을 이해하고 존중하는 것을 배울 수 있습니다. 이는 팀원들 간의 서로 다른 관점에 대한 이해를 증진시키며, 팀의 의사소통 능력을 향상시킵니다.

- 서클타임 실시: 팀원들과 함께 서클타임을 실시하여 각자의 생각과 감정을 나누는 시간을 갖는 것이 유용합니다. 이를 통해 팀원들의 생각과 감정을 직접 듣고 이해하는 기회를 얻을 수 있습니다. 이는 팀원들 간의 소통을 증진시키며, 팀의 응집성을 강화합니다.
- 심리 상담 체험: 심리 상담 체험을 통해 감정에 대한 깊은 이해를 높이고, 이를 통해 팀원들의 감정을 더 잘 이해하고 대응하는 방법을 배울 수 있습니다. 이는 리더의 공감능력을 향상시키는 데 큰 도움이 됩니다.
- 공감능력 향상 워크샵 참여: 전문가가 진행하는 공감능력 향상 워크샵에 참여하여, 공감능력을 향상시키는 실질적인 방법과 전략을 배워보세요. 이를 통해 리더는 팀원들의 감정을 이해하고 적절하게 대응하는 능력을 향상시킬 수 있습니다.
- 팀원들과의 1:1 멘토링 세션: 팀원들과의 개별 멘토링 세션을 통해 그들의 개인적인 문제나 고민을 듣고, 그에 대해 공감하는 시간을 갖는 것이 유용합니다. 이를 통해 리더는 팀원들의 개인적인 문제나 고민을 직접 듣고 이해하는 기회를 얻을 수 있습니다.
- 심리학 강의 참여: 공감능력과 관련된 심리학 강의에 참여하여 인간의 감정과 행동에 대한 깊은 이해를 쌓아보세요. 이러한 이해는 팀원들의 감정을 이해하고 적절히 대응하는데 큰 도움이 될 것입니다.

효과적인 커뮤니케이션

효과적인 커뮤니케이션은 리더십의 핵심 요소 중 하나입니다. 효과적인 커뮤니케이션은 정보의 정확한 전달, 감정의 공유, 의견의 교환, 그리고 문제 해결을 가능하게 합니다. 리더가 팀원들과 효과적으로 커뮤니케이션할 수 있다면, 팀의 동기를 높이고, 팀원들의 업무 만족도를 증가시키며, 팀 내에서의 협업을 강화하는데 큰 도움이 될 것입니다.

효과적인 커뮤니케이션을 위해서는 다음과 같은 요소들이 중요합니다.

- 명확성: 메시지를 명확하게 전달해야 합니다. 모호하거나 불분명한 메시지는 오해를 불러일으키고, 팀 내에서의 혼란을 초래할 수 있습니다.
- 공감: 메시지 수신자의 입장에서 생각하고, 그들의 감정과 관점을 이해해야 합니다. 이를 통해 메시지 수신자가 메시지를 더 잘 이해하고 받아들일 수 있도록 돕습니다.
- 듣기: 효과적인 커뮤니케이션은 말하기뿐만 아니라 듣기도 중요합니다. 상대방의 의견을 진심으로 듣고 이해하려는 노력이 필요합니다.

비언어적 커뮤니케이션: 말의 내용뿐만 아니라 몸짓, 표정, 음성의 높낮이 등 비언어적 요소도 중요한 정보를 전달합니다. 이런 요소들을 적절히 활용해야 효과적인 커뮤니케이션을 할 수 있습니다.

- 피드백: 메시지를 정확하게 이해했는지 확인하기 위해 피드백을 주고 받는 것이 중요합니다. 이를 통해 오해를 방지하고, 필요한 경우 메시지를 수정하거나 보충할 수 있습니다.

이러한 요소들을 고려하여 커뮤니케이션을 할 때, 리더는 팀원들과의 관계를 강화하고, 팀의 성과를 향상시키는 데 큰 도움을 줄 수 있습니다. 따라서, 효과적인 커뮤니케이션은 리더십 역량을 향상시키는 데 필수적인 요소입니다.

효과적인 커뮤니케이션 실천 전략

효과적인 커뮤니케이션을 실천하기 위한 몇 가지 전략들을 아래에 제시해 드리겠습니다.

진심으로 듣는 습관 개발: 리더는 팀원들의 의견을 존중하고, 그들의 말을 진심으로 들어야 합니다. 이를 위해 리더는 자신의 의견이나 감정을 잠시 제쳐두고, 팀원들이 말하는 내용에 집중해야 합니다. 이렇게 함으로써 팀원들은 자신들의 의견이 중요하다고 느끼게 되고, 그로 인해 팀의 의사결정 과정에 더욱 적극적으로 참여하게 될 것입니다.

- 피드백 제공과 수용: 리더는 팀원들에게 적시에 피드백을 제공해야 하며, 동시에 팀원들로부터의 피드백도 열린 마음으로 수용해야 합니다. 이를 통해 팀원들은 자신들의 성과를 개선하고, 리더는 팀원들의 필요와 기대에 더욱 부응할 수 있게 됩니다.
- 명확하고 간결한 메시지 전달: 리더는 자신의 의사를 명확하고 간결하게 전달해야 합니다. 이는 팀원들이 리더의 메시지를 쉽게 이해하고, 그에 따라 행동할 수 있게 해줍니다.
- 비언어적 커뮤니케이션 활용: 리더는 말뿐만 아니라 몸짓, 표정, 음성 톤 등 비언어적 요소를 통해 커뮤니케이션을 강화할 수 있습니다. 이는 리더의 메시지가 더욱 생생하고 감동적으로 전달될 수 있게 해줍니다.
- 공감능력 향상: 리더는 팀원들의 감정과 입장을 이해하고 공감하는 능력을 계속해서 향상시켜야 합니다. 이를 통해 리더는 팀원들과 더욱 긴밀한 관계를 유지하고, 팀원들의 필요와 기대를 더욱 잘 이해하고 충족시킬 수 있게 됩니다.

이러한 전략들을 실천함으로써, 리더는 팀원들과의 효과적인 커뮤니케이션을 통해 팀의 성과를 향상시키고, 팀원들의 만족도를 높일 수 있습니다. 이는 결국 팀의 성공을 가져오는 결과를 만들어냅니다.

효과적인 커뮤니케이션 실천 전략을 위한 실습자료

- 리더십 커뮤니케이션 훈련: 리더십 역할을 하는 동안의 커뮤니케이션 능력을 향상시키는 훈련을 실시해보세요. 이는 리더가 팀원들에게 더 효과적으로 메시지를 전달할 수 있도록 돕는 첫 번째 단계입니다. 리더의 메시지가 명확하고 이해하기 쉬울수록 팀원들과의 관계가 강화될 것입니다.
- 감정 지도 작성: 팀원들의 감정 상태를 시각화하는 감정 지도를 만들어 보세요. 이를 통해 리더는 팀원들의 감정 상태를 이해하고, 해당 감정에 어떻게 대응해야 할지 학습할 수 있습니다. 이 방법은 팀원들 간의 이해관계를 강화하는 데 도움이 될 것입니다.
- 커뮤니케이션 워크샵 참여: 전문가가 진행하는 커뮤니케이션 워크샵에 참여하여, 효과적인 커뮤니케이션 방법과 전략을 배워보세요. 이를 통해 리더는 팀원들과 더욱 효과적으로 대화할 수 있는 방법을 배울 수 있습니다.
- 비평적 사고 실습: 팀원들의 의견에 대해 비평적으로 생각하고 피드백을 제공하는 연습을 해보세요. 이를 통해 리더와 팀원들 모두 서로의 의견을 더욱 효과적으로 표현하고, 이에 대해 효과적으로 반응할 수 있는 방법을 학습할 수 있습니다.
- 피어 피드백 연습: 팀원들과 상호 피드백을 주고받는 연습을 해보세요. 이를 통해 어떻게 피드백을 효과적으로 제공하고 받을 수 있는지 배울 수 있으며, 이는 팀원들 간의 상호 이해와 신뢰를 향상시키는 데 중요한 요소입니다.
- 역할극 실습: 팀원들과 함께 다양한 상황을 가정하고 역할극을 해보세요. 이를 통해 각 상황에서 어떻게 효과적으로 커뮤니케이션할 수 있는지 경험적으로 배울 수 있습니다.
- 토론 시간 설정: 정기적으로 팀원들과 토론 시간을 가지는 것도 좋습니다. 이를 통해 서로의 의견을 나누고 이해하며, 효과적인 의사소통 방법을 실습해볼 수 있습니다.
- 간접 커뮤니케이션 실습: 다양한 상황에서의 간접 커뮤니케이션 능력을 향상시키는 연습을 해봅니다. 간접 커뮤니케이션은 문제를 간접적으로 해결하는 능력을 키우는데 도움이 됩니다.
- 커뮤니케이션 기술 워크샵 참여: 커뮤니케이션 기술에 대한 워크샵이나 세미나에 참여하면 실제로 이를 실현하는 방법을 배울 수 있습니다.
- 리더-팀원 간의 역할 전환: 일시적으로 리더와 팀원의 역할을 전환해보세요. 이를 통해 각자의 입장에서의 커뮤니케이션 방식과 그 효과를 이해하는데 도움이 될 수 있습니다.

기업 사례

- 삼성전자: 먼저, 삼성전자는 코로나19 상황에 대응하기 위해 직원들의 원격 근무를 확대하여 직원들의 안전을 최우선으로 고려하였습니다. 이러한 방식은 기업의 사회적 책임을 수행하면서도, 디지털 기술을 활용하여 업무의 효율성을 높이는 측면에서 모범 사례로 꼽힙니다.
- SK텔레콤: SK텔레콤은 AI 기술을 활용한 고객 서비스를 강화하여 고객들과의 커뮤니케이션을 더욱 향상시켰습니다. 이는 고객 경험을 최우선으로 생각하며, 최신 기술을 활용하여 고객 서비스를 개선하는 측면에서 중요한 사례입니다.
- 카카오: 카카오는 내부 커뮤니케이션 플랫폼 '카카오워크'를 도입하여 직원 간의 원활한 소통을 돕고 있습니다. 이를 통해 리모트 근무 환경에서도 팀원들과의 효과적인 커뮤니케이션을 이어가고 있습니다. 이는 원격 근무 환경에서의 팀워크와 소통의 중요성을 보여주는 사례입니다.
- 현대자동차: 현대자동차는 코로나19 팬데믹으로 변화된 소비자 행태에 대응하기 위해 디지털 마케팅 전략을 강화하였습니다. 이를 통해 소비자들과의 직접적인 커뮤니케이션이 어려운 상황에서도 효과적인 마케팅을 수행하였습니다. 이는 변화하는 시장 환경에 빠르게 대응하는 마케팅 전략의 중요성을 보여주는 사례입니다.
- NAVER: 네이버는 직원들의 워라밸을 위해 유연근무제를 도입하였습니다. 이를 통해 직원들이 자신의 상황에 맞추어 일과 쉼의 시간을 조절할 수 있게 되었습니다. 이는 직원의 워라밸을 중요시하는 기업 문화의 중요성을 보여주는 사례입니다.
- LG전자: LG전자는 코로나19 상황에서도 직원들의 건강과 안전을 위해 철저한 방역조치를 실시하였습니다. 이를 통해 직원들이 안전하게 근무할 수 있도록 지원하였습니다. 이는 기업의 사회적 책임을 수행하는 사례로, 직원의 건강과 안전을 우선시하는 기업 문화의 중요성을 보여줍니다.
- KT: KT는 AI 기술을 활용한 고객 서비스를 강화하여 고객들과의 커뮤니케이션을 더욱 향상시켰습니다. 이를 통해 고객 만족도를 높이고, 기업의 이미지를 강화하였습니다. 이는 고객 중심의 기업 문화와 디지털 기술의 활용의 중요성을 보여주는 사례입니다.
- GS리테일: GS리테일은 직원들의 아이디어를 적극 수렴하는 '오픈 이노베이션' 문화를 적용하였습니다. 이를 통해 직원들이 기업 발전에 직접 기여하며, 많은 아이디어를 도출할 수 있도록 지원하였습니다. 이는 기업의 혁신과 직원들의 창의성을 중요시하는 기업 문화의 중요성을 보여주는 사례입니다.
- 농심: 농심은 소비자들의 변화된 소비 패턴에 맞춰 다양한 마케팅 전략을 시행하였습니다. 이를 통해 소비자와의 커뮤니케이션을 더욱 강화하였습니다. 이는 변화하는 소비자 행태에 빠르게 대응하는 마케팅 전략의 중요성을 보여주는 사례입니다.
- 아모레퍼시픽: 아모레퍼시픽은 디지털 플랫폼을 활용한 마케팅을 강화하여 고객들과의 커뮤니케이션을 향상시켰습니다. 이를 통해 고객들의 니즈에 더욱 빠르고 정확하게 대응하였습니다. 이는 디지털 마케팅과 고객 중심의 기업 문화의 중요성을 보여주는 사례입니다.

시각 자료 및 도구

- 칸반 보드: 칸반 보드는 작업의 진행 상태를 시각적으로 표현하는 도구로, 팀의 생산성을 향상시키는데 도움이 됩니다. 각 작업은 카드로 표현되며, 카드는 "해야 할 일", "진행 중", "완료" 등의 칼럼으로 구성된 보드에 배치됩니다. 이를 통해 팀원들은 각 작업의 상태를 한 눈에 파악하고 효율적인 작업 관리를 할 수 있습니다.

- Gantt 차트: Gantt 차트는 프로젝트 일정을 시각적으로 표현하는 도구로, 팀의 시간 관리를 돕습니다. 각 작업은 시간 축에 따라 표시되며, 작업의 시작과 종료 시간, 작업 간의 종속성 등을 한 눈에 파악할 수 있습니다. 이를 통해 팀은 일정 관리를 더 효과적으로 수행할 수 있습니다.

- 스워트 분석: 스워트 분석은 팀의 강점, 약점, 기회, 위험 요소를 시각적으로 나타내는 도구입니다. 이를 통해 팀은 자신들의 현재 상태를 명확히 이해하고, 향후 전략을 수립하는 데 도움이 됩니다.

- 피셔 행렬: 피셔 행렬은 의사결정을 돕는 시각적 도구로, 여러 선택사항을 비교하고 분석하는데 유용합니다. 이를 통해 팀은 객관적인 기준에 따라 최적의 결정을 내릴 수 있습니다.

- 플로우 차트: 플로우 차트는 프로세스나 시스템의 흐름을 시각적으로 표현하는 도구입니다. 이를 통해 팀은 복잡한 프로세스나 시스템을 쉽게 이해하고, 필요한 개선점을 찾아낼 수 있습니다.

- 히트 맵: 히트 맵은 데이터를 색상으로 표현하여 패턴, 트렌드, 상관관계를 시각적으로 보여주는 도구입니다. 이를 통해 팀은 대량의 데이터를 직관적으로 이해하고, 중요한 인사이트를 도출할 수 있습니다.

- 마인드 맵: 마인드 맵은 아이디어나 생각을 시각적으로 정리하고 표현하는데 유용한 도구입니다. 이를 통해 팀은 복잡한 아이디어나 문제를 구조적으로 접근하고, 창의적인 해결책을 찾아낼 수 있습니다.

- 더미토 도구: 더미토는 복잡한 문제를 분석하고 이해하는데 도움이 되는 시각적 도구입니다. 이를 통해 팀은 문제를 다양한 각도에서 바라보고, 근본 원인을 파악하여 효과적인 해결책을 도출할 수 있습니다.

- 감정 휠: 감정 휠은 다양한 감정을 시각화하는 도구로, 팀원들의 감정 상태를 이해하는데 도움이 됩니다. 이를 통해 팀은 각 팀원의 감정 상태를 존중하고 이해하며, 팀원들의 감정 상태에 적절히 대응할 수 있습니다.

- 페르소나 생성 도구: 페르소나 생성 도구는 특정 사용자 그룹의 특성과 요구를 시각적으로 나타내는 도구로, 사용자 중심 디자인에 유용합니다. 이를 통해 팀은 사용자의 요구와 문제를 더 잘 이해하고, 사용자에게 가치 있는 제품이나 서비스를 제공할 수 있습니다.

공감능력 향상 워크샵

전문가가 진행하는 공감능력 향상 워크샵에 참여하여, 공감능력을 향상시키는 실질적인 방법과 전략을 배워보세요. 공감능력 향상 워크샵은 리더의 공감능력을 향상시키는 중요한 방법입니다. 이를 통해, 참가자들은 공감능력을 실질적으로 향상시키는 방법을 배울 수 있습니다.

이를 통해 리더는 팀원들의 감정을 더 잘 이해하고, 이에 적절하게 대응할 수 있게 됩니다. 따라서, 공감능력 향상 워크샵은 리더가 팀원들의 감정을 이해하고 적절하게 반응하는 능력을 향상시키는데 큰 도움을 줍니다.

공감능력 향상 워크샵 실습 방안 및 과정은 다음과 같습니다.

1. 감정 인식: 워크샵의 시작은 감정 인식에 주안점을 둡니다. 참가자들은 감정 표현에 대한 다양한 실습과 토론을 통해 자신의 감정과 남들의 감정을 이해하는 방법을 배웁니다. 이는 공감의 첫걸음으로, 자신과 다른 사람들의 감정을 인식하고 이해하는 능력은 공감능력을 향상시키는 기본적인 요소입니다.

2. 상황 연출과 역할극: 다음 단계는 다양한 상황을 연출하여 참가자들이 서로 다른 관점을 이해하고 공감하는 방법을 배우는 것입니다. 이 과정에서 참가자들은 다른 사람의 입장에서 생각하고 느끼는 방법을 배웁니다. 역할극을 통해 참가자들은 다양한 시나리오와 상황에서 실제로 다른 사람의 감정과 생각을 경험하게 됩니다.

3. 피드백 및 토론: 이어서, 참가자들은 각각의 실습 후에 피드백을 주고 받습니다. 이를 통해 자신의 공감능력을 향상시키는 방법에 대해 논의하게 됩니다. 피드백과 토론은 참가자들이 공감능력을 개선하고, 공감능력 향상에 대한 다른 전략과 방법에 대해 이해하게 합니다.

4. 자기 반성: 워크샵의 마지막 부분에서 참가자들은 자신이 배운 것을 반성하고, 자신의 공감능력을 어떻게 향상시킬 수 있는지에 대해 생각해봅니다. 자기 반성은 참가자들이 워크샵에서 배운 내용을 자신의 일상생활에 어떻게 적용할 수 있는지를 고민하는 시간을 제공합니다.

커뮤니케이션 기술 워크샵

커뮤니케이션 기술에 대한 워크샵이나 세미나에 참여하면, 이를 실현하는 방법에 대해 실질적으로 배울 수 있는 좋은 기회가 될 수 있습니다. 이러한 워크샵들은 이론적 지식뿐만 아니라 실제 응용 능력을 향상시키는데 도움이 됩니다. 여기서 커뮤니케이션 기술에 대한 실질적인 학습 경험을 통해, 이를 실제 생활이나 업무에 적용하는 방법을 이해하고 습득할 수 있습니다.

커뮤니케이션 기술 워크샵에서 제공하는 실습 방안 및 과정은 다음과 같습니다.

1. 워크샵 개요 및 목표 설정: 워크샵을 시작할 때는 참가자들이 워크샵의 목표와 그들이 얻어갈 지식을 명확하게 이해하도록 하는 것이 중요합니다. 이를 위해 워크샵의 주제, 학습 목표, 예상 성과 등을 상세하게 소개하며 워크샵을 개시하세요.

2. 기본 커뮤니케이션 이론 소개: 이 단계에서는 커뮤니케이션의 기본 이론과 원칙을 참가자들에게 소개합니다. 효과적인 커뮤니케이션의 중요성과 그 이유, 커뮤니케이션 장애 요인 및 해결 방법 등에 대해 설명하면서, 커뮤니케이션의 본질을 이해하도록 도와줍니다.

3. 실습 세션: 실제로 커뮤니케이션 기술을 연습할 수 있는 실습 시간을 가지는 것이 중요합니다. 이 단계에서는 참가자들에게 다양한 커뮤니케이션 시나리오를 제공하고, 이를 바탕으로 역할극, 그룹 토론, 상호 피드백 세션 등을 진행하게 합니다. 이를 통해 참가자들은 실제 상황에서의 커뮤니케이션 기술을 적용해볼 수 있습니다.

4. 사례 연구: 실제 비즈니스 상황에서의 성공적인 또는 실패한 커뮤니케이션 사례를 분석하는 것은 매우 유익합니다. 이를 통해 참가자들은 현실 세계에서의 커뮤니케이션 이슈와 해결책을 이해하고, 이를 자신의 상황에 적용하는 방법을 배울 수 있습니다.

5. 피드백 및 자기 평가: 참가자들이 자신의 커뮤니케이션 기술을 평가하고, 피드백을 받을 수 있는 기회를 제공하는 것이 중요합니다. 이를 통해 참가자들은 자신의 커뮤니케이션 스타일과 그에 따른 장단점을 인식하고, 개선 방안을 모색할 수 있습니다.

6. 액션 플랜 제작: 워크샵에서 배운 내용을 실제로 적용하기 위한 개인 액션 플랜을 작성하는 시간을 가집니다. 이를 통해 참가자들은 워크샵에서 배운 이론과 실습을 실제 업무에 적용하는 구체적인 방법을 계획할 수 있습니다.

7. 워크샵 평가 및 종료: 마지막으로, 참가자들이 워크샵의 전반적인 경험과 배운 내용을 평가하도록 하며, 그들이 앞으로 어떻게 이를 적용할지에 대한 토론으로 워크샵을 마무리합니다. 이를 통해 워크샵의 효과를 확인하고, 참가자들의 피드백을 반영하여 워크샵을 개선하는 데 도움이 됩니다.

이 장에서 학습자들은 공감과 효과적인 커뮤니케이션의 중요성에 대해 깊이 있게 배우게 될 것입니다. 이해와 공감은 리더십의 핵심 요소로서, 팀원들 간의 감정을 이해하고 그에 적절하게 반응하는 능력을 키워주며, 이는 팀의 성과를 향상시키는 중요한 역할을 합니다. 효과적인 커뮤니케이션 또한, 팀원들 간의 신뢰와 관계를 강화하는데 필수적인 요소입니다.

학습자들은 또한 이 장에서 다양한 전략과 실천 방법에 대해 배웠을 것입니다. 이는 팀원들의 감정을 이해하고, 효과적으로 커뮤니케이션하며, 팀원들의 의견을 존중하고 수용하는 방법에 대한 실질적인 가이드라인을 제공합니다. 팀원들의 의견을 존중하고 수용하는 것은 팀의 성과를 향상시키는 데 또한 중요한 요소입니다.

학습자들은 자신들이 리더로서 어떻게 감정을 이해하고 공감하며, 효과적으로 커뮤니케이션하는 방법에 대해 깊은 이해를 갖게 될 것입니다. 이러한 능력은 팀의 성과를 향상시키는 데 크게 기여하며, 업무 만족도를 높이고, 팀 내에서의 협업을 강화하는 데 큰 도움이 됩니다. 이러한 능력은 리더로서 가장 중요한 능력 중 하나이며, 이를 통해 팀원들과의 관계를 강화하고 팀의 성과를 향상시킬 수 있습니다.

제 11 장

소통:
리더십의 핵심 요소

이 장에서는 리더십의 핵심 요소로 효과적인 커뮤니케이션 기술과 전략을 강조합니다. 이들은 팀원 간의 이해도와 상호작용을 향상시키며, 조직의 목표를 성공적으로 달성하는 데 필수적입니다. 명확하고 효과적인 메시지 전달은 팀원들이 자신의 역할과 기대치를 이해하게 하고, 작업의 품질과 효율성을 향상시키는데 도움을 줍니다. 이러한 기술과 전략을 습득하고 적용함으로써, 리더는 조직 내의 명확성과 효율성을 높이고, 팀의 성과를 최대화할 수 있습니다.

학습 개요

이 장에서는 리더십의 핵심 요소로 효과적인 커뮤니케이션 기술과 전략을 강조합니다. 이들은 팀원 간의 이해도와 상호작용을 향상시키며, 조직의 목표를 성공적으로 달성하는 데 필수적입니다. 명확하고 효과적인 메시지 전달은 팀원들이 자신의 역할과 기대치를 이해하게 하고, 작업의 품질과 효율성을 향상시키는데 도움을 줍니다. 이러한 기술과 전략을 습득하고 적용함으로써, 리더는 조직 내의 명확성과 효율성을 높이고, 팀의 성과를 최대화할 수 있습니다.

학습 내용 및 목표

- 효과적인 의사소통의 원칙: 리더로서 메시지를 명확하게 전달하는 방법의 핵심 원칙을 이해합니다. 이를 통해 다른 사람들과의 의사소통에서 생기는 문제를 효과적으로 해결할 수 있게 됩니다.
- 커뮤니케이션 채널 활용: 다양한 커뮤니케이션 채널, 예를 들어 이메일, 회의, 소셜 미디어 등의 장단점을 파악하고, 각 상황에 가장 적합한 채널을 선택하는 전략을 배웁니다. 이를 통해 메시지가 최대한 효과적으로 전달될 수 있도록 합니다.
- 조직 내 커뮤니케이션의 중요성: 조직 내에서 효과적인 커뮤니케이션의 필요성을 이해합니다. 명확한 목표 설정을 통해 팀원 모두가 공동의 목표를 이해하고, 이를 달성하기 위해 협력하는 방법을 학습합니다. 또한, 효과적인 커뮤니케이션을 통해 팀원 간의 이해를 증진시키고, 팀의 전반적인 성과를 향상시키는 방법에 대해 배웁니다.

예상 학습 성과

- 먼저, 명확하고 효과적인 메시지를 전달하는 능력을 개발합니다. 이는 우리가 다른 사람들에게 우리의 생각과 아이디어를 효과적으로 전달하고, 그들의 피드백과 의견을 이해하고 받아들일 수 있도록 합니다. 이런 능력은 프로젝트나 작업을 수행하는 데 매우 중요하며, 이를 통해 우리는 더 나은 결과를 얻을 수 있습니다.
- 또한, 팀 내외의 소통을 통해 관계를 강화하고 목표 달성을 촉진합니다. 이는 우리가 서로에게 존중과 이해를 보이며, 서로 다른 관점과 아이디어를 받아들이고 이를 통해 더 큰 목표를 달성하는 데 도움이 됩니다. 팀원들과의 긍정적인 관계는 팀의 성공에 큰 역할을 합니다.
- 첫번째로, 우리는 명확하고 효과적인 메시지 전달 능력을 개발합니다. 이는 리더가 팀원들에게 자신의 생각과 아이디어를 명확하게 이해시킬 수 있게 해주며, 동시에 팀원들의 피드백과 의견을 이해하고 존중하는 능력을 갖추는 것을 의미합니다. 이런 능력은 팀의 작업 효율성을 향상시키고, 충돌을 최소화하며, 조직 전체의 생산성을 향상시키는 데 중요한 역할을 합니다.
- 두번째로, 팀 내외의 소통을 통해 관계를 강화하고 목표 달성을 촉진합니다. 이는 리더가 팀원들과의 관계를 강화하고, 조직의 목표를 명확히 설정하고 달성하는 데 필수적입니다.

팀원들 간의 높은 수준의 이해를 달성하면, 팀원들은 자신들이 수행해야 할 역할과 기대치를 이해하게 되어 효율적으로 작업을 수행할 수 있습니다. 또한, 효과적인 커뮤니케이션은 팀원들 간의 이해도를 높여, 작업의 품질과 효율성을 향상시킵니다.

이론적 배경과 근거

효과적인 커뮤니케이션의 중요성은 리더십 이론의 핵심 요소로서 꾸준히 강조되고 있습니다. 이에 대한 뛰어난 예는 Peter Drucker의 관리 이론에서 볼 수 있습니다. Drucker는 커뮤니케이션의 중요성에 대해 강조하였고, 이를 통해 리더가 팀과 조직의 효율성을 극대화할 수 있다고 주장하였습니다 (Drucker, P. (1954). "The Practice of Management"). 그의 이론은 리더가 팀과의 명확한 커뮤니케이션을 통해 조직 내의 혼란을 줄이고, 목표를 명확히 설정하고, 그 목표를 달성하기 위한 방향성을 제공하는 데 중요한 역할을 한다고 설명합니다. 이렇게 함으로써, 리더는 팀의 일관성을 유지하고, 조직의 목표 달성에 기여할 수 있습니다. 이러한 관점에서 볼 때, 효과적인 커뮤니케이션은 리더십의 핵심 역량 중 하나로 간주될 수 있습니다.

리더십 이론에서는 효과적인 커뮤니케이션의 중요성이 끊임없이 강조되고 있습니다. 이 중에서도 Peter Drucker의 관리 이론은 이 효과적인 커뮤니케이션의 중요성을 두드러지게 보여줍니다. Drucker는 리더가 효과적인 의사소통을 통해 팀과 조직의 효율성을 극대화할 수 있다는 주장을 제시하였습니다(Drucker, P. (1954). "The Practice of Management"). 이 이론은 리더가 팀과의 명확한 커뮤니케이션을 통해 조직 내의 혼란을 줄이고, 목표를 명확하게 설정하는 데 중요한 역할을 한다고 강조합니다.

이렇게 보면, 리더의 의사소통 능력은 팀의 작업 방향성을 제시하고, 이를 통해 조직의 일관성을 유지하는 데 매우 중요합니다. 더불어 이는 조직의 목표 달성에도 크게 기여합니다. 따라서, 효과적인 커뮤니케이션 능력은 리더십의 핵심 역량 중 하나로 간주될 수 있습니다. 이는 리더가 팀의 효율성을 극대화하고, 조직 내의 혼란을 최소화하며, 명확한 목표 설정을 통해 조직의 성공을 이끌어내는 데 결정적인 역할을 하는 것을 보여줍니다.

유명한 리더십 저자인 John C. Maxwell는 "모든 것이 의사소통에 의존한다"라는 견해를 표명하였습니다(Maxwell, J. C. (2010). "Everyone Communicates, Few Connect: What the Most Effective People Do Differently"). 그는 효과적인 리더는 자신의 메시지를 명확하게 전달하고, 팀원들의 의견을 존중하며, 팀원들이 자신들의 생각과 아이디어를 자유롭게 나누도록 격려하는 능력을 갖추어야 한다고 주장했습니다. 이견해는 리더의 의사소통 능력이 팀원들 간의 신뢰와 상호 이해를 촉진하는 데 중요하다는 점을 강조합니다.

또한, Daniel Goleman의 "Emotional Intelligence" 이론은 리더의 의사소통 능력이 팀원들의 감정을 이해하고 관리하는 데 중요하다고 말하고 있습니다(Goleman, D. (1995). "Emotional Intelligence"). 이에 따르면, 리더는 감정 지능의 일환으로서 의사소통 능력을 발전시켜야 합니다. 이것은 리더가 팀원들의 감정을 인식하고 이해하고, 이에 적절하게 반응하면서 팀원들과의 관계를 강화하는 데 중요합니다.

또 다른 중요한 이론은 Robert Cialdini의 "Influence: The Psychology of Persuasion"입니다(Cialdini, R. B. (1984). "Influence: The Psychology of Persuasion"). 이 책에서 Cialdini는 리더가 팀원들을 설득하기 위한 효과적인 의사소통 전략을 제시하였습니다. 이는 리더가 팀원들의 행동을 영향을 미치고, 팀원들이 공통의 목표를 향해 함께 움직이도록 돕는 데 중요합니다.

이러한 이론들은 모두 리더의 의사소통 능력이 팀의 효율성과 생산성, 그리고 조직의 목표 달성에 결정적인 역할을 한다는 공통점을 가지고 있습니다. 따라서, 리더는 팀과의 효과적인 커뮤니케이션을 위한 다양한 기술과 전략을 배워야 하며, 이는 조직의 성공을 위해 중요한 요소입니다.

최근 이론적 배경과 근거

'조직 내 소통의 효과에 대한 연구' (Kim, S., & Park, H. (2020)): 이 연구에서는 조직 내 소통이 조직 구성원들의 만족도 및 조직 전체의 성능에 미치는 영향을 다룹니다. 이 연구는 팀원들 간의 효과적인 소통이 조직 성과를 크게 향상시킬 수 있음을 보여줍니다.

'리더십 스타일과 효과적인 커뮤니케이션' (Smith, L., & Mounter, P. (2021)): 이 연구에서는 다양한 리더십 스타일이 팀원들과의 소통에 어떻게 영향을 미치는지를 살펴봅니다. 이는 리더가 어떤 방식으로 소통하느냐에 따라 팀의 성과가 달라질 수 있음을 보여줍니다.

'디지털 시대의 리더십 커뮤니케이션' (Brown, M., & May, D. (2020)): 이 연구에서는 디지털 기술이 리더와 팀원들 간의 소통 방식을 어떻게 변화시키는지를 다룹니다. 이는 현대의 리더가 효과적으로 커뮤니케이션하려면 디지털 기술을 적극적으로 활용해야 함을 강조합니다.

'솔직한 소통: 효과적인 리더십의 핵심' (Thompson, G., & Vecchio, R. (2022)): 이 연구에서는 리더의 솔직한 소통이 팀원들의 신뢰와 만족도에 어떤 영향을 미치는지 분석하였습니다. 리더가 투명하고 직설적으로 팀원들과 소통할 때, 팀원들의 애착과 신뢰가 증가하며, 이는 결국 조직의 전반적인 성과를 향상시키는 것으로 나타났습니다.

'리더의 디지털 커뮤니케이션 능력과 팀 성과' (Chen, L., & Kim, Y. (2021)): 이 연구에서는 리더의 디지털 커뮤니케이션 능력이 팀 성과에 미치는 영향을 조사하였습니다. 결과적으로,

디지털 커뮤니케이션 능력이 뛰어난 리더의 팀이 더 높은 성과를 보였으며, 이는 디지털 기술의 활용이 소통의 효과성을 크게 높일 수 있음을 보여줍니다.

'리더십 커뮤니케이션과 직무 만족도' (Harris, T., & Nelson, M. (2022)): 이 연구에서는 리더의 커뮤니케이션 방식이 팀원들의 직무 만족도에 어떻게 영향을 미치는지를 검토하였습니다. 리더가 팀원들의 의견을 존중하고, 투명하게 정보를 공유하며, 팀원들의 의사결정에 참여할 수 있도록 할 때, 팀원들의 직무 만족도가 상승하였습니다.

효과적인 의사소통의 원칙

효과적인 의사소통은 리더십의 핵심 요소 중 하나입니다. 많은 연구가 리더의 의사소통 능력이 팀의 성과, 팀원들의 만족도, 그리고 조직의 전반적인 성공에 결정적인 역할을 한다는 것을 보여주었습니다.

효과적인 의사소통은 몇 가지 핵심 원칙에 따라 진행됩니다. 이 원칙들은 명확성, 연관성, 정직성, 적시성, 그리고 적절한 피드백입니다. 명확성은 의사소통의 핵심이며, 메시지가 분명하고 이해하기 쉬워야 한다는 원칙을 의미합니다. 연관성은 메시지가 상황과 관련이 있어야 한다는 원칙을 나타냅니다. 정직성은 의사소통 과정에서 교환되는 정보가 정확하고 사실적이어야 함을 의미합니다. 적시성은 정보가 필요한 시점에 제공되어야 함을 나타내고, 적절한 피드백은 메시지가 제대로 전달되었는지 확인하는데 중요합니다.

이런 원칙들을 의식적으로 실천하면, 리더는 팀과의 의사소통을 효과적으로 개선하고, 팀원들의 이해도를 높이는 데 큰 도움이 됩니다. 또한, 이러한 원칙들을 통해 팀의 공동 목표를 성공적으로 달성하는 데 필요한 기반을 마련하는데 도움이 될 수 있습니다.

- 명확성: 메시지는 수신자가 쉽게 이해할 수 있도록 명확하게 전달되어야 하며, 이를 위해 매우 중요한 요소입니다. 복잡한 용어, 전문 용어, 애매한 표현들을 최대한 피하고 대신 간결하고 구체적인 언어를 사용하여 메시지를 효과적으로 전달하려는 노력이 필요합니다.
- 연관성: 메시지는 수신자에게 관련성이 있어야 하며, 이는 수신자가 메시지를 직접적으로 이해하고 그에 따라 적절한 행동을 취할 수 있게 돕습니다. 이는 수신자가 메시지의 중요성을 인식하고, 그에 따른 의미를 파악할 수 있게 합니다.
- 정직성: 의사소통은 정직하고 투명해야 하며, 이는 상대방의 신뢰를 쌓는 데 매우 중요한 역할을 합니다. 정보를 정직하게 전달함으로써, 잘못된 정보에 기반한 오해를 방지하고, 상호간의 신뢰를 구축할 수 있습니다.
- 적시성: 메시지는 적절한 시기에 전달되어야 합니다. 지연된 정보는 종종 불필요한 혼란을 초래하거나, 중요한 결정을 내리는 데 방해가 될 수 있습니다. 따라서, 정보의 타이밍은 그 정보의 가치를 결정하는 중요한 요소가 될 수 있습니다.

- 적절한 피드백: 효과적인 의사소통은 적절한 피드백의 교환을 포함해야 합니다. 이는 송신자가 수신자가 메시지를 정확히 이해하였는지 확인하고 필요한 경우 추가적인 정보를 제공하거나 오해를 해소하는 데 도움이 됩니다. 이는 송신자와 수신자 사이의 의사소통이 원활하게 진행될 수 있도록 돕습니다.

효과적인 의사소통 전략

1. 명확한 목표 설정: 의사소통의 목표를 명확하게 설정하고 이를 모든 팀원들에게 공유합니다. 이는 팀원들이 같은 방향으로 나아가며 효율적으로 작업할 수 있도록 돕습니다.

2. 진실성과 투명성: 진실성과 투명성은 효과적인 의사소통의 핵심 요소입니다. 이는 팀원들이 신뢰를 느끼고 열린 대화를 할 수 있게 만듭니다.

3. 적시성: 적절한 시기에 정보를 공유하는 것이 중요합니다. 이는 팀원들이 필요한 정보를 적시에 받아 효과적으로 작업할 수 있도록 합니다.

4. 상호작용: 의사소통은 단방향이 아니라 상호작용이 필요합니다. 이는 팀원들이 의견을 나누고 서로의 아이디어를 이해하는 데 도움이 됩니다.

5. 청취: 효과적인 의사소통에는 좋은 청취 기술이 필요합니다. 이는 팀원들이 서로의 의견을 존중하고 이해하는 데 중요합니다.

효과적인 의사소통의 이점

효과적인 의사소통은 다양한 이점을 제공합니다.

1. 팀의 동기 부여: 명확하고 적시적인 의사소통은 팀원들의 동기를 부여합니다. 리더가 팀의 비전과 목표를 명확하게 전달하면, 팀원들은 그들의 업무가 전체 목표에 어떻게 기여하는지 이해하게 되고, 이에 따라 업무에 대한 열정과 애착이 증가합니다.

2. 생산성 향상: 팀원들이 필요한 정보를 제때 받고, 그들의 의견과 아이디어가 존중받는다면, 그들은 그들의 업무를 더 효과적으로 수행할 수 있습니다. 이는 전체 팀의 생산성을 향상시키는 데 기여합니다.

3. 갈등 해결: 효과적인 의사소통은 팀 내에서 발생하는 갈등을 관리하고 해결하는데 중요한 역할을 합니다. 리더가 각 팀원의 관점을 이해하고 공감하며, 서로의 다름을 존중하면, 갈등은 해결되고 팀의 협력력이 강화될 수 있습니다.

4. 직원의 만족도 향상: 팀원들이 자신의 의견이 존중받고, 그들의 작업이 조직의 전반적인 목표에 기여하는 것을 알면, 그들의 직무 만족도는 향상됩니다. 이는 팀원들의 충성도를 높이고, 장기적으로 조직의 성공을 돕습니다.

5. 변화 관리: 조직 내의 변화는 종종 혼란과 불확실성을 초래합니다. 그러나 효과적인 의사소통을 통해 리더는 변화의 필요성과 그 이유를 명확하게 전달하고, 팀원들이 변화를 받아들이고 적응하는 데 도움을 줄 수 있습니다.

이상과 같이, 효과적인 의사소통은 리더십의 핵심 역량 중 하나이며, 팀의 성과와 조직의 성공에 결정적인 역할을 합니다.

의사소통 능력 향상을 위한 교육 프로그램

리더의 의사소통 능력 향상을 위해 다양한 교육 프로그램이 제공됩니다. 이러한 프로그램은 리더가 팀원들과 더 효과적으로 커뮤니케이션할 수 있도록 돕는 도구와 기법을 제공합니다. 이러한 프로그램을 통해 리더는 자신의 의사소통 스타일을 이해하고, 이를 개선하는 방법을 배울 수 있습니다. 또한, 이러한 프로그램은 리더가 팀원들의 다양한 의사소통 스타일과 기대에 적응하는 방법을 제공합니다. 리더의 의사소통 능력은 팀의 성공에 결정적인 요소입니다. 효과적인 의사소통은 명확성, 연관성, 정직성, 적시성, 그리고 적절한 피드백이 필요합니다. 이러한 원칙들을 이해하고 실천함으로써, 리더는 팀원들과의 관계를 강화하고, 팀의 공동 목표를 성공적으로 달성할 수 있습니다. 또한, 다양한 의사소통 채널을 적절하게 활용하면, 리더는 팀원들과의 의사소통을 더욱 효과적으로 할 수 있습니다.

효과적인 의사소통을 위한 실습 자료

- 의사결정 실습: 이 실습은 가장 중요한 것으로 우선 순위를 부여합니다. 팀원들이 함께 문제를 분석하고 가능한 해결책을 논의하고 최종 결정을 내리는 과정을 통해 의사결정에 필요한 커뮤니케이션 기술을 향상시키는 것을 목표로 합니다. 이는 팀원 간의 의견 차이를 조정하고, 공동의 목표를 설정하고, 결정을 효과적으로 실행하는 데 중요한 능력을 배양합니다.

- 문제 해결 실습: 이 실습은 팀원들과 함께 문제를 해결하는 과정에서의 의사소통 방법을 연습하며, 문제 해결을 위한 효과적인 커뮤니케이션 기법을 배우는 것을 목표로 합니다. 팀원들이 함께 맞닥뜨린 문제를 해결하는 데 필요한 상호작용 방식을 배우고, 효과적인 해결책을 찾아내는 능력을 개발합니다.

- 감정 지능 실습: 감정 지능과 관련된 커뮤니케이션 기술을 배우는 이 실습에서는 자신의 감정을 인식하고 표현하는 방법, 그리고 다른 사람의 감정을 이해하고 존중하는 방법을 연습합니다. 이는 팀원들 사이의 감정적 충돌을 관리하고, 서로에 대한 이해와 존중을 높이며, 팀의 감정적 안정성을 유지하는 데 필요한 능력을 배양합니다.

- 소통 스타일 실습: 이 실습에서는 팀원들과의 상호작용 과정에서 다양한 소통 스타일을 연습합니다. 이를 통해 각 팀원이 자신의 의사를 효과적으로 전달할 수 있는 가장 적합한 소통 스타일을 찾을 수 있습니다. 이는 팀원들이 서로의 의견과 아이디어를 잘 이해하고, 효과적으로 의사를 전달하는 데 도움이 됩니다.

- 대화 실습: 대화는 의사소통의 가장 기본적인 형태로, 적절한 말투, 청취 기술, 질문 기법 등을 사용하면 효과적인 커뮤니케이션을 실현할 수 있습니다. 이 실습에서는 이러한 기술들을 활용하여 효과적인 대화를 배우는 방법을 연습합니다. 이는 일상적인 대화에서부터 중요한 회의까지 모든 상황에서 의사소통을 향상시키는 데 도움이 됩니다.
- 영향력 있는 커뮤니케이션 실습: 이 실습에서는 영향력 있는 커뮤니케이션을 배우는 방법을 연습합니다. 이는 리더가 팀원들을 설득하고, 팀의 목표를 달성하는 데 중요한 역할을 합니다. 팀원들에게 영향을 미치고, 결정을 촉진하며, 팀의 목표 달성에 기여하는 기술을 배양하는 것이 목표입니다.

커뮤니케이션 채널 활용

다양한 커뮤니케이션 채널을 제대로 활용하려면, 각 채널의 특징과 장단점을 이해하는 것이 중요합니다.

- 이메일: 이메일은 공식적인 커뮤니케이션에 적합하며, 상대방이 바로 답변을 내야 하는 상황이 아닐 때 적합합니다. 이메일의 장점은 시간과 공간에 구애받지 않고 메시지를 전달할 수 있다는 점입니다. 또한, 이메일을 통해 많은 정보를 전달하고, 이를 나중에 참조할 수 있습니다. 반면, 이메일의 단점은 상대방이 바로 확인하지 않을 수 있으며, 따라서 즉각적인 피드백이 필요한 상황에는 적합하지 않다는 점입니다.
- 회의: 회의는 팀원들이 함께 모여 토론하고 결정을 내리는 데 유용합니다. 회의의 장점은 면대면으로 의사소통할 수 있어, 감정이나 표정을 통한 비언어적 커뮤니케이션을 포함할 수 있다는 점입니다. 또한, 즉각적인 피드백과 빠른 결정 내리기가 가능합니다. 단점은 모든 참석자가 동시에 시간을 맞춰야 하며, 참석자들이 같은 장소에 있을 필요가 있다는 점입니다.
- 소셜 미디어: 소셜 미디어는 정보를 빠르게 공유하고, 대규모의 사람들과 의사소통을 할 수 있는 데 유용합니다. 소셜 미디어의 장점은 정보를 빠르게 공유하고, 많은 사람들과 소통할 수 있다는 점입니다. 반면, 단점은 정보의 정확성을 검증하기 어렵고, 개인정보를 보호하는 데 어려움이 있을 수 있다는 점입니다.
- 영상 회의: 영상 회의는 원격으로 작업하는 팀원들과의 커뮤니케이션에 매우 유용합니다. 영상 회의의 장점은 면대면 회의의 많은 부분을 재현할 수 있으며, 참가자들이 서로의 얼굴을 볼 수 있어, 비언어적 커뮤니케이션을 가능하게 한다는 점입니다. 단점은 기술적 문제가 발생할 수 있으며, 인터넷 연결이 불안정한 경우 통신에 문제가 생길 수 있다는 점입니다.
- 인스턴트 메시징: 인스턴트 메시징은 실시간으로 정보를 공유하고 빠른 피드백을 얻을 수 있는 커뮤니케이션 채널입니다. 이는 간단한 질문이나 빠른 업데이트를 전달하기에 적합하며, 이메일보다 더 즉각적인 의사소통을 가능하게 합니다. 하지만, 중요한 내용이나 복잡한 이슈를 논의하는 데에는 부적합할 수 있습니다.

- 프로젝트 관리 도구: 프로젝트 관리 도구는 팀원들 간의 작업을 조직하고 커뮤니케이션을 촉진하는데 유용합니다. 이 도구들은 작업의 상태, 마감일, 책임자 등을 명확하게 표시하여 모든 팀원이 프로젝트의 진행 상황을 이해할 수 있게 합니다.

각 커뮤니케이션 채널은 그 자체의 장단점을 가지고 있으므로, 여러 채널을 조합하고 적절히 활용하여 최적의 커뮤니케이션 전략을 구축하는 것이 중요합니다. 이렇게 함으로써, 리더는 팀원들과의 의사소통을 향상시키고, 팀의 성과를 높일 수 있습니다.

이러한 채널들을 상황에 따라 적절히 활용하면, 효과적인 의사소통을 하고, 정보를 효율적으로 전달할 수 있습니다. 때문에, 리더는 각 채널의 특성과 장단점을 이해하고, 이를 활용하여 팀원들과의 커뮤니케이션을 효율적으로 이끌어가는 능력이 필요합니다.

커뮤니케이션 채널 활용 실습 자료

- 이메일 실습: 일상 업무에서 이메일은 가장 기본적이면서도 중요한 커뮤니케이션 도구입니다. 이메일의 제목, 본문, 첨부 파일 사용 등, 이메일 작성의 여러 요소들을 고려하여 명확하고 효과적인 메시지를 작성하는 연습을 해봅시다. 이를 통해 이메일 커뮤니케이션 스킬을 향상시키고, 전달하고자 하는 내용이 정확하게 이해되도록 합니다.
- 회의 실습: 팀 회의는 의견 교환과 결정을 내리는 중요한 장소입니다. 회의의 목표 설정, 의제 만들기, 회의 참석자 관리 등의 기술을 사용하여 효과적인 회의를 진행하는 방법을 배워봅시다. 개인의 의견을 효과적으로 제시하고, 다른 팀원들의 의견을 수용하는 방법을 연습해보세요.
- 인스턴트 메시징 실습: 실시간 메시징 도구는 빠른 의사결정과 정보 공유에 유용합니다. 메시지 작성, 적절한 이모티콘 사용, 실시간 피드백 제공 등의 기술을 사용하여 인스턴트 메시징을 통한 효과적인 커뮤니케이션을 배워봅시다.
- 프로젝트 관리 도구 실습: 팀 프로젝트를 관리하는 도구를 사용하여 팀원들과의 협업을 향상시키는 방법을 배워보세요. 작업 할당, 진행 상태 업데이트, 마감일 설정 등의 기능을 활용하여 효과적인 프로젝트 관리 방법을 연습해보세요.
- 폰콜 실습: 전화를 통한 커뮤니케이션은 직접적이고 실시간 정보 교환이 가능합니다. 명확한 음성 톤, 적절한 말속도, 효과적인 질문 기법 등을 통해 전화상으로 효과적인 커뮤니케이션을 진행하는 방법을 배워보세요.
- 영상 회의 실습: 원격 근무가 일상화된 현재, 영상 회의 도구를 통한 커뮤니케이션 기술은 필수입니다. 적절한 카메라 설정, 명확한 음성 전달, 비대면 상황에서의 효과적인 의사소통 방법 등을 연습해보세요.
- 소셜 미디어 실습: 소셜 미디어는 대화와 정보 공유의 플랫폼으로 활용됩니다. 팀원들과의 소셜 미디어 그룹을 만들어 소셜 미디어를 통한 효과적인 커뮤니케이션 방법을 배워보세요.

- 프레젠테이션 실습: 팀원들 앞에서 프레젠테이션을 진행하는 것은 명확한 메시지 전달과 효과적인 비주얼 사용, 질문에 대한 대응 등을 필요로 합니다. 이를 통해 효과적인 프레젠테이션 스킬을 향상시키는 데 집중하세요.
- 브레인스토밍 세션 실습: 아이디어 제안, 창의적 생각 유도, 다양한 의견 수용 등을 통해 브레인스토밍 세션을 통한 효과적인 커뮤니케이션 방법을 배워봅시다.
- 워크샵 실습: 팀 워크샵은 그룹 안에서의 커뮤니케이션 능력을 강화하는 좋은 방법입니다. 공동 목표 설정, 팀워크 강화 활동, 집단 의사결정 기법 등을 통해 팀 내에서 효과적으로 커뮤니케이션하는 방법을 배워보세요.
- 피드백 세션 실습: 피드백은 개선과 성장을 위해 필요합니다. 팀원들과의 피드백 세션을 통해 피드백을 받고, 제공하는 능력을 향상시키는 실습을 해보세요.

조직 내 커뮤니케이션의 중요성

조직 내 커뮤니케이션은 조직의 성공에 결정적인 역할을 합니다. 효과적인 커뮤니케이션은 유연성을 높이고, 팀워크를 강화하며, 직원들의 만족도와 생산성을 증가시킵니다. 따라서 모든 조직은 커뮤니케이션 능력을 개선하고, 효과적인 커뮤니케이션 전략을 개발하고 구현하는 것에 투자해야 합니다.

또한, 리더는 이 중요성을 이해하고, 전략을 개발하는 데 주력해야 합니다. 이를 통해 조직의 성과를 높이고, 장기적인 성공을 보장할 수 있습니다.

1. 조직의 성과 향상: 효과적인 커뮤니케이션은 조직의 목표를 명확하게 이해하고 팀원들 간의 협력을 촉진하며, 이로 인해 조직의 성과를 향상시킵니다. 팀원들이 정보를 정확하게 이해하고 효과적으로 교환할 수 있으면, 일의 효율성이 증가하고 프로젝트의 성공 가능성이 높아집니다.

2. 직원의 만족도 및 참여도 증가: 효과적인 커뮤니케이션은 직원의 만족도와 참여도를 높입니다. 직원들이 자신의 의견이 존중받고, 그들의 아이디어가 조직의 결정에 영향을 미치는 것을 느낀다면, 그들의 직무 만족도와 참여도가 증가합니다.

3. 갈등 해결: 커뮤니케이션은 조직 내 갈등을 관리하고 해결하는데 중요한 역할을 합니다. 서로의 입장을 이해하고 공감하는 것은 갈등 상황에서 협상과 타협을 가능하게 만들며, 이는 효과적인 커뮤니케이션을 통해 가능합니다.

4. 조직 문화 구축: 효과적인 커뮤니케이션은 조직 문화를 구축하고 유지하는 데 필수적입니다. 리더들이 조직의 가치와 목표를 명확하게 전달하고, 직원들이 이를 이해하고 받아들이면, 강력한 조직 문화가 형성됩니다.

5. 생산성 향상: 조직 내에서의 효과적인 커뮤니케이션은 직원들이 자신의 업무를 더 효과적으로 수행할 수 있도록 돕습니다. 의사소통이 원활할수록 직원들은 필요한 정보를 더 빨리 얻을 수 있고, 이를 통해 생산성을 향상시킬 수 있습니다.

6. 직원 만족도 증가: 직원들이 자신의 의견이 존중받고, 그들의 아이디어가 조직의 결정에 영향을 끼칠 수 있다고 느끼면, 그들의 작업에 대한 만족도는 크게 증가합니다. 이는 직원들의 충성도를 높이고, 장기적으로 조직의 성공을 보장합니다.

7. 팀워크 강화: 효과적인 커뮤니케이션은 팀원들 간의 협력을 높이고, 공동의 목표에 대한 이해를 강화합니다. 팀원들이 서로의 의견을 명확하게 이해하고, 공동의 목표를 향해 함께 작업하면, 조직의 팀워크는 획기적으로 강화됩니다.

8. 유연성 강화: 조직 내에서 효과적인 커뮤니케이션은 직원들이 변화에 더 빠르게 적응하고, 새로운 상황에 더 유연하게 대응할 수 있도록 돕습니다. 의사소통이 원활할수록 조직은 새로운 정보를 더 빠르게 이해하고, 변화를 더 빠르게 구현할 수 있습니다.

조직 내 커뮤니케이션은 조직의 성과를 직접적으로 결정하는 핵심 요소입니다. 다음은 조직 내 커뮤니케이션의 중요성을 더욱 상세하게 설명하는 몇 가지 추가적인 점들입니다. 따라서, 리더는 조직 내 커뮤니케이션의 중요성을 인식하고 이를 향상시키는 데 노력을 기울여야 합니다. 이를 위해 다양한 커뮤니케이션 전략을 개발하고 실행하는 것이 필요합니다.

조직 문화의 형성과 전파: 효과적인 커뮤니케이션은 조직 문화의 형성과 전파에도 중요합니다. 리더들이 조직의 가치와 목표를 명확하게 전달하고, 직원들이 이를 이해하고 받아들인다면, 효과적인 조직 문화가 형성될 수 있습니다.

직원들의 참여 유도: 좋은 커뮤니케이션은 직원들이 조직에 더욱 참여하게 만들고, 이는 조직의 목표 달성에 기여합니다. 직원들이 자신의 의견이 들어가고 존중받는다고 느낀다면, 그들은 조직에 대해 더욱 긍정적인 태도를 가지게 될 것입니다.

갈등 해결: 조직 내에서 발생하는 갈등을 해결하는 데에도 커뮤니케이션이 중요합니다. 갈등 상황에서는 서로의 입장을 이해하고, 공감하는 것이 필요하며, 이는 효과적인 의사소통을 통해 가능합니다.

혼란과 오해의 감소: 효과적인 커뮤니케이션은 직원들 사이의 혼란과 오해를 최소화합니다. 직원들이 명확하게 의사소통을 하면, 오해가 줄고 업무에 대한 정확한 이해가 가능해집니다. 이는 결국 더 나은 결정을 내리고, 문제를 효율적으로 해결하는 데 도움이 됩니다.

조직 내 커뮤니케이션 실습 자료

- 리더십 커뮤니케이션 실습: 리더의 커뮤니케이션 능력은 팀원들에게 영감을 주는 메시지를 전달하고, 피드백을 제공하며, 팀의 목표와 비전을 명확하게 전달하는 능력을 함양하는 것입니다. 이 실습을 통해 리더로서의 의사소통 능력을 향상시키고, 팀원들과의 효과적인 소통 방법을 습득할 수 있습니다.
- 커뮤니케이션 기술 개선 실습: 이 실습에서는 청취 능력, 비판적 사고, 명확한 메시지 전달, 감정 지능 등의 커뮤니케이션 기술을 개선하기 위한 다양한 실습을 진행합니다. 이를 통해 개인의 커뮤니케이션 능력을 전반적으로 향상시킬 수 있습니다.
- 팀 빌딩 활동 실습: 팀 빌딩 활동은 팀원들 간의 신뢰를 높이고, 서로를 더 잘 이해하는 데 도움이 되며, 그 결과로 효과적인 커뮤니케이션이 가능해집니다. 이 실습에서는 다양한 팀 빌딩 활동을 계획하고 실행하는 과정을 통해, 이러한 목표를 달성하는 방법을 배웁니다.
- 피드백 준비 및 제공 실습: 피드백은 개개인의 성과 및 개발을 촉진하며, 조직의 전반적인 성과를 향상시키는 중요한 역할을 합니다. 이 실습에서는 피드백을 준비하고 제공하는 방법을 연습하며, 피드백을 통한 효과적인 커뮤니케이션의 중요성을 이해합니다.
- 디지털 커뮤니케이션 실습: 디지털 도구를 활용하여 팀원들과 효과적으로 소통하는 방법을 배울 수 있습니다. 이를 통해 디지털 시대에 필요한 커뮤니케이션 기술을 향상시킬 수 있습니다.
- 비대면 커뮤니케이션 실습: 원격 근무와 디지털 커뮤니케이션이 늘어나는 현대에서, 비대면 커뮤니케이션 기술은 필수적입니다. 이 실습에서는 이메일, 비디오 회의, 인스턴트 메시징 등 다양한 디지털 도구를 활용하여 효과적인 커뮤니케이션 방법을 배웁니다.
- 다문화 팀에서의 커뮤니케이션 실습: 이 실습은 서로 다른 문화 배경을 이해하고 존중하면서 효과적인 커뮤니케이션을 이끌어내는 방법을 연습하는 것을 목표로 합니다. 다양한 문화적 배경을 가진 팀원들과의 커뮤니케이션 기술을 향상시키는 데 중요합니다.
- 비즈니스 커뮤니케이션 실습: 이 실습에서는 비즈니스 환경에서의 효과적인 커뮤니케이션 방법을 배웁니다. 이메일 작성, 보고서 작성, 프레젠테이션 제작 등 다양한 비즈니스 커뮤니케이션 형태를 연습하게 되며, 명확하고 효과적인 메시지를 전달하는 방법을 실질적으로 학습하게 됩니다.
- 롤 플레이: 다양한 커뮤니케이션 시나리오를 연습하기 위한 가장 효과적인 방법 중 하나입니다. 참가자들은 특정한 역할을 맡아, 그에 따른 의사소통 스킬을 연습하게 됩니다. 이를 통해 다양한 상황에서의 의사소통 방법을 실질적으로 체험하고 배울 수 있습니다.
- 커뮤니케이션 워크샵: 전문가가 주도하는 커뮤니케이션 워크샵은 새로운 의사소통 기술을 배우고 기존의 기술을 보완하고자 하는 팀원들에게 매우 유용한 학습 기회를 제공합니다. 워크샵은 팀원들이 서로를 더 잘 이해하고 효과적으로 소통하는 방법을 배우는 데 도움이 됩니다.

- 프로젝트 관리 실습: 프로젝트 관리 과정에서 필요한 커뮤니케이션 기술을 연습하는 이 실습에서는 프로젝트의 목표를 설정하고, 작업을 분배하며, 진행 상황을 모니터링을 진행합니다.

기업 사례

교육 기관, 글로벌 컨설팅 회사, 제조 회사, 건설 회사, 그리고 유통 회사 등과 같이 다양한 산업 분야에서, 효과적인 의사소통은 조직의 성공적인 운영과 성과 달성에 중요한 역할을 하는 것이 널리 인정되고 있습니다. 이러한 의사소통 능력은 사내 간의 정보 공유, 팀 빌딩, 목표 설정, 그리고 의사결정 과정 등 조직의 핵심 기능을 보다 효과적으로 수행하는 데 필수적입니다.

따라서, 이는 조직의 리더가 팀과의 의사소통을 위한 다양한 기술과 전략을 이해하고 활용해야 함을 더욱 강조하는 것입니다. 더 나아가, 이러한 의사소통 전략은 조직의 성과 향상에 크게 기여하며, 그것이 곧 조직의 전반적인 성공으로 이어집니다.

- IT 회사: IT 회사에서는 실시간 정보 공유와 의견 교환을 위해 사내 메신저를 활용합니다. 이를 통해 빠른 의사결정이 가능하고, 원격에서도 효과적으로 협업을 이룰 수 있습니다. 이러한 의사소통 방법은 IT 회사의 작업 효율성을 높이며, 직원들 간의 협업을 강화하는데 중요한 역할을 합니다.

- 대기업의 프로젝트 팀: 대기업의 프로젝트 팀에서는 매일 아침 팀 미팅을 통해 각자의 작업 상황을 공유하고 필요한 지원을 요청하는 시간을 가집니다. 이런 정기적인 미팅은 효과적인 의사소통을 통해 각 팀원이 자신의 역할을 이해하고, 프로젝트의 전반적인 진행 상황을 파악하는 데 도움이 됩니다.

- 병원의 의사와 간호사들: 병원에서 의사와 간호사들은 매일 브리핑을 통해 환자의 상태와 관련된 중요한 정보를 전달합니다. 이런 의사소통은 모든 의료진들이 환자의 최신 상태를 이해하고 적절한 치료를 제공할 수 있게 하며, 환자 치료 결과의 최적화에 기여합니다.

- 레스토랑 체인: 한 레스토랑 체인에서는 음식 서비스 팀과 주방 팀이 실시간으로 의사소통을 유지함으로써 고객 요청을 효과적으로 처리합니다. 이러한 원활한 의사소통은 고객 만족도를 높이는데 중요한 역할을 합니다.

- 호텔 체인: 호텔 체인에서는 객실 관리부서가 프론트 오피스와 긴밀하게 의사소통하여 객실의 청소 상태와 사용 가능 상태를 실시간으로 업데이트합니다. 이를 통해 고객에게 정확한 객실 상태 정보를 제공하며, 고객 만족도를 높이는데 기여합니다.

- 제조 회사: 한 제조 회사에서는 새로운 생산 공정을 도입하기 위해 직원들에게 충분한 교육과 의사소통을 통해 변화에 대한 이해를 높였습니다. 이 결과, 직원들은 새로운 공정에 빠르게 적응하였고, 생산 효율이 크게 향상되었습니다.

- 소프트웨어 회사: 한 소프트웨어 회사에서는 새로운 제품 출시를 위해 모든 부서가 긴밀히 협력하여 작업했습니다. 마케팅 부서, 개발 부서, 영업 부서 등이 서로 원활하게 의사소통하면서, 제품 출시를 성공적으로 완료할 수 있었습니다.
- 건설 회사: 건설 회사에서는 안전을 위해 현장 직원들과 사무 직원들이 긴밀하게 의사소통합니다. 사고 발생 시 즉각적인 대응을 위해 빠른 의사소통이 필수적이며, 이를 통해 직원들의 안전을 보장하고 공사 진행 상태를 효율적으로 관리합니다.
- 유통 회사: 한 유통 회사에서는 창고, 배송, 고객 서비스 등 다양한 부서가 원활하게 의사소통하면서, 상품 배송을 시간에 맞춰 성공적으로 완료할 수 있습니다. 이런 원활한 의사소통을 통해 고객 만족도가 높아졌습니다.
- 교육 기관: 한 교육 기관에서는 학생들과 교사들 사이의 의사소통을 강화하기 위해 온라인 포털을 사용합니다. 이 포털을 통해 학생들은 질문을 할 수 있고, 교사들은 과제를 할당하거나 공지사항을 게시할 수 있습니다. 이러한 의사소통 수단은 학교 커뮤니티의 효율성을 높이고, 학생들의 학습 경험을 향상시킵니다.

시각 자료 및 도구

- 효과적인 의사소통 시각 자료: 팀원들 간의 의사소통 효율성을 증가시키는 방법, 의사소통 장애물을 극복하는 전략, 리더와 팀원 간의 의사소통을 개선하는 방법에 대한 다이어그램 또는 플로우차트를 제공할 수 있습니다.
- 커뮤니케이션 채널 활용 시각 자료: 다양한 커뮤니케이션 도구와 플랫폼의 효과와 사용법에 대한 정보를 제공하는 인포그래픽을 제공할 수 있습니다. 이렇게 하면 팀원들이 어떤 도구를 언제 사용해야 하는지를 더 잘 이해할 수 있습니다.
- 조직 내 커뮤니케이션의 중요성 시각 자료: 조직의 성공과 효율성에 커뮤니케이션이 어떻게 기여하는지를 보여주는 차트나 그래프를 제공할 수 있습니다. 이는 조직 내 의사소통의 중요성을 시각적으로 강조하고 이해를 돕습니다.
- 커뮤니케이션 기술 향상 관련 시각 자료: 커뮤니케이션 기술을 향상시키는 데 도움이 되는 연습이나 전략을 보여주는 도표나 그림을 제공할 수 있습니다. 이는 팀원들이 커뮤니케이션 기술을 더욱 개선하는 데 도움이 될 것입니다.
- 의사결정 과정 관련 시각 자료: 의사결정 과정에서의 효과적인 커뮤니케이션 방법을 보여주는 플로우차트나 다이어그램을 제공할 수 있습니다. 이는 의사결정 과정에서의 커뮤니케이션의 중요성을 강조하고 이해를 돕습니다.
- 팀워크 강화 관련 시각 자료: 팀원 간의 협력을 높이는 데 효과적인 커뮤니케이션의 중요성을 보여주는 인포그래픽을 제공할 수 있습니다. 이는 팀워크를 강화하고 조직의 성과를 높이는 데 도움이 될 것입니다.

- 리더십과 커뮤니케이션 관련 시각 자료: 효과적인 리더십과 커뮤니케이션의 상관 관계를 보여주는 다이어그램이나 플로우차트를 제공할 수 있습니다. 이를 통해 리더들이 효과적인 커뮤니케이션의 중요성을 이해하고, 팀원들과의 커뮤니케이션 능력을 향상시킬 수 있습니다.
- 갈등 해결 및 커뮤니케이션 관련 시각 자료: 갈등 상황에서 효과적인 커뮤니케이션 방법을 설명하는 인포그래픽을 제공할 수 있습니다. 이를 통해 팀원들은 갈등 상황에서의 의사소통 방법을 이해하고, 갈등 해결 능력을 향상시킬 수 있습니다.
- 디지털 커뮤니케이션 도구 활용 관련 시각 자료: 다양한 디지털 커뮤니케이션 도구의 사용 방법과 효과를 보여주는 인포그래픽을 제공할 수 있습니다. 이를 통해 팀원들은 디지털 도구를 활용한 효과적인 커뮤니케이션 방법을 이해하고, 디지털 커뮤니케이션 능력을 향상시킬 수 있습니다.
- 다문화 팀에서의 커뮤니케이션 관련 시각 자료: 다문화 팀에서의 커뮤니케이션 방법과 이해를 증진하는 방법을 설명하는 그림이나 도표를 제공할 수 있습니다. 이를 통해 팀원들은 다양한 문화적 배경을 가진 팀원들과의 커뮤니케이션 기술을 향상시킬 수 있습니다.

커뮤니케이션 워크샵

전문가가 주도하는 커뮤니케이션 워크샵은 새로운 의사소통 기술을 배우고 기존의 기술을 보완하고자 하는 팀원들에게 매우 유용한 학습 기회를 제공합니다. 워크샵은 팀원들이 서로를 더 잘 이해하고 효과적으로 소통하는 방법을 배우는 데 도움이 됩니다.

커뮤니케이션 워크샵의 실습 방안 및 과정은 다음과 같을 수 있습니다.

1. 워크샵 개요 및 목표 설정: 워크샵의 시작 부분에서는 참가자들에게 워크샵의 목표와 일정을 소개합니다. 이는 참가자들이 워크샵에서 어떤 것을 배울 것인지 예상하고 준비하는 데 도움이 됩니다.

2. 의사소통 기본 개념 소개: 의사소통의 기본 개념과 원칙, 그리고 효과적인 의사소통의 중요성에 대해 이야기합니다. 이는 참가자들이 효과적인 의사소통의 기본적인 이해를 갖게 하는 데 중요합니다.

3. 의사소통 기술 실습: 효과적인 청취, 명확한 메시지 전달, 비판적 사고 등의 실질적인 의사소통 기술에 대한 실습을 진행합니다. 이는 참가자들이 이러한 기술을 실제로 향상시키는 데 도움이 됩니다.

4. 롤 플레이 활동: 참가자들은 특정한 역할을 맡아 실제 의사소통 상황을 시뮬레이션합니다. 이를 통해 참가자들은 다양한 상황에서 의사소통 기술을 실제로 사용하고 향상시킬 수 있습니다.

5. 피드백 및 자기 반성: 참가자들은 자신의 의사소통 기술에 대해 피드백을 받고, 자신이 어떻게 더 향상시킬 수 있는지에 대해 반성합니다. 이는 참가자들이 자신의 의사소통 능력을 개선하는 데 도움이 됩니다.

6. 워크샵 마무리 및 액션 플랜 개발: 워크샵의 마지막 부분에서는 참가자들이 배운 내용을 복습하고, 앞으로 어떻게 의사소통 기술을 개선할 것인지에 대한 액션 플랜을 개발합니다. 이는 참가자들이 워크샵에서 배운 내용을 실제로 적용하는 데 도움이 됩니다.

커뮤니케이션 워크샵 후속 조치

워크샵 이후에는 참가자들이 배운 내용을 실제로 적용하면서 그 효과를 볼 수 있는 기회를 제공하는 것이 중요합니다. 이를 위해 다음과 같은 후속 조치를 고려할 수 있습니다:

1. 피드백 세션: 워크샵 이후에는 참가자들이 워크샵에서 배운 내용을 실제로 적용하는 과정에서 어떤 경험을 했는지, 어떤 문제가 있었는지에 대한 피드백 세션을 가질 수 있습니다. 이는 참가자들이 실제로 배운 내용을 적용하면서 겪는 문제를 해결하는 데 도움이 됩니다.

2. 응용 실습: 워크샵에서 배운 의사소통 기술을 실제로 적용해 볼 수 있는 실습을 계속 제공하는 것이 중요합니다. 이를 통해 참가자들은 배운 내용을 실제 상황에 적용하면서 의사소통 기술을 더욱 향상시킬 수 있습니다.

3. 추적 조사: 워크샵 이후 일정 기간이 지난 후에 참가자들의 의사소통 기술이 어떻게 변화했는지, 워크샵에서 배운 내용이 실제로 어떤 영향을 미쳤는지를 조사하는 추적 조사를 실시할 수 있습니다. 이는 워크샵의 효과를 평가하고 필요한 경우 추가적인 교육이나 지원을 제공하는 데 도움이 됩니다.

4. 지속적인 학습 기회 제공: 의사소통 기술은 계속해서 개선하고 배울 수 있는 기술입니다. 따라서 워크샵 이후에도 참가자들이 계속해서 의사소통 기술을 개선하고 배울 수 있는 학습 기회를 제공하는 것이 중요합니다. 이는 워크샵, 온라인 코스, 독서 등 다양한 형태로 제공될 수 있습니다.

이 장에서는 효과적인 리더십을 위한 다양한 소통 기술과 전략에 대해 중점적으로 탐구하고 있습니다. 리더가 팀원들과 효과적으로 소통하고 협력하는 데 필수적인 이런 기술과 전략을 이해하고 적용하는 것은 팀의 작업 효율성을 높이는 데 결정적인 역할을 합니다.

리더가 팀원들과의 소통을 통해 관계를 강화하고, 조직의 목표를 명확히 설정하고 달성하는 것은 매우 중요합니다. 효과적인 커뮤니케이션 기술과 전략을 활용하면, 팀원들 간의 서로 이해하고 상호작용하는 능력을 향상시킬 수 있습니다. 이는 조직의 생산성과 효율성을 높이는 데 기여하게 됩니다.

또한, 이 장을 통해 리더는 조직 내에서의 명확성과 효율성을 높일 수 있습니다. 이는 조직의 목표 달성과 팀원 간의 긍정적인 관계 형성에 크게 기여하게 됩니다. 특히, 효과적인 커뮤니케이션은 작업의 품질과 효율성을 크게 향상시키는 데 중요한 역할을 합니다.

따라서, 리더는 팀과의 효과적인 커뮤니케이션을 위한 다양한 기술과 전략을 배우고 습득하게 되며, 이는 조직의 성공을 위해 중요한 요소로 작용합니다. 이 장에서는 이러한 커뮤니케이션 기술과 전략이 어떻게 팀의 협력을 촉진하고, 조직의 목표를 달성하는 데 어떤 역할을 하는지에 대해 자세히 설명하고 있습니다. 이는 팀의 성공을 위한 핵심 요소로서, 리더에게 효과적인 커뮤니케이션 기술과 전략의 중요성을 강조하고 있습니다.

제 12 장

책임감: 조직 내외에서의 책임 있는 리더십

이 장에서는 리더가 조직 내외에서 책임감 있는 리더십을 통해 신뢰와 명성을 구축하는 방법을 다룹니다. 이는 팀과 개인의 성과 향상에 중요한 역할을 합니다. 책임감 있는 행동은 조직 문화를 형성하며, 이 문화는 조직의 성과를 높이는 데 기여합니다. 이를 통해 리더는 조직 내외에서 책임을 지는 방법에 대해 깊이 있는 이해를 얻을 수 있습니다.

학습 개요

이 장에서는 리더가 조직 내외에서 책임감 있는 리더십을 통해 신뢰와 명성을 구축하는 방법을 다룹니다. 이는 팀과 개인의 성과 향상에 중요한 역할을 합니다. 책임감 있는 행동은 조직 문화를 형성하며, 이 문화는 조직의 성과를 높이는 데 기여합니다. 이를 통해 리더는 조직 내외에서 책임을 지는 방법에 대해 깊이 있는 이해를 얻을 수 있습니다.

학습 내용 및 목표

- 책임감 있는 리더십의 특성: 책임감 있는 리더십이 조직에 미치는 영향과 중요성을 이해합니다. 리더의 행동과 결정은 조직의 전반적인 분위기와 성과에 큰 영향을 미칩니다. 따라서 책임감 있는 리더십의 특성을 잘 이해하고 실천하는 것은 매우 중요합니다.
- 리더의 역할: 팀과 개인의 책임감을 촉진하는 리더의 역할을 배웁니다. 리더는 팀원들이 자신의 역할과 책임을 인식하고 이를 수행하는데 필요한 도구와 지원을 제공해야 합니다. 이를 통해 팀원들의 책임감을 높이고 조직의 성과를 향상시킬 수 있습니다.
- 결정과 결과에 대한 책임: 리더가 자신의 결정과 그 결과에 대해 책임을 지는 방법을 학습합니다. 각각의 결정은 결과를 가져오며, 그 결과에 대한 책임을 지는 것은 리더의 핵심 역할 중 하나입니다. 이를 통해 리더는 더욱 효과적인 결정을 내릴 수 있고, 조직의 목표를 달성하는 데 필요한 방향성을 제공할 수 있습니다.

예상 학습 성과

- 조직 내에서 책임감 있는 문화를 조성하고 유지하는 것은 매우 중요합니다. 이는 모든 구성원이 자신의 역할을 이해하고 이를 최선으로 수행하도록 돕습니다. 책임감 있는 문화는 조직의 효율성과 생산성을 높이며, 이는 조직의 성공에 핵심적인 기여를 합니다.
- 개인과 팀 모두에서 성과 향상을 위해 책임감을 강화하는 것은 필수적입니다. 책임감은 개인의 자아실현 및 성취감을 높이고, 팀의 협업과 효율성을 증진합니다. 이를 통해 우리는 더 높은 목표를 달성하고, 더 큰 성공을 얻을 수 있습니다.
- 또한, 책임감 있는 문화는 신뢰와 존경의 기반을 마련하며, 이는 조직의 명성과 신뢰성을 높입니다. 이러한 문화는 구성원들이 비전과 목표에 대해 공감하고, 그들의 역할과 책임을 인식하게 하여 조직 전체의 성과를 높입니다.
- 책임감 있는 리더십은 팀원들에게 더 높은 성과를 달성하도록 동기를 부여하는 강력한 도구입니다. 리더는 구성원들이 자신의 역할과 책임을 인식하고 이를 수행하는데 필요한 지원과 도구를 제공해야 하며, 이는 결국 구성원들의 책임감을 높이고 조직의 성과를 향상시키는 데 기여합니다.

이론적 배경과 근거

책임감 있는 리더십의 중요성은 James McGregor Burns의 변혁적 리더십 이론에서 강조됩니다. 이 이론은 리더가 자신과 타인에게 높은 도덕적 표준과 책임감을 요구함으로써 조직 전체의 동기 부여와 목표 달성을 촉진한다고 주장합니다(Burns, J. M. (1978). "Leadership"). 리더의 책임감 있는 행동은 팀원들에게도 긍정적인 영향을 미치며, 조직 전체의 성과와 신뢰성을 높입니다.

최근의 연구들은 책임감 있는 리더십의 중요성에 대해 강조하고 있습니다. 그 중 하나인 "서번트 리더십" 이론은 리더가 먼저 팀원들의 요구와 이익을 우선시하고, 그들의 발전을 돕는 것을 중심으로 한다는 개념을 제시합니다 (Greenleaf, R. K. (2002). "Servant leadership: A journey into the nature of legitimate power and greatness"). 이런 방식의 리더십은 조직 내의 신뢰성과 효율성을 높이는 데 큰 역할을 합니다.

또한, "윤리적 리더십" 이론은 리더가 자신의 행동과 결정에 대한 책임을 지고, 그것이 조직 내외부에서 어떤 영향을 미치는지를 이해해야 한다는 주장을 합니다 (Brown, M. E., & Treviño, L. K. (2006). "Ethical leadership: A review and future directions"). 이런 윤리적 리더십은 팀원들의 도덕적 행동을 촉진하고, 조직의 명성을 강화하는데 중요한 역할을 합니다.

"인증 리더십" 이론도 책임감 있는 리더십을 논의하는 중요한 이론입니다. 이 이론은 리더가 자신의 가치와 신념을 표현하고, 이를 통해 팀원들에게 신뢰와 존경을 얻는 것을 중심으로 합니다 (Avolio, B. J., & Gardner, W. L. (2005). "Authentic leadership development: Getting to the root of positive forms of leadership"). 인증 리더십은 리더와 팀원들 사이의 진정한 신뢰 관계를 구축하며, 이로 인해 조직의 성과를 향상시킵니다.

또한, "분산 리더십" 이론은 리더십을 하나의 위치나 개인에 국한시키지 않고, 조직 내 모든 사람들이 리더십을 발휘할 수 있는 환경을 만드는 것을 강조합니다 (Gronn, P. (2002). "Distributed leadership as a unit of analysis"). 이 이론에 따르면, 책임감 있는 리더십은 리더뿐만 아니라 모든 팀원들이 함께 참여하고 책임을 지는 것입니다.

이와 같이, 여러 가지 이론적 배경과 근거를 바탕으로 책임감 있는 리더십의 중요성을 이해하고, 이를 실제 조직의 리더십에 적용함으로써 조직의 성과를 높이고, 신뢰성을 강화할 수 있습니다.

최근 이론적 배경과 근거

최근의 연구에서는 "적응적 리더십" 이론이 강조되고 있습니다. 이 이론은 불확실성과 복잡성이 높은 환경에서 리더가 팀과 조직을 안내하는 방법에 대해 중점을 둡니다 (Northouse, P. G. (2020). "Leadership: Theory and Practice"). 적응적 리더십은 리더가 변화에 적응하고, 팀원들이 새로운 상황에 대응할 수 있도록 지원하는 것을 중심으로 합니다. 이는 코로나19와 같은 팬데믹 상황에서 특히 중요해졌습니다.

또한, "리더십 유연성"이라는 개념이 강조되고 있습니다. 이는 리더가 다양한 상황과 문제에 유연하게 대응할 수 있는 능력을 의미하며, 이를 통해 리더는 팀과 조직의 성과를 높일 수 있습니다 (Kaiser, R. B., & Overfield, D. V. (2020). "The leadership gap: What you need, and still don't have, when it comes to leadership talent"). 리더십 유연성은 팀원들에게도 적응성과 창의성을 높이는 데 도움이 됩니다.

"다양성과 포괄성 리더십"도 중요한 연구 주제로 부상하고 있습니다. 이는 리더가 다양한 배경을 가진 사람들을 포괄하고, 그들의 차별화된 능력과 경험을 최대한 활용하는 리더십을 의미합니다 (Chin, J. L., Trimble, J. E., & Garcia, J. E. (2020). "Global and Culturally Diverse Leaders and Leadership"). 이로써 조직은 다양성을 통한 혁신을 촉진하고, 모든 구성원이 존중받고 가치를 인정받는 문화를 조성할 수 있습니다.

"리더십 공감력"도 중요한 주제로 간주되고 있습니다. 공감력은 리더가 팀원들의 관점을 이해하고 그들의 감정에 공감하는 능력입니다. 최근의 연구에서는 이러한 공감력이 리더와 팀원들 간의 관계를 강화하고, 조직의 협업과 통합을 촉진하는 중요한 요소라는 것이 밝혀졌습니다 (Kellett, J. B., Humphrey, R. H., & Sleeth, R. G. (2006). "Empathy and the emergence of task and relations leaders").

또한, "디지털 리더십"이라는 개념이 부각되고 있습니다. 이는 기술 변화와 디지털 환경에서의 리더십 역량을 중점으로 합니다. 디지털 리더십은 팀원들이 디지털 도구를 효과적으로 사용하도록 돕고, 디지털 변혁을 주도하는 능력을 포함합니다 (Maznevski, M., & Chudoba, K. M. (2020). "Bridging space over time: global virtual team dynamics and effectiveness").

마지막으로, "지속 가능한 리더십"이라는 개념이 주목받고 있습니다. 이는 리더가 조직의 장기적인 생존과 성공을 위해 환경적, 사회적, 경제적 요인을 고려하는 리더십을 의미합니다. 지속 가능한 리더십은 조직이 지속 가능한 방식으로 운영되도록 유도하며, 이는 조직의 장기적인 성공과 사회적 책임을 동시에 달성하는 데 중요합니다 (Eisenbeiss, S. A., Knippenberg, D. V., & Boerner, S. (2008). "Transformational leadership and team innovation: Integrating team climate principles").

이러한 최신 이론들은 책임감 있는 리더십이 조직의 성공에 있어 중요한 역할을 하는 것을 보여줍니다. 이들은 리더가 조직 내외부에서 책임을 지는 방법에 대한 깊이 있는 이해를 제공하며, 이를 통해 리더는 팀과 조직 전체의 성과를 높일 수 있습니다.

책임감 있는 리더십의 특성

책임감 있는 리더십의 특성을 다양한 관점에서 깊게 분석하고 이해하는 것은 중요합니다. 이러한 특성들은 리더의 책임감을 강조하고 조직의 성과와 신뢰성을 높이는 데 기여합니다. 책임감 있는 리더십은 개인, 팀, 그리고 조직 전체에 긍정적인 영향을 미치며, 이를 통해 조직은 더욱 효과적으로 운영될 수 있습니다. 이런 이해는 리더로서 역할을 효과적으로 수행하는 데 큰 도움이 됩니다. 그래서 지금부터 해당 특성들을 자세히 살펴보겠습니다.

1. 개인적 책임: 책임감 있는 리더는 자신의 행동과 그 결과에 대해 책임을 지는 것을 두려워하지 않습니다. 그들은 자신이 내린 결정이 조직에 미치는 영향을 이해하고, 필요한 경우에는 적절한 조치를 취합니다. 이는 실수를 인정하고, 필요한 경우 적절한 보상을 제공하며, 더 나은 결과를 위해 개선 사항을 찾는 것을 포함합니다.

2. 팀에 대한 책임: 리더는 팀의 성공을 담당하며, 이를 위해 팀원 각각이 자신의 역할과 책임을 이해하고 이를 수행할 수 있도록 도와야 합니다. 이는 팀원들에게 필요한 교육과 자원을 제공하고, 그들의 노력을 인정하고 보상하는 것을 포함합니다.

3. 조직에 대한 책임: 리더는 조직의 목표 달성과 성공에 대한 책임을 지며, 이는 조직의 전략 계획을 구현하고, 성과 목표를 달성하는 데 필요한 자원을 확보하는 것을 포함합니다. 이는 명확한 목표를 설정하고, 이를 달성하기 위한 전략을 개발하며, 필요한 자원을 확보하고 분배하는 것을 포함합니다.

4. 사회적 책임: 리더는 조직의 사회적 책임을 이해하고, 이를 실천합니다. 이는 조직의 활동이 사회와 환경에 미치는 영향을 최소화하고, 사회적 가치를 창출하는 데 기여하는 것을 의미합니다. 이는 환경 보호 정책을 준수하고, 사회적 기여 활동에 참여하며, 사회적 가치를 고려한 결정을 내리는 것을 포함합니다.

5. 윤리적 책임: 책임감 있는 리더는 자신의 행동과 결정이 항상 윤리적인 원칙에 기반하도록 합니다. 이는 부정행위를 방지하고, 조직의 신뢰성을 높이는 데 중요합니다. 이는 공정한 결정을 내리고, 부정행위를 방지하며, 조직의 윤리 정책을 준수하고 강조하는 것을 포함합니다.

책임감 있는 리더십 실습 자료

- 개인적 책임 실습: 리더로서의 개인적 책임을 연습하려면, 자신의 결정이 미치는 영향에 대해 깊게 생각해 보고, 그 결과에 대해 책임을 지는 기회를 찾아보세요. 이를 위해, 자신이 내린 중요한 결정에 대해 반성하고, 그 결정이 당신 자신, 팀, 그리고 조직에 어떤 영향을 미쳤는지를 평가해 보세요.

- 팀에 대한 책임 실습: 팀에 대한 책임을 연습하려면, 팀원들의 역할과 책임에 대해 깊게 이해하는 것이 중요합니다. 팀원들과 개별적으로 만나서 그들의 역할과 책임에 대해 이야기하고, 그들이 자신의 역할을 수행하는데 필요한 지원이 무엇인지를 파악해 보세요.
- 조직에 대한 책임 실습: 조직에 대한 책임을 연습하려면, 조직의 목표와 전략을 이해하고, 이를 구현하는데 필요한 자원과 전략을 계획해야 합니다. 이를 위해, 조직의 목표와 전략에 대해 깊게 고민하고, 이를 달성하기 위한 자원과 전략을 개발해 보세요.
- 사회적 책임 실습: 사회적 책임을 연습하려면, 조직의 활동이 사회와 환경에 미치는 영향을 이해하고, 이를 최소화하는 방법을 찾아야 합니다. 이를 위해, 조직의 활동이 사회와 환경에 어떤 영향을 미치는지를 분석하고, 이를 최소화하는 방법을 찾아보세요.
- 윤리적 책임 실습: 윤리적 책임을 연습하려면, 모든 결정과 행동이 윤리적인 원칙에 따라 이루어져야 합니다. 이를 위해, 자신의 결정과 행동이 어떤 윤리적 원칙에 기반하고 있는지를 평가하고, 필요한 경우 이를 개선하는 방법을 찾아보세요.

리더의 역할

리더는 조직이나 팀의 성공을 이끄는 중요한 역할을 합니다. 그들의 역할은 방향성을 제공하고, 팀원들의 능력을 최대한 활용하며, 목표 달성을 위한 전략을 구현하는 것입니다. 이러한 역할을 효과적으로 수행하기 위해, 리더는 다양한 리더십 스타일과 기술을 활용할 수 있습니다. 이는 변혁적 리더십, 서번트 리더십, 윤리적 리더십, 인증 리더십 등 다양한 리더십 이론에서 배울 수 있습니다. 이러한 이론들은 리더가 팀원들과의 관계를 구축하고, 그들의 능력을 최대한 활용하며, 조직의 성과를 향상시키는 방법을 제공합니다.

다음은 리더의 역할에 대한 자세한 설명입니다.

1. 비전과 목표 설정: 리더는 조직이나 팀의 비전을 명확하게 설정하고, 이를 달성하기 위한 구체적인 목표를 제시합니다. 이는 팀원들이 자신이 무엇을 위해 노력하는지 이해하고, 그들의 노력을 조직의 큰 목표와 연결시키는 데 도움이 됩니다.

2. 전략적 계획 및 결정: 리더는 비전과 목표를 달성하기 위한 전략적 계획을 수립하고, 필요한 결정을 내립니다. 이는 조직의 자원을 효율적으로 활용하고, 중요한 기회를 캐치하며, 잠재적 위험을 관리하는 데 필요합니다.

3. 팀 구성 및 관리: 리더는 팀을 구성하고 관리하는 역할을 합니다. 이는 팀원들의 역할을 분배하고, 그들의 성과를 평가하며, 필요한 교육과 지원을 제공하는 것을 포함합니다.

4. 커뮤니케이션: 효과적인 커뮤니케이션은 리더의 중요한 역할 중 하나입니다. 리더는 팀원들에게 명확하고 이해하기 쉬운 메시지를 전달하고, 그들의 의견과 피드백을 수용하여 서로의 이해를 높이고 협력을 강화합니다.

5. 모티베이션 및 인정: 리더는 팀원들의 동기를 높이고, 그들의 노력과 성과를 인정하는 역할을 합니다. 이는 팀원들이 자신의 역할에 대해 열정을 가지고, 그들의 최선을 다하도록 돕습니다.

6. 문제 해결: 리더는 문제가 발생했을 때 이를 해결하는 역할을 합니다. 이는 문제를 식별하고 분석하며, 효과적인 해결책을 찾고, 이를 구현하는 것을 포함합니다.

리더의 역할 실습 자료

이 자료는 리더십이 요구되는 다양한 상황에 대한 깊은 이해를 제공하려고 합니다. 그 상황들은 팀에서의 협업부터 조직 내 변화 관리, 그리고 비상 상황 대처에 이르기까지 다양합니다. 이를 통해, 읽는 이들이 실제 상황에서의 리더로서의 역할을 더 효과적으로 수행할 수 있게 될 것입니다. 이 자료는 리더십 스킬을 향상시키고, 더 나은 결정을 내리고, 팀과 조직의 성과를 향상시키는 데 도움이 될 것입니다.

1. 비전과 목표 설정 실습: 리더십의 첫걸음은 명확한 비전과 목표를 설정하는 것입니다. 리더는 조직이나 팀의 방향성을 제시하고, 그를 향해 나아가기 위한 구체적인 목표를 설정해야 합니다. 실습을 통해 이러한 역량을 향상시켜 보세요. 이를 위해 실제 조직이나 팀의 비전을 설정하고 이를 달성하기 위한 목표를 세우는 연습을 해보시기 바랍니다.

2. 전략적 계획 및 결정 실습: 리더는 복잡한 문제 상황에 대해 전략적으로 생각하고, 효과적인 계획을 수립해야 합니다. 이를 통해 조직이나 팀이 목표를 달성할 수 있도록 지원해야 합니다. 실제 문제 상황을 가정하고, 이에 대한 전략적인 계획을 수립해 보세요.

3. 커뮤니케이션 실습: 효과적인 커뮤니케이션은 리더십의 핵심적인 요소입니다. 리더는 팀원들과의 원활한 커뮤니케이션을 통해 팀의 이해도를 높이고, 팀원들의 참여와 피드백을 유도해야 합니다. 다양한 커뮤니케이션 방법을 활용하여 이를 연습해 보세요.

4. 팀 구성 및 관리 실습: 리더는 팀 구성원들의 역할을 정의하고, 그들의 성과를 관리하는 역할을 합니다. 이를 통해 팀원 간의 협력을 촉진하고, 팀의 성과를 극대화합니다. 실제로 팀을 구성하고 그들의 역할을 분배하는 연습을 해보세요.

5. 모티베이션 및 인정 실습: 리더는 팀원들의 동기를 부여하고, 그들의 노력을 인정하는 중요한 역할을 합니다. 이를 통해 팀원들의 만족도와 성과를 높일 수 있습니다. 다양한 인식 프로그램을 개발하고 실행해 보세요.

6. 문제 해결 실습: 리더는 문제를 식별하고, 이를 해결하는 데 필요한 전략을 수립하는 역할을 합니다. 이를 통해 팀의 성과를 향상시키고, 팀원들의 문제 해결 능력을 개발하는 데 도움을 줍니다. 실제로 문제 상황을 가정하고 이를 해결하는 방법을 연습해 보세요.

7. 리더십 스타일 실습: 다양한 리더십 스타일을 이해하고, 그 중에서 가장 효과적인 스타일을 선택하는 것은 중요합니다. 변혁적 리더십, 서번트 리더십, 윤리적 리더십, 인증 리더십 등의 다양한 리더십 스타일을 공부하고, 이를 팀에서 실제로 적용해 보세요.

8. 피드백 제공 및 수용 실습: 피드백은 팀원들의 성과를 향상시키고, 팀의 문제점을 개선하는 데 중요한 도구입니다. 리더로서 피드백을 효과적으로 제공하고, 반대로 팀원들의 피드백을 수용하는 방법을 연습해 보세요.

9. 변화 관리 실습: 리더는 변화를 성공적으로 관리하고, 팀을 새로운 환경에 적응시키는 중요한 역할을 합니다. 실제로 변화를 관리하는 다양한 전략과 기법을 연구하고, 이를 실제 시나리오에 적용해 보세요.

10. 갈등 해결 실습: 리더는 팀 내의 갈등을 관리하고, 이를 해결하는 중요한 역할을 합니다. 이를 통해 팀의 협력을 촉진하고, 팀 분위기를 개선합니다. 실제로 갈등 상황을 가정하고, 이를 해결하는 방법을 연습해 보세요.

개인적 책임: 결정과 결과에 대한 책임

개인적 책임은 리더십의 중요한 구성 요소 중 하나입니다. 이는 리더가 자신의 결정과 그 결정이 가져오는 결과에 대해 책임을 질 수 있는 능력을 의미합니다. 이런 책임감은 리더의 신뢰성을 높이는 데 큰 역할을 하며, 팀원들과의 관계를 강화하는 데에도 크게 기여합니다.

결정을 내리는 리더는 여러 가지 요인을 고려해야 합니다. 이에는 팀이나 조직의 목표, 사용 가능한 리소스, 팀원들의 능력과 선호도, 주어진 시간과 예산 등 많은 요소가 포함됩니다. 리더는 이런 요인들을 신중하게 고려하여 최선의 결정을 내리는 것이 중요하며, 이는 리더의 신중함과 전략적 사고를 보여줍니다.

하지만 결정은 그 자체로는 충분하지 않습니다. 리더는 자신의 결정이 미치는 결과에 대해 책임을 지는 것이 중요합니다. 결정이 예상대로 이루어지지 않았을 때, 적절한 조치를 취하고 문제를 해결하는 것이 필요합니다. 이는 실수를 인정하는 것, 문제를 수정하는 것, 더 나은 결과를 위해 필요한 개선 사항을 찾는 것 등에 해당합니다.

따라서 리더는 결정의 모든 단계에서 책임감을 가지고 행동해야 합니다. 이는 리더십의 중요한 특성이며, 팀의 성공을 위해 필수적인 요소입니다. 이를 통해 리더는 팀원들의 신뢰를 얻고, 팀의 목표 달성에 기여할 수 있습니다.

리더로서의 개인적 책임을 연습하려면, 자신의 결정이 미치는 영향에 대해 깊게 생각해 보고, 그 결과에 대해 책임을 지는 기회를 찾아보세요. 이를 위해, 자신이 내린 중요한 결정에 대해 반성하고, 그 결정이 당신 자신, 팀, 그리고 조직에 어떤 영향을 미쳤는지를 평가해 보세요. 이 과정에서 어떤 부분이 잘못되었는지, 어떻게 개선할 수 있는지를 파악하고 이를 바탕으로 더 나은 결정을 내릴 수 있도록 노력하면 됩니다.

1. 결정을 내리는 과정에서의 책임: 리더는 결정을 내리는 과정에서 투명성을 유지하고, 모든 관련 정보를 고려해야 합니다. 이를 위해 리더는 정보를 수집하고 분석하는 방법을 연습해야 합니다. 또한, 팀원들이 결정 과정에 참여할 수 있도록 의사소통을 유도하고 그들의 의견을 고려하는 방법을 배워야 합니다.

2. 결과에 대한 책임: 리더는 자신의 결정이 가져온 결과에 대해 책임을 져야 합니다. 이는 성공적인 결과 뿐만 아니라 부정적인 결과에 대해서도 적용됩니다. 이를 위해 리더는 자신의 결정이 가져온 결과를 평가하고, 필요한 경우 적절한 조치를 취하는 방법을 배워야 합니다.

3. 개선과 학습에 대한 책임: 리더는 자신의 결정과 행동에서 배운 것을 개선하고 적용하는 책임이 있습니다. 이를 위해 리더는 반성하고, 피드백을 수용하며, 새로운 지식과 기술을 학습하는 방법을 연습해야 합니다.

이러한 실습을 통해 리더는 자신의 결정과 행동이 팀과 조직에 미치는 영향을 이해하고, 효과적인 결정을 내리고 그 결과에 책임을 지는 방법을 배울 수 있습니다. 이는 리더가 팀과 조직의 성과를 개선하고, 신뢰와 존경을 얻는 데 중요합니다.

결정과 결과에 대한 책임 실습 자료

- 의사결정 과정 실습: 리더의 주요 역할 중 하나는 의사결정입니다. 이를 위해 다양한 시나리오를 가정하고, 각 상황에서 어떤 결정을 내릴 것인지 생각해보는 실습이 필요합니다. 그리고 그 결정을 내리는 데 고려해야 할 주요 요인은 무엇인지를 파악해야 합니다. 이 과정은 리더가 각 의사결정에 대한 여러 요인들을 고려하는 능력을 향상시키는 데 도움이 됩니다.
- 결과 예측 실습: 의사결정은 그 결과를 예측하는 능력이 필요합니다. 그래서 리더는 다양한 결정을 내린 후, 그 결정이 조직이나 팀에 어떤 영향을 미칠 것인지 예측하는 실습을 해야 합니다. 이를 통해 결정의 잠재적인 결과를 더 잘 이해하고, 더 효과적인 결정을 내릴 수 있게 됩니다.
- 결정 수정 실습: 모든 결정이 항상 예상대로 이루어지지 않습니다. 때로는 잘못된 결정을 수정해야 하는 상황이 발생할 수 있습니다. 이 때, 리더는 어떻게 적절하게 대응하고, 필요한 경우 결정을 수정할 수 있는지를 배워야 합니다. 이를 위해, 이전에 내린 결정 중 잘못된 것을 선택하고, 어떻게 수정할 수 있을지에 대한 계획을 세우는 실습이 필요합니다.
- 피드백 수용 실습: 다른 사람들의 피드백은 리더가 자신의 결정에 대해 깊이 생각하고, 필요한 개선 사항을 찾는 데 매우 중요합니다. 리더는 팀원이나 동료로부터 피드백을 받고, 그 피드백을 어떻게 적용할 수 있을지 생각하는 실습을 통해 피드백 수용 능력을 향상시킬 수 있습니다.
- 결정 기록 및 분석 실습: 리더는 자신이 내린 결정들을 기록하고, 그 결정들이 어떤 결과를 가져왔는지 분석하는 것이 중요합니다. 이를 통해 리더는 자신의 결정 능력을 개선하고, 더 나은 결정을 내리는 데 도움이 됩니다. 이를 위해, 자신이 최근에 내린 몇 가지 결정들을 기록하고, 그 결과를 분석하는 실습이 필요합니다.

- 결정의 영향력 파악 실습: 리더는 자신의 결정이 팀이나 조직에 어떤 영향을 미치는지 이해해야 합니다. 리더의 결정이 팀의 성과나 팀원들의 행동에 어떤 영향을 미쳤는지를 파악하는 실습을 통해, 이를 토대로 더 나은 결정을 내리는 방법을 모색해볼 수 있습니다.
- 대안 탐색 실습: 모든 결정에는 대안이 있습니다. 리더는 이러한 대안들을 고려하고, 가장 적절한 결정을 내리는 것이 중요합니다. 이를 위해, 특정 상황에서 다양한 결정 대안을 탐색하고, 각 대안이 가져올 수 있는 잠재적인 결과를 고려하는 실습이 필요합니다. 이를 통해 리더는 다양한 상황과 문제에 유연하게 대응할 수 있는 능력을 기를 수 있습니다.

기업 사례

- 삼성전자의 이건희 회장은 책임감 있는 리더십을 보여준 좋은 예입니다. 글로벌 경기 침체와 같은 어려운 상황에도 불구하고, 그는 회사 내부의 혁신과 변화를 주도하고, 사회적 책임을 다하는 것에 중점을 뒀습니다. 이러한 행동은 삼성전자가 세계적인 기업으로 성장하는 데 크게 기여했습니다.
- 알란 멀랄리는 포드 자동차 회사의 회장 겸 CEO로서 책임감 있는 리더십을 보여주었습니다. 그는 경제 위기로 인한 회사의 어려운 상황에서도 계속해서 혁신을 추구하고, 직원들과 고객을 위한 복지 제도를 강화하여 회사의 구조를 개편하고 회복하게끔 이끌었습니다.
- 페이스북의 마크 주커버그 CEO는 효과적인 리더의 역할을 잘 수행하고 있습니다. 그는 페이스북의 핵심 가치인 '연결'을 중점으로 두고, 이를 통해 사람들이 서로 더 쉽게 소통할 수 있도록 하는 비전을 밝혔습니다. 또한, 그는 팀원들의 창의성을 존중하고, 그들이 자유롭게 아이디어를 제시하고 실험할 수 있도록 하는 문화를 조성했습니다.
- 아마존의 제프 베조스 CEO는 효과적인 리더의 역할을 잘 보여줍니다. 그는 아마존을 세계 최대의 온라인 소매업체로 만들기 위해 명확한 비전을 설정하고, 이를 달성하기 위한 전략적 계획을 수립했습니다. 또한, 그는 팀원들의 의견을 존중하고, 그들의 노력을 인정하며, 문제가 발생했을 때 적절한 해결책을 찾는 등의 리더로서의 역할을 충실히 수행했습니다.
- 애플의 스티브 잡스는 자신의 결정에 대한 책임을 완전히 진 것으로 잘 알려져 있습니다. 그는 아이폰을 개발하기로 결정했을 때, 이 제품이 시장에 실패할 가능성을 충분히 인식하고 있었습니다. 그러나 그는 이 위험을 감수하고, 제품 개발을 진행했습니다. 아이폰이 큰 성공을 거둔 후에도, 스티브 잡스는 이 제품의 성공이 자신의 결정에 대한 책임을 다한 결과라는 것을 명확히 인정했습니다.
- 넷플릭스의 리드 헤이스팅스 CEO는 자신의 결정에 대한 책임을 지는 것으로 알려져 있습니다. 그는 넷플릭스가 DVD 대여사업에서 스트리밍 사업으로 전환하는 결정을 내렸을 때, 이것이 회사에 큰 위험을 가져올 수 있다는 것을 알고 있었습니다. 그러나 그는 이 변화를 통해 회사가 성장하고 발전할 수 있다고 믿었고, 이 결정이 가져온 결과에 대해 책임을 졌습니다.

시각 자료 및 도구

- 리더의 역할 워크시트: 리더의 역할에 대한 심도있는 고찰과 효과적인 역할 수행 방법을 찾는 데 도움이 되는 워크시트입니다. 리더의 역할을 명확히 이해하고, 이를 실제 행동으로 옮기는 것은 효과적인 리더십의 첫걸음입니다.
- 리더의 역할 플래시카드: 주요 리더십 역할과 그 역할을 효과적으로 수행하는 방법에 대한 팁을 제공하는 플래시카드입니다. 이를 통해 리더는 자신의 역할에 대한 명확한 인식을 갖고, 이를 실제 행동에 적용하는 데 도움을 받을 수 있습니다.
- 리더의 역할 다이어그램: 리더의 역할을 시각적으로 명확하게 보여주는 도구입니다. 이를 통해 리더는 자신의 역할을 더 이해하고, 이를 조직 내에서 어떻게 행동으로 옮길지에 대한 아이디어를 얻을 수 있습니다.
- 결정 모델링 소프트웨어: 복잡한 문제 해결에 도움을 주는 소프트웨어입니다. 각 단계에서 고려해야 할 중요한 요소를 명확하게 표시하며, 이를 통해 리더는 더 효과적인 결정을 내릴 수 있습니다.
- 결과 피드백 앱: 리더의 결정이 가져온 결과를 분석하고 평가하는 데 도움이 되는 앱입니다. 이를 통해 리더는 자신의 결정이 어떤 영향을 미쳤는지 이해하고, 향후 더 나은 결정을 위한 피드백을 얻을 수 있습니다.
- 책임감 있는 리더십 게임: 책임감 있는 리더십에 대한 이해를 깊이있게 하고, 이를 실천하는 방법을 학습할 수 있는 흥미로운 게임입니다. 게임을 통해 책임감 있는 리더십의 중요성을 경험하고, 이를 실제 행동으로 옮기는 방법을 배울 수 있습니다.
- 책임감 있는 리더십 웹세미나: 책임감 있는 리더십을 효과적으로 실천하는 방법에 대해 배울 수 있는 웹세미나입니다. 동료 리더들과의 토론을 통해 통찰력을 얻을 수 있습니다.
- 책임감 있는 리더십 워크북: 책임감 있는 리더십의 필수요소를 이해하고 향상시키는 데 도움이 되는 워크북입니다. 셀프-리플렉션, 질문, 실습 등의 요소를 통해 리더는 자신의 리더십 스킬을 향상시킬 수 있습니다.
- 책임감 있는 리더십 셀프-평가: 리더가 자신의 리더십 스타일을 평가하고, 책임감 있는 리더십에 얼마나 부합하는지 파악하는 도구입니다. 이를 통해 리더는 자신의 리더십 스타일을 개선하고, 책임감 있는 리더십을 실천하는 방법을 찾을 수 있습니다.
- 결정 트리 도구: 복잡한 문제 해결에 도움을 주는 도구입니다. 각 단계에서 고려해야 할 중요한 요소를 명확하게 표시하며, 이를 통해 리더는 더 효과적인 결정을 내릴 수 있습니다.
- 결과 평가 워크시트: 리더가 자신의 결정이 가져온 결과를 평가하고, 그 결과에 대해 책임을 지는 방법을 배우는 워크시트입니다. 향후 더 나은 결과를 달성하기 위해 필요한 개선 사항을 찾는데 도움이 됩니다.
- 결정 분석 도구: 다양한 결정을 분석하고, 그 결정이 가져올 수 있는 잠재적인 결과를 예측하는 도구입니다. 이를 통해 리더는 더 효과적인 결정을 내릴 수 있게 됩니다.

의사결정 과정 실습을 위한 워크샵

리더의 주요 역할 중 하나는 의사결정입니다. 이를 위해 다양한 시나리오를 가정하고, 각 상황에서 어떤 결정을 내릴 것인지 생각해보는 실습이 필요합니다. 그리고 그 결정을 내리는 데 고려해야 할 주요 요인은 무엇인지를 파악해야 합니다. 이 과정은 리더가 각 의사결정에 대한 여러 요인들을 고려하는 능력을 향상시키는 데 도움이 됩니다.

이 워크샵은 참가자들이 실제 비즈니스 상황에서 효과적인 의사결정을 내릴 수 있는 능력을 향상시키는 데 도움이 됩니다. 이를 통해 참가자들은 다양한 상황과 문제에 대응하는 능력을 기를 수 있으며, 이는 결국 그들이 리더로서의 역할을 더 잘 수행하는 데 기여할 것입니다.

워크샵을 통해 참가자들은 의사결정 과정을 이해하고, 이를 실제 상황에 적용하는 방법을 배울 수 있습니다. 이는 그들이 리더로서의 역할을 더 잘 수행하고, 조직의 목표를 달성하는 데 중요한 역량을 향상시키는 데 기여합니다.

1. 시나리오 설정: 가장 먼저 해야 할 일은 참가자들에게 특정한 비즈니스 시나리오를 제시하는 것입니다. 이 시나리오는 특정한 결정을 내려야 하는 상황을 포함해야 하며, 예를 들어 새로운 제품 개발, 영업 전략 변경, 예산 조정 등의 상황이 될 수 있습니다. 이런 시나리오 설정은 참가자들이 실제 비즈니스 상황에서 어떤 결정을 내려야 할지를 체험하게 해줍니다.

2. 정보 수집: 시나리오가 설정되면 참가자들은 주어진 시나리오에 대한 필요한 정보를 수집합니다. 이 정보는 시장 조사 결과, 경쟁사 분석, 고객 피드백 등 여러 출처에서 얻을 수 있습니다. 이 과정은 참가자들이 어떤 정보가 결정 과정에 중요한지를 이해하게 해주며, 또한 정보를 어떻게 수집할 지에 대한 능력을 향상시킵니다.

3. 옵션 탐색: 정보 수집 후, 참가자들은 가능한 여러 결정 옵션을 탐색하고, 각 옵션이 가져올 잠재적인 결과를 고려합니다. 이 과정에서 참가자들은 모든 가능한 대안을 고려하고, 각 대안의 장단점을 파악해야 합니다. 이렇게 여러 옵션을 고려하는 과정은 참가자들에게 다양한 상황에 대한 유연한 사고력을 기르는데 도움이 됩니다.

4. 결정 내리기: 참가자들은 수집한 정보와 탐색한 옵션을 바탕으로 최선의 결정을 내립니다. 이 결정은 주어진 상황에 가장 적합하고, 조직의 목표에 부합하는 방향을 선택해야 합니다. 이 과정에서 참가자들은 실제로 결정을 내리는 과정을 경험하게 되며, 이를 통해 결정력을 키울 수 있습니다.

5. 결정의 영향 평가: 결정을 내린 후에는, 참가자들은 자신들이 내린 결정이 주어진 시나리오에서 어떤 결과를 가져올 것인지를 평가합니다. 이 과정은 참가자들이 결정의 장기적인 영향을 이해하는데 중요하며, 이를 통해 비슷한 상황에서 더 효과적인 결정을 내릴 수 있도록 돕습니다.

6. 피드백 및 평가: 다음 단계는 참가자들이 내린 결정에 대해 피드백을 제공하고 평가하는 시간을 가지는 것입니다. 이 과정은 참가자들이 자신의 결정을 반성하고, 개선할 부분을 찾아내는 데 도움이 됩니다.

7. 학습 및 개선: 워크샵에서 배운 내용을 바탕으로, 참가자들은 자신의 의사결정 능력을 개선하려는 노력을 해야 합니다. 이를 위해 참가자들은 워크샵에서 진행한 실습을 정기적으로 반복하거나, 비슷한 상황에서 어떻게 결정을 내릴 것인지 고민하는 시간을 가져야 합니다.

8. 기록 및 분석: 마지막으로, 참가자들은 워크샵에서의 학습 내용과 결정 과정을 기록하여 분석합니다. 이를 통해 참가자들은 자신의 결정 능력을 개선하고, 더 나은 결정을 내리는 데 도움이 됩니다. 이 과정은 참가자들이 자신의 학습 경험을 기록하고, 이를 통해 자신의 성장과 발전을 보여주는 중요한 과정입니다.

리더는 자신의 행동이 조직 내외에 미치는 영향을 깊이 이해하고 있습니다. 그들은 이러한 이해를 바탕으로, 책임감 있는 리더십을 발휘하여 조직의 신뢰성을 높이고 성과를 향상시키는 방법에 대해 배울 수 있습니다.

이 장을 통해, 리더는 자신의 행동이 조직에 어떻게 작용하는지에 대해 깊이 고찰하게 될 것입니다. 그들은 자신의 행동이 조직의 전체적인 방향성과 성과에 어떤 영향을 미치는지, 그리고 이를 어떻게 긍정적으로 이용할 수 있는지에 대해 깊이 생각하게 될 것입니다.

또한, 이를 통해 책임감 있는 리더십을 어떻게 발휘해야 할지에 대한 인사이트를 얻을 수 있습니다. 즉, 자신의 행동과 결정이 팀 내외의 사람들에게 어떤 메시지를 전달하는지, 그리고 이를 어떻게 관리해야 하는지에 대해 배울 수 있습니다.

이러한 이해와 인사이트를 바탕으로, 조직의 신뢰성과 성과를 높이는 방안을 마련할 수 있을 것입니다. 이를 통해 리더는 조직 내의 신뢰성을 높이고, 성과를 개선하는데 필요한 전략적인 방향성을 설정할 수 있을 것입니다.

제 13 장

문화 역량: 조직 내 다양성과 포용성 강화

이 장에서는 리더가 다양한 문화적 배경을 이해하고 존중하는 방법, 그리고 이를 바탕으로 조직 내에서 포괄성을 증진하고 존중받는 환경을 만드는 방법을 배웁니다. 이러한 이해와 존중은 다양한 배경과 경험을 가진 팀에서 효과적으로 작동하고, 글로벌 환경에서 성공하기 위한 필수적인 리더십 기술입니다. 이를 통해 리더는 자신의 리더십을 더욱 효과적으로 발휘하며, 조직의 효율성과 생산성을 향상시킬 수 있습니다.

학습 개요

이 장에서는 리더가 다양한 문화적 배경을 이해하고 존중하는 방법, 그리고 이를 바탕으로 조직 내에서 포괄성을 증진하고 존중받는 환경을 만드는 방법을 배웁니다. 이러한 이해와 존중은 다양한 배경과 경험을 가진 팀에서 효과적으로 작동하고, 글로벌 환경에서 성공하기 위한 필수적인 리더십 기술입니다. 이를 통해 리더는 자신의 리더십을 더욱 효과적으로 발휘하며, 조직의 효율성과 생산성을 향상시킬 수 있습니다.

학습 내용 및 목표

- 문화 다양성의 이해: 다양한 문화적 배경을 이해하는 것은 개인과 조직이 성장하고 발전하는 데 중요한 역할을 합니다. 이를 통해 우리는 개인의 생각과 행동 패턴이 어떻게 발전하고 다른 문화와 어떻게 상호작용하는지에 대한 깊은 인식을 얻게 됩니다. 이러한 이해력을 키우는 것은 우리가 어떻게 세상을 이해하고, 그 이해가 우리의 행동, 의사결정, 그리고 세계에 대한 인식에 어떻게 영향을 미치는지를 이해하는 데 도움이 됩니다.
- 다문화 역량 강화 전략: 조직 내에서 문화적 다양성과 포용성을 강화하고 진행하는 데는 여러 가지 전략과 기법이 필요합니다. 우리는 이러한 다양한 전략과 기법을 통해 조직 내에서 다문화 역량을 키우는 방법을 배우고, 이를 실제로 적용하여 조직의 효과성과 생산성을 높이는 방법을 학습합니다.
- 포용적 조직 문화 조성: 포용적인 조직 문화를 조성하는 것은 그룹과 개인의 효과성과 성과를 상승시키는 데 매우 중요합니다. 다양성이 조직의 성과에 어떻게 영향을 미치는지 이해하고, 이를 통해 조직 문화가 어떻게 형성되는지, 그리고 다양성을 존중하고 포용하는 조직 문화를 어떻게 조성하는지에 대해 학습하게 됩니다. 이를 통해 우리는 조직의 성공을 위한 중요한 요소를 배울 수 있습니다.

예상 학습 성과

- 이 과정을 통해 학습자는 조직의 글로벌 역량을 강화하는 방법을 터득하게 됩니다. 이는 다양한 문화적 배경을 이해하고 존중하며, 이러한 다양성을 통합하여 조직의 국제적인 경쟁력을 높이는 방법을 배우는 것을 포함합니다. 이러한 이해와 능력은 글로벌 비즈니스 환경에서의 리더십 역량을 높이는데 결정적인 역할을 합니다. 그러므로 이를 통한 전략적인 접근이 필요하며, 이를 위해 다양한 문화적 배경을 가진 팀원들과의 효과적인 소통과 협력이 중요합니다.
- 다음으로, 당신은 이 과정을 통해 조직의 국제적인 경쟁력을 높이는 방법을 배울 것입니다. 이를 위해, 우리는 조직 내에서의 다양한 문화와 국가적인 배경을 이해하고 이를 효과적으로 활용하는 방법에 대해 깊이 있게 다룰 것입니다. 특히, 다양한 문화적 배경을 가진 팀원들을

효과적으로 관리하고 포용하는 능력이 조직의 글로벌 역량을 강화하는데 중요한 역할을 합니다. 이 과정에서 당신은 다양한 문화적 배경과 그것이 조직 내에서 어떤 영향을 미치는지에 대한 깊은 이해를 기르게 됩니다.

- 이 과정을 마친 후에는 당신이 속한 조직의 국제적인 역량을 강화하는 방법을 배우게 됩니다. 이를 위해, 다양한 문화적 배경과 그것이 조직 내에서 어떤 영향을 미치는지에 대한 깊은 이해를 기르게 됩니다. 이러한 이해력은 현지 문화에 존중하는 스킬을 향상시키고, 조직의 글로벌 비즈니스 전략을 성공적으로 실행하는 데 필요한 지식을 제공합니다.
- 학습자는 또한 다양성과 포용성을 기반으로 한 효과적인 협업 방법을 배우게 됩니다. 다양한 배경과 경험을 가진 사람들이 공동의 목표를 향해 효과적으로 협력하고 팀워크를 발휘하는 방법, 그리고 이를 통해 조직의 효율성과 생산성을 향상시키는 전략에 대해 알아보게 됩니다. 이 과정에서 당신은 서로 다른 배경과 경험을 가진 사람들이 어떻게 함께 효과적으로 일하고, 서로를 존중하며, 공동의 목표를 달성하기 위해 협력하는 방법에 대해 배울 것입니다. 이는 팀의 생산성을 높이고, 모든 구성원이 존중받고 가치있게 여겨지는 포괄적인 환경을 조성하는 데 도움이 됩니다.
- 또한, 다양성과 포용성이 조직 내에서 어떻게 협업을 촉진하는지에 대한 이해를 높일 것입니다. 이 과정에서 당신은 서로 다른 배경과 경험을 가진 사람들이 어떻게 함께 효과적으로 일하고, 서로를 존중하며, 공동의 목표를 달성하기 위해 협력하는 방법에 대해 배울 것입니다. 이를 통해, 당신은 팀의 성공을 위한 중요한 전략을 배울 수 있습니다.

이론적 배경과 근거

Geert Hofstede의 문화 차원 이론은 문화 역량의 중요성을 강조하며, 권력 거리, 개인주의 대 집단주의, 남성성 대 여성성, 불확실성 회피 등의 다양한 차원을 통해 각국의 문화를 깊이 있게 이해하고 분석합니다(Hofstede, G. (1980). "Culture's Consequences"). 이 이론은 문화적 차이가 국제 비즈니스와 조직 관리에 어떠한 방식으로 영향을 미치는지를 이해하는 데 크게 도움이 됩니다. Hofstede의 이론은 다양한 문화적 배경을 가진 팀원들을 효과적으로 이해하고 관리할 수 있도록 도와주며, 그들이 느끼는 문화적 차이점에 대한 인식을 향상시키는데 필요한 지식과 통찰력을 제공합니다.

이 이론을 바탕으로, 리더는 팀원들의 문화적 배경과 그 배경이 개인의 행동과 가치에 어떠한 영향을 미치는지에 대해 깊이 이해하게 됩니다. 이는 팀원들의 다양성을 존중하고 이해하는데 큰 도움이 되며, 이를 통해 팀워크를 강화하고, 글로벌 비즈니스 환경에서의 리더십 역량을 획기적으로 향상시키는 데 중요한 역할을 합니다.

또한, 문화 역량이 강화된 리더는 팀원들의 다양성을 인정하고 이해함으로써, 팀의 협력을 촉진하고 생산성을 높이며, 모든 팀원이 존중받고 가치있게 여겨지는 포괄적인 환경을 조성하는 데 큰 기여를 합니다. 이는 조직의 성공을 촉진하고, 글로벌 환경에서의 경쟁력을 획기적으로 강화하는 데 크게 기여합니다.

결국, 문화 역량은 다양한 배경과 경험을 가진 팀에서 효과적으로 작동하고, 더 넓은 글로벌 환경에서 성공적으로 활동하기 위한 필수적인 리더십 스킬입니다. 문화 역량을 향상시키는 것이 매우 중요하며, 그 결과로 조직의 효율성과 생산성을 향상시키는데 큰 도움이 될 것입니다. 이는 리더의 역량이 팀의 성과에 얼마나 큰 영향을 미치는지를 보여주며, 이를 이해하고 이에 대응하는 것이 현대의 리더에게 요구되는 중요한 역량 중 하나임을 뒷받침합니다.

또한, Trompenaars와 Hampden-Turner의 문화 차원 이론 (Trompenaars, F., & Hampden-Turner, C. (1997). "Riding The Waves of Culture")는 Hofstede의 이론을 보완하고, 다양한 문화적 배경을 가진 팀의 효과적인 관리에 중요한 통찰력을 제공합니다. 이 이론은 개인 대 집단, 특정 대 확산, 중립 대 감정, 동기화 대 연속성, 내향 대 외향, 규범 대 성과 등과 같은 다양한 차원을 통해 문화적 차이를 분석합니다. 이 이론은 리더가 팀원의 다양한 문화적 배경을 이해하고 그 차이를 존중하고 통합하는 능력을 향상시키는 데 도움이 됩니다.

또한, 이론적 배경으로서, 다양성 관리에 대한 최근 연구 (Ely, R.J., & Thomas, D.A. (2001). "Cultural Diversity at Work: The Effects of Diversity Perspectives on Work Group Processes and Outcomes")도 중요합니다. 이 연구는 다양성이 팀의 성과에 미치는 영향에 대해 깊이 있는 통찰력을 제공하며, 이를 통해 다양성을 존중하고 포용하는 조직 문화를 어떻게 조성하는지에 대한 중요한 가이드라인을 제공합니다. 이 연구는 리더가 다양성을 이해하고 이를 효과적으로 관리하는 데 필요한 지식과 전략을 제공합니다, 이는 조직의 효율성과 생산성을 향상시키는 데 큰 도움이 됩니다.

한편, GLOBE 연구 프로젝트 (House, R. J., Hanges, P. J., Javidan, M., Dorfman, P. W., & Gupta, V. (2004). "Culture, leadership, and organizations: The GLOBE study of 62 societies")는 Hofstede와 Trompenaars의 이론을 확장하고 보완합니다. GLOBE 프로젝트는 62개 국가의 17000명 이상의 중간 관리자에게서 데이터를 수집하여 문화와 리더십 스타일 간의 관계를 분석하였습니다. 이 연구는 문화적 차이가 리더십 선호도와 효과에 어떠한 영향을 미치는지에 대한 통찰력을 제공합니다. 이는 리더십 행동과 문화적 맥락 간의 상호 작용을 이해하는 데 도움이 됩니다.

또한, 최근의 연구에 따르면, 다양성과 포용성은 조직의 혁신성과 창의성에 긍정적인 영향을 미칩니다 (Nishii, L.H., (2013). "The benefits of climate for inclusion for gender-diverse groups"). 이 연구는 다양성이 포용적인 조직에서 더욱 효과적으로 활용될 수 있음을 보여주며, 이를 통해 조직의 혁신력과 창의성을 향상시킬 수 있음을 보여줍니다. 이를 통해, 리더는 다양성과 포용성이 조직의 성과와 경쟁력에 어떠한 긍정적인 영향을 미치는지에 대한 깊은 이해를 얻을 수 있습니다.

따라서, 이러한 이론적 배경과 근거를 바탕으로, 리더는 다양한 문화적 배경과 그것이 조직 내에서 어떤 영향을 미치는지에 대한 깊은 이해를 얻게 됩니다. 이로써, 그들은 다양성을 존중하고 포용하는 방법을 배우게 되며, 이는 다양한 배경을 가진 직원들과의 관계를 개선하고 팀워크를 강화하는데 도움이 됩니다. 또한, 이러한 이해와 역량은 글로벌 비즈니스 환경에서의 리더십 역량을 높이는데 결정적인 역할을 합니다. 결국, 이러한 지식과 능력은 조직의 성공을 촉진하고, 글로벌 환경에서의 경쟁력을 강화하는 데 기여할 것입니다.

최근 이론적 배경과 근거

최근의 연구로는, Gartner의 2020년 연구(Gartner, 2020)가 있습니다. 이 연구는 다양성과 포용성이 기업의 혁신력을 향상시키고, 직원들의 행복 지수를 높이며, 임직원들의 능력 배양에 기여함을 보여줍니다. 또한, 이 연구는 포용성이 높은 기업이 코로나19와 같은 위기 상황에서 더 빠르게 대응하고 회복한다는 것을 보여줍니다.

또한, Deloitte의 2020년 연구(Deloitte, 2020)는 다양성과 포용성이 기업의 재무 성과에 긍정적인 영향을 미친다는 것을 보여줍니다. 이 연구는 다양성과 포용성이 높은 기업이 재무적으로 더욱 성공적이라는 것을 보여줍니다.

McKinsey & Company의 2020년 연구(McKinsey & Company, 2020)는 다양성이 높은 기업이 수익성과 장기 가치 창출에서 성과를 보이는 경향이 있다는 것을 보여줍니다. 이 연구는 다양성이 높은 기업이 경제적 수익성에서 더 높은 성과를 보이며, 그 원인으로 다양한 인재 풀에서 인재를 모집하고, 다양한 인사이트와 창의적인 해결책을 제공하기 때문이라고 설명합니다.

이러한 연구 결과는 다양성과 포용성이 조직의 성과와 생산성, 그리고 혁신력을 향상시키는 데 중요한 역할을 함을 입증하며, 이는 현대 조직에서 다양성과 포용성을 강조하는 이유를 명확하게 보여줍니다.

2021년에는 Boston Consulting Group(BCG)의 연구가 주목받았습니다. 이 연구는 다양성이 높은 관리진을 보유한 기업이 혁신 수익의 비율이 더 높다는 것을 보여주었습니다. 이는 다양성이 새로운 아이디어와 관점을 가져오며, 이로 인해 혁신이 촉진되기 때문입니다(Boston Consulting Group, 2021).

Accenture의 2021년 연구(Accenture, 2021)는 포용적인 작업 환경이 직원들의 창의성과 혁신성을 향상시키는데 중요한 역할을 한다는 것을 보여주었습니다. 이 연구 결과는 포용적인 환경이 직원들의 창의성을 촉진하고, 이로 인해 기업의 성과와 혁신력이 향상되는 것을 보여줍니다.

IBM의 연구(IBM, 2021)는 다양성과 포용성이 고객만족도와 직원만족도, 그리고 기업의 사회적 책임을 강화하는데 기여한다는 결과를 보여주었습니다. 이 연구는 다양성과 포용성이 높은 조직이 직원과 고객 모두로부터 높은 만족도를 받는 경향이 있음을 보여주었습니다.

또한, 2021년 출판된 Harvard Business Review의 기사(Harvard Business Review, 2021)는 다양성과 포용성이 기업의 유연성과 적응성을 향상시키는 역할을 강조하였습니다. 기사는 다양한 배경과 경험을 가진 사람들이 모이면, 그들은 다양한 시각으로 문제를 바라보고 해결책을 찾을 수 있으며, 이는 조직이 빠르게 변하는 환경에 적응하는 능력을 향상시키는데 중요하다고 강조하였습니다.

마지막으로, 2022년 PwC의 연구(PwC, 2022)는 다양성과 포용성이 기업의 브랜드 가치와 평판을 향상시키는데 기여한다는 결과를 보여주었습니다. 이 연구는 다양성과 포용성이 높은 기업이 고객, 직원, 그리고 투자자들로부터 높은 평가를 받는 경향이 있음을 보여주었습니다.

이 연구들은 다양성과 포용성이 현재의 글로벌 비즈니스 환경에서 중요한 역할을 하는 것을 재확인합니다. 이를 존중하고 증진하는 방법을 리더들이 배우고 적용하는 것이 조직의 성공에 점점 더 중요해지고 있음을 보여줍니다. 최근의 연구들은 다양성과 포용성이 기업의 성과와 혁신력을 향상시키는 데 중요한 역할을 한다는 것을 또한 재확인하고 있습니다.

문화 다양성의 이해

문화 다양성이란, 서로 다른 문화적 배경을 가진 사람들이 모인 집단 또는 커뮤니티를 의미합니다. 이는 언어, 종교, 인종, 국적, 성별, 연령, 성적 취향, 물리적 능력 등 사람들이 가지고 있는 다양한 특성을 포함합니다. 문화 다양성은 존중과 인정의 원칙에 기반하며, 이를 통해 우리는 서로 다른 배경을 가진 사람들로부터 배우고 성장할 수 있습니다.

문화 다양성을 이해하는 것은 우리가 다른 사람들과 함께 일하고, 협력하고, 소통하는 능력을 개발하는데 중요합니다. 이를 통해 우리는 각자의 차이를 인정하고 존중할 수 있으며, 이는 서로에 대한 이해와 존중을 높이고, 편견과 차별을 줄이는 데 도움이 됩니다.

문화 다양성은 또한 조직의 혁신력과 창의성을 촉진합니다. 서로 다른 배경을 가진 사람들이 모이면, 그들은 다양한 시각과 경험을 가지고 있으므로, 문제 해결과 의사결정 과정에서 다양한 아이디어와 해결책을 제시할 수 있습니다. 이는 조직의 문제 해결 능력을 향상시키고, 새로운 아이디어와 혁신을 촉진하는데 기여합니다.

또한, 문화 다양성은 팀의 성과를 향상시키는데 중요한 역할을 합니다. 다양성이 높은 팀은 서로 다른 배경과 경험을 가진 사람들로 구성되어 있기 때문에, 그들은 다양한 관점과 아이디어를 제시할 수 있습니다. 이는 팀의 문제 해결 능력을 향상시키고, 다양한 고객 요구에 더욱 효과적으로 대응할 수 있도록 합니다.

그러므로, 문화 다양성을 이해하고 이를 존중하는 것은 우리가 효과적으로 협력하고, 서로를 이해하고, 그리고 서로 다른 배경과 경험을 가진 사람들로부터 배우는 데 중요합니다. 이는 우리가 더욱 효과적으로 일하고, 문제를 해결하고, 협력하는 능력을 개발하는데 도움이 됩니다.

문화 다양성의 중요성

문화 다양성은 조직 내에서 매우 중요한 역할을 합니다. 이는 다음과 같은 이유들 때문입니다.

1. 혁신과 창의성 촉진: 다양한 문화적 배경을 가진 사람들이 모이면, 그들은 다양한 시각과 경험을 가지고 있어 문제 해결과 의사결정 과정에서 다양한 아이디어와 해결책을 제시할 수 있습니다. 이는 조직의 혁신력과 창의성을 촉진하는데 기여합니다.

2. 팀 성과 향상: 다양성이 높은 팀은 서로 다른 배경과 경험을 가진 사람들로 구성되어 있기 때문에, 그들은 다양한 관점과 아이디어를 제시할 수 있습니다. 이는 팀의 문제 해결 능력을 향상시키고, 다양한 고객 요구에 더욱 효과적으로 대응할 수 있도록 합니다.

3. 고객과의 연결 강화: 다양한 문화적 배경을 가진 고객들에게 더욱 효과적으로 응답하고 이해할 수 있습니다. 이는 고객 만족도를 높이고, 브랜드 충성도를 증가시키는데 도움이 됩니다.

4. 직원 만족도와 유지: 문화 다양성을 존중하고 포용하는 조직은 직원들이 속한 곳으로서의 자부심을 느끼게 하며, 이는 직원 만족도와 유지에 도움이 됩니다.

따라서, 문화 다양성을 이해하고 존중하는 것은 조직의 성공에 중요한 역할을 합니다. 이를 통해 조직은 더욱 효과적으로 일하고, 문제를 해결하고, 협력하는 능력을 개발할 수 있습니다. 이는 결국 조직의 경쟁력을 높이고, 성공을 촉진하는데 기여합니다.

문화 다양성 관리

리더는 문화 다양성을 존중하고 포용하는 조직 문화를 만드는 데 중요한 역할을 합니다. 이를 위해서는 다음과 같은 전략이 필요합니다.

1. 다양성과 포용성 교육: 직원들에게 다양성과 포용성에 대한 교육을 제공하며, 그들이 다양한 배경과 경험을 가진 사람들을 이해하고 존중하는 방법을 배울 수 있도록 합니다.

2. 공정한 채용 및 진급 정책: 모든 직원이 동등한 기회를 갖도록 공정한 채용 및 진급 정책을 시행합니다. 이는 다양성을 존중하고 포용하는 조직 문화를 만드는 데 중요합니다.

3. 다양성을 반영하는 조직 문화: 조직의 정책, 절차, 그리고 행사 등이 다양성을 반영하도록 합니다. 이는 모든 직원이 자신이 속한 곳으로서의 자부심을 느끼게 합니다.

4. 개방적인 의사소통: 다양한 의견과 관점을 존중하고 포용하는 개방적인 의사소통 문화를 만듭니다. 이는 다양성을 존중하고, 서로를 이해하고, 협력하는 능력을 개발하는데 도움이 됩니다.

이러한 전략을 통해 리더는 조직 내에서 다양성을 존중하고 포용하는 문화를 만들 수 있습니다. 이는 결국 조직의 성공을 촉진하고, 글로벌 환경에서의 경쟁력을 강화하는 데 기여할 것입니다.

문화 다양성의 이해를 위한 실습 자료

이러한 실습 자료들은 문화 다양성에 대한 깊은 이해를 높이는 데 큰 도움이 되며, 이를 통해 대인관계와 커뮤니케이션 능력을 향상시킬 수 있습니다. 또한, 이러한 이해를 바탕으로 문화를 존중하는 조직 문화를 만드는 데 중요한 역할을 할 것입니다. 결국, 이러한 문화에 대한 이해와 존중은 조직의 성과를 향상시키고 고객 만족도를 높이는 데에 중요한 요소가 될 것입니다.

- 문화 다양성 워크샵: 팀원들이 함께 모여 서로의 문화적 배경과 경험에 대해 공유하고 이해하는 시간을 갖습니다. 이를 통해 서로의 문화에 대한 이해를 높이고, 다양성을 존중하는 조직 문화를 강화할 수 있습니다.
- 다국적 식사 모임: 각 팀원이 자신의 문화적 배경을 대표하는 음식을 준비하고 모두가 함께 나눠먹는 식사 모임을 가집니다. 이를 통해 팀원들이 서로의 문화를 체험하고 이해하는 기회를 제공합니다.
- 문화 다양성 캠페인: 조직 내에서 문화 다양성에 대한 인식을 높이는 캠페인을 진행합니다. 이를 통해 직원들이 문화 다양성의 중요성을 인지하고 이를 존중하도록 독려합니다.
- 문화 다양성 멘토링 프로그램: 다양한 문화적 배경을 가진 직원들이 멘토와 멘티가 되어 서로의 경험과 지식을 공유하는 프로그램을 운영합니다. 이를 통해 직원들이 서로의 문화에 대해 깊이 이해하고, 다양성을 존중하게 됩니다.
- 다국적 축제 참여: 다양한 문화를 대표하는 축제에 참여하거나, 조직 내에서 다국적 축제를 기획하여 직원들이 다양한 문화를 체험하고 이해하는 기회를 제공합니다.
- 문화 교환 프로그램: 서로 다른 문화적 배경을 가진 직원들이 서로의 문화에 대해 교환하는 프로그램을 운영합니다. 이는 직원들에게 다른 문화에 대한 이해를 깊게 하고, 새로운 인사이트를 얻게 합니다.
- 다양성 인식 워크샵: 직원들이 특정 문화나 집단에 대한 편견을 인식하고 이를 극복하는 방법을 배우는 워크샵을 개최합니다. 이를 통해 조직 내에서 다양성을 존중하는 문화를 더욱 강화할 수 있습니다.
- 글로벌 컨퍼런스 참여: 다양한 문화적 배경을 가진 사람들이 모여 아이디어를 공유하고 문제를 해결하는 글로벌 컨퍼런스에 직원들을 보내 참여하게 합니다. 이는 직원들에게 다른 문화에 대한 이해를 넓히고 새로운 시각을 갖게 하는 데 도움이 됩니다.

- 문화 감상 시간: 다양한 문화의 음악, 미술, 영화 등을 감상하는 시간을 마련합니다. 이를 통해 직원들이 다양한 문화를 경험하고 이해하는 기회를 제공합니다.
- 다양성 포럼: 다양성에 대한 이슈와 관련하여 직원들이 자유롭게 의견을 나눌 수 있는 포럼을 개최합니다. 이를 통해 다양성에 대한 이해와 인식을 높이고, 그에 따른 조직 내의 변화를 촉진합니다.

다문화 역량 강화 전략

다문화 역량 강화 전략은 다양한 문화적 배경을 가진 사람들이 함께 일하고, 서로를 이해하고 존중하며, 효과적으로 협력할 수 있도록 돕습니다. 이는 조직의 다양성과 팀 성과를 향상시키며, 전반적인 조직의 성과를 높입니다.

다양한 문화적 배경을 가진 사람들의 가치를 인정하고, 그들의 차이를 존중하고 포용하는 것은 조직의 성공에 필수적입니다. 이는 글로벌 환경의 지속적 변화에 조직이 적응하고 그 안에서 성공을 추구하는 데 중요한 요소입니다.

다문화 역량을 강화하기 위한 전략은 다양합니다. 그 중 몇 가지를 자세히 살펴보겠습니다.

1. 다문화 교육 제공: 다양한 문화적 배경을 가진 사람들의 특성과 가치를 이해하고 존중하는 능력을 강화하기 위해 다문화 교육을 제공합니다. 이는 워크샵 형태로 진행될 수 있으며, 전문가의 강의, 실습, 그룹 토론 등이 포함될 수 있습니다.

2. 다문화 커뮤니케이션 실습: 다양한 문화적 배경을 가진 사람들과 효과적으로 소통하는 방법을 학습하기 위한 실습을 제공합니다. 이는 다문화 상황에서의 의사소통 방법, 문화적 차이를 이해하고 존중하는 방법, 편견을 인식하고 이를 극복하는 방법 등을 포함합니다.

3. 다문화 체험 프로그램: 직접 다양한 문화를 체험하고 이해하는 기회를 제공합니다. 이는 다양한 문화의 음식을 맛보거나, 다양한 문화의 축제에 참가하거나, 다양한 문화의 예술 작품을 감상하는 것 등을 포함할 수 있습니다.

4. 다문화 멘토링 프로그램: 다양한 문화적 배경을 가진 사람들이 멘토와 멘티가 되어 서로의 경험과 지식을 공유하는 프로그램을 운영합니다. 이를 통해 팀원들이 서로의 문화에 대해 깊이 이해하고, 다양성을 존중하게 됩니다.

이러한 전략들은 다문화 역량을 강화하고, 팀의 성과를 향상시키며, 조직의 경쟁력을 높이는 데 기여할 수 있습니다. 그러나 이러한 전략들을 효과적으로 실행하기 위해서는 리더의 지속적인 관심과 지원이 필요합니다. 리더는 다문화 역량 강화 전략의 중요성을 인식하고, 이를 지원하고 추진하는 역할을 해야 합니다.

다문화 역량 강화 전략의 실행

다문화 역량 강화 전략을 실행하는 데 필요한 몇 가지 핵심 단계는 다음과 같습니다.

1. 문화 인식 강화: 조직은 다양한 문화적 배경을 가진 사람들의 존재와 그들의 가치를 인정해야 합니다. 이는 문화적 다양성에 대한 이해를 높이고, 편견과 차별을 줄이는 데 도움이 됩니다.

2. 다문화 역량 교육: 조직은 다문화 역량 교육 프로그램을 개발하고 실행해야 합니다. 이는 팀원들이 다양한 문화에 대해 배우고, 그들의 차이를 인정하고 존중하는 능력을 개발하는 데 도움이 됩니다.

3. 다양성 지원 정책 구현: 다양한 문화적 배경을 가진 사람들이 조직 내에서 동등하게 존중받고 기회를 얻을 수 있도록 조직은 다양성 지원 정책을 구현해야 합니다.

4. 다양성을 포용하는 문화 조성: 조직은 다양성을 존중하고 포용하는 문화를 조성해야 합니다. 이는 다양한 문화적 배경을 가진 사람들이 자신들의 차이를 안전하게 표현하고, 그들의 기여를 인정받을 수 있는 환경을 만드는 데 중요합니다.

다문화 역량 강화 전략의 효과

이러한 다문화 역량 강화 전략들은 조직 내 다양성을 존중하고 포용하는 문화를 만드는 데 기여합니다. 이는 조직의 성과를 향상시키고 고객 만족도를 높이는 데에 중요한 요소가 됩니다. 이를 통해, 조직은 다양한 배경을 가진 직원들과의 관계를 개선하고 팀워크를 강화할 수 있습니다.

또한, 이러한 이해와 역량은 글로벌 비즈니스 환경에서의 리더십 역량을 높이는 데 결정적인 역할을 합니다. 결국, 이러한 지식과 능력은 조직의 성공을 촉진하고, 글로벌 환경에서의 경쟁력을 강화하는 데 기여할 것입니다.

다문화 역량 강화 전략을 성공적으로 실행하기 위해서는 지속적인 노력이 필요합니다. 이를 위해, 리더들은 다문화 역량 강화 전략의 중요성을 인식하고, 이를 지원하고 추진하는 역할을 해야 합니다. 리더는 전략의 구현을 지원하고, 다양한 문화적 배경과 그것이 조직 내에서 어떤 영향을 미치는지에 대한 깊은 이해를 가지고 있어야 합니다.

다문화 역량 강화 전략의 도전과 기회

다문화 역량 강화 전략의 실행은 다양한 도전과 기회를 수반합니다. 도전 중 하나는 다양한 문화적 배경을 가진 사람들 사이에서 발생할 수 있는 의사소통의 어려움입니다. 그러나 이러한 도전은 새로운 시각과 접근법을 탐색하고, 문화적 차이를 이해하고 존중하는 능력을 개발함으로써 극복될 수 있습니다.

기회 중 하나는 다양한 문화적 배경을 가진 사람들의 이해와 존중을 통해 조직 내 다양성을 증진하고, 조직의 혁신과 성장을 촉진하는 것입니다. 또한, 이러한 전략은 조직이 더 넓은 고객 베이스를 대상으로 하는 데 도움이 될 수 있습니다.

다문화 역량 강화는 단기적인 목표가 아닌 지속적인 과정입니다. 다양성을 존중하고 포용하는 문화를 유지하고 강화하기 위해서는, 조직은 이를 위한 전략을 지속적으로 검토하고 개선해야 합니다. 이는 조직의 성장과 발전에 중요한 요소로 작용하며, 조직을 지속적으로 변화하는 글로벌 환경에 적응시키고 성공하게 합니다.

다문화 역량 강화 전략 실습 자료

- 문화 다양성 워크샵 확장: 가장 먼저, 문화 다양성 워크샵을 확장하고 개선하는 것이 중요합니다. 이 워크샵에서는 서로의 문화, 가치, 통신 스타일에 대해 배우고 이해하는 것에 중점을 둡니다. 이를 통해 팀원들은 각각의 문화적 배경을 이해하고 존중하는 기초를 마련할 수 있습니다.
- 문화 다양성 미디어 클럽: 다음으로, 문화 다양성 미디어 클럽을 만들어보세요. 이는 다양한 문화적 배경을 가진 사람들에 대한 이해를 높이는 데 도움이 될 수 있습니다. 각 팀원은 자신의 문화를 대표하는 책이나 영화를 제안하고, 모두가 해당 미디어를 경험한 후에는 토론을 진행하는 방식으로 운영할 수 있습니다.
- 다문화 협력 프로젝트: 팀원들이 다양한 문화적 배경을 가진 사람들과 함께 프로젝트를 수행하도록 합니다. 서로 다른 문화적 배경을 가진 사람들과의 협력을 통해, 문화적 차이를 이해하고 존중하는 능력을 실질적으로 향상시킬 수 있습니다.
- 다문화 커뮤니티 봉사: 다양한 문화적 배경을 가진 사람들과 직접적으로 소통하고 협력하는 기회를 제공하는 봉사활동에 참여합니다. 이를 통해 실제 환경에서 다양한 문화를 경험하고 이해하는 기회를 얻을 수 있습니다.
- 문화 교환 프로그램 참여: 다른 문화적 배경을 가진 사람들과의 교류를 통해 다양한 문화에 대한 이해를 높이는 문화 교환 프로그램에 참여합니다. 이는 직접적인 문화적 경험을 통해 문화적 이해를 심화시키는 좋은 방법입니다.
- 글로벌 커뮤니티 참여: 다양한 문화적 배경을 가진 사람들이 모여 있는 커뮤니티에 참여하여, 다양한 문화에 대한 이해를 높이고, 그들과의 소통 및 협력을 통해 다문화 역량을 강화합니다.
- 다문화 워크숍 실습: 다양한 문화를 경험하고 이해하는 실습을 통해, 실제 사례를 통한 학습을 통해 다문화 역량을 강화합니다. 이를 통해 직원들은 다양한 문화적 배경을 가진 사람들과의 상호 작용 방법을 배울 수 있습니다.

- 다양한 문화의 축제 참가: 직원들이 다양한 문화의 축제에 참가하게 하여, 다양한 문화를 체험하고 이해하는 기회를 제공합니다. 이를 통해 직원들은 다른 문화의 음식, 예술, 전통 등을 경험하며 그들의 문화에 대한 이해를 높일 수 있습니다.
- 다문화 스터디 그룹 운영: 다양한 문화에 대해 배우고 이해하는 스터디 그룹을 운영합니다. 이는 직원들이 서로의 문화에 대해 배우고 이해하는 데 도움이 됩니다.
- 다문화 팀 빌딩 활동: 다양한 문화적 배경을 가진 팀원들이 함께 참여하는 팀 빌딩 활동을 기획하고 실행합니다. 이를 통해 팀원들은 서로의 문화를 이해하고 존중하는 능력을 향상시킬 수 있습니다.

포용적 조직 문화 조성

포용적인 조직 문화를 조성하는 것은 조직의 성공에 있어 중요한 요소입니다. 다양한 배경, 경험, 능력을 가진 사람들이 모여 원활하게 소통하고 협력할 수 있는 환경을 만드는 것이 바로 포용적 조직 문화의 핵심입니다.

이러한 방법들을 통해 조직은 포용적인 문화를 조성하고, 모든 직원이 소속감을 느끼고 최선을 다하게 만들 수 있습니다. 이는 결국 조직의 생산성을 높이고, 다양한 의견과 아이디어를 수용함으로써 조직의 혁신을 촉진합니다.

1. 리더의 역할: 포용적인 조직문화를 만드는데 있어서 가장 중요한 역할은 리더에게 있습니다. 리더는 다양성을 존중하고 포용하는 문화를 실현하기 위한 노력을 주도해야 합니다. 이를 위해 리더는 자신이 다양성과 포용성의 모델로서의 역할을 수행해야 하며, 이를 통해 팀원들에게 이러한 가치를 전달하고 실천하는 방법을 보여줘야 합니다.

2. 다양성 인정: 조직의 모든 구성원이 다양한 배경과 경험을 가진 사람들의 존재를 인식하고 그들의 의견과 경험을 존중하는 문화를 만드는 것이 중요합니다. 이것은 포용적인 조직문화의 기초를 형성하며, 이를 통해 모든 구성원이 존중받는 환경을 만들 수 있습니다.

3. 공정한 기회 제공: 모든 직원에게 공정한 기회를 제공해야 합니다. 이는 신규 채용, 승진, 교육 기회 등 모든 조직 내 활동에서 차별 없는 환경을 보장하는 것을 의미합니다. 이를 통해 모든 구성원이 공정하게 대우받고 그들의 능력과 성과를 인정받는 환경을 만들 수 있습니다.

4. 다양성 교육: 조직 내에서는 다양성에 대한 교육이 필요합니다. 이를 통해 직원들은 서로 다른 배경을 가진 사람들을 이해하고 존중하는 능력을 향상시킬 수 있습니다. 이러한 교육은 직원들이 다양성을 인정하고 이를 존중하는 문화를 실제로 실행하는 데 도움이 됩니다.

5. 개방적인 의사소통: 다양한 의견과 생각을 자유롭게 표현할 수 있는 환경을 만들어야 합니다. 이는 직원들이 서로를 존중하고 이해하는 데 도움이 되며, 다양성을 존중하고 포용하는 조직문화의 핵심 요소입니다.

6. 다양성을 존중하는 정책과 절차: 조직의 정책과 절차는 다양성을 존중하고 차별을 방지하는 것을 목표로 해야 합니다. 이를 통해 조직은 다양성을 존중하고 포용하는 환경을 구축하고, 이를 유지하는데 필요한 기준을 설정할 수 있습니다.

7. 평가 및 피드백: 조직은 다양성과 포용성에 대한 정기적인 평가와 피드백을 제공해야 합니다. 이를 통해 조직은 다양성과 포용성이 조직 내에서 어떻게 작용하는지 이해하고 그 효과를 측정할 수 있습니다. 이는 조직의 다양성과 포용성 전략의 효과성을 평가하고, 개선하는 데 중요한 역할을 합니다.

8. 오픈 다이알로그: 조직은 다양성과 포용성에 대한 오픈 다이알로그를 촉진해야 합니다. 이는 다양한 의견과 견해를 교환하고 서로의 차이를 이해하고 존중하는 데 도움이 됩니다. 이런 대화의 공간을 만드는 것은 직원들이 서로를 더 잘 이해하고, 다양성을 존중하고, 효과적으로 협력하는 데 중요합니다.

9. 다양성과 포용성을 강조하는 조직 문화: 조직 문화는 다양성과 포용성을 강조해야 합니다. 이는 모든 조직의 멤버가 다양성과 포용성을 존중하고 이를 실천하는 데 중요합니다. 이렇게 하여 조직 문화가 다양성과 포용성을 중심으로 형성되면, 이는 조직의 모든 멤버에게 이러한 가치를 인식하고 실천하는 것을 돕습니다.

포용적 조직 문화 조성 실습 자료

- 다양성 인식 캠페인: 이는 모든 조직원이 다양성의 중요성을 이해하고 존중하는 방법을 배우는 첫 걸음입니다. 인식 캠페인은 강연, 워크숍, 정보 세션 등 다양한 방식으로 진행될 수 있습니다.
- 다양성 대화 워크숍: 다양한 배경을 가진 사람들과의 대화를 통해 다양성에 대한 이해를 높이는 워크숍을 진행합니다. 이는 서로 다른 배경과 경험을 가진 사람들간의 이해와 소통을 촉진하며, 각자의 경험과 지식을 공유하는 좋은 기회가 됩니다.
- 다문화 행사 참여: 다양한 문화에 대한 이해와 존중을 실천할 수 있는 기회를 제공합니다. 이는 국제 음식 축제, 문화 탐험 등 다양한 형태의 행사를 통해 진행될 수 있습니다.
- 포용성 팀 빌딩: 모든 팀원들이 서로의 차이를 이해하고 존중하는 방법을 배울 수 있도록 팀 빌딩 활동을 기획하고 실행합니다. 이는 다양한 배경을 가진 사람들이 함께 협력하고 소통하는 과정에서 팀의 응집력을 높입니다.
- 다양성과 포용성 워크샵: 전문가를 초청하여 다양성과 포용성에 대한 워크샵을 진행합니다. 이 워크샵에서는 다양성의 중요성, 포용적인 환경 조성 방법, 다양성과 포용성이 조직에 미치는 영향 등에 대해 배울 수 있습니다.

- 다양성 멘토링 프로그램: 다양한 배경을 가진 사람들이 멘토와 멘티가 되어 경험과 지식을 공유하는 프로그램을 운영합니다. 이는 서로 다른 배경과 경험을 가진 사람들 간의 상호 이해와 존중을 촉진하며, 서로에게서 배울 수 있는 기회를 제공합니다.
- 다문화 미디어 공유: 각 팀원이 자신의 문화적 배경을 반영하는 미디어 자료(영화, 음악, 책 등)를 공유하고, 이를 통해 다양한 문화에 대한 이해를 높이는 활동을 진행합니다. 이는 문화 간의 이해를 촉진하며, 서로의 문화를 존중하고 이해하는 데 도움이 됩니다.
- 다문화 자원 봉사: 다양한 문화적 배경을 가진 사람들과 함께 봉사활동을 통해 다양한 문화에 대한 이해와 존중을 실천합니다. 이는 봉사활동을 통해 다양한 커뮤니티와 상호작용하고, 다양한 문화와 경험을 체험하는 기회를 제공합니다.
- 다양성 챌린지: 조직 내에서 다양한 배경을 가진 사람들이 함께 참여할 수 있는 다양성 챌린지를 개최합니다. 이는 다른 문화의 요리를 만들어 보거나, 다른 국가의 축제를 경험하도록 도전하는 등의 활동을 통해 다양성을 체험하고 인정하는 기회를 제공합니다.
- 다양성과 포용성 컨퍼런스 참여: 다양성과 포용성에 관한 컨퍼런스나 세미나에 참여하여 최신 트렌드와 사례를 학습하고, 이를 조직 내에 적용하는 방법을 모색합니다. 이는 다양성과 포용성에 대한 최신 연구와 전략을 학습하고, 해당 지식을 조직 내에 적용하는 데 도움이 됩니다.
- 다양성 인식 설문조사: 조직의 다양성 수준과 인식을 파악하기 위해 정기적으로 설문조사를 실시합니다. 이를 통해 조직의 다양성과 포용성 수준을 측정하고, 필요한 개선 사항을 파악하며, 이를 통해 조직의 다양성 정책과 프로그램을 개선하고 평가하는 데 도움이 됩니다.

기업 사례

- Google의 다양성 및 포용성 프로그램: Google은 다양성 및 포용성을 강조하여 다양한 배경과 경험을 가진 사람들이 함께 협력하고 성장할 수 있는 환경을 만들었습니다. Google은 직원들의 다양성을 증가시키기 위한 다양한 프로그램을 진행하고, 이러한 노력을 통해 다양한 배경을 가진 사람들이 조직 내에서 중요한 역할을 수행하도록 도왔습니다.
- IBM의 포용적인 기업문화: IBM은 다양성과 포용성을 기업문화의 핵심 가치로 삼아왔습니다. IBM은 여성, 이민자, 장애인 등 다양한 배경을 가진 사람들에게 공정한 기회를 제공하고, 이들이 조직 내에서 성공할 수 있도록 지원하였습니다.
- 스타벅스의 다양성 교육: 스타벅스는 직원들이 서로 다른 배경과 경험을 가진 사람들을 이해하고 존중할 수 있도록 다양성 교육을 실시하였습니다. 이를 통해 스타벅스는 직원들이 서로를 존중하고 이해하는 문화를 조성하였습니다.
- Microsoft의 다양성과 포용성 전략: Microsoft는 다양성과 포용성을 기업 전략의 중심에 두고 있습니다. 회사는 다양한 배경을 가진 사람들이 조직에 참여하고, 그들의 다양한 의견과 경험을 공유하도록 장려하는 환경을 조성하고 있습니다. 또한, Microsoft는 다양성과 포용성을 높이기 위한 다양한 프로그램과 이니셔티브를 운영하고 있습니다.

- Nike의 포용적인 인사정책: Nike는 다양성과 포용성을 인사정책의 핵심 가치로 삼아왔습니다. 회사는 다양한 배경을 가진 사람들을 채용하고, 그들의 성장과 발전을 지원하는 다양한 프로그램을 제공하고 있습니다. 이런 노력을 통해 Nike는 다양한 배경을 가진 직원들이 동등한 기회를 얻을 수 있는 조직문화를 조성하고 있습니다.
- Unilever의 다양성 챔피언 프로그램: Unilever는 다양성 챔피언 프로그램을 운영하여 직원들이 다양성과 포용성을 촉진하는데 직접 참여하도록 하고 있습니다. 이 프로그램은 직원들이 다양성과 포용성에 대한 이해를 깊게하고, 이에 대한 인식을 높이는 역할을 합니다.
- 페이스북의 다양성 및 포용성 이니셔티브: 페이스북은 다양성과 포용성을 촉진하는 다양한 이니셔티브를 진행하고 있습니다. 이를 통해 모든 직원이 자신의 의견을 자유롭게 표현할 수 있는 환경을 만들고, 다양한 배경과 경험을 가진 사람들이 회사에 기여할 수 있도록 지원하고 있습니다.
- Salesforce의 평등한 기회 제공: Salesforce는 모든 직원에게 평등한 기회를 제공하려는 노력을 하고 있습니다. 회사는 다양한 배경을 가진 사람들의 채용과 승진을 촉진하고, 이들이 조직 내에서 성공할 수 있도록 지원하는 다양한 프로그램을 운영하고 있습니다.
- Coca-Cola의 다양성 포용 정책: Coca-Cola는 다양성을 기업 전략의 핵심 요소로 인식하고 있습니다. 회사는 다양한 인종, 성별, 연령, 성적 성향 등을 가진 사람들이 조직 내에서 동등한 기회를 가질 수 있도록 지원하고 있습니다.

시각 자료 및 도구

- 다양성과 포용성 액션 플랜 템플릿: 조직의 다양성과 포용성 전략을 계획하고 실행하는 데 도움이 되는 액션 플랜 템플릿을 제공합니다.
- 다양성과 포용성 평가 도구: 직원들의 다양성과 포용성에 대한 인식과 태도를 평가하는 도구를 제공합니다. 이를 통해 조직은 다양성과 포용성에 대한 직원들의 인식 수준과 개선 필요성을 파악할 수 있습니다.
- 다양성과 포용성 e-러닝 코스: 온라인으로 제공되는 다양성과 포용성에 대한 교육 코스를 제공합니다. 이를 통해 직원들은 필요한 시간과 장소에서 다양성과 포용성에 대해 배울 수 있습니다.
- 다양성과 포용성 성과지표(KPIs): 다양성과 포용성에 대한 성과지표를 설정하고, 이를 통해 조직의 다양성과 포용성 전략의 진척 상황을 추적하고 평가하는 도구를 제공합니다.
- 다양성과 포용성 대시보드: 조직의 다양성과 포용성 수준을 측정하고 표시하는 대시보드를 제공합니다. 이는 조직의 다양성과 포용성 전략의 효과성을 평가하고, 개선하는 데 중요한 역할을 합니다.

- 다양성과 포용성 훈련 프로그램: 다양성과 포용성에 대한 교육과 훈련 프로그램을 제공합니다. 이를 통해 직원들은 다양성을 인정하고 포용하는 문화를 실제로 실천하는 데 도움이 됩니다.
- 다문화 팀 빌딩 활동 가이드: 다양한 문화적 배경을 가진 팀원들이 함께 참여하는 팀 빌딩 활동을 기획하고 실행하는데 도움이 되는 가이드를 제공합니다. 이를 통해 팀원들은 서로의 문화를 이해하고 존중하는 능력을 향상시킬 수 있습니다.
- 포용성 체크리스트: 조직 내에서 포용성을 실천하는데 도움이 되는 체크리스트를 제공합니다. 이는 조직 내에서 다양성과 포용성을 촉진하는 데 도움이 됩니다.
- 다문화 커뮤니케이션 가이드: 다양한 문화적 배경을 가진 사람들과의 효과적인 커뮤니케이션을 돕기 위한 가이드를 제공합니다. 이는 서로 다른 문화적 배경을 가진 사람들 간의 의사소통을 촉진합니다.
- 문화 다양성 워크숍 키트: 다양한 문화에 대해 배우고 이해하는 워크숍을 진행하는데 필요한 도구와 자료를 제공합니다. 이는 직원들이 서로의 문화에 대해 배우고 이해하는 데 도움이 됩니다.

문화 다양성 워크샵

이것은 실습 구현에 관한 상세한 방법론을 제공하는 것이며, 각 단계별 과정에 대한 구체적인 설명과 가이드를 포함하고 있습니다. 이를 통해 사용자는 실습의 목표와 목적을 명확하게 이해하고, 각 단계를 어떻게 진행해야 하는지에 대한 명확한 가이드라인을 얻을 수 있습니다.

또한 이 가이드는 실습 구현에 필요한 모든 도구와 리소스에 대한 정보를 제공하므로, 사용자가 효과적으로 실습을 진행할 수 있도록 돕습니다.

이러한 워크샵을 통해 팀원들은 서로의 문화를 이해하고 존중하는 방법을 배우며, 이를 바탕으로 팀의 다양성을 더욱 잘 활용하여 더 효과적인 협업을 이루어낼 수 있게 됩니다.

1. 워크샵 시작 개인의 문화적 배경 소개: 워크샵을 시작하는 첫 번째 단계에서는 각 참여자가 자신의 문화적 배경을 소개하고, 그 배경이 자신의 가치관, 행동 패턴, 그리고 의사소통 스타일에 어떻게 영향을 미치는지에 대해 상세히 설명합니다. 이는 참여자 간의 이해와 공감을 촉진하며 개개인의 독특한 문화적 경험을 인정하는 기회를 제공합니다.

2. 문화 이해 강의와 토론: 다양한 문화에 대한 이해를 높이기 위해, 강의와 토론 시간을 통해 참가자들은 서로의 문화에 대해 배우고, 그 차이를 존중하는 방법에 대해 고민해 볼 수 있습니다. 이 과정은 참가자들이 다양한 문화적 배경을 이해하고 존중하는 능력을 기르는 데 도움이 됩니다.

3. 실제 사례 연구 문화적 차이의 영향 이해: 다양한 문화적 배경을 가진 사람들이 함께 일하는 실제 사례를 분석하고, 그 과정에서 문화적 차이가 팀의 작업에 어떤 영향을 미치는지를 이해하고 토론해 보는 시간을 가집니다. 이를 통해 참가자들은 문화 다양성이 실제 업무 환경에서 어떻게 작용하는지에 대한 깊은 인사이트를 얻을 수 있습니다.

4. 롤 플레이 및 시뮬레이션 다양한 문화적 배경 이해: 참가자들이 다른 문화적 배경을 가진 사람의 입장에서 상황을 이해하고 대처하는 능력을 향상시키기 위해 롤 플레이나 시뮬레이션을 진행합니다. 이 과정은 참가자들이 다른 문화적 배경에서 온 사람들의 관점을 이해하고 존중하는 능력을 키우는 데 중요하다.

5. 피드백 및 반성 학습 내용의 깊이있는 이해: 각 활동 뒤에는 참가자들이 자신의 경험과 학습 내용에 대해 피드백하고 반성하는 시간을 가집니다. 이를 통해 참가자들은 자신이 배운 내용을 실제 상황에 어떻게 적용할 수 있는지에 대해 깊게 고민하게 됩니다. 이 시간은 참가자들이 워크샵에서의 경험을 통해 배운 것들을 실제로 어떻게 적용할 수 있는지에 대해 생각해 보는 데 중요한 시간입니다.

6. 행동 계획 개발 실제 업무에의 적용: 워크샵의 마지막 부분에서는 참가자들이 배운 내용을 실제 작업에 어떻게 적용할 것인지에 대한 행동 계획을 개발합니다. 이 계획은 참가자들이 워크샵에서 배운 내용을 실제로 실천하는 데 도움을 줍니다.

이 장을 통해 학습자들은 다양한 문화적 배경에 대한 깊은 이해를 얻게 됩니다. 이는 다양한 국가, 종교, 사회적 배경에서 온 사람들의 가치관, 행동, 의사소통 스타일을 이해하는 것을 포함합니다. 이런 이해는 다양한 배경을 가진 사람들과 효과적으로 상호작용하고, 팀워크와 협업을 강화하는 데 중요합니다.

이 장을 공부하고 나면, 학습자들은 다양성과 포용성이 조직 내에서 어떤 복합적인 영향을 미치는지 이해하게 됩니다. 그들은 다양성을 존중하고 이를 포용하는 실질적인 방법들을 배우게 되며, 이는 다양한 배경을 가진 직원들과의 상호작용을 개선하고, 팀 간의 협업과 팀워크를 더욱 강화하는 데 큰 도움이 됩니다.

학습자들은 다양한 문화적 배경을 이해하고 존중하는 능력을 갖추게 됩니다. 다양한 문화적 배경을 이해하고 존중하는 능력은 국제적인 비즈니스 환경에서 매우 중요한 역할을 하는데, 이는 다양한 국가와 문화에서 온 파트너, 고객, 공급업체와 효과적으로 소통하고 협력하는 데 중요합니다. 이 능력은 국제적인 비즈니스 환경에서 매우 중요하며, 조직의 성장과 성공을 촉진하는데 큰 도움이 됩니다. 또한, 이러한 이해와 능력은 글로벌 비즈니스 환경에서의 리더십 역량을 높이는 결정적인 역할을 합니다.

마지막으로, 이 장을 통해 얻은 지식과 능력은 조직의 성공을 촉진하고, 글로벌 환경에서의 경쟁력을 강화하는 데 기여할 것입니다. 세계가 점점 더 글로벌화되고, 다양성이 더욱 중요해지는 현재, 이러한 능력은 조직이 효과적으로 경쟁하고 성장하는 데 필수적입니다.

제 14 장

멘토십: 리더의 역할로서의 멘토링

이 장에서는 리더의 멘토십이 팀원들의 전문성 발전을 지원하고 개인의 성장을 촉진하는 중요한 역할을 하는 것을 다룹니다. 멘토로서, 리더는 자신의 지식과 경험을 통해 팀원들의 능력을 향상시키는데 기여하며, 이는 팀 전체의 성과를 높입니다. 또한, 멘토십은 리더십 유산을 구축하는데 중요하며, 이를 통해 리더는 팀원들과 조직 전체의 지속적인 성장과 발전을 지원합니다.

학습 개요

이 장에서는 리더의 멘토십이 팀원들의 전문성 발전을 지원하고 개인의 성장을 촉진하는 중요한 역할을 하는 것을 다룹니다. 멘토로서, 리더는 자신의 지식과 경험을 통해 팀원들의 능력을 향상시키는데 기여하며, 이는 팀 전체의 성과를 높입니다. 또한, 멘토십은 리더십 유산을 구축하는데 중요하며, 이를 통해 리더는 팀원들과 조직 전체의 지속적인 성장과 발전을 지원합니다.

학습 내용 및 목표

- 멘토링의 중요성 및 역할 이해: 멘토링이 개인의 성장과 발전에 미치는 뿐만 아니라 조직 전체의 향상과 변화에도 크게 기여하는 방법에 대해 이해합니다. 이를 통해 개인과 조직 모두가 멘토링의 긍정적인 영향을 최대한 활용할 수 있도록 합니다.
- 효과적인 멘토링 기술: 멘토링 세션을 성공적으로 설계하고 진행하기 위한 다양한 기술과 접근법을 학습합니다. 이를 통해 멘티가 자신의 목표를 달성하는데 필요한 지원과 가이드라인을 제공하는 방법을 배울 수 있습니다.
- 멘토링을 통한 리더십 유산 구축: 멘토링을 통해 조직 내에서 지속적인 학습 문화를 발전시키고, 미래의 리더들에게 지식과 경험을 유산으로서 전달하는 방법을 배웁니다. 이를 통해 조직이 지속적으로 성장하고 발전할 수 있는 토대를 마련합니다.

예상 학습 성과

- 조직 내에서 멘토링 문화를 활성화하고 발전시키는 능력을 갖추고 있습니다. 이는 멘토와 멘티 간의 상호작용을 통해 조직의 전반적인 성장과 발전을 돕는 중요한 역할입니다.
- 팀원들의 성장을 적극적으로 지원하고, 그들의 성과를 향상시키는 멘토로서의 역량을 강화합니다. 이는 각 팀원의 개인적인 성장 뿐만 아니라 팀 전체의 성능 향상에도 중요한 기여를 합니다.
- 조직 내에서 멘토링 문화를 활성화하고 발전시키는 능력을 갖추고 있습니다. 이는 멘토와 멘티 간의 상호작용을 통해 조직의 전반적인 성장과 발전을 돕는 중요한 역할을 합니다. 리더는 멘토로서 자신의 지식과 경험을 팀원들에게 전달함으로써, 그들이 더 나은 전문가가 되도록 돕는 역할을 수행합니다. 이 과정에서 리더는 자신의 가치와 원칙을 전달하고, 팀원들이 그것들을 계승하도록 격려합니다. 이렇게 해서 리더는 자신의 리더십 유산을 구축하며, 팀원들과 조직 전체가 계속해서 성장하고 발전할 수 있도록 지원합니다.
- 팀원들의 성장을 적극적으로 지원하고, 그들의 성과를 향상시키는 멘토로서의 역량을 강화합니다. 이는 각 팀원의 개인적인 성장 뿐만 아니라 팀 전체의 성능 향상에도 중요한 기여를 합니다. 리더가 멘토로서 팀원들에게 자신의 지식과 경험을 전달하면, 팀원들은 그것을 바탕으로 자신의 역량을 향상시킬 수 있습니다. 이는 팀원 각각이 자신의 전문성을 발전시키는 것뿐만 아니라, 팀 전체가 더욱 성장하고 발전하는 데에도 기여합니다.

이론적 배경과 근거

멘토십의 효과에 대한 연구는 다양한 분야에서 이루어지고 있지만, 그 중에서도 David Clutterbuck의 작업이 주목받고 있습니다. Clutterbuck는 멘토링이 조직 내에서 지식 공유의 촉진, 개인의 경력 개발, 그리고 전반적인 성과 향상에 중요한 역할을 한다고 강조하였습니다(Clutterbuck, D. (2004). "Everyone Needs a Mentor"). 그는 이를 통해 멘토링이 단순한 지식 전달의 과정이 아니라, 조직 내에서 중요한 변화와 성장을 이끌어내는 핵심적인 역할을 하는 것을 보여주었습니다. 또한, 이 연구는 멘토와 멘티 간의 관계가 양측 모두에게 어떻게 이익이 되는지를 상세하게 분석하였습니다. 이를 통해 우리는 멘토링이 어떻게 개인과 조직의 성장에 기여하는지 더 깊이 이해할 수 있게 되었습니다.

Clutterbuck의 연구에 따르면, 멘토링은 개인 및 조직에게 다양한 이점을 제공합니다. 첫째, 멘토링은 조직 내에서 지식을 공유하는 효과적인 방법입니다. 멘토는 자신의 전문 지식과 경험을 멘티에게 전달함으로써, 멘티가 새로운 지식과 스킬을 획득할 수 있게 돕습니다. 이 과정에서 멘토는 자신의 지식을 재정립하고 확장하는 기회를 얻게 됩니다.

둘째, 멘토링은 개인의 경력 개발에 도움을 줍니다. 멘토는 멘티의 개인적인 목표와 경력 계획에 대해 조언을 제공하고, 멘티가 자신의 잠재력을 최대한 발휘할 수 있도록 도와줍니다. 이를 통해 멘티는 자신의 경력 발전을 더욱 촉진시킬 수 있습니다.

셋째, 멘토링은 전반적인 성과 향상에 중요한 역할을 합니다. 멘토링은 멘티의 역량을 향상시키는 데 기여함으로써, 개인의 성과를 높이는 데 도움을 줍니다. 더불어 멘티의 성과 향상은 조직 전체의 성과에도 긍정적인 영향을 미칩니다.

최근의 이론적 배경과 근거에 따르면, 멘토링은 개인의 학습과 성장을 촉진하는 데 있어 중요한 역할을 합니다. 특히, Ragins와 Kram(2007)은 그들의 연구에서 멘토링이 개인의 자기 효능감, 경력 만족도, 조직에 대한 애착 감 등을 향상시키는 데 기여한다고 보고했습니다. 이는 멘토링이 단순히 개인적인 성장을 촉진하는 것뿐만 아니라, 조직에 대한 긍정적인 태도와 행동을 촉진함으로써 조직 전체의 성과를 향상시키는 역할을 하는 것을 보여줍니다.

또한, Higgins와 Kram(2001)은 그들의 연구에서 멘토링이 개인의 네트워크 구축, 지식 및 스킬 향상, 경력 발전 등에 중요한 역할을 한다고 보고했습니다. 이러한 이점들은 멘토링이 개인의 전문적 성장과 발전을 지원하는 다양한 방법을 제공함을 보여줍니다.

마지막으로, Allen, Eby, Poteet, Lentz, and Lima (2004)의 메타 분석 연구에 따르면, 멘토링은 멘티의 직무 만족도, 직무 성과, 조직에 대한 애착, 조직 시민 행동, 경력 기대 등을 향상시키는 데 도움이 된다고 합니다. 이러한 연구 결과들은 멘토링이 개인과 조직에게 다양한 긍정적인 영향을 미칠 수 있음을 보여줍니다.

최근 이론적 배경과 근거

이러한 최신 연구들은 멘토링이 개인의 성장과 발전뿐만 아니라 조직의 다양성, 포용성, 그리고 디지털 변환 등의 현대적 과제에 대응하는 데도 중요한 역할을 한다는 것을 보여줍니다.

2020년 이후의 최신 이론적 배경과 근거로는 다음과 같은 연구들이 있습니다. 이들 연구는 멘토링이 개인의 성장과 발전 뿐만 아니라, 조직의 리더십, 조직문화, 사회적 네트워크 등에도 영향을 미치며, 이러한 다양한 영역에서의 효과를 통해 전체적인 조직의 성과를 향상시키는 중요한 역할을 하는 것을 보여줍니다.

멘토링과 정서적 지능 : 최근 연구에서는 멘토링과 정서적 지능 사이의 관계를 탐색하고 있습니다. 2020년에 발표된 한 연구(Johnson & Ridley, 2020)에서는 멘토링이 정서적 지능을 높이는 데 중요한 역할을 한다는 것을 발견했습니다. 이 연구는 멘토링이 멘티의 자기 인식, 자기 관리, 사회적 인식, 관계 관리 등의 능력을 향상시키는 데 도움이 된다는 것을 보여주었습니다.

디지털 멘토링 : 코로나19 팬데믹으로 인해 멘토링 활동이 온라인으로 이동하면서 디지털 멘토링에 대한 연구가 늘고 있습니다. 2021년에 발표된 한 연구(St-Jean & Mathieu, 2021)에서는 디지털 멘토링이 특히 원격 근무 환경에서 중요한 역할을 한다는 것을 보여주었습니다.

멘토링과 다양성, 포용성 : 멘토링이 다양성과 포용성을 증진하는 데 어떻게 기여하는지에 대한 연구도 많이 이루어지고 있습니다. 2020년에 발표된 한 연구(McDonald & Westphal, 2020)에서는 멘토링이 다양한 배경을 가진 직원들의 경력 개발을 지원하고, 그들이 조직에 더욱 효과적으로 기여할 수 있도록 돕는 데 중요한 역할을 한다는 것을 보여주었습니다.

멘토링과 리더십 스타일 : 여러 연구에서는 리더십 스타일이 멘토링의 효과에 어떻게 영향을 미치는지를 탐구하고 있습니다. 예를 들어, 2020년에 발표된 한 연구(Chen & Klimoski, 2020)에서는 트랜스포메이셔널 리더십 스타일을 가진 리더들이 더욱 효과적인 멘토가 될 수 있다는 것을 보여주었습니다.

멘토링과 조직문화 : 조직문화가 멘토링의 성공에 어떻게 영향을 미치는지에 대한 연구도 이루어지고 있습니다. 2021년에 발표된 한 연구(Slack, Orife, & Anderson, 2021)에서는 지속적인 학습을 격려하는 조직문화가 멘토링의 효과를 증대시킨다는 것을 보여주었습니다.

멘토링과 사회적 네트워크 : 최근 연구에서는 멘토링이 조직 내 사회적 네트워크를 어떻게 향상시키는지에 대한 연구도 있습니다. 이러한 연구는 멘토링이 개인의 네트워크 구축을 돕고, 이를 통해 조직 내 협력과 정보 공유를 촉진한다는 것을 보여줍니다.

멘토링의 중요성 및 역할 이해

멘토링은 개인 및 조직에게 큰 이점을 제공하는 효과적인 학습 방법입니다. 이는 개인의 전문적 성장을 촉진하고, 조직 내에서 지속 가능한 학습 문화를 발전시키는 데 중요한 역할을 합니다.

멘토링의 중요성은 다음과 같이 요약할 수 있습니다.

1. 개인의 전문적 성장 촉진: 멘토링은 멘티가 자신의 스킬과 지식을 향상시키는 데 도움을 줍니다. 멘토는 자신의 전문 지식과 경험을 공유함으로써 멘티에게 새로운 학습 기회를 제공하고, 그들의 전문적 성장을 촉진하는 데 도움을 줍니다.

2. 조직 내 지식 공유 촉진: 멘토링은 조직 내에서 지식을 효과적으로 공유하는 방법입니다. 멘토는 자신의 지식과 경험을 멘티와 공유함으로써, 조직 내에서 지식 공유를 촉진하고, 학습 문화를 구축하는 데 기여할 수 있습니다.

3. 조직의 전반적인 성과 향상: 멘토링은 개인의 성과를 향상시킴으로써, 조직의 전반적인 성과를 향상시키는 데 도움이 됩니다. 멘티가 자신의 스킬과 지식을 향상시킴으로써, 그들의 업무 성과가 향상되고, 이는 결국 조직의 전반적인 성과를 향상시키는 결과를 가져옵니다.

멘토링의 역할에 대해서는 다음과 같이 이해할 수 있습니다.

1. 지식과 경험 전달: 멘토는 자신의 전문 지식과 경험을 멘티와 공유하는 역할을 합니다. 이는 멘티가 새로운 학습 기회를 확보하고, 자신의 스킬과 지식을 향상시키는 데 도움이 됩니다.

2. 지원과 가이드 제공: 멘토는 멘티가 자신의 목표를 달성하는 데 필요한 지원과 가이드를 제공하는 역할을 합니다. 이는 멘티가 자신의 전문적 성장을 촉진하고, 더 나은 성과를 달성하는 데 도움이 됩니다.

3. 학습 문화 구축: 멘토링은 조직 내에서 지속 가능한 학습 문화를 구축하는 데 중요한 역할을 합니다. 멘토는 자신의 지식과 경험을 공유함으로써, 조직 내에서 지식 공유를 촉진하고, 학습 문화를 구축하는 데 기여할 수 있습니다.

멘토링의 중요성 및 역할 연습을 위한 실습 자료

- 멘토링 역할 연습: 이것은 멘토링의 가장 기본적인 실습으로서, 멘토로서의 역할을 이해하고 실제로 실행해보는 과정입니다. 이를 통해 어떤 지원과 가이드를 제공해야 하는지, 그리고 어떻게 지식과 경험을 효과적으로 전달할 수 있는지에 대해 탐색하게 됩니다.
- 멘토링 사례 연구: 멘토링 사례를 분석하는 실습으로, 실제 성공적인 멘토링의 구체적인 예시를 통해 멘토링의 중요성과 역할에 대한 실질적인 이해를 높이는 데 도움이 됩니다.
- 멘토링 피드백 수집: 멘토링의 효과를 측정하고 개선하는데 중요한 과정으로, 멘티로부터 피드백을 수집하여 멘토링 기술의 개선 방향을 찾습니다. 이를 통해, 피드백을 바탕으로 멘토링의 효과를 실질적으로 측정하고 평가하는 방법을 배울 수 있습니다.

- 멘토링 세션 기록 및 분석: 멘토링 세션의 기록을 작성하고 분석하는 과정입니다. 이를 통해 어떤 부분이 개선되어야 하는지 파악하며, 각 세션마다 어떤 변화가 있었는지 기록하고 분석함으로써 멘토링의 효과를 평가하고 개선할 수 있습니다.
- 멘토링 프로그램 개발: 실제로 사용할 수 있는 멘토링 프로그램 계획을 개발하는 과정입니다. 이를 통해 효과적인 멘토링 프로그램을 어떻게 설계하는지에 대한 실질적인 경험을 제공하며, 프로그램을 개발하는 과정에서 멘토링의 여러 요소를 종합적으로 고려하는 방법을 배울 수 있습니다.
- 멘토링 세션 기획: 멘토링 세션을 기획하고 준비하는 과정입니다. 멘토링 세션의 효과적인 진행 방법에 대한 이해를 심화하며, 세션을 통해 어떤 목표를 달성하고자 하는지, 그리고 세션을 어떻게 구성할 것인지에 대한 계획을 세웁니다.
- 멘토링 역할 플레이: 멘토와 멘티의 역할을 바꿔서 플레이해보는 과정으로, 멘토링 과정을 다양한 시각에서 이해할 수 있습니다. 이를 통해 멘티의 입장에서 멘토링을 경험해보며, 멘티가 멘토링에서 어떤 지원을 필요로 하는지를 더 잘 이해하게 됩니다.
- 멘토링 성과 평가 기준 개발: 멘토링 세션의 성과를 평가하는 기준을 개발하는 과정으로, 멘토링의 성과를 어떻게 측정하고 평가하는지에 대한 이해를 높일 수 있습니다. 이를 통해, 성과를 측정하고 평가하는 척도를 만들어, 멘토링이 어떤 변화를 가져오는지를 객관적으로 파악하는 방법을 배울 수 있습니다.
- 리더십 스타일 분석: 자신의 리더십 스타일을 분석하는 과정으로, 멘토링이 리더십 성과에 어떻게 영향을 미치는지 이해할 수 있다. 이를 통해, 리더로서의 자신의 역량과 스타일을 확인하고, 이를 바탕으로 어떻게 멘토링을 통해 팀원들을 지원할 것인지에 대해 생각해보게 됩니다.
- 멘티 성장 계획 설계: 멘티를 위한 개인적, 전문적 성장 계획을 설계하는 과정으로, 멘토링이 멘티의 성장에 어떻게 기여할 수 있는지 직접 체험합니다. 이를 통해, 멘티의 성장을 위한 실질적인 계획을 만들고, 이를 실행하기 위한 방법을 배울 수 있습니다.
- 멘토링 리더십 워크숍 개발: 이 프로세스는 멘토링 리더십 워크숍을 개발하고, 다른 리더들에게 멘토링의 중요성을 전달하며, 리더십 발전에 멘토링이 어떻게 기여할 수 있는지를 설명합니다.

효과적인 멘토링 기술

효과적인 멘토링을 위해 필요한 기술과 전략들은 여러가지 있습니다. 이들은 멘토와 멘티 간의 관계를 강화하고, 멘토링 과정에서의 학습과 성장을 촉진하는 데 중요한 역할을 합니다.

1. 능동적 듣기: 멘토는 멘티가 말하는 것을 주의 깊게 듣는 능력이 필요합니다. 이는 멘토링 과정에서 문제를 파악하고, 적절한 조언과 피드백을 제공하는 데 중요합니다. 능동적 듣기는 멘티의 이야기에 집중하고, 그들의 관점을 이해하고, 적절한 질문을 통해 더 깊은 대화를 이끌어내는 것을 포함합니다.

2. 개방적인 태도: 멘토는 멘티의 아이디어와 의견을 받아들이는 개방적인 태도를 가져야 합니다. 이는 멘티가 자신의 생각과 느낌을 자유롭게 표현할 수 있는 안전한 환경을 만드는 데 중요합니다. 멘토는 멘티의 의견을 존중하고, 그들의 관점을 이해하려는 노력을 해야 합니다.

3. 명확한 목표 설정: 멘토링 과정에서는 명확한 목표를 설정하는 것이 중요합니다. 이는 멘토와 멘티가 멘토링의 방향성을 정하고, 진척 상황을 추적하는 데 도움이 됩니다. 목표는 구체적, 측정 가능, 달성 가능, 현실적, 시간에 구애받는(SMART) 기준에 따라 설정되어야 합니다.

4. 적절한 피드백 제공: 피드백은 멘토링 과정에서 학습과 성장을 촉진하는 데 중요한 역할을 합니다. 멘토는 멘티의 성과와 행동에 대해 적시에, 적절하게 피드백을 제공해야 합니다. 피드백은 구체적이고, 명확하며, 공정하고, 진실되며, 건설적이어야 합니다.

5. 지속적인 학습과 성장 강조: 멘토는 지속적인 학습과 성장의 중요성을 강조해야 합니다. 이는 멘티가 자신의 지식과 스킬을 계속 개발하고, 새로운 도전을 받아들이는 데 도움이 됩니다. 멘토는 멘티에게 학습 기회를 제공하고, 그들의 성장을 지원하는 환경을 만드는 역할을 합니다.

이 외에도 효과적인 멘토링 기술에는 감정적 지능, 의사소통 능력, 문제 해결 능력, 리더십, 지도력 등이 포함될 수 있습니다. 이러한 기술들은 모두 멘토링 과정에서 멘토가 멘티를 지원하고, 그들의 성장을 촉진하는 데 중요한 역할을 합니다.

효과적인 멘토링을 위한 실습 자료

이러한 실습을 통해, 멘토는 효과적인 멘토링 기술을 실제로 적용하고, 멘토링 과정에서의 학습과 성장을 촉진하는 방법을 배울 수 있습니다. 실제로, 이런 실습은 멘토가 그들의 역량을 향상시키는 데 도움이 됩니다. 멘토링 기술을 적용하면서, 멘토는 그들이 지도하고 있는 사람들이 자신들의 목표를 달성하는 데 도움이 될 수 있는 전략을 배우게 됩니다. 또한, 이러한 실습을 통해 멘토는 그들의 지도력을 향상시키고, 그들이 지도하는 사람들이 좀 더 효과적으로 학습하고 성장할 수 있는 방법에 대해 배울 수 있습니다.

- 멘토링 계획 개발: 멘토링 계획을 개발하고 실행하는 실습입니다. 멘토는 이를 통해 멘토링 프로그램을 어떻게 효과적으로 설계하고 운영하는지 경험하게 됩니다. 계획 개발 단계에서는 목표 설정, 멘티 선정, 세션 일정 및 내용 구성 등을 포괄적으로 고려해야 합니다.
- 실제 멘토링 세션에서의 케이스 핸들링: 실제 멘토링 세션에서 발생하는 문제를 해결하는 실습입니다. 이를 통해, 멘토는 실제 문제 상황에서 어떻게 대처해야 하는지 배울 수 있습니다. 이 과정에서는 문제 상황 분석, 해결 방안 제시, 피드백 제공 등의 역량을 향상시킬 수 있습니다.

- 사례 연구 분석: 멘토링 사례를 분석하고 대화하는 실습으로, 실제 성공적인 멘토링의 구체적인 예시를 통해 멘토링의 중요성과 역할에 대한 실질적인 이해를 높이는 데 도움이 됩니다. 다양한 사례를 통해 멘토링의 다양한 양상과 효과를 이해하고, 이를 자신의 멘토링에 적용하는 방법을 배울 수 있습니다.
- 멘토링 워크숍 참여: 실제 멘토링 워크숍에 참여하는 실습입니다. 이를 통해 멘토링의 실제적인 과정을 체험하고 멘토링 기술을 실제 상황에서 활용하는 방법을 배울 수 있습니다. 워크숍에서는 다양한 멘토링 기법, 피드백 방법 등을 실습하고, 다른 멘토들과의 네트워킹을 통해 지식과 경험을 교류할 수 있습니다.
- 역할 연기: 멘토와 멘티의 역할을 바꿔서 플레이해보는 과정으로, 멘토링 과정을 다양한 시각에서 이해할 수 있습니다. 이를 통해 멘티의 입장에서 멘토링을 경험해보며, 멘티가 멘토링에서 어떤 지원을 필요로 하는지를 더 잘 이해하게 됩니다.
- 피드백 세션: 멘토링 과정에서 피드백을 주고 받는 세션을 가지는 실습입니다. 이를 통해, 멘토는 멘티로부터 직접적인 피드백을 받아 멘토링 기술을 개선하는 방법을 배울 수 있습니다. 피드백은 멘토링의 효과를 극대화하는 데 중요한 역할을 하며, 멘토와 멘티 간의 소통을 강화합니다.
- 멘토링 세션 기록 및 분석: 멘토링 세션의 기록을 작성하고 분석하는 과정입니다. 이를 통해 어떤 부분이 개선되어야 하는지 파악하며, 각 세션마다 어떤 변화가 있었는지 기록하고 분석함으로써 멘토링의 효과를 평가하고 개선할 수 있습니다.
- 멘토링 관련 워크숍 기획: 멘토링 관련 워크숍을 기획하고 실행하는 실습입니다. 이를 통해 리더는 멘토링의 중요성과 효과를 다른 팀원들에게 전달하며, 그들의 멘토링 기술을 향상시킬 수 있습니다.
- 멘토링 프로그램의 피드백 수집과 반영: 멘토링 프로그램의 피드백을 수집하고 이를 프로그램 개선에 반영하는 실습입니다. 이를 통해, 멘토는 기존의 멘토링 프로그램을 개선하고 향상시키는 방법을 배울 수 있습니다. 이 과정은 멘토링 프로그램의 지속적인 개선과 발전을 위해 필요합니다.

멘토링을 통한 리더십 유산 구축

멘토링은 리더가 자신의 지식, 경험, 가치를 다음 세대에게 전달하는 중요한 방법입니다. 이는 리더의 유산을 조직 내에서 지속적으로 유지하고 발전시키는 데 큰 역할을 합니다. 효과적인 멘토링은 리더의 기여를 넘어, 그의 가치와 철학을 멘티와 조직 전체로 확장시킵니다. 따라서, 멘토링은 리더십 유산을 구축하는 데 중요한 역할을 합니다. 멘토링을 통해 리더는 자신의 지식, 경험, 가치, 철학, 리더십 스타일을 멘티와 공유하고, 이를 조직 내에서 지속적으로 전파할 수 있습니다.

1. 지식과 경험의 전달: 멘토는 자신이 축적한 지식과 경험을 멘티에게 전달합니다. 이는 멘티가 그 지식과 경험을 바탕으로 자신만의 성장을 이루게 하고, 더 나아가 조직 전체의 성장과 발전을 도모하는 데 기여합니다.

2. 가치와 철학의 공유: 멘토링을 통해 리더는 자신의 가치와 철학을 멘티와 공유할 수 있습니다. 이는 멘티가 리더의 가치와 철학을 이해하고, 이를 자신의 업무와 행동에 적용하는 데 도움이 됩니다.

3. 리더십 스타일의 전파: 멘토링은 리더의 리더십 스타일을 멘티에게 전파하는 효과적인 방법입니다. 멘토링 과정에서 멘토는 자신의 리더십 스타일을 멘티에게 보여주고, 멘티는 그 스타일을 배우고 이해할 수 있습니다.

4. 조직 문화의 유지와 발전: 멘토링은 리더가 조직의 문화를 유지하고 발전시키는 데 중요한 역할을 합니다. 멘토는 자신의 가치와 철학을 통해 조직의 문화를 형성하고, 이를 멘티와 공유함으로써 조직 문화를 지속적으로 유지하고 발전시킵니다.

멘토링을 통한 리더십 유산 구축을 위한 실습 자료

- 멘토링 세션의 주제 선정: 멘티의 필요성에 맞추어 멘토링 세션에서 다룰 주제를 선정하는 것이 가장 우선적인 과정입니다. 이를 통해 멘토는 멘티의 관심사와 필요성에 따라 세션을 효과적으로 계획하고 실행할 수 있습니다.
- 멘토링 관계 구축: 멘토와 멘티 사이에 신뢰와 존중을 바탕으로 한 관계를 구축하는 것이 중요합니다. 이를 통해, 멘토는 멘토링 관계가 성공적으로 이루어지기 위한 기반을 마련할 수 있습니다.
- 멘토링 세션 리뷰: 멘토링 세션 후에는 리뷰를 통해 세션의 효과와 개선점을 파악하며, 이를 바탕으로 다음 세션을 개선하는 방법을 배울 수 있습니다.
- 멘토링 프로그램 개선 아이디어 브레인스토밍: 멘토링 프로그램을 개선할 수 있는 아이디어를 브레인스토밍해 보는 것도 중요합니다. 멘토는 다양한 관점에서 프로그램을 점검하고, 새로운 접근법을 고민해볼 수 있습니다.
- 멘토링을 통한 리더십 유산 구축: 멘토링을 통해 조직 내에서 지속적인 학습 문화를 발전시키고, 미래의 리더들에게 지식과 경험을 유산으로서 전달하는 실습입니다.
- 멘토링 프로그램의 효과 측정: 멘토링 프로그램의 효과를 측정하는 방법을 학습하는 것도 중요합니다. 멘토는 멘토링이 멘티의 성장과 조직의 성과에 어떠한 영향을 미쳤는지 평가하는 방법을 배울 수 있습니다.

- 멘토링 세션의 구조와 방법론 개발: 효과적인 멘토링 세션을 위한 구조와 방법론을 개발하는 것이 필요합니다. 멘토는 이를 통해 멘토링에서 중요한 요소를 통합하고, 멘토링 세션을 효과적으로 진행하는 방법을 배울 수 있습니다.
- 멘토링 세션의 비디오 기록 및 분석: 멘토링 세션을 비디오로 기록하고 이를 분석하는 것을 통해 멘토는 자신의 멘토링 스타일과 기술을 객관적으로 확인하고, 개선할 필요성을 인지할 수 있습니다.
- 멘토링 과정에서의 문제 해결: 멘토링 과정에서 발생할 수 있는 다양한 문제 상황을 해결하는 것이 중요합니다. 멘토는 이를 통해 문제 상황에 대처하고, 멘토링 과정을 원활하게 유지하는 방법을 배울 수 있습니다.
- 멘토링 세션 평가 및 피드백 제공: 멘토링 세션을 평가하고 멘티에게 피드백을 제공하는 것은 멘티의 성장을 촉진하는 데 중요한 역할을 합니다.
- 멘토링 자료 개발: 멘토링 세션을 지원하기 위한 다양한 자료를 개발하는 것도 중요합니다. 멘토는 이를 통해 멘토링 세션의 효과를 극대화하는 데 필요한 자료를 준비하는 방법을 배울 수 있습니다.

기업 사례

다음은 멘토링 프로그램이 잘 실행되고 있는 기업들의 몇 가지 사례입니다.

- 구글: 구글의 멘토링 프로그램은 직원들이 새로운 스킬을 배우고 전문 지식을 확장할 수 있도록 지원합니다. 이 프로그램은 구글의 혁신적인 문화를 유지하고, 직원들의 성장과 발전을 촉진하는 데 중요한 역할을 합니다.
- IBM: IBM은 전 세계적으로 멘토링 프로그램을 운영하고 있습니다. 이 프로그램은 직원들이 전문적인 발전을 위해 서로를 지원하고, 지식과 경험을 공유하는 데 도움이 됩니다.
- 프로터 앤 갬블 (P&G): P&G는 글로벌 멘토링 프로그램을 통해 모든 직원이 지속적으로 학습하고 개발할 수 있도록 지원하고 있습니다. 이 프로그램은 각 직원의 개인적인 성장과 기업 전체의 성장을 동시에 촉진합니다.
- GE: GE의 멘토링 프로그램은 리더십 개발에 중점을 두고 있습니다. 이 프로그램을 통해, 직원들은 리더로서 필요한 핵심 역량을 개발하고, 기업의 리더십 풀을 확장하는 데 기여하고 있습니다.
- Microsoft: Microsoft는 자체적인 멘토링 프로그램을 통해 직원들의 전문성 향상과 새로운 기술 습득을 지원합니다. 이 프로그램은 디지털 변화에 적응하는 데 필요한 지식과 기술을 전달하는 데 중점을 두고 있습니다.

- 메르세데스-벤츠: 메르세데스-벤츠는 직원들의 개인적인 발전을 지원하는 멘토링 프로그램을 운영하고 있습니다. 이 프로그램은 직원들이 자신의 능력을 최대한 활용하고 개인적인 성장을 달성하도록 돕습니다.
- Deloitte: Deloitte는 직원들이 서로의 경험과 지식을 공유하고 서로를 지원하는 멘토링 프로그램을 운영하고 있습니다. 이를 통해 직원들은 서로로부터 배우고, 서로를 돕는 문화를 유지하며, 직원들의 전문적인 성장을 돕습니다.
- 페이스북: 페이스북은 직원들이 서로 지식과 경험을 공유할 수 있도록 멘토링 프로그램을 운영하고 있습니다. 이 프로그램은 직원들이 서로의 경험과 지식을 공유하고, 새로운 기술과 전략을 배우는 데 중점을 두고 있습니다.

시각 자료 및 도구

- 멘토링 프로세스 다이어그램: 멘토링 세션의 각 단계를 명확하게 설명하는 도표를 만들어보세요. 이는 멘토와 멘티 모두에게 멘토링이 어떻게 진행되어야 하는지를 충분히 이해하는 데 도움이 됩니다. 각 단계에는 명확한 목표와 기대 결과를 포함해야 합니다.
- 멘토링 계획서 템플릿: 멘토링 세션의 주요 내용, 목표, 계획 등을 정리할 수 있는 템플릿을 만들어서 제공하면, 멘토는 세션의 내용을 체계적으로 계획하고, 멘티는 미리 세션의 내용을 이해하고 준비할 수 있습니다.
- 멘토링 세션 로드맵: 멘토링 세션의 전체적인 진행 과정과 목표를 보여주는 로드맵을 작성하면, 멘토와 멘티 모두가 세션의 전체적인 방향을 이해하고, 각 단계에서 무엇을 달성해야 하는지 명확하게 알 수 있습니다.
- 멘토링 세션 플로우차트: 멘토링 세션 중에 발생할 수 있는 다양한 상황과 그에 따른 대응 방안을 보여주는 플로우차트를 작성하면, 멘토링 세션에서 발생할 수 있는 문제를 미리 예측하고 대비할 수 있어, 세션의 효과를 극대화하는 데 도움이 됩니다.
- IBM 멘토링 프로그램 인포그래픽: IBM의 멘토링 프로그램 구조와 그 효과를 보여주는 인포그래픽을 참고하면, 다른 조직에서 멘토링 프로그램을 설계하고 실행할 때 유용한 참조 자료가 될 수 있습니다.
- 멘토링 성공 사례 슬라이드: 멘토링이 성공적으로 진행된 사례를 보여주는 슬라이드를 만들어, 멘토는 멘토링의 효과를 이해하고, 성공적인 멘토링을 위한 전략을 배울 수 있게 하는 것이 좋습니다.
- 멘토링 체크리스트 : 멘토링 세션을 준비하고 진행하기 위한 체크리스트를 만들어, 멘토링 과정을 체계적으로 관리하고 멘토링 세션의 효과를 극대화하는 데 도움이 됩니다.
- 멘토링 피드백 폼 : 멘티가 멘토링 세션 후 멘토에게 피드백을 제공할 수 있는 폼을 제작하면, 멘토는 멘티의 의견을 수집하고 멘토링 방식을 개선하는 데 도움이 됩니다.

- 멘토링 결과 보고서 양식: 멘토링 세션의 결과를 정리하고 분석할 수 있는 보고서 양식을 제공하면, 멘토는 멘토링 세션의 효과를 객관적으로 평가하고, 개선점을 찾을 수 있습니다.
- 멘토링 진행 상황 대시보드: 멘토링 세션의 진행 상황, 효과, 개선점 등을 한눈에 파악할 수 있는 대시보드를 제작하면, 멘토는 멘토링 세션의 전체적인 상황을 손쉽게 관리하고, 멘티는 자신의 성장과정을 확인할 수 있게 됩니다.
- 멘토링 스킬 트리 다이어그램: 멘토링에 필요한 다양한 스킬과 이들이 어떻게 연결되는지를 보여주는 스킬 트리 다이어그램을 작성하면, 멘토는 필요한 스킬을 체계적으로 개발하고, 멘티는 어떤 스킬을 배울 수 있는지 이해할 수 있습니다.

멘토링 리더십 워크숍 실습 방안

멘토링 리더십에 대한 워크숍을 개발하는 과정에서는, 다른 리더들에게 멘토링의 중요성을 전달하며, 멘토링이 리더십 발전에 어떻게 기여할 수 있는지를 설명합니다. 추가적으로, 워크숍의 성공적인 진행을 위해, 참가자들의 편안함을 최우선으로 생각하고, 멘토링에 대한 잘못된 인식이나 부담감을 해소해주는 것이 중요합니다. 이를 위해 워크숍의 시작부터 참가자들과의 명확한 커뮤니케이션을 유지하고, 워크숍의 목표와 기대 결과에 대해 명확히 설명하는 것이 필요합니다.

또한, 워크숍 동안 참가자들에게는 다양한 피드백 기회를 제공하고, 이를 통해 워크숍의 질을 지속적으로 향상시키는 것이 중요합니다. 이를 위해, 워크숍 후에는 참가자들의 피드백을 수집하고, 이를 바탕으로 워크숍의 구성과 내용을 개선하면서, 참가자들의 필요와 기대에 더욱 부합하는 워크숍을 제공하는 데 노력해야 합니다.

이렇게 워크숍을 통해 멘토링 리더십에 대한 깊이 있는 이해와 실질적인 스킬을 배울 수 있으며, 이는 참가자들이 자신의 조직에서 효과적인 멘토로서 역할을 수행하는 데 중요한 도움을 제공합니다.

멘토링 리더십 워크숍 계획 및 준비: 워크숍의 목표를 명확히 설정하고, 참가자 명단을 작성하며, 필요한 교육 자료 및 도구를 준비하는 단계입니다. 이 단계에는 워크숍의 일정 계획, 참가자들과의 사전 커뮤니케이션, 장소 및 장비 설정 등이 포함됩니다.

워크숍 진행: 워크숍이 실시되는 단계로, 이론 교육, 실질적인 멘토링 실습, 그룹 활동 등 다양한 프로그램을 통해 참가자들에게 멘토링 리더십에 대한 깊이 있는 이해를 제공합니다.

사례 연구 및 토론: 실제 멘토링 리더십의 사례를 분석하고 토론하는 단계입니다. 참가자들이 다양한 멘토링 사례를 통해 실질적인 문제를 해결하는 방법을 학습하고, 각자의 생각을 공유하는 시간을 갖습니다.

멘토링 리더십 도구 및 기법 소개: 참가자들에게 효과적인 멘토링을 위한 다양한 도구와 기법을 소개하는 단계입니다. 이 단계에서는, 각 도구와 기법의 사용 방법과 적용 사례를 함께 공유하여, 참가자들이 실제 멘토링 상황에서 효과적으로 활용할 수 있도록 합니다.

피드백 수집 및 워크숍 평가: 워크숍이 종료된 후 참가자들로부터 피드백을 수집하고, 워크숍의 전체적인 진행 상황과 결과를 평가하는 단계입니다. 이를 통해 워크숍의 장점과 개선점을 파악하고, 다음 워크숍의 계획에 반영합니다.

피드백 분석: 수집한 피드백을 분석하여 워크숍의 강점과 약점, 그리고 개선할 부분을 파악합니다. 이를 통해 다음 워크숍의 효과를 높일 수 있습니다.

참가자에게 결과 공유: 워크숍의 결과와 피드백 분석 결과를 참가자들과 공유합니다. 이를 통해 참가자들이 워크숍에서 배운 내용을 실제로 적용하는 데 도움이 됩니다.

멘토링 계획 개선: 워크숍에서 수집된 피드백과 결과를 바탕으로 멘토링 계획을 개선합니다. 이는 더 효과적인 멘토링을 위한 기반이 됩니다.

다음 워크숍 계획: 다음 워크숍의 주제, 일정, 참가자 등을 계획합니다. 이전 워크숍의 피드백과 결과를 반영하여 더 효과적인 워크숍을 계획할 수 있습니다.

이 장을 통해, 리더는 멘토로서의 역할이 조직 내 지속 가능한 성장과 학습 문화의 촉진에 어떻게 기여할 수 있는지에 대해 배우게 됩니다. 멘토십은 리더십의 중요한 구성 요소로, 리더에게는 그들의 관리 스타일을 개선하고, 팀원에게는 개인 및 전문적인 성장을 지원하는 기회를 제공합니다. 이는 조직 내에서 성장과 발전을 위한 지속적인 학습 환경을 조성하는 데 있어 매우 중요한 역할을 합니다. 그러므로, 리더는 멘토로서의 역할을 통해 그들이 주도하는 팀이나 조직 내에서 지속 가능한 성장과 학습 문화를 어떻게 촉진할 수 있는지에 대해 깊이 이해해야 합니다.

멘토로서의 역할은 리더의 핵심 역량 중 하나로 꼽히며, 이는 리더와 팀원 모두에게 지속적인 발전의 기회를 제공합니다. 팀원에게 개인적, 전문적 성장의 기회를 제공함으로써, 리더는 팀원들이 그들이 담당하는 업무에 더욱 효과적으로 대응할 수 있게 만들고, 이를 통해 팀 전체의 성과를 향상시킬 수 있습니다. 한편, 리더 자신은 멘토로서의 역할을 수행하면서 그들의 리더십 스타일과 관리 기술을 끊임없이 개선할 수 있는 기회를 얻게 됩니다.

마찬가지로, 멘토로서의 역할은 조직 내에서 지속 가능한 성장과 학습 문화를 촉진하는 데 있어 핵심적인 요소입니다. 멘토링은 개인의 성장뿐만 아니라 팀 전체의 성장을 촉진하고, 이를 통해 조직 전체의 성능을 향상시키는 데 기여합니다. 또한, 지속적인 학습이 가능한 환경을 조성함으로써, 멘토링은 조직 내에서 변화와 발전을 격려하고 이를 지원하는 중요한 역할을 합니다. 이러한 멘토링의 역할과 중요성을 이해하고 적용함으로써, 리더들은 더욱 강력하고 효과적인 리더십을 발휘할 수 있게 됩니다.

제 15 장

위기 관리: 효과적인 위기 대응을 위한 리더십 전략

이 장에서는 리더가 위기 상황을 효과적으로 처리하고 조직을 안정화시키는 방법을 배울 것입니다. 위기 관리는 조직의 생존과 성장에 필수적이며, 이를 통해 조직은 위기에 대처하는 방법을 배우고 복원력을 키울 수 있습니다. 리더는 위기를 식별하고 효과적으로 대응하는 방법을 배워, 신속하고 적절한 대응 능력을 개발하게 됩니다.

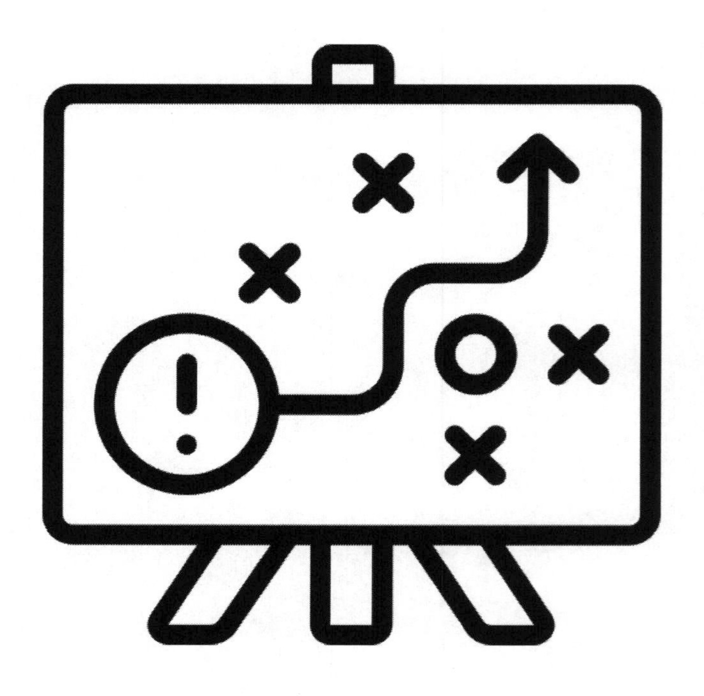

학습 개요

이 장에서는 리더가 위기 상황을 효과적으로 처리하고 조직을 안정화시키는 방법을 배울 것입니다. 위기 관리는 조직의 생존과 성장에 필수적이며, 이를 통해 조직은 위기에 대처하는 방법을 배우고 복원력을 키울 수 있습니다. 리더는 위기를 식별하고 효과적으로 대응하는 방법을 배워, 신속하고 적절한 대응 능력을 개발하게 됩니다.

학습 내용 및 목표

- 위기 상황 식별 및 대응 전략: 이 부분에서는 다양한 위기 상황을 식별하는 방법과 그러한 상황을 효과적으로 대응하기 위한 전략에 대해 배웁니다. 이를 통해 어떤 위기가 발생하더라도 적절하게 대응할 수 있는 능력을 키울 수 있습니다.
- 위기 커뮤니케이션 및 이해관계자 관리: 위기 상황에서 효과적인 커뮤니케이션은 매우 중요합니다. 여기에서는 이해관계자들과의 효과적인 커뮤니케이션 방법과 이해관계자들을 어떻게 관리해야 하는지에 대해 학습하게 됩니다. 이를 통해 위기 상황에서도 안정적인 관계 유지를 위한 방법을 배울 수 있습니다.
- 위기 이후의 복구와 강화 계획: 마지막으로, 위기 이후에 조직이 어떻게 복구되고 미래의 위기에 대비하여 어떻게 조직을 강화할 수 있는지에 대해 이해하게 됩니다. 이를 통해 위기 직후의 복구 작업뿐만 아니라 장기적인 안정성을 위한 계획을 세울 수 있게 됩니다.

예상 학습 성과

- 조직의 안정성을 유지하고 위기 상황에 대응하는 능력을 향상시키는 방법을 배웁니다. 이를 통해, 조직은 더욱 강하고 유연하게 변화하는 환경에 대응할 수 있게 됩니다. 이 과정은 위기 상황에서 조직의 경쟁력을 유지하고, 조직의 생존과 성장을 지속 가능하게 만드는 데 중요한 역할을 합니다.
- 위기 상황에서의 리더십과 의사결정 역량을 강화합니다. 이는 특히 불확실성이 높고, 빠르게 변화하는 상황에서 중요한 역량입니다. 이러한 역량을 강화하면, 리더는 조직을 안정적으로 이끌고, 효과적인 의사결정을 내릴 수 있게 됩니다. 이는 위기 상황에서의 효과적인 대응이 가능하게 하며, 조직의 미래에 대한 중대한 결정을 내릴 수 있는 능력을 갖추게 됩니다.
- 이 과정을 통해 리더는 조직의 안정성을 유지하고 위기 상황에 효과적으로 대응하는 방법을 배우게 됩니다. 이를 통해, 조직의 복원력을 높이고 상황 변화에 유연하게 대응하는 능력을 향상시킬 수 있습니다. 이는 조직이 위기 상황에서의 강한 복원력을 가지고, 장기적으로 안정적인 성장을 이룰 수 있도록 돕습니다.
- 또한, 참가자는 위기 상황에서 필요한 리더십과 의사결정 역량을 강화하는 방법에 대해

배우게 됩니다. 이를 통해, 리더는 불확실성이 높고 빠르게 변화하는 상황에서도 조직을 안정적으로 이끌고 효과적인 결정을 내릴 수 있는 능력을 개발하게 됩니다. 이는 리더가 위기 상황에서의 효과적인 행동을 취하고, 조직의 회복력을 높이는 데 필수적인 역량입니다.

이론적 배경과 근거

위기 관리에 대한 철저한 연구에서 Michael Watkins의 'Predictable Surprises'라는 저서는 매우 중요한 통찰력을 제공합니다. 이 책은 우리가 미래의 위기를 어떻게 예측하고, 미리 준비할 수 있는지에 대한 구체적인 방법을 제시합니다. Watkins는 위기가 발생하기 전에 사전에 예방하는 것의 중요성을 강조하며, 만약 위기가 발생했을 때에는 어떻게 적극적으로 대응해야 하는지에 대해 설명합니다. 이런 방식을 통해 리더는 위기 상황에서 자신의 조직을 보호하고, 효과적으로 이끌 수 있는 전략을 설계하고 실행할 수 있게 됩니다(Watkins, M. (2003). "Predictable Surprises").

이러한 접근법은 위기에 대한 두려움이나 불안감을 줄이고, 대신 계획적이고 전략적인 대응을 가능하게 함으로써, 조직의 안정성과 지속 가능성을 높입니다. Watkins의 이론은 리더들이 위기 상황에서 신속하고 효과적으로 행동하도록 도와주며, 이는 조직의 생존과 성장에 결정적인 역할을 합니다.

'Predictable Surprises'는 또한 위기 상황에서 리더들이 자신의 조직을 보호하고 이끌 수 있도록 하는 전략적인 방향성을 제공합니다. 이를 통해 리더들은 자신들의 조직이 어떠한 위기에도 강하게 대처할 수 있도록 준비하고 대응할 수 있게 됩니다.

리더들은 이러한 전략을 사용하여 조직 내에서 위기 상황을 미리 인식하고, 예방하며, 적절하게 대응하는 능력을 개발할 수 있습니다. 이는 위기 관리가 단순히 위기 상황에서 생존하는 것을 넘어, 위기를 기회로 전환하여 조직의 성장과 발전을 도모하는 데 도움이 됩니다.

또한, Timothy F. Coombs의 'Ongoing Crisis Communication'이라는 저서는 위기 상황에서의 효과적인 커뮤니케이션 전략에 대한 근본적인 이해를 제공합니다. 이 책은 위기 상황에서의 커뮤니케이션 방법론과 프로세스, 그리고 이를 통한 위기 관리에 대한 중요성을 강조하며, 이를 위한 실제적인 전략과 기법을 제시합니다. Coombs는 위기 관리의 핵심적인 요소 중 하나로 커뮤니케이션의 중요성을 강조하며, 이를 통해 조직이 위기 상황에서 효과적으로 대응하고, 그 결과 조직의 영향력을 높일 수 있음을 설명합니다 (Coombs, T. F. (2014). "Ongoing Crisis Communication").

이 외에도, Ian I. Mitroff의 'Crisis Leadership: Planning for the Unthinkable'은 위기 관리에 대한 리더십의 중요성을 강조합니다. 이 책은 위기 상황에서 리더가 어떻게 효과적으로 행동하고, 어떻게 위기를 관리하며, 그 결과 조직을 안정화시키는 방법을 제시합니다. Mitroff는 위기 관리에 있어서 리더십의 중요성을 강조하며, 이를 통해 조직이 위기 상황에서 효과적으로 대응하고, 그 결과 조직의 안정성과 지속 가능성을 높일 수 있음을 설명합니다(Mitroff, I. I. (2004). "Crisis Leadership: Planning for the Unthinkable").

이러한 다양한 이론적 배경과 근거를 통해, 리더들은 위기 상황을 신속하고 효과적으로 대응하고, 위기를 관리하며, 조직을 안정화시키는 방법을 배울 수 있습니다.

추가적으로, 'Crisis Management: Leading in the New Strategy Landscape'라는 저서에서는 William Crandall, John A. Parnell, and John E. Spillan이 위기 관리를 새로운 전략적 풍경에서 이끄는 방법에 대해 논의합니다. 이 책은 위기 관리의 본질적인 요소를 새롭게 통합하고 재해석하여 조직이 위기 상황에서 안정성을 유지하고 성공적으로 복구하는 방법을 설명합니다 (Crandall, W., Parnell, J., & Spillan, J. (2013). "Crisis Management: Leading in the New Strategy Landscape").

한편, Eric J. McNulty, Leonard J. Marcus, Joseph M. Henderson, and Barry C. Dorn의 'You're It: Crisis, Change, and How to Lead When It Matters Most'는 위기와 변화의 중심에서 어떻게 리더십을 발휘할 것인지에 대해 제시합니다. 저자들은 실제 위기 상황에서의 리더십 경험을 바탕으로 위기 관리를 위한 실질적인 가이드를 제공하며, 이를 통해 리더들이 위기 상황에서 효과적으로 행동하고 조직을 안정화시키는 방법을 배울 수 있습니다(McNulty, E., Marcus, L., Henderson, J., & Dorn, B. (2019). "You're It: Crisis, Change, and How to Lead When It Matters Most").

이런 다양한 이론적 배경과 근거를 통해, 리더들은 위기 상황을 신속하고 효과적으로 대응하고, 위기를 관리하며, 조직을 안정화시키는 방법을 배울 수 있습니다.

최신 이론적 배경과 근거

최근의 연구들에서는 코로나19 팬데믹과 같은 대규모 위기 상황에서의 리더십에 대한 중요성을 강조하고 있습니다.

예를 들어, "Leadership in a crisis: Responding to the coronavirus outbreak and future challenges"라는 보고서에서는 리더들이 코로나19 위기에 어떻게 대응해야 하는지에 대해 논의하고 있습니다. 이 보고서는 리더들이 위기 상황에서 효과적으로 행동하고, 조직을 안정화시키는 방법을 제시하며, 위기 관리에 있어서 리더십의 중요성을 강조하고 있습니다(McKinsey & Company, 2020).

또한, "Leading Through COVID-19: The Need for Hope"이라는 논문에서는 희망을 제공하는 리더십의 중요성을 강조하고 있습니다. 이 논문은 위기 상황에서 리더가 희망을 제공하고, 긍정적인 전망을 유지하는 것이 조직의 회복력을 높이고, 장기적인 성장을 이룰 수 있도록 돕는다고 주장하고 있습니다(Academy of Management, 2020).

이러한 최신의 이론적 배경과 근거를 통해, 리더들은 위기 상황을 신속하고 효과적으로 대응하고, 위기를 관리하며, 조직을 안정화시키는 방법을 배울 수 있습니다.

추가적으로, 캠브리지 대학교의 연구에 따르면, 대규모 위기 상황에서는 리더들이 투명성과 진실성을 중시하는 것이 중요하다는 것이 밝혀졌습니다. "Leadership in crisis: Lessons for COVID-19"이라는 논문에서 연구자들은 오픈하고 직접적인 커뮤니케이션을 통해 리더들이 조직 내의 불확실성과 불안을 줄이는데 기여할 수 있다고 강조하고 있습니다(Cambridge Judge Business School, 2020).

"Leadership in the time of COVID-19: A multi-level perspective" 라는 논문에서는 위기 상황에서 리더들이 다양한 레벨에서 행동해야 한다는 점을 강조하고 있습니다. 이는 개인, 팀, 조직, 그리고 사회적 수준에서의 리더십 행동을 포함하며, 이러한 다양한 레벨에서의 행동이 위기 상황에서 조직의 성공에 결정적인 역할을 한다고 주장하고 있습니다(Journal of Organizational Behavior, 2020).

또한, "The COVID-19 Leadership Guide"라는 보고서에서는 위기 상황에서의 리더십 행동에 대해 심층적으로 조사하고 있습니다. 이 보고서는 리더들이 위기 상황에서의 효과적인 의사결정, 팀 관리, 그리고 리더십 행동을 위한 전략과 기법을 제공하고 있습니다 (Harvard Business Review, 2020).

이런 다양한 최신의 이론적 배경과 근거를 통해, 리더들은 위기 상황을 신속하고 효과적으로 대응하고, 위기를 관리하며, 조직을 안정화시키는 방법을 배울 수 있습니다.

위기 상황 식별 및 대응 전략의 확장

위기 상황을 빠르게 식별하고 효과적으로 대응하는 것은 어떤 조직이든 위기 관리의 중요한 첫 걸음입니다. 이를 위해, 리더들은 다음과 같은 사항들을 반드시 고려해야 합니다.

1. 위기 식별: 위기는 예측할 수 없는 사건에서 발생할 수 있습니다. 이는 자연재해, 금융 위기, 기업의 결함, 또는 인적 실수 등 다양한 형태로 나타날 수 있습니다. 리더는 위기 상황을 빠르게 인지하고 이를 식별하는 능력이 필요합니다. 이를 위해, 조직은 위기를 예측하고 감지하는 메커니즘을 구축해야 하며, 이는 위기 관리 팀의 설립, 위기 관리 계획의 수립, 그리고 위기 대응 훈련 등을 포함할 수 있습니다.

2. 위기 대응 전략 개발: 위기가 발생했을 때, 조직은 신속하게 대응할 수 있는 전략이 필요합니다. 이는 위기 상황에 따른 행동 계획의 수립, 관련자들에 대한 커뮤니케이션 전략의

마련, 그리고 위기 상황에서의 우선 순위 설정 등을 포함합니다. 또한, 리더는 위기 상황에서의 불확실성과 스트레스를 관리하며, 직원들과 이해관계자들로 하여금 조직의 방향성을 유지하도록 도와야 합니다.

3. 위기 대응 실행: 위기 대응 전략이 개발되었다면, 이제 이를 실행해야 합니다. 이는 실제 위기 상황에서의 의사결정, 리소스의 배분, 그리고 적절한 커뮤니케이션을 포함합니다. 이 단계에서는 리더의 역할이 중요하며, 리더는 조직의 방향성을 명확히 하고, 직원들로 하여금 효과적으로 행동하도록 도와야 합니다.

이러한 과정을 통해, 리더는 위기 상황을 신속하게 식별하고 효과적으로 대응하는 능력을 개발할 수 있습니다. 이는 위기 상황에서의 조직의 안정성을 유지하고, 위기를 기회로 전환하여 조직의 성장을 도모하는 데 매우 중요한 역할을 합니다.

위기 상황 식별 및 대응 전략의 확장 실습 자료

- 위기 상황 시뮬레이션: 위기 관리 기술을 향상시키는 가장 효과적인 방법 중 하나는 다양한 위기 상황을 시뮬레이션하는 것입니다. 이를 통해 리더들은 실제 위기 상황을 체험하고, 문제를 신속하게 인식하고 적절한 대응 전략을 마련하는 능력을 향상시킬 수 있습니다. 또한, 시뮬레이션을 통해 리더들은 예상치 못한 문제에 대처하는 능력과 신속한 의사결정 능력을 개발할 수 있습니다.
- 위기 관리 케이스 스터디: 실제로 발생한 위기 상황을 분석하는 케이스 스터디는 리더들에게 실질적인 이해와 학습 기회를 제공합니다. 리더들은 어떤 위기 상황을 식별하는 방법, 어떤 대응 전략이 효과적이었는지, 그리고 어떤 점이 개선되어야 하는지에 대해 배울 수 있습니다. 이는 과거의 실수를 반복하지 않고, 다가올 위기를 더 효과적으로 관리하는 데 도움이 됩니다.
- 의사결정 훈련: 위기 상황에서는 신속하고 정확한 의사결정이 중요합니다. 따라서, 의사결정 훈련을 통해 리더들은 위기 상황에서의 의사결정 능력을 향상시킬 수 있습니다. 이는 리더들이 위기 상황에서 신속하게 대응하고, 효과적인 결정을 내리는 데 도움이 됩니다.
- 리더십 훈련 프로그램: 리더십 훈련 프로그램은 리더들에게 위기 상황에서 효과적으로 리더십을 발휘하는 방법을 교육합니다. 이를 통해 리더들은 위기 상황에서 조직을 안정화시키는 방법, 효과적인 결정을 내리는 방법, 그리고 팀원들을 지도하고 동기부여하는 기술을 배울 수 있습니다.
- 스트레스 관리 워크숍: 위기 상황은 많은 스트레스를 유발하므로, 스트레스를 효과적으로 관리하는 것이 중요합니다. 스트레스 관리 워크숍은 리더들에게 어떻게 스트레스를 효과적으로 관리하고, 팀원들이 스트레스를 효과적으로 관리하도록 돕는 방법을 제공합니다.

- 위기 관리 시나리오 워크샵: 위기 관리 시나리오 워크샵은 리더들이 실시간으로 대응해 보면서 위기 관리 능력을 향상시키는 데 도움을 줍니다. 이를 통해 리더들은 실제 위기 상황에서 어떻게 반응해야 하는지에 대한 실질적인 경험을 얻을 수 있습니다.
- 리스크 관리 워크샵: 위기 상황에서 발생할 수 있는 다양한 위험 요소를 식별하고, 이를 관리하는 능력은 위기 관리의 핵심적인 요소입니다. 리스크 관리 워크샵은 리더들에게 위기 상황에서 리스크를 최소화하고, 조직의 목표를 달성하는 방법을 제공합니다.
- 의사소통 스킬 워크샵: 위기 상황에서 효과적인 의사소통은 리더의 중요한 역할 중 하나입니다. 의사소통 스킬 워크샵에서는 리더들이 위기 상황에서 어떻게 효과적으로 의사소통할 수 있는지에 대한 기술을 배우게 됩니다. 이는 리더가 팀원들과의 효과적인 의사소통을 통해, 상황을 정확하게 전달하고, 팀원들의 협력을 이끌어낼 수 있도록 돕습니다.

위기 커뮤니케이션 및 이해관계자 관리

위기 상황에서 효과적인 커뮤니케이션은 매우 중요합니다. 이해관계자들과의 효과적인 커뮤니케이션은 위기 상황에서의 안정성을 유지하고, 잠재적인 피해를 최소화하는데 중요한 역할을 합니다. 이는 위기 상황에서 불확실성을 줄이고, 이해관계자들의 신뢰를 유지하며, 조직의 목표와 전략을 명확하게 전달하는 데에 있어 중요합니다.

위기 커뮤니케이션은 다음과 같은 단계를 포함합니다.

1. 위기 인식과 준비: 이 단계에서는 조직이 위기 상황을 예측하고 준비하는 방법에 대해 배웁니다. 이는 위기 대비 계획의 수립, 위기 커뮤니케이션 팀의 구성, 그리고 위기 대응 프로토콜의 개발을 포함합니다.

2. 위기 대응과 통신: 이 단계에서는 위기 상황이 발생했을 때 조직이 어떻게 통신해야 하는지에 대해 배웁니다. 이는 위기 상황의 심각성을 평가하고, 이해관계자들에게 적절하게 소통하며, 위기 상황을 관리하는 방법을 포함합니다.

3. 위기 회복과 후속 조치: 이 단계에서는 위기 상황이 종료된 후 조직이 어떻게 통신하고 회복해야 하는지에 대해 배웁니다. 이는 위기 상황의 해결과 복구, 그리고 후속 조치를 포함합니다.

이해관계자 관리는 위기 상황에서 특히 중요합니다. 이해관계자들은 조직의 성공에 매우 중요하며, 그들의 지지와 협력없이는 위기 상황을 효과적으로 관리하는 것이 어렵습니다. 이해관계자 관리는 이해관계자들의 요구와 기대를 이해하고, 이를 충족시키는 전략을 개발하며, 이해관계자들과의 관계를 유지하고 향상시키는 과정을 포함합니다.

이해관계자 관리 전략은 다음과 같은 단계를 포함합니다.

1. 이해관계자 식별: 조직의 이해관계자들을 식별하고 그들의 요구와 기대를 이해합니다.

2. 이해관계자 분석: 이해관계자들의 요구와 기대를 분석하고, 이들이 조직의 목표와 전략에 어떤 영향을 미치는지 평가합니다.

3. 이해관계자 전략 수립: 이해관계자들의 요구와 기대를 충족시키기 위한 전략을 수립하고 실행합니다.

4. 이해관계자 관계 유지: 이해관계자들과의 관계를 유지하고 향상시키기 위한 노력을 합니다.

이런 방식을 통해, 리더는 위기 상황에서 효과적인 커뮤니케이션과 이해관계자 관리를 통해 조직의 안정성을 유지하고 위기를 효과적으로 관리할 수 있습니다.

위기 커뮤니케이션 및 이해관계자 관리 실습 자료

- 위기 커뮤니케이션 시나리오 연습: 팀원들과 함께 위기 상황을 가정한 시나리오를 만들고, 이를 통해 위기 커뮤니케이션 전략을 짜봅니다. 실제 위기 상황에서 어떻게 반응하고, 어떤 메시지를 어떻게 전달해야 하는지 미리 연습해보는 것이 중요합니다. 이 과정을 통해 팀원들은 실무에서의 의사소통 역량을 향상시킬 수 있습니다.
- 이해관계자 분석 워크숍: 조직의 주요 이해관계자들을 식별하고, 그들의 요구와 기대를 분석하는 워크숍을 진행합니다. 이 과정에서는 이해관계자들의 특성, 그들이 위기 상황에서 어떤 반응을 보일지, 그리고 이를 어떻게 관리해야 하는지에 대한 이해를 높일 수 있습니다.
- 위기 커뮤니케이션 기법 연습: 위기 상황에서는 불확실성을 줄이고, 이해관계자들의 신뢰를 유지하며, 조직의 목표와 전략을 명확하게 전달하는 것이 중요합니다. 이를 위한 커뮤니케이션 기법을 연습해봅니다.
- 위기 대응 훈련: 실제 위기 상황을 가정하여 위기 대응 훈련을 실시합니다. 이 과정에서는 위기 상황에서의 의사결정, 리소스의 배분, 그리고 적절한 커뮤니케이션 등을 실습해봅니다.
- 이해관계자 관리 전략 수립: 주요 이해관계자들의 요구와 기대를 충족시키기 위한 전략을 수립하는 연습을 합니다. 이를 통해 실제 위기 상황에서 이해관계자들과의 관계를 어떻게 관리해야 하는지 연습해볼 수 있습니다.
- 위기 커뮤니케이션 플랜 개발: 실제 위기 상황을 가정하여 위기 커뮤니케이션 플랜을 개발해봅니다. 위기 상황에서 어떤 메시지를 언제, 어떻게 전달할지에 대한 계획을 세우는 것은 매우 중요합니다.
- 위기 커뮤니케이션 롤 플레이: 위기 상황에서 이해관계자와의 커뮤니케이션을 연습하기 위한 롤 플레이를 진행합니다. 이를 통해 실제 상황에서 어떻게 대화를 이끌어나갈지 연습해볼 수 있습니다.

- 이해관계자 피드백 수집: 실제 이해관계자들에게 피드백을 수집하는 연습을 합니다. 이를 통해 이해관계자들이 조직에 대해 어떤 기대와 요구를 가지고 있는지 이해할 수 있습니다.
- 이해관계자 관리 전략 시뮬레이션: 주요 이해관계자들의 반응을 예측하고, 이에 대응하는 전략을 시뮬레이션해봅니다. 이를 통해 실제 위기 상황에서 이해관계자들과의 관계를 어떻게 관리해야 하는지 연습해볼 수 있습니다.
- 위기 커뮤니케이션 피드백 세션: 팀원들과 함께 진행한 위기 커뮤니케이션 연습에 대한 피드백 세션을 진행합니다. 이를 통해 각자의 커뮤니케이션 스타일과 효과성에 대해 배울 수 있습니다.

위기 이후의 복구와 강화 계획

위기 상황이 종료되었다면, 이제 복구 단계가 시작됩니다. 이는 위기 상황에서 발생한 잠재적인 피해를 수습하고, 조직의 정상적인 운영을 재개하는 과정을 포함합니다. 또한, 이 단계에서는 위기 상황에서 얻은 교훈을 통해 조직의 위기 관리 능력을 강화하는 계획을 수립해야 합니다. 이러한 과정을 통해, 리더는 위기 상황이 종료된 후에도 조직의 안정성을 유지하고, 위기 상황에서 얻은 경험과 교훈을 통해 조직의 위기 관리 능력을 강화할 수 있습니다. 이는 위기 상황에서의 조직의 성공을 위해 매우 중요한 역할을 합니다.

위기 이후의 복구와 강화 계획은 다음과 같은 단계를 포함합니다.

1. 피해 평가 및 복구 계획 수립: 위기 상황에서 발생한 피해를 정확하게 평가하고, 이를 복구하기 위한 계획을 수립합니다. 이는 재무적 손실, 인적 자원에 대한 영향, 그리고 조직의 명성에 대한 피해 등을 고려해야 합니다. 피해의 규모와 성격에 따라, 복구 계획은 재무적 복구, 인력 재배치, 그리고 명성 복구 전략 등을 포함할 수 있습니다.

2. 복구 계획 실행: 복구 계획을 실질적으로 실행합니다. 이는 실질적인 행동을 취하고, 필요한 자원을 조달하며, 책임과 역할을 분배하는 과정을 포함합니다. 이 단계에서는 리더의 지도력이 중요하며, 리더는 조직의 방향성을 명확히 하고, 팀원들로 하여금 효과적으로 행동하도록 도와야 합니다.

3. 위기 관리 능력 강화 계획 수립: 위기 상황에서 얻은 경험과 교훈을 통해, 조직의 위기 관리 능력을 강화하는 계획을 수립합니다. 이는 위기 관리 체계의 개선, 위기 대응 프로토콜의 수정, 그리고 위기 관리 훈련의 강화 등을 포함할 수 있습니다. 이 단계에서는 리더가 조직의 위기 관리 체계를 진단하고, 필요한 개선 사항을 식별하며, 이를 통해 조직의 위기 관리 능력을 강화하는 역할을 하는 것이 중요합니다.

위기 이후의 복구와 강화 계획 실습 자료

- 위기 상황 식별 및 대응 전략 워크샵: 가장 먼저 진행해야 할 것은 위기 상황을 식별하고 대응하기 위한 전략을 배우는 워크샵입니다. 이 과정에서 팀원들은 다양한 위기 상황과 그에 대응하는 방법에 대해 교육받습니다. 이를 통해 어떤 위기가 발생하더라도 적절하게 대응할 수 있는 능력을 키울 수 있습니다.

- 피해 평가 및 복구 계획 워크샵: 이어서, 위기 상황에서 발생한 피해를 평가하고, 이를 복구하기 위한 계획을 수립하는 워크샵을 진행합니다. 이 과정에서 팀원들은 실제 위기 상황에서 어떻게 피해를 평가하고, 복구 계획을 수립해야 하는지에 대해 실질적으로 배울 수 있습니다.
- 위기 관리 능력 강화 워크샵: 위기 상황에서 얻은 경험과 교훈을 통해, 조직의 위기 관리 능력을 강화하는 방법에 대해 배우는 워크샵을 진행합니다. 이 과정을 통해 팀원들은 위기 관리 체계를 어떻게 개선하고, 위기 대응 프로토콜을 어떻게 수정하며, 위기 관리 훈련을 어떻게 강화해야 하는지에 대해 배울 수 있습니다.
- 복구 계획 실행 시뮬레이션: 실제 복구 계획을 실행하는 과정을 시뮬레이션해봅니다. 이를 통해 팀원들은 실제 위기 상황에서 어떻게 복구 계획을 실행하고, 필요한 자원을 조달하며, 책임과 역할을 분배하는지에 대해 연습해볼 수 있습니다.
- 위기 관리 경험 공유 세션: 팀원들이 자신들의 과거 위기 관리 경험을 공유하는 세션을 진행합니다. 이를 통해 서로의 경험을 배우고, 어떤 대응 전략이 효과적이었는지, 어떤 점을 개선해야 하는지에 대해 함께 논의해볼 수 있습니다.
- 복구 전략 평가 워크샵: 실행한 복구 전략이 얼마나 효과적이었는지 평가하는 워크샵을 진행합니다. 이를 통해 복구 전략의 성공적인 요소와 개선해야 할 부분을 식별해볼 수 있습니다.
- 위기 관리 피드백 세션: 위기 관리 과정에서의 피드백을 주고받는 세션을 진행합니다. 팀원들은 서로에게 피드백을 주고, 이를 통해 자신의 위기 관리 능력을 개선할 수 있습니다.
- 위기 대응 역량 강화 훈련: 실제 위기 상황을 가정하여 위기 대응 역량을 강화하는 훈련을 실시합니다. 이를 통해 팀원들은 실제 위기 상황에서 어떻게 반응하고, 문제를 신속하게 해결하는지 연습해볼 수 있습니다.
- 위기 관리 문화 조성 워크샵: 위기 관리가 조직 문화의 일부가 되도록 하는 워크샵을 진행합니다. 이를 통해 팀원들은 위기 상황에서도 효과적으로 대응할 수 있는 조직 문화를 조성하고 유지하는 방법을 배울 수 있습니다.
- 위기 상황 통합 분석 세션: 발생한 위기 상황을 통합적으로 분석하는 세션을 진행합니다. 이를 통해 팀원들은 위기 관리 전략의 효과성을 평가하고, 위기 상황에서의 조직의 성과를 분석할 수 있습니다.
- 복구 계획 수정 워크샵: 복구 계획을 수정하고 개선하는 워크샵을 진행합니다. 이를 통해 팀원들은 복구 계획의 효과성을 높이며, 더욱 효과적인 복구 전략을 수립하는 방법을 배울 수 있습니다.
- 위기 관리 정책 개발 세션: 위기 상황에서의 경험을 바탕으로 위기 관리 정책을 개발하는 세션을 진행합니다. 이를 통해 팀원들은 위기 관리 체계를 강화하고, 위기 상황에 더욱 효과적으로 대응하는 방법을 배울 수 있습니다.

- 이해관계자 만족도 조사: 위기 상황에서 이해관계자의 만족도를 조사합니다. 이를 통해 팀원들은 이해관계자들이 위기 관리 과정에 어떻게 반응했는지를 파악할 수 있습니다.

기업 사례

- 보잉 737 Max의 비행사고: 2018~2019년에 보잉 737 Max 비행기의 연속된 추락 사고로 인해 보잉은 심각한 위기를 맞았습니다. 이 사고로 인해 수많은 인명이 희생되었으며, 보잉의 브랜드 이미지에도 큰 타격을 주었습니다. 이에 대한 대응으로 보잉은 비행기 설계에 대한 깊은 검토를 진행하고, 안전 문제를 개선하기 위한 여러 조치를 취하였습니다.
- 페이스북의 개인정보 유출 문제: 2018년, 페이스북은 개인정보 유출 문제로 큰 위기를 겪었습니다. 이 문제는 수많은 사용자의 개인 정보가 불법적으로 활용된 것으로 밝혀졌고, 이에 따른 사용자들의 불신이 커졌습니다. 페이스북은 이를 계기로 개인정보 보호에 더욱 집중하고, 개인 정보 보호 정책을 강화하였습니다.
- 삼성 갤럭시 폴드 출시 연기: 2019년, 삼성전자는 갤럭시 폴드의 스크린 결함으로 인해 출시를 연기하였습니다. 이는 삼성에게 큰 도전이었으나, 삼성은 제품의 결함을 인정하고 개선을 위해 출시를 연기하는 결정을 내렸습니다. 이후 제품 개선과 위기 관리를 통해 문제를 해결하였고, 갤럭시 폴드는 성공적으로 재출시되었습니다.
- 우버의 성폭력 문제: 2017년, 세계적인 택시 대체 서비스 우버는 성폭력 문제로 큰 위기에 직면하였습니다. 이는 우버 플랫폼을 이용하는 이용자들 사이에서 발생한 문제였으며, 우버의 안전 문제에 대한 우려를 불러일으켰습니다. 이후 우버는 안전 문제 개선에 큰 노력을 기울이고, 이용자들의 안전을 위한 다양한 정책을 도입하였습니다.
- 화웨이의 미국 제재: 2019년, 미국은 화웨이에 대한 제재를 시작하였습니다. 이로 인해 화웨이는 중요한 해외 시장에 대한 접근이 제한되었으며, 이는 화웨이에게 큰 타격이었습니다. 하지만 화웨이는 이 위기를 통해 독자적인 기술 개발에 힘쓰는 계기가 되었으며, 자체 OS인 하모니OS 개발 등 독립적인 기술력 강화에 주력하였습니다.
- 아마존의 노동자 문제: 2020년, 아마존은 코로나 바이러스 대유행 중에 노동자들의 안전 문제로 위기에 처하였습니다. 이로 인해 아마존의 노동 환경에 대한 비판이 커졌습니다. 아마존은 이에 대한 대응으로 노동자의 안전을 중요시하는 방향으로 개선하였습니다.
- 구글의 성평등 문제: 2017~2019년, 구글은 성평등 문제로 큰 비판을 받았습니다. 여성과 남성 사이의 임금 격차, 진급 기회 부족 등이 주된 문제였습니다. 구글은 이에 대응하여 다양성과 포괄성을 강조하는 문화를 구축하였습니다.
- 주식 거래 앱 로빈후드의 게임스톱 사태: 2021년, 주식 거래 앱인 로빈후드는 게임스톱 주식의 급등에 따른 거래 중지로 큰 비판을 받았습니다. 로빈후드는 이에 대한 설명을 통해 이해관계자들에게 신뢰를 회복하려고 노력하였습니다.

- 테슬라의 비트코인 투자: 2021년, 테슬라는 비트코인에 대한 큰 투자로 인해 위기에 처하였습니다. 비트코인의 가치 변동에 따른 위험성이 지적되었으며, 이로 인해 테슬라의 주가에도 영향을 끼쳤습니다. 테슬라는 이에 대해 투자 전략을 재조정하였습니다.

시각 자료 및 도구

- 위기 관리 플로우차트: 위기 상황이 발생했을 때의 대응 과정을 시각화한 도구로, 이는 이해관계자들이 각 단계에서 무엇을 해야하는지 명확하게 파악할 수 있도록 도와줍니다. 이는 위기 상황 대응의 첫단계로, 이를 통해 조직이 위기 상황에서 필요한 행동을 빠르게 계획하고 실행할 수 있습니다.
- 스테이크홀더 맵: 조직과 관계가 있는 주요 이해관계자들과 그들의 영향력을 시각화한 도구입니다. 이 도구를 통해 중요한 의사결정 과정에서 누구를 고려해야하는지 이해할 수 있습니다. 이는 또한 조직이 이해관계자들과의 관계를 관리하고, 위기 상황에서의 커뮤니케이션을 효과적으로 수행하는데 도움을 줍니다.
- 리스크 매트릭스: 위기 상황에서 발생 가능한 리스크와 그 영향을 시각화하는 도구입니다. 이를 통해 위험 요소를 빠르게 식별하고 우선 순위를 정할 수 있습니다. 이는 위기 상황에서 시간과 자원을 효율적으로 활용하는데 중요합니다.
- 프로젝트 관리 대시보드: 위기 대응의 전체 과정을 추적하고 공유하는 도구입니다. 이를 통해 모든 이해관계자가 진행 상황을 파악하고 필요한 조치를 취할 수 있습니다. 이는 투명성을 유지하고, 이해관계자들의 참여와 협력을 촉진하는데 필요합니다.
- 타임라인 도구: 위기 상황의 발생부터 복구까지의 전체 과정을 시간 순서대로 시각화하는 도구입니다. 이를 통해 이해관계자들이 중요한 마일스톤과 진행 상황을 쉽게 파악할 수 있습니다. 이는 조직이 시간에 따른 진행 상황을 명확하게 이해하고, 이에 따라 필요한 행동을 계획하고 실행하는데 도움을 줍니다.
- 의사결정 트리: 복잡한 의사결정 과정을 단계별로 분해하여 시각화하는 도구입니다. 이를 통해 이해관계자들이 각 단계에서 필요한 결정 요소를 명확하게 이해하고, 전체적인 결정 과정을 효과적으로 관리할 수 있습니다. 이는 조직이 복잡한 위기 상황에서도 명확하고 효과적인 의사결정을 할 수 있게 돕습니다.
- 이슈 트래킹 시스템: 위기 상황에서 발생하는 이슈를 추적하고 관리하는 도구입니다. 이를 통해 이해관계자들이 중요한 이슈를 놓치지 않고 적시에 대응할 수 있습니다. 이는 조직이 위기 상황에서 발생하는 문제를 신속하고 효과적으로 해결하는 데 필요합니다.
- 피드백 시각화 도구: 이해관계자들의 피드백을 시각적으로 표현하고 분석하는 도구입니다. 이를 통해 조직은 빠르고 정확하게 피드백을 이해하고 이에 따른 조치를 취할 수 있습니다. 이는 조직이 이해관계자들의 의견과 요구를 존중하고, 이를 통해 위기 대응을 개선하는데 필요합니다.

- 복구 계획 Gantt 차트: 복구 계획의 진행 상황과 일정을 시각적으로 표현하는 도구입니다. 이를 통해 이해관계자들이 복구 계획의 전반적인 진행 상황을 한눈에 파악할 수 있습니다. 이는 조직이 위기 상황 후의 복구 작업을 효과적으로 계획하고 실행하는데 도움을 줍니다.

위기 관리 시나리오 워크샵

위기 관리 시나리오 워크샵은 조직의 리더들이 고위험 상황에 대응하는 능력을 향상시키는데 큰 도움을 줍니다. 워크샵에서는 다양한 위기 시나리오가 제시되며, 이를 통해 리더들은 실시간으로 상황에 대응해 보는 기회를 얻습니다. 이 과정에서 리더들은 각기 다른 위기 상황에 대한 응답 전략을 모색하고, 그 결과를 실시간으로 확인하게 됩니다. 이렇게 얻은 경험은 실제 위기 상황에서 어떻게 대처해야 하는지에 대한 실질적인 이해를 돕고, 리더들이 더욱 효과적으로 팀을 이끌 수 있게 합니다.

실습 방안 및 과정

1. 시나리오 준비: 매우 중요한 첫 번째 단계로서, 실제로 발생 가능성이 있는 다양한 위기 상황에 대한 상세한 시나리오를 준비합니다. 이 시나리오는 경제적 위기, 기업의 윤리적 스캔들, 제품 결함 등 다양한 주제를 포함할 수 있으며, 이를 통해 참가자들이 다양한 상황에 대응하는 능력을 기를 수 있습니다.

2. 팀 구성: 이 단계에서 참가자들을 소그룹으로 나눕니다. 각 팀은 위기 상황에 대응하는 역할을 맡게 됩니다. 이는 실제 작업 환경에서 발생할 수 있는 팀워크 상황을 모방하는 데 도움이 됩니다.

3. 시나리오 발표: 각 팀에게 위기 시나리오를 상세하게 발표합니다. 팀원들은 해당 상황에 대응하는 전략을 수립하는데 필요한 모든 정보를 얻습니다.

4. 전략 수립 및 토론: 각 팀은 주어진 시간 동안 자신들의 위기 대응 전략을 수립하고 토론합니다. 이 과정은 창의적 사고와 문제 해결 능력을 증진시킵니다.

5. 시뮬레이션: 각 팀은 자신들이 수립한 위기 대응 전략을 실제로 실행해 보는 시뮬레이션 단계에 진입합니다. 다른 팀은 이해관계자의 역할을 맡아 반응하며, 이를 통해 전략의 효과성을 실제로 테스트합니다.

6. 피드백 및 평가: 각 팀의 위기 대응 전략과 그 실행 과정을 평가하고 피드백을 제공합니다. 이는 전략의 효과성, 실행 능력, 그리고 팀의 협업 능력 등을 철저히 평가하는 시간입니다.

7. 반성 및 개선: 각 팀은 받은 피드백을 바탕으로 자신들의 위기 대응 전략을 반성하고 개선하는 시간을 가집니다. 이는 팀원들이 자신들의 성장과 개선을 위해 노력하는 중요한 시간입니다.

위기 관리 능력 강화 워크샵

위기 상황에서 얻은 경험과 교훈은 매우 중요한 자산이며, 이를 바탕으로 조직의 위기 관리 능력을 강화하고 더욱 효과적인 대응 전략을 마련하는 방법에 대해 배우는 워크샵을 진행합니다. 이 과정에서는 위기 상황에 대비하는 전체적인 체계를 점검하고, 현재의 위기 관리 체계가 어떻게 작동하고 있는지, 어떤 부분이 개선되어야 하는지에 대해 고찰합니다. 또한, 위기 대응 프로토콜을 어떻게 수정하고 개선하며, 이를 실제 상황에 어떻게 적용해야 하는지에 대한 방안을 모색합니다. 더불어, 위기 관리 훈련을 어떻게 강화하고, 직원들이 이러한 상황에 대해 어떻게 대처하고 대응해야 하는지에 대한 실질적인 기술을 배울 수 있는 기회를 제공합니다. 이 모든 과정을 통해 팀원들은 자신들의 역량을 향상시키고, 조직의 위기 관리 능력을 강화하는 데 도움이 될 것입니다.

실습 방안 및 과정

1. 실제 위기 사례 분석: 참가자들이 실제로 발생한 여러 위기 상황을 세부적으로 분석하고, 어떤 대응 전략이 사용되었는지, 그 결과가 어떠했는지에 대해 깊게 토론합니다. 이 과정은 실제 위기 상황에서 발생할 수 있는 다양한 변수를 이해하고, 효과적인 대응 전략을 포함한 경험을 축적하는 데 도움이 됩니다.

2. 위기 상황 시뮬레이션: 가상의 위기 상황을 설정하고 참가자들이 그 상황에서의 대응 전략을 수립하고 실제로 실행해봅니다. 이 과정은 실제 위기 상황에서의 대처능력을 향상시키며, 참가자들이 위기 상황을 경험하고, 대응 전략을 테스트하고, 적응하는 능력을 연습하는 데 매우 유용합니다.

3. 피드백 세션: 위기 상황 시뮬레이션 후, 참가자들의 대응 전략과 행동에 대한 피드백을 주고받습니다. 이 과정을 통해 개개인의 위기 관리 능력을 향상시키고, 팀 전체의 위기 대응 능력을 강화하며, 서로의 경험과 지식을 공유할 수 있습니다.

4. 위기 관리 프로토콜 개선: 위기 상황 시뮬레이션을 통해 얻은 통찰과 경험을 바탕으로, 기존의 위기 관리 프로토콜을 개선하는 방안을 제시하고 논의합니다. 이를 통해 조직의 위기 대응 역량을 강화하고, 위기 관리 프로세스를 보다 효율적이고 효과적으로 만드는 데 기여합니다.

5. 위기 관리 훈련 계획 수립: 위기 관리 능력을 지속적으로 강화하기 위한 훈련 계획을 수립합니다. 이를 통해 조직 전체의 위기 대응 능력을 장기적으로 강화하고, 위기 상황에 대비할 수 있도록 계속적인 교육과 훈련을 통해 참가자들의 역량을 향상시킵니다.

이 장에서는 다양한 워크샵과 시뮬레이션을 통해 실제 위기 상황에 대응하는 능력을 향상시키는 방법에 대해 깊이 이해하고 배울 수 있습니다. 이를 통해서 여러분은 위기 상황 식별, 피해 평가 및 복구 계획 수립, 복구 계획 실행, 그리고 위기 관리 능력 강화 계획 수립 등의 주요 단계를 체계적이고 효과적으로 배울 수 있습니다.

이러한 이론적인 학습에 더해, 실제 위기 사례를 분석하고, 가상의 위기 상황을 설정하여 대응 전략을 수립하고 실행해보는 실습도 함께 진행합니다. 이 과정에서 서로 피드백을 주고 받으며, 개인의 위기 관리 능력을 더욱 향상시키고, 팀 전체의 위기 대응 능력을 강화하는 데 큰 도움이 될 것입니다.

이렇게 다양한 실습과 과정을 통해 독자는 위기 상황을 효과적으로 관리하고 조직을 안정화하는 방법을 배우는 것이며, 이를 통해 위기 발생 시 신속하고 적절하게 대응할 수 있는 능력을 개발하게 됩니다. 이런 경험과 지식은 여러분이 어떤 상황에서도 잘 대처하고, 조직을 위기로부터 보호하는 데 큰 역할을 할 것입니다.

제 16 장

팀 멤버 지원: 팀원의 성장과 성공을 돕는 리더십

이 장에서는 리더가 팀원의 성장을 지원하는 중요한 역할을 수행하고, 이로 인해 팀의 전반적인 성능과 효율성이 향상된다는 점을 강조합니다. 지속적인 교육 및 훈련 제공, 동기 부여, 개인의 목표와 조직의 목표를 연결하는 것 등을 통해 이를 달성합니다. 이런 지원은 팀원들이 자신의 역할을 더 잘 이해하고, 자신의 능력을 최대한 발휘할 수 있도록 돕습니다. 따라서, 팀원들을 지원하는 것은 리더십의 중요한 부분이며, 팀의 성공에 큰 기여를 합니다.

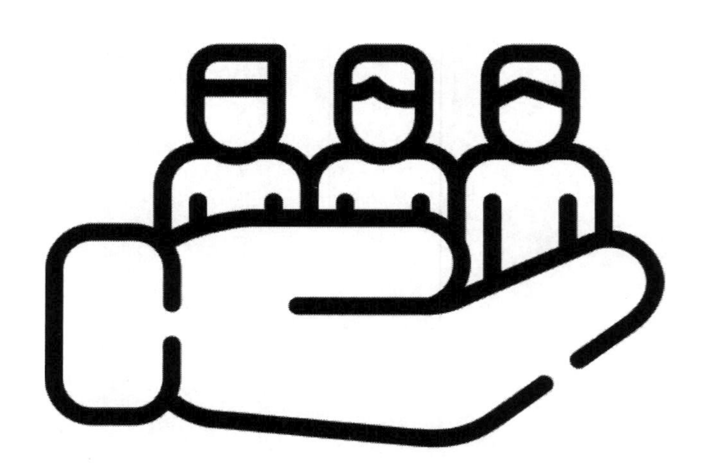

학습 개요

이 장에서는 리더가 팀원의 성장을 지원하는 중요한 역할을 수행하고, 이로 인해 팀의 전반적인 성능과 효율성이 향상된다는 점을 강조합니다. 지속적인 교육 및 훈련 제공, 동기 부여, 개인의 목표와 조직의 목표를 연결하는 것 등을 통해 이를 달성합니다. 이런 지원은 팀원들이 자신의 역할을 더 잘 이해하고, 자신의 능력을 최대한 발휘할 수 있도록 돕습니다. 따라서, 팀원들을 지원하는 것은 리더십의 중요한 부분이며, 팀의 성공에 큰 기여를 합니다.

학습 내용 및 목표

- 팀원 지원의 중요성: 팀원을 지원하는 것이 왜 중요한지에 대해 이해합니다. 팀원 간의 협력을 통해 더 나은 결과를 얻을 수 있으며, 이는 전체적인 팀의 성과에도 직접적으로 영향을 미칩니다.
- 동기 부여와 인정의 기법: 팀원의 동기를 부여하고 그 성과를 인정하는 다양한 방법을 배웁니다. 각 팀원의 노력을 인정하고 그들의 성과를 칭찬함으로써, 팀원 간의 긍정적인 환경을 만들어낼 수 있습니다.
- 문제 해결 지원: 팀원이 직면한 문제를 해결하는 과정에서 리더가 어떻게 지원할 수 있는지를 학습합니다. 리더는 팀원이 문제에 직면했을 때, 그들이 문제를 해결하는 데 필요한 자원을 제공하고, 필요한 경우 직접 개입하여 문제를 해결하는 방법을 배웁니다.

예상 학습 성과

- 팀원들이 성장하고 성공할 수 있도록 돕는 리더십 스킬을 습득하며, 이를 통해 개개인이 자신의 잠재력을 최대한 발휘할 수 있도록 지원합니다. 이를 위해 리더는 팀원들의 개별적인 목표를 이해하고, 이를 달성하는 데 필요한 자원과 훈련을 제공하는 방법을 배워야 합니다.
- 또한, 조직 내에서는 긍정적이고 생산적인 작업 환경을 조성함으로써, 모든 팀원들이 서로를 존중하고 협력하면서 일할 수 있는 조직 문화를 만들어냅니다. 이는 팀원들이 자신의 업무에 만족하고 헌신하는데 도움이 되며, 이는 최종적으로 팀의 전반적인 성과를 향상시키는 데 기여합니다.
- 팀원들의 개인적 성장과 전문적인 성공을 지원하는 능력은 리더십의 핵심적인 요소입니다. 이를 위해, 리더는 팀원들이 자신의 역량을 개발하고, 자신의 잠재력을 최대한 발휘할 수 있도록 돕는 다양한 전략과 기법을 습득하게 됩니다. 이는 팀원이 자신의 기술을 향상시키고 새로운 역량을 개발할 수 있는 기회를 제공하는 것을 포함합니다.
- 더불어, 리더는 조직 내에서 긍정적이고 생산적인 작업 환경을 조성하는 역할을 담당합니다. 이를 통해, 모든 팀원들이 서로 존중하고 협력하는 문화를 만들어내고, 이는 팀의 전반적인 성과를 향상시키는데 기여하게 됩니다. 이러한 환경은 팀원들이 자신의 업무에 대한 만족감을 높이고, 그들의 업무에 대한 전문성을 향상시킬 수 있습니다.

이론적 배경과 근거

Daniel Pink의 저서 'Drive'에서는 동기 부여에 대한 복잡한 문제를 쉽게 풀어서 설명하며, 자율성, 숙련, 목적의 중요성을 강조합니다(Pink, D. (2009). "Drive: The Surprising Truth About What Motivates Us"). 이 책은 팀원들이 어떻게 자신의 업무에 대한 자기 결정권을 가지게 되어, 그 결과로 자신의 업무에 더 깊이 몰입하게 되는지를 세밀하게 설명하고 있습니다.

리더에게는 이러한 개념을 통해 팀원들의 동기 부여를 어떻게 촉진할 수 있는지에 대한 유용한 지침을 제공합니다. 즉, 자율성, 숙련, 목적이 결합될 때 팀원들이 가장 생산적이고 창의적으로 업무를 수행하게 된다는 것입니다. 이를 통해 리더들은 팀원들의 동기를 높이고 기업의 전반적인 성과를 개선하는 데 기여할 수 있습니다.

그리고 이렇게 팀원들이 자신의 업무에 더 투자하게 되면, 그들의 업무에 대한 숙련도와 전문성이 향상되게 됩니다. 이는 Pink가 'Drive'에서 주장하는 중요한 개념 중 하나인 '숙련'에 해당하며, 이것이 팀원들의 동기를 더욱 높이는 요소 중 하나라고 설명합니다. 즉, 팀원들이 자신의 업무에 대해 더 깊은 이해를 가지고, 그 업무를 잘 수행할 수 있게 되면 그들의 동기와 만족도가 향상되며, 이는 결국 팀 전체의 성과를 높이는 데 기여하게 됩니다.

마지막으로, Pink는 '목적'이라는 개념을 강조합니다. 이는 팀원들이 자신의 업무가 조직의 큰 목표와 어떻게 연결되는지를 이해하게 되면, 그들의 업무에 더 큰 의미를 찾고 그 결과로 더 높은 동기를 가지게 된다는 것을 의미합니다. 리더는 이러한 '목적'을 팀원들에게 명확하게 전달하고, 그들이 자신의 업무가 전체 조직의 성공에 어떻게 기여하는지를 이해하게 돕는 역할을 담당해야 합니다.

따라서, Pink의 'Drive'는 동기 부여에 대한 근본적인 이해를 제공하며, 이를 통해 리더들이 어떻게 팀원의 동기를 높이고 그들의 업무 수행을 지원할 수 있는지에 대한 유용한 가이드라인을 제공합니다. 이는 리더가 팀원들의 성장과 발전을 촉진하고, 전체 팀의 성과를 높이는 데 큰 도움이 될 것입니다.

"프라임드 프로그레스: 팀원들의 성장을 촉진하는 리더십" (Amabile, T. & Kramer, S. (2011). "The Progress Principle: Using Small Wins to Ignite Joy, Engagement, and Creativity at Work")라는 책에서는 팀원들의 작은 성과를 인식하고 강조하는 것이 팀원들의 동기를 높이고 창의성을 촉진하는 데 얼마나 중요한지를 강조하고 있습니다. 이 책은 리더들에게 팀원들이 자신의 업무에 대해 얼마나 열정을 가지게 되는지를 높이는 방법에 대한 통찰력을 제공합니다.

"멀티플 인텔리전스: 새로운 이론을 통한 리더십의 이해" (Gardner, H. (1983). "Frames of Mind: The Theory of Multiple Intelligences")에서는 각각의 팀원이 가지고 있는 다양한 지능을 이해하고 이를 활용하는 것이 팀의 전반적인 성과에 어떻게 기여하는지를 설명하고 있습니다. 이 책은 리더들에게 팀원 각각의 장점을 이해하고 이를 최대한 활용하는 방법에 대한 중요한 통찰력을 제공합니다.

"리더십의 미래: 변화하는 세상에서 리더가 가져야 할 특징" (Bennis, W. (2009). "On Becoming a Leader")에서는 현대의 빠르게 변화하는 세상에서 리더가 팀원들을 어떻게 지원하고 동기를 부여해야 하는지에 대한 중요한 가이드라인을 제공하고 있습니다. 이 책은 리더들에게 팀원들의 동기를 높이고 그들의 전문성을 발전시키는 데 필요한 전략과 기법에 대한 중요한 통찰력을 제공합니다.

"리더에게 가장 필요한 5가지 감성 지능" (Goleman, D. (2004). "Primal Leadership: Unleashing the Power of Emotional Intelligence")에서는 리더가 팀원들을 지원하기 위해 감성 지능이 얼마나 중요한지 강조하고 있습니다. 이 책은 리더들에게 팀원들의 감정을 이해하고 관리하는 방법을 제공하며, 이는 팀원들의 동기를 높이고 그들의 업무 성과를 향상시키는데 기여합니다.

"팀 멤버를 위한 서번트 리더십" (Greenleaf, R. K. (1977). "Servant Leadership: A Journey into the Nature of Legitimate Power and Greatness")에서는 리더가 팀원들을 먼저 고려하고 그들의 성장을 지원하는 '서번트 리더십'에 대해 설명하고 있습니다. 이 책은 리더들에게 팀원들의 성장을 중심으로 한 리더십 스타일을 제공하며, 이는 팀원들의 성과를 높이고 그들의 만족도를 향상시키는데 도움이 됩니다.

"리더의 오너십 강화하기" (Marquet, L. (2012). "Turn the Ship Around!: A True Story of Turning Followers into Leaders")에서는 리더가 팀원들에게 더 많은 책임과 오너십을 부여하는 방법을 설명하고 있습니다. 이 책은 리더들에게 팀원들이 자신의 역할에 대해 더 많은 책임감을 가지고 그들의 업무 성과를 높이는 방법을 제공합니다.

최신 이론적 배경과 근거

"리더십의 신경과학: 뇌과학을 통한 효과적인 리더십 이해" (Rock, D. (2020). "Your Brain at Work: Strategies for Overcoming Distraction, Regaining Focus, and Working Smarter All Day Long")에서는 뇌과학의 발견을 리더십에 어떻게 적용할 수 있는지를 탐구하고 있습니다. 이 책은 리더들이 팀원의 행동과 반응을 이해하고 이에 효과적으로 대응하기 위한 실제적인 전략을 제공합니다.

"리더십의 디지털 시대: 기술과 연결성이 리더십을 어떻게 변화시키는가" (Ibarra, H., & Hansen, M. T. (2021). "The Digital Transformation Playbook: Rethink Your Business for the Digital Age")에서는 디지털 시대의 리더가 팀원을 지원하고 동기를 부여하는 새로운 방법을 제시하고 있습니다. 이 책은 디지털 기술의 활용과 리더의 역할 변화에 대한 통찰력을 제공합니다.

"포스트 코로나 시대의 리더십: 불확실성 속에서의 결정과 행동" (Heifetz, R., Grashow, A.,

& Linsky, M. (2020). "Leadership in a (Permanent) Crisis")에서는 리더가 변화와 불확실성에 대처하며 팀원을 지원하는 방법에 대해 탐구하고 있습니다. 이 책은 리더가 팀원의 불안과 스트레스를 관리하고 커뮤니케이션을 유지하는 방법을 제공합니다.

"산업 4.0 시대의 리더십: 디지털 변화를 리드하는 방법" (Westerman, G., Bonnet, D., & McAfee, A. (2021). "Leading Digital: Turning Technology into Business Transformation")에서는 기술 변화와 디지털 트랜스포메이션에 대한 리더십을 담당하는 방법을 제시하고 있습니다. 이 책은 리더들이 디지털 기술을 이해하고 활용하여 조직의 성과를 향상시키는 방법에 대한 통찰력을 제공합니다.

"리더십의 재정의: 사회적 거리 두기 시대의 팀 관리" (Kim, J. (2020). "Leading in the Social Distancing Era: Managing Teams in Times of Isolation")에서는 사회적 거리 두기로 인한 원격 근무 환경에서 리더가 팀원을 어떻게 관리하고 지원해야 하는지에 대한 전략을 제시하고 있습니다. 이 책은 새로운 근무 환경에서의 팀 동기 부여와 커뮤니케이션 방법에 대한 실질적인 가이드라인을 제공합니다.

"AI 시대의 리더십: 인공지능이 리더십을 어떻게 변화시키는가" (Daugherty, P., & Wilson, H.J. (2020). "Human + Machine: Reimagining Work in the Age of AI")에서는 인공지능과 같은 혁신적인 기술이 리더십과 팀 관리에 어떤 영향을 미치는지를 탐구하고 있습니다. 이 책은 리더들이 인공지능을 효과적으로 활용하고 팀원을 지원하는 방법에 대한 통찰력을 제공합니다.

팀원 지원의 중요성

팀원 지원의 중요성에 대해 더 자세히 말하자면, 이것은 팀 내의 개별적인 성장과 성공을 촉진함으로써, 전체 팀의 성능 향상에 이르는 결과를 가져옵니다. 이는 개인의 잠재력을 최대한 발휘하고, 그들의 역량을 개발하는데 필요한 조건을 제공함으로써 이루어집니다.

팀원 지원의 중요성은 여러 가지 연구에서도 입증되었습니다. 예를 들어, Google의 "Project Aristotle"은 팀 성과에 가장 큰 영향을 미치는 요인 중 하나로 심리적 안전감, 즉 팀원들이 서로를 신뢰하고 위험을 감수하는 환경을 성장의 기반이라는 것을 밝혀냈습니다. 이렇게 팀원들이 서로를 지원하고 돕는 환경이 만들어질 때, 팀은 더 높은 수준의 성과를 달성할 수 있습니다.

또한 팀원을 지원하는 것은 리더의 역할 중 하나입니다. 리더는 팀원의 개별적인 목표를 이해하고, 이를 달성하는 데 필요한 자원과 훈련을 제공하는 방법을 배워야 합니다. 이는 팀원들이 자신의 업무에 만족하고 헌신하는데 도움이 되며, 이는 최종적으로 팀의 전반적인 성과를 향상시키는데 기여합니다.

따라서, 팀원 지원은 리더십의 중요한 요소이며, 팀의 성공을 위해 중요한 역할을 합니다. 이를 위해, 리더는 팀원들이 자신의 역량을 개발하고, 자신의 잠재력을 최대한 발휘할 수 있도록 돕는 다양한 전략과 기법을 습득하게 됩니다. 이는 팀원이 자신의 기술을 향상시키고 새로운 역량을 개발할 수 있는 기회를 제공하는 것을 포함합니다.

이러한 지원은 팀원들의 책임감을 높이고, 동료에 대한 신뢰와 존중을 높이며, 개인과 팀 모두에게 유익한 업무 환경을 조성하는데 도움이 됩니다. 이는 팀원들이 자신의 업무에 대해 더 많이 배우고, 새로운 기술을 습득하고, 자신의 역할에 대한 이해를 높이는데 도움이 됩니다.

또한, 리더가 팀원을 지원하면 팀원들은 자신의 업무에 더욱 헌신하게 되고, 그 결과로 팀 전체의 생산성과 효율성이 증가하게 됩니다. 이는 결국 조직의 목표 달성에 크게 기여하며, 팀원들의 만족도와 임직원 유지율을 높이는 데도 도움이 됩니다.

팀원 지원에 대한 전략과 기법을 배우고 적용하는 것은 리더의 주요 역할 중 하나이며, 이는 리더가 팀원들의 역량을 개발하고 성장을 지원하는 데 필요한 다양한 기술과 지식을 습득하게 합니다. 이러한 기술과 지식은 팀원들이 자신의 역할에 대해 더욱 효과적으로 수행하고, 팀과 조직의 목표를 달성하는데 기여하게 됩니다.

따라서, 팀원 지원은 리더십의 핵심적인 요소이며, 리더는 이를 통해 팀원 개개인의 잠재력을 최대한 발휘하고, 팀원들이 자신의 역할에 대해 더욱 효과적으로 수행하고, 팀 전체의 성과를 높이는 데 도움이 됩니다. 팀원들의 개인적인 목표와 가치를 이해하고 인정하며 지원합니다. 이를 통해 팀원들은 자신의 역할에 더 많이 투자하며, 업무 만족도도 향상됩니다.

정기적인 1:1 면담을 통해 팀원들의 진행 상황을 점검하고, 그들이 경험하는 장애물을 이해하며, 그들의 개인적 성장과 발전을 지원합니다. 팀원들에게 필요한 자원과 교육을 제공해 그들이 역할을 효과적으로 수행할 수 있도록 합니다. 이를 통해 팀원들이 필요한 기술과 지식을 습득하며, 역량을 향상시키는 데 도움이 됩니다.

긍정적이고 생산적인 작업 환경을 조성합니다. 이는 팀원들이 자신의 역할에 만족하고 헌신하며, 팀의 전반적인 성과를 향상시키는 데 기여합니다. 팀원들의 성과와 기여를 인정하고 강조합니다. 이는 팀원들의 동기부여를 증가시키며, 업무 만족도를 향상시키고, 업무 성과를 높이는 데 도움이 됩니다.

팀원 지원 실습 자료

- 팀원 개별 멘토링 프로그램: 팀원 각각의 성장과 발전을 돕기 위한 가장 중요한 접근 방법 중 하나는 개별 멘토링입니다. 리더는 팀원 각각과 개인적으로 시간을 보내며 그들의 신뢰를 얻고, 그들의 역량을 향상시키는 데 도움이 됩니다. 이를 통해 팀원들은 자신의 능력에 대한 이해도를 높일 수 있고, 리더는 팀원들의 개별적인 업무 스타일과 성장 가능성에 대해 배울 수 있습니다.
- 성과 인정 체계: 팀원들의 노력과 성과를 공정하게 인정하고 보상하는 체계는 팀원들의 동기를

높이는 데 크게 기여합니다. 이 체계는 팀원들이 그들의 노력이 인정되고 보상 받는 것을 보장하며, 그들에게 더 큰 성과를 위한 동기를 부여하는 역할을 합니다.

- 목표 설정: 일정한 목표가 있어야 팀원들이 자신의 역할을 이해하고, 그들의 업무에 대한 명확한 이해를 가지고, 성과를 달성할 수 있습니다. 리더는 팀원들이 그들의 역할과 팀의 목표를 이해하고 관련된 목표를 설정할 수 있도록 돕습니다.
- 정기적인 피드백 제공: 팀원들이 자신의 역할을 효과적으로 수행할 수 있도록 정기적으로 피드백을 제공합니다. 이 피드백은 팀원들이 그들의 성능을 향상시키고, 그들의 업무 목표를 달성하는 데 도움이 됩니다.
- 팀빌딩 활동: 팀원들 사이의 신뢰와 협력을 높이는 데 도움이 되는 다양한 팀빌딩 활동을 계획하고 실행합니다. 이러한 활동은 팀원들 사이의 친밀감을 증진시키고, 그들이 협업을 통해 더 큰 성과를 이루는 데 필요한 동기를 부여합니다.
- 자기 개발 프로그램: 팀원들이 자신의 역량을 개발하고 그들의 역할을 향상시키는 데 필요한 교육 프로그램을 제공합니다. 이 프로그램은 팀원들이 자신의 직무능력을 향상시키고, 그들이 업무에서 더 효과적으로 행동할 수 있도록 지원합니다.
- 문화 구축: 서로를 존중하고 협력하는 팀 문화를 구축하고 유지하는 데 노력을 기울입니다. 이는 팀원들이 공동의 목표를 위해 효과적으로 협력할 수 있는 환경을 조성합니다.
- 자원 제공: 팀원들이 업무를 수행하는 데 필요한 자원을 제공합니다. 이는 팀원들이 그들의 역할을 효과적으로 수행할 수 있도록 필요한 도구와 정보를 제공합니다.
- 문제 해결 지원: 팀원들이 업무 중 발생하는 문제를 해결하는 데 도움이 됩니다. 이는 팀원들이 그들의 역할을 효과적으로 수행하고, 업무 중 발생할 수 있는 잠재적인 문제를 극복하는 데 도움이 됩니다.
- 성장 기회 제공: 팀원들이 자신의 역량을 향상시키고 그들의 역할을 넘어서는 성장 기회를 제공합니다. 이는 팀원들에게 그들의 능력을 향상시키고, 그들의 역할 이상의 새로운 기회를 탐색할 수 있는 기회를 제공합니다.

동기 부여와 인정의 기법

동기 부여와 인정의 기법은 팀원들의 활동을 촉진하는데 있어 핵심적인 역할을 하며, 이를 통해 그들의 능력과 잠재력을 최대한 발휘하는 데에 필수적입니다. 이러한 동기 부여와 인정의 기법에는 다양한 전략과 방법들이 존재하며, 각각의 팀원들의 성향과 능력, 그리고 팀의 전체적인 목표와 상황에 맞게 적절하게 선택하고 적용해야 합니다. 이런 방식을 통해 팀원들 각자의 역량을 향상시키고, 팀 전체의 생산성과 효율성을 높일 수 있습니다.

1. 성과 인정: 팀원들의 노력과 성과를 인정하는 것은 그들의 동기를 부여하는 강력한 도구입니다. 이것은 그들이 노력한 결과를 인정받고 가치있는 일을 하고 있다는 느낌을 줍니다. 성과를 인정할 때는 구체적이고 직접적인 피드백을 제공하는 것이 중요합니다.

2. 보상 제공: 성과에 대한 보상은 또한 효과적인 동기 부여 전략입니다. 보상은 금전적인 것일 수도 있고, 일을 잘 수행한 것에 대한 공개적인 인정이나 추가적인 권한 부여 등 다양한 형태를 가질 수 있습니다.

3. 자기 결정권 제공: 팀원들에게 자신들의 업무 방식과 일정을 결정할 수 있는 자유를 주는 것은 그들의 창의성과 동기를 높이는 데 도움이 됩니다. 이는 그들이 자신의 업무에 대해 더 많은 책임감을 가지고, 그 결과로 더 높은 성과를 보일 가능성이 높아집니다.

4. 개인적인 성장 기회 제공: 팀원들에게 새로운 기술을 배우고, 자신의 역량을 개발할 수 있는 기회를 제공하는 것은 그들의 동기를 높이고, 그들의 성과를 향상시키는 데 도움이 됩니다. 이는 팀원들이 자신의 경력을 발전시키고, 그 결과로 더 높은 성과를 보일 수 있도록 돕습니다.

5. 목표 설정과 피드백: 팀원들에게 명확한 목표를 설정하고, 그들의 진행 상황에 대한 정기적인 피드백을 제공하는 것은 그들의 동기를 높이는 데 중요합니다. 이는 팀원들이 자신의 역할과 책임, 그리고 그들의 노력이 어떻게 조직의 목표에 기여하는지 이해하는데 도움이 됩니다.

동기 부여와 인정의 기법 실습 자료

- 업무 회의: 프로젝트의 진행 상황을 점검하고, 팀원들이 겪고 있는 어려움을 논의하고, 해결책을 찾는 회의를 주기적으로 개최합니다. 이는 프로젝트의 목표를 달성하는 데 필요한 방향성을 제공합니다. 이 과정에서 팀원들은 자신들의 업무 진행 상황을 공유하고, 문제나 도전 과제에 대해 상호 논의하며, 가능한 해결책을 모색할 수 있습니다.
- 성장 계획: 팀원들의 개인적인 성장과 발전을 위한 명확한 계획을 설정하고, 이를 지원합니다. 이는 팀원들의 개인적인 발전과 팀의 전체적인 발전을 촉진합니다. 성장 계획은 팀원들의 기술, 지식, 역량을 개선하고, 새로운 역량을 개발하는데 도움을 줍니다.
- 팀 건강 점검: 팀원들의 의견을 듣고, 팀의 강점과 약점을 파악하고, 향상할 수 있는 영역을 식별하는 정기적인 피드백 세션을 실시합니다. 이를 통해 팀원 간의 소통을 강화하고 팀의 총체적인 역량을 평가할 수 있습니다. 팀 건강 점검은 팀의 협력도와 통합도를 높이는데 도움이 됩니다.
- 역량 개발 프로그램: 팀원들의 기술과 지식을 개발하는데 도움이 되는 교육 및 워크숍을 제공합니다. 이는 팀원들이 역량을 확장하고 새로운 기술을 습득하는 데 도움이 됩니다. 이 프로그램은 팀원들의 역량을 신장시키고, 그들의 업무 수행 능력을 향상시킵니다.
- 팀 빌딩 활동: 팀원들의 상호 신뢰와 협력을 강화하는 팀 빌딩 활동을 주기적으로 실시합니다.

이를 통해 팀원들 사이의 관계를 강화하고 팀워크를 촉진하게 됩니다. 팀 빌딩 활동은 팀원들의 상호간의 관계를 강화하고, 팀의 의사소통을 향상시키는 데 도움이 됩니다.

- 멘토링 프로그램: 팀원들이 자신의 역량을 향상시키고, 새로운 역량을 개발할 수 있도록 경험 많은 멘토를 지정합니다. 이는 팀원들에게 개인적인 발전과 학습에 필요한 지원을 제공합니다. 멘토링 프로그램은 신입사원이나 경험이 적은 팀원들에게 선배의 지식과 경험을 전달하는 좋은 기회를 제공합니다.
- 성공 사례 공유: 팀원들이 자신의 성공 사례를 공유하고, 서로에서 배울 수 있는 기회를 제공합니다. 이를 통해 모범 사례를 공유하고 학습의 기회를 확장합니다. 이는 팀원 간의 신뢰와 협력을 더욱 강화하며, 팀의 전반적인 성과를 높이는데 도움이 됩니다.
- 리더십 개발 프로그램: 팀원들이 리더십 역량을 개발하고, 그들의 잠재력을 최대한 활용할 수 있도록 돕는 프로그램을 제공합니다. 이는 팀원들에게 새로운 리더십 기회를 제공하고 그들의 성장을 지원합니다. 이 프로그램은 팀원들이 리더로서의 역량을 개발하고, 그들의 리더십 잠재력을 실현하는데 도움을 줍니다.
- 피드백 세션: 팀원들이 서로에게 직접적이고 구체적인 피드백을 주고 받을 수 있는 세션을 주기적으로 개최합니다. 이는 서로의 성과를 인정하고 향상시키는 기회를 제공합니다. 피드백은 팀원 간의 소통을 강화하며, 팀원들이 자신의 성과를 개선하는 데 도움이 됩니다.
- 정기적인 성과 평가: 팀원들의 성과를 주기적으로 평가하고, 이를 바탕으로 보상, 인정, 그리고 개선 방안을 제시합니다. 이는 팀원들이 자신의 성과를 인지하고 개선할 수 있는 기회를 제공합니다. 성과 평가는 팀원들이 자신의 업무 성과를 개선하고, 그들의 업무 성과를 인정받는 기회를 제공합니다.

문제 해결 지원

문제 해결 지원이란 팀원들이 업무 중에 발생하는 다양한 문제를 효과적으로 극복할 수 있도록 도와주는 것을 의미합니다. 이는 팀원들의 업무 성과를 향상시키는 데 중요한 역할을 합니다 동시에, 그들이 업무에 대한 만족도를 높이는 데 큰 기여를 합니다.

이러한 문제 해결 지원 과정은 팀원들이 겪는 어려움을 극복하는 데 필요한 도구를 제공하며, 그들의 자신감을 높여주고, 그들의 역량을 향상시키는 방법을 제시합니다. 이는 최종적으로 팀 전체의 성과를 향상시키고, 조직 전체의 효율성과 생산성을 증가시키는 데 도움이 됩니다.

문제 해결 지원은 일반적으로 다음과 같은 방식으로 진행됩니다.

1. 문제 인식: 첫째, 팀원들이 직면한 문제를 명확하게 인식하고 이해하는 것이 중요합니다. 이를 위해, 리더는 팀원들에게 자신들이 겪고 있는 문제나 어려움에 대해 공개적으로 이야기하도록 권장해야 합니다.

2. 문제 분석: 문제를 인식한 후에는, 그 문제를 조금 더 자세히 분석해야 합니다. 이는 문제의 원인을 파악하고, 그 문제를 해결하기 위한 가능한 해결책을 찾는 데 도움이 됩니다.

3. 해결책 제시: 문제의 원인을 파악한 후에는, 그 문제를 해결하기 위한 다양한 해결책을 제시해야 합니다. 이 때, 팀원들 모두가 자신의 아이디어를 제시하도록 권장해야 합니다.

4. 해결책 실행: 가장 적합한 해결책을 선택한 후에는, 그 해결책을 실천에 옮겨야 합니다. 이를 위해, 리더는 필요한 자원을 제공하고, 팀원들이 그 해결책을 실천에 옮길 수 있도록 도와야 합니다.

5. 결과 평가: 마지막으로, 해결책의 실행 결과를 평가해야 합니다. 이는 해결책이 효과적이었는지, 그리고 그 해결책을 향상시키기 위해 어떤 조치가 필요한지를 파악하는 데 도움이 됩니다.

문제 해결 지원 실습 자료

- 문제 해결 워크숍: 실질적인 문제 해결 기법과 전략을 배우고 실습하는 워크숍을 개최합니다. 이 워크숍에서는 팀원들이 직면한 문제를 해결하는 데 도움이 될 수 있는 실용적인 도구와 지식을 제공하며, 이를 통해 더 효과적으로 문제를 인식하고 해결하는 방법을 배울 수 있습니다.
- 문제 해결 도구 교육: 팀원들이 문제 해결에 유용한 도구와 기법을 배울 수 있는 교육을 제공합니다. 이 교육은 팀원들이 문제를 효과적으로 인식하고, 해결책을 찾아내는 데 필요한 기술을 향상시키는 방법을 제공하게 됩니다.
- 문제 해결 전략 워크샵: 다양한 문제 해결 전략을 소개하고, 이를 실제 문제에 적용해 보는 워크샵을 실시합니다. 이 워크샵에서는 팀원들이 다양한 해결 전략을 이해하고 적용하는 능력을 향상시키는 방법을 배울 수 있습니다.
- 사례 연구: 실제 문제와 그에 대한 해결책을 분석하는 사례 연구를 소개합니다. 이 사례 연구를 통해 팀원들은 문제를 어떻게 인식하고, 어떤 전략으로 해결했는지 이해하는 데 도움이 됩니다.
- 롤 플레이: 문제 상황을 모방하고, 그 상황에서 효과적으로 대응하는 방법을 연습하는 롤 플레이를 실시합니다. 이는 팀원들이 실제 상황에서 문제를 해결하는 능력을 향상시키는 데 도움이 됩니다.
- 브레인스토밍 세션: 팀원들이 문제 해결 아이디어를 자유롭게 제시하고 공유하는 브레인스토밍 세션을 개최합니다. 이를 통해 창의적인 해결책을 발견하고, 팀원들 사이의 협력을 촉진하는 데 도움이 됩니다.
- 피드백 세션: 팀원들이 문제 해결 과정에서의 성공과 실패를 공유하고, 서로의 경험에서 배울 수 있는 피드백 세션을 주기적으로 개최합니다. 이를 통해 문제 해결의 효과성을 높이고, 팀원들 간의 학습을 촉진하는 데 도움이 됩니다.

- 해결책 평가: 제안된 해결책을 평가하고, 이를 바탕으로 최적의 해결책을 선택하는 과정을 실습합니다. 이를 통해 팀원들이 다양한 해결 전략을 비교하고 평가하는 능력을 향상시키는 데 도움이 됩니다.
- 문제 해결 팀 프로젝트: 실제 문제에 대해 팀을 이루어 해결책을 찾는 프로젝트를 진행합니다. 이를 통해 팀원들이 협력하여 문제를 해결하는 데 필요한 실질적인 경험을 제공하게 됩니다.
- 자기 반성 세션: 팀원들이 자신의 문제 해결 과정과 결과를 반성하고, 개선할 수 있는 방법을 찾는 세션을 개최합니다. 이를 통해 팀원들이 자신의 문제 해결 능력을 개선하는 데 도움이 됩니다.

기업 사례

- Google의 20% 규칙: Google은 직원들에게 주 20%의 시간을 자신의 일과 관련된 새로운 프로젝트에 투자할 수 있도록 유도하는 "20% 규칙"을 도입했습니다. 이 정책은 직원들이 창의적인 아이디어를 제안하고 개인적인 역량을 향상시키는데 중요한 도구로 작용했습니다. Gmail과 Google News와 같은 혁신적인 제품들이 이 규칙 덕분에 탄생했습니다.
- 3M의 품질 개선 프로그램: 3M은 직원들이 품질 개선 아이디어를 제안하고 실행할 수 있는 프로그램을 운영하고 있습니다. 이 프로그램은 3M의 제품과 서비스의 품질을 높이는 데 기여하며, 동시에 직원들의 창의성과 자기주도성을 촉진시킵니다.
- Microsoft의 해커톤: Microsoft는 해커톤을 통해 직원들에게 자신의 아이디어를 실현시키고 혁신을 추구하는 기회를 제공합니다. 이러한 활동은 직원들이 새로운 기술을 탐색하고, 동료들과 협업하며, 회사의 문화와 전략에 직접적인 영향을 미치는데 도움을 줍니다.
- 삼성의 신입사원 멘토링 프로그램: 삼성은 신입사원들에게 경험 많은 직원을 멘토로 지정하여 조직 문화에 빠르게 적응하고 역량을 향상시키는데 도움을 줍니다. 이 프로그램은 신입사원들이 조직 내에서 빠르게 성장하고 성공할 수 있는 환경을 제공합니다.
- IBM의 리더십 개발 프로그램: IBM은 리더십 역량을 개발하고 잠재력을 최대한 활용할 수 있도록 돕는 교육 프로그램을 제공합니다. 이 프로그램은 직원들이 리더로서의 역량을 향상시키며, 팀과 조직의 효율성과 생산성을 높이는데 기여합니다.
- 페이스북의 정기적인 피드백 세션: 페이스북은 팀원들이 서로에게 직접적이고 구체적인 피드백을 주고 받을 수 있는 세션을 주기적으로 개최합니다. 이 세션은 팀원 간의 커뮤니케이션을 강화하고, 각각의 성과를 인정하고 향상시키는데 도움이 됩니다.
- 애플의 자원 제공: 애플은 팀원들이 업무를 수행하는 데 필요한 최고의 자원을 제공하여 그들이 역할을 효과적으로 수행할 수 있도록 돕습니다. 이로 인해 애플 직원들은 자신의 역량을 최대한 발휘하며, 회사의 목표 달성에 기여할 수 있습니다.
- 토요타의 문제 해결 워크샵: 토요타는 실질적인 문제 해결 기법과 전략을 배우고 실습하는 워크샵을 주기적으로 개최합니다. 이 워크샵은 팀원들이 문제를 더 효과적으로 인식하고 해결하는 능력을 개발하는데 도움이 됩니다.

- Nike의 팀 빌딩 활동: Nike는 팀원들의 상호 신뢰와 협력을 강화하기 위해 다양한 팀 빌딩 활동을 주기적으로 실시합니다. 이 활동은 팀의 응집력을 높이고, 팀원들 간의 관계를 강화하는데 기여합니다.
- 스타벅스의 성장 기회 제공: 스타벅스는 팀원들이 자신의 역량을 향상시키고, 자신의 역할 이상의 새로운 기회를 탐색할 수 있도록 지원합니다. 이는 직원들이 개인적인 성장과 전문적인 발전을 추구하는데 도움을 줍니다.

시각 자료 및 도구

- 학습 관리 시스템 도구: 이 도구는 팀원들이 새로운 지식과 기술을 배우고, 이를 실천하는데 도움이 되는 도구입니다. 지속적인 학습과 개인적인 역량 향상은 팀의 성장과 성공에 있어서 가장 중요한 요소이므로, 이 도구를 통해 팀원들의 지속적인 학습과 개인적인 역량 향상을 지원합니다.
- 온라인 협업 도구: 원격 근무와 플렉시블 워킹이 일반화되는 현재 상황에서, 팀원들이 원격으로도 효과적으로 협업하고, 소통하며, 작업을 관리하는 데 도움이 되는 도구입니다.
- 프로토타이핑 도구: 아이디어나 제품을 실제로 모형화하고, 이를 테스트하며, 피드백을 바탕으로 개선하는 과정은 제품 개발 및 개선에 있어 중요한 단계입니다. 이 도구는 그러한 과정을 지원하는 도구입니다.
- Gantt 차트 도구: 프로젝트 관리에 있어 일정 계획 및 추적은 빼놓을 수 없는 중요한 요소입니다. 이 도구는 팀원들이 프로젝트 일정을 체계적으로 계획하고, 추적하고, 관리하며, 프로젝트의 진행 상황을 시각적으로 파악하는데 도움이 됩니다.
- 마인드 맵 도구: 아이디어를 구조적으로 표현하고, 복잡한 문제를 분석하며, 창의적인 해결책을 시각화하는데 도움이 되는 도구입니다. 이 도구는 팀원들의 창의적 사고를 촉진하는데 유용합니다.
- 플로우 차트 도구: 복잡한 프로세스나 작업 흐름을 명확하게 이해하고, 이를 기반으로 프로세스를 개선하고 최적화하는데 도움이 되는 도구입니다.
- 피드백 수집 도구: 팀원들이 서로의 성과를 공정하게 평가하고, 성장을 위한 유익한 피드백을 제공하는데 도움이 되는 도구를 제공합니다. 이 도구는 팀원들의 개인적인 성장과 역량 개발을 지원합니다.

문제 해결 전략 워크샵

우리는 다양한 문제 해결 전략을 탐색하고 이를 실제 문제 상황에 적용해보는 워크샵을 진행하고 있습니다. 이 워크샵은 팀원들이 다양한 문제 해결 전략을 이해하고 적용하는 능력을 향상시키는 데 큰 도움이 될 것입니다.

이 워크샵의 핵심 목표는 참가자들이 다양한 문제 해결 전략을 체험하고, 이해하며, 실제로 적용해 보는 것입니다. 이를 위해 우리는,다음과 같은 과정을 통해 진행됩니다.

1. 문제 인식 및 정의 과정: 참가자들은 실제 문제를 인식하고 명확하게 정의하는 데 초점을 맞춥니다. 이 과정에서 참가자들은 문제의 본질을 파악하고, 문제의 원인과 결과를 이해하는 데 필요한 도구와 기술을 배웁니다.

2. 아이디어 생성 과정: 참가자들은 브레인스토밍, 마인드맵 등의 창의적인 방법을 활용하여 문제 해결을 위한 아이디어를 생성합니다. 이 과정에서 참가자들은 창의적 사고를 향상시키는 방법을 배우며, 다양한 해결책을 탐색합니다.

3. 해결책 개발 및 선택 과정: 참가자들은 생성된 아이디어 중에서 가장 효과적인 해결책을 개발하고 선택합니다. 이 과정에서 참가자들은 비판적 사고를 향상시키는 방법을 배우며, 선택과 평가의 과정을 통해 최적의 해결책을 도출합니다.

4. 해결책 구현 과정: 참가자들은 선택한 해결책을 구현하고, 그 결과를 평가합니다. 이 과정에서 참가자들은 문제 해결의 실천적 측면을 배우며, 실제 문제상황에 대한 이해와 실질적인 해결책 적용의 중요성을 배웁니다.

5. 피드백 및 반복 과정: 마지막으로, 참가자들은 해결책의 효과를 평가하고, 필요한 경우 다시 문제 해결 과정을 반복합니다. 이 과정에서 참가자들은 지속적인 개선과 학습의 중요성을 이해하게 되며, 문제 해결 과정의 지속적인 반복을 통해 지속적인 개선을 추구합니다.

이 장에서는 학습자들이 팀원들의 성장과 성공을 돕는 리더십에 대한 깊은 이해를 형성하게 될 것입니다. 이를 위해 다음과 같은 주요 주제들을 다룹니다.

첫째로, 우리는 문제 해결 지원의 다양한 단계에 대해 학습합니다. 이 부분에서 학습자들은 팀원들이 직면한 문제를 효과적으로 인식하고 분석하는 방법, 그리고 이를 해결하는 방법에 대해 배울 수 있습니다. 이는 문제 해결 워크숍, 도구 교육, 전략 워크샵 등 다양한 실습 자료를 통해 실질적으로 이루어집니다. 이러한 실습을 통해 학습자들은 문제 해결 능력을 실질적으로 향상시키고, 이를 바탕으로 팀원들의 성장과 성공을 돕는 능력을 갖추게 됩니다.

둘째로, 다양한 실제 기업 사례를 통해 문제 해결 지원이 실제 조직에서 어떻게 적용되고 있는지에 대해 이해하게 됩니다. 이를 통해 학습자들은 이론적인 지식을 실제 상황에 적용하는 방법을 배우고, 이를 바탕으로 문제 해결 능력을 실질적으로 향상시키는 능력을 갖추게 됩니다.

셋째로, 다양한 시각 자료 및 도구를 통해 문제 해결 과정을 시각적으로 이해할 수 있습니다. 이는 문제 해결 능력을 더욱 향상시키는 데 중요한 역할을 합니다. 효과적인 문제 해결을 위한 실질적인 도구와 기술을 활용하는 방법을 배우는 것은, 문제 해결 능력을 실질적으로 향상시키는 데 큰 도움이 됩니다.

마지막으로, 문제 해결 전략 워크샵을 통해 다양한 문제 해결 전략을 체험하고, 이해하며, 실제로 적용해 보는 경험을 할 수 있습니다. 이를 통해 학습자들은 문제 해결 전략을 실질적으로 적용하는 능력을 향상시키며, 그 과정에서 지속적인 학습과 개선의 중요성을 이해하게 될 것입니다. 이 과정은 학습자들이 실질적인 문제 해결 능력을 향상시키는 데 매우 중요한 역할을 합니다.

제 17 장

팀 개발에 초점: 조직 성장과 효율성 촉진

이 장에서는 리더가 팀원들의 개인적인 발전을 촉진하고 지원함으로써 조직의 성장과 효율성을 높이는 중요한 역할을 담당한다는 것을 설명합니다. 이를 통해 팀원들의 잠재력을 최대화하고, 조직 내에서 가장 효과적으로 활동할 수 있는 방법을 찾습니다. 이와 같은 방법으로, 리더는 조직의 목표 달성과 성능 향상에 기여하게 됩니다.

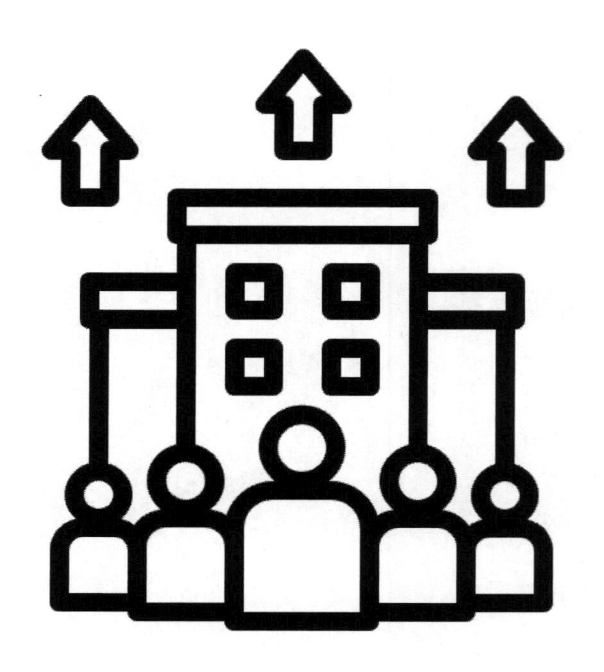

학습 개요

이 장에서는 리더가 팀원들의 개인적인 발전을 촉진하고 지원함으로써 조직의 성장과 효율성을 높이는 중요한 역할을 담당한다는 것을 설명합니다. 이를 통해 팀원들의 잠재력을 최대화하고, 조직 내에서 가장 효과적으로 활동할 수 있는 방법을 찾습니다. 이와 같은 방법으로, 리더는 조직의 목표 달성과 성능 향상에 기여하게 됩니다.

학습 내용 및 목표

- 팀 개발 전략의 중요성: 팀원 개발이 조직 성과에 어떤 영향을 미치는지, 그리고 그 중요성에 대해 이해합니다. 이를 통해 팀원 각각의 역량 강화와 팀의 전체적인 성과 향상에 필요한 전략을 구체화할 수 있습니다.
- 지속적 학습과 개발: 지속적인 학습과 개발이 팀의 성능에 어떻게 영향을 미치는지 학습합니다. 개개인의 역량 향상뿐만 아니라 팀의 유기적인 발전을 위해 지속적인 학습과 개발의 필요성을 인식하게 됩니다.
- 리더의 역할: 리더가 팀원의 경력 개발을 어떻게 지원하는지, 그리고 이를 통해 팀 성과를 어떻게 최적화하는지에 대해 배웁니다. 리더의 역할과 그 중요성을 이해하고, 팀원들의 성장을 위한 지원 방법 및 팀 성과 향상을 위한 전략을 학습합니다.

예상 학습 성과

- 이 과정을 통해 팀 개발에 대한 이론적 배경을 이해하게 됩니다. 이는 팀원들의 개발 전략을 효과적으로 설계하고 실행하는 데 필요한 근거를 제공합니다. 팀원들의 개인적인 성장과 팀 전체의 성장을 동시에 돕는 방법에 대한 실질적인 지식을 획득하게 됩니다.
- 리더의 역할과 팀 개발의 중요성에 대한 깊은 이해를 통해 팀의 성과를 향상시키는 데 필요한 능력을 키울 수 있습니다. 리더로서 팀원들의 개발에 어떻게 기여할 수 있는지, 그리고 이를 통해 팀 전체의 성과를 어떻게 높일 수 있는지에 대한 구체적인 방법을 배우게 됩니다.
- 팀 개발에 대한 실질적인 경험을 통해 리더의 역할을 이해하게 되며, 이를 실제 상황에 적용하는 능력을 향상시킵니다. 이 과정에서 리더와 팀원들이 상호작용하는 방식, 그리고 팀원들의 개발을 촉진하는 방법에 대한 실질적인 지식을 획득하게 됩니다.
- 지속적인 학습과 개발에 대한 중요성을 인식하고, 이를 팀의 성장과 효율성 향상에 연결시키는 방법을 배우게 됩니다. 지속적인 학습과 개발이 어떻게 팀의 성과를 높이는 데 기여하는지, 그리고 이를 어떻게 유지하고 확장시킬 수 있는지에 대한 구체적인 방법을 배우게 됩니다.
- 팀원들의 관점에서 팀 개발의 필요성과 효과를 이해하게 되며, 이를 통해 팀원들의 성장을 돕는 전략을 구체화하고 실행할 수 있습니다. 팀원들의 개발을 촉진하는 방법, 그리고 이를 통해 팀 전체의 성과를 어떻게 높일 수 있는지에 대한 실질적인 지식을 획득하게 됩니다.

이론적 배경과 근거

팀 개발의 중요성에 대한 이해는 Bruce Tuckman의 팀 개발 단계 이론을 통해 깊이 있게 이해할 수 있습니다. 이 이론은 팀이 형성(Forming), 돌풍(Storming), 규범화(Norming), 수행(Performing)의 4가지 주요 단계를 거친다고 설명하고 있습니다(Tuckman, B. (1965). "Developmental sequence in small groups"). 이 이론의 중요한 가치는 팀 개발을 계획하고 관리하는 과정에서, 각 단계별로 팀원들이 겪는 도전과 필요성을 이해하고, 이에 따라 효과적인 지원과 개발 전략을 세울 수 있도록 통찰력을 제공한다는 점에 있습니다. 따라서, Tuckman의 이론은 팀 개발의 전 과정을 체계적이고 효과적으로 관리하는데 있어 필수적인 이론으로 인식되고 있습니다.

팀 개발의 중요성을 이해하려면 Bruce Tuckman의 팀 개발 단계 이론을 살펴보는 것이 도움이 됩니다. Tuckman은 팀이 형성(Forming), 돌풍(Storming), 규범화(Norming), 수행(Performing)의 4가지 단계를 거친다고 설명했습니다.(Tuckman, B. (1965). "Developmental sequence in small groups")

형성 단계에서는 팀원들이 처음 만나 서로를 알아가는 시기입니다. 팀원들 간의 관계는 아직 초기 단계이며, 팀의 목표와 역할 구조가 형성됩니다. 돌풍 단계에서는 의견 충돌이 일어나며, 팀원들 사이에서 리더십, 권한, 책임 등에 대한 논쟁이 벌어집니다. 규범화 단계에서는 팀원들이 팀의 목표와 방향성에 대해 합의하며, 팀 구성원들 간의 역할과 책임이 명확해집니다. 마지막으로, 수행 단계에서는 팀원들이 효율적으로 작업을 수행하며, 팀의 목표를 성취하기 위해 협력합니다.

이 각각의 단계는 팀 개발을 계획하고 실행하는 과정에서 팀원들이 겪는 도전과 필요성을 이해하는 데 중요한 통찰력을 제공합니다. 이 이론은 팀이 겪는 각 단계에서 팀원들의 필요와 개발을 어떻게 지원해야 하는지에 대한 심도 있는 이해를 가능하게 합니다. 팀 개발을 성공적으로 이끌어가기 위해서는 이러한 통찰력이 필수적입니다.

팀원들의 동기 부여에 관한 이론: Ryan and Deci의 자기결정 이론(Self-Determination Theory)은 팀원들의 동기 부여를 이해하는 데 도움이 됩니다(Ryan, R. M., & Deci, E. L. (2000). "Intrinsic and Extrinsic Motivations: Classic Definitions and New Directions"). 이 이론은 팀원들의 내재적 및 외재적 동기 부여를 관리하고 이를 통해 팀의 성능을 향상시키는 방법에 대한 통찰력을 제공합니다.

팀의 역할 분배에 관한 이론: Belbin의 팀 역할 이론(Team Roles Theory)은 팀 구성원 각각이 가장 효과적으로 작용하는 역할을 이해하는 데 도움이 됩니다(Belbin, M. (2012). "Team Roles at Work"). 이 이론은 팀원들의 개인적인 성향과 능력에 따라 팀 내에서 가장 적합한 역할을 찾는 방법에 대한 통찰력을 제공합니다.

팀의 협력에 관한 이론: Hackman의 팀 효과성 이론(Team Effectiveness Theory)은 팀원들이 효과적으로 협력하는 방법을 이해하는 데 도움이 됩니다(Hackman, J. R. (1987). "The design of work teams"). 이 이론은 팀원들이 서로 협력하고 효과적으로 작업을 수행하는 방법에 대한 통찰력을 제공합니다.

팀의 의사결정에 관한 이론: Janis의 집단사고 이론(Groupthink Theory)은 팀의 의사결정 과정을 이해하는 데 도움이 됩니다(Janis, I. L. (1972). "Victims of Groupthink"). 이 이론은 팀 의사결정에서 발생할 수 있는 문제점을 인식하고 이를 피하는 방법에 대한 통찰력을 제공합니다.

팀의 갈등 관리에 관한 이론: Thomas-Kilmann의 갈등 관리 모델(Conflict Management Model)은 팀내에서 발생하는 갈등을 관리하는 방법을 제공합니다(Thomas, K. W., & Kilmann, R. H. (1974). "Thomas-Kilmann Conflict Mode Instrument"). 이 이론은 갈등 상황에서 효과적인 해결책을 찾는 방법에 대한 통찰력을 제공합니다.

팀의 성장에 관한 이론: Tuckman의 '팀 개발 단계 이론'은 팀이 형성, 돌풍, 규범화, 수행의 4가지 주요 단계를 거친다는 것을 설명하고 있습니다(Tuckman, B. (1965). "Developmental sequence in small groups"). 이 이론은 각 단계에 따른 팀원들의 도전과 필요성을 이해하고, 그에 따라 효과적인 지원과 개발 전략을 세울 수 있도록 통찰력을 제공합니다.

최신 이론적 배경과 근거

팀의 신뢰 구축에 관한 이론: Edmondson의 심리적 안전 이론(Psychological Safety Theory)은 팀 내에서 신뢰를 구축하고, 이를 통해 팀원들이 의견을 자유롭게 표현하고 창의적인 아이디어를 제시하는 데 도움이 됩니다(Edmondson, A. (2020). "The Fearless Organization: Creating Psychological Safety in the Workplace for Learning, Innovation, and Growth").

팀의 다양성 관리에 관한 이론: Phillips의 다양성 이론(Diversity Theory)은 팀 내에서 다양성을 인식하고 이를 효과적으로 관리하는 방법에 대한 통찰력을 제공합니다(Phillips, K. W. (2020). "Diversity and Authenticity").

팀의 원격 협업에 관한 이론: Bailey and Kurland의 원격 작업 이론(Remote Work Theory)은 원격 환경에서 팀이 효과적으로 협업하는 방법에 대해 설명합니다(Bailey, D. E., & Kurland, N. B. (2020). "A review of telework research: findings, new directions, and lessons for the study of modern work").

팀의 디지털 협업에 관한 이론: Kane's 디지털 협업 이론(Digital Collaboration Theory)은 디지털 도구를 활용한 팀 협업에 대한 통찰력을 제공합니다(Kane, G. C. (2020). "The Technology Fallacy: How People Are the Real Key to Digital Transformation").

팀의 재택 근무에 관한 이론: Bloom's 재택 근무 이론(Home-Working Theory)은 재택 근무 환경에서 팀의 성과를 유지하고 향상시키는 방법에 대해 설명합니다(Bloom, N. (2020). "How Working from Home Works Out").

팀의 복잡성 관리에 관한 이론: Uhl-Bien's 복잡성 이론(Complexity Leadership Theory)은 복잡하고 불확실한 환경에서 팀 리더십을 행사하는 방법에 대한 통찰력을 제공합니다(Uhl-Bien, M., & Arena, M. (2020). "Complexity leadership: Enabling people and organizations for adaptability").

팀 개발 전략의 중요성

팀 개발 전략은 조직의 성공에 결정적인 역할을 합니다. 이는 팀원 개개인의 역량 향상뿐만 아니라, 팀 전체의 성장과 성과 향상을 동시에 촉진하는 데 중요한 역할을 합니다. 따라서, 팀 개발 전략은 조직의 성공에 결정적인 역할을 합니다. 이를 통해 팀원 각각의 역량 강화와 팀의 전체적인 성과 향상에 필요한 전략을 구체화하고, 실행할 수 있습니다.

1. 개별 역량 강화: 팀 개발 전략은 팀원 개개인의 역량을 강화하는 데 중요한 역할을 합니다. 이는 팀원들이 자신의 잠재력을 최대한 발휘하고, 성장하고, 발전하는 데 도움을 줍니다. 이런 개별적인 역량 강화는 팀 전체의 성과에도 긍정적인 영향을 미칩니다.

2. 팀의 성과 향상: 팀 개발 전략을 효과적으로 수행하면, 팀 전체의 성과도 향상됩니다. 이는 팀원들이 개별적으로 성장하고, 역량을 향상시키는 것이 팀 전체의 성과 향상으로 이어지기 때문입니다. 이는 팀원들이 서로 협업하고, 서로의 장점을 최대한 활용하면서, 팀의 목표를 달성하는 데 도움을 줍니다.

3. 조직의 성장과 효율성 증대: 팀 개발 전략은 조직의 성장과 효율성 증대에도 중요한 역할을 합니다. 팀원들이 개인적으로 성장하고, 팀의 성과가 향상되면, 이는 조직 전체의 성장과 효율성 증대로 이어집니다. 이는 조직이 더 효과적으로 목표를 달성하고, 더 빠르게 성장하고, 더 효율적으로 운영될 수 있게 합니다.

팀 개발 전략의 중요성 실습 자료

- 목표 설정 워크샵: 팀원들이 함께 팀의 목표를 설정하고, 이를 달성하기 위한 계획을 수립하는 워크샵을 먼저 진행해봅니다. 이 워크샵에서는 팀의 전반적인 방향성과 개별 팀원의 역할이 명확히 정의되고, 각 팀원이 달성해야 할 구체적인 목표를 설정합니다.
- 팀 빌딩 활동: 팀원들이 서로를 더 잘 이해하고 협력하는 능력을 높이는 팀 빌딩 활동을 계획하고 실행합니다. 이는 팀원 간의 신뢰와 의사소통 능력을 향상시키며, 업무 환경에서의 긴밀한 협업을 돕습니다.

- 피드백 세션: 팀원들이 서로에게 피드백을 주고 받는 세션을 진행해봅니다. 이 과정에서 팀원들은 서로의 성장을 촉진하고, 개선해야 할 부분에 대해 공유하고 학습합니다.
- 역할 교환 실습: 팀원들이 서로의 역할을 맡아보는 역할 교환 실습을 진행해봅니다. 이를 통해 팀원들이 서로의 역할과 책임에 대해 더 잘 이해하게 됩니다. 이는 팀원 간의 이해도 증진과 역할 간 상호작용에 대한 깊은 이해를 제공합니다.
- 팀 문화 워크샵: 팀의 문화를 정의하고, 이를 통해 팀의 성장과 효율성을 어떻게 촉진할 수 있는지를 학습하는 워크샵을 진행해봅니다. 이 워크샵에서는 팀의 핵심 가치와 원칙을 설정하고, 이를 통해 팀원들이 어떻게 협업하고 소통할지에 대한 기준을 만듭니다.
- 커뮤니케이션 스킬 트레이닝: 팀원들이 효과적으로 의사소통하는 방법을 학습하는 커뮤니케이션 스킬 트레이닝을 진행해봅니다. 이 훈련은 팀원들이 서로를 이해하고 효과적으로 소통하는 방법을 강조합니다.
- 리더십 트레이닝: 리더십 트레이닝 프로그램을 통해 리더가 팀 개발을 어떻게 돕는지에 대한 실질적인 지식을 배우게 됩니다. 이 훈련은 리더의 역할과 책임, 그리고 리더가 팀원들의 개발과 성장을 어떻게 지원할 수 있는지에 대해 깊이 있게 다룹니다.
- 성과 관리 워크샵: 팀의 성과를 어떻게 관리하고 측정할지를 학습하는 워크샵을 진행해봅니다. 이 워크샵에서는 성과 지표를 설정하고, 이를 분석하고 추적하는 방법을 학습합니다.
- 멘토링 프로그램: 경험이 많은 팀원이 다른 팀원을 멘토링하는 프로그램을 실행해봅니다. 멘토는 멘티에게 업무 지식과 기술을 전달하며, 멘티의 개인적인 성장과 개발을 지원합니다.
- 개인 개발 계획 워크샵: 각 팀원이 개인 개발 계획을 설정하고, 이를 통해 팀의 성과를 어떻게 높일 수 있는지를 학습하는 워크샵을 진행해봅니다. 이 워크샵에서는 팀원들이 개인적인 성장 목표를 설정하고, 이를 통해 팀의 전체적인 성과에 어떻게 기여할 수 있는지에 대해 학습합니다.

지속적 학습과 개발

지속적인 학습과 개발은 팀의 성과에 중요한 영향을 미칩니다. 학습은 개인의 지식, 능력, 기술을 향상시키는 과정이며, 이는 개인의 성과 향상으로 이어지고, 결국 팀 전체의 성과 향상을 가져옵니다. 이러한 개인적인 학습과 개발은 지속적으로 이루어져야 합니다. 팀원들이 지속적으로 학습하고 자신의 역량을 개발함으로써, 팀의 성과는 계속해서 향상될 것입니다. 이러한 지속적 학습과 개발은 팀의 성과를 높이는 데 결정적인 역할을 합니다. 팀원 각각이 지속적으로 학습하고 개발함으로써, 팀은 더 높은 수준의 업무를 수행할 수 있게 되고, 이는 팀의 성과 향상으로 이어집니다.

지속적인 학습과 개발은 다음과 같은 방법으로 이루어질 수 있습니다.

자기 주도적 학습: 팀원들이 스스로의 학습 목표를 설정하고, 이를 달성하기 위한 학습 계획을 세우는 것입니다. 이는 개인의 독립성과 주도성을 강화하며, 학습에 대한 책임감을 높입니다.

직무 관련 교육 프로그램: 팀원들이 참여할 수 있는 직무 관련 교육 프로그램을 제공하는 것입니다. 이는 팀원들의 직무 역량을 향상시킵니다.

멘토링 프로그램: 경험 많은 팀원이나 외부 전문가가 팀원을 멘토링하는 프로그램을 운영하는 것입니다. 이는 팀원들의 개별적인 필요와 문제에 대응할 수 있게 합니다.

피드백 문화 조성: 팀원들이 서로에게 지속적으로 피드백을 주고 받는 문화를 조성하는 것입니다. 이는 팀원들이 자신의 강점과 약점을 인식하고, 이에 따라 학습과 개발 목표를 설정하고, 개선 사항을 찾는 데 도움이 됩니다.

지속적 학습과 개발 실습 자료

- 온라인 코스 참여: 팀원들이 자신의 역할과 관련된 온라인 코스를 찾아 참여하는 것이 우선입니다. 이를 통해 팀원들은 최신 지식과 기술을 습득하며, 이는 팀 전체의 역량 향상에 직접적으로 기여합니다. 적절한 코스를 선택하여 업무 효율성을 향상시키고, 새로운 업무 방법론에 대해 배울 수 있습니다.
- 프로젝트 기반 학습: 실제 프로젝트를 통해 실질적인 경험을 쌓는 것은 매우 중요합니다. 이론적인 학습뿐만 아니라 실무적인 능력도 함께 향상시키며, 실제 업무 환경에서 발생할 수 있는 문제에 대비할 수 있습니다.
- 직무 관련 워크샵: 팀원들이 직무에 관련된 워크샵에 참여하여 새로운 기술과 방법론을 배우는 것도 중요합니다. 이를 통해 팀원들은 자신의 역량을 향상시키고, 동시에 팀 전체의 역량도 향상시킬 수 있습니다.
- 책 읽기 클럽: 팀원들이 같은 책을 읽고, 그에 대해 논의하는 클럽을 운영하는 것은 팀원 간의 교류와 지식 공유를 촉진합니다. 이는 새로운 아이디어를 발견하고, 팀원들 간의 관계를 강화하는 데 도움이 됩니다.
- 토론 세션: 팀원들이 주요 이슈나 주제에 대해 토론하는 세션을 가지는 것은 다양한 관점을 이해하고 문제 해결 능력을 향상시키는 데 유용합니다. 이는 팀원 간의 소통을 강화하며, 팀의 결정 과정을 개선하는 데 도움이 됩니다.
- 전문가 초청 세미나: 관련 분야의 전문가를 초청하여 세미나를 개최하는 것은 팀원들이 최신 트렌드와 전문 지식을 배울 수 있는 좋은 기회입니다. 이는 팀원들의 지식 범위를 확장하고, 새로운 아이디어나 접근법을 도입하는 데 도움이 됩니다.

- 직무 교류 프로그램: 팀원들이 서로의 역할을 교환해 보는 프로그램은 팀원들이 서로의 업무를 이해하고 협업 능력을 향상시키는 데 도움이 됩니다. 이를 통해 팀원들은 다른 팀원의 역할에 대한 이해를 높이고, 더 효과적인 협업을 위한 방법을 찾을 수 있습니다.
- 팀 빌딩 활동: 팀원들이 함께 참여할 수 있는 팀 빌딩 활동을 계획하는 것은 팀의 유대감을 강화하고 협업 능력을 향상시키는 데 중요합니다. 이를 통해 팀원들은 서로 더 잘 이해하고, 팀의 목표 달성을 위해 더 효과적으로 협력할 수 있습니다.
- 코칭 세션: 팀 리더나 경험 많은 팀원이 다른 팀원을 코칭하는 세션을 진행하는 것은 팀원들의 개인적인 문제나 고민을 해결하고, 성장을 촉진하는 데 도움이 됩니다. 이를 통해 팀원들은 자신의 역량을 향상시키고, 팀 전체의 성과를 높일 수 있습니다.
- 자기평가 및 동료평가: 팀원들이 자신의 역량 및 성과를 평가하고, 동료의 피드백도 받는 것은 개인의 성장 방향을 설정하고 개선 사항을 파악하는 데 유용합니다. 이를 통해 팀원들은 자신의 성장을 촉진하고, 팀 전체의 성과를 높일 수 있는 방법을 찾을 수 있습니다.

리더의 역할

팀 개발에 있어서 리더의 역할은 중요합니다. 리더는 팀의 목표를 설정하고 이를 달성하기 위해 팀원들을 지휘하고 동기부여하는 역할을 합니다. 또한, 리더는 팀원들의 역량을 최대한 발휘할 수 있도록 도와줘야 하며, 팀원들 간의 협력을 촉진하고 팀의 성과를 높이는데 기여해야 합니다.

1. 목표 설정: 리더는 팀의 목표를 설정하는 역할을 합니다. 이는 팀의 방향을 제시하고, 팀원들이 추구해야 할 목표를 명확하게 만드는 역할입니다. 목표는 구체적, 측정 가능, 도달 가능, 관련성이 있고 시간 제한이 있는(SMART) 것이어야 합니다.

2. 팀원 동기부여: 리더는 팀원들을 동기부여하는 역할을 합니다. 이는 팀원들이 자신의 역량을 최대한 발휘하도록 도와주고, 업무에 대한 열정을 불러일으키는 역할입니다. 이를 위해 리더는 팀원들의 필요성과 기대를 이해하고, 이를 충족시키는 전략을 세워야 합니다.

3. 팀원 개발 지원: 리더는 팀원들의 개발을 지원하는 역할을 합니다. 이는 팀원들의 역량을 강화하고, 학습과 성장을 돕는 역할입니다. 이를 위해 리더는 팀원들에게 필요한 교육과 훈련을 제공하고, 개인적인 발전을 위한 기회를 제공해야 합니다.

4. 팀 협력 촉진: 리더는 팀원들 간의 협력을 촉진하는 역할을 합니다. 이는 팀원들이 서로 협력하고, 서로의 장점을 활용하여 팀의 목표를 달성하는데 도움이 되는 환경을 만드는 역할입니다. 이를 위해 리더는 팀원들 간의 소통을 촉진하고, 팀워크를 강화하는 전략을 세워야 합니다.

5. 성과 향상 도모: 리더는 팀의 성과를 높이는 역할을 합니다. 이는 팀원들의 업무 효율성과 생산성을 향상시키고, 팀의 목표를 달성하는데 기여하는 역할입니다. 이를 위해 리더는 팀의 성과를 지속적으로 모니터링하고, 필요한 개선 사항을 파악하고, 효율적인 작업 방법을 도입해야 합니다.

리더의 역할 실습 자료

- 목표 설정 워크샵: 팀 리더가 팀원들과 함께 팀의 목표를 설정하고, 이를 달성하기 위한 전략을 수립하는 워크샵을 진행합니다. 이 워크샵은 팀의 방향성을 설정하고, 팀원들이 목표 달성을 위해 필요한 역할과 책임을 이해하는 데 도움이 됩니다.
- 동기부여 트레이닝: 팀 리더가 팀원들을 어떻게 동기부여할 수 있는지를 배우는 트레이닝을 진행합니다. 이 트레이닝을 통해 팀 리더는 팀원들의 업무에 대한 흥미와 참여도를 높이는 방법을 학습할 수 있습니다.
- 역량 개발 세션: 팀 리더가 팀원들의 역량을 개발하기 위한 전략에 대해 학습하는 세션을 진행합니다. 이를 통해 팀원들의 개인적인 역량을 강화하고, 팀 전체의 성과를 향상시키는 방법을 배울 수 있습니다.
- 리더십 커뮤니케이션 워크샵: 팀 리더가 팀원들과 효과적으로 소통하는 방법에 대해 학습하는 워크샵을 진행합니다. 이 워크샵은 팀 리더가 팀원들과의 원활한 소통을 통해 팀의 협력도를 높이는 방법을 배울 수 있게 합니다.
- 팀워크 빌딩 워크샵: 팀 리더가 팀원들의 협력을 촉진하고, 팀워크를 강화하는 방법에 대해 학습하는 워크샵을 진행합니다. 팀원들 간의 협력적인 관계를 구축하고, 팀워크를 통한 효율적인 작업 수행 방법을 익히는데 도움이 됩니다.
- 피드백 제공 트레이닝: 팀 리더가 팀원들에게 적절하고 효과적인 피드백을 제공하는 방법을 배우는 트레이닝을 진행합니다. 이 트레이닝은 팀원들의 성장을 돕고, 팀 전체의 성과를 향상시키는데 중요한 역할을 합니다.
- 리더의 역할 교환 프로그램: 팀 리더와 팀원이 일시적으로 역할을 교환해 보는 프로그램을 운영합니다. 이를 통해 서로의 역할과 책임에 대해 더 잘 이해하게 됩니다.
- 리더십 코칭 세션: 경험 많은 리더나 외부 전문가가 팀 리더를 코칭하는 세션을 진행합니다. 이를 통해 팀 리더의 성장과 리더십 역량을 향상시키는 방법을 배우게 됩니다.
- 성과 관리 세미나: 팀 리더가 팀의 성과를 어떻게 향상시킬 수 있는지에 대해 학습하는 세미나를 진행합니다. 이 세미나는 팀 리더가 팀원들의 업무 성과를 관리하고, 개선하는 방법을 배울 수 있게 합니다.
- 리더십 평가 및 피드백 세션: 팀원들이 팀 리더의 리더십을 평가하고, 피드백을 주는 세션을 진행합니다. 이를 통해 팀 리더는 자신의 리더십 스타일과 효과성에 대한 피드백을 받을 수 있습니다.

팀 개발 사례

- 삼성전자: 삼성전자는 팀원 각각의 역량 강화에 중점을 두고 있어, 팀의 성과를 높이는 데 큰 역할을 하고 있습니다. 이를 위해 다양한 교육 프로그램과 멘토링 프로그램을 운영하고 있습니다. 이로 인해 팀원들은 자기계발을 통해 자신의 역량을 향상시킬 수 있고, 이는 팀의 전반적인 성과 향상으로 이어집니다.
- 구글: 구글은 다양성과 포괄성을 활용하여 팀의 협력과 효율성을 높이는 다양한 프로그램을 실시하고 있습니다. 이런 프로그램들을 통해 팀원 간의 다양한 의견과 경험이 모두 존중받는 환경을 조성하고, 이는 창의적인 문제 해결과 더 나은 팀 성과를 촉진하고 있습니다.
- 애플: 애플은 팀 빌딩 활동을 통해 팀의 협력과 효율성을 높이는 데 큰 역할을 하고 있습니다. 이런 활동을 통해 팀원들은 서로를 더 잘 이해하고, 이는 팀의 전반적인 성과 향상에 기여합니다.
- 페이스북: 페이스북은 다양한 이니셔티브를 통해 팀의 다양성과 포괄성을 촉진하고 있습니다. 이를 통해 팀원들이 다양한 배경과 경험을 가진 사람들과 협력하는 법을 배우고, 이는 팀의 창의성과 혁신성을 높이는 데 도움이 됩니다.
- 아마존: 아마존은 지속적인 학습과 개발에 중점을 두고 있어, 팀의 성과를 향상시키는 데 큰 역할을 하고 있습니다. 이를 위한 다양한 교육 프로그램과 워크샵을 제공하고 있어, 팀원들이 지속적으로 자신의 역량을 향상시킬 수 있습니다.
- 넷플릭스: 넷플릭스는 팀 빌딩 활동을 통해 팀의 협력과 효율성을 높이는 데 큰 역할을 하고 있습니다. 이런 활동을 통해 팀원들은 상호 존중과 이해를 통해 더 효과적으로 협력할 수 있습니다.
- 마이크로소프트: 마이크로소프트는 다양한 이니셔티브를 통해 팀의 다양성과 포괄성을 촉진하고 있습니다. 이를 통해 팀은 다양한 배경과 경험을 가진 사람들의 의견과 아이디어를 활용하여 창의성과 혁신성을 높일 수 있습니다.
- 테슬라: 테슬라는 지속적인 학습과 개발에 중점을 두어, 팀의 성과를 향상시키는 데 큰 역할을 하고 있습니다. 이를 위한 다양한 교육 프로그램과 워크샵을 제공하고 있어, 팀원들이 계속해서 자신의 역량을 향상시킬 수 있습니다.
- IBM: IBM은 팀 빌딩 활동을 통해 팀의 협력과 효율성을 높이는 데 큰 역할을 하고 있습니다. 이런 활동을 통해 팀원들이 서로를 더 잘 이해하고, 이는 팀의 전반적인 성과 향상에 기여합니다.
- 에어비앤비: 에어비앤비는 다양한 이니셔티브를 통해 팀의 다양성과 포괄성을 촉진하고 있습니다. 이를 통해 팀원들이 다양한 배경과 경험을 가진 사람들과 협력하는 법을 배우고, 이는 팀의 창의성과 혁신성을 높이는 데 도움이 됩니다.

팀 개발 시각 자료

- 스토리보드: 아이디어나 개념을 시각적으로 구성하고 표현하는 데 있어, 스토리텔링을 통해 효과적인 메시지 전달에 도움이 되는 도구입니다. 이를 통해 복잡한 개념도 간결하고 이해하기 쉬운 형태로 표현될 수 있으며, 크리에이티브한 아이디어 발표에 유용합니다.
- 데이터 대시보드: 다양한 데이터와 통계를 시각적으로 표현하고 관리하는 도구로, 데이터 분석과 정보전달에 매우 효과적입니다. 이 도구를 통해 데이터를 한눈에 볼 수 있으므로, 빠른 의사결정과 효율적인 데이터 관리가 가능합니다.
- 마인드 맵: 아이디어의 발상과 확장을 시각적으로 구조화하며, 아이디어를 체계적으로 조직하고 구분하는 데 꼭 필요한 도구입니다. 이 도구를 사용하면 복잡한 아이디어도 명확하게 정리하고 구조화할 수 있습니다.
- 인포그래픽: 복잡한 정보를 간결하게 시각적으로 표현하고, 정보의 이해를 증진시키는 데 크게 기여하는 도구입니다. 이는 복잡한 데이터나 정보를 이해하기 쉽고 즐겁게 표현할 수 있게 도와줍니다.
- 피셔 다이어그램: 복잡한 문제의 원인과 결과를 명확하게 시각화하며, 문제해결과정에서 해결책을 찾는 데 큰 도움이 되는 도구입니다. 이를 통해 문제의 근본 원인을 찾아 해결책을 도출하는 데 효과적입니다.
- 간트 차트: 프로젝트의 전반적인 타임라인을 명확하게 제시하며, 각각의 작업의 상세한 진행 상황을 한눈에 파악할 수 있게 해주는 도구입니다. 이 도구를 통해 프로젝트의 일정 관리와 진행 상황 파악이 용이합니다.
- 칸반 보드: 작업의 현재 상태와 진행 과정을 시각적으로 표현하는 도구로, 효율적인 작업관리와 협업에 굉장히 유용합니다. 이 도구를 사용하면 팀원 모두가 작업의 전반적인 흐름을 파악하고, 개개인의 작업 진행 상황을 쉽게 확인할 수 있습니다.
- 히트맵: 데이터를 다양한 색상으로 표현하여 패턴, 변화, 밀도 등을 직관적으로 표현하는 도구입니다. 이는 데이터의 특징을 빠르게 이해하는 데 큰 도움을 줍니다. 이를 통해 사용자의 행동, 웹사이트 트래픽 등 다양한 데이터 분석이 가능합니다.
- 플로우 차트: 다양한 프로세스의 흐름을 직관적으로 표현하여 이해를 돕는 데 사용되는 효과적인 도구입니다. 이 도구를 통해 작업 순서, 결정 흐름, 데이터 처리 방식 등을 명확하게 시각화할 수 있습니다.
- SWOT 분석: 팀이 가진 강점, 약점, 그리고 잠재적인 기회와 위협을 분명하게 시각화하여 전략적인 계획을 세우는 데 중요한 역할을 합니다. 이를 통해 조직이 내부적, 외부적 요소에 대해 깊이 이해하고, 효과적인 전략을 세울 수 있습니다.

목표 설정 워크샵 실습 방안 및 과정

목표 설정 워크샵을 진행하는 방법은 다음과 같습니다.

1. 워크샵 준비: 워크샵을 진행하기 전에, 팀의 현재 상황을 철저히 분석하고 그에 따른 행동 계획이 필요한지 파악하는 단계입니다. 이 정교한 과정에서는 팀의 각 구성원의 개별 역량, 팀의 전반적인 성과, 그리고 개선해야 할 부분 등에 대한 정보를 집중적으로 수집합니다. 이렇게 수집된 정보는 팀이 달성해야 할 구체적인 목표를 설정하는 데 필요한 중요한 자료가 되며, 이를 바탕으로 팀의 향후 전략을 세우는 데 중요한 역할을 합니다.

2. 목표 정의: 워크샵의 시작부분에서는 팀의 전반적인 방향성을 논의하는 시간을 가집니다. 이 중요한 시간 동안에는 팀의 장기적인 비전과 단기적인 목표를 설정하게 됩니다. 이 과정에서는 팀의 성공을 위해 필요한 중요한 전략적 결정이 이루어지며, 이를 통해 팀이 어떤 방향으로 나아가야 할지에 대한 명확한 지침을 제시하게 됩니다.

3. 역할 분배: 각 팀원의 역할을 명확히 정의하는 단계입니다. 이 과정에서는 팀원들이 자신의 역할과 책임을 완벽하게 이해하고, 팀의 성공을 위해 어떤 역할을 수행해야 하는지 명확하게 알 수 있도록 합니다. 이는 팀원 각자가 효과적으로 기여할 수 있도록 돕는 과정으로, 팀원들의 역량을 최대한 활용하고 협업을 통한 효율성을 높일 수 있는 기회를 제공합니다.

4. 목표 설정: 이 단계에서는 각 팀원이 달성해야 할 구체적인 목표를 설정합니다. 이 과정은 팀의 전반적인 목표를 달성하는 데 각 팀원이 어떤 역할을 할 것인지 명확하게 설명하고, 각자가 어떤 결과를 달성해야 하는지를 구체적으로 규정합니다. 이는 각 팀원이 팀의 전체 목표에 어떻게 기여할 수 있는지를 이해하게 하며, 팀의 성과에 대한 개인의 책임감을 높이는 데 도움을 줍니다.

5. 피드백 및 수정: 설정한 목표와 역할 분배에 대해 팀원들로부터 피드백을 받는 단계입니다. 팀원들의 의견을 듣고, 그에 따라 필요한 경우 목표나 역할 분배를 수정하는 과정입니다. 이는 팀의 목표와 계획이 실제로 효과적인지를 검증하고, 필요한 개선점을 찾아내는 중요한 단계입니다. 이 과정을 통해 팀의 동기부여를 높이고, 팀의 성공 가능성을 높일 수 있습니다.

6. 행동 계획 수립: 마지막으로, 설정한 목표를 달성하기 위한 행동 계획을 수립하는 단계입니다. 이 과정에서는 각 팀원이 어떤 행동을 취해야 하는지, 어떤 자원이 필요한지 등을 명확하게 합니다. 이는 팀의 목표 달성을 위해 각 팀원이 구체적으로 어떤 행동을 취해야 하는지를 계획하고, 그 계획을 실행하기 위한 자원과 시간을 체계적으로 관리하는 데 도움을 줍니다.

팀워크 빌딩 워크샵 실습 방안 및 과정

팀워크 빌딩 워크샵을 진행하는 방법은 다음과 같습니다.

1. 목표 설정: 워크샵의 시작에서는 팀원들이 모여 워크샵의 목표를 정의하고, 이를 달성하기 위한 세부적인 전략을 수립하는 시간을 가집니다. 이 초기 단계에서는 팀워크 강화의 중요성에

대해 진지하게 논의하고, 팀워크를 향상시키기 위한 구체적인 목표를 설정하는 것이 중요합니다. 여기서 설정된 목표는 워크샵의 나머지 과정을 안내하는 방향표 역할을 합니다.

2. 팀워크 활동: 팀워크 활동은 다양한 형태를 가지며, 이를 통해 팀원들이 서로 협력하며 문제를 해결하는 능력을 향상시킵니다. 이 활동은 팀원들이 서로의 장점을 인식하고, 그 장점을 활용하여 팀의 목표를 달성하는 방법을 배우는 기회를 제공합니다. 활동 예시로는 롤플레이, 팀 빌딩 게임, 그룹 토론 등 다양한 형태의 활동이 있을 수 있습니다. 이러한 활동은 팀원들의 커뮤니케이션 능력을 향상시키고, 팀워크에 필요한 다양한 능력을 발전시킵니다.

3. 피드백 및 평가: 활동이 끝난 후에는 팀원들이 서로 피드백을 주고 받는 시간을 가집니다. 이때 각 팀원들은 팀워크 활동에서 어떤 부분이 잘 진행되었는지, 어떤 부분이 개선이 필요한지를 평가합니다. 이 피드백 과정은 팀원들이 서로의 의견을 공유하고, 서로를 더 잘 이해하고, 팀워크를 지속적으로 개선하는데 큰 도움이 됩니다.

4. 후속 행동 계획: 워크샵의 마지막 단계에서는, 팀원들은 워크샵에서 배운 내용을 실제 팀 활동에 어떻게 적용할지에 대한 계획을 수립하는 시간을 가집니다. 이 계획은 팀워크 스킬을 실제 업무에 적용하는 방법을 구체화하고, 팀워크의 향상을 지속적으로 추구하는 방안을 제시합니다. 이후에 이 계획을 바탕으로 팀은 워크샵에서 얻은 경험을 일상 업무에 통합하게 됩니다.

리더는 팀원들의 능력을 최대한 끌어내고, 그들의 성장을 돕는 동시에, 팀 목표를 위한 전략을 구상하고 실행합니다. 리더의 역할은 팀 성공의 핵심이며, 이를 통해 팀 전체의 성과를 높이고 조직 목표를 달성할 수 있습니다.

리더는 팀원들의 개인적인 능력과 잠재력을 이해하는 것이 중요합니다. 이를 통해 각 팀원의 능력과 개선이 필요한 부분을 파악할 수 있습니다. 이 정보를 바탕으로 리더는 팀원들에게 적절한 교육을 제공하여 그들의 능력을 강화하고 발전시킬 수 있습니다.

이 장을 통해 학습자들은 팀 개발의 중요성과 방법에 대해 깊이 있게 이해하게 될 것입니다. 팀은 조직의 성공에 중요한 역할을 하는데, 이는 팀원 각각의 능력과 지식이 모여 하나의 목표를 향해 나아가기 때문입니다. 이 장에서는 그런 팀의 성장과 발전을 위한 전략과 방법을 다루고 있습니다.

우리는 다양한 기업들의 팀 개발 사례를 통해 효과적인 팀 빌딩과 팀워크 강화 방법을 배웠습니다. 각 사례는 서로 다른 방법과 전략을 사용하여 팀의 협업과 효율성을 높이는 방법을 제시하고 있습니다. 이를 통해 학습자들은 자신의 팀에 어떤 방법이 가장 효과적일지에 대해 생각해 볼 수 있습니다.

팀 개발 시각 자료와 워크샵 실습 방안을 통해 이론적인 지식을 실천에 적용하는 방법에 대해서도 학습했습니다. 이를 통해 학습자들은 복잡한 개념을 이해하고, 실제 문제를 해결하는데 필요한 기술을 획득할 수 있었습니다. 이런 실습은 이론과 실제 사이의 간극을 줄이고, 실제 업무에서 이론을 적용하는 능력을 향상시킵니다.

이 과정을 통해 학습자들은 팀의 성과를 높이는 다양한 전략과 방법을 배웠을 것이며, 이를 바탕으로 자신의 팀에서 효과적인 팀워크를 실현하는 데 필요한 능력을 향상시켰을 것입니다. 이는 팀원 각각이 자신의 역할을 이해하고, 팀의 목표를 달성하기 위해 어떤 행동을 취해야 하는지를 명확하게 인식하게 합니다.

결과적으로, 이 장을 통해 학습한 지식과 경험은 학습자들이 더 효과적인 팀을 만드는 데 큰 도움이 될 것입니다. 학습자들은 이를 통해 팀 구성원 간의 협업을 강화하고, 팀의 목표를 달성하는 데 필요한 전략을 구상하고 실행하는 방법을 배울 수 있습니다. 이렇게 얻은 지식과 능력은 팀의 성과를 높이고, 조직의 목표를 달성하는 데 도움이 될 것입니다.

제 18 장

높은 감성 지능: 조직 내외의 상호작용 개선

이 장에서는 리더의 감성 지능 개발이 팀원 간의 관계 강화, 협업 문화 촉진, 이해와 신뢰 구축, 그리고 조직의 효율성과 생산성 향상에 중요하다는 것을 설명합니다. 이는 또한 팀원들의 동기부여 증가, 의사소통 개선, 갈등 관리에도 큰 영향을 미칩니다. 따라서 리더는 감성 지능 향상 방법을 배우고 실제로 적용하여 조직 내외의 상호작용을 향상시키는 것이 필요합니다.

학습 개요

이 장에서는 리더의 감성 지능 개발이 팀원 간의 관계 강화, 협업 문화 촉진, 이해와 신뢰 구축, 그리고 조직의 효율성과 생산성 향상에 중요하다는 것을 설명합니다. 이는 또한 팀원들의 동기 부여 증가, 의사소통 개선, 갈등 관리에도 큰 영향을 미칩니다. 따라서 리더는 감성 지능 향상 방법을 배우고 실제로 적용하여 조직 내외의 상호작용을 향상시키는 것이 필요합니다.

학습 내용 및 목표

- 감성 지능의 구성 요소와 중요성: 감성 지능의 다섯 가지 핵심 요소인 자기 인식, 자기 조절, 동기 부여, 타인 인식, 관계 관리에 대해 알아보고, 이들 각 요소가 리더십에 어떤 식으로 영향을 미치는지 배웁니다. 이를 통해 감성 지능이 왜 중요한 지를 이해하며, 감성 지능을 개발하고 향상시키는 방법에 대해 배울 수 있습니다.
- 감성 지능을 통한 효과적인 리더십: 감성 지능이 어떻게 팀 관리, 갈등 해결 그리고 의사소통에 기여하는지를 심도있게 학습합니다. 여기에는 감성 지능을 활용하여 팀원들과의 관계를 어떻게 관리할 수 있는지, 갈등을 어떻게 해결할 수 있는지에 대한 사례와 전략이 포함됩니다.
- 감성적으로 지능적인 반응의 기법: 감성 지능을 통해 조직 내외의 상호작용을 개선하는 구체적인 기법을 배웁니다. 이를 통해 개인적인 상호작용뿐 아니라 팀 내에서나 조직 전체에서의 상호작용을 개선하는 방법에 대해 알아봅니다.

예상 학습 성과

- 감성 지능의 개발은 개인의 의사소통 능력 향상뿐만 아니라 팀원들 간의 유대감과 상호 이해를 높이는 데 중요한 역할을 합니다. 이러한 개발을 통해 팀원들간의 관계는 훨씬 더 강화되며, 팀의 화합을 이끌어냅니다.
- 자신의 감성 지능을 적절하게 활용하는 것은 조직 내외의 상호 작용을 개선하는 데 중요한 첫걸음입니다. 이를 통해 팀의 생산성과 효율성이 향상되며, 이는 모든 팀원의 업무 성과에 긍정적인 영향을 미칩니다.
- 신뢰와 편안함을 주는 환경에서 두려움 없이 일하는 팀원들은 자신의 역량을 최대한 발휘할 수 있습니다. 이러한 환경에서는 팀원들이 더욱 적극적으로 참여하고, 더 큰 헌신을 보이게 됩니다. 이에 따라 조직의 생산성이 높아지고, 목표 달성이 가속화됩니다.
- 감성 지능이 높은 리더는 팀원들 간의 신뢰와 존중을 높이는 데 큰 역할을 합니다. 그들은 조직의 문화를 개선하고, 팀원들이 자신의 의견을 자유롭게 나누고, 서로에게 존중받고 있다는 느낌을 주는 환경을 조성합니다. 이런 환경은 팀의 협력력과 창의력을 높이며, 긍정적인 결과를 가져옵니다.

이론적 배경과 근거

감성 지능의 중요성을 뒷받침하는 다른 연구로는, Mayer와 Salovey의 연구(Mayer, J. D., & Salovey, P. (1997). "What is emotional intelligence?" In P. Salovey & D. J. Sluyter (Eds.), Emotional development and emotional intelligence: Educational implications)가 있습니다. 그들은 감성 지능이 개인의 사회적인 상호작용, 갈등 관리, 그리고 스트레스 관리 능력을 향상시키는데 중요한 역할을 한다고 주장했습니다.

또한, Bar-On은 감성 지능이 개인의 성공을 예측하는 데 있어 IQ보다 더 중요하다고 주장했습니다(Bar-On, R. (2006). The Bar-On model of emotional-social intelligence (ESI). Psicothema, 18). Bar-On에 따르면, 감성 지능은 문제 해결, 갈등 관리, 동기 부여, 팀워크 등 다양한 영역에서 개인의 성과를 향상시킵니다.

이러한 연구 결과들은 리더십 교육에 감성 지능 개발을 포함시키는 것의 중요성을 강조하고 있습니다. 실제로, 감성 지능을 훈련받은 리더들은 팀원들과의 관계 개선, 의사소통 능력 향상, 그리고 조직 내 갈등 관리 능력 향상을 보였습니다.

Petrides와 Furnham은 감성 지능이 작업 성과와 강력하게 연관되어 있다고 발견했습니다(Petrides, K.V. & Furnham, A. (2001). "Trait Emotional Intelligence: Psychometric Investigation with Reference to Established Trait Taxonomies"). 그들의 연구에 따르면, 감성 지능을 가진 사람들은 임무 수행, 팀워크, 그리고 리더십 역할에서 더 뛰어난 성과를 보입니다.

이런 연구 결과들은 감성 지능의 중요성을 재조명하고 있습니다. 특히, 리더들이 팀원들과의 상호작용을 개선하고, 조직 문화를 강화하는데 감성 지능이 얼마나 중요한지를 보여줍니다. 이에 따라, 리더십 교육 프로그램에서는 감성 지능 개발에 집중해야 합니다.

Goleman의 감성 지능 연구: Goleman은 감성 지능이 리더십 성공에 결정적인 역할을 하는 것을 발견했습니다 (Goleman, D. (1995). "Emotional Intelligence: Why It Can Matter More Than IQ"). 그는 높은 감성 지능을 가진 리더들이 팀의 동기 부여 및 성과에 중요한 영향을 미친다고 주장했습니다.

Caruso와 Mayer의 감성 지능 측정 연구: Caruso와 Mayer는 감성 지능을 측정하는 도구를 개발하고, 이 도구를 통해 감성 지능이 조직의 성과에 영향을 미치는 방식을 연구했습니다 (Caruso, D. R., & Mayer, J. D. (1998). "A measure of emotional intelligence"). 그들의 연구 결과, 감성 지능은 조직의 성과를 향상시키는 데 중요한 역할을 한다는 것을 발견했습니다.

Bradberry와 Greaves의 감성 지능과 리더십 성공 연구: Bradberry와 Greaves는 감성 지능이

높은 리더들이 조직의 성과를 향상시키는 데 성공했다는 것을 발견했습니다 (Bradberry, T., & Greaves, J. (2009). "Emotional Intelligence 2.0"). 그들은 감성 지능을 향상시키는 것이 리더십 성공에 결정적인 역할을 하는 것으로 밝혔습니다.

Boyatzis의 감성 지능과 변화 연구: Boyatzis는 감성 지능이 조직 변화를 성공적으로 이끄는 데 중요한 역할을 한다는 것을 밝혔습니다 (Boyatzis, R. E. (2006). "An overview of intentional change from a complexity perspective"). 그는 감성 지능이 높은 리더들이 변화를 성공적으로 이끄는 데 더 효과적이라는 것을 발견했습니다.

Cherniss의 감성 지능과 조직 문화 연구: Cherniss는 감성 지능이 조직 문화를 개선하는 데 중요한 역할을 한다는 것을 밝혔습니다 (Cherniss, C. (2000). "Emotional intelligence: What it is and why it matters"). 그는 높은 감성 지능을 가진 리더들이 조직의 협업 문화를 촉진하고, 팀원들의 참여와 헌신을 높이는 데 성공했다는 것을 발견했습니다.

최신 이론적 배경과 근거

Joseph et al.의 감성 지능과 리더십 스타일 연구: Joseph et al.은 감성 지능이 리더십 스타일에 어떤 영향을 미치는지에 대해 연구했습니다(Joseph, D. L., Jin, J., Newman, D. A., & O'Boyle, E. H. (2015). "Why does self-reported emotional intelligence predict job performance? A meta-analytic investigation of mixed EI"). 그들은 높은 감성 지능을 가진 리더들이 더 효과적인 리더십 스타일을 가지고 있다는 것을 발견했습니다.

Momeni의 감성 지능과 조직 성과 연구: Momeni는 감성 지능이 조직 성과에 어떤 영향을 미치는지에 대해 연구했습니다(Momeni, N. (2009). "The relation between managers' emotional intelligence and the organizational climate they create"). 그는 높은 감성 지능을 가진 리더들이 자신의 팀의 성과를 높이는 데 성공했다는 것을 발견했습니다.

Kerr의 감성 지능과 직무 만족도 연구: Kerr은 감성 지능이 직무 만족도에 어떤 영향을 미치는지에 대해 연구했습니다(Kerr, R., Garvin, J., Heaton, N., & Boyle, E. (2006). "Emotional intelligence and leadership effectiveness"). 그는 높은 감성 지능을 가진 리더들의 팀원들이 더 높은 직무 만족도를 보인다는 것을 발견했습니다.

Lee et al.의 감성 지능과 팀 성과 연구: Lee et al.은 감성 지능이 팀 성과에 어떤 영향을 미치는지에 대해 연구했습니다(Lee, L., Wong, C. S., Day, A., Maxwell, L., & Thorpe, R. (2020). "Leader emotional intelligence, transformational leadership, and team outcomes: A meta□analysis and SEM model"). 그들은 리더의 감성 지능이 팀 성과를 높이는 데 중요한 역할을 한다는 것을 발견했습니다.

Miao et al.의 감성 지능과 노동 생산성 연구: Miao et al.은 감성 지능이 노동 생산성에 어떤 영향을 미치는지에 대해 연구했습니다(Miao, C., Humphrey, R. H., & Qian, S. (2020). "A meta-analysis of emotional intelligence and work attitudes"). 그들은 높은 감성 지능을 가진 리더들이 더 높은 노동 생산성을 보인다는 것을 발견했습니다.

Clarke의 감성 지능과 리더십 효과 연구: Clarke는 감성 지능이 리더십 효과에 어떤 영향을 미치는지에 대해 연구했습니다(Clarke, N. (2020). "The relationships between leader emotion management and follower-focused, leader-focused, and task-focused leadership behaviors"). 그는 감성 지능이 높은 리더들이 더 효과적인 리더십 행동을 보인다는 것을 발견했습니다.

감성 지능의 구성 요소와 중요성

감성 지능의 구성 요소는 다음과 같이 다섯 가지로 분류될 수 있습니다. 이들은 모두 리더십에 큰 영향을 미치는 중요한 요소들입니다. 이 구성 요소들은 팀의 성과를 향상시키고, 조직의 목표를 달성하는 데에 필수적인 역할을 합니다. 그 결과, 리더는 이러한 감성 지능의 구성 요소들을 효과적으로 개발하고 향상시키는 방법을 학습하는 것이 중요하게 됩니다. 이를 통해, 리더는 더욱 효과적인 팀 관리와 조직의 성장을 이끌어 낼 수 있게 됩니다.

1. 자기 인식(Self-awareness): 이는 개인이 자신의 감정을 이해하고, 이 감정이 어떻게 자신의 행동, 생각, 그리고 의사결정에 영향을 미치는지 인식하는 능력을 의미합니다. 자기 인식이 높은 사람은 감정적인 반응을 잘 관리하고, 스트레스 상황에서도 침착함을 유지할 수 있습니다.

2. 자기 조절(Self-regulation): 이는 감정을 통제하고, 부적절한 감정이나 반응을 적절한 방식으로 관리하는 능력을 의미합니다. 자기 조절 능력이 높은 사람은 충동적인 행동을 피하고, 감정에 휘둘리지 않습니다.

3. 동기 부여(Motivation): 이는 개인이 자신의 열정이나 흥미를 바탕으로 목표를 설정하고, 이를 추구하는 능력을 의미합니다. 동기 부여가 높은 사람은 자신의 업무에 헌신하고, 열정적으로 일합니다.

4. 타인 인식(Empathy): 이는 다른 사람의 감정을 이해하고, 이를 존중하는 능력을 의미합니다. 타인 인식이 높은 사람은 다른 사람의 입장에서 생각하고, 이를 통해 다른 사람에게 동정심을 가지고 대응할 수 있습니다.

5. 관계 관리(Social skills): 이는 다른 사람과의 관계를 효과적으로 관리하고, 의사소통하는 능력을 의미합니다. 관계 관리 능력이 높은 사람은 팀 내에서 긍정적인 관계를 구축하고, 다른 사람들과 잘 협력할 수 있습니다.

감성 지능의 구성 요소와 중요성 실습 자료

- 감정 지능 테스트: 가장 우선적으로 진행해야 할 것은 감정 지능 수준을 측정하는 것입니다. 이를 통해 개인이 현재 감정 지능 수준을 파악하고, 어떤 부분을 개선해야 하는지 알 수 있습니다. 각 개인의 감정 지능을 측정한 후, 각각의 결과를 바탕으로 개선 방안을 찾아냅니다.
- 자기 인식 개발 워크샵: 자기 인식은 감성 지능의 첫번째 요소로, 개인이 자신의 감정을 이해하고, 이 감정이 어떻게 자신의 행동, 생각, 그리고 의사결정에 영향을 미치는지 인식하는 능력을 의미합니다. 자기 인식을 향상시키는 워크샵을 통해 개인은 자신의 감정과 반응을 이해하고 인식하는 연습을 할 수 있습니다.
- 자기 조절 연습 세션: 자기 조절은 감성 지능의 두번째 요소로, 충동적인 행동을 피하고 감정을 효과적으로 관리하는 능력을 의미합니다. 자기 조절 연습 세션을 통해 그 방법에 대해 학습하고 실습할 수 있습니다.
- 동기 부여 훈련: 동기 부여는 감성 지능의 세번째 요소로, 개인이 자신의 목표를 설정하고 추구하는 능력을 의미합니다. 동기 부여 훈련을 통해 개인은 자신의 목표 설정 및 추구 기술을 향상시킬 수 있습니다.
- 타인 인식 향상 워크샵: 타인 인식은 감성 지능의 네번째 요소로, 다른 사람의 감정을 이해하고 존중하는 능력을 의미합니다. 타인 인식 향상 워크샵을 통해 개인은 다른 사람의 감정을 이해하고 존중하는 방법을 배울 수 있습니다.
- 관계 관리 실습: 관계 관리는 감성 지능의 다섯번째 요소로, 팀 내에서 긍정적인 관계를 구축하고, 다른 사람들과 잘 협력하는 능력을 의미합니다. 관계 관리 실습을 통해 개인은 팀원들과의 관계를 어떻게 관리할 수 있는지에 대해 학습하고 실습할 수 있습니다.
- 감정 일기 작성: 개인적인 상호작용뿐 아니라 팀 내에서나 조직 전체에서의 상호작용을 개선하는 방법을 학습하는 데에도 감정 일기 작성이 도움이 될 수 있습니다. 감정을 인식하고 이해하는 능력을 향상시키기 위한 감정 일기 작성 실습을 진행합니다.
- 롤 플레이: 실제 상황을 가정하고 감정 지능을 활용하는 연습을 하는 롤 플레이를 진행합니다. 이를 통해 개인은 자신의 감정 지능을 실제 상황에서 어떻게 활용해야 할지에 대해 알 수 있습니다.
- 피드백 세션: 팀원들로부터 피드백을 받고, 이를 통해 감정 지능을 개선하는 세션을 진행합니다. 개인은 다른 사람들의 피드백을 통해 자신의 감정 지능에 대한 새로운 시각을 얻을 수 있습니다.
- 갈등 관리 훈련: 마지막으로, 감성 지능을 활용하여 팀 내 갈등을 어떻게 관리할지에 대한 훈련을 진행합니다. 이를 통해 개인은 팀 내에서 발생할 수 있는 갈등 상황을 효과적으로 해결하는 방법을 학습할 수 있습니다.

감성 지능을 통한 효과적인 리더십

감성 지능은 리더십의 중요한 요소 중 하나입니다. 감성 지능이 높은 리더는 팀의 성과를 향상시키고, 조직의 목표를 달성하는데 큰 역할을 합니다.

1. 팀 관리: 감성 지능이 높은 리더는 팀의 갈등을 잘 관리하고, 팀원 간의 협력을 촉진합니다. 이는 팀의 성과를 향상시키고, 조직의 목표를 달성하는데 큰 역할을 합니다.

2. 갈등 해결: 감성 지능이 높은 리더는 갈등 상황에서도 침착함을 유지하고, 문제를 효과적으로 해결할 수 있습니다. 이는 팀의 안정성을 유지하고, 팀원들의 신뢰를 증가시킵니다.

3. 의사소통: 감성 지능이 높은 리더는 팀원들과의 의사소통을 잘 관리하고, 팀원들의 의견을 존중합니다. 이는 팀의 화합을 촉진하고, 팀원들의 참여와 헌신을 높입니다.

다음은 감성 지능을 통한 효과적인 리더십을 실현하기 위한 실습과 자료들입니다.

- 롤 플레이 실습: 감성 지능을 활용하여 팀 관리, 갈등 해결, 의사소통 등의 상황을 가정하고 연습하는 롤 플레이 실습.
- 감성 지능 테스트: 리더의 감성 지능 수준을 측정하고, 개선 방안을 찾는 감성 지능 테스트.
- 피드백 세션: 팀원들로부터 피드백을 받고, 이를 통해 감성 지능을 개선하는 피드백 세션.
- 감성 지능 훈련 프로그램: 감성 지능을 향상시키는 전문적인 훈련 프로그램. 이 프로그램은 감성 지능의 다양한 요소를 개발하고 향상시키는 데 도움이 됩니다.

감성 지능을 통한 효과적인 리더십 실습 자료

- 감성 지능 멘토링 프로그램: 성공적인 리더로부터 감성 지능을 배우고 실천하는 멘토링 프로그램. 이것은 리더들이 감성 지능의 기본적인 원칙과 전략을 이해하고 실제로 적용하는 방법을 배울 수 있는 좋은 기회입니다.
- 리더십 사례연구 분석: 성공적인 리더들의 감성 지능을 분석하고 이해하는 연구 분석. 이를 통해 리더들은 감성 지능이 실제로 리더십과 조직 성과에 어떻게 영향을 미치는지를 보다 깊게 이해할 수 있습니다.
- 감정 일기 작성: 자신의 감정과 반응을 인식하고 이해하는 감정 일기 작성. 이를 통해 리더는 자신의 감정 상태를 더 잘 이해하고, 이것이 어떻게 자신의 행동과 의사결정에 영향을 미치는지를 파악하는 데 도움이 됩니다.
- 의사소통 스킬 훈련: 감성 지능을 활용한 효과적인 의사소통 스킬을 향상시키는 훈련. 이는 팀원들과의 효과적인 의사소통을 통해 더 강력한 팀워크와 협력을 구축하는데 중요합니다.

- 피드백 수용 훈련: 팀원들로부터의 피드백을 수용하고 반영하는 방법에 대한 훈련. 이는 리더가 팀원들의 의견과 피드백을 존중하고 이를 통해 팀의 성과를 향상시키는 방법을 배우는 데 도움이 됩니다.
- 팀 빌딩 활동: 감성 지능을 활용하여 팀워크와 협력을 촉진하는 팀 빌딩 활동. 이는 팀원들 간의 상호 이해와 신뢰를 높이고, 팀의 유대감을 강화하는 데 중요합니다.
- 갈등관리 워크샵: 감성 지능을 활용하여 갈등 상황을 해결하는 방법을 배우는 워크샵. 이는 리더가 팀 내의 갈등을 효과적으로 관리하고, 팀의 생산성과 효율성을 유지하는 데 필요한 능력을 개발하는 데 도움이 됩니다.
- 스트레스 관리 훈련: 감성 지능을 활용하여 스트레스를 관리하는 방법에 대한 훈련. 이는 리더가 스트레스를 효과적으로 관리하고, 이를 통해 더 효율적이고 생산적인 리더십을 실현하는 데 중요합니다.
- 리더십 코칭 세션: 감성 지능을 활용한 효과적인 리더십 스타일을 개발하는 코칭 세션. 이는 리더가 자신의 리더십 스타일을 개선하고, 팀의 성과를 높이는 방법을 이해하는 데 도움이 됩니다.
- 팀 문화 개발 워크샵: 감성 지능을 활용하여 긍정적인 팀 문화를 개발하는 워크샵. 이는 조직의 협업 문화를 촉진하고, 팀원들의 참여와 헌신을 높이는 데 큰 역할을 합니다.

감성적으로 지능적인 반응의 기법

감성적으로 지능적인 반응의 기법이란, 감정 상황에 대응하는 데 있어서 지능적인 접근 방법을 활용하는 기법을 의미합니다. 이는 개인이 자신이나 다른 사람의 감정을 이해하고, 이를 적절하게 관리하고 표현하는 능력을 향상시키는 데 중요한 역할을 합니다. 이러한 기법은 다음과 같은 방법들을 포함하고 있습니다.

1. 감정 인식: 자신이나 다른 사람이 현재 무슨 감정을 느끼고 있는지를 정확하게 인식하는 것입니다. 이는 감정의 종류와 강도를 파악하는 데 도움이 됩니다.

2. 감정 이해: 감정이 발생한 원인과 감정이 미칠 수 있는 영향을 이해하는 것입니다. 이는 감정의 복잡성을 이해하고, 감정의 변화와 발달을 예측하는 데 도움이 됩니다.

3. 감정 관리: 감정을 적절하게 표현하고, 감정 상황을 효과적으로 다루는 것입니다. 이는 부정적인 감정을 긍정적으로 변화시키고, 감정이 초래할 수 있는 문제를 해결하는 데 도움이 됩니다.

4. 감정 활용: 감정을 자신의 목표 달성에 활용하는 것입니다. 이는 감정을 동기 부여의 원천력으로 활용하고, 감정을 통해 창의적인 아이디어를 도출하는 데 도움이 됩니다.

이러한 감성적으로 지능적인 반응의 기법을 갖추면, 개인은 다양한 감정 상황에서도 효과적으로 대처할 수 있습니다. 또한, 이를 통해 개인은 스트레스 관리 능력을 향상시키고, 대인관계를 효과적으로 유지할 수 있습니다. 이런 능력은 팀의 화합을 촉진하고, 팀의 성과를 향상시키는 데 중요한 역할을 하는 것으로 알려져 있습니다.

감성적으로 지능적인 반응의 기법 실습 자료

- 롤 플레이 실습: 가장 중요한 활동으로, 다양한 감정 상황을 가정하여 이에 대응하는 방법을 연습하는 실습입니다. 이는 감정 상황을 체험하고 이를 처리하는 방법을 이해하는 데 도움이 됩니다. 예를 들어, 팀원 간의 갈등 상황을 가정하고, 이를 해결하는 방법을 실습할 수 있습니다.
- 감정 일기 작성: 이 활동은 자신의 감정을 정확하게 인식하고 이해하는 데 도움이 되는 감정 일기를 작성하는 것입니다. 매일 느낀 감정과 이에 대응한 방법을 기록함으로써, 자신의 감정 패턴을 인식하고 이해하는 데 도움이 됩니다.
- 사례 연구 분석: 이 실습은 실제 감정 상황에 대한 사례를 분석하고, 이를 통해 감정 관리 능력을 개발하는 것입니다. 다양한 감정 상황에 대한 사례를 분석함으로써, 실제 상황에서의 감정 관리 전략을 배울 수 있습니다.
- 자기 교감 훈련: 자신의 감정을 적절하게 관리하고 표현하는 능력을 향상시키는 활동입니다. 자신의 감정을 인식하고 이해하는 것은 중요하지만, 이를 적절하게 관리하고 표현하는 것 또한 중요합니다. 이 훈련을 통해 감정을 제어하고 표현하는 방법을 배울 수 있습니다.
- 감정 지도 작성: 이 활동은 다양한 감정 상태와 이에 대응하는 반응을 지도화하여, 감정 인식과 이해 능력을 향상시키는 것입니다. 감정 지도를 작성함으로써, 다양한 감정과 이에 대한 반응을 명확하게 인식하고 이해할 수 있습니다.
- 관찰 실습: 이 실습은 다른 사람들의 감정 반응을 관찰하고, 이를 통해 감정 이해 능력을 향상시키는 것입니다. 다른 사람의 감정을 정확하게 이해하는 것은 효과적인 상호작용과 관계 구축에 중요합니다.
- 감정 해석 연습: 이 연습은 다른 사람의 감정 상태를 해석하고, 이에 적절하게 반응하는 능력을 향상시키는 것입니다. 이를 통해 타인의 감정 상태를 더욱 정확하게 이해하고 적절하게 대응할 수 있습니다.
- 피드백 세션: 이 세션은 다른 사람들로부터 피드백을 받고, 이를 통해 자신의 감정 반응을 개선하는 것입니다. 타인의 피드백을 통해 자신의 감정 반응에 대한 인식을 높이고, 이를 개선하는 방법을 배울 수 있습니다.
- 대화 연습: 이 실습은 다른 사람과의 대화를 통해 감정 표현과 관리 능력을 향상시키는 것입니다. 상호작용을 통해 감정을 표현하고 이해하는 방법을 배울 수 있습니다.

- 감정 조절 전략 개발: 이 실습은 감정 상황을 효과적으로 관리하고, 감정을 긍정적으로 유도하는 전략을 개발하는 것입니다. 이를 통해 감정을 적절하게 관리하고, 긍정적인 감정 상태를 유도하는 방법을 배울 수 있습니다.

기업 사례

- 구글(Google): 구글은 리더십 개발 프로그램에서 감성 지능을 주요 요소로 포함하였습니다. 이를 통해, 리더들은 팀원들의 감정을 이해하고 관리하는 능력을 향상시킬 수 있었습니다.
- 아마존(Amazon): 아마존은 감성 지능 훈련을 직원들에게 제공하여, 각 직원이 고객의 감정을 이해하고 이에 적절하게 반응할 수 있도록 하였습니다.
- 마이크로소프트(Microsoft): 마이크로소프트는 감성 지능을 활용하여 조직 내의 팀워크와 협업을 촉진하였습니다. 이를 통해, 조직의 전반적인 생산성과 효율성이 향상되었습니다.
- 코카콜라(Coca-Cola): 코카콜라는 감성 지능을 활용하여 직원들의 동기 부여와 직무 만족도를 증가시켰습니다. 이를 통해, 직원들의 헌신도와 생산성이 향상되었습니다.
- 페이스북(Facebook): 페이스북은 감성 지능을 활용하여 고객 서비스를 개선하였습니다. 이를 통해, 고객 만족도와 브랜드 이미지가 향상되었습니다.
- 테슬라(Tesla): 테슬라는 감성 지능을 활용하여 리더십 스타일을 개선했습니다. 이를 통해, 직원들의 참여와 헌신도가 증가하였습니다.
- 넷플릭스(Netflix): 넷플릭스는 감성 지능을 활용하여 팀 문화를 개선했습니다. 이를 통해, 팀의 성과와 협업이 향상되었습니다.
- 애플(Apple): 애플은 감성 지능을 활용하여 직원들의 스트레스 관리 능력을 향상시켰습니다. 이를 통해, 직원들의 작업 효율성과 생산성이 향상되었습니다.
- 삼성(Samsung): 삼성은 감성 지능을 활용하여 직원들의 직무 만족도를 증가시켰습니다. 이를 통해, 직원들의 헌신도와 생산성이 향상되었습니다.
- IBM: IBM은 감성 지능을 활용하여 고객 서비스를 개선하였습니다. 이를 통해, 고객 만족도와 브랜드 이미지가 향상되었습니다.

시각 자료 및 도구

- 감성 지능 레벨 측정 도구: 이 도구는 개인의 감성 지능 수준을 정확하게 측정할 수 있게 도와줍니다. 이를 통해 개인은 자신의 감성 지능 수준을 파악하고, 어떤 영역에서 개선이 필요한지 알 수 있습니다. 이는 감성 지능 향상을 위한 첫걸음이 될 수 있습니다.

- 감정 휠: 감정 휠은 다양한 감정 상태를 시각적으로 나타내는 도구입니다. 이는 개인이 자신의 감정 상태를 더욱 명확하게 인식하고, 이해하는 데 도움이 됩니다. 또한, 감정 휠을 통해 개인은 감정 사이의 연관성을 이해하고, 복잡한 감정 상태를 분석하는 데 도움이 됩니다.
- 감성 지능 훈련 워크북: 이 워크북에는 다양한 연습과 활동이 포함되어 있어, 개인이 감성 지능을 향상시키는 데 도움이 됩니다. 이를 통해 개인은 감성 지능을 실제로 훈련하고, 개선하는 데 필요한 실질적인 방법을 배울 수 있습니다.
- 감성 지능 개발 차트: 이 차트는 감성 지능의 각 요소를 개발하기 위한 단계를 시각적으로 표현합니다. 이를 통해 개인은 감성 지능 향상을 위한 구체적인 계획을 세우고, 그 과정을 체계적으로 관리할 수 있습니다.
- 감성 지능 역량 매트릭스: 이 매트릭스는 감성 지능의 각 요소에 대한 개인의 역량 수준을 평가하는 데 사용됩니다. 이를 통해 개인은 자신의 감성 지능 역량을 정량적으로 파악하고, 역량 개발에 필요한 영역을 쉽게 찾아낼 수 있습니다.
- 감정 상태 트래커: 이 도구는 일상에서의 감정 변화를 추적하고 기록하는 데 도움이 됩니다. 이를 통해 개인은 자신의 감정 변화 패턴을 이해하고, 그에 따라 감성 지능을 효과적으로 관리할 수 있습니다.
- 감정 일기 어플리케이션: 이 어플리케이션은 개인이 자신의 감정을 기록하고, 관리하는 데 도움이 됩니다. 이를 통해 개인은 자신의 감정 상태를 시간에 따라 확인하고, 감성 지능을 향상시키는 데 필요한 자기 반성을 할 수 있습니다.
- 감성 지능 훈련 비디오: 이 비디오 자료는 감성 지능을 향상시키는 방법에 대해 설명해줍니다. 시청자는 비디오를 통해 감성 지능에 대한 이해를 높이고, 실제로 적용할 수 있는 팁과 전략을 얻을 수 있습니다.
- 감정 표현 카드: 이 카드는 개인이 표현하고자 하는 감정을 시각적으로 도와줍니다. 이는 개인이 자신의 감정을 더욱 명확하게 표현하고, 타인과의 의사소통을 향상시키는 데 도움이 됩니다.
- 감성 지능 로드맵: 이 로드맵에는 감성 지능을 향상시키기 위한 단계와 목표가 포함되어 있습니다. 이를 통해 개인은 자신의 감성 지능 향상을 위한 목표를 설정하고, 그를 달성하기 위한 구체적인 경로를 계획할 수 있습니다.

감성 지능 향상 워크샵 실습 방안 및 과정

자기 인식, 자기 조절, 타인 인식, 관계 관리의 기술을 실습합니다. 이들은 각 개인의 내면을 깊이 있게 이해하고, 자신의 감정을 적절하게 조절하며, 타인의 감정 상태를 정확하게 파악하고, 이를 바탕으로 효과적인 대인관계를 유지하는 데 필요한 핵심 역량입니다. 참가자들은 감성 지능 관련 활동을 통해 이러한 역량을 실제로 개발해 볼 수 있습니다. 이 과정에서 참가자들은 자신의 감정을 이해하고 관리하는 방법을 배우며, 타인과의 관계를 향상시키는 방법에 대한 통찰력을 얻을 수 있습니다.

아래 실습 과정은 참가자들이 감성 지능 관련 역량을 실제로 개발하고 이를 효과적으로 활용하는 방법을 배울 수 있게 도와줍니다. 이러한 실습과정을 통해 감성 지능은 개인의 감정을 이해하고 관리하는 데 중요한 역할을 합니다. 또한, 타인의 감정을 이해하고 존중하면서 효과적인 대인관계를 유지하는 데 큰 도움이 됩니다. 감성 지능을 개발하고 향상시키는 것은 개인의 성장뿐만 아니라 조직의 성과에도 긍정적인 영향을 미칩니다.

1. 자기 인식 실습

- 일기 쓰기: 참가자들은 일상에서의 다양한 감정과 생각을 일기 형태로 기록하고 분석하는 활동을 진행합니다. 이 활동은 참가자들이 자신의 감정을 더 깊이 이해하는 데 도움을 주며, 감정적인 반응을 더 효과적으로 관리하는 방법을 찾는 기회를 제공합니다.
- 자기 관찰: 참가자들은 일상 생활에서 자신의 감정, 생각, 행동을 주의 깊게 관찰하는 활동을 진행합니다. 이를 통해 참가자들은 자신의 감정 상태와 행동 패턴을 더욱 명확하게 인식하고 이해할 수 있습니다.
- 감정 지도 작성: 참가자들은 자신의 일상 생활에서 느낀 다양한 감정을 '감정 지도'에 기록하고 분석합니다. 이는 자신의 감정 상태를 시각화하고 효과적으로 관리하는 데 도움이 됩니다.

2. 자기 조절 실습

- 스트레스 관리: 참가자들은 스트레스 상황에서 자신의 감정을 어떻게 조절해야 하는지에 대한 연습을 합니다. 이를 통해 스트레스로 인한 부정적인 감정을 효과적으로 관리하고, 긍정적인 감정 상태로 변환하는 방법을 배울 수 있습니다.
- 감정 조절 전략: 참가자들은 다양한 감정 상황을 예측하고, 이에 대처하기 위한 감정 조절 전략을 개발하는 활동을 합니다. 이를 통해 참가자들은 감정 상황을 미리 예측하고 준비하여, 감정의 폭발을 피하고 더욱 효과적으로 감정을 관리할 수 있습니다.
- 역할 연기: 참가자들은 다양한 감정 상황을 연출하는 역할 연기를 통해 감정 조절을 연습합니다. 이 활동은 감정이 폭발하거나 감정에 휘둘릴 때 어떻게 대처해야 하는지에 대한 실질적인 경험을 제공하며, 이를 통해 감정 조절 능력을 향상시킬 수 있습니다.

3. 타인 인식 실습

- 감정 해독: 참가자들은 다른 사람들의 감정을 이해하고 해독하는 연습을 합니다. 이 활동을 통해 다른 사람들의 감정 변화를 빠르게 인식하고 이해하는 능력을 향상시킬 수 있습니다.
- 감정 탐색: 참가자들은 다른 사람들의 감정 상태와 그 원인에 대해 깊이 파악하는 활동을 합니다. 이를 통해 다른 사람들의 감정에 대한 더욱 정확한 이해를 돕고, 그에 적절하게 반응하는 방법을 배울 수 있습니다.

- 감정 표현 게임: 참가자들은 서로의 감정을 표현하고 이를 맞추는 게임을 진행합니다. 이 활동은 다른 사람의 감정을 이해하고 공감하는 능력을 향상시키는데 큰 도움이 됩니다. 이를 통해 참가자들은 타인의 감정에 민감해지고, 다른 사람들의 감정을 더 잘 이해하는 데 도움이 됩니다.

4. 관계 관리 실습

- 팀 빌딩 활동: 참가자들은 팀을 구성하여 특정 과제를 수행하는 활동을 진행합니다. 이 활동은 참가자들에게 의사소통과 협력 능력을 실질적으로 향상시킬 수 있는 기회를 제공합니다. 팀원들과 함께 목표를 달성하기 위해 노력하면서, 효율적인 의사소통과 협업에 대한 중요성을 체감할 수 있습니다.
- 의사소통 연습: 참가자들은 다른 사람들과의 효과적인 의사소통 방법을 연습합니다. 이는 감정적인 이해와 공감을 기반으로 하며, 다른 사람들과의 관계를 강화하는 데 도움이 됩니다.
- 갈등 해결: 참가자들은 감정 지능을 이용하여 갈등 상황을 해결하는 방법을 배웁니다. 이를 통해 서로 다른 감정과 의견을 존중하면서 효과적으로 문제를 해결하는 방법을 배울 수 있습니다.

팀 문화 개발 워크샵 실습 방안 및 과정

1. 감성 지능 소개: 워크샵의 첫 번째 부분은 감성 지능에 대한 간략한 소개로 시작됩니다. 이 부분에서는 감성 지능이 무엇인지, 왜 중요한지를 이해하고, 감성 지능의 다섯 가지 핵심 요소인 자기 인식, 자기 조절, 동기 부여, 타인 인식, 관계 관리에 대해 배우게 됩니다.

2. 자기 반성 시간: 참가자들에게는 자신의 감성 지능 수준을 평가하고 반성하는 시간을 제공합니다. 이는 참가자들이 자신의 강점과 약점에 대해 인식하고, 자신이 어떻게 개선할 수 있는지에 대해 생각해 볼 수 있는 귀중한 시간입니다.

3. 팀 활동: 이 부분에서는 다양한 팀 활동을 통해 참가자들이 감성 지능을 실제로 활용해 보는 기회를 제공합니다. 이 활동은 문제 해결, 역할극, 팀 빌딩 게임 등을 포함하며, 참가자들은 직접 팀워크를 이루며 감성 지능을 실제 상황에서 적용해 볼 수 있습니다.

4. 피드백 및 공유 시간: 각 활동 후에는 참가자들이 자신의 경험과 배운 점을 서로 공유하는 시간을 가집니다. 이 시간에는 피드백을 주고 받으며 서로의 경험을 배울 수 있고, 다른 사람들이 어떤 방식으로 문제를 해결했는지, 어떤 전략이 효과적이었는지를 배울 수 있습니다.

5. 실용적인 도구 제공: 워크샵에서는 참가자들이 감성 지능을 개발하고 향상시키는 데 도움이 될 수 있는 실용적인 도구와 전략을 제공합니다. 이러한 도구는 스트레스 관리, 갈등 해결, 의사소통 기술 등을 포함하며, 참가자들은 이러한 도구를 활용하여 자신의 감성 지능을 향상시킬 수 있습니다.

6. 추후 계획 설정: 워크샵의 마지막 부분에서는 참가자들이 워크샵에서 배운 내용을 자신의 팀 문화 개발에 어떻게 활용할 것인지에 대한 계획을 설정합니다. 이 과정을 통해 워크샵에서 배운 것이 실제로 적용되어 팀 문화 개선에 이바지하도록 도와줍니다.

이 장에서는 리더가 자신의 감성 지능을 개발하는 방법에 대해 자세히 다루게 됩니다. 감성 지능은 리더의 중요한 역량 중 하나로, 이를 통해 조직 내외의 상호작용을 개선하고 더욱 효과적인 리더십을 발휘할 수 있습니다. 이를 통해 리더와 팀원 사이의 신뢰를 구축하고, 더욱 긍정적이고 생산적인 조직 문화를 강화하는 데 기여할 수 있습니다. 이러한 감성 지능은 리더의 역량뿐만 아니라 전체 조직의 성과에도 중요한 영향을 미치는 요소입니다.

감성 지능이란, 자신의 감정을 인지하고 이해하며, 이를 적절하게 관리하고 표현하는 능력을 의미합니다. 이는 또한 다른 사람의 감정을 이해하고 존중하는 능력을 포함합니다. 감성 지능은 감정의 복잡성을 이해하고, 감정의 변화와 발달을 예측하는 능력을 향상시키는 데 중요한 역할을 합니다. 또한, 감성 지능을 통해 개인은 다양한 감정 상황에서도 효과적으로 대처할 수 있으며, 이를 통해 스트레스 관리 능력을 향상시키고, 대인관계를 효과적으로 유지할 수 있습니다.

리더로서의 감성 지능은 팀원들과의 신뢰를 구축하고, 팀의 성과를 향상시키는 데 중요한 역할을 합니다. 감성 지능이 높은 리더는 팀원들의 감정을 이해하고 존중하며, 이를 통해 팀의 화합을 촉진하고, 팀원들의 참여와 헌신을 높일 수 있습니다. 이와 같은 방식으로, 리더의 감성 지능은 조직의 전반적인 성과와 효율성에도 중요한 영향을 미칩니다.

이 장에서는 감성 지능을 향상시키는 다양한 실습과 훈련 방법을 제공하고, 이를 통해 리더와 팀원들이 자신의 감성 지능을 개발하고 향상시킬 수 있도록 도와줍니다. 이를 통해, 리더와 팀원들은 조직의 목표를 달성하고, 팀의 성과를 향상시키는 데 필수적인 감성 지능 역량을 갖추게 됩니다.

제 19 장

문제 해결 능력: 전략적 접근과 협업

이 장에서는 리더의 문제 해결 능력에 대해 다룹니다. 이 능력은 팀의 복잡한 문제를 식별하고 효과적으로 해결하는데 중요하며, 조직의 효율성 증대와 혁신 촉진에 기여합니다. 리더의 문제 해결 능력은 개인의 역량 뿐만 아니라 조직 전체의 성장과 발전에도 큰 영향을 미칩니다. 리더는 이를 통해 조직의 목표 달성과 팀의 성공을 위한 핵심 역할을 수행합니다.

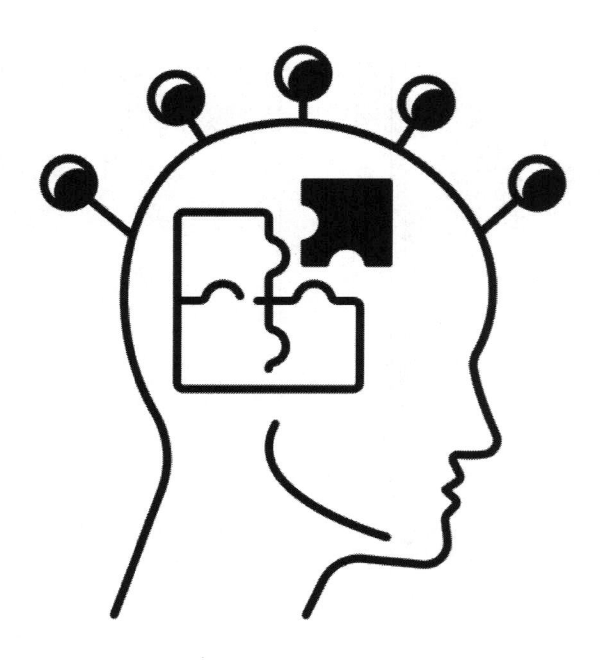

학습 개요

이 장에서는 리더의 문제 해결 능력에 대해 다룹니다. 이 능력은 팀의 복잡한 문제를 식별하고 효과적으로 해결하는데 중요하며, 조직의 효율성 증대와 혁신 촉진에 기여합니다. 리더의 문제 해결 능력은 개인의 역량 뿐만 아니라 조직 전체의 성장과 발전에도 큰 영향을 미칩니다. 리더는 이를 통해 조직의 목표 달성과 팀의 성공을 위한 핵심 역할을 수행합니다.

학습 내용 및 목표

- 문제 해결 과정의 단계: 문제를 확인하고 분석하는 단계부터, 그 문제에 적합한 전략을 세우고, 그 해결책을 구현하기까지의 과정을 철저히 이해합니다. 이 단계들을 통해 문제 해결의 전체적인 흐름을 파악하게 됩니다.
- 창의적인 해결책 개발: 다양한 창의적 사고 기법을 활용하여 표준적인 방법으로 해결되지 않는 문제에 대한 독특하고 창의적인 해결책을 모색합니다. 이를 통해 독특한 문제에도 유연하게 대응할 수 있는 능력을 키울 수 있습니다.
- 문제 해결 시 팀과의 협업: 팀원들과 활발하게 소통하고 협력하는 방법을 배웁니다. 이를 통해 팀이 한 몸처럼 움직여 효율적으로 문제를 해결하는 방법을 습득하게 됩니다.

예상 학습 성과

- 복잡한 문제를 효과적으로 해결할 수 있는 리더십 스킬을 향상시키는 데 중점을 둡니다. 이는 리더가 문제를 식별하고, 분석하고, 적절한 해결책을 찾아내고, 그 해결책을 효과적으로 실행할 수 있는 능력을 강화하는 것을 포함합니다.
- 조직의 전반적인 문제 해결 능력을 강화하기 위해 노력합니다. 이는 조직 내의 모든 구성원이 문제 해결에 대한 통찰력을 향상시키고, 그들의 창의적인 사고를 촉진하며, 그들이 문제에 대한 새로운 시각을 갖게 하는 것을 목표로 합니다.
- 팀을 활용한 문제 해결 전략의 효과적인 실행을 추구합니다. 이는 팀원 간의 협력을 촉진하고, 팀원들이 서로의 능력과 지식을 활용하여 문제를 효과적으로 해결하는 방법을 찾아내는 것을 의미합니다.

이론적 배경과 근거

이번 장에서는 문제해결과 의사결정의 이론적 기반을 제공하는 Charles Kepner와 Benjamin Tregoe의 문제 해결 및 의사결정 모델(Kepner, C., & Tregoe, B. (1965). "The New Rational Manager")에 대해 자세히 살펴보고자 합니다. 이 모델은 문제 해결에 대한 체계적이고 실용적인 접근법을 제시하며, 그 중심에는 문제의 본질을 정확하게 파악하고 그에 따른 최적의 해결책을 도출하는 과정이 있습니다. 리더는 이 모델을 통해 팀원들과 효과적으로 협업하여 문제를 적시에 인식하고, 적절한 방법으로 해결하는 능력을 키울 수 있습니다.

Kepner와 Tregoe의 모델은 문제를 효과적으로 해결하기 위해 필요한 단계를 명확하게 설명해줍니다. 첫 번째로, 이 모델은 문제 상황을 잘 이해하고 그 원인을 찾아내는 것에 초점을 맞춥니다. 이 단계에서는 무엇이 문제인지, 왜 그것이 문제가 되는지를 명확하게 파악하는 것이 중요합니다.

다음으로, 이 모델은 가능한 모든 해결책을 고려하고 이 중에서 최선의 방안을 선택하는 단계를 설명합니다. 이 과정에서는 창의적 사고와 분석적 사고가 모두 중요한 역할을 합니다. 창의적 사고를 통해 다양한 해결책을 도출하고, 분석적 사고를 통해 이들 중에서 가장 효과적인 해결책을 선택합니다.

마지막으로, 선택된 해결책을 실제로 구현하고 그 결과를 평가하는 단계에 대해 설명합니다. 이 단계에서는 실행력과 주의 깊은 관찰이 필요합니다. 선택한 해결책이 실제로 문제를 해결하는데 효과적인지를 확인하고, 필요하다면 해결책을 수정하거나 새로운 해결책을 찾는 과정이 이루어집니다.

이 모델을 통해 리더는 팀과 협력하여 문제를 효과적으로 해결하는 방법을 배울 수 있습니다. 팀원들과의 소통 및 협력은 문제 해결 과정에서 매우 중요한 요소입니다. 리더는 팀원들의 의견을 존중하고 그들의 창의적인 아이디어를 활용하여 문제를 해결하는 데 필요한 전략을 세울 수 있어야 합니다. 이렇게 하면 팀은 문제를 효과적으로 해결하고, 그 과정에서 팀원 간의 협력 능력과 문제 해결 능력을 향상시킬 수 있습니다.

"The Art of Problem Solving" Russel L. Ackoff (1978): 이 책에서는 문제 해결을 위한 시스템적 접근법을 제시하고 있으며, 이 기법은 문제의 본질을 이해하고 문제를 해결하는 데 도움이 됩니다.

"The Fifth Discipline: The Art & Practice of The Learning Organization" Peter Senge (1990): 이 책에서는 문제 해결 능력을 향상시키기 위해 학습 조직을 구축하는 방법을 제시하며, 이는 팀원들이 서로 배우며 문제를 해결하는 능력을 개발하는 데 도움이 됩니다.

"Thinking, Fast and Slow" Daniel Kahneman (2011): 이 책에서는 빠른 직관적 사고와 느린 분석적 사고가 어떻게 문제 해결에 영향을 미치는지를 설명하며, 이는 문제 해결 과정에서 어떤 사고 방식을 사용해야 하는지를 이해하는 데 도움이 됩니다.

"The Lean Startup: How Today's Entrepreneurs Use Continuous Innovation to Create Radically Successful Businesses" Eric Ries (2011): 이 책에서는 문제 해결을 위한 최소 기능 제품(MVP) 개발과 지속적인 반복 및 학습의 중요성을 강조하고 있습니다. 이는 문제 해결 과정에서 어떻게 피드백을 활용하고 빠르게 반응해야 하는지를 배울 수 있게 해줍니다.

"Problem Solving 101: A Simple Book for Smart People" Ken Watanabe (2009): 이 책에서는 문제 해결에 대한 간단하고 실용적인 방법을 제시하고 있습니다. 이는 복잡한 문제를 단순화하고 이를 효과적으로 해결하는 방법을 배울 수 있게 해줍니다.

최신 이론적 배경과 근거

1. "The Role of Problem-Solving Competence in the Relationship between High Performance Work System and Performance" (Jang, S., & Lee, J. (2020). Journal of Management) 이 연구에서는 고성과 작업 시스템이 조직의 성과에 어떻게 영향을 미치는지, 그리고 이 과정에서 문제 해결 능력이 어떤 역할을 하는지를 살펴봅니다.

2. "The impact of problem-solving training on the adaptive performance of logistics companies: the mediating role of job satisfaction" (Abdelgawad, S., Zahran, Z., & Semeer, W. (2020). International Journal of Productivity and Performance Management) 이 연구는 문제 해결 훈련이 물류 회사의 적응 성과에 어떤 영향을 미치는지, 그리고 이 과정에서 직무 만족도가 중재 역할을 하는 방식을 조사합니다.

3. "Innovation and Problem-Solving Skills in the Fourth Industrial Revolution: The Perspective of Manufacturing Companies" (Suhartanto, D., Dean, D., Nansuri, R., & Triyuni, N. (2020). Journal of Asian Finance, Economics, and Business) 이 연구는 제4차 산업혁명 시대의 제조업에서 혁신과 문제 해결 능력의 중요성에 대해 살펴봅니다.

4. "The Role of Problem-Solving Skills and Self-Efficacy Beliefs in Students' Perception of the Relevance of Mathematics" (Garcia-Santillan, A., Escalera-Chavez, M., Venegas-Martinez, F., & Garduno-Trejo, J. (2020). International Journal of Instruction) 이 연구는 학생들이 수학의 중요성을 어떻게 인식하는지, 그리고 이 과정에서 문제 해결 능력과 자기 효능감이 어떤 역할을 하는지를 조사합니다.

5. "Cognitive flexibility, problem-solving, and entrepreneurship: Evidence from a systematic review and meta-analysis" (Santos, D., Caetano, A., & Curral, L. (2020). Thinking Skills and Creativity) 이 연구는 문제 해결 능력과 인지적 유연성이 기업가 정신에 어떤 영행을 미치는지에 대한 체계적인 검토와 메타분석을 제공합니다.

문제 해결 과정의 단계

문제 해결은 특정 문제나 이슈를 식별하고 효과적인 해결책을 찾는 과정을 의미합니다. 이는 복잡한 단계를 포함하며, '문제 해결 과정'이라고도 불립니다. 문제를 확인하고 분석하는 단계부터 적합한 전략을 세우는 단계, 그리고 해결책을 구현하는 단계까지를 철저히 이해하는 것이 중요합니다.

이 과정은 문제를 깊이 이해하고, 문제의 원인을 찾아내는 단계부터 시작되며, 그 다음에는 가능한 해결책을 고려하는 단계가 이어집니다. 이렇게 선택된 해결책은 그 효과와 결과를 평가하고 분석하는 단계를 거쳐 최종적으로 문제를 해결하게 됩니다. 이 과정은 세심한 주의와 논리적 사고, 그리고 창의적인 접근법이 요구되며, 이 모든 것이 결합되어 최적의 결과를 도출해 냅니다. 문제 해결 과정은 크게 네 단계로 나눌 수 있습니다.

1. 문제 식별 및 정의 : 문제 해결의 첫 번째 단계는 문제를 인식하고 이해하는 것입니다. 이 단계에서는 문제의 원인과 성격을 파악하고, 그 문제를 명확하게 정의하는 것이 중요합니다. 문제를 정확하게 정의하는 것은 문제 해결 과정에서 가장 중요한 부분 중 하나인데, 이는 문제의 본질을 이해하는데 필요한 첫걸음이기 때문입니다.

2. 문제 해결 전략 개발 : 문제를 정확히 이해하고 나면, 그 문제를 해결하기 위한 다양한 전략을 고민해 봅니다. 이 단계에서는 창의적인 사고를 활용하여 문제를 해결할 수 있는 여러 가지 방법을 탐색하고, 그 중에서 가장 적합한 해결책을 선택합니다.

3. 해결책 구현 : 선택한 해결책을 실제로 실행하는 단계입니다. 이 단계에서는 실제 상황에 맞게 해결책을 적용하고, 그 결과를 관찰합니다. 이 과정에서는 해결책이 실제로 효과적인지를 판단하고, 필요한 경우 수정하거나 새로운 해결책을 탐색합니다.

4. 결과 평가 및 피드백 : 해결책을 구현한 후에는 그 결과를 평가하고 피드백을 받는 단계입니다. 이 단계에서는 해결책이 문제를 성공적으로 해결했는지, 아니면 추가적인 수정이 필요한지를 평가합니다. 또한, 이 과정을 통해 얻은 경험과 통찰을 바탕으로 다음 번 문제 해결에 활용할 수 있습니다.

문제 해결 과정의 단계 실습 자료

- 브레인스토밍 세션 실습: 이 실습은 참가자들이 특정 문제에 대해 집단에서 다양한 아이디어를 제시하는 방법을 학습합니다. 이 실습은 문제 해결의 초기 단계에서 중요하며, 다양한 관점과 아이디어를 도출하는 데 도움이 됩니다.
- 문제 해결 시나리오 실습: 이 실습은 예시 문제 상황을 제시하고, 참가자들에게 그 문제를 해결하는 방법을 생각하게 하는 방법을 학습합니다. 이를 통해 참가자들은 실제 문제 상황에 대한 이해를 높이고, 그에 적합한 해결책을 고민하는 능력을 향상시킬 수 있습니다.
- 역할 변환 게임 실습: 이 실습은 참가자들이 서로 다른 관점에서 문제를 보고 해결책을 제시하는 방법을 학습합니다. 이를 통해 참가자들은 다양한 관점을 이해하고, 다른 사람들의 생각과 아이디어를 존중하는 방법을 배울 수 있습니다.
- 루트 원인 분석 실습: 이 실습은 문제의 근본 원인을 파악하는 방법을 학습합니다. 이를 통해 참가자들은 문제를 깊게 이해하고, 문제의 본질적인 해결책을 찾아내는 능력을 향상시킬 수 있습니다.

- 스와트 분석 실습: 이 실습은 특정 문제에 대한 강점, 약점, 기회, 위협을 분석하는 방법을 학습합니다. 이를 통해 참가자들은 문제의 다양한 측면을 이해하고, 최적의 해결 전략을 개발하는 능력을 향상시킬 수 있습니다.
- 피셔맨 다이어그램 실습: 이 실습은 문제의 원인과 결과를 분석하기 위한 피셔맨 다이어그램 작성 방법을 학습합니다. 이를 통해 참가자들은 문제의 원인과 결과를 시각적으로 파악하고, 복잡한 문제를 분석하는 능력을 향상시킬 수 있습니다.
- 결정 트리 작성 실습: 이 실습은 문제 해결을 위한 다양한 경로를 시각화하는 결정 트리 작성 방법을 학습합니다. 이를 통해 참가자들은 복잡한 문제에 대한 다양한 해결 방안을 시각적으로 탐색하고, 최적의 해결책을 찾아내는 능력을 향상시킬 수 있습니다.
- 프로토타입 모델링 실습: 이 실습은 가설적 해결책을 구체화하고 테스트하는 프로토타입 모델링 방법을 학습합니다. 이를 통해 참가자들은 문제 해결책을 실제로 구현하고, 그 효과를 검증하는 능력을 향상시킬 수 있습니다.
- 프로젝트 관리 실습: 이 실습은 해결책 구현을 위한 프로젝트 관리 방법을 학습합니다. 이를 통해 참가자들은 문제 해결책을 효과적으로 실행하고, 그 결과를 관리하는 능력을 향상시킬 수 있습니다.
- 피드백 및 반복 실습: 이 실습은 해결책의 효과를 평가하고 개선하는 방법을 학습합니다. 이를 통해 참가자들은 해결책의 효과를 평가하고, 피드백을 통해 계속해서 개선하는 능력을 향상시킬 수 있습니다.

창의적인 해결책 개발

창의적인 해결책 개발은 문제 해결 과정에서 중요한 단계입니다. 이 단계에서는 문제 해결을 위한 다양한 방법을 고려하고, 신선하고 독특한 아이디어를 도출해내는데 초점을 맞춥니다. 창의적인 해결책을 개발하는 것은 기존의 방식으로는 해결이 어려운 문제에 대해 새로운 접근 방식을 찾아내는 데 도움이 됩니다.

창의적인 해결책 개발을 위해서는 다음과 같은 전략이 필요합니다.

1. 브레인스토밍: 브레인스토밍은 창의적인 문제 해결 과정에서 가장 기본이 되는 방법입니다. 이 과정에서 팀원들은 자유롭게 아이디어를 제시하고 토론하며, 이를 통해 다양한 관점과 아이디어를 모을 수 있습니다. 다양한 아이디어와 시사점을 듣는 것은 더 큰 그림을 보고 새로운 방향을 찾아내는 데 도움이 됩니다.

2. 사고의 변화: 문제 해결을 위해서는 기존에 생각하던 방식에서 벗어나 새로운 관점으로 문제를 바라보는 것이 필요합니다. 이를 통해 문제를 새로운 방식으로 해결하는 데 필요한 아이디어를 발견할 수 있습니다. 사고의 변화는 때때로 우리가 문제를 해결하는 데 있어서 새로운 방향을 제시해 줄 수 있습니다.

3. 디자인 씽킹: 디자인 씽킹은 사용자 중심의 문제 해결 접근 방식으로, 사용자의 입장에서 문제를 이해하고 그에 맞는 창의적인 해결책을 발견하는 데 도움이 됩니다. 디자인 씽킹은 창의적인 아이디어 도출과 프로토타입 제작, 테스트를 반복하는 과정을 포함하며, 이를 통해 문제 해결을 위한 최적의 해결책을 찾아낼 수 있습니다.

4. 프로토타이핑: 프로토타이핑은 아이디어를 실제로 구현하여 그 효과를 테스트해 보는 과정입니다. 이 과정을 통해 아이디어가 실제로 문제를 해결하는데 효과적인지 확인하고, 필요한 수정사항을 발견하는 데 도움이 됩니다. 프로토타이핑은 아이디어를 빠르게 테스트하고 반복해서 개선하는 데 중요한 역할을 합니다.

5. 사례 연구: 마지막으로, 창의적인 해결책을 통해 문제를 성공적으로 해결한 실제 사례를 분석하는 것이 중요합니다. 이를 통해 창의적인 해결책이 어떻게 문제 해결에 기여하는지를 이해하고, 이를 바탕으로 자신들의 문제 해결 과정에 적용할 수 있습니다. 사례 연구는 실제 세상에서 어떻게 문제가 해결되었는지를 이해하는 데 도움이 됩니다.

창의적인 해결책 개발 실습 자료

- 아이디어 생성 워크숍: 이 행사는 참가자들이 창의적인 아이디어를 도출하는 과정에 초점을 맞춥니다. 참가자들은 주어진 주제나 문제에 대해 머릿속에 떠오르는 아이디어를 자유롭게 공유하게 됩니다. 아이디어 생성 워크숍은 참가자들의 창의적 사고를 촉진하고, 다양한 해결책을 발굴하는 데 기여합니다.
- 창의적인 솔루션 브레인스토밍 세션: 이 실습은 구체적인 문제에 대해 참가자들이 집단에서 다양한 해결책을 제시하는 과정입니다. 브레인스토밍 세션은 참가자들의 다양한 경험과 지식을 활용하여 문제 해결을 위한 창의적인 접근 방식을 탐색하는 데 유용합니다.
- 문제 해결 시나리오 연습: 이 실습에서는 실제 혹은 가상의 문제 상황을 제시하고 참가자들이 창의적인 해결책을 제시합니다. 이를 통해 참가자들은 실제 문제를 해결하는 데 필요한 창의적 사고와 문제 해결 능력을 연습하게 됩니다.
- 디자인 씽킹 워크숍: 이 워크숍에서는 디자인 씽킹 방법론을 활용하여 문제를 해결하는 과정을 체험합니다. 디자인 씽킹은 문제를 이해하고, 문제 해결을 위한 아이디어를 도출하고, 이러한 아이디어를 실제로 구현하는 과정을 포함합니다.
- 빠른 프로토타이핑 실습: 이 실습에서는 참가자들이 직접 프로토타입을 제작하고 테스트합니다. 프로토타이핑은 아이디어나 해결책이 실제로 작동하는지를 확인하고, 문제나 개선점을 찾아내는 데 도움이 됩니다.
- 사고의 변화 연습: 이 연습에서는 참가자들이 다양한 관점에서 문제를 바라보고 해결책을 생각합니다. 이를 통해 참가자들은 문제를 다양한 각도에서 이해하고, 다양한 해결책을 탐색하는 능력을 향상시킬 수 있습니다.

- 아이디어 피칭 세션: 이 세션에서는 참가자들이 자신의 아이디어를 발표하고 피드백을 받습니다. 이를 통해 참가자들은 자신의 아이디어를 효과적으로 전달하고, 다른 사람들의 피드백을 통해 아이디어를 개선하는 기회를 얻게 됩니다.
- 심리적 안전성 실습: 이 실습에서는 창의적인 아이디어를 자유롭게 제시할 수 있는 환경을 만드는 방법을 배웁니다. 심리적 안전성은 참가자들이 실패를 두려워하지 않고 새로운 아이디어를 제시하는 데 중요한 역할을 합니다.
- 스캠퍼 테크닉 실습: 이 실습에서는 문제 해결을 위한 아이디어 도출 기법인 스캠퍼 테크닉을 연습합니다. 스캠퍼 테크닉은 문제를 해결하기 위한 아이디어를 도출하는데 효과적인 방법입니다.
- 창의력 테스트: 이 실습에서는 참가자들의 창의력 수준을 측정하고 향상시키는 방법을 연구합니다. 창의력은 문제 해결 능력을 향상시키는 데 중요한 역할을 합니다.

문제 해결 시 팀과의 협업

문제 해결 과정에서 팀과의 협업은 중요한 역할을 합니다. 팀원 간의 다양한 관점과 경험은 문제를 보다 깊이 이해하고, 효과적인 해결책을 찾아내는데 큰 도움이 됩니다. 이러한 협업 과정을 통해 팀원들은 서로를 더 잘 이해하게 되고, 팀의 문제 해결 능력을 향상시킬 수 있습니다. 또한, 팀원 간의 협력을 통해 문제 해결 과정이 보다 효과적이고 효율적이게 만들 수 있습니다.

1. 팀 빌딩: 팀원들이 서로를 이해하고 신뢰하는 관계를 구축하는 것은 팀의 문제 해결 능력을 향상시키는 데 중요합니다. 팀 빌딩 활동을 통해 팀원들의 소통 능력을 강화하고, 서로의 강점과 약점을 이해하게 만들어야 합니다.

2. 의사결정 과정의 공유: 문제 해결 과정에서 모든 팀원이 의사결정 과정에 참여하도록 하여, 팀원 모두가 공동의 목표를 향해 노력하고, 해결책에 대한 책임을 공유하도록 해야 합니다. 이를 위해서는 의사결정 과정을 투명하게 공유하고, 팀원들의 의견을 존중하는 문화를 만드는 것이 중요합니다.

3. 문제 해결을 위한 역할 분담: 각 팀원이 자신의 전문지식과 능력을 최대한 활용할 수 있도록 역할을 분담해야 합니다. 팀원 각자가 맡은 역할을 통해 문제의 다양한 측면을 조명하고, 효과적인 해결책을 찾아내는데 기여할 수 있습니다.

4. 피드백과 반복: 팀원들이 서로에게 피드백을 주고 받으며, 해결책을 개선해 나가는 과정이 필요합니다. 피드백은 해결책이 문제를 효과적으로 해결하는지 평가하는 데 도움이 되며, 필요한 경우 해결책을 수정하거나 새로운 방향을 제시하는 데 사용됩니다.

문제 해결 시 팀과의 협업 실습자료

- 팀 빌딩 워크숍: 팀원 간의 신뢰와 협력을 촉진하는 워크숍을 진행하는 실습 자료. 팀원 간의 관계를 더욱 강화하고 팀워크를 향상시키는 것이 목표입니다. 워크숍에서는 팀 구성원들이 서로를 더 잘 이해하고 신뢰를 구축하는 다양한 활동을 진행합니다.
- 팀 브레인스토밍 세션: 팀원 모두가 참여하여 다양한 아이디어를 공유하는 실습 자료. 문제 해결을 위해 다양한 아이디어와 해결책을 고려하는 것이 중요합니다. 브레인스토밍 세션에서는 팀원들이 자유롭게 아이디어를 제시하고, 그 아이디어를 바탕으로 해결책을 모색합니다.
- 모의 프로젝트: 실제 문제 해결을 목표로 하는 모의 프로젝트를 수행하는 실습 자료. 팀원들이 실제 문제 상황을 경험하고, 그 문제를 해결하기 위해 함께 노력하는 것이 중요합니다. 모의 프로젝트를 통해 팀원들은 실제 문제 상황을 체험하고, 그 문제를 해결하는 데 필요한 전략과 기술을 배울 수 있습니다.
- 롤플레잉 게임: 팀원들이 각각의 역할을 이해하고, 문제 해결 과정에서의 역할을 실천하는 실습 자료. 팀원들이 각자의 역할을 이해하고, 그 역할에 대한 책임을 인식하는 것이 중요합니다. 롤플레잉 게임을 통해 팀원들은 서로의 역할을 이해하고, 그 역할을 잘 수행하는 방법을 배울 수 있습니다.
- 커뮤니케이션 스킬 훈련: 팀원들이 문제 해결 과정에서 효과적인 커뮤니케이션을 할 수 있도록 훈련하는 실습 자료. 팀원들이 서로 효과적으로 의사소통하여 문제 해결 과정을 원활하게 진행하는 것이 중요합니다. 커뮤니케이션 스킬 훈련에서는 팀원들이 효과적인 의사소통 기법을 배우고, 이를 실제 문제 해결 과정에서 적용하는 방법을 배울 수 있습니다.
- 갈등 관리 워크숍: 팀 내에서 발생할 수 있는 갈등을 관리하고 해결하는 방법을 배우는 실습 자료. 팀 내에서 갈등이 발생할 경우, 그 갈등을 효과적으로 관리하고 해결하는 것이 중요합니다. 갈등 관리 워크숍에서는 팀원들이 갈등 상황을 이해하고, 그 상황을 효과적으로 관리하고 해결하는 방법을 배울 수 있습니다.
- 결정 트리 작성 실습: 팀원들이 함께 문제 해결을 위한 다양한 경로를 시각화하는 결정 트리 작성 실습 자료. 결정 트리를 작성함으로써, 팀원들은 문제 해결 과정을 보다 명확하게 이해하고, 그 과정을 효과적으로 관리할 수 있습니다.
- 팀 리더십 훈련 세션: 팀 리더가 팀원들을 효과적으로 이끌고 문제 해결을 지도할 수 있도록 훈련하는 실습 자료. 팀 리더의 역할은 팀원들을 효과적으로 이끌고, 문제 해결 과정을 지도하는 것이 중요합니다. 팀 리더십 훈련 세션에서는 팀 리더가 팀원들을 이끌고, 문제 해결을 지도하는 방법을 배울 수 있습니다.
- 문제 해결 워크숍: 팀원들이 함께 문제를 분석하고, 해결책을 제안하고, 이를 실행하는 실습 자료. 팀원들이 함께 문제를 이해하고, 그 문제를 해결하기 위한 해결책을 모색하고, 그 해결책을 실행하는 것이 중요합니다. 문제 해결 워크숍에서는 팀원들이 실제 문제를 해결하는 과정을 체험하고, 그 과정에서 필요한 기술과 전략을 배울 수 있습니다.

기업 사례

- 삼성전자 (2021) : 삼성전자는 AI 기술을 도입하여 제품 결함을 빠르게 찾아내고 해결하였습니다. 이는 강력한 알고리즘을 활용하여 제품의 성능 향상을 위한 문제점을 식별하고, 그에 따른 효과적인 해결책을 제시하였습니다. 이러한 접근법은 제품의 품질을 크게 향상시키고, 고객 만족도를 증가시키는 데 크게 기여하였습니다.
- 현대자동차 (2020) : 현대자동차는 인공지능(AI)과 빅 데이터를 활용하여 차량 결함을 빠르게 파악하고 이를 해결하였습니다. 이 과정에서는 센서 데이터와 고객의 피드백을 분석하여 문제를 식별하고, 이를 바탕으로 차량의 안전성을 향상시키는 해결책을 제공하였습니다. 이는 고객의 안전을 보장하고 브랜드 신뢰도를 높이는 데 매우 중요하였습니다.
- LG전자 (2020) : LG전자는 가상 현실(VR) 기술을 활용하여 교육과 문제 해결을 진행하였습니다. 이는 가상 환경에서 문제 상황을 재현하고, 이를 통해 다양한 해결책을 시험하고 평가하는 데 사용하였습니다. 이 방법은 시간과 비용을 크게 절약하면서도, 효과적인 문제 해결을 가능하게 하였습니다.
- SK 텔레콤 (2021) : SK 텔레콤은 데이터 분석을 활용하여 고객 서비스에 대한 문제를 해결하였습니다. 이를 통해 고객의 행동 패턴과 선호도를 분석하고, 이를 바탕으로 서비스를 개선하였습니다. 결과적으로 이는 고객 만족도를 향상시키고 재구매율을 높였습니다.
- 네이버 (2021) : 네이버는 디자인 씽킹 방법론을 활용하여 사용자 경험을 개선하였습니다. 이를 통해 사용자 중심의 디자인을 도입하고, 사용자의 요구와 선호에 맞춘 서비스를 제공하였습니다. 이러한 접근법은 서비스 사용성을 높이고 사용자 만족도를 향상시키는 데 크게 기여하였습니다.
- 카카오 (2020) : 카카오는 사용자 피드백을 적극적으로 수집하고 이를 바탕으로 서비스를 개선하였습니다. 이를 통해 사용자의 의견을 빠르게 반영하고, 사용자 중심의 문제 해결 접근 방식을 도입하였습니다. 이는 서비스 품질을 향상시키고 사용자 만족도를 높이는 데 크게 기여하였습니다.
- 셀트리온 (2021) : 셀트리온은 효율적인 생산 과정 개선을 위해 Lean Six Sigma 방법론을 도입하여 문제를 해결하였습니다. 이 방법론은 생산 과정에서의 비효율성과 오류를 찾아내고, 이를 개선하여 품질을 향상시키는 데 사용되었습니다. 결과적으로, 이는 생산 효율성을 높이고 비용을 감소시키는 데 크게 기여하였습니다.
- 쿠팡 (2020) : 쿠팡은 빅 데이터 분석을 활용하여 고객의 구매 패턴을 파악하고 이를 바탕으로 서비스를 개선하였습니다. 이를 통해 고객의 선호도와 구매 행동을 예측하고, 이에 맞는 제품을 제공하여 고객 만족도를 높이고 재구매율을 증가시키는 데 크게 기여하였습니다.

시각 자료 및 도구

- 루트 원인 분석 도구: 문제의 근본적인 원인을 찾아내는데 사용되는 도구입니다. 이 도구를 사용하면 문제가 발생한 원인을 근본적으로 파악하고, 그에 따른 적절한 해결책을 찾아낼 수 있습니다. 이는 문제 해결 과정에서 가장 중요한 단계 중 하나입니다.
- 브레인스토밍 도구: 다양한 아이디어를 생성하고 정리하는데 사용되는 도구입니다. 창의적인 해결책을 도출하고 문제에 대한 새로운 시각을 제공하는데 큰 도움이 됩니다.
- 마인드맵 도구: 아이디어나 생각을 시각적으로 정리하고 구조화하는데 사용되는 도구입니다. 복잡한 문제를 분석하고 이해하는데 유용하며, 문제 해결 과정을 체계적으로 관리하고 효율적으로 진행하는데 필요합니다.
- 피셔맨 다이어그램 도구: 문제의 원인과 결과를 시각적으로 분석하는데 도움을 주는 도구입니다. 이 도구를 사용하면 문제와 그 원인 간의 관계를 명확하게 이해하고, 해결책을 효과적으로 계획할 수 있습니다.
- 스와트 분석 도구: 문제의 강점, 약점, 기회, 위협을 시각적으로 분석하는데 사용되는 도구입니다. 이 도구를 사용하면 문제를 전반적으로 이해하고, 각 요소들이 문제 해결에 어떻게 영향을 미치는지를 파악할 수 있습니다.
- 프로젝트 관리 도구: 문제 해결을 위한 프로젝트의 진행 상황을 관리하고 시각화하는데 사용되는 도구입니다. 이 도구를 사용하면 프로젝트의 일정을 효과적으로 관리하고, 문제 해결 과정을 더욱 체계적으로 진행할 수 있습니다.
- 프로토타이핑 도구: 아이디어나 해결책을 빠르게 제작하고 테스트하는데 사용되는 도구입니다. 이 도구를 사용하면 해결책을 실제 환경에서 테스트하고, 그 효과를 빠르게 확인할 수 있습니다.
- 피드백 수집 도구: 사용자나 팀원들로부터 피드백을 수집하고 정리하는데 사용되는 도구입니다. 이 도구를 사용하면 문제 해결 과정에서 중요한 피드백을 효과적으로 수집하고, 이를 문제 해결에 활용할 수 있습니다.
- 데이터 시각화 도구: 데이터를 시각적으로 표현하여 문제 이해나 해결책 검토에 도움을 주는 도구입니다. 이 도구를 사용하면 복잡한 데이터를 쉽게 이해하고, 이를 바탕으로 문제를 분석하고 해결책을 도출할 수 있습니다.
- 스케치 도구: 아이디어나 해결책을 시각적으로 표현하는데 도움을 주는 도구입니다. 이 도구를 사용하면 아이디어를 더욱 명확하게 전달하고, 다른 사람들과의 소통을 향상시킬 수 있습니다.

아이디어 생성 워크숍

창의적인 아이디어를 도출할 수 있는 아이디어 생성 워크숍은 참가자들이 혁신적인 생각을 자극하고 다양한 관점을 수용하여 문제 해결에 큰 도움을 주는 중요한 역할을 합니다. 이 워크숍은 참가자들이 창의력을 발휘할 수 있는 환경을 제공하며, 이를 통해 새로운 아이디어를 생산하고, 그 아이디어를 구체화하는데 도움을 줍니다. 이 과정은 여러 단계로 구성되어 있으며, 각 단계는 창의적인 아이디어가 형성되고 발전할 수 있도록 설계되었습니다.

1. 목표 설정: 워크숍의 목표를 명확히 설정합니다. 예를 들어, 특정 문제를 해결하기 위한 새로운 아이디어를 생성하는 것이 목표일 수 있습니다.

2. 참가자 모집: 다양한 배경과 전문성을 가진 참가자를 모집합니다. 다양한 관점이 아이디어 생성에 도움이 됩니다.

3. 브레인스토밍: 참가자들에게 문제 상황을 설명하고 브레인스토밍을 진행합니다. 이 단계에서는 어떠한 아이디어도 거부하지 않고 자유롭게 아이디어를 제시합니다.

4. 아이디어 정리 및 추출: 브레인스토밍을 통해 제시된 아이디어를 정리하고 핵심 아이디어를 추출합니다.

5. 아이디어 발전: 핵심 아이디어를 기반으로 아이디어를 더욱 발전시킵니다. 이 과정에서는 아이디어를 조합하거나 확장하여 더 큰 아이디어를 만들어냅니다.

6. 프로토타입 제작: 아이디어를 구체화하기 위해 간단한 프로토타입을 제작합니다. 프로토타입은 실제 아이디어를 이해하는 데 도움이 됩니다.

7. 피드백 및 수정: 프로토타입을 통해 피드백을 수집하고 아이디어를 수정합니다. 이 과정을 반복하여 최종적인 아이디어를 완성합니다.

갈등 관리 워크숍

팀원들 사이에서 발생하는 갈등은 팀워크를 해치고 작업 효율성을 저하시킬 수 있습니다. 이 문제는 팀의 목표 달성에 큰 장애물이 될 수 있으므로 주의 깊게 관리해야 합니다. 갈등은 다양한 원인으로 발생할 수 있으며, 이를 바르게 해결하기 위해서는 각 팀원이 서로의 의견을 존중하고 이해하려는 노력이 필요합니다. 이러한 과정은 팀의 의사소통을 개선하고 갈등을 적절하게 관리하는 데 중요한 역할을 합니다. 이를 실행하는 갈등관리 워크숍은 몇 가지 단계로 진행될 수 있습니다. 이 워크숍에서는 각 팀원이 자신의 의견을 표출하고, 다른 팀원의 의견을 경청하며, 해결책을 제시하는 기회를 갖게 됩니다.

1. 갈등 인식 및 이해: 참가자들에게 갈등의 정의와 그 원인에 대해 설명하고, 갈등이 팀 내에서 어떻게 발생하는지에 대해 이해하도록 합니다.

2. 갈등 유형 식별: 참가자들이 다양한 갈등 유형을 식별하고, 그들이 일상 생활이나 업무 상황에서 겪을 수 있는 특정 갈등 사례를 공유하도록 합니다.

3. 갈등 관리 전략 소개: 다양한 갈등 해결 전략과 그 효과에 대해 소개하고, 언제 어떤 전략을 사용해야하는지에 대해 설명합니다.

4. 롤 플레이 실습: 참가자들이 가상의 갈등 시나리오를 통해 갈등을 직접 관리해보는 롤 플레이를 진행하도록 합니다. 이를 통해 참가자들이 갈등 해결 전략을 실제로 적용해보고 그 결과를 경험하게 됩니다.

5. 피드백 및 토론: 롤 플레이 후에는 참가자들의 행동과 그 결과에 대해 피드백을 제공하고 토론하는 시간을 가집니다. 이를 통해 참가자들이 갈등 해결 전략의 장단점을 이해하고, 그들의 갈등 관리 능력을 향상시킬 수 있습니다.

6. 갈등 관리 계획 수립: 마지막으로 참가자들이 자신의 업무 환경에서 발생할 수 있는 갈등을 관리하기 위한 개인적인 계획을 수립하도록 합니다. 이 계획은 참가자들이 워크숍에서 배운 내용을 실제 생활에 적용하는 방법을 제시해야 합니다.

문제 해결 워크숍

팀원들이 함께 문제를 분석하고, 해결책을 제안하고, 이를 실행하는 문제 해결 워크숍은 다음과 같은 단계로 진행될 수 있습니다. 이러한 워크샵은 팀원들의 창의적 사고를 촉진하고, 팀워크를 강화하며, 문제 해결 능력을 개발하는 데 도움이 됩니다.

1. 문제 정의: 워크샵의 시작은 문제를 명확히 정의하는 것입니다. 팀원들이 문제에 대해 이해하고 동의할 수 있도록 문제를 세부적으로 정의하고 문제의 원인과 영향을 논의합니다.

2. 아이디어 생성: 문제를 이해한 후, 팀원들은 다양한 해결책을 제안하는 브레인스토밍 세션을 진행합니다. 이 단계에서는 모든 아이디어를 환영하며, 비판적인 생각은 일단 제쳐두는 것이 중요합니다.

3. 해결책 평가 및 선택: 브레인스토밍을 통해 제안된 해결책을 평가하고 가장 효과적인 해결책을 선택합니다. 이를 위해 팀원들은 각 해결책의 장단점을 논의하고, 가능한 결과와 그에 따른 영향을 분석합니다.

4. 실행 계획 수립: 선택된 해결책을 실행하기 위한 계획을 수립합니다. 이 단계에서는 해결책을 구현하는 데 필요한 자원, 시간, 역할 분배 등을 명확히 합니다.

5. 실행 및 모니터링: 실행 계획에 따라 해결책을 구현하고 그 결과를 모니터링합니다. 필요한 경우 피드백을 통해 해결책을 수정하고 계획을 재조정합니다.

이 장에서는, 리더가 조직 내에서 발생하는 다양한 문제를 식별하고, 이를 해결하기 위한 전략적 접근법을 배우는 방법에 대해 깊이 있게 탐구하게 됩니다. 문제 해결의 중요성과 그 과정에서의 리더의 역할을 분석하며, 리더는 문제 해결 문화를 촉진하고 이를 지원하는 방법에 대한 깊은 이해를 얻게 됩니다. 이런 지식과 기술은 리더가 조직에서 발생하는 문제에 효과적으로 대응하고, 그 결과 조직의 성공을 뒷받침하는 데 중요합니다.

리더는 팀원들의 문제 해결 능력을 향상시키는 다양한 실습과 교육을 제공하는 것이 중요함을 인지해야 합니다. 이렇게 하면 팀원들은 문제 상황을 더 깊이 이해하고, 독창적이고 효과적인 해결책을 찾아낼 수 있습니다. 이러한 실습과 교육은 팀원들의 문제 해결 능력을 개선하며, 협업과 의사소통 능력을 향상시킵니다.

또한, 리더는 문제 해결 과정에서 모든 팀원의 의견을 존중하고, 의사결정 과정에 모두가 참여할 수 있도록 하는 환경을 조성하는 것이 중요합니다. 이렇게 하면, 팀원 모두가 공동의 목표를 향해 노력하며, 문제 해결에 대한 책임을 공유하게 되어, 더욱 효과적인 문제 해결이 가능해집니다.

따라서, 이 장에서는 문제 해결 능력과 전략적 접근법에 대한 근본적인 이해를 바탕으로, 팀과의 협업을 통해 문제를 해결하는 방법에 대해 상세히 알아보게 됩니다. 이를 통해, 문제 해결에 있어서의 리더의 중요한 역할과 그에 따른 책임에 대해 이해하게 될 것입니다.

제 20 장

다른 사람 존중: 상호 존중을 통한 긍정적인 작업 환경 구축

이 장에서는 상호 존중이 효과적인 리더십의 핵심이며, 조직의 성공과 직원 만족도를 높이는 데 중요하다고 강조합니다. 상호 존중은 팀워크와 생산성을 향상시키는데 기여하며, 팀원들이 서로를 인정하고 이해하고, 의견을 존중하고 참여함으로써 조직의 분위기와 문화에 긍정적인 영향을 미칩니다. 따라서 리더는 상호 존중을 촉진하는 방법을 배워야 합니다.

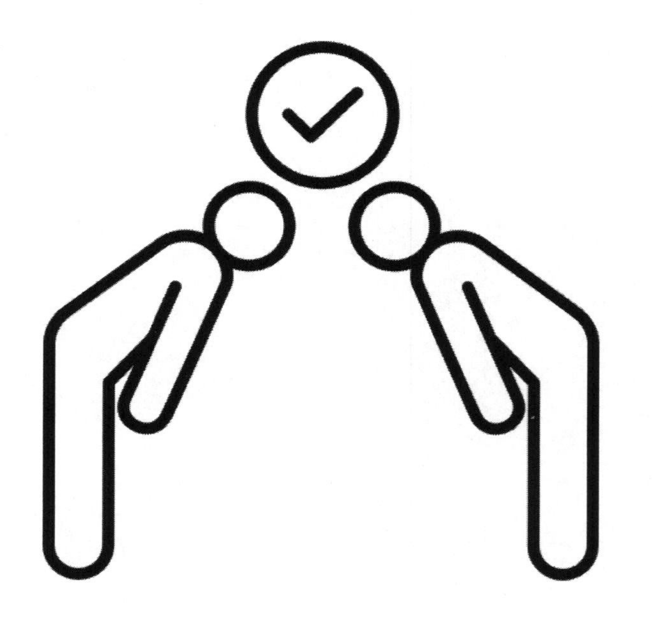

학습 개요

이 장에서는 상호 존중이 효과적인 리더십의 핵심이며, 조직의 성공과 직원 만족도를 높이는 데 중요하다고 강조합니다. 상호 존중은 팀워크와 생산성을 향상시키는데 기여하며, 팀원들이 서로를 인정하고 이해하고, 의견을 존중하고 참여함으로써 조직의 분위기와 문화에 긍정적인 영향을 미칩니다. 따라서 리더는 상호 존중을 촉진하는 방법을 배워야 합니다.

학습 내용 및 목표

- 존중의 중요성과 그 영향 이해: 존중이 어떻게 조직 문화를 형성하고, 향상시키며, 직원들의 성과와 그들의 전반적인 만족도에 어떠한 긍정적인 영향을 미치는지에 대해 배웁니다.
- 다양한 배경과 의견을 존중하는 리더십 실천: 다양한 문화적, 사회적 배경을 가진 사람들을 포함시키고, 그들의 의견을 존중하고, 그것이 팀의 성공에 어떻게 기여하는지를 이해하는 리더십 스킬을 개발합니다.
- 상호 존중을 바탕으로 한 팀워크 강화 기법: 상호 존중은 팀의 조직력을 강화하고, 그 구성원 간의 신뢰를 구축하는 중요한 요소입니다. 이를 바탕으로, 팀 내에서 신뢰를 구축하고, 협력을 촉진하며, 효과적인 팀워크를 이끌어내는 방법을 배우게 됩니다.

예상 학습 성과

- 팀원 간의 신뢰를 구축하여 조직 문화를 개선하며, 이는 팀의 일관성과 효율성을 높이는 데 중요한 역할을 합니다.
- 존중을 기반으로 한 의사결정과 문제 해결 능력을 향상시킴으로써, 팀원들 간의 서로 다른 견해를 존중하고 이해하는 능력을 향상시킵니다.
- 팀의 협력과 효율성을 높이는 데 기여하는 방법으로는 업무 프로세스의 효율화, 명확한 의사소통, 그리고 공정하고 투명한 의사결정 방식이 있습니다.
- 다양성과 포용성을 촉진함으로써 조직의 창의성과 혁신성을 향상시키는 법은, 다양한 배경과 경험을 가진 팀원들을 존중하고 그들의 의견을 적극적으로 듣는 것입니다.
- 개개인의 차이와 다양성을 인정하고, 이를 통해 팀의 전반적인 성과를 향상시키는 방법 중 하나는, 각 팀원의 장점을 이해하고 이를 최대한 활용하는 것입니다.
- 모든 팀원이 자신의 의견이 중요하고 가치있다는 것을 인지하게 하여 적극적인 참여와 기여를 유도하는 방법으로는, 팀 내에서의 열린 의사소통과 각 팀원의 의견을 존중하는 문화를 조성하는 것이 있습니다.

이론적 배경과 근거

존중의 중요성은 다양한 연구에서 뚜렷하게 입증되었습니다. 이 중에서도, Christine Porath와 Christine Pearson의 연구인 "The Cost of Bad Behavior" (2013)는 특히 주목할 만한 연구입니다. 이 두 연구자는 존중이 직원의 참여도, 만족도, 생산성에 미치는 긍정적인 영향을 강조하였습니다. 그들의 연구는 존중이 조직 성과에 어떻게 필수적인 요소로 작용하는지를 명확하게 보여줍니다.

또한, 리차드 D. 아퀼로의 연구인 "Leadership and the Process of Sensemaking" (2005)는 리더가 조직 내에서 존중과 신뢰를 구축하는 방법에 대해 시사하는 바가 많습니다. 아퀼로의 연구는 리더가 존중을 실현하는 것이 팀의 효과적인 의사결정과 문제 해결에 어떻게 중요한 역할을 하는지를 보여줍니다.

상호 존중의 중요성을 강조하는 다른 연구로는 인사이트랩(InSight Labs)의 "The Power of Respect in the Workplace" (2016)를 들 수 있습니다. 이 연구는 존중이 직원들의 참여도와 헌신도, 그리고 조직의 총 성과에 어떻게 중요한 영향을 미치는지를 보여줍니다. 특히, 이 연구는 존중이 직원들의 스트레스 수준을 낮추고, 이로 인해 생산성이 높아지는 현상을 분명하게 밝혀냈습니다.

이러한 연구 결과는 상호 존중이 조직의 성공에 얼마나 핵심적인 요소인지를 두드러지게 보여줍니다. 리더는 이러한 연구 결과를 바탕으로 팀 내에서 상호 존중을 촉진하는 방법에 대해 깊이 있게 고민해볼 필요가 있습니다. 이를 통해 조직의 생산성과 효율성을 높이는 데 기여할 수 있습니다. 상호 존중은 그 자체로 중요한 가치일 뿐만 아니라, 조직의 목표 달성을 위한 핵심 수단이기도 합니다. 따라서, 존중이 조직 내에서 어떻게 실현되고 유지되는지를 이해하는 것은 매우 중요합니다.

"The Power of Respect: Why Respect is the Cornerstone for Effective Leadership" (2018) by David P. Fessell and Kim A. Cameron: 이 연구는 존중이 효과적인 리더십에 있어 핵심적인 요소임을 강조하고 있습니다.

"The Influence of Respect and Social Exchange on Organizational Citizenship Behaviour" (2019) by Yawei Zhang, Xiaomeng Zhang, and Liang Liang: 이 연구는 존중이 조직 내 모범 시민 행동에 어떻게 영향을 미치는지를 탐구하였습니다.

"Respect in the Workplace: The Role of Respect in Organizational Success" (2020) by Gary Namie: 이 연구는 존중이 조직의 성공에 어떠한 역할을 하는지에 대해 분석하였습니다.

"Respect as a Positive Organizational Behavior" (2017) by S. Douglas Pugh: 이 연구는 존중이 조직 내 긍정적 행동에 어떻게 기여하는지를 탐구하였습니다.

"The Role of Respect in Interpersonal Cooperation" (2019) by Peter T. Coleman and Robert Ferguson: 이 연구는 존중이 사람들 간의 협력에 어떠한 역할을 하는지를 탐구하였습니다.

최신 이론적 배경과 근거

"Respect in the Workplace: The Impact of Respect on Employee Engagement and Well-being" (2020) by Sarah J. Tracy and Shawna Malvini Redden: 이 연구는 존중이 직원의 참여도와 웰빙에 어떤 영향을 미치는지를 분석하였습니다.

"The Role of Respect in Organizational Citizenship Behavior" (2021) by Andrew J. Wefald and Ronald E. Riggio: 이 연구는 존중이 조직의 모범 시민 행동에 어떻게 영향을 미치는지를 탐구하였습니다.

"Respect and Inclusion in the Workplace: Benefits and Challenges for Leaders and Organizations" (2020) by Donna Stringer and Patricia A. Castaneda-Sound: 이 연구는 존중과 포용성이 조직과 리더에게 가져다주는 이점과 도전에 대해 분석하였습니다.

"Respect and Leadership in the Remote Work Era: How to Build Respectful and Inclusive Virtual Teams" (2021) by Amy E. Colbert: 이 연구는 원격 근무 시대에 리더가 어떻게 존중을 바탕으로 포용적인 가상 팀을 구축할 수 있는지에 대한 방법을 제시하였습니다.

"Respect Matters: The Role of Respect in Employee Voice and Silence" (2021) by Ray Friedman and David A. Harrison: 이 연구는 존중이 직원의 의사 표현과 침묵에 어떤 역할을 하는지를 탐구하였습니다.

존중의 중요성과 그 영향 이해

존중은 조직 내에서 중요한 역할을 담당합니다. 그러므로, 존중이 개인, 팀, 그리고 조직 전체에 미치는 영향을 이해함으로써, 그 중요성을 깨닫게 됩니다. 이는 조직의 성과를 향상시키는 방법으로 존중을 활용하는 데 도움이 됩니다. 그러나 존중이 조직 내에서 어떻게 작용하는지를 이해하는 것이 중요합니다.

존중은 개인, 팀, 그리고 조직 수준에서 중요합니다. 개인 수준에서는 존중이 자신감과 업무 만족도를 높이는데 도움이 되며, 팀 수준에서는 협력과 의사결정 과정을 향상시킵니다. 조직 수준에서는 존중이 전반적인 분위기와 문화를 형성하며, 효율성과 생산성을 높이게 됩니다.

존중은 개인, 팀, 조직의 성과 향상과 원활한 의사소통에 중요하며, 문제 해결과 만족도 향상에도 도움이 됩니다. 다양한 배경과 경험을 가진 팀원들을 존중하는 리더는 팀의 성과를 향상시키는 방법을 깨달아야 합니다. 존중은 조직의 성공에 필수적이며, 의사소통을 원활하게 하고, 다양성을 인정하며, 팀원들의 만족도를 높이고, 리더의 효율성을 증가시킵니다. 따라서 조직에서 존중의 중요성을 높이는 것은 매우 중요합니다.

첫째, 존중은 조직 내에서의 의사소통을 원활하게 만듭니다. 팀원들이 서로를 존중하면, 그들은 서로의 의견을 듣고 이해하려 노력하게 됩니다. 이것은 의사소통이 효과적이게 되어 정보가 조직 내에서 원활하게 흐르게 합니다. 이로 인해 결정 과정은 더욱 효율적이게 되고, 조직은 더 효과적으로 작동하게 됩니다.

둘째, 존중은 팀원들이 서로의 차이점을 인정하고 이해하게 만듭니다. 이는 다양성을 존중하고 이를 장점으로 활용하는데 도움이 됩니다. 다양한 배경과 경험을 가진 팀원들이 서로를 존중하면, 그들은 서로의 차이점에서 학습하고, 이를 통해 팀의 전체적인 성과를 향상시킬 수 있습니다.

셋째, 존중은 직원들의 헌신도와 참여도를 높입니다. 팀원들이 서로를 존중하면, 그들은 팀에 더욱 헌신하게 되고, 그들의 업무에 대한 만족도가 높아집니다. 이는 팀의 성과를 향상시키는 데 기여하며, 직원들의 일에 대한 열정을 불어넣습니다.

넷째, 존중은 리더십의 중요한 요소입니다. 리더가 팀원들을 존중하면, 그들은 리더를 더욱 신뢰하게 되고, 리더의 지시를 더욱 적극적으로 따르게 됩니다. 이는 리더의 효율성을 증가시키며, 조직의 목표 달성을 돕습니다.

1. 개인 수준에서의 존중: 개인 수준에서, 존중은 자신의 의견이 가치 있고 중요하다는 것을 인식하게 해주며, 이는 개인의 자신감을 높이고 업무에 대한 만족도를 증가시킵니다. 존중받는 환경에서 일하는 사람들은 더욱 적극적으로 업무에 참여하고, 효율적으로 일하는 데 필요한 자원과 지원을 얻을 수 있습니다.

2. 팀 수준에서의 존중: 팀 수준에서, 존중은 서로 다른 팀원들 사이의 협력과 통신을 촉진합니다. 서로를 존중하는 팀원들은 서로의 의견을 듣고 이해하려는 노력을 하며, 이는 팀의 의사결정 과정을 향상시킵니다. 또한, 존중은 팀원들이 서로의 차이점을 인정하고 이를 장점으로 활용하도록 돕습니다.

3. 조직 수준에서의 존중: 조직 수준에서, 존중은 조직 전반의 분위기와 문화를 형성하는 데 중요한 역할을 합니다. 존중하는 문화를 가진 조직에서는, 직원들은 서로를 더욱 존중하고 이해하려는 노력을 기울이며, 이는 조직 전반의 효율성과 생산성을 높입니다.

존중의 중요성과 그 영향 이해를 위한 실습 자료

- 리더십 워크샵: 리더가 팀 내에서 존중의 문화를 조성하고 유지하는 방법에 대한 리더십 워크샵 실습. 이 워크샵은 리더의 역할을 강조하며, 리더가 팀원 간의 존중을 어떻게 촉진하고, 이를 통해 팀의 효율성과 생산성을 향상시킬 수 있는지에 대해 배우게 됩니다.
- 팀 빌딩 활동: 다양한 배경과 경험을 가진 팀원들이 서로를 존중하고 이해하는 방법에 대한 실습을 진행해보는 팀 빌딩 활동. 이 활동은 팀원들이 서로의 차이를 인식하고 이해하는 과정을 통해 팀의 결속력을 강화하고, 서로를 존중하는 문화를 조성하는 데 도움이 됩니다.
- 상호 존중 워크샵: 상호 존중에 대한 워크샵을 통해 다양한 의견과 배경을 존중하는 방법에 대해 학습. 이 워크샵은 팀원들이 서로의 의견에 대해 더 깊이 이해하고, 이를 존중하는 방법을 배우는 데 중점을 둡니다.
- 다양성 트레이닝 프로그램: 다양한 배경과 경험을 가진 사람들을 이해하고 존중하는 능력을 향상시키는 다양성 트레이닝 프로그램. 이 프로그램은 다양성과 포용성에 대한 이해를 높이며, 이를 통해 팀의 전반적인 성과를 향상시키는 방법을 배우게 됩니다.
- 감정 지능 훈련: 다른 사람의 감정과 의견을 이해하고 존중하는 능력을 향상시키는 감정 지능 훈련. 이 훈련은 팀원들이 서로의 감정을 이해하고, 이를 존중하는 방법을 배우는 데 초점을 맞춥니다.
- 의사소통 훈련: 존중을 기반으로 한 효과적인 의사소통 기술에 대한 훈련. 이 훈련은 팀원들이 서로의 의견을 효과적으로 전달하고, 이를 존중하는 방법에 대해 배우게 됩니다.
- 역할 교환 실습: 다른 팀원의 역할에 대해 이해하고 존중하는 능력을 향상시키는 역할 교환 실습. 이 실습은 팀원들이 서로의 역할을 이해하고, 이를 존중하는 방법을 배우는 데 도움이 됩니다.
- 갈등 관리 실습: 서로 다른 의견이나 행동을 존중하면서 갈등을 관리하는 방법에 대한 실습. 이 실습은 팀원들이 서로의 차이점을 인정하면서, 이를 존중하고 갈등을 효과적으로 관리하는 방법을 배우는 데 도움이 됩니다.
- 피드백 실습: 존중을 기반으로 한 피드백 기법에 대한 실습. 이 실습은 팀원들이 서로의 의견에 대해 존중하면서, 피드백을 제공하고 받는 방법을 배우는 데 중점을 둡니다.
- 존중 기반의 의사결정 실습: 존중을 기반으로 한 의사결정 과정에 대한 실습. 이 실습은 팀원들이 서로의 의견을 존중하면서, 의사결정 과정에서 이를 반영하는 방법을 배우는 데 도움이 됩니다.

존중의 중요성에 대한 추가 자료

1. "Respect: The Formation of Character in an Age of Inequality" (2007) by Richard Sennett: 이 책은 존중의 중요성을 깊이 이해하는 데 도움이 됩니다. 존중이 개인과 조직에 어떤 영향을 미치는지, 그리고 존중을 통해 우리가 어떻게 더 나은 사회를 만들 수 있는지에 대해 설명하고 있습니다.

2. "The Respect Effect: Using the Science of Neuroleadership to Inspire a More Loyal and Productive Workplace" (2012) by Paul Meshanko: 이 책은 존중이 업무장소에서 어떻게 더 충성스럽고 생산적인 환경을 만드는 데 도움이 되는지를 설명합니다. 신경리더십의 과학을 사용하여 존중의 효과를 설명하고 있습니다.

3. "Respect: An Exploration" (1999) by Sara Lawrence-Lightfoot: 이 책은 존중의 다양한 측면을 탐색하고 있습니다. 사람들이 어떻게 서로를 존중하는지, 그리고 이것이 우리의 관계와 상호작용에 어떤 영향을 미치는지를 깊이 이해하는 데 도움이 됩니다.

4. "The Power of Respect: Benefit from the Most Forgotten Element of Success" (2009) by Deborah Norville: 이 책은 존중이 성공에 어떻게 중요한 요소로 작용하는지를 보여줍니다. 존중이 성공을 달성하는 데 어떻게 필수적인 요소인지, 그리고 존중을 통해 어떻게 더 나은 성과를 달성할 수 있는지에 대해 설명하고 있습니다.

다양한 배경과 의견을 존중하는 리더십 실천

리더십은 다양한 배경과 의견을 존중하는 능력이 필수적입니다. 이를 통해 팀원들은 자신의 견해가 가치 있고 중요하다는 것을 인지하게 되며, 이는 팀의 협력과 효율성을 높이는 데 기여합니다. 이러한 방법들을 통해, 리더는 다양한 배경과 의견을 존중하는 리더십을 실천하고, 이를 통해 팀의 성과를 향상시킬 수 있습니다. 다양한 배경과 의견을 존중하는 리더십 실천을 위해 다음과 같은 방법들이 있습니다.

- 문화적 감각 강화: 다양한 문화적 배경을 가진 팀원들을 이해하고 존중하는 능력은 강화되어야 합니다. 이를 위해 리더는 다양한 문화에 대한 교육과 훈련을 받을 수 있습니다. 더불어, 팀원들 간의 문화 교류 활동을 통해 다양한 문화에 대한 이해와 존중을 촉진할 수 있습니다.

- 열린 의사소통 장려: 리더는 팀원들이 자유롭게 의견을 공유하고 토론할 수 있는 환경을 조성하는 것이 중요합니다. 이를 위해 리더는 팀원들에게 의견을 표현하도록 격려하고, 그 의견을 진지하게 고려하며 존중해야 합니다.

- 공정한 의사결정: 리더는 모든 의사결정 과정에서 공정하게 행동해야 합니다. 이는 팀원들의 다양한 의견을 고려하고 존중하는 것을 포함합니다. 리더는 의사결정 과정에서 편견이나 선입견 없이 모든 의견을 고려해야 합니다.
- 다양성과 포용성 강조: 리더는 다양성과 포용성이 조직의 성공에 중요하다는 것을 인지하고 강조해야 합니다. 이를 위해 리더는 다양한 배경과 경험을 가진 팀원들의 의견을 적극적으로 듣고 존중해야 합니다.

다양한 배경과 의견을 존중하는 리더십 실천에 필요한 실습 자료

- 리더십 워크샵: 이 워크샵에서는 리더가 팀 내에서 존중의 문화를 조성하고 유지하는 방법에 대해 심도있게 배우게 됩니다. 긍정적인 작업 환경을 조성하고 팀원 간의 서로를 존중하는 능력을 향상시키는 방법 등을 포함합니다.
- 문화적 감각 강화 워크샵: 이 워크샵에서는 팀원들이 다양한 문화에 대한 이해를 향상시키는 방법을 학습합니다. 이는 다양한 배경과 경험을 가진 팀원들을 존중하고 이해하는 데 기여합니다.
- 다양성과 포용성 워크샵: 이 워크샵에서는 다양성과 포용성을 강조하고 실천하는 방법에 대해 깊이 알아봅니다. 모든 팀원의 차이점을 인정하고 이를 팀의 성과 향상에 활용하는 방법을 포함합니다.
- 의사소통 기술 훈련: 팀원들이 자유롭게 의견을 공유하고 토론할 수 있는 열린 의사소통 기술을 향상시키는 훈련을 진행합니다. 이 능력은 팀원들이 서로의 의견을 존중하고 이해하는데 중요합니다.
- 의사결정 과정 실습: 이 실습에서는 공정한 의사결정 과정을 학습하고, 팀원들의 다양한 의견을 고려하고 존중하는 방법을 배웁니다. 이는 모든 팀원이 의사결정 과정에 참여하고 그 결과를 존중하는 데 도움이 됩니다.
- 감정 지능 훈련: 이 훈련에서는 다른 사람의 감정과 의견을 이해하고 존중하는 능력을 향상시킵니다. 이는 팀원들 간의 신뢰를 구축하고 갈등을 최소화하는 데 도움이 됩니다.
- 갈등 관리 실습: 이 실습에서는 서로 다른 의견이나 행동을 존중하면서 갈등을 관리하는 방법을 학습합니다. 이를 통해 팀원들이 갈등 상황에서도 서로를 존중하고 이해하는 방법을 배울 수 있습니다.
- 팀 빌딩 활동: 이 활동에서는 다양한 배경과 경험을 가진 팀원들이 서로를 존중하고 이해하는 방법에 대한 실습을 진행합니다. 이는 팀의 협동력과 효율성을 높이는 데 기여합니다.
- 역할 교환 실습: 이 실습에서는 다른 팀원의 역할에 대해 이해하고 존중하는 능력을 향상시킵니다. 이는 서로의 역할과 책임을 이해하고 존중하며, 팀의 성과를 향상시키는 데 도움이 됩니다.

- 피드백 실습: 이 실습에서는 존중을 기반으로 한 피드백 기법에 대해 학습합니다. 피드백은 개개인의 성과를 향상시키고, 팀의 전체적인 성과를 높이는 데 중요한 도구입니다.

상호 존중을 바탕으로 한 팀워크 강화 기법

상호 존중은 팀의 조직력을 강화하고, 그 구성원 간의 신뢰를 구축하는 중요한 요소입니다. 이를 바탕으로, 팀 내에서 신뢰를 구축하고, 협력을 촉진하며, 효과적인 팀워크를 이끌어내는 방법을 배우게 됩니다. 이러한 방법들을 통해, 팀은 상호 존중을 바탕으로 한 효과적인 팀워크를 구축하고 강화할 수 있습니다.

1. 신뢰 구축: 상호 존중은 팀원 간의 신뢰를 구축하는 데 중요한 역할을 합니다. 각 팀원이 다른 팀원의 의견과 기여를 존중함으로써, 팀 내에서 서로에 대한 신뢰가 형성됩니다. 이 신뢰는 팀의 협동성과 효율성을 높이는 데 기여합니다.

2. 효과적인 의사소통: 상호 존중은 팀원 간의 의사소통을 향상시키는 데도 중요한 역할을 합니다. 팀원들이 서로의 의견을 존중하고 이해함으로써, 효과적인 의사소통이 이루어집니다. 이는 팀의 결정 과정을 더욱 효율적으로 만듭니다.

3. 갈등 해결: 상호 존중은 팀 내의 갈등을 해결하는 데도 도움이 됩니다. 각 팀원이 다른 팀원의 의견을 존중하면, 갈등 상황에서도 서로에 대한 이해와 배려를 기반으로 해결책을 찾을 수 있습니다.

4. 다양성 존중: 팀 내에서 다양성을 존중하는 것은 팀의 창의성과 혁신성을 높이는 데 중요합니다. 다양한 배경과 경험을 가진 팀원들의 의견을 존중함으로써, 팀은 더욱 다양한 아이디어와 해결책을 제시할 수 있습니다.

5. 공동 목표 설정 및 달성: 팀원들이 서로를 존중하면, 공동의 목표를 설정하고 달성하는 데에도 도움이 됩니다. 팀원들은 서로의 의견을 존중하고 고려하여, 모두가 동의할 수 있는 목표를 설정하고 이를 달성하기 위해 협력할 수 있습니다.

상호 존중을 바탕으로 한 팀워크 강화 기법에 필요한 실습 자료

- 리더십 워크샵: 가장 우선적으로, 리더가 어떻게 팀 내에서 존중의 문화를 조성하고 유지할 수 있는지에 대한 워크샵을 실시해야 합니다. 리더십 워크샵에서는 서로를 존중하는 방법, 의견을 공유하고 받아들이는 방법, 갈등 해결 기법 등을 학습하게 됩니다.
- 팀 빌딩 워크샵: 팀원 간 상호 존중을 강조하며, 다양한 배경과 경험을 가진 팀원들이 서로를 이해하는 방법에 대한 워크샵을 진행합니다. 이 워크샵에서는 팀원들이 서로의 차이점을 인정하고 이해하는 방법을 배우게 됩니다.

- 신뢰 구축 훈련: 이 훈련에서는 상호 존중을 바탕으로 팀원 간의 신뢰를 구축하는 방법에 대해 배우게 됩니다. 이는 팀 내에서 신뢰할 수 있는 관계를 구축하고, 팀원들 간의 상호 작용을 통해 팀의 생산성을 향상시키는 데 도움이 됩니다.
- 공동 목표 설정 워크샵: 팀원들이 서로의 의견을 존중하고 고려하여, 공동의 목표를 설정하는 워크샵을 실시해야 합니다. 이를 통해 팀원들은 서로의 목표와 기대치를 이해하고, 팀의 목표 달성을 위해 협력하는 방법을 배우게 됩니다.
- 의사소통 기술 훈련: 팀원들이 자유롭게 의견을 공유하고 토론할 수 있는 열린 의사소통 기술을 향상시키는 훈련을 실시해야 합니다. 이 훈련을 통해 팀원들은 효과적인 의사소통 방법을 배우고, 존중 기반의 의사소통을 실천하게 됩니다.
- 갈등 관리 실습: 서로 다른 의견이나 행동을 존중하면서 갈등을 관리하는 방법에 대한 실습을 진행해야 합니다. 이 실습에서는 갈등 해결 기법과 대화를 통한 문제 해결 방안을 배우게 됩니다.
- 다양성 트레이닝 프로그램: 다양한 배경과 경험을 가진 사람들을 이해하고 존중하는 능력을 향상시키는 다양성 트레이닝 프로그램을 실시해야 합니다. 이 프로그램을 통해 팀원들은 다양성의 중요성을 인식하고, 이를 존중하며 서로의 차이점을 인정하는 방법을 배우게 됩니다.
- 역할 교환 실습: 다른 팀원의 역할에 대해 이해하고 존중하는 능력을 향상시키는 역할 교환 실습을 진행해야 합니다. 이를 통해 팀원들은 다른 팀원의 역할에 대한 이해를 깊게 하고, 이해와 존중을 바탕으로 팀워크를 강화할 수 있습니다.
- 피드백 실습: 존중을 기반으로 한 피드백 기법에 대한 실습을 진행해야 합니다. 팀원들은 서로에게 적절하고 건설적인 피드백을 제공하는 방법을 배우게 됩니다.
- 감정 지능 훈련: 마지막으로, 다른 사람의 감정과 의견을 이해하고 존중하는 능력을 향상시키는 감정 지능 훈련을 실시해야 합니다. 이 훈련을 통해 팀원들은 감정에 대한 이해를 깊게 하고, 이를 바탕으로 효과적인 의사소통과 상호 존중을 실천할 수 있습니다.

기업 사례

- 삼성전자: 삼성전자는 2020년에 다양한 배경과 경험을 가진 직원들을 존중하고, 이를 통해 혁신을 추구하는 '삼성 웨이'를 강조하였습니다. 이는 조직 내에서 다양한 아이디어와 창의성을 촉진하며, 결과적으로 기업의 성장과 발전을 이끌었습니다.
- 현대자동차: 현대자동차는 2020년에 직원들의 다양성을 존중하고, 이를 통해 차별화된 자동차를 개발하는 전략을 선언하였습니다. 이를 통해 다양한 고객 요구에 부응하는 차별화된 제품 개발을 진행하였고, 이에 따라 기업의 시장 경쟁력을 높일 수 있었습니다.

- 카카오: 카카오는 직원들의 의견을 존중하며, 이를 통해 창의적인 아이디어를 도출하는 '아이디어공장' 프로그램을 운영하였습니다. 이를 통해 조직 내에서 새로운 아이디어를 촉진하고 이를 바탕으로 새로운 서비스를 개발하였습니다. 이러한 활동은 카카오의 혁신적인 기업 이미지를 강화하는 데 크게 기여하였습니다.
- Naver: Naver는 직원들의 다양한 의견을 존중하며, 이를 통해 사용자 중심의 서비스를 개발하는 방향을 설정하였습니다. 이를 통해 고객의 만족도를 높이는 서비스 개발을 진행하였고, 이에 따라 기업의 고객 로열티를 높일 수 있었습니다.
- LG전자: LG전자는 다양한 문화와 의견을 존중하는 데 중점을 두어, 글로벌 시장에서의 경쟁력을 강화하였습니다. 이를 통해 다양한 시장에서 경쟁력을 유지하며, 국제적인 브랜드 이미지를 강화하는 데 성공하였습니다.
- SK텔레콤: SK텔레콤은 직원들 간의 상호 존중을 바탕으로, 더 나은 팀워크를 구축하고 이를 통해 업무 효율성을 높이는 방안을 모색하였습니다. 이를 통해 업무 프로세스의 효율성을 높일 수 있었고, 이에 따라 기업의 운영 효율성을 향상시킬 수 있었습니다.
- 포스코: 포스코는 직원들의 의견을 존중하며, 이를 통해 조직의 문제점을 개선하는 '빅보이스' 프로그램을 운영하였습니다. 이를 통해 조직 내에서 문제 해결 능력을 향상시키고, 이에 따라 기업의 성장 가능성을 높일 수 있었습니다.
- 롯데케미칼: 롯데케미칼은 상호 존중을 바탕으로, 직원들의 업무 만족도를 높이는 다양한 복지 제도를 도입하였습니다. 이를 통해 직원의 만족도를 높이고 이를 통해 업무 효율성을 높일 수 있었습니다. 이는 기업의 안정적인 성장을 지원하는 데 중요한 역할을 하였습니다.
- 한화생명: 한화생명은 직원들 간의 상호 존중을 바탕으로, 더 나은 고객 서비스를 제공하는 방향으로 조직 문화를 개선했습니다. 이를 통해 고객 만족도를 높이는 서비스를 제공하였고, 이에 따라 기업의 고객 기반을 확장하는 데 성공하였습니다.
- CJ제일제당: CJ제일제당은 다양한 의견을 존중하여, 직원들의 창의적인 아이디어를 바탕으로 새로운 제품 개발에 성공하였습니다. 이를 통해 새로운 제품 개발에 성공하고 시장에서 경쟁력을 갖출 수 있었습니다. 이러한 성과는 기업의 지속 가능한 성장을 위한 중요한 발판이 되었습니다.

시각 자료 및 도구 추천

- 팀 빌딩 활동을 위한 가이드북: 이 가이드북은 팀의 협력과 효율성을 높이는 방법에 대해 상세하게 설명하고 있습니다. 팀워크가 중요한 모든 사람들에게 꼭 필요한 리소스로, 팀워크를 강화하고, 서로간의 신뢰를 높이는 다양한 활동들이 상세하게 기술되어 있습니다. 이를 통해 팀원 간의 유대감을 더욱 강화하고 효율적인 팀워크를 만들어갈 수 있습니다.

- 다양성 및 포용성 트레이닝 프로그램 부록: 이 부록은 조직의 다양성과 포용성을 촉진하는 방법에 대한 상세한 교육 프로그램입니다. 다양한 배경과 경험을 가진 팀원들을 존중하고 그들의 의견을 적극적으로 듣는 방법에 대한 정보가 잘 정리되어 있습니다. 이를 통해 각 팀원의 유일무이한 가치를 인정하고 그들의 창의적인 아이디어와 전문성을 최대한 활용하는 환경을 조성할 수 있습니다.
- 의사소통 스킬 향상을 위한 워크샵 동영상: 이 교육 동영상은 개인과 팀 모두에게 효과적인 의사소통 기법에 대해 배울 수 있는 기회를 제공합니다. 의사소통의 중요성을 이해하고, 효과적인 의사소통을 위한 기법을 익히는 데 도움이 됩니다. 효율적인 의사소통은 팀의 성공에 있어 중요한 요소로, 이를 통해 팀의 목표 달성과 개인의 성장을 돕습니다.
- 감정 지능 훈련을 위한 웹세미나 링크: 감정 지능은 팀의 상호 이해와 협력을 촉진하는 중요한 요소입니다. 이 웹세미나는 감정 지능을 향상시키는 방법에 대해 깊이 있게 배울 수 있는 기회를 제공합니다. 감정 지능을 높이는 것은 갈등 해결, 리더십, 팀워크 등 다양한 분야에서 중요한 역할을 합니다.
- 신뢰 구축 전략을 위한 슬라이드: 신뢰는 팀의 성공에 필수적인 요소입니다. 이 슬라이드는 팀원 간의 신뢰를 구축하는 전략에 대해 상세하게 설명하고 있습니다. 이를 통해 팀원 간의 상호 이해와 존중을 높이고, 팀의 성과를 향상시키는 데 기여할 수 있습니다.
- 상호 존중 워크샵을 위한 페이실리테이터 가이드: 이 가이드는 상호 존중의 중요성을 인식하고 이를 팀 내에서 촉진하는 방법에 대한 구체적인 지침을 제공합니다. 상호 존중이 팀의 성공에 얼마나 중요한 역할을 하는지를 이해하는데 도움이 되며, 이를 통해 팀워크의 품질을 더욱 향상시킬 수 있습니다.
- 리더십 워크샵을 위한 워크북: 이 워크북은 리더십 기법과 리더가 팀 내에서 존중을 촉진하는 방법에 대한 실용적인 가이드를 제공합니다. 리더로서의 역량을 더욱 강화하고 싶은 분들에게 꼭 필요한 자료로, 이를 통해 당신의 리더십 스타일을 개발하고 팀을 효과적으로 이끌 수 있습니다.
- 역할 교환 실습을 위한 워크시트: 이 워크시트는 팀원들이 서로의 위치에서 문제를 바라보는 것을 돕습니다. 이를 통해 팀원들은 서로의 견해를 이해하고 존중하는 데 큰 도움이 됩니다. 이를 통해 팀원 간의 이해도를 높이고, 서로의 견해를 존중하는 문화를 만들어 갈 수 있습니다.
- 갈등 관리 실습을 위한 케이스 스터디: 이 케이스 스터디는 실제 갈등 상황을 분석하고 해결하는 방법을 제공합니다. 팀원들이 갈등을 적절하게 관리하고, 상황을 해결하는 데 필요한 기술을 배울 수 있게 돕습니다. 이를 통해 갈등 상황을 기회로 바꾸고, 팀의 성장을 촉진하는 데 도움이 됩니다.

- 피드백 실습을 위한 피드백 템플릿: 이 템플릿은 피드백을 구조화하고, 효과적으로 제공하는 방법을 돕습니다. 이를 통해 팀원들은 서로에게 적절한 피드백을 제공하는 방법을 배울 수 있습니다. 피드백은 개인의 성장과 팀의 성과 향상에 큰 도움이 되며, 이를 통해 서로의 성장을 촉진하고 팀의 성공을 위한 기반을 만들 수 있습니다.

다양성과 포용성 워크샵의 실습 방안 및 과정

이 워크샵은 다양성과 포용성을 강조하고 실천하는 방법에 대해 깊이 있게 알아보는 공간입니다. 특히, 모든 팀원의 차이점을 인정하고 이를 팀의 성과 향상에 활용하는 방법에 초점을 맞춥니다.

이렇게 워크샵을 통해 팀원들은 다양성과 포용성에 대한 이해를 넓히고, 이를 실천하는 방법에 대해 깊이 있게 생각해볼 기회를 얻게 됩니다. 이 과정은 팀의 성과를 향상시키는 데 중요한 역할을 하는 것으로, 모든 팀원이 참여하고 공감할 수 있는 환경을 조성하는 데 있어 중요한 단계입니다.

1. 토론과 의견 교환: 워크샵의 시작은 팀원들이 개개인의 경험과 생각을 토론하고 의견을 교환하는 시간으로 구성됩니다. 이 과정에서 팀원들은 자신의 개인적 경험과 관점을 공유하며, 그 과정에서 서로의 다양성을 인식하게 됩니다. 또한, 다른 팀원들의 경험과 생각을 경청하면서 팀 내에서의 상호 이해와 존중의 기반을 마련하게 됩니다.

2. 실습 활동: 토론과 의견 교환 후에는 다양한 실습 활동으로 다양성과 포용성을 체득하는 시간을 가집니다. 이 실습 활동은 다양성과 포용성에 대한 이론적 지식을 실제 상황에 적용해 보는 것을 목표로 합니다. 다양한 배경과 경험을 가진 팀원들이 상호작용하는 과정에서, 서로의 차이를 인정하고 이해하는 능력을 기르는 것입니다.

3. 평가 및 피드백: 실습 활동의 후반부에서는 팀원들이 서로의 실습 활동을 평가하고 피드백을 제공하는 시간을 갖습니다. 이 피드백 과정은 서로를 더 잘 이해하고 존중하는 데 도움이 되며, 팀원들이 다양성과 포용성에 대한 이해를 더욱 깊게 하는 기회가 됩니다.

4. 개선 계획 수립: 워크샵의 마지막 단계에서는, 팀원들은 받은 피드백을 바탕으로 개선 계획을 수립합니다. 각 팀원은 동료들로부터 받은 피드백을 반영하여 자신의 행동을 어떻게 변화시킬 것인지, 다양성과 포용성을 팀 내에서 어떻게 더 잘 실천할 수 있을지에 대한 구체적인 방안을 설계합니다.

상호 존중 워크샵 실습 방안 및 과정

상호 존중에 대한 워크샵은 팀의 다양한 의견과 배경을 존중하고 이해하는 방법에 대해 교육하는 중요한 기회를 제공합니다. 이 워크샵은 팀원들이 서로의 의견에 대해 더 깊이 이해하고, 이를 존중하는 방법을 배우는데 중점을 둡니다. 이를 통해 팀의 동질성과 협업 능력을 향상시킬 수 있습니다.

1. 팀 빌딩 활동: 이 활동은 팀원들이 서로를 더 잘 이해하고 신뢰를 구축하는 것을 목표로 합니다. 팀원들은 서로에 대한 정보를 공유하고, 서로의 역할에 대해 학습하는 활동을 진행합니다. 이는 각 팀원이 다른 팀원들의 업무를 이해하고 존중하는 데 도움이 됩니다.

2. 피드백 세션: 이 세션에서는 팀원들이 서로에게 건설적인 피드백을 제공하는 방법을 배웁니다. 팀원들은 서로의 성장을 돕고, 팀의 성과를 향상시키는 데 기여할 수 있습니다. 이는 상호 존중의 환경을 조성하고, 팀원들이 서로의 의견을 존중하고 받아들이는 능력을 향상시키는 데 중요합니다.

3. 역할 교환 실습: 이 실습에서는 팀원들이 서로의 역할을 이해하고, 이를 존중하는 방법을 학습합니다. 팀원들은 다른 팀원의 업무에 대한 이해를 바탕으로, 그 역할에 대한 존중을 높이고, 이를 바탕으로 팀워크를 강화할 수 있습니다.

4. 갈등 해결 워크샵: 이 워크샵에서는 팀원들이 서로의 의견을 존중하면서 갈등을 해결하는 방법을 배웁니다. 갈등 상황에서도 서로의 의견을 존중하고, 이를 바탕으로 문제를 해결하는 능력은 팀의 협력 능력을 높이는 데 중요합니다.

5. 의사결정 실습: 이 실습에서는 팀원들이 서로의 의견을 존중하면서 효과적인 의사결정을 하는 방법을 배웁니다. 의사결정 과정에서 서로의 의견을 존중하고, 이를 바탕으로 팀의 목표 달성에 기여하는 의사결정 능력은 팀의 성과를 향상시키는 데 중요합니다.

이 장을 통해, 리더는 조직 내에서 상호 존중이 얼마나 중요한지에 대한 깊이 있는 이해를 얻을 수 있을 것입니다. 상호 존중에 대한 이해는 단순히 이론적인 지식에 그치지 않고, 조직 내에서 이를 실제로 촉진시키는 방법에 대한 구체적인 리더십 기술을 습득하는 데 도움이 될 것입니다. 상호 존중은 모든 팀원에게 자신의 의견에 가치가 있다는 것과 그것이 조직의 성공에 중요하다는 확신을 줍니다.

상호 존중을 통해 팀원들은 자신의 의견이 존중받는다는 느낌을 받게 되고, 이는 그들이 더 열심히 일하게 만듭니다. 그 결과로 조직의 전반적인 성과가 향상되는 것을 볼 수 있습니다. 또한, 팀원들의 만족도가 높아지면서 조직의 생산성과 효율성이 향상되고, 사내 문화가 좋아집니다.

상호 존중은 단순히 팀원들 간의 의사소통을 원활하게 하는 것 뿐만 아니라, 모든 팀원이 조직의 성공에 기여할 수 있다는 확신을 줍니다. 이는 팀원들이 자신의 일에 대해 더욱 열정적으로 느끼게 만들며, 그 결과로 팀원들의 창의성과 혁신이 촉진될 수 있습니다.

상호 존중은 모든 조직에서 키요한 요소이며, 이를 향상시키는 것은 매우 중요합니다. 리더는 이를 통해 팀원들의 참여와 헌신을 증대시키고, 조직의 성공을 도모하는데 중요한 역할을 할 수 있습니다. 이 장은 그러한 리더십 기술을 향상시키는 방법에 대해 깊이 있게 다루고 있습니다.

제 21 장

개인 개발에 우선순위: 지속적인 자기계발을 통한 리더십 강화

이 장에서는 리더의 지속적인 자기계발이 리더십 효과를 극대화하고 조직 전체의 성장에 중요한 역할을 하는 것을 설명합니다. 이는 팀이나 조직 전체의 성과에 큰 영향을 미칩니다. 따라서 리더는 이를 지속적으로 유지하고 개선해야 합니다. 리더의 역량 향상은 팀과 조직의 성과를 높이며, 함께 성장할 수 있는 기회를 제공합니다.

학습 개요

이 장에서는 리더의 지속적인 자기계발이 리더십 효과를 극대화하고 조직 전체의 성장에 중요한 역할을 하는 것을 설명합니다. 이는 팀이나 조직 전체의 성과에 큰 영향을 미칩니다. 따라서 리더는 이를 지속적으로 유지하고 개선해야 합니다. 리더의 역량 향상은 팀과 조직의 성과를 높이며, 함께 성장할 수 있는 기회를 제공합니다.

학습 내용 및 목표

- 자기계발의 중요성과 방법에 대한 깊은 이해: 리더로서의 역할은 팀을 이끄는 것뿐만 아니라, 지속적으로 자신의 지식과 능력을 향상시키는 것을 중요하게 생각해야 합니다. 이러한 지속적인 학습과 자기성찰의 중요성을 이해하고, 어떻게 이를 실천하는 지에 대한 방법을 학습하는 것이 필수적입니다. 이를 통해, 성장하는 리더로서의 자신을 발견하고, 이를 통해 팀에 더 큰 가치를 제공할 수 있습니다.
- 리더십 효과를 극대화하는 방법에 대한 심도있는 탐구: 효과적인 리더십은 팀의 성과를 극대화하는 데 매우 중요한 역할을 합니다. 이 부분에서는 리더십의 다양한 측면을 탐구하고, 팀의 생산성과 집중력을 높이는 방법을 학습함으로써, 리더로서의 역할을 더욱 효과적으로 수행할 수 있습니다.
- 개인적 역량 강화와 그것이 팀에 미치는 영향에 대한 깊은 이해: 리더의 개인적 역량이 팀의 동기부여와 성과에 어떻게 긍정적으로 작용하는지를 배우는 것은 매우 중요합니다. 리더로서 자신의 역량을 향상시키는 방법과 이러한 개인적 역량 강화가 어떻게 팀의 동기부여에 영향을 미치는지에 대해 깊이 이해하는 것이 필요합니다. 이를 통해, 리더로서의 역할을 더욱 효과적으로 수행할 수 있고, 팀의 성과를 높일 수 있습니다.

예상 학습 성과

- 리더십 스타일에 대한 깊이 있는 이해를 통해 자신의 리더십 스타일을 잘 이해하고 개선함으로써 더 효과적인 리더가 될 수 있습니다. 이 과정에서 자신이 리더로서 어떤 방식으로 작용하는지에 대한 깊은 이해가 필요합니다.
- 개인적 발전 뿐만 아니라 조직 전체의 발전을 위한 지속 가능한 개발을 추구합니다. 이는 단순히 자신의 역량 향상뿐만 아니라 전체 조직에 긍정적인 변화를 가져오는 것을 목표로 합니다.
- 자신의 행동이 팀에 어떤 영향을 미치는지에 대한 통찰력을 향상시키는 것이 중요합니다. 이를 통해 어떤 행동이 팀의 성과에 긍정적인 영향을 미치는지에 대한 이해도를 높일 수 있습니다.
- 리더로서, 자신의 장점과 약점을 명확하게 파악하고 이를 바탕으로 개인적 성장 전략을 수립하는 것이 필요합니다. 이를 통해 리더십 능력을 향상시키고, 팀과 조직 전체의 성과를 높이는 데에 효과적인 방법을 찾을 수 있습니다.

이론적 배경과 근거

리더십의 핵심 요소 중 하나는 자기계발입니다. 이는 리더가 자신의 역량을 개발하고 성장하기 위한 지속적인 노력을 의미합니다. Bruce Avolio의 "Leadership Development in Balance: MADE/Born"는 이러한 주제를 깊게 다룹니다. 이 책에서는 리더들이 자기계발을 통해 자신의 리더십 능력을 어떻게 향상시킬 수 있는지에 대한 통찰력과 전략을 제공합니다. 이를 통해, 리더들은 자신의 능력을 극대화하고, 개인적인 성과를 높이는 동시에 조직 전체에 긍정적인 영향을 끼칠 수 있습니다. 이 책은 리더가 자기 자신을 개발함으로써 조직에 긍정적인 영향을 미칠 수 있는 다양한 방법을 제시하며, 이를 통해 리더십의 진정한 가치를 부각시킵니다.

자기 개발은 리더십의 중요한 핵심 요소입니다. 이를 통해 리더는 자신의 리더십 역량을 지속적으로 향상시키고, 이는 조직 전체에 긍정적인 영향을 미칠 수 있습니다. Bruce Avolio의 "Leadership Development in Balance: MADE/Born"이라는 책에서는 이에 대한 중요성을 강조합니다. 이 책은 리더들이 어떻게 자기 개발을 통해 자신의 리더십 능력을 향상시킬 수 있는지에 대해 깊게 탐구합니다. 또한, 리더가 자신을 개발함으로써 조직에 어떤 긍정적인 영향을 미칠 수 있는지에 대한 다양한 방법을 제시하고 있습니다.

리더의 자기 개발은 자신의 능력을 향상시키는 것뿐만 아니라, 리더십 스타일을 개선하고, 팀과 조직의 성과를 높이는 데에도 중요한 역할을 합니다. 리더가 자신의 능력을 개발하고, 그 능력을 팀과 조직에 효과적으로 전달하는 방법을 배우면, 이는 결국 팀과 조직 전체의 성과를 높이는 결과를 가져옵니다. 이러한 과정은 리더가 자신의 역량을 극대화하고, 그 능력을 전체 조직에 확산시키는 데 중요한 기여를 합니다.

따라서 리더는 자신의 역량을 개발하고 향상시키는 것에 지속적으로 투자해야 합니다. 이는 리더 자신뿐만 아니라 그가 이끄는 팀과 조직 전체에도 긍정적인 영향을 미치는 일입니다. 이를 통해 리더는 자신의 리더십 능력을 향상시키고, 팀과 조직의 성과를 높일 수 있습니다. 이런 방식으로 리더의 자기 개발은 조직의 성장과 발전을 촉진하는 중요한 역할을 합니다.

"Leadership: Enhancing the Lessons of Experience" by Richard L. Hughes, Robert C. Ginnett, and Gordon J. Curphy: 이 책은 리더십 이론과 실제 사례를 바탕으로 리더십 역량을 어떻게 개발하고 향상시킬 수 있는지에 대해 자세히 다룹니다.

"The Practice of Adaptive Leadership: Tools and Tactics for Changing Your Organization and the World" by Ronald Heifetz, Alexander Grashow, and Marty Linsky: 이 책은 변화하는 상황에 적응하면서 리더십을 행사하는 방법에 대한 실질적인 도구와 전략을 제공합니다.

"Primal Leadership: Unleashing the Power of Emotional Intelligence" by Daniel Goleman, Richard Boyatzis, and Annie McKee: 이 책은 감성 지능의 중요성과 감성 지능을 통해 리더십 능력을 향상시키는 방법에 대해 설명합니다.

"Developing the Leader Within You 2.0" by John C. Maxwell: 이 책은 리더십 개발에 대한 저자의 30년 이상의 경험을 바탕으로, 리더십 능력을 향상시키는 구체적인 전략과 원칙을 제공합니다.

"Leading Change" by John P. Kotter: 이 책은 조직의 변화를 이끌어내는 리더십의 중요성과 변화를 성공적으로 이끌어내기 위한 8단계 프로세스를 제시합니다.

최신 이론적 배경과 근거

"The Infinite Game" by Simon Sinek (2019): 이 책에서 Simon Sinek은 리더십이 무한한 게임이라는 참신한 개념을 제시하고 있습니다. 이 개념을 통해, 우리는 리더십을 행사하는 방식에 대해 새로운 관점을 갖게 됩니다. 리더가 조직의 장기적인 성공을 위해 자신의 역량을 지속적으로 개발하고 성장시키는 방법에 대한 통찰력을 제공하는 이 책은 모든 리더에게 필독서로 강력하게 추천됩니다.

"Leadership: In Turbulent Times" by Doris Kearns Goodwin (2018): 이 책은 힘든 시기에 리더십을 행사하는 방법에 대해 깊이 있는 연구를 제공하고 있습니다. 리더가 내적 역량을 개발하고 이를 활용하여 도전적인 상황에 대응하는 방법을 배울 수 있는 이 책은 이러한 역량을 실질적으로 개발하는 데 필요한 지침을 제공합니다.

"The Coaching Habit: Say Less, Ask More & Change the Way You Lead Forever" by Michael Bungay Stanier (2016): 이 책은 리더의 역량 향상에 중요한 역할을 하는 코칭에 대해 설명하고 있습니다. 이 책에서 제시하는 실질적인 도구와 전략은 리더가 자신의 역량을 개발하고, 팀의 성과를 향상시키는 데 큰 도움이 됩니다.

"The Power of Moments: Why Certain Experiences Have Extraordinary Impact" by Chip Heath and Dan Heath (2017): 이 책에서는 특정 경험의 힘에 대해 탐구하고 있습니다. 이들은 왜 일부 경험들이 뛰어난 영향력을 가지는지, 그리고 이를 통해 어떻게 리더십 역량을 향상시킬 수 있는지에 대한 통찰력을 제공합니다.

"Dare to Lead: Brave Work. Tough Conversations. Whole Hearts" by Bren□ Brown (2018): 이 책에서 Bren□ Brown는 리더가 어떻게 더 용감하게 리더십을 행사할 수 있는지에 대한 방법을 탐구하고 있습니다. 이 책은 리더가 자신의 역량을 발전시키고 성장하는 데 필요한 실질적인 가이드를 제공하므로, 리더십에 대해 심도있게 연구하는 모든 사람들에게 유용한 자료가 될 것입니다.

자기계발의 중요성과 방법

자기계발이란 개인이 스스로의 능력과 역량을 개선하고 발전시키는 과정을 말합니다. 이는 지식, 기술, 태도, 가치 등 여러 차원에서 이루어질 수 있습니다. 리더로서 자기계발은 특히 중요한데, 이는 리더의 역량이 팀이나 조직의 성과에 직접적인 영향을 미치기 때문입니다.

자기계발의 중요성은 다음과 같은 점에서 나타납니다. 먼저, 지속적인 자기계발을 통해 리더는 자신의 리더십 역량을 향상시킬 수 있습니다. 이는 팀의 동기부여, 의사결정, 문제해결 등 여러 면에서 효과를 나타냅니다. 또한, 리더의 자기계발은 팀원들에게도 모범이 됩니다. 리더가 학습하고 성장하는 모습을 보면, 팀원들도 자신들의 발전에 대해 고민하고 행동하게 됩니다. 즉, 리더의 자기계발은 팀 전체의 학습 문화를 조성하는 효과가 있습니다.

자기계발의 방법은 여러 가지가 있습니다. 우선, 리더는 스스로의 강점과 약점을 파악하고, 개선해야 할 부분에 대한 목표를 설정해야 합니다. 이를 위해 피드백을 수집하고, 자기 반성을 하는 것이 중요합니다. 그리고 이런 목표를 달성하기 위해 다양한 학습 활동을 계획하고 실행해야 합니다. 이는 독서, 교육 프로그램 참여, 멘토링, 실무 프로젝트 참여 등 다양한 형태를 가질 수 있습니다. 또한, 이런 학습 활동을 통한 변화와 성장을 지속적으로 평가하고, 필요에 따라 학습 계획을 수정하는 것이 중요합니다.

따라서, 리더는 자기계발을 지속적으로 추구하고, 이를 통해 자신의 리더십 역량을 발전시켜야 합니다. 이는 자신뿐 아니라 팀이나 조직 전체의 성과 향상에도 기여하게 됩니다.

자기계발의 중요성을 더욱 이해하기 위해, 리더의 자기계발이 조직에 미치는 몇 가지 구체적인 영향을 살펴보겠습니다.

1. 성과 향상: 리더의 지식과 기술이 향상될수록, 팀의 성과도 개선됩니다. 팀원들은 리더의 안내와 지원을 받아 더욱 효과적으로 일할 수 있습니다.

2. 동기 부여: 리더가 지속적으로 자신을 발전시키는 모습을 보면, 팀원들도 자신들의 발전에 대해 고민하게 됩니다. 이는 팀원들에게 자기계발의 중요성을 일깨워주고, 그들의 동기를 부여하는 역할을 합니다.

3. 문화 조성: 리더의 자기계발은 팀 전체의 학습 문화를 조성하는 효과가 있습니다. 리더가 자기계발을 중요하게 생각하고 노력한다면, 팀원들도 이를 본받아 지속적인 학습과 성장에 힘쓰게 됩니다.

자기계발의 방법은 다양하며, 각 개인의 상황과 목표에 따라 다르게 적용될 수 있습니다. 그러나 몇 가지 일반적인 방법은 다음과 같습니다.

1. 목표 설정: 자기계발을 시작하는 첫 단계는 명확한 목표를 설정하는 것입니다. 이 목표는 개인의 강점과 약점, 그리고 향후 개선하고자 하는 부분을 반영해야 합니다.

2. 학습 계획 수립: 목표를 설정한 후에는 어떻게 그 목표를 달성할지에 대한 계획을 세워야 합니다. 이는 독서, 온라인 강의, 실무 훈련, 멘토링 등 다양한 학습 활동을 포함할 수 있습니다.

3. 피드백 수집 및 반영: 자기계발은 지속적인 과정이므로, 주기적으로 피드백을 수집하고 그것을 반영하는 것이 중요합니다. 이를 통해 학습 계획을 필요에 따라 수정하고 개선할 수 있습니다.

4. 꾸준한 반성과 성찰: 자기계발은 단기간에 이루어지는 것이 아니라, 꾸준한 반성과 성찰을 통해 이루어지는 과정입니다. 리더는 자신의 행동과 결정에 대해 꾸준히 성찰하며, 그것이 자신의 목표와 얼마나 잘 부합하는지를 평가해야 합니다.

이와 같이, 리더는 자기계발을 지속적으로 추구하고, 이를 통해 자신의 리더십 역량을 발전시켜야 합니다. 이는 자신뿐 아니라 팀이나 조직 전체의 성과 향상에도 크게 기여하게 됩니다.

자기계발의 중요성과 방법을 위한 실습 자료

- 자기 SWOT 분석 실습: 이 실습은 개인의 강점, 약점, 기회, 위협을 파악하고 이를 바탕으로 자기계발 계획을 세우는 과정을 다룹니다. 이를 통해 개인은 자신의 현재 상황을 명확하게 이해하고, 어떤 영역에서 발전이 필요한지, 어떤 기회를 활용할 수 있는지 등을 파악할 수 있습니다.
- SMART 목표 설정 실습: 이 실습에서는 구체적(Specific), 측정 가능(Measurable), 도전적(Ambitious), 현실적(Realistic), 시간적인 요소(Time-bound)를 고려한 자기계발 목표 설정 방법을 배웁니다. 이를 통해 개인은 목표를 설정하고, 이를 달성하기 위한 구체적인 계획을 세울 수 있게 됩니다.
- 학습 스타일 테스트 실습: 개인의 학습 스타일을 파악하고 이를 바탕으로 효과적인 학습 방법을 연구하는 실습입니다. 이를 통해 개인은 자신에게 가장 적합한 학습 방식을 찾아, 학습 효율을 높일 수 있습니다.
- 피드백 수집 및 반영 실습: 이 실습에서는 다른 사람들로부터 피드백을 수집하고 이를 자기계발에 반영하는 방법을 연습합니다. 이를 통해 개인은 자신의 역량 개발을 위한 중요한 피드백을 얻고, 이를 통해 자신의 개발 방향을 바로잡을 수 있습니다.
- 시간 관리 실습: 자기계발을 위한 시간을 효과적으로 관리하는 방법을 배우는 실습입니다. 이를 통해 개인은 시간을 효율적으로 활용하고, 필요한 자기계발 활동에 충분한 시간을 할애하는 방법을 배울 수 있습니다.

- 감성 지능 테스트 실습: 이 실습에서는 자신의 감성 지능 수준을 파악하고 이를 향상시키는 방법을 배우게 됩니다. 감성 지능은 리더십 역량을 향상시키는데 중요한 역할을 하며, 이를 통해 개인은 감정을 이해하고 관리하는 방법을 배울 수 있습니다.
- 커뮤니케이션 스킬 실습: 이 실습에서는 효과적인 커뮤니케이션 능력을 개발하는 방법을 연습합니다. 이를 통해 개인은 자신의 의견을 효과적으로 전달하고, 다른 사람의 의견을 존중하고 이해하는 방법을 배울 수 있습니다.
- 리더십 스타일 테스트 실습: 이 실습에서는 자신의 리더십 스타일을 파악하고 이를 바탕으로 리더십 능력을 향상시키는 방법을 배우게 됩니다. 이를 통해 개인은 자신의 리더십 스타일을 이해하고, 이를 최대한 활용하는 방법을 배울 수 있습니다.
- 스트레스 관리 실습: 이 실습에서는 스트레스를 효과적으로 관리하고 이를 바탕으로 더욱 효과적인 자기계발을 위한 방법을 배우게 됩니다. 이를 통해 개인은 스트레스를 줄이고, 이를 통해 자신의 일과 학습에 더 집중하는 방법을 배울 수 있습니다.
- 성장 마인드셋 실습: 이 실습에서는 성장 마인드셋을 통해 자기계발을 지속적으로 추구하는 방법을 배우게 됩니다. 이를 통해 개인은 자신의 역량을 지속적으로 개발하고, 이를 통해 자신의 성장을 꾸준히 추구하는 방법을 배울 수 있습니다.

리더십 효과를 극대화하는 방법

리더십 효과를 극대화하는 방법은 다양하며, 이는 리더의 역할과 책임에 큰 영향을 미칩니다.

첫 번째로 고려해야 할 것은 리더 자신의 능력을 지속적으로 개발하고 향상시키는 것입니다. 이는 리더가 자신의 지식과 기술을 강화하고, 이를 팀과 조직에게 전달하는 능력을 향상시키는 데 크게 기여할 것입니다. 이 과정에서, 리더는 새로운 학습 기회를 찾아야 하며, 주기적으로 자신의 성과를 평가하고, 개선할 부분을 찾아내는 과정이 필요합니다. 이렇게 하면 리더는 자신의 리더십 스타일을 지속적으로 변화시키고, 이에 따라 팀과 조직의 성과를 극대화하는 데 도움이 될 것입니다.

두 번째로, 효과적인 커뮤니케이션은 리더십 효과를 극대화하는 데 중요한 요소입니다. 리더는 팀원들과의 효과적인 커뮤니케이션 능력을 개발하고, 이를 통해 팀원들의 의견을 듣고 이해하며, 팀의 목표와 비전을 명확하게 전달해야 합니다. 또한, 리더는 팀원들이 문제를 공유하고 해결책을 찾을 수 있도록 안전한 환경을 조성하는 데 중요한 역할을 합니다. 이를 통해, 팀원들은 자신의 의견을 자유롭게 나눌 수 있고, 이는 팀의 전반적인 성과에 기여할 것입니다.

세 번째로, 리더는 팀원들의 성과를 인정하고 격려하는 것이 중요합니다. 이는 팀원들의 동기를 높이고, 그들의 노력을 인정하고, 그들이 팀에 대한 헌신을 높이는 데 큰 도움이 됩니다. 리더는 팀원들의 성과를 주기적으로 검토하고, 그들이 기여한 노력을 인정하고, 그들이 잘한 일에 대해 격려의 말을 전해야 합니다.

이 모든 방법들은 리더십 효과를 극대화하는 데 중요한 역할을 합니다. 리더는 이러한 방법들을 활용하여 자신의 능력을 향상시키고, 팀과 조직의 성과를 높일 수 있습니다. 이렇게 하여, 리더는 자신의 리더십을 통해 조직의 성장과 발전을 이끌어가는 데 기여할 수 있습니다.

리더십 효과를 극대화하는 방법을 위한 실습 자료

- 리더십 스타일 자가진단: 리더십은 개인의 특성과 스타일에 크게 의존합니다. 따라서, 참가자들이 자신의 리더십 스타일을 파악하고, 장단점을 이해하는 것이 가장 우선적인 단계입니다. 이를 통해 리더는 자신의 강점을 활용하고 약점을 보완하는 방법을 찾을 수 있습니다.
- 피드백 워크샵: 피드백은 개인과 팀의 성장을 위한 중요한 도구입니다. 피드백 워크샵에서는 참가자들이 서로에게 피드백을 제공하는 방법을 배우고 실습합니다. 이 과정에서 참가자들은 피드백을 통해 서로를 이해하고, 개선점을 발견하며, 관계를 더욱 강화할 수 있습니다.
- 코칭 스킬 훈련: 효과적인 리더는 좋은 코치입니다. 코칭 스킬 훈련 세션은 참가자들이 팀원을 가르치고, 지도하고, 발전시키는 방법을 배우게 해줍니다. 이러한 코칭 기술은 팀원의 성과를 향상시키고, 팀의 동기부여를 증진하는 데 도움이 됩니다.
- 목표 설정 및 동기 부여 실습: 리더로서 팀의 목표를 설정하고 팀원들을 동기부여하는 방법에 대한 실습을 진행합니다. 이 과정에서 리더는 팀의 목표를 명확하게 설정하고, 이를 달성하기 위해 팀원들을 어떻게 동기부여할지에 대한 전략을 구축하게 됩니다.
- 리더십 커뮤니케이션 워크샵: 리더십은 효과적인 커뮤니케이션에 큰 부분을 차지합니다. 이 워크샵에서는 리더가 팀원과 효과적으로 소통하는 방법을 배우고 연습하게 됩니다.
- 갈등 해결 능력 훈련: 갈등은 피할 수 없는 상황이며, 효과적인 리더는 이를 잘 관리해야 합니다. 이를 위한 갈등 해결 전략 및 기술에 대한 실습을 통해, 리더는 팀 내의 갈등을 적절하게 해결하고, 팀의 공동 목표 달성에 방해가 되지 않도록 하는 방법을 학습합니다.
- 리더십 결정론 세미나: 모든 리더는 중요한 결정을 내리는 역할을 합니다. 이 세미나에서는 리더의 결정이 조직에 미치는 영향에 대해 깊이 이해하게 됩니다. 이를 통해, 리더는 조직의 방향성을 결정하고, 중요한 결정을 내리는 데 필요한 역량을 개발할 수 있습니다.
- 팀 빌딩 활동: 팀의 성과는 팀원 간의 관계에 크게 의존합니다. 따라서 팀 빌딩 활동을 통해, 팀원들과의 관계를 강화하고 리더십 능력을 향상시키는 것이 중요합니다.
- 타임 관리 및 우선순위 설정 워크샵: 리더는 시간을 효과적으로 관리하고 작업을 우선 순위에 맞게 정렬해야 합니다. 이를 위한 워크샵은 리더가 효율적으로 일을 관리하고, 중요한 작업에 집중할 수 있게 돕습니다.

- 변화 관리 훈련: 리더는 조직의 변화를 관리하는 데 중요한 역할을 합니다. 이 훈련은 변화를 수용하고, 적응하며, 이를 팀에 성공적으로 전달하는 방법에 대한 학습을 제공합니다.

개인적 역량 강화가 팀에 미치는 영향

개인 역량 강화는 팀에 다양한 영향을 미치는데, 그 이유는 리더의 역량이 팀의 성과와 효율성에 큰 영향을 미치기 때문입니다. 리더의 개인 역량 강화는 자신의 효과를 극대화하는데 중요하며, 이를 통해 리더의 지식, 기술, 태도, 가치를 개선하고, 이것들을 팀과 조직에 전달하는 능력을 향상시킵니다.

첫째, 리더의 개인 역량이 향상될수록 팀의 성과도 향상됩니다. 리더는 팀원들의 역량을 최대한 활용하고, 필요한 리소스와 지원을 제공해야 합니다. 리더의 지식과 기술이 향상될수록, 이러한 역할을 더욱 효과적으로 수행할 수 있게 됩니다.

둘째, 리더의 개인 역량 강화는 팀원들에게도 긍정적인 영향을 미칩니다. 리더의 학습 의지와 노력이 팀원들에게 전달될 경우, 그들도 자신의 역량을 개발하고 향상시키는데 힘을 쏟게 됩니다. 이는 팀의 학습 문화를 강화하고, 팀 전체의 역량을 향상시키는데 기여합니다.

셋째, 리더의 개인 역량 강화는 팀의 협력과 조화를 증진시킵니다. 리더가 팀원들과 효과적으로 소통하고, 그들의 의견을 존중하며, 공정하고 공평한 환경을 만들면, 팀원들은 리더를 더욱 신뢰하게 되고, 팀의 협동심이 높아집니다. 이는 팀의 문제 해결 능력과 결정 품질을 향상시키며, 팀의 성과를 높이는데 기여합니다.

개인적 역량 강화를 위한 실질적인 활동과 전략은 다음과 같습니다. 이를 통해 리더는 자신의 역량을 지속적으로 향상시킬 수 있습니다. 이러한 방법들을 적극적으로 활용하면, 리더는 자신의 개인적 역량을 지속적으로 강화하고, 이를 통해 팀과 조직 전체의 성과를 향상시킬 수 있습니다. 이것은 리더 자신의 성과 향상뿐만 아니라, 팀과 조직 전체의 성과 향상에도 크게 기여할 것입니다.

1. 자기 평가 도구 사용: 자신의 강점과 약점을 파악하기 위해, 다양한 자기 평가 도구를 활용할 수 있습니다. 이 도구들을 활용하면, 자신의 성향, 역량, 가치 등을 분석하고, 이를 바탕으로 개발 계획을 세우는 데 도움이 됩니다.

2. 지속적인 학습: 리더는 새로운 지식과 기술을 지속적으로 학습하고, 이를 실무에 적용해야 합니다. 이를 위해, 독서, 워크샵, 세미나, 온라인 코스 등 다양한 학습 자료와 활동을 활용할 수 있습니다.

3. 피드백 수집 및 반영: 리더는 자신의 행동과 성과에 대한 피드백을 주기적으로 수집하고, 이를 통해 자신의 역량을 개선해야 합니다. 이를 위해, 피드백을 주는 사람들과의 피드백 세션을 정기적으로 가지는 것이 중요합니다.

4. 실천과 경험: 새로운 지식과 기술을 실제로 적용해보는 것이 중요합니다. 이를 위해, 새로운 프로젝트에 참여하거나, 새로운 역할을 맡는 등 다양한 경험을 쌓는 것이 필요합니다.

리더의 개인적 역량 강화를 위한 추천 도서는 다음과 같습니다.

"Strengths Based Leadership" by Tom Rath and Barry Conchie: 이 책은 강점 기반의 리더십을 주장하며, 리더가 자신의 강점을 발견하고 이를 팀과 조직에 적용하는 방법에 대해 설명합니다.

"The Art of Learning" by Josh Waitzkin: 이 책은 학습과 성장에 대한 저자의 개인적인 경험을 바탕으로, 어떻게 끊임없이 학습하고 성장할 수 있는지에 대한 방법론을 제시합니다.

"Mindset: The New Psychology of Success" by Carol S. Dweck: 이 책은 개방적인 마인드셋이 성장과 발전에 어떻게 기여하는지에 대해 설명하고, 이러한 마인드셋을 개발하는 방법을 제시합니다.

"Thanks for the Feedback: The Science and Art of Receiving Feedback Well" by Douglas Stone and Sheila Heen: 이 책은 피드백을 잘 받는 방법에 대해 설명하며, 이를 통해 자신의 역량을 개선하는 방법을 제시합니다.

개인적 역량 강화를 위한 실습 자료

- 자기관리 능력 훈련: 시간 관리, 목표 설정, 스트레스 관리 등 자기관리 능력을 개발하는 훈련. 이는 리더가 자신의 업무를 체계적으로 관리하고 일상적인 스트레스를 효과적으로 관리하는 방법을 배우는데 중점을 둘 것입니다.
- 강점 기반 개발 워크샵: 자신의 강점을 파악하고 이를 개발하는 방법을 배우는 워크샵. 이 워크샵에서는 리더가 자신의 강점을 식별하고 이를 활용하여 팀의 성과를 향상시키는 방법을 배울 것입니다.
- 리더십 커뮤니케이션 실습: 팀원들과 효과적으로 소통하는 방법을 배우는 실습. 이 실습에서는 리더가 팀원들과의 효과적인 커뮤니케이션을 통해 명확한 지시를 내리고 피드백을 주는 방법을 배울 것입니다.
- 결정력 강화 실습: 효과적인 의사결정 능력을 개발하는 방법을 배우는 실습. 이 실습에서는 리더가 복잡한 상황에서 효과적인 결정을 내리는 방법을 배울 것입니다.
- 팀워크 및 협업 실습: 팀과 함께 효과적으로 작업하는 방법에 대한 실습. 이 실습에서는 리더가 팀원들과의 협업을 통해 목표를 달성하는 방법을 배울 것입니다.
- 코칭 및 멘토링 스킬 실습: 리더로서 다른 사람들을 지도하고 지원하는 방법에 대한 실습. 이 실습에서는 리더가 팀원들의 개인적인 성장과 개발을 돕는 방법을 배울 것입니다.

- 갈등 해결 실습: 갈등 상황에서 효과적으로 행동하는 방법을 배우는 실습. 이 실습에서는 리더가 갈등을 관리하고 팀의 조화를 유지하는 방법을 배울 것입니다.
- 변화 관리 실습: 조직 변화에 대응하는 방법을 배우는 실습. 이 실습에서는 리더가 변화를 이끌고 조직의 변화에 적응하는 방법을 배울 것입니다.
- 성장 마인드셋 실습: 성장 마인드셋을 통해 개인 역량을 향상시키는 방법을 배우는 실습. 이 실습에서는 리더가 성장 마인드셋을 활용하여 자신의 역량을 개발하는 방법을 배울 것입니다.
- 실패에서 배우는 실습: 실패를 경험하고 이를 통해 배우는 방법에 대한 실습. 이 실습에서는 리더가 실패를 경험하고 이로부터 배우는 방법을 배울 것입니다.

기업 사례

- 삼성전자: 2020년에 삼성전자는 직원들의 개인적 역량을 강화하는 것을 목표로 삼았습니다. 그들은 이를 위해 다양한 교육 프로그램을 설계하고, 멘토링 시스템을 도입하는 등의 방법을 통해 직원들의 성장에 대한 투자를 확대하였습니다.
- LG전자: 2021년에는 LG전자가 직원들의 개인적 역량 강화에 초점을 맞추었습니다. 그들은 "LG 아카데미"라는 내부 교육 프로그램을 확대 운영하여 직원들이 자신의 스킬을 개발하고 전문성을 향상시키는 데 필요한 지원을 제공하였습니다.
- 카카오: 2020년에 카카오는 직원들의 자기계발을 지원하기 위해 "카카오 학교"라는 내부 교육 플랫폼을 도입하였습니다. 이 플랫폼은 직원들에게 새로운 기술을 학습하고 업무능력을 향상시키는 기회를 제공하였습니다.
- SK텔레콤: 2021년에 SK텔레콤은 직원들의 지속적인 학습을 지원하기 위해 "T아카데미"를 운영하였습니다. 이 프로그램은 직원들이 자신의 역량을 지속적으로 향상시킬 수 있는 다양한 학습 자료와 리소스를 제공하였습니다.
- 현대자동차: 2020년에 현대자동차는 직원들의 리더십 스킬과 개인적 역량을 강화하기 위해 다양한 교육 프로그램을 제공하였습니다. 이러한 프로그램은 직원들의 성장을 돕고, 그들이 조직의 성장에 기여할 수 있도록 지원하였습니다.
- 네이버: 2021년에 네이버는 직원들의 자기계발을 지원하기 위해 다양한 온라인 교육 콘텐츠를 제공하였습니다. 이 프로그램은 직원들이 자신의 역량을 향상시키고 더 나은 업무 수행을 위해 필요한 지식과 기술을 습득하는 데 도움이 되었습니다.
- 롯데그룹: 2020년에 롯데그룹은 인재 개발을 위한 다양한 교육 프로그램과 멘토링 프로그램을 운영하였습니다. 이들 프로그램은 직원들의 개인적 역량 강화를 돕고, 조직의 전반적인 성장을 도모하는데 기여하였습니다.

- 포스코: 2021년에 포스코는 인재를 중심으로 한 경영 전략을 추진하였습니다. 이를 위해, 그들은 직원들이 업무 수행을 위한 지식과 기술을 향상시키는 데 필요한 다양한 교육 프로그램을 도입하였습니다.
- 신한은행: 2020년에 신한은행은 직원들의 역량 강화를 위해 "신한 아카데미"를 운영하였습니다. 이 프로그램은 직원들이 자신의 역량을 향상시키고 업무 수행을 위한 필요한 지식과 기술을 습득하는 데 도움이 되었습니다.
- 한화생명: 2021년에 한화생명은 리더십 강화 및 직원 역량 개발을 위한 다양한 교육 프로그램을 제공하였습니다. 이 프로그램은 직원들이 자신의 역량을 향상시키고, 업무를 더 잘 수행하기 위해 필요한 지식과 기술을 습득하는 데 도움이 되었습니다.

시각 자료 및 도구

- 강점 찾기 테스트: 이는 개인의 잠재력을 찾아내는데 도움이 되는 온라인 테스트입니다. 여러분의 강점과 약점을 명확히 인식하고 이해하는 것은 자신의 능력을 최대한 활용하고, 개인적, 직장에서의 성공을 위한 토대를 마련하는데 중요한 첫 단계입니다. 이 테스트를 통해 자신의 잠재력을 극대화할 수 있습니다.
- SMART 목표 설정 워크시트: 이 워크시트는 SMART(구체적, 측정 가능, 도달 가능, 관련 있는, 시간이 정해진) 기준에 따라 목표를 설정하는데 도움이 됩니다. 이를 통해, 당신의 목표가 실현가능하고 달성 가능하도록 만들며, 또한 당신의 목표 달성을 지원하는 강력한 도구가 될 수 있습니다.
- 시간 관리 앱: 이 앱은 일정을 관리하고 시간을 효과적으로 활용하는 데 도움이 되는 도구입니다. 이를 사용하면, 시간을 효율적으로 관리하고, 더 생산적으로 일할 수 있게 해주며, 일상 생활에서의 스트레스를 줄이는 데에도 큰 도움이 될 것입니다.
- 피드백 수집 템플릿: 이 템플릿은 다른 사람들로부터 피드백을 수집하고 분석하는 데 도움이 됩니다. 피드백을 통해, 자신의 성능을 향상시키고 개선할 수 있는 영역을 파악할 수 있으며, 이를 통해 개인적이나 직장에서의 성장을 도모하는데 필요한 통찰력을 얻을 수 있습니다.
- 갈등 해결 전략 가이드: 이 가이드라인은 갈등 상황을 효과적으로 해결하는 전략을 제공합니다. 이를 통해, 갈등을 최소화하고, 팀워크와 평화로운 환경을 유지하는 데 도움이 됩니다. 이 가이드는 갈등 해결의 실질적인 기술을 제공하여 효율적인 해결책을 찾는데 도움이 될 것입니다.
- 커뮤니케이션 스킬 개선 워크북: 이 워크북은 효과적인 커뮤니케이션 스킬을 개발하기 위한 도구입니다. 이를 통해, 명확하고 효과적인 커뮤니케이션을 통해 관계를 개선하고, 팀워크를 증진시키는데 도움이 됩니다. 이 워크북은 풍부한 커뮤니케이션 전략과 기술을 제공하여 상호 이해를 형성하는 데 도움이 됩니다.

- 결정력 강화 워크북: 이 워크북은 의사결정 능력을 향상시키는 방법을 제공합니다. 결정을 내리는 데 필요한 정보를 수집하고, 여러 선택 사항을 평가하고, 최종 결정을 내리는 과정을 돕습니다. 이는 복잡한 상황에서도 명확하고 확실한 결정을 내릴 수 있는 능력을 향상시키는 데 도움이 됩니다.

- 변화 관리 가이드북: 이 가이드북은 조직의 변화를 관리하는 방법을 알려줍니다. 변화는 항상 도전이지만, 이 가이드북은 그 과정을 관리하고, 변화에 적응하는 데 도움이 되는 전략을 제공합니다. 이를 통해, 조직 내 변화에 대응하는 능력을 향상시키는 데 도움이 됩니다.

- 실패에서 배우는 워크시트: 이 워크시트는 실패를 통해 배우고 성장하는 방법을 도와줍니다. 실패는 성공으로 가는 길에서 중요한 단계일 수 있습니다. 이 워크시트는 그 실패에서 배울 수 있는 교훈을 찾아내는 데 도움이 됩니다. 실패를 통해 얻은 교훈은 개인적, 직장에서의 성공을 위한 중요한 토대가 될 수 있습니다.

- 성장 마인드셋 워크북: 이 워크북은 성장 마인드셋을 통해 개인 역량을 향상시키는 방법을 제공합니다. 이를 통해, 당신은 계속해서 성장하고 발전할 수 있습니다. 이 워크북은 성장을 위한 다양한 전략과 기법을 제공하여 당신의 개발을 돕습니다.

타임 관리 및 우선순위 설정 워크샵

타임 관리 및 우선순위 설정 워크샵은 참가자들에게 보다 효율적으로 시간을 활용하고 중요한 업무에 우선순위를 두는 방법을 교육하는 전문적인 프로그램입니다. 이 워크샵은 참가자들이 자신의 시간을 더욱 합리적으로 관리하고, 중요한 업무에 집중하도록 도와줍니다.

뿐만 아니라, 이 워크샵은 개인의 생산성을 크게 향상시키고 작업의 질을 높이는 데 크게 도움이 됩니다. 참가자들은 워크샵을 통해 효율적인 타임 관리 기법을 배우게 되어, 그들의 일상 생활 및 업무 수행에 큰 도움이 될 것입니다.

1. 워크샵 개요 및 목표 설명: 워크샵이 시작되기 전에, 참가자들에게 이 워크샵이 어떤 목표를 가지고 있으며, 어떤 주제들을 다룰 예정인지에 대해 자세히 소개합니다. 이 워크샵에서 가장 중요한 목표는 참가자들이 자신의 시간을 효과적으로 관리하고, 다양한 작업들을 우선 순위에 따라 정렬하여 작업을 수행하는 방법을 배우는 것입니다.

2. 시간 관리에 대한 이론적 배경 제공: 참가자들에게 시간 관리에 대한 기본적인 원칙과 이론을 상세하게 설명합니다. 이 과정에서 어떻게 효과적으로 시간을 관리할 수 있는지에 대한 다양한 전략과 팁을 공유하며, 이를 통해 참가자들이 자신의 시간을 더욱 효과적으로 활용하는 데 도움이 됩니다.

3. 우선순위 설정에 대한 이론적 배경 제공: 다양한 작업 중에서 가장 중요한 작업을 어떻게 식별하고, 이들을 어떤 순서로 처리할 것인지에 대한 우선 순위를 정하는 방법에 대해 자세히 소개합니다. 이 과정에서는 우선순위 설정에 관한 다양한 기법과 도구를 설명하며, 이를 통해 참가자들이 자신의 작업을 더욱 효과적으로 관리하는 데 도움이 됩니다.

4. 실습 활동: 참가자들이 이론적으로 배운 내용을 실제로 적용해보는 시간을 가집니다. 이를 위해, 참가자들에게 몇 가지 작업을 주고 이를 완료하는 데 필요한 시간을 추정하게 하고, 이 작업들의 우선순위를 정하는 연습을 하게 합니다. 이 과정을 통해 참가자들이 실제로 시간 관리와 우선순위 설정 기법을 체험하고 이해하는 데 도움이 됩니다.

5. 토론 및 피드백: 참가자들이 실습 활동을 통해 경험한 바를 모두에게 공유하고, 서로의 작업 접근법에 대해 토론하며 피드백을 주고 받습니다. 이를 통해 참가자들은 서로로부터 배울 수 있으며, 다른 사람들이 어떻게 시간 관리와 우선순위 설정을 하는지를 이해하게 됩니다.

6. 워크샵 종료 및 향후 계획: 워크샵의 마지막 단계에서는 참가자들이 이번 워크샵에서 배운 내용을 자신의 일상 업무에 어떻게 적용할 수 있을지에 대해 논의합니다. 또한, 참가자들이 향후 개인적으로 시간 관리와 우선순위 설정 능력을 계속 개발할 수 있도록 도움이 될 추가적인 자료나 도구를 제공합니다.

이 장에서는 리더의 자기 계발이 조직 전체에 어떻게 긍정적인 영향을 미치는지에 대해 상세히 논의하고 있습니다. 리더의 전문성과 역량 강화가 단지 개인의 도움이 아니라 조직 전체의 성과에도 영향을 미친다는 점을 명확히 보여줍니다.

리더가 자기계발을 우선시함으로써 얻을 수 있는 이점을 강조하며, 이는 조직 전체에 긍정적인 영향을 미칠 것이라고 설명합니다. 리더의 지속적인 개인적 발전은 개인의 역량 향상뿐만 아니라, 조직의 지속 가능한 성공으로 이어질 수 있습니다. 이는 리더의 전문성과 역량이 조직의 성과에 얼마나 중요한 역할을 하는지를 보여줍니다.

리더의 개인적 발전은 그 자체로도 중요하지만, 이는 또한 조직 전체의 발전을 이끌 수 있는 요소입니다. 리더가 스스로를 계속해서 발전시키고 성장시키는 것은, 그의 지식과 경험을 팀원들과 나누고, 그들의 역량을 향상시키는 데도 도움이 됩니다. 또한, 리더의 지속적인 발전은 조직에 새로운 아이디어와 전략을 제공하며, 이는 조직의 경쟁력을 향상시키고, 변화하는 시장 환경에 빠르게 대응할 수 있는 유연성을 제공합니다.

결국, 리더의 지속적인 자기계발은 조직의 지속 가능한 성공으로 이어집니다. 리더가 자신의 역량을 향상시키면서, 그는 조직의 성장과 발전을 이끌어내는 핵심 요소가 됩니다. 이로 인해, 리더의 자기계발은 단순히 개인적인 성장 그 이상으로, 팀과 조직 전체의 발전에 큰 영향을 미칩니다.

제 22 장

전략적 사고 장려: 조직 목표 달성을 위한 리더의 핵심 역량

이 장에서는 전략적 사고가 리더의 주요 역량 중 하나로, 조직의 장기적 성공, 비전 설정, 목표 달성 방법의 설계, 강점 활용, 약점 개선, 기회 찾기, 그리고 위험 관리에 필수적이라는 내용을 다룹니다. 이는 조직의 성공을 위해 협력과 창의성을 촉진하고, 변화하는 환경에 대응하며 새로운 기회를 찾고 위협을 관리하는 데 필요합니다.

학습 개요

이 장에서는 전략적 사고가 리더의 주요 역량 중 하나로, 조직의 장기적 성공, 비전 설정, 목표 달성 방법의 설계, 강점 활용, 약점 개선, 기회 찾기, 그리고 위험 관리에 필수적이라는 내용을 다룹니다. 이는 조직의 성공을 위해 협력과 창의성을 촉진하고, 변화하는 환경에 대응하며 새로운 기회를 찾고 위협을 관리하는 데 필요합니다.

학습 내용 및 목표

전략적 사고의 개념 및 중요성: 전략적 사고는 리더십의 중요한 요소입니다. 이를 통해, 우리는 문제를 해결하고 목표를 달성하는 데 필요한 다양한 접근 방식을 이해하게 됩니다. 이 과정에서, 전략적 사고의 기본 원칙을 배우게 됩니다. 이 원칙들은 우리가 안면하는 문제와 도전을 효과적으로 이해하고 대응할 수 있게 합니다. 따라서, 전략적 사고의 이해와 구현은 모든 리더에게 필수적인 역량입니다.

- 전략적 사고를 통한 혁신 및 변화 관리: 변화를 효과적으로 관리하고, 혁신을 성공적으로 추진하기 위해 필요한 전략적 사고 방식을 학습합니다. 이 과정에서는 변화에 대한 우리의 이해를 높이고, 혁신을 동반한 변화가 조직에 미치는 영향을 분석하는 방법을 탐색하게 됩니다. 또한, 변화를 수용하고 적응하는 과정에서 발생할 수 있는 다양한 문제를 해결하는 방법을 배웁니다. 이를 통해, 변화와 혁신이 조직의 전략적 목표 달성에 어떻게 기여할 수 있는지에 대한 깊은 이해를 얻게 됩니다.
- 리더의 전략적 사고 역량 개발: 리더는 조직의 전체적인 성공을 위해 필수적인 역할을 합니다. 그 역할을 수행하는 데 있어 중요한 것은 전략적 사고 역량입니다. 이러한 역량을 개발하는 것은 조직의 전략적 목표와 비전을 달성하는 데 근본적으로 중요합니다. 그렇기 때문에 이 과정에서는 리더가 어떻게 그런 전략적 사고 역량을 향상시키고 개발할 수 있는지에 대해 배우게 됩니다.
- 학습 성과: 이 과정을 통해 학습자는 조직의 전략적 방향성을 이해하고, 이에 맞춰 효과적인 결정을 내리는 능력을 향상시킬 것입니다. 또한, 복잡한 문제에 직면했을 때, 합리적이고 창의적인 해결책을 찾아내는 능력도 강화될 것입니다. 이러한 스킬은 조직의 성장을 위해 필수적이며, 이를 통해 학습자는 자신의 전문성을 더욱 향상시킬 수 있습니다.

예상 학습 성과

- 조직의 전략적 방향성에 맞춰 결정을 내리는 능력을 개발하고, 이를 통해 조직의 목표 지향에 필요한 방향성을 제시합니다. 이러한 방향성은 조직의 전반적인 목표와 비전을 지향하는 데 근본적인 요소가 됩니다. 이 방향성을 바탕으로 전략적 계획을 세우고 실행하여, 조직의

성장과 발전에 긍정적인 영향을 미칩니다. 이렇게 함으로써 조직의 전반적인 성능과 효율성을 향상시키는 데 기여할 수 있습니다.

- 복잡한 조직의 문제점에 대해 전략적 사고 능력을 활용하여, 문제를 효과적으로 해결하는 능력을 향상시킵니다. 이는 조직 내의 다양한 문제와 도전에 대한 해결책을 찾는 데 필수적인 역량입니다. 이런 능력을 통해 조직의 효율성과 생산성을 높이는 데 도움이 됩니다.
- 변화와 혁신에 대한 관리와 실행 능력을 강화하여, 변화와 혁신을 성공적으로 이끌 수 있도록 합니다. 이를 통해 조직이 지속적으로 발전하고 성장할 수 있도록 지원합니다. 이런 능력은 조직이 빠르게 변화하는 환경에 적응하고, 새로운 기회를 적극적으로 탐색하고 활용하는 데 중요한 역할을 합니다.

이론적 배경과 근거

Henry Mintzberg의 연구에 따르면, 전략적 사고는 리더가 복잡한 조직 상황을 해석하고 효과적으로 대응하는데 중요한 역할을 합니다. 이러한 개념은 그의 저서 "The Rise and Fall of Strategic Planning"에서 더욱 깊게 탐구되었습니다. 이 책에서 Mintzberg는 전략적 사고가 어떻게 현실적인 조직 문제에 적용되어야 하는지에 대해 상세히 설명하고 있습니다. 그는 이를 위해 리더들이 조직의 복잡한 문제를 이해하고, 그 문제에 대한 적절한 해결책을 찾아내는 데 필요한 다양한 요소와 전략에 대해 논하고 있습니다.

Mintzberg에 따르면, 전략적 사고는 크게 두 가지 주요한 요소로 구성됩니다. 첫 번째 요소는 문제를 인식하고 이해하는 것입니다. 리더는 조직 내부와 외부의 복잡한 상황을 신중하게 분석하고, 그 결과로 생긴 문제점을 파악해야 합니다. 이 과정에서 리더는 현실적인 조직 문제를 정확하게 파악하고, 그 원인을 이해하는 데 필요한 능력을 발전시켜야 합니다.

두 번째 요소는 이해된 문제에 대한 효과적인 해결책을 찾아내고 실행하는 것입니다. 이 과정에서 리더는 조직의 목표와 비전을 고려하여, 최적의 전략을 설정하고 이를 실행해야 합니다. 이를 위해 리더는 조직의 자원을 효율적으로 활용하고, 새로운 기회를 발견하고 활용하는 능력이 필요합니다.

이러한 전략적 사고 과정을 통해 리더는 조직의 복잡한 문제를 효과적으로 해결하고, 조직의 성공을 도모할 수 있습니다. 이는 조직의 성장과 발전에 기여하며, 조직의 장기적인 성공을 위한 필수적인 역량입니다. 따라서 Mintzberg의 연구는 리더에게 전략적 사고의 중요성을 강조하며, 이를 통해 조직의 문제 해결과 목표 달성에 어떻게 기여할 수 있는지에 대한 통찰을 제공합니다.

마이클 포터의 경쟁 전략 이론: 이 이론은 조직이 경쟁 우위를 얻는 방법에 대해 설명하고 있습니다. 포터는 비용의 우위, 차별화, 그리고 집중 전략을 제시하였습니다. 이러한 전략을 통해 조직은 경쟁력을 갖추고 성공적으로 사업을 진행할 수 있습니다.

존 코터의 변화 관리 모델: 코터의 8단계 변화 모델은 조직 변화를 관리하는 전략적 사고 방식을 제공합니다. 이 모델은 조직의 변화를 성공적으로 이끌고, 변화를 지속 가능하게 만드는 과정을 설명하고 있습니다.

존스와 브라이슨의 전략적 관리 모델: 이 모델은 조직의 자원을 최적으로 활용하고, 조직의 목표를 달성하는 방법에 대해 설명하고 있습니다. 이 모델을 통해 리더는 조직의 전략적 사고를 개선하고, 조직의 성공을 도모할 수 있습니다.

로버트 스테이크의 교육적 판단 이론: 이 이론은 교육적 판단을 하는 과정에서의 전략적 사고에 대해 설명하고 있습니다. 스테이크는 교육적 판단을 통한 문제 해결, 결정 사항, 그리고 평가 방법에 대한 전략적 사고의 중요성을 강조하고 있습니다.

로저 마틴의 결정적 사고 이론: 이 이론은 전략적 사고를 통해 복잡한 문제를 해결하는 방법에 대해 설명하고 있습니다. 마틴은 이진적 사고를 넘어서 결정적 사고가 필요하다고 주장하며, 이를 통해 리더가 조직의 복잡한 문제를 해결하는데 도움을 줄 수 있다고 주장하고 있습니다.

최신 이론적 배경과 근거

김태호의 "전략적 사고력" (2020): 이 책에서 김태호는 전략적 사고의 필요성과 이를 개발하는 방법에 대해 설명하고 있습니다. 그는 리더가 복잡한 문제를 이해하고 해결하는 데 필요한 전략적 사고의 중요성을 강조하며, 이를 통해 리더가 조직의 비전을 구현할 수 있는 방법을 제시하고 있습니다.

리처드 루멜하르트의 "전략적 사고의 심리학" (2020): 이 연구에서 루멜하르트는 전략적 사고를 이해하는 데 중요한 심리적 요소를 탐구하고 있습니다. 그는 전략적 사고의 성공적인 실행이 리더의 인지 능력과 심리적 특성에 어떻게 영향을 받는지에 대해 논하고 있습니다.

피터 샌디의 "전략적 사고의 미래" 이 논문에서 샌디는 디지털 시대에 전략적 사고가 어떻게 변화하고 있는지를 탐구하고 있습니다. 그는 기술의 발전이 전략적 사고와 결정 과정에 어떤 영향을 미치는지에 대해 상세히 분석하고 있습니다.

다니엘 카네만의 "노이즈: 신뢰할 수 없는 판단을 넘어" 이 책에서 카네만은 판단과 결정 과정에서의 노이즈가 전략적 사고에 어떤 영향을 미치는지를 탐구합니다. 또한, 노이즈를 줄이고 더 명확하고 효과적인 전략적 판단을 내리는 방법에 대해 설명합니다. 이 책은 노이즈가 어떻게 우리의 판단을 왜곡시키고, 이를 어떻게 줄여 더 효과적인 결정을 내릴 수 있는지에 대해 알려줍니다. 카네만의 연구는 행동경제학과 인지심리학 분야에서 중요한 발견을 제공하며, 우리가 어떻게 판단하고 결정을 내리는지에 대한 깊은 이해를 가능하게 합니다.

조수진의 "변화의 시대, 변화를 이끄는 전략" 이 책에서 조수진은 변화하는 세계에서 성공하려면 전략적 사고의 중요성을 강조합니다. 그는 빠르게 변화하는 환경에서 개인과 조직이 어떻게 적응하고 성장할 수 있는지에 대한 통찰력을 제공합니다. 또한, 전략적 사고를 통해 변화를 예측하고 기회를 포착하며 위험을 관리하는 방법을 상세히 설명합니다.

전략적 사고의 개념 및 중요성

전략적 사고는 개인이나 조직이 마주하는 문제나 도전을 효과적으로 이해하고 대응하는 고차원적 사고 방식을 의미합니다. 이는 복잡한 상황에서의 문제 해결, 장기적인 목표 설정, 그리고 미래의 기회와 위협을 파악하는 능력을 포함합니다.

전략적 사고는 비즈니스, 팀 또는 개인의 장기적인 성공에 영향을 미치는 요소와 변수의 분석에 초점을 맞춘 의도적이고 합리적인 사고 과정입니다. 이 과정은 경제적 현실, 시장 힘, 가용 자원을 고려하여 경쟁적이고 변화하는 환경에서 생존하고 번영하는 데 필요한 명확한 목표, 계획 및 새로운 아이디어를 도출합니다.

전략적 사고에는 연구, 분석적 사고, 혁신, 문제 해결 기술, 의사소통 및 리더십 기술, 결단력이 필요합니다. 이들 능력을 통해 조직은 미래를 예측하고 기회를 활용하며 경쟁 환경에서 성공할 수 있습니다. 전략적 사고는 비즈니스 리더와 이해관계자가 제한된 자원을 효율적으로 배분하고 중요한 목표를 달성하는 방법을 결정하는 데 중요합니다. 미래에는 전략적 사고의 중요성이 더욱 증가할 것으로 예상되므로, 다양한 전략적 사고 기술을 배우고 적용하는 것이 중요합니다. 전략적 사고의 중요성은 다양한 측면에서 나타납니다.

첫째, 전략적 사고는 조직의 비전과 목표를 설정하는 데 중요합니다. 이는 조직이 어디로 가고자 하는지, 그리고 어떻게 그곳에 도달할 것인지에 대한 명확한 이해를 제공합니다.

둘째, 전략적 사고는 조직의 자원을 효율적으로 활용하는 데 필수적입니다. 이를 통해 조직은 자신의 강점을 최대한 활용하고 약점을 개선할 수 있습니다.

셋째, 전략적 사고는 미래의 불확실성을 관리하는 데 중요합니다. 이를 통해 조직은 장래의 기회를 파악하고 잠재적인 위협에 대비할 수 있습니다.

전략적 사고는 학습과 실천을 통해 개발될 수 있습니다. 이를 위한 핵심 전략은 다음과 같습니다. 이 원칙들은 리더가 조직의 복잡한 문제를 효과적으로 이해하고 대응하는 데 필수적인 도구를 제공합니다. 이를 통해 리더는 조직의 장기적 성공을 위한 강력한 전략을 개발하고 구현할 수 있습니다.

1. 환경 분석: 조직의 내외부 환경을 깊이 있게 이해하며, 이를 통해 조직이 직면하는 기회와 위협을 명확하게 파악합니다. 이 단계에서는 시장 트렌드, 경쟁 상황, 고객의 요구 등 다양한 요소를 고려합니다.

2. 목표 설정: 조직의 장기적인 비전과 목표를 설정합니다. 이 목표 설정 과정은 조직의 핵심 가치와 미션을 반영하며, 모든 결정과 행동의 기준이 됩니다. 이를 통해 조직은 명확한 방향성을 갖게 됩니다.

3. 전략 평가와 선택: 다양한 전략 옵션을 심도 있게 평가하고, 조직의 목표 달성에 가장 효과적이라고 판단되는 전략을 선정합니다. 이 과정에서는 잠재적인 리스크와 기대되는 이익을 고려합니다.

4. 전략 구현: 선택된 전략을 실제 행동으로 전환하는 단계입니다. 이는 자원을 효과적으로 할당하고, 역할을 분배하며, 일정을 관리하는 등의 활동을 포함합니다. 이 과정에서는 선택된 전략이 실제로 실행되며, 조직의 목표 달성을 위한 구체적인 행동 계획을 수립합니다.

5. 성과 평가와 피드백: 구현된 전략의 성과를 철저히 평가하고, 그 결과에 따른 피드백을 제공하는 단계입니다. 이를 통해 전략의 효과를 검증하고, 필요한 경우 전략을 수정하거나 개선하여 조직의 성과를 높이는 데 사용됩니다.

전략적 사고의 개념 및 중요성을 위한 실습 자료

- SWOT 분석 실습: 이 실습은 조직의 내부적 강점과 약점을 이해하고 외부 환경에서의 기회와 위협을 식별하는 것에 중점을 둡니다. 이 과정을 통해, 조직이 현재 어떤 위치에 있는지, 그리고 어떤 잠재력을 가지고 있는지에 대해 명확하게 이해하게 됩니다. 이는 조직의 현 상황을 정확히 파악하고, 미래의 가능성을 세밀하게 조사하는 데 도움이 됩니다.
- 목표 설정 실습: 이 실습은 SMART 원칙(구체적, 측정 가능, 도달 가능, 관련성, 시간 기반)에 따라 조직의 목표를 설정하는 것을 목표로 합니다. 이 원칙을 통해 조직이 어디로 가고자 하는지 명확하게 정의하고, 그것을 어떻게 측정할 것인지 결정하는 데 도움이 됩니다. 이는 조직의 방향성을 명확히 하는 데 필수적인 과정입니다.
- 전략 개발 실습: 이 실습에서는 조직의 목표를 달성하기 위한 전략을 개발하는 것에 초점을 맞춥니다. 어떤 방향으로 나아가야 하는지, 어떤 행동을 취해야 하는지 결정하게 됩니다. 이를 통해 조직은 자신의 목표를 달성하기 위한 구체적인 경로를 설정하게 됩니다.
- 전략 실행 계획 실습: 이 실습에서는 선택된 전략을 실제로 실행하기 위한 상세한 계획을 세우는 데 중점을 둡니다. 조직이 어떻게 그 목표를 달성할 것인지, 그 과정은 어떻게 관리될 것인지를 구체적으로 계획하게 됩니다. 이는 조직의 실행력 강화에 기여합니다.

- 전략 수정 및 개선 실습: 이 실습은 성과 평가 결과에 따라 전략을 어떻게 수정하고 개선하는지를 배우게 해줍니다. 여기에서는 전략의 수정과 개선 방법을 배웁니다.
- 전략적 의사결정 실습: 이 실습에서는 전략적 의사결정 능력을 강화하는 데 중점을 둡니다. 이를 통해 조직은 중요한 결정을 내리고, 이러한 결정이 조직의 목표와 비전에 어떻게 영향을 미치는지 이해하는 능력을 향상시킬 수 있습니다.
- 성과 평가 실습: 이 실습에서는 구현된 전략의 성과를 측정하고 평가하는 것에 중점을 둡니다. 조직이 얼마나 잘 실행하고 있는지, 어떤 부분이 개선이 필요한지를 확인하게 됩니다. 이는 조직의 성과를 개선하고, 미래의 성공을 위한 피드백을 제공하는 데 중요합니다.
- 피드백 반영 실습: 이 실습에서는 성과 평가 결과에 따른 피드백을 전략에 반영하는 것에 중점을 둡니다. 이를 통해 조직은 자신의 성과를 개선하고, 학습하며, 발전하는 능력을 키울 수 있습니다. 이는 조직의 지속적인 성장을 돕습니다.
- 시나리오 플래닝 실습: 이 실습에서는 미래의 다양한 가능성을 고려하여 전략을 개발하는 것에 중점을 둡니다. 이를 통해 조직은 미래에 대비하고, 변화에 유연하게 대응하는 능력을 키울 수 있습니다. 이는 조직이 미래의 불확실성을 관리하는 데 중요합니다.
- 경쟁 분석 실습: 이 실습에서는 경쟁 상황을 분석하고 그에 대응하는 전략을 개발하는 것에 중점을 둡니다. 이를 통해 조직은 시장에서의 위치를 이해하고, 경쟁자에 대응하는 능력을 키울 수 있습니다. 이는 조직이 시장에서의 경쟁력을 유지하는 데 필수적입니다.
- 위험 관리 실습: 이 실습에서는 잠재적인 위험을 파악하고 그에 대응하는 전략을 개발하는 것에 중점을 둡니다. 이를 통해 조직은 위험을 관리하고, 예방하는 능력을 키울 수 있습니다. 이는 조직이 위험에 대처하는 능력을 향상시키는 데 중요합니다.

전략적 사고를 통한 혁신 및 변화 관리

전략적 사고는 혁신과 변화 관리에 필수적입니다. 전략적 사고는 조직이 변화와 혁신을 선도하고, 경쟁에 대응하며 장기적으로 성공을 달성하는데 중요한 역할을 합니다. 이는 조직의 성공에 필수적인 요소로, 조직은 이를 통해 변화하는 환경에 대응하고 새로운 기회를 찾아내며, 성장과 발전을 촉진합니다. 따라서 조직은 이를 통해 시장에서의 위치를 강화하고 기업 목표를 성공적으로 달성할 수 있습니다.

전략적 사고를 통해 복잡한 문제를 해결하고 미래를 예측하는 능력이 필요합니다. 이를 통해 혁신적인 아이디어와 전략을 개발하고 실행할 수 있습니다. 변화를 성공적으로 관리하려면, 조직의 목표와 비전을 이해하고, 이를 바탕으로 새로운 변화를 효과적으로 실행할 수 있는 전략을 개발하는 것이 중요합니다.

전략적 사고를 통한 혁신은 조직이 새로운 기회를 발견하고 문제를 해결하는 데 필수적이며, 이를 통해 경쟁력을 유지하고 성장할 수 있습니다. 이 과정에서 조직은 새로운 아이디어를 창출하고 실행하여 혁신을 주도합니다. 또한, 전략적 사고와 변화 관리는 조직의 성장과 발전에 중요한 역할을 합니다. 이를 통해 조직은 목표를 달성하고 새로운 기회를 활용하며, 변화를 수용하고 적응하여 경쟁력을 유지하며 발전할 수 있습니다.

전략적 사고를 통한 변화 관리는 조직이 변화를 수용하고 적응하며, 변화하는 환경에 대응하고 새로운 기회를 활용하는 데 필수적인 과정입니다. 이 과정은 조직 내부의 변화를 이해하고, 이를 통해 조직이 미래의 불확실성을 관리하고, 변화에 유연하게 대응하여 조직의 성공을 추진하는 데 필요한 변화를 성공적으로 이끌어낼 수 있습니다. 이는 조직의 변화 관리를 통해 더욱 강력한 전략을 만들어내고, 변화를 적극적으로 받아들이며, 그 변화를 통해 조직 전체가 성장하고 발전할 수 있는 여건을 만드는 것입니다.

전략적 사고를 통한 혁신과 변화 관리 능력을 키우는 데 필요한 몇 가지 중요한 전략적 사고 단계는 다음과 같습니다.

- 문제 인식과 이해: 조직은 복잡한 문제를 식별하고 이해하는 능력을 강화함으로써, 자신들이 직면한 문제의 본질을 깊이 있게 이해하고 그 위에 구축된 혁신적인 해결책을 찾을 수 있습니다. 이는 조직 전체가 문제를 정확히 인식하고 이해하는 데 중요한 요소입니다.
- 아이디어 생성: 조직은 새로운 아이디어를 생성하고 혁신적인 전략으로 변환하는 능력을 발전시키는 것이 중요합니다. 이를 통해 조직은 끊임없이 혁신을 주도하고 새로운 기회를 찾아내며, 이러한 과정이 조직의 성장을 촉진하는 데 중요한 역할을 합니다.
- 변화 관리: 변화를 수용하고 적응하는 능력을 개발하는 것은 조직이 변화하는 환경에 대응하고 변화를 성공적으로 관리하는 데 필수적입니다. 이를 통해 조직은 불확실성을 감소시키고 역동적인 환경에서도 생존과 성장을 이어갈 수 있습니다.
- 결정 및 실행: 결정된 아이디어와 전략을 실행하는 능력을 향상시키는 것은 조직이 혁신적인 전략을 효과적으로 실행하고 결과를 내는 데 중요합니다. 이는 조직의 목표 달성 및 비전 실현에 결정적인 역할을 합니다.
- 평가 및 개선: 실행된 전략의 성과를 평가하고 필요에 따라 개선하는 능력을 강화하는 것은 조직이 전략의 효과를 검증하고 필요한 경우 전략을 수정하거나 개선하여 혁신과 변화를 지속적으로 관리하는 데 중요합니다. 이를 통해 조직은 자신들의 전략이 효과적인지 확인하고, 필요에 따라 전략을 재조정하거나 업그레이드하여 지속적인 성장을 추구할 수 있습니다.

전략적 사고를 통한 혁신 및 변화 관리에 필요한 실습 자료

- 문제 해결 실습: 이 실습에서는 복잡한 문제를 식별하고 해결하는 데 중점을 둡니다. 이를 통해 조직은 문제를 정확히 이해하고, 효과적인 해결책을 찾아내는 능력을 향상시킬 수 있습니다.
- 혁신 아이디어 브레인스토밍 실습: 이 실습은 창의적인 아이디어를 발굴하고 팀원들과 어떻게 효과적으로 공유하는지를 배우게 해줍니다. 여기에서는 혁신적인 아이디어를 어떻게 도출하고, 그 아이디어를 어떻게 팀원들과 공유할 수 있는지에 대해 배웁니다.
- 변화 관리 계획 실습: 이 실습은 조직 내 변화를 효과적으로 관리하기 위한 방법론과 전략을 배우게 해줍니다. 여기에서는 변화에 대응하는 방법과 그 변화를 어떻게 관리할 수 있는지에 대해 배웁니다.
- 변화 관리 실습: 이 실습에서는 조직이 변화를 수용하고, 적응하는 능력을 향상하는데 중점을 둡니다. 이를 통해 조직은 변화하는 환경에 대응하고, 변화를 성공적으로 관리하는 능력을 강화할 수 있습니다.
- 결정과 실행 실습: 이 실습에서는 결정된 아이디어와 전략을 실행하는 능력을 강화하는 데 초점을 맞춥니다. 이를 통해 조직은 혁신적인 전략을 효과적으로 실행하고, 그 결과를 내는 능력을 향상시킬 수 있습니다.
- 성과 평가 및 개선 실습: 이 실습에서는 실행된 전략의 성과를 평가하고, 필요한 경우 개선하는 능력을 향상시키는데 중점을 둡니다. 이를 통해 조직은 전략의 성과를 확인하고, 필요에 따라 전략을 수정하거나 개선하여 지속적인 혁신과 변화를 관리하는 능력을 강화할 수 있습니다.
- 팀워크 및 협업 실습: 이 실습에서는 팀원들 간의 협력적인 관계 구축과 팀워크 향상에 중점을 두고 있습니다. 이를 통해 조직은 팀 간의 협업을 통해 목표 달성에 필요한 효율성과 생산성을 높일 수 있습니다.
- 자원 관리 실습: 이 실습에서는 조직의 자원을 효과적으로 관리하고 배치하는 능력을 강화하는데 초점을 맞춥니다. 이를 통해 조직은 자원을 최대한 활용하고, 목표 달성에 필요한 자원을 효율적으로 관리하고 배포할 수 있습니다.
- 자원 분배 실습: 이 실습에서는 조직의 한정된 자원을 최적으로 분배하는 것에 중점을 둡니다. 이를 통해 조직은 효율적으로 자원을 관리하고, 가장 중요한 목표에 집중하는 능력을 키울 수 있습니다. 이는 조직의 자원을 최대한 활용하는 데 중요합니다.
- 혁신 관리 실습: 이 실습에서는 조직의 혁신을 이끌고 관리하는 능력을 강화하는 데 초점을 맞춥니다. 이를 통해 조직은 새로운 아이디어와 접근법을 도입하고, 이를 통해 조직의 생산성과 효율성을 향상시키는 데 필요한 혁신을 관리할 수 있습니다.

리더의 전략적 사고 역량 개발

리더의 전략적 사고 역량을 개발하는 것은 매우 중요합니다. 이를 위해, 리더는 다양한 시각에서 문제를 바라보는 능력, 복잡한 정보를 분석하고 통합하는 능력, 미래 지향적인 사고방식을 갖추는 것이 필요합니다. 또한, 지속적인 학습과 경험을 통해 이러한 역량을 지속적으로 개선해야 합니다.

리더의 전략적 사고 능력을 개발하는데 필요한 몇 가지 중요한 단계는 다음과 같습니다. 이러한 단계를 거치면서, 리더는 자신의 전략적 사고 능력을 지속적으로 개발하고 향상시킬 수 있습니다. 이는 조직의 성공을 위해 필수적인 과정입니다.

1. 탐구: 성공적인 리더는 자신이 속한 조직의 내부 구조와 동작 원리에 대해 깊이 있는 이해를 가지고 있어야 합니다. 이는 조직의 역사, 그것이 형성된 문화, 그리고 성과를 포함하며, 이러한 모든 요소들은 조직의 동작 방식과 그것이 어떻게 성장하고 발전해 왔는지에 대한 중요한 통찰력을 제공합니다. 또한, 리더는 경쟁 상황과 시장 동향에 대해 꼼꼼하게 파악하고, 이 정보들을 효과적인 전략을 수립하는 데 필수적인 토대로 사용해야 합니다.

2. 비전 설정: 리더는 조직의 장기적인 목표와 비전을 명확하게 설정하고, 이를 조직원들에게 전달하는 역할을 담당합니다. 이러한 비전은 조직의 모든 전략적 결정의 기반이 되며, 조직원들이 향해야 할 방향을 제시하고, 그들의 노력을 일치시키는 데 중요한 역할을 합니다.

3. 분석 및 평가: 리더는 수집한 정보를 세밀하게 분석하고, 이를 바탕으로 다양한 전략적 옵션을 평가하는 역할을 담당합니다. 이 과정에서 리더는 비즈니스 환경, 경쟁 상황, 자원의 가용성 등을 고려하여 가장 효과적이고 실행 가능한 전략을 선택합니다.

4. 실행: 리더는 선택한 전략을 조직 내부에서 구현하는 역할을 담당합니다. 이 과정에서 리더는 필요한 자원을 효율적으로 할당하고, 팀을 적절하게 관리하며, 전략의 성공을 위해 필요한 모든 단계를 취하게 됩니다.

5. 평가 및 조정: 마지막으로, 리더는 전략의 효과를 지속적으로 모니터링하고, 세계적인 상황 변화나 조직의 변화에 따라 전략을 수정하거나 조정하는 역할을 담당합니다. 이는 조직이 항상 최적의 경로를 유지할 수 있도록 하는 중요한 역할이며, 변화하는 환경에 대응하고 새로운 기회를 잡아내기 위해 필수적인 과정입니다.

리더의 전략적 사고 역량 개발 실습 자료

- 비전 및 목표 설정 실습: 리더는 조직의 전략적 방향을 결정하고, 그에 따른 목표를 세우는 중요한 역할을 담당합니다. 이 실습에서는 효과적인 비전과 목표를 설정하는 방법을 배우는 것은 물론, 그것이 조직의 성공에 어떻게 영향을 미치는지에 대한 이해를 심화시킵니다. 비전과 목표가 조직의 방향성을 제공하고, 모든 구성원들이 같은 방향으로 행동하도록 돕는 방법에 대해 배워보세요.

- 결정 사항 실습: 리더는 조직의 중요한 결정을 내리는 책임이 있습니다. 이 실습에서는 어떤 상황에서든 최선의 결정을 내릴 수 있도록 도와주는 전략적 사고력을 개발하는데 초점을 맞춥니다. 여러 가지 선택사항 중에서 최적의 선택을 할 수 있도록 돕는 효과적인 의사결정 기법에 대해 배워보세요.
- 팀워크 및 협업 실습: 리더는 팀 구성원들과의 밀접한 협력을 통해 목표를 달성하는 데 필수적인 역할을 합니다. 이 실습에서는 팀원들과의 협업을 최적화하는 방법과 효과적인 팀워크를 구축하는 방법에 대해 배웁니다. 팀원들의 역량을 극대화하고, 각각의 차이를 존중하며 팀의 강점을 끌어내는 방법에 대해 배워보세요.
- 프로젝트 관리 실습: 리더는 프로젝트를 계획하고 관리하며, 그 결과를 모니터링하는 중요한 역할을 합니다. 이 실습에서는 프로젝트 관리 기법과 이를 통해 조직의 목표를 효과적으로 달성하는 방법을 배웁니다. 프로젝트의 개요를 이해하고, 일정, 비용, 품질 등을 효과적으로 관리하는 방법에 대해 배워보세요.
- 리스크 관리 실습: 리더는 조직의 위험을 관리하고 대응하는 역할을 합니다. 이 실습에서는 위험 요소를 식별하고, 이에 대응하는 전략을 개발하는 방법을 배웁니다. 예상치 못한 문제에 대처하고, 위험을 최소화하는 방법에 대해 배워보세요.
- 변화 관리 실습: 리더는 조직의 변화를 이끌고 관리하는 역할을 합니다. 이 실습에서는 변화를 성공적으로 관리하고, 이를 통해 조직의 유연성을 향상시키는 방법을 배웁니다. 조직의 변화를 적극적으로 받아들이고, 변화를 통해 조직이 성장하고 발전하는 방법에 대해 배워보세요.
- 자원 배치 실습: 리더는 조직의 자원을 최대한 효율적으로 배치하는 역할을 합니다. 이 실습에서는 자원을 적절히 배치하고, 이를 통해 조직의 성능을 최적화하는 방법을 배웁니다. 자원의 효율적인 분배와 이용을 통해 조직의 성능을 극대화하는 방법에 대해 배워보세요.
- 성과 평가 실습: 리더는 조직의 성과를 평가하고 피드백하는 역할을 합니다. 이 실습에서는 성과를 정확하게 측정하고, 이를 바탕으로 피드백을 제공하는 방법을 배웁니다. 효과적인 성과 평가 기법과 피드백 방법을 통해 조직의 성장을 돕는 방법에 대해 배워보세요.
- 문제 해결 실습: 리더는 조직이 직면하는 문제를 해결하는 역할을 합니다. 이 실습에서는 문제를 식별하고, 효과적인 해결책을 찾는 방법을 배웁니다. 문제 해결 능력을 향상시키고, 창의적인 해결책을 찾아내는 방법에 대해 배워보세요.
- 혁신 관리 실습: 리더는 조직의 혁신을 이끌고 관리하는 역할을 합니다. 이 실습에서는 혁신을 촉진하고, 이를 통해 조직의 경쟁력을 유지하는 방법을 배웁니다. 새로운 아이디어를 발굴하고, 이를 조직의 발전에 활용하는 방법에 대해 배워보세요.

기업 사례

- 삼성전자: 대한민국의 글로벌 기업인 삼성전자는 미래를 준비하기 위해 디지털 트랜스포메이션을 적극적으로 추진하고 있습니다. 이러한 변화는 사업 환경 변화에 신속하게 적응하며, 이를 통해 경쟁력을 강화하고 있습니다. 특히, 회사는 인공지능 및 IoT와 같은 첨단 기술에 대한 투자를 크게 확대하고 있어, 기술 혁신을 선도하고 있습니다.
- 현대자동차: 현대자동차는 친환경 차량 시장을 선도하기 위해 전기차 및 수소차 개발에 큰 관심을 기울이고 있습니다. 이를 통해 현대자동차는 친환경 자동차 분야에서의 경쟁력을 더욱 확보하고 있으며, 지속 가능한 미래를 위한 기여를 하고 있습니다.
- LG전자: LG전자는 기업의 경쟁력을 강화하기 위해 홈 어플라이언스 및 AI 사업에 전략적으로 집중하고 있습니다. 이는 LG전자가 미래 시장을 대비하며 지속적인 성장을 추구하는 전략의 일환이며, 이를 통해 시장에서의 선도적인 위치를 유지하고 있습니다.
- 네이버: 네이버는 디지털 플랫폼 시장에서의 선도적인 위치를 유지하기 위해 AI 및 클라우드 사업을 확대하고 있습니다. 이러한 투자를 통해 네이버는 미래 디지털 경제에 대비하고 있으며, 이를 통해 사용자들에게 최적화된 서비스를 제공하고 있습니다.
- 카카오: 카카오는 다양한 디지털 서비스를 통합한 플랫폼을 구축하여 시장을 선도하고 있습니다. 카카오의 이러한 전략은 디지털 시대에 꼭 필요한 기업의 유연성과 혁신을 보여주며, 이를 통해 사용자 경험을 향상시키고 있습니다.
- 셀트리온: 셀트리온은 바이오시밀러 개발을 통해 글로벌 바이오 제약 시장에서 경쟁력을 강화하고 있습니다. 이를 통해 셀트리온은 바이오기술 분야에서 세계적인 선두주자로서의 입지를 다져가고 있으며, 이를 통해 사람들의 건강을 개선하는데 기여하고 있습니다.
- CJ제일제당: CJ제일제당은 글로벌 식품 시장을 대상으로 다양한 제품을 개발하며, 이를 통해 글로벌 식품 산업에 대한 자신의 영향력을 확장하고 있습니다. 이러한 전략은 세계의 다양한 문화와 음식을 이해하고 이를 반영하는데 중점을 두고 있습니다.
- SK하이닉스: SK하이닉스는 반도체 기술 개발에 집중하여, 이를 통해 글로벌 반도체 시장에서의 역량을 강화하고 있습니다. 이는 SK하이닉스의 기술 경쟁력 강화 전략의 중요한 부분으로, 이를 통해 반도체 시장에서의 리더십을 유지하고 있습니다.
- KT: KT는 5G 및 AI 기술을 활용한 신규 사업을 개발하며 디지털 혁신을 추진하고 있습니다. 이렇게 KT는 디지털 시대에 더욱 앞서가기 위한 준비를 하고 있으며, 이를 통해 사회와 고객에게 가치를 제공하고 있습니다.
- POSCO: POSCO는 친환경 소재 및 에너지 사업에 집중하여 지속 가능한 성장을 추구하고 있습니다. 이는 POSCO가 환경 친화적인 성장을 위해 투자하고 있는 분야로, 이를 통해 POSCO는 미래 지속 가능성을 추구하고 있으며, 이를 통해 환경 보호에 기여하고 있습니다.

전략적 사고를 통한 리더의 핵심 역량을 위한 시각 자료 및 도구

- 스와트 분석 도구: 이 도구는 조직의 내부적 강점과 약점, 그리고 외부적 기회와 위협을 식별하고 분석하는데 도움을 줍니다. 이 분석은 조직의 전략적 방향을 결정하는데 중요한 역할을 합니다.
- 피셔 다이어그램: 피셔 다이어그램은 문제 해결 과정에서 발생하는 다양한 아이디어를 시각적으로 표현하고 구조화하는 데 사용됩니다. 이 도구는 창의적인 생각과 분석적인 접근법을 결합하여 문제를 이해하고 해결책을 찾는데 유용합니다.
- 마인드 맵 도구: 이 도구는 아이디어나 생각을 시각적으로 정리하고 구조화하는 데 도움을 줍니다. 복잡한 정보를 간단하고 이해하기 쉬운 형태로 표현하므로, 생각을 정리하거나 새로운 아이디어를 생성하는데 효과적입니다.
- 퍼스널 캔버스: 퍼스널 캔버스는 개인 또는 팀의 목표, 태도, 능력 등을 시각적으로 표현하는 도구입니다. 이 도구를 사용하면 개인이나 팀의 성장과 발전을 계획하고 추적하는데 도움이 됩니다.
- 가치 사슬 분석 도구: 가치 사슬 분석 도구는 조직 내의 주요 활동을 시각적으로 분석하고, 그 활동들이 어떻게 가치를 생성하는지 이해하는 데 도움을 줍니다.
- 피벗 테이블: 피벗 테이블은 대량의 데이터를 요약, 분석하고 탐색하는 데 사용되는 강력한 시각 도구입니다. 이 도구를 사용하면 복잡한 데이터셋에서 중요한 인사이트와 패턴을 쉽게 찾아낼 수 있습니다.
- 이슈 트리: 이슈 트리는 복잡한 문제를 더 작고 관리 가능한 하위 문제로 분해하는데 사용됩니다. 이 도구는 문제를 체계적으로 접근하고 해결하기 위한 프레임워크를 제공합니다.
- 로드맵 도구: 로드맵 도구는 프로젝트 또는 전략의 주요 단계를 시각적으로 표현하고 추적하는 데 도움을 줍니다. 이 도구를 사용하면 프로젝트의 진행 상황을 명확하게 파악하고 필요한 조정을 쉽게 할 수 있습니다.
- 포트폴리오 매트릭스: 포트폴리오 매트릭스는 조직의 제품 또는 서비스 포트폴리오를 분석하는 데 사용됩니다. 이 도구를 사용하면 조직의 전략적 위치를 이해하고, 더 효과적인 전략을 개발하는 데 도움이 됩니다.
- 시나리오 플래닝 도구: 시나리오 플래닝 도구는 미래의 다양한 가능한 시나리오를 탐색하고 준비하는데 사용됩니다. 이 도구를 사용하면 불확실성을 관리하고 미래에 대한 더 나은 결정을 내릴 수 있습니다.

혁신 아이디어 브레인스토밍 워크샵 실습 방안 및 과정

이 워크샵은 창의적인 아이디어를 발굴하는 방법에 대한 귀중한 통찰력을 제공하며, 그 아이디어들을 팀원들과 어떻게 효과적으로 공유하는지에 대한 실용적인 기술을 배우는 기회를 제공합니다. 이 과정을 통해, 참가자들은 혁신적인 아이디어를 어떻게 체계적으로 도출할 수 있는지에 대한 전략과, 그러한 아이디어를 팀원들과 어떻게 구체적이고 명확하게 공유할 수 있는지에 대한 방법론을 배울 수 있습니다. 이렇게 함으로써, 참가자들은 자신의 창의력을 최대한 활용하고, 팀원들과의 효과적인 의사소통을 통해 그 창의력을 실제로 구현하는 방법을 배울 수 있습니다.

1. 아이디어 도출: 이 단계에서는 팀원들이 자유롭게 아이디어를 공유하고 토론하는 시간을 가집니다. 이는 다양한 관점과 생각을 모두 수용하고 이해하는 중요한 시간입니다. 여기서 중요한 점은 모든 아이디어가 중요하다는 것을 인식하고, 비판적인 평가보다는 아이디어의 토론과 공유에 초점을 맞추는 것입니다.

2. 아이디어 분류: 이 단계에서는 공유된 아이디어를 관련성이나 주제별로 분류합니다. 이 과정을 통해 아이디어 간의 연결을 파악하고, 각 아이디어가 어떻게 서로 관련되어 있는지, 또한 더 큰 틀에서 아이디어를 이해하게 됩니다.

3. 아이디어 선정: 이 단계에서는 분류된 아이디어 중에서 가장 효과적이고 혁신적인 아이디어를 선정합니다. 이 과정에서는 팀원들의 투표나 토론을 통해 결정하게 됩니다. 이는 모든 팀원이 참여하고 의견을 공유할 수 있는 중요한 시간입니다.

4. 아이디어 개발: 이 단계에서는 선정된 아이디어를 기반으로 팀원들이 함께 아이디어를 구체화하고, 이를 실제로 실행 가능한 계획으로 만드는 단계입니다. 아이디어의 실행 가능성을 검토하고, 필요한 경우 아이디어를 수정하거나 보완합니다.

5. 아이디어 실행: 이 단계에서는 개발된 아이디어를 실제로 실행해보며, 그 성과를 관찰하고 평가하는 단계입니다. 이 과정에서 피드백과 수정이 필요한 부분을 파악하고, 아이디어가 실제로 어떻게 작동하는지를 확인합니다.

6. 평가 및 개선: 이 단계에서는 실행 결과를 통해 아이디어의 효과성을 평가하고, 필요한 경우 아이디어를 개선하거나 새로운 방향을 제시하는 단계입니다. 이 과정은 반복적으로 이루어질 수 있으며, 이를 통해 아이디어가 지속적으로 발전하고 개선될 수 있습니다.

이 장을 통해, 리더들은 조직의 전략적 목표를 달성하는 데 필수적인 전략적 사고의 중요성을 더욱 깊이 이해하게 될 것입니다. 전략적 사고는 단순히 목표를 설정하는 것 이상의 복잡하고 다양한 과정을 포함하며, 이를 통해 조직의 미래를 예측하고 준비하는 데 결정적인 역할을 합니다. 이 장에서는 이러한 전략적 사고의 중요성뿐만 아니라, 그것을 효과적으로 적용하고 활용하는 방법에 대해서도 상세히 배울 수 있습니다. 리더들이 이를 통해 조직의 성과를 향상시키는 데 큰 도움이 될 것으로 기대되며, 이 장은 실용적인 조언과 지침을 제공하며 이를 가능하게 합니다.

전략적 사고는 리더의 핵심 역량 중 하나입니다. 이는 리더가 조직의 목표를 달성하는 데 있어 결정적인 역할을 하기 때문입니다. 전략적 사고를 통해 리더는 조직의 장기적인 비전을 설정하고, 이를 달성하기 위한 경로를 계획하는 데 필요한 중요한 결정들을 내릴 수 있습니다.

이 장에서는 전략적 사고의 중요성을 강조하며, 그것을 효과적으로 적용하는 방법에 대해 상세히 설명합니다. 전략적 사고의 중요성을 이해하는 것은 첫 번째 단계이며, 이를 통해 리더는 그들의 조직이 직면하는 도전과 기회를 더 잘 이해하게 됩니다. 또한, 이 장은 여러 전략적 사고 도구와 기법들을 소개하여, 리더들이 실제 상황에서 이를 적용하는 방법을 배울 수 있습니다.

리더들은 이 장을 통해 전략적 사고를 통해 조직의 전략적 목표를 달성하는 방법을 배우게 됩니다. 이는 리더가 조직의 비전을 현실로 전환하는 데 있어 중요한 역할을 하는 과정입니다. 전략적 사고는 리더가 조직의 미래를 계획하고, 이를 지원하기 위한 자원을 최적화하는 데 필요한 핵심 역량입니다.

이 장을 완전히 이해하고 나면, 리더들은 전략적 사고를 통해 조직의 목표를 달성하기 위한 필수적인 역량을 갖추게 됩니다. 이는 리더가 조직의 성과를 개선하고, 조직의 성장과 발전을 지원하는 데 중요하게 작용합니다. 이를 통해 리더들은 자신들의 리더십 역량을 더욱 강화하고, 조직의 성공을 위한 효과적인 전략을 개발하는 데 필요한 지식과 기술을 갖추게 될 것입니다.

제 23 장

적극적인 경청: 팀원들의 목소리를 이해하고 반영하기

이 장에서는 리더의 적극적인 경청이 팀원들의 의견을 존중하고 가치를 인정하는데 중요하다고 강조합니다. 이를 통해 효과적인 의사소통과 신뢰 관계를 구축하며, 이는 팀원들의 창의성과 열정을 끌어내는 데 도움이 됩니다. 또한, 이러한 접근 방식은 팀의 협력과 생산성을 향상시키고, 모든 구성원이 목표를 달성하기 위한 환경을 조성하는 데 큰 역할을 합니다.

학습 개요

이 장에서는 리더의 적극적인 경청이 팀원들의 의견을 존중하고 가치를 인정하는데 중요하다고 강조합니다. 이를 통해 효과적인 의사소통과 신뢰 관계를 구축하며, 이는 팀원들의 창의성과 열정을 끌어내는 데 도움이 됩니다. 또한, 이러한 접근방식은 팀의 협력과 생산성을 향상시키고, 모든 구성원이 목표를 달성하기 위한 환경을 조성하는 데 큰 역할을 합니다.

학습 내용 및 목표

- 적극적인 경청의 원칙과 기술: 리더는 팀원들의 의견을 진정으로 이해하고 반영하기 위한 경청 기술에 대해 학습하게 됩니다. 이를 통해 리더는 팀원들의 생각과 견해를 정확히 파악하고, 그들의 의견을 최대한 존중하면서 팀의 방향성을 정립하는 능력을 키울 수 있습니다.

- 팀원들의 의견을 존중하고 가치를 인정하는 방법: 리더는 팀원들의 의견을 경청하고 이해함으로써, 그들의 관점을 존중하고 가치를 인정하는 방법에 대해 학습하게 됩니다. 이는 팀원들이 갖는 다양한 아이디어와 창의력을 끌어내는 데 매우 중요한 역할을 합니다.

- 효과적인 의사소통 및 신뢰 구축: 리더는 적극적인 경청을 통해 팀원들과의 효과적인 의사소통을 실현하고, 이를 통해 신뢰를 구축하는 방법에 대해 배웁니다. 신뢰는 팀의 성공적인 협업을 위한 기반입니다.

- 다양한 의견과 피드백의 적극적 수용: 리더는 팀원들의 다양한 관점을 수용하고 존중하는 방법을 배웁니다. 이를 통해 팀원들이 자신의 의견을 자유롭게 표현하고 그 의견이 존중받는 환경을 만드는 데 도움이 됩니다.

- 적극적인 경청의 실제 적용: 실제 리더십 상황에서 리더가 적극적인 경청을 어떻게 적용할 수 있는지에 대한 방법을 배웁니다. 이는 팀원들이 자신의 의견을 편안하게 표현할 수 있는 분위기를 만들고, 그 의견을 통해 팀의 성과를 높이는 데 중요한 역할을 합니다.

예상 학습 성과

- 우리는 팀원들의 개인적인 요구사항과 기대치를 더 정확하게 이해하고 충족시키는 능력을 향상시키는 것에 주력하며, 이를 통해 각각의 팀원들과의 높은 수준의 신뢰 관계를 구축하고 지속적으로 유지할 수 있게 됩니다. 이로 인해 팀 내의 협력력과 신뢰도를 높일 수 있게 됩니다.

- 우리는 팀원들의 다양한 의견과 아이디어를 최대한 존중하고 이해하는 것을 중요하게 생각합니다. 이런 방식으로, 우리는 개방적이며 협력적인 조직 문화를 만들어 나갈 수 있습니다. 이를 통해, 팀원들이 자신의 생각과 아이디어를 자유롭게 공유하고, 창의적인 해결책을 제안할 수 있는 환경을 조성하게 됩니다.

- 효과적인 의사소통과 결정 과정을 구축하고 유지하는 능력을 개발하는 것은 중요하며, 이는 팀원들과의 원활한 커뮤니케이션을 통해 결정이 더욱 원활하게 이루어질 수 있도록 돕습니다. 이를 통해, 우리는 팀의 목표에 도달하는데 필요한 핵심적인 의사결정을 신속하게 이루어낼 수 있게 됩니다.

이론적 배경과 근거

Stephen R. Covey의 저서 "The 7 Habits of Highly Effective People"에서는 적극적인 경청의 중요성을 강조하며 이를 강력한 관계 구축 도구로서 소개하고 있습니다. 그는 적극적인 경청이 커뮤니케이션의 핵심 요소가 될 수 있는 방법과, 이를 통해 어떤 긍정적인 변화가 일어날 수 있는지를 상세히 설명하고 있습니다.

Covey는 이 책을 통해 적극적인 경청이 상호 이해와 신뢰를 증가시키는 데 큰 도움이 될 수 있음을 강조하며, 이는 진정으로 효과적인 커뮤니케이션을 이루는 첫걸음이라고 설명합니다. 그의 이론은 적극적인 경청이 상호 존중과 이해를 바탕으로 한 강력한 인간 관계를 형성하는데 결정적인 역할을 한다는 것입니다.

Covey의 이 책은 적극적인 경청의 중요성을 이해하고 이를 실제로 실행하려는 모든 사람들에게 필요한 가이드라고 할 수 있습니다. 이 책을 통해 그는 적극적인 경청이 개인과 조직 사이에 더 깊고 의미 있는 연결을 만드는데 얼마나 중요한 역할을 하는지를 보여줍니다. 이는 이해와 존중의 기반을 마련하고, 이를 통해 더욱 강력하고 지속 가능한 관계를 형성하는 데 큰 도움이 됩니다.

이 책에서 Covey는 적극적인 경청이 상호 이해와 신뢰를 증가시키는데 도움이 되는 방법에 대해 설명하며, 이는 결국 더 강력하고 지속 가능한 관계를 형성하는 데 중요한 요소라고 강조합니다. 그는 이런 관계를 형성하는 것이 개인뿐만 아니라 조직에도 큰 이익을 가져다준다고 주장합니다. 그러므로, 이 책은 적극적인 경청이 어떻게 개인과 조직의 성공을 촉진하는지에 대한 깊은 이해를 제공합니다.

더 나아가, Covey는 적극적인 경청이 서로 다른 사람들 사이에 더 깊고 의미있는 연결을 만드는데 중요한 역할을 한다는 사실을 강조합니다. 그는 이해와 존중의 기반을 마련하는 것이 이런 연결을 만드는 핵심 요소라고 설명하며, 이로 인해 더 강력하고 지속 가능한 관계가 형성될 수 있다고 주장합니다.

이 책을 읽은 사람들은 적극적인 경청의 중요성을 명확히 이해하게 될 것입니다. 또한, 그들은 적극적인 경청을 통해 어떻게 더 깊고 의미있는 관계를 형성하고, 이를 통해 개인 및 조직의 성공을 추진하는 방법에 대해 배울 것입니다. 이러한 지식과 이해는 적극적인 경청을 실제로 실행하려는 모든 사람들에게 매우 가치있는 가이드가 될 것입니다.

Daniel Goleman의 저서 "Emotional Intelligence"는 인간 관계, 특히 리더와 팀원 간의 관계에서 경청의 중요성을 깊이 이해하도록 돕습니다. 이 책은 경청이 어떻게 강력한 연결을 이끌어내고, 그 연결이 동료나 팀원과의 효과적인 상호작용을 통해 성공을 이루는 데 어떻게 기여하는지에 대한 통찰력을 제공합니다.

Harvard Business Review의 기사 "The Lost Art of Listening in Business"는 업무 환경에서의 경청의 가치에 대해 탐구하며, 이 기술이 점차 무시되는 경향에 대해 논의합니다. 이 기사는 경청이 조직 내에서 효과적인 커뮤니케이션을 유지하고, 성공적인 의사결정 과정을 이끌어내는 데 어떻게 중요한 역할을 하는지를 세부적으로 분석하고 설명합니다.

Adam Grant의 "Give and Take"는 상호 작용에서의 경청의 중요성에 특별히 초점을 맞춥니다. 이 책은 경청이 어떻게 개개인과 조직 전체의 성공에 기여할 수 있는지, 그리고 경청을 통해 더 효과적인 관계를 구축하는 방법에 대해 핵심적인 통찰력을 제공합니다.

Julian Treasure의 TED 강연 "5 ways to listen better"는 우리가 경청을 통해 어떻게 더 나은 의사소통과 관계 구축을 실현할 수 있는지에 대한 실용적인 방법을 제시합니다. 이 강연은 경청의 중요성을 강조하며, 이를 실현하는 데 필요한 실질적인 기술과 전략을 공유합니다.

Simon Sinek의 "Start with Why"는 리더가 팀원의 의견을 경청하고 이해하는 것이 조직의 성공에 어떻게 결정적인 역할을 하는지를 강조합니다. 이 작품은 리더가 팀원의 의견을 존중하고 이해함으로써, 그들이 조직의 목표를 달성하는 데 어떻게 중요한 역할을 하는지를 상세히 설명하며, 이를 통해 리더와 팀원 간의 더 깊고 의미 있는 관계를 구축하는 방법을 제시합니다.

최신 이론적 배경과 근거

"The Listening Leader: Powerful New Strategies for Becoming an Influential Communicator"는 Shane Hastie와 Rich Diviney가 공동으로 쓴 책입니다. 이 책은 리더가 팀원들의 의견을 적극적으로 경청하고 이해하는 방법에 대한 실질적인 전략을 제공하며, 이를 통해 프로젝트의 성공과 팀의 효율성을 높이는 방법에 대해 깊이 있게 탐구합니다.

"The Power of Listening: Building Skills for Mission and Ministry"는 Anastasia Parks가 저술한 책입니다. 이 책은 적극적인 경청이 리더십에 어떻게 중요한 역할을 하는지에 대한 심층적인 이해를 제공하며, 이를 통해 개인과 조직이 더 효과적으로 목표를 달성하는 데 도움이 되는 강력한 기술을 공유합니다.

"Listen Up or Lose Out: How to Avoid Miscommunication, Improve Relationships, and Get More Done Faster"는 Robert Bolton과 Dorothy Grover Bolton이 공동으로 쓴 책입니다. 이 책은 적극적인 경청이 팀의 생산성과 효율성을 향상시키는 방법을 제시하며, 이를 통해 팀원 간의 의사소통을 향상시키고 팀의 성과를 높이는 방법에 대한 실질적인 조언을 제공합니다.

"You're Not Listening: What You're Missing and Why It Matters"는 Kate Murphy가 저술한 책입니다. 이 책은 적극적인 경청의 중요성을 강조하며, 이를 통해 어떤 긍정적인 변화가 일어날 수 있는지를 상세히 설명하고 있습니다. 이 책은 개인적인 관계와 직장에서의 성공에 깊은 영향을 미치는 경청의 힘에 대해 깊이 있게 탐구하고 있습니다.

"Listening: The Forgotten Skill: A Self-Teaching Guide"는 Madelyn Burley-Allen이 저술한 책입니다.이 책은 적극적인 경청 기술을 실제로 실행하려는 모든 사람들에게 필요한 가이드를 제공하며, 이를 통해 프로젝트의 성공과 팀의 효율성을 높이는 방법에 대해 깊이 있게 탐구합니다.

적극적인 경청의 원칙과 기술

1. 비판적이지 않고 개방적인 마음으로 경청하기: 팀원들의 의견을 공정하게 듣고 평가하는 것이 가장 중요합니다. 이는 각 팀원의 의견에 대해 비판적인 마음을 가지지 않고, 대신 개방적인 마음으로 접근하며, 그들의 의견에 대한 반응을 미루고 대신 그들의 견해를 전반적으로 이해하려는 노력을 기울여야 합니다. 이를 통해 팀원들은 자신의 의견이 중요하게 취급되며, 이는 팀의 환경을 더욱 건강하게 만들어 줍니다.

2. 질문을 통해 더 깊게 파악하기: 팀원들의 의견을 더 깊게 이해하려면 질문을 통해 그들의 생각을 확장하고 더 많은 정보를 얻어야 합니다. 이를 통해 팀원들이 자신들의 의견에 대해 더 많은 정보를 제공하도록 격려하며, 이는 팀원들이 자신의 의견이 중요하게 여겨지며, 이는 팀 동료 간의 신뢰 관계를 구축하는 데 도움이 됩니다.

3. 반응 대신 요약하기: 팀원들의 의견을 정확하게 이해하였는지 확인하는 한 가지 방법은 그들이 말한 내용을 자신의 말로 다시 요약하는 것입니다. 이는 팀원들이 자신의 의견이 정확하게 이해되었음을 확인할 수 있습니다. 또한, 이 과정을 통해 팀원 간의 의사소통 능력을 향상시키고 잠재적인 오해를 방지하는 동시에 팀원들의 피드백에 대한 존중을 표현할 수 있습니다.

4. 이해와 공감을 표현하기: 팀원들의 의견에 대한 이해와 공감을 표현하는 것은 매우 중요합니다. 이는 팀원들이 자신들의 의견이 중요하게 여겨지며, 이는 팀 동료 간의 신뢰 관계를 강화하는 데 중요한 역할을 합니다.

5. 직접적인 피드백 제공하기: 팀원들의 의견에 대한 직접적인 피드백을 제공하는 것은 팀원들이 자신의 의견이 적극적으로 고려되고 있다는 것을 보여줍니다. 이 피드백은 팀원들이 자신들의 의견을 존중받고 있다는 느낌을 줄 수 있습니다.

6. 팀원들의 의견에 기반한 결정 만들기: 마지막으로, 리더는 팀원들의 의견에 기반한 결정을 만들어야 합니다. 이는 팀원들이 자신들의 의견이 실제로 중요하게 여겨지며, 이는 팀의 성공에 결정적인 역할을 합니다.

적극적인 경청의 실제 적용

1. 팀 미팅에서의 적극적인 경청: 팀 미팅은 팀원들의 의견을 듣고 상호작용하는 중요한 장입니다. 리더는 여기서 팀원들의 의견을 존중하고 그 가치를 인정하며, 이를 통해 팀 구성원들의 참여와 헌신을 촉진하는데 중요한 역할을 합니다.

2. 1:1 면담에서의 적극적인 경청: 1:1 면담은 리더가 팀원의 개인적인 의견과 필요성을 이해하는 데 중요한 기회입니다. 이러한 대화는 리더가 팀원의 생각과 감정을 이해하고, 그들이 직면한 문제를 이해하고 해결하는 데 도움이 됩니다.

3. 프로젝트에서의 적극적인 경청: 팀 프로젝트는 팀원들의 아이디어와 의견을 경청하고 이해하는 데 있어 중요한 장입니다. 리더는 팀원들의 창의성을 존중하고, 그 아이디어를 프로젝트에 효과적으로 활용하여 팀의 성공에 기여할 수 있습니다.

4. 피드백 세션에서의 적극적인 경청: 피드백 세션은 팀원들로부터 직접적인 피드백을 받고, 그 피드백을 팀의 개선점으로 적용하는 중요한 기회입니다. 이를 통해 리더는 팀원의 의견을 경청하고, 그들의 피드백을 팀의 개선점으로 반영할 수 있습니다.

5. 신규 프로젝트 계획에서의 적극적인 경청: 새로운 프로젝트를 계획할 때, 리더는 팀원들의 아이디어와 제안을 적극적으로 경청해야 합니다. 이를 통해 리더는 각 팀원이 프로젝트에 적극적으로 참여하며, 그들의 창의적인 아이디어를 프로젝트에 효과적으로 활용할 수 있습니다.

6. 정기적인 멘토링에서의 적극적인 경청: 팀원들에게 제공하는 멘토링에서 리더는 팀원들의 의견과 피드백을 적극적으로 경청해야 합니다. 이를 통해 팀원들의 개인적인 성장을 지원하며, 그들의 의견을 반영하여 팀의 방향성을 설정하는데 중요한 역할을 합니다.

7. 문제 해결 과정에서의 적극적인 경청: 팀원들이 제시하는 문제 해결 방안을 적극적으로 경청하고, 공동의 해결책을 찾는데 노력해야 합니다. 이를 통해 문제 해결 과정에 팀원들이 적극적으로 참여하도록 유도하고, 그들의 역량을 활용하여 효과적인 해결책을 찾을 수 있습니다.

8. 근무시간 외의 적극적인 경청: 공식적인 미팅이나 프로젝트 외의 시간에도 팀원들과의 대화를 통해 그들의 의견을 들어야 합니다. 이를 통해 팀원들이 사소한 것들까지도 공유할 수 있는 환경을 만들 수 있습니다.

9. 온라인 커뮤니케이션에서의 적극적인 경청: 이메일이나 슬랙 등의 온라인 커뮤니케이션 도구를 통해 팀원들의 의견을 경청해야 합니다. 특히 원격 근무가 많은 현재 상황에서는 온라인에서의 적극적인 경청이 중요합니다.

10. 개인적인 대화에서의 적극적인 경청: 팀원들과의 개인적인 대화를 통해 그들의 생각과 감정을 적극적으로 이해해야 합니다. 이를 통해 팀원들의 개인적인 문제나 고민을 이해하고, 그에 따른 지원이나 조언을 제공할 수 있습니다.

적극적인 경청을 위한 실습 자료

- 경청력 강화 훈련 프로그램: 리더십 역량의 핵심 가운데 하나인 경청력을 향상시키기 위해 전문가에 의한 교육 프로그램을 우선으로 두어야 합니다. 이 프로그램을 통해 리더들은 팀원들의 의견을 더 효과적으로 이해하고 반영하는 방법을 배울 수 있습니다.
- 의사소통 워크샵: 워크샵은 실질적인 의사소통 기술을 실습하고 향상시키는 데 도움이 됩니다. 이를 통해 리더는 팀원들의 의견을 효과적으로 이해하고 반영하는 데 필요한 경청 능력을 배울 수 있습니다.
- 팀원 간 토론 시간: 자유로운 토론을 통해 팀원들의 다양한 의견을 경청하고 이해하는 실질적인 실습 시간을 가질 수 있습니다. 이는 팀원들의 의견을 더 잘 이해하고 존중하는 능력을 향상시키는 데 도움이 됩니다.
- 실시간 피드백 세션: 팀원들의 의견을 즉시 받아들이고 반영하는 실시간 피드백 세션은 적극적인 경청 능력을 향상시키는 데 필요한 실질적인 기술을 배우는 데 도움이 됩니다.
- 팀원 인터뷰: 직접적인 팀원 인터뷰를 통해 팀원들의 의견을 더 잘 이해하고 존중하는 능력을 향상시킬 수 있습니다. 이는 팀원들의 의견과 생각을 직접 듣고 이해하는 데 도움이 됩니다.
- 역할 교환 실습: 실질적인 역할 교환을 통해 리더와 팀원을 서로 바꿔보는 실습을 진행해 볼 수 있습니다. 이를 통해 리더는 팀원의 입장에서 생각하고 경청하는 경험을 얻을 수 있습니다.
- 경청 지표 설정과 피드백: 개인별 경청 지표를 설정하고 이를 기반으로 정기적인 피드백을 받는 것은 적극적인 경청 능력을 향상시키는 데 도움이 됩니다.
- 경청 작업 그룹 설정: 팀 내에서 경청 작업 그룹을 설정하여 서로의 의견을 듣고 이해하는 능력을 향상시킬 수 있습니다.
- 케이스 스터디 분석: 다양한 케이스 스터디를 분석하여 실제 사례에서의 적극적인 경청의 중요성과 효과를 이해할 수 있습니다.
- 직접적인 피드백을 주고 받는 연습: 팀원들과 서로 피드백을 주고 받는 실습을 통해, 팀원들의 의견을 경청하고 이해하는 능력을 향상시킬 수 있습니다.
- 실제 사례를 통한 학습: 실제 기업에서의 적극적인 경청 사례를 분석함으로써, 그 효과와 중요성에 대해 깊이 이해할 수 있습니다.
- 팀 빌딩 활동: 다양한 팀 빌딩 활동을 통해, 팀원들과의 상호작용을 통해 경청 기술을 실습하고 향상시킬 수 있습니다.
- 롤 플레이: 특정 상황에서의 경청 기술을 실습하기 위한 롤 플레이를 진행할 수 있습니다. 이는 다양한 상황에서 적극적인 경청의 중요성을 이해하는 데 도움이 됩니다.

적극적인 경청의 원칙

1. 비판적이지 않고 개방적인 마음으로 경청하기: 경청은 말을 듣는 것 이상의 행동으로, 상대방의 의견과 견해를 무비판적인 시각으로 이해하려는 태도가 필요합니다. 자신의 개인적인 의견이나 편견을 일시적으로 제쳐두고 그들의 관점을 이해하려는 노력을 해야 합니다. 이것은 상대방을 존중하는 첫걸음이 됩니다.

2. 비방적인 언어를 피하기: 효과적인 경청에서는 비방적인 언어나 평가를 피하는 것이 중요합니다. 부정적인 언어는 대화에 방해가 되며, 이로인해 상대방이 의견을 제시하는 것을 망설이게 만들 수 있습니다. 이를 피함으로써 상대방이 자유롭게 의견을 표현할 수 있는 환경을 만들어 줍니다.

3. 비판적인 생각을 피하기: 상대방의 의견을 들을 때, 비판적인 생각이나 평가를 하지 않는 것이 중요합니다. 대신에, 그들의 관점을 이해하고 존중하는 데 주력해야 합니다. 이를 통해 상대방이 더욱 적극적으로 의견을 표현하게 할 수 있습니다.

4. 환경을 고려하기: 효과적인 경청은 적절한 환경에서 이루어져야 합니다. 방해가 되는 요소를 최소화하고, 상대방이 편안하게 의견을 나눌 수 있는 환경을 제공하는 것이 중요합니다. 이를 통해 상대방이 의견을 자유롭게 표현할 수 있는 환경을 만들어 줍니다.

5. 상대방에게 시간을 주기: 상대방이 생각을 모으고 의견을 제시하는 데 시간이 필요할 수 있습니다. 그들에게 충분한 시간을 주고, 그 시간 동안은 조용히 기다리는 것이 중요합니다. 이를 통해 상대방이 자신의 의견을 충분히 생각하고 표현할 수 있는 기회를 제공합니다.

6. 감정에 대한 이해 표현하기: 상대방이 이야기하는 동안 그들이 느끼는 감정을 이해하려 노력하고, 그 이해를 상대방에게 표현하는 것이 좋습니다. 이를 통해 상대방이 자신의 감정을 인정받고 이해받았다고 느끼게 해줄 수 있습니다.

7. 상대방의 의견을 존중하기: 상대방의 의견을 존중하는 태도를 보여주는 것이 중요합니다. 이견이 있더라도 그것을 부정하지 않고, 다양한 관점을 인정하는 것이 좋습니다. 이를 통해 상대방이 자신의 의견이 존중받는다는 느낌을 줄 수 있습니다.

8. 차분하게 대응하기: 상대방의 말에 동의하지 않더라도 감정적으로 반응하지 않고 차분하게 대응하는 것이 중요합니다. 상대방의 의견을 객관적으로 듣고 이해하려는 자세를 유지해야 합니다.

9. 개방적인 마음 가지기: 상대방의 의견이 자신의 의견과 다르더라도 개방적인 마음을 가지고 경청하는 것이 중요합니다. 이렇게 하면 상대방의 다양한 의견을 이해하고, 그들의 관점에서 문제를 바라볼 수 있습니다.

10. 피드백 반영하기: 상대방의 의견을 듣고, 이에 대한 피드백을 적절하게 반영해주는 것이 중요합니다. 이를 통해 상대방이 자신의 의견이 중요하게 취급되고 있음을 느끼게 할 수 있습니다.

11. 반응 대신 요약하기: 경청의 중요한 원칙 중 하나는 상대방의 말을 자신의 말로 다시 요약해보는 것입니다. 이것은 우리가 상대방의 의견을 정확하게 이해하고 있는지 확인하는 방법이며, 동시에 그들에게 그들의 의견이 존중받고 있다는 느낌을 줄 수 있는 방법입니다.

12. 자신의 이해를 확인하기: 상대방의 말을 이해한 후에는 자신의 이해도를 확인하기 위해 상대방에게 다시 말해보는 것이 좋습니다. 이를 통해 오해를 방지하고 상대방이 자신의 의견을 제대로 전달하였음을 확인할 수 있습니다.

적극적인 경청의 기술

적극적인 경청은 팀의 성공적인 의사결정 과정을 촉진하고, 팀원들이 존중받는다는 느낌을 주며, 이를 통해 신뢰 관계를 구축하는 데 결정적인 역할을 합니다. 이를 실현하기 위한 기본적인 기술 몇 가지는 다음과 같습니다.

1. 바디 랭귀지: 우리의 바디 랭귀지는 우리가 진정으로 경청하고 있음을 보여주는 데 큰 역할을 합니다. 눈을 마주치고, 고개를 끄덕이며, 적절한 표정을 지어 상대방에게 관심을 보여주는 것이 중요합니다. 이것은 상대방에게 그들의 의견이 중요하게 여겨지고, 그들이 존중받고 있다는 메시지를 전달하는 방법입니다.

2. 질문하기: 상대방의 의견에 대해 더 깊이 이해하거나 더 많은 정보를 얻기 위해 질문을 하는 것이 중요합니다. 질문을 통해 조금 더 상세한 정보를 얻거나 불명확한 부분을 해소하기 위해, 상대방에게 질문을 하는 것도 중요합니다. 이것은 우리가 그들의 의견에 대해 더 깊이 이해하려고 노력하고 있음을 보여주는 좋은 방법입니다.

3. 적절한 피드백 제공: 상대방의 의견에 대한 우리의 이해를 확인하고 그들에게 피드백을 주는 것도 중요합니다. 이것은 "그렇군요", "아하", "그게 어떤 의미인지 이해했습니다"와 같은 간단한 표현을 통해 이루어질 수 있습니다.

4. 반복과 요약: 상대방이 말한 내용을 자신의 말로 다시 말해보는 것은 경청의 중요한 기술 중 하나입니다. 이것은 상대방의 의견을 정확하게 이해했음을 확인하고, 그것을 존중하고 있다는 메시지를 전달하는 데 도움이 됩니다.

5. 감정 반영하기: 상대방이 말하고 있는 중에 그들이 느끼는 감정을 반영해주는 것도 경청의 중요한 기술입니다. 이를 통해 상대방이 자신의 감정을 인정받고 이해받음을 느낄 수 있습니다.

6. 정리하고 확인하기: 대화가 끝날 때, 상대방이 말한 주요 포인트를 정리하고 이에 대해 확인하는 것이 좋습니다. 이를 통해 상대방이 자신의 의견이 정확하게 이해되었음을 확인할 수 있습니다.

7. 지속적인 관심 보여주기: 상대방이 말하고 있는 동안 지속적으로 관심을 보여주는 것이 중요합니다. 이것은 상대방이 중요하게 여겨지고, 그들의 의견이 존중받고 있다는 느낌을 줄 수 있습니다.

8. 활성화 된 경청: 상대방이 말하고 있는 동안, 자신이 그들의 말에 집중하고 있다는 것을 명확하게 보여주는 것이 중요합니다. 이를 위해 눈을 마주치거나 적절한 신체 언어를 사용할 수 있습니다.

이러한 원칙과 기술을 마스터하면, 우리는 팀원들의 의견을 효과적으로 이해하고 반영하는 데 큰 도움이 될 것입니다. 이는 팀의 성공적인 의사결정 과정을 촉진하고, 팀원들이 존중받는다는 느낌을 주며, 이를 통해 신뢰 관계를 구축하는 데 결정적인 역할을 합니다.

적극적인 경청의 원칙과 기술에 필요한 실습 자료

- 팀 미팅에서의 적극적인 경청 연습: 팀 미팅은 각 팀원이 의견을 자유롭게 공유할 수 있는 중요한 플랫폼입니다. 이러한 미팅에서 리더는 각 팀원의 의견을 철저히 경청하고 이해하는 실습을 진행해야 합니다. 이는 팀원들이 자신의 생각과 아이디어를 자유롭게 표현하고, 그것이 팀의 결정에 중요한 역할을 하는 것을 느낄 수 있게 합니다.
- 1:1 면담에서의 적극적인 경청 실습: 1:1 면담은 팀원들의 개인적인 경험, 생각, 감정을 더 잘 이해할 수 있는 기회입니다. 이러한 면담에서 리더는 팀원의 의견을 깊이 이해하고, 그들이 직면한 문제를 알아차릴 수 있습니다.
- 피드백 세션에서의 적극적인 경청 실습: 피드백 세션은 팀원들의 의견을 경청하고, 그들의 피드백을 팀의 개선점으로 반영하는 중요한 기회입니다. 리더는 팀원들의 피드백을 주의 깊게 듣고, 그것을 팀의 전략과 계획에 반영해야 합니다.
- 직접적인 피드백을 주고 받는 연습: 직접적인 피드백을 주고 받는 연습은 팀원들의 의견을 경청하고 이해하는 능력을 향상시키는데 중요합니다. 이 연습을 통해, 리더는 팀원들의 의견을 더 잘 이해하고, 그것을 팀의 결정에 반영할 수 있게 됩니다.
- 경청 기술 훈련 워크샵 참여: 경청 기술을 향상시키기 위한 워크샵에 참여하는 것은 또한 중요합니다. 이러한 워크샵에서 리더는 팀원들의 의견을 더 효과적으로 듣고 이해하는 방법을 배울 수 있습니다.
- 실제 사례 분석을 통한 학습: 실제 기업에서 적극적인 경청이 어떻게 적용되었는지 분석하는 것은 그 효과와 중요성을 이해하는데 도움이 됩니다. 이를 통해 리더는 적극적인 경청이 팀의 성공에 어떻게 기여할 수 있는지 배울 수 있습니다.
- 팀 빌딩 활동 참여: 팀 빌딩 활동은 팀원들과의 상호작용을 통해 경청 기술을 실습하고

향상시키는 좋은 기회입니다. 이를 통해 리더는 팀원들의 의견을 더 잘 이해하고, 그것을 팀의 결정에 더 효과적으로 반영할 수 있게 됩니다.

- 롤 플레이를 통한 경청 기술 실습: 특정 상황에서의 경청 기술을 실습하기 위해 롤 플레이를 진행하는 것은 유용합니다. 이를 통해 리더는 팀원들의 의견을 더 효과적으로 경청하고 이해하는 방법을 배울 수 있습니다.
- 적극적인 경청 관련 책 읽기: 경청에 관한 다양한 책을 읽는 것은 리더가 경청의 중요성과 효과를 이해하고, 실제로 실행하는 방법을 배우는데 도움이 됩니다.
- 적극적인 경청 관련 테드 강연 시청: 테드 강연은 경청의 중요성을 강조하고, 이를 실현하는 데 필요한 실질적인 기술과 전략을 제공합니다. 이를 통해 리더는 팀원들의 의견을 더 효과적으로 경청하고 이해하는 방법을 배울 수 있습니다.

팀원들의 의견을 존중하고 가치를 인정하는 방법

팀원들의 의견을 존중하고 그 가치를 인정하는 것은 팀의 성공을 위해 매우 중요합니다. 이는 팀원들로 하여금 자신들의 의견이 중요하다는 인식을 심어주고, 따라서 더 많은 창의적인 아이디어와 제안을 제시하도록 독려합니다. 또한, 이렇게 하면 팀원 간의 신뢰도 높아지고, 팀의 의사결정 과정도 개선됩니다.

팀원들의 의견을 존중하고 가치를 인정하는 방법에 대해 더욱 구체적으로 알아보겠습니다.

1. 의견을 실행에 옮기기: 팀원들이 제시한 의견을 실제로 실행에 옮기는 것은 그들에게 자신의 의견이 중요하다는 명확한 메시지를 전달합니다. 그들의 의견이 실제로 팀의 결정이나 행동에 영향을 미치는 것을 보면, 그들은 자신의 의견에 더 많은 가치를 두게 될 것입니다. 이를 실현하기 위해, 팀이 제안한 아이디어 중 실행 가능한 것들을 선별하고, 그것을 팀의 작업 플로우에 통합해야 합니다.

2. 개방적인 마음가짐 유지하기: 팀원들의 의견을 들을 때는 사전 판단이나 편견으로 그것을 가치 없게 만들어서는 안 됩니다. 대신, 개방적인 마음가짐으로 그들의 의견을 경청하고 이해하려는 노력을 해야 합니다. 이렇게 하면 팀원들은 자신들의 의견이 공정하게 들리고 평가된다고 느낄 것입니다.

3. 피드백 제공하기: 팀원들이 의견을 제시하면, 그것에 대한 피드백을 제공하는 것이 중요합니다. 이 피드백은 비판적이거나 부정적이지 않아야 하며, 대신 구성적이고 긍정적이어야 합니다. 이렇게 피드백을 제공함으로써, 팀원들은 자신들의 의견이 존중받고 있다는 것을 인식하게 됩니다.

4. 감사의 표현하기: 팀원들이 의견을 제시할 때마다 감사의 말을 표현하면, 그들은 자신들의 의견이 존중받고 있다는 것을 느낄 것입니다. 간단한 "감사합니다"나 "그 의견 좋네요"와 같은 말로도 충분합니다.

5. 존중과 인정을 표현하는 말 사용하기: "나는 당신의 의견을 존중합니다", "당신의 관점이 정말 흥미롭네요", "당신이 이 문제에 대해 어떻게 생각하는지 알고 싶습니다"와 같은 말을 사용하면, 팀원들은 자신의 의견이 존중받고 있다는 것을 느낄 수 있습니다. 이런 표현을 사용함으로써, 리더는 팀원들의 의견을 존중하고 가치를 인정한다는 메시지를 전달할 수 있습니다.

팀원들의 의견을 존중하고 가치를 인정하는 방법에 필요한 실습 자료

- 팀 미팅에서의 의견 존중 연습: 팀 미팅은 팀원들의 다양한 의견을 듣고 공유하는 중요한 장소입니다. 이러한 미팅에서 리더는 각 팀원의 의견을 공정하게 듣고 평가해야 합니다. 이를 통해 팀원들은 자신의 의견이 존중받고 가치있게 여겨진다는 느낌을 받을 수 있습니다.
- 1:1 면담에서의 의견 존중 실습: 개별 면담은 리더가 팀원의 생각과 감정을 더 깊이 이해하고 가치를 인정하는 좋은 기회입니다. 이 과정에서 리더는 팀원의 관점을 존중하고 그들의 의견을 팀의 전략과 의사결정에 반영하는 방법을 배울 수 있습니다.
- 피드백 세션에서의 의견 존중 실습: 피드백 세션은 팀원들의 성과와 개선점을 공유하고, 그들의 성장을 돕는 중요한 시간입니다. 이 시간에 리더는 팀원들의 의견을 존중하고, 그들의 피드백을 팀의 성장과 발전에 활용할 수 있는 방법을 배웁니다.
- 직접적인 피드백을 주고 받는 연습: 팀원들 간에 서로 피드백을 주고 받는 것은 상호 존중과 이해를 강화하는 좋은 방법입니다. 이런 실습을 통해 팀원들은 서로의 의견을 존중하고 공감하는 방법을 배울 수 있습니다.
- 의견 존중 훈련 워크샵 참여: 워크샵은 다양한 의견 존중 기술을 배우고 실습하는 좋은 장소입니다. 이를 통해 리더는 팀원들의 의견을 더 효과적으로 존중하고 가치를 인정하는 능력을 향상시킬 수 있습니다.
- 실제 사례 분석을 통한 학습: 실제 기업에서의 의견 존중 사례를 분석하면, 그 효과와 중요성에 대해 깊이 이해할 수 있습니다. 이를 통해 리더는 의견 존중의 이론을 실제 상황에 어떻게 적용할 수 있는지 배울 수 있습니다.
- 팀 빌딩 활동 참여: 팀 빌딩 활동은 팀원들과의 상호작용을 통해 의견 존중 기술을 실습하고 향상시키는 좋은 기회입니다. 이러한 활동을 통해 리더와 팀원들은 서로를 더 잘 이해하고 존중하는 방법을 배울 수 있습니다.

- 롤 플레이를 통한 의견 존중 기술 실습: 롤 플레이는 특정 상황에서 의견 존중 기술을 실습하는 좋은 방법입니다. 이를 통해 리더는 다양한 상황에서 팀원들의 의견을 어떻게 존중하고 반영할 수 있는지 실질적인 경험을 할 수 있습니다.
- 의견 존중 관련 책 읽기: 다양한 책을 통해 의견 존중의 중요성과 효과, 그리고 실제로 실행하는 방법을 배울 수 있습니다. 이런 방식으로 리더는 이론과 실제 사례를 통해 의견 존중에 대한 깊이 있는 이해를 얻을 수 있습니다.
- 의견 존중 관련 테드 강연 시청: 테드 강연은 의견 존중의 중요성을 강조하고, 이를 실현하는 데 필요한 실질적인 기술과 전략을 공유하는 좋은 자료입니다. 이를 통해 리더는 다양한 사례와 전문가의 경험을 통해 의견 존중에 대한 새로운 통찰력을 얻을 수 있습니다.

효과적인 의사소통 및 신뢰 구축

효과적인 의사소통과 신뢰 구축은 팀 내에서 효과적으로 작업을 수행하는 데 중요한 역할을 합니다. 이를 통해 팀원들 간의 상호 이해와 존중이 높아지며, 그 결과 팀원들이 서로의 의견을 존중하게 되고, 서로를 이해하려는 노력이 높아집니다. 이런 환경은 팀의 목표 달성을 위해 필요한 협력적인 분위기를 조성하는 데 큰 도움이 됩니다. 팀원 간의 신뢰는 서로에 대한 신뢰가 있을 때만 가능하며, 이는 효과적인 의사소통을 통해 달성될 수 있습니다. 따라서, 효과적인 의사소통과 신뢰 구축은 팀의 성공을 위해 중요한 요소입니다.

이러한 효과적인 의사소통과 신뢰 구축은 팀원들이 서로에 대한 이해를 깊이 있게 하고, 서로의 장점을 인정하고 존중하는 데 도움이 됩니다. 이는 팀원들 간의 원활한 상호작용을 촉진하고, 팀의 목표를 달성하는 데 필요한 협력적인 관계를 구축하는 데 중요한 기반을 제공합니다.

이는 팀원들 간의 신뢰를 높이는 데 큰 도움이 됩니다. 신뢰는 팀원들 간의 관계를 강화하고, 서로에 대한 긍정적인 인식을 높이며, 팀의 성과를 향상시키는 데 중요한 역할을 합니다. 신뢰는 팀원들이 서로의 의견과 아이디어를 자유롭게 공유하고, 서로를 지원하고, 함께 협력하게 만듭니다.

따라서, 효과적인 의사소통과 신뢰 구축은 팀의 성공에 결정적인 역할을 합니다. 이를 통해 팀은 서로에 대한 이해와 존중을 높이며, 서로를 지원하고 협력하는 팀원들의 강력한 네트워크를 구축할 수 있습니다. 이는 팀의 목표를 달성하고, 팀원들이 함께 성장하고, 서로를 돕는 환경을 조성하는 데 필수적입니다.

효과적인 의사소통의 원칙

1. 명확하고 정확한 정보 전달: 팀원들 간의 의사소통에서 가장 중요한 것은 명확하고 정확한 정보 전달입니다. 모호한 정보나 오해를 일으킬 수 있는 정보는 팀의 생산성을 저하시키고 혼란을 일으킬 수 있습니다. 따라서, 가능한 한 구체적이고 자세하게 정보를 제공하는 것이 중요합니다. 이는 불필요한 오해를 피하고, 각 팀원이 자신의 역할을 정확히 이해하고 수행할 수 있게 합니다.

2. 상호 존중: 팀의 성공을 위해 서로의 의견을 존중하는 것이 중요합니다. 이는 서로에 대한 존중과 신뢰를 높이고, 팀 내에서의 긍정적인 분위기를 유지하는 데 도움이 됩니다. 상호 존중은 팀원들이 서로를 가치있고 중요하게 여기도록 만들며, 이는 팀원들이 더 적극적으로 참여하고 팀을 위해 노력하도록 독려합니다.

3. 공감과 이해: 팀원들의 의견이나 관점을 이해하고 공감하는 것은 팀의 의사소통에서 중요한 역할을 합니다. 이는 팀원들 간의 신뢰를 높이고, 팀의 결정 과정에 다양한 의견을 반영하는 데 도움이 됩니다. 팀원의 의견을 이해하고 공감함으로써, 각 팀원이 팀의 목표에 대해 동기부여를 받고, 팀의 목표 달성을 위해 더욱 열심히 노력하게 됩니다.

4. 적시성: 정보는 적절한 시기에 전달되어야 합니다. 정보가 필요한 시점에 제공되지 않으면, 그 정보의 가치는 크게 감소할 수 있습니다. 예를 들어, 팀원이 특정 작업을 시작하기 전에 필요한 정보를 제공하지 않으면, 팀원은 작업을 잘못 시작하거나 작업을 늦게 시작할 수 있습니다. 따라서, 정보는 가능한 빨리, 그리고 정보가 필요한 시점에 제공되어야 합니다.

신뢰 구축의 원칙

1. 공동의 목표에 대한 약속: 팀원들이 공동의 목표에 대해 약속하고, 이를 위해 함께 노력하는 것이 가장 중요합니다. 이 과정에서 각 팀원은 팀의 목표를 이해하고 이에 대한 개인적인 책임을 느끼게 됩니다. 이런 공동의 목표는 팀원 모두가 향해 나아갈 수 있는 방향을 제시하며, 이는 서로에 대한 신뢰를 높이는 데 결정적인 역할을 합니다.

2. 정직성: 팀원들 간의 신뢰를 구축하는 데 있어 매우 중요한 원칙 중 하나는 정직성입니다. 팀원들이 서로에게 솔직하고 정직하게 행동하면, 이는 서로에 대한 신뢰를 높이는 데 큰 도움이 됩니다. 이는 팀원들이 서로를 믿고 의존할 수 있음을 보여주며, 이러한 행동은 팀 내에서의 신뢰와 존중의 문화를 만듭니다.

3. 약속 지키기: 약속을 지키는 것은 신뢰를 구축하는 데 중요한 요소입니다. 약속을 지키는 행동은 팀원들이 서로를 믿을 수 있다는 확신을 줍니다. 이것은 팀원들이 서로에 대한 신뢰를 높이고, 팀의 성과를 향상시키는 데 도움이 됩니다.

4. 열린 의사소통: 서로에 대한 이해와 신뢰를 높이기 위해서는 팀원들 간의 의사소통은 열려있고 투명해야 합니다. 의사소통은 팀원들이 서로의 의견을 공유하고, 서로에 대한 이해를 높이는 데 중요한 도구입니다. 이는 팀원들이 서로의 생각과 느낌을 자유롭게 나눌 수 있는 환경을 조성하며, 이는 신뢰와 존중의 문화를 구축하는 데 중요합니다.

효과적인 의사소통 및 신뢰 구축에 필요한 실습 자료

- 팀 미팅에서의 의사소통 및 신뢰 구축 연습: 팀 미팅은 모든 팀원이 참여하고 의견을 공유하는 중요한 장소입니다. 이 시간을 활용해 서로의 의견을 존중하고 이해하는 방법을 연습해야 합니다. 팀 미팅에서 의사소통을 향상시키는 방법은 다양하게 있습니다. 예를 들어, 회의의 의제를 미리 공유하고, 각 팀원이 주제에 대해 어떻게 생각하는지 미리 생각해볼 수 있도록 하거나, 회의 중에는 각 팀원이 자신의 의견을 자유롭게 표현할 수 있도록 안전한 환경을 만드는 것 등이 있습니다.
- 1:1 면담에서의 의사소통 및 신뢰 구축 실습: 개별 면담은 리더와 팀원 간의 신뢰를 구축하는 데 매우 중요한 시간입니다. 이 시간을 활용하여 각 팀원의 의견을 듣고 이해하며, 동시에 자신의 생각을 피드백하는 연습을 해야 합니다. 이 과정에서는 '적극적인 경청'이 중요합니다. 즉, 상대방의 말을 그대로 받아들이는 것이 아니라, 그 말에 담긴 의미와 감정을 이해하려는 노력이 필요합니다.
- 피드백 세션에서의 의사소통 및 신뢰 구축 실습: 피드백 세션은 팀원들의 성장과 팀의 발전을 위한 중요한 시간입니다. 이 시간에서는 팀원들이 서로에게 피드백을 주고 받는 것이 중요합니다. 피드백을 받는 사람은 상대방의 의견을 존중하고 수용하는 자세를 가져야 하며, 피드백을 주는 사람은 상대방의 감정을 고려하며 솔직하면서도 부드러운 방식으로 피드백을 제공해야 합니다.
- 롤 플레이를 통한 의사소통 및 신뢰 구축 실습: 롤 플레이는 특정 상황에 대한 이해를 깊게 하고, 그 상황에서 어떻게 의사소통해야 하는지 연습하는데 도움이 됩니다. 롤 플레이를 통해 팀원들은 다양한 시나리오에서 의사소통과 신뢰 구축 기술을 적용해 볼 수 있습니다.
- 팀 빌딩 활동 참여: 팀 빌딩 활동은 팀원들이 함께 협력하고 의사소통하는 능력을 향상시키는 데 도움이 됩니다. 팀 빌딩 활동을 통해 팀원들은 서로를 더 잘 이해하고, 서로에 대한 신뢰를 높이며, 더 효과적으로 의사소통하는 방법을 배울 수 있습니다.
- 문제 해결 실습: 문제 상황을 해결하는 과정에서는 팀원들끼리 의사소통하고 협력하는 것이 중요합니다. 이런 실습을 통해 팀원들은 문제의 원인을 찾아내고 해결책을 찾아내는 방법, 그리고 그 과정에서 서로에게 도움을 주고 받는 방법 등을 배울 수 있습니다.

- 공동 프로젝트 참여: 실제 프로젝트를 통해 팀원들과 협력하고 의사소통하는 기회를 가집니다. 이를 통해 실제 작업 상황에서 의사소통과 신뢰 구축을 연습하고, 이를 통해 팀의 생산성과 효율성을 높일 수 있습니다.
- 팀원들의 피드백 수용 실습: 팀원들로부터의 피드백을 적극적으로 수용하고 반영하는 것은 개인의 성장과 팀의 발전에 중요합니다. 피드백을 수용하고 이를 통해 개선하는 과정에서는 팀원들의 의견을 존중하고 이해하는 자세가 필요합니다.
- 팀원들의 의견 발표 실습: 팀원들이 자신의 의견을 자유롭게 발표할 수 있는 환경을 만드는 것은 팀의 의사소통을 향상시키는 데 중요합니다. 이를 위해 팀 미팅이나 워크샵과 같은 다양한 기회를 제공하여 팀원들이 자신의 의견을 편안하게 표현할 수 있도록 해야 합니다.
- 팀원들의 의견 존중 실습: 팀원들의 의견을 존중하고 중요하게 여기는 것은 팀의 건강하고 생산적인 의사소통을 유지하는 데 중요합니다. 이를 실천하기 위해 일상적인 상황에서 팀원들의 의견을 듣는 것이 중요합니다.

다양한 의견과 피드백의 적극적 수용

팀의 성장과 발전을 위해서는 다양한 의견과 피드백을 적극적으로 수용하는 것이 필수적입니다. 이것은 각 팀원의 다양한 경험과 지식을 최대한 활용하고, 그것을 팀의 강점으로 만드는 가장 효과적인 방법입니다. 복잡하고 다양한 문제 상황에서, 서로 다른 관점과 아이디어를 통합하면 팀의 문제 해결 능력과 창의력을 크게 향상시킬 수 있습니다.

이는 팀의 성과를 높이는 데 결정적인 역할을 합니다. 또한, 다양한 의견과 피드백을 적극적으로 수용하는 것은 팀원들의 참여와 헌신을 높이는 데도 큰 도움이 됩니다. 팀원들이 자신의 의견이 존중받고, 그것이 팀의 결정과 행동에 실질적으로 반영되는 것을 경험하면, 그들은 팀에 대한 소속감과 헌신을 더욱 강화하게 됩니다.

이렇게 팀원들의 의견과 피드백을 적극적으로 수용하고 활용하는 것은 팀의 성과를 높이는 데 중요한 요소가 됩니다. 이러한 점들을 실제로 적용하려면, 리더는 팀원들의 다양한 의견과 피드백을 적극적으로 수용하고, 그것을 팀의 의사결정 과정에 효과적으로 반영하는 방법을 배워야 합니다.

이를 위해 필요한 것은 열린 마음과 다양한 의견을 수용할 준비가 된 태도입니다. 또한, 팀원들의 의견을 정확히 이해하고 공감하는 능력, 그리고 그것을 팀의 의사결정과 행동에 반영하는 능력도 중요합니다. 이러한 능력을 갖추고 행동하면, 리더는 팀원들의 다양한 의견과 피드백을 적극적으로 수용하며, 그것을 팀의 성장과 발전에 활용할 수 있을 것입니다.

다양한 의견과 피드백을 적극적으로 수용하는 절차

팀의 지속적인 성장과 발전을 위해서는 다양한 의견과 피드백의 적극적인 수용이 필수적입니다. 이것은 각 팀원이 가진 독특한 경험과 전문 지식을 최대한 활용하는 것을 가능하게 하며, 이를 통해 팀의 강점을 더욱 강화하고 발전시키는 가장 효과적인 방법입니다.

복잡하고 다양한 문제 상황에 직면했을 때, 다양한 관점과 아이디어를 통합하면, 이는 팀의 문제 해결 능력과 창의력을 크게 향상시키는 데 도움이 됩니다. 이런 과정에서 팀원들은 서로 다른 접근 방식을 이해하고, 새로운 해결책을 발견하는 데 도움이 될 수 있습니다. 또한, 팀원들이 자신의 의견이 존중받고, 그것이 팀의 결정과 행동에 실질적으로 반영되는 것을 느끼게 되면, 이는 그들의 참여와 헌신을 더욱 높이는 데 도움이 될 것입니다. 이러한 방식은 팀원들이 팀에 대한 소속감을 느끼게 하며, 그들의 역량을 최대한 발휘할 수 있는 환경을 조성하는데 중요합니다.

다양한 의견과 피드백을 수용하는 절차는 아래에 자세히 기술되어 있습니다. 이 절차는 팀원들이 자신의 의견과 피드백을 자유롭게 제시하고, 그것들을 수집하고 분석하는 과정을 포함합니다. 그 다음에는 분석된 피드백이 실제로 행동이나 결정에 어떻게 반영되는지, 그리고 이러한 반영의 결과가 어떻게 평가되는지를 다룹니다. 이러한 절차를 통해 팀원들은 서로의 의견을 존중하고 신뢰하면서, 팀의 성장과 발전에 기여하게 됩니다.

1. 의견 제시: 팀원들이 자신들의 의견을 자유롭게 제시하도록 권장하는 것이 첫번째 단계입니다. 이 단계에서는 팀원들의 아이디어를 촉진하고 그들의 참여를 장려하기 위해 중요한 역할을 합니다. 모든 의견은 중요하며, 비판적이거나 부정적인 피드백 없이 존중받아야 합니다. 이는 신뢰와 존중의 환경을 조성하고 팀원들이 의견을 제시하는데 더욱 자신감을 갖게 합니다.

2. 피드백 수집: 팀원들의 의견과 피드백을 수집하고 정리하는 것이 다음 단계입니다. 이 과정에서는 개개인의 의견을 정확하게 이해하려는 노력이 필요하며, 그 과정에서 질문을 통해 더 많은 정보를 얻거나, 필요하다면 의견을 요약하여 피드백 제공자가 자신의 의견이 정확히 전달되었는지 확인할 수 있습니다.

3. 피드백 분석: 수집한 피드백을 분석하여, 팀의 목표나 문제 해결에 어떻게 활용할 수 있는지를 판단하는 것이 세번째 단계입니다. 이 단계에서는 피드백의 잠재적 가치를 파악하고, 그 가치를 최대한 활용할 수 있는 방법을 찾는 것이 중요합니다.

4. 피드백 반영: 분석 결과를 바탕으로 피드백을 실제 행동이나 결정에 반영하는 것이 네번째 단계입니다. 이 단계에서는 피드백이 실제로 적용되는 과정을 팀원들과 공유하며, 그들의 의견이 중요하게 취급되었다는 것을 알려주는 것이 중요합니다.

5. 피드백에 대한 평가: 마지막으로, 피드백이 반영된 결과를 평가하고, 필요하다면 추가적인 피드백을 수집하는 단계입니다. 이 과정은 반복적으로 이루어질 수 있으며, 팀의 성장과 개선을 위해 필요한 과정입니다. 이 단계에서는 피드백의 효과를 확인하고, 어떤 점이 잘 작동하는지, 어떤 점이 개선이 필요한지를 파악하는 것이 중요합니다.

다양한 의견과 피드백의 적극적 수용에 필요한 실습 자료

- 팀 미팅에서의 의견 및 피드백 수용 연습: 팀 미팅은 팀원들이 자신의 의견을 제시하고 피드백을 주는 중요한 장소입니다. 이런 시간에 팀원들의 다양한 의견과 피드백을 적극적으로 수용하고 이를 팀의 의사결정에 반영하는 실습을 진행하며, 이를 통해 팀의 의사결정 과정을 더욱 민주적으로 만들 수 있습니다.

- 1:1 면담에서의 의견 및 피드백 수용 실습: 1:1 면담은 개별 팀원과 더 깊게 소통하고 그들의 의견과 피드백을 이해하는 데 좋은 기회입니다. 이 시간을 활용해 팀원의 의견과 피드백을 적극적으로 수용하고 이를 나의 업무에 반영하는 실습을 진행합니다.

- 피드백 세션에서의 의견 및 피드백 수용 실습: 피드백 세션은 팀원들이 서로에게 피드백을 주고 받는 시간입니다. 이때 팀원들의 의견과 피드백을 적극적으로 수용하고 이를 팀의 개선점으로 반영하는 실습을 진행합니다.

- 팀원들의 피드백 요청 실습: 팀원들에게 자신의 업무에 대한 피드백을 요청하고 그것을 적극적으로 수용하는 실습을 진행합니다. 이를 통해 팀원들이 자신의 의견을 자유롭게 표현할 수 있는 환경을 만들고, 이를 바탕으로 업무를 향상시킬 수 있습니다.

- 롤 플레이를 통한 의견 및 피드백 수용 실습: 특정 상황에서의 의견 및 피드백 수용 능력을 향상시키기 위한 롤 플레이를 진행합니다. 이를 통해 실제 상황에서 팀원들의 의견을 어떻게 적극적으로 수용하고 반영할 수 있는지 학습합니다.

- 팀 프로젝트 참여: 팀 프로젝트를 통해 팀원들의 의견과 피드백을 적극적으로 수용하고 이를 프로젝트에 반영하는 실습을 진행합니다. 이를 통해 팀의 협업 능력을 향상시킬 수 있습니다.

- 의사결정 과정 참여: 팀의 의사결정 과정에 참여하여 다양한 의견과 피드백을 적극적으로 수용하고 이를 의사결정에 반영하는 실습을 진행합니다. 이를 통해 팀의 결정 과정이 더욱 효율적이고 민주적이게 만들 수 있습니다.

- 팀원들의 의견 발표 실습: 팀원들이 자신의 의견을 자유롭게 발표할 수 있도록 하는 실습을 진행합니다. 이를 통해 팀원들이 자신의 의견을 적극적으로 표현하고, 이를 바탕으로 팀의 의사결정 과정을 더욱 효과적으로 만들 수 있습니다.

- 팀원들의 의견 존중 실습: 팀원들의 의견을 존중하고 중요하게 여기는 실습을 진행합니다.

이를 통해 팀원들이 자신의 의견을 존중받는다는 느낌을 받고, 이를 바탕으로 팀의 의사소통 환경을 더욱 건강하게 만들 수 있습니다.

- 적극적인 피드백 관련 테드 강연 시청: 테드 강연을 통해 의견 수용의 중요성을 강조하고, 이를 실현하는 데 필요한 실질적인 기술과 전략을 공유합니다. 이를 통해 더욱 효과적인 피드백 수용 방법을 학습할 수 있습니다.

기업 사례

- 아마존: 아마존은 직원들의 피드백을 적극적으로 수용하는 문화를 강조하고 있습니다. 이를 통해 서비스의 품질을 개선하고, 고객 만족도를 높이는데 주력하고 있습니다. 아마존은 이런 피드백을 수집하고 분석하여 신상품 개발, 서비스 개선 등에 활용하며, 이는 아마존이 고객 중심의 비즈니스 모델을 유지하는 데 중요한 요소입니다.
- 마이크로소프트: 마이크로소프트는 피드백 수용을 통해 사내 문화를 개선하고, 직원들의 만족도를 높이는데 주력하고 있습니다. 이런 피드백을 통해 직원들의 업무 환경이나 프로세스 등을 개선하여 직원들의 만족도를 높이고, 이는 결국 조직의 생산성 향상으로 이어집니다.
- 구글: 구글은 2020년에 신규 직원들의 온보딩 프로세스를 개선하기 위해 피드백 시스템을 도입하였습니다. 이를 통해 신규 직원들이 팀에 빠르게 적응할 수 있도록 도왔습니다. 이 시스템은 신규 직원들의 피드백을 바탕으로 온보딩 프로세스를 지속적으로 개선하고, 이를 통해 조직의 효율성을 높이는 데 기여하였습니다.
- 애플: 애플은 개방적인 의사소통과 피드백 수용을 통해 혁신을 추구하고 있습니다. 이를 통해 차별화된 제품과 서비스를 개발할 수 있게 되었습니다. 애플은 사용자 피드백을 바탕으로 제품 개선에 지속적으로 노력하며, 이는 애플의 제품이 사용자의 필요에 맞게 개선되고 발전하는 데 큰 역할을 합니다.
- 넷플릭스: 넷플릭스는 다양한 의견과 피드백을 적극적으로 수용하는 문화를 추구합니다. 이를 위해 회사 내부에 의견 공유를 위한 플랫폼을 도입하여 팀원들이 자유롭게 의견을 나눌 수 있도록 하였습니다. 이를 통해 다양한 의견이 존중받고, 이는 결국 조직의 다양성을 증진하고 혁신을 촉진하는 데 기여합니다.
- 삼성전자: 삼성전자는 사내 피드백 시스템을 통해 직원들의 의견을 적극적으로 수용하고 있습니다. 이를 통해 사원들의 만족도를 높이고, 더 나은 제품을 개발할 수 있도록 도와주었습니다. 삼성전자는 이런 피드백을 바탕으로 제품 개선, 서비스 향상 등에 집중하여 최고의 품질과 성능을 보장하는 제품을 생산하는 데 기여하였습니다.
- 테슬라: 테슬라는 사용자 피드백을 바탕으로 제품을 계속 개선하고 있습니다. 이를 통해 사용자 경험을 높이고, 제품의 품질을 향상시키고 있습니다. 테슬라는 이런 피드백을

바탕으로 제품에 대한 사용자의 불편사항을 개선하거나 새로운 기능을 추가하는 등의 방법으로 제품을 지속적으로 발전시키고 있습니다.

- 스타벅스: 스타벅스는 고객들의 피드백을 적극적으로 수용하여, 서비스 개선에 노력하고 있습니다. 이를 통해 고객 만족도를 높이고, 브랜드 로열티를 강화하고 있습니다. 고객 피드백을 바탕으로 메뉴 개선, 서비스 향상 등을 통해 고객 경험을 높이는 데 주력하고 있습니다.
- 페이스북: 페이스북은 직원들의 피드백을 적극적으로 수용하면서도, 그들의 의견을 존중하는 문화를 유지하고 있습니다. 이를 통해 직원들의 참여를 높이고, 효과적인 의사결정을 돕고 있습니다. 페이스북의 이런 문화는 직원들이 자유롭게 의견을 나눌 수 있는 환경을 조성하고, 이는 결국 조직의 혁신과 직원 만족도 향상에 기여합니다.
- IBM: IBM은 팀원들의 의견과 피드백을 적극적으로 수용하여, 혁신적인 솔루션을 개발하는 데도움이 되는 환경을 만들고 있습니다. IBM은 이 피드백을 바탕으로 제품 개발과 서비스 개선에 집중하며, 이를 통해 고객의 요구를 더욱 정확하게 이해하고 만족시키는 솔루션을 제공하는 데 중점을 두고 있습니다. 이런 접근 방식은 IBM이 시장에서 지속적으로 성공하고 혁신을 이끌어내는 데 결정적인 역할을 합니다.

시각 자료 및 도구

- 비디오 컨퍼런스 도구: 현재의 원격 근무 환경에서 의사소통은 더욱 중요해졌습니다. 비디오 컨퍼런스 도구는 팀원들이 실시간으로 의견과 피드백을 공유하고 논의할 수 있는 플랫폼을 제공합니다. 이 도구를 통해 팀원들은 얼굴을 보며 소통할 수 있어, 서로의 반응을 직접 확인하며 더 효과적인 대화를 이끌어낼 수 있습니다.
- 서베이 플랫폼: 팀원들로부터 의견과 피드백을 수집하고 분석하는 데 사용되는 도구입니다. 이를 통해 리더는 팀원들의 생각을 정량적이고 정성적으로 이해할 수 있으며, 이는 의사결정 과정에 중요한 근거를 제공합니다.
- 콜라보레이션 툴: 팀원들 간 의견 공유와 피드백 주고받기를 쉽게 만들어주는 도구입니다. 이 도구는 실시간 통신 기능과 문서 공유, 작업 관리 등 다양한 기능을 제공하여 팀원들이 쉽게 소통하고 협업할 수 있게 돕습니다.
- 마인드맵 도구: 팀원들의 다양한 의견과 피드백을 시각적으로 조직화하고 표현하는 데 도움이 되는 도구입니다. 이를 통해 팀원들의 아이디어를 직관적으로 이해하고, 더 큰 그림을 볼 수 있게 됩니다.
- 프로젝트 관리 도구: 팀원들의 의견과 피드백을 통합하고 관리하는 데 필요한 도구입니다. 이 도구는 작업의 진행 상황을 추적하고, 필요한 의사소통을 제공하여 프로젝트의 효율성을 높입니다.

- 데이터 시각화 소프트웨어: 수집된 피드백을 시각적으로 표현하고 분석하는 데 유용한 도구입니다. 복잡한 데이터를 이해하기 쉬운 그래프나 차트로 변환하여, 의사결정 과정을 지원합니다.
- 온라인 화이트보드 도구: 팀원들의 의견과 피드백을 시각적으로 표현하고 공유하는 데 도움이 되는 도구입니다. 이를 통해 팀원들은 아이디어를 자유롭게 그림으로 표현하고, 이를 다른 팀원들과 공유할 수 있습니다.
- 집단 브레인스토밍 도구: 팀원들이 자유롭게 아이디어를 제시하고 피드백을 공유할 수 있는 플랫폼입니다. 이 도구는 팀원들이 새로운 아이디어를 생각하고, 다른 팀원들의 아이디어에 기여하는 데 도움을 줍니다.
- 의사결정 분석 도구: 팀원들의 의견과 피드백을 바탕으로 의사결정을 하기 위한 분석 도구입니다. 이 도구는 의사결정을 위한 데이터를 제공하고, 결과를 예측하여 최적의 결정을 내릴 수 있게 돕습니다.
- 피드백 관리 시스템: 팀원들의 의견과 피드백을 조직화하고, 관리하고, 분석하는 데 사용할 수 있는 시스템입니다. 이 시스템은 피드백을 쉽게 추적하고, 분석하며, 이를 바탕으로 개선의 방향을 도출하는 데 도움이 됩니다.

의사소통 워크샵 실습 방안 및 과정

워크샵은 팀원들이 모여 서로의 생각과 아이디어를 솔직하게 공유하고, 피드백을 주고 받는 소중한 공간입니다. 이 공간에서의 활동은 팀원들 간의 이해를 높이는 데 중요한 역할을 합니다. 워크샵의 핵심 목표는 모든 팀원들이 서로에 대한 존중과 이해를 느끼게 하는 것입니다.

이를 달성하기 위해, 팀원들은 자신의 의견을 자유롭게 표현하고, 각자의 생각과 아이디어를 공개적으로 토론해야 합니다. 또한, 다른 팀원들의 의견을 경청하며, 서로에게 피드백을 주고 받는 것이 중요합니다. 이러한 과정을 통해, 팀원들은 서로를 더 깊이 이해하고, 더욱 효과적인 의사결정 과정을 만들 수 있습니다. 워크샵은 팀원들 간의 의사소통을 증진시키고, 이해관계를 조정하며, 전반적인 팀워크를 개선하는 데 굉장히 중요한 역할을 합니다.

1. 목표 설정: 워크샵의 시작은 참가자들에게 워크샵의 목표와 기대 결과를 명확히 전달하는 것입니다. 이 단계에서는 효과적인 의사소통의 중요성과 워크샵에서 얻을 수 있는 이점들을 강조합니다. 참가자들에게 워크샵에서 어떤 경험을 얻을 수 있을지, 그리고 이 경험이 어떻게 그들의 일상 업무에 영향을 미칠 수 있을지에 대한 명확한 이해를 제공합니다.

2. 팀 빌딩 활동: 워크샵의 첫 번째 실습 활동은 참가자들이 서로에 대해 알아가는 팀 빌딩 활동입니다. 이 활동은 참가자들 사이의 신뢰와 서로에 대한 이해를 증진시킵니다. 이를 통해

팀원들 사이의 관계를 강화하고, 서로에 대한 신뢰와 이해를 바탕으로 효과적인 의사소통을 이루는 데 도움이 됩니다.

3. 적극적인 경청 실습: 이 단계에서는 참가자들이 적극적인 경청의 중요성을 이해하고, 이를 실습을 통해 직접 경험합니다. 참가자들은 다른 사람의 의견을 존중하고 가치를 인정하는 행동을 통해 적극적인 경청을 실현하게 됩니다. 이를 통해 서로 간의 의사소통이 원활해지고, 팀원 간의 신뢰가 형성됩니다.

4. 의사소통 기술 실습: 이 단계에서는 의사소통 기술, 특히 명확하고 효과적인 메시지 전달 방법에 대해 배우고 이를 실습합니다. 참가자들은 어떻게 자신의 의견을 명확하고 이해하기 쉽게 전달할 수 있는지, 그리고 다른 사람의 의견을 어떻게 효과적으로 이해하고 받아들일 수 있는지에 대해 배웁니다.

5. 피드백 및 평가: 워크샵의 마지막 단계에서는 참가자들이 서로에게 피드백을 주고 받습니다. 이를 통해 참가자들은 자신의 의사소통 기술을 개선하고, 워크샵에서 배운 내용을 어떻게 실제 업무에 적용할 수 있을지 논의하게 됩니다. 이 단계는 참가자들이 워크샵에서의 경험을 통해 얻은 통찰력을 공유하고, 그것을 실제 업무 상황에 어떻게 적용할 수 있을지를 함께 고민하는 시간입니다.

6. 후속 액션 계획: 워크샵이 끝난 후에는 참가자들이 배운 내용을 실무에 적용하기 위한 계획을 수립합니다. 이 단계에서는 참가자들이 워크샵에서 얻은 인사이트와 기술을 어떻게 자신의 업무에 적용할 수 있을지에 대한 구체적인 계획을 세우게 됩니다. 이 계획은 참가자들이 워크샵의 경험을 실제 업무로 전환하는 데 도움을 줍니다.

경청 기술 훈련 워크샵 실습 방안 및 과정

팀을 이끄는 리더로서, 경청 기술을 향상시키는 것은 무엇보다 중요합니다. 이를 위해 워크샵에 참여하는 것을 강력히 추천드립니다. 이러한 워크샵은 리더가 팀원들의 의견을 더 효과적으로 듣고 이해하는 방법을 배울 수 있게 해주는 훌륭한 기회가 될 것입니다.

"경청 기술훈련 워크샵"은 이러한 목표를 달성하기 위해 다양한 실습 방안 및 과정을 제공합니다. 이는 리더의 소통 능력을 향상시키는 데 크게 기여할 수 있으며, 그 결과 팀의 생산성과 효율성을 높일 수 있습니다. 이렇게 워크샵을 통해 참가자들은 경청 기술을 실제로 연습하고, 이를 통해 팀원들의 의견을 더 효과적으로 듣고 이해하는 방법을 배울 수 있습니다.

1. 목표 설정: 워크샵의 첫 단계에서는 경청의 중요성에 대해 강조하고, 참가자들이 이 워크샵에서 얻어가야 할 학습 목표를 명확히 합니다. 이 단계에서는 참가자들이 개인적으로 그리고 팀으로서 얻어갈 수 있는 이점에 대해 이해하고, 워크샵의 효과적인 진행을 위한 기대치를 설정합니다.

2. 경청의 원칙 및 기술 소개: 워크샵의 다음 단계에서는 경청의 기본 원칙과 기술에 대한 이론적인 설명을 제공합니다. 이 단계에서는 비판적이지 않고 개방적인 마음으로 경청하는 방법, 질문을 통해 더 깊게 이해하는 방법, 반응 대신 요약하는 방법 등에 대해 자세히 배우게 됩니다. 이 기술들은 모두 팀원들의 의견을 더 잘 이해하고, 그들의 가치를 인정하며, 효과적인 의사소통을 구축하는 데 중요합니다.

3. 롤 플레이 실습: 이론적으로 배운 경청 기술을 실제 대화 상황에서 적용해보는 롤 플레이 실습을 진행합니다. 이 단계는 참가자들이 실제로 경청 기술을 사용해보며, 그 기술이 어떻게 대화의 흐름과 결과에 영향을 미치는지 체험하는 중요한 단계입니다.

4. 피드백 및 평가: 롤 플레이 실습 후에는 피드백 및 평가 시간을 가집니다. 이 시간 동안 참가자들은 서로의 경청 기술에 대한 피드백을 주고 받으며, 자신의 경청 기술을 어떻게 개선할 수 있는지에 대한 통찰력을 얻습니다. 이는 각 참가자가 경청 기술을 개인적으로 어떻게 발전시킬 수 있는지에 대한 실질적인 조언을 얻는 중요한 시간입니다.

5. 경청 기술 활용 방안 고민: 워크샵의 마지막 단계에서 참가자들은 배운 경청 기술을 자신의 실제 업무 상황에서 어떻게 활용할 수 있을지에 대해 고민하고 토론합니다. 이는 참가자들이 경청 기술을 실제 업무에 적용하는 방법을 탐색하고, 그 결과로 실제 업무에서의 효과를 극대화하는 데 도움을 받는 중요한 시간입니다.

이 장에서는 리더들이 적극적인 경청의 중요성에 대해 깊이 이해하고 그 중요성을 완전히 인식하도록 중점을 두고 있습니다. 적극적인 경청은 모든 성공적인 리더십의 핵심 요소로, 그 중요성은 강조할 수 없을 정도입니다.

적극적인 경청을 통한 깊이 있는 이해는 리더들에게 다른 사람들의 의견과 아이디어를 보다 완벽하게 이해하고, 그들의 관점을 존중하고 인정하게 됩니다. 이를 통해, 리더는 그들과 깊은 수준에서 공감하며, 그들의 생각과 감정을 공유하게 되는 것입니다.

또한, 이 장에서는 적극적인 경청의 전략적 적용 방법에 대한 이해를 높이는 것에 중점을 두고 있습니다. 리더들은 실제 리더십 상황에서 적극적인 경청을 어떻게 적용할 수 있는지에 대해 자세히 배우게 됩니다. 이를 통해, 리더는 팀과 조직에 더 큰 가치를 제공하고, 더욱 효과적으로 목표를 달성하는 데 도움이 될 것입니다.

이렇게 해서, 리더는 자신의 리더십 스타일을 향상시키고, 팀의 동기부여를 높이며, 조직의 전반적인 성과를 향상시킬 수 있습니다. 결국, 적극적인 경청은 리더가 자신의 목표를 달성하는 데 결정적인 역할을 하는 것입니다. 이는 리더십의 효과를 극대화하고, 조직의 성공을 위한 핵심 전략으로서의 적극적인 경청의 중요성을 이해하는 데 도움이 될 것입니다.

제 24장

업무 위임: 자율성 강화와 팀 역량 증진

이 장에서는 업무 위임이 팀원들의 자율성을 높이고, 책임감을 강화하는 중요한 리더십 기술이라는 점을 설명합니다. 이를 통해 각 팀원은 자신의 능력을 최대한 발휘할 수 있으며, 이는 조직의 생산성과 효율성을 향상시킵니다. 따라서, 이는 팀의 생산성 증가와 조직의 성과 향상에 기여하게 됩니다.

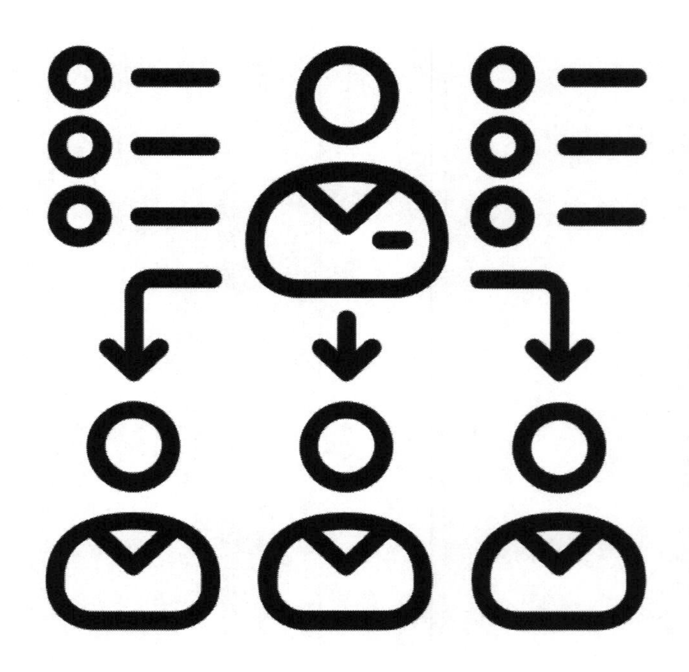

학습 개요

이 장에서는 업무 위임이 팀원들의 자율성을 높이고, 책임감을 강화하는 중요한 리더십 기술이라는 점을 설명합니다. 이를 통해 각 팀원은 자신의 능력을 최대한 발휘할 수 있으며, 이는 조직의 생산성과 효율성을 향상시킵니다. 따라서, 이는 팀의 생산성 증가와 조직의 성과 향상에 기여하게 됩니다.

학습 내용 및 목표

- 업무 위임의 중요성과 올바른 접근 방법: 이 섹션에서는 성공적인 업무 위임의 중요성에 대해 알아보고, 이를 효과적으로 수행하는 원칙과 기법에 대해 이해합니다.
- 자율성과 지원의 균형: 업무를 위임하는 것은 단순히 업무를 분배하는 것 이상의 의미를 가지고 있습니다. 이 과정에서는 위임된 업무에 대해 적절한 지원과 지도를 제공하는 방법, 그리고 동시에 팀원들의 자율성을 존중하는 방법에 대해 배웁니다.
- 위임된 업무의 관리와 평가: 업무를 위임한 후에는 그 업무의 진행 상황을 효과적으로 모니터링하고 평가하는 일이 중요합니다. 이 섹션에서는 위임한 업무의 관리와 평가 방법에 대한 기술을 습득합니다.

예상 학습 성과

- 팀원들은 서로의 역할을 이해하고, 이를 바탕으로 각자의 업무에 더욱 책임감을 가지고 독립적으로 작업하는 능력을 개발합니다. 이는 팀원들이 각자의 역할을 충실히 수행하면서도 팀의 전반적인 목표를 이해하고 이를 위해 노력한다는 점에서 중요합니다.
- 리더는 조직의 목표 달성을 위해 팀원들의 능력을 최대한 활용하는 방법을 찾아야 합니다. 이는 리더가 팀원들의 능력과 잠재력을 이해하고, 이를 바탕으로 팀원들이 자신의 역할을 최대한 효과적으로 수행할 수 있도록 지원해야 함을 의미합니다.
- 리더는 업무의 전반적인 관리를 통해 팀원들이 자신의 역할과 책임에 대해 명확하게 이해하게 만들어야 합니다. 이는 팀원들이 자신의 역할을 이해하고, 이를 바탕으로 자신의 업무를 효과적으로 수행할 수 있도록 돕는 것입니다.
- 팀원들은 리더로부터의 신뢰와 지원을 통해 자신의 업무에 대한 자신감과 능력을 향상시킬 수 있습니다. 이는 팀원들이 자신의 역할을 이해하고 이를 효과적으로 수행하는 데 필요한 자신감과 능력을 갖추는 데 도움이 됩니다.

이론적 배경과 근거

켄 블랜차드(Ken Blanchard)이 쓴 "The One Minute Manager"라는 책에서는 업무 위임의 중요성에 대해 강조하고 있습니다. 블랜차드는 이 책에서 위임의 힘을 통해 팀원들이 자기 주도적으로 일하는 환경을 조성하는 것이 조직의 성공에 어떻게 기여하는지를 자세하게 설명합니다. 그는 위임이 단순히 업무를 분배하는 것이 아니라, 팀원들이 자신의 역량을 향상시키고, 개인의 책임감과 주도성을 강화하는 데 중요한 역할을 한다고 주장합니다. 이러한 접근법은 팀원들이 더 적극적으로 참여하고, 개개인이 기여할 수 있는 기회를 제공함으로써, 전체 팀의 생산성과 창의성을 높이는 데 도움이 됩니다.

이와 같이, 블랜차드는 업무 위임을 통해 팀원들이 자기 주도적으로 일할 수 있는 환경을 만드는 것이 조직의 성공에 근본적으로 기여한다고 설명하고 있습니다. 이는 팀원들이 자신의 역할에 대해 더 많이 이해하고, 이를 바탕으로 자신의 역할에 대한 책임감을 더 강하게 느끼게 해줍니다. 이로 인해 팀원들은 자신의 역할을 더 효과적으로 수행할 수 있으며, 이는 전체 팀의 퍼포먼스 향상으로 이어질 수 있습니다.

또한, 블랜차드는 위임을 통해 팀원들이 자신의 역량을 더욱 발휘할 수 있게 되고, 이로 인해 조직 전체의 생산성과 효율성이 향상되는 결과를 가져온다고 강조합니다. 이는 결국 리더십 기술 중에서도 핵심적인 요소로 여겨집니다. 리더는 팀원들의 능력과 잠재력을 이해하고, 이를 바탕으로 팀원들이 자신의 역할을 최대한 효과적으로 수행할 수 있도록 지원해야 합니다.

따라서, 업무 위임은 단순히 업무를 분배하는 것 이상의 의미를 가지며, 이는 팀원들의 독립적인 작업 능력을 강화하는데 중요한 역할을 합니다. 이를 통해, 팀원 개개인이 자신의 역량을 최대한 발휘할 수 있게 되고, 이로 인해 조직 전체의 생산성과 효율성이 향상되는 결과를 가져옵니다.

1. "Delegation and Agency in International Organizations" (Darren G. Hawkins, 2020): 이 학문적인 책에서는 국제 조직에서의 업무 위임이 어떻게 이루어지는지에 대해 깊이 탐구하고 있습니다. 특히, 업무 위임의 강도와 범위가 조직의 성과에 어떠한 영향을 미치는지에 대해 핵심적인 아이디어를 제공하며, 이를 통해 국제 조직의 운영 방식에 대한 깊이 있는 이해를 돕습니다.

2. "The Art of Delegation: Maximize Your Time, Leverage Others, and Instantly Increase Profits" (Richard James, 2020): 이 실용적인 책에서는 업무 위임의 중요성을 강조하면서, 위임을 통해 시간을 효율적으로 활용하고 이익을 증가시키는 방법에 대해 상세하게 설명하고 있습니다. 이 책은 리더들이 팀원들의 능력을 최대한 활용하고 조직의 이익을 증가시키는 방법에 대해 배울 수 있는 훌륭한 자료입니다.

3. "Delegation and Supervision" (Brian Tracy, 2020): 이 책에서는 업무를 효과적으로 위임하고 감독하는 방법에 대해 상세하게 설명하고 있습니다. 이를 통해 팀의 생산성과 효율성을 높이는 방법에 대해 배울 수 있으며, 이는 팀 리더들에게 필요한 중요한 스킬입니다.

4. "Delegation: Mastery Increase Productivity & Hit Your Goals!" (Steve Levinson, 2021): 이 책에서는 업무 위임을 통해 생산성을 높이고 목표를 달성하는 방법에 대해 실용적인 조언을 제공하고 있습니다. 이 책은 리더들에게 목표 설정과 시간 관리, 그리고 팀원들의 역량을 향상시키는 방법에 대한 훌륭한 가이드를 제공합니다.

5. "The Power of Delegation: How to Delegate for Results and Responsibility" (Mary Parker Follett, 2021): 이 책에서는 업무 위임의 힘에 대해 강조하면서, 업무를 효과적으로 위임하는 방법과 이를 통해 팀원들의 책임감을 높이는 방법에 대해 상세하게 설명하고 있습니다. 이 책은 리더들이 팀원들을 동기부여하고, 그들의 책임감을 높이는 방법에 대해 깊이 이해하는 데 도움이 됩니다.

최신 이론적 배경과 근거

1. "Reimagining the future of work with 'work marketplaces'" (John Boudreau, 2020): 이 논문에서는 업무 위임의 중요성을 재조명하고, 특히 워크 마켓플레이스라는 새로운 개념을 통해 업무를 어떻게 분배하고 위임할 수 있는지에 대한 신선한 시각을 제시합니다. 이 개념은 기존의 업무 분배 방식을 혁신적으로 바꾸는 방법을 제안하며, 이에 대한 심도있는 분석과 통찰을 제공합니다.

2. "Delegation, accountability and cognitive ability in managers" (Alexander Pepper, 2020): 이 연구에서는 매니저의 인지 능력이 업무 위임 및 책임성에 어떻게 영향을 미치는지에 대해 탐구하고 있습니다. 매니저의 각종 능력과 그것이 어떻게 업무 분배와 책임성에 영향을 미치는지에 대한 세밀한 연구와 이해를 제공합니다.

3. "The Power of Letting Go: How to drop everything that's holding you back" (John Purkiss, 2020): 이 책에서는 업무를 위임하는 것이 리더에게 어떻게 도움이 되는지, 그리고 이를 통해 개인이 보유한 장애물을 해결하는 방법에 대해 설명하고 있습니다. 이는 리더의 역량 개발과 자기 개발에 중점을 두고, 업무 위임을 통해 어떻게 더 효과적인 리더가 될 수 있는지에 대한 인사이트를 제공합니다.

4. "Trust, but Verify: The role of ICTs in delegating agency in a healthcare service" (Amany Alshibli, 2020): 이 논문에서는 정보 통신기술(ICT)이 건강관리 서비스에서 어떻게 업무 위임에 도움이 되는지에 대해 심도 있는 연구를 제시하고 있습니다. ICT의 역할과 그것이 어떻게

건강관리 서비스의 업무 분배와 위임에 도움이 되는지에 대한 깊이 있는 분석을 제공하며, 실제 사례들을 통해 이를 설명합니다.

5. "Mastering Delegation: Your Fast-Track to Success" (Christina De Busk, 2021): 이 책에서는 업무 위임이 성공으로의 빠른 트랙이 될 수 있는 방법에 대해 설명하고 있습니다. 특히 이 책은 업무 위임의 효과적인 방법과 이를 통해 조직의 성과를 향상시키는 방법에 대해 이해할 수 있게 돕습니다. 또한, 이를 실제 업무에 적용하는 방법에 대한 구체적인 가이드라인을 제공함으로써, 독자들이 이를 즉시 실용적으로 활용할 수 있도록 지원합니다.

업무 위임의 중요성과 올바른 접근 방법

업무 위임은 리더가 자신의 책임 중 일부를 다른 팀원에게 맡기는 과정입니다. 이는 단순히 업무를 분배하는 것 이상의 의미를 가지며, 팀원들의 독립적인 작업 능력을 강화하고, 자기 주도적인 업무 수행능력을 향상시키는데 중요한 역할을 합니다.

이러한 방법들을 통해 업무 위임은 리더들이 팀의 생산성을 높이고, 팀원들의 역량을 향상시키는 중요한 도구가 될 수 있습니다. 이를 통해, 팀원 개개인이 자신의 역량을 최대한 발휘할 수 있게 되고, 이로 인해 조직 전체의 생산성과 효율성이 향상되는 결과를 가져옵니다.

1. 업무 위임의 중요성: 업무 위임은 팀의 생산성과 효율성을 높이며, 팀원들의 업무 만족도를 증가시키는데 중요한 역할을 합니다. 또한, 리더는 업무를 위임함으로써 자신의 부담을 줄이고, 전략적인 결정에 더 많은 시간과 에너지를 투자할 수 있습니다.

2. 올바른 업무 위임 방법: 업무를 위임할 때는 팀원의 능력과 역량을 고려해야 합니다. 또한, 업무의 목표와 기대 결과를 명확히 설명하고, 필요한 지원과 자원을 제공해야 합니다. 업무를 위임한 후에는 팀원의 진행 상황을 주기적으로 확인하고, 필요한 피드백과 지원을 제공해야 합니다.

3. 업무 위임의 원칙: 성공적인 업무 위임을 위해선 다음의 원칙들을 따라야 합니다. 부적합한 위임을 피하라: 업무를 위임할 때는 팀원의 능력과 경험을 고려해야 합니다. 명확한 기대치를 설정하라: 업무의 목표와 기대 결과를 명확히 설명하고, 팀원이 이해했는지 확인해야 합니다. 적절한 권한을 부여하라: 업무를 성공적으로 수행하기 위해 필요한 권한과 자원을 제공해야 합니다. 결과에 대한 책임을 지우라: 팀원이 업무를 성공적으로 수행할 수 있도록 적절한 피드백과 지원을 제공해야 합니다.

4. 업무 위임의 장점: 업무 위임은 팀원의 능력과 자신감을 향상시키며, 팀의 생산성과 효율성을 높입니다. 또한, 업무를 위임함으로써 리더는 자신의 부담을 줄이고, 더 중요한 업무에 집중할 수 있습니다.

5. 업무 위임의 단점: 잘못된 업무 위임은 팀의 생산성과 효율성을 저하시킬 수 있습니다. 또한, 팀원이 부적합한 업무를 맡게 될 경우, 그의 업무 만족도와 자신감이 감소할 수 있습니다. 따라서, 업무를 위임할 때는 팀원의 능력과 경험을 충분히 고려해야 합니다.

업무 위임의 중요성과 올바른 접근 방법을 위한 실습 자료

1. 목표 설정: 팀원들이 업무를 위임 받았을 때 달성해야 할 목표를 설정하는 실습. 목표 설정은 모든 작업의 시작점이며, 구체적이고 측정 가능한 목표는 팀원들이 어떻게 진행해야 할지를 명확하게 지시합니다.

2. 역할 분배 시뮬레이션: 팀원들에게 다양한 역할을 할당하고, 각자의 역할을 어떻게 수행할지 계획하도록 하는 실습. 이를 통해 팀원들은 자신의 역할과 책임을 명확하게 이해하게 됩니다.

3. 업무 모니터링: 위임된 업무의 진행 상황을 모니터링하고 피드백을 제공하는 실습. 이를 통해 팀원들은 자신의 업무가 어떻게 진행되고 있는지를 파악하고 필요한 수정 사항을 식별할 수 있습니다.

4. 업무 분배 토론: 팀원들이 자신이 생각하는 가장 효과적인 업무 분배 방법에 대해 토론하는 실습. 이를 통해 팀원들은 다양한 업무 분배 전략에 대해 학습하고 자신의 생각을 표현하는 기회를 얻습니다.

5. 위임된 업무의 평가: 위임된 업무의 성과를 평가하고 피드백을 제공하는 실습. 이를 통해 팀원들은 자신의 업무 성과를 이해하고 향후 개선할 수 있는 방향을 파악할 수 있습니다.

6. 업무 위임의 효과 분석: 업무 위임이 팀의 생산성과 효율성에 어떤 영향을 미치는지 분석하는 실습. 이를 통해 팀원들은 업무 위임의 중요성과 그 효과에 대해 깊이 이해하게 됩니다.

7. 역할과 책임 이해: 팀원들이 자신의 역할과 책임을 이해하고, 이를 바탕으로 업무를 수행하는 실습. 이를 통해 팀원들은 자신의 역할을 명확히 파악하고, 이에 따라 업무를 효과적으로 수행할 수 있게 됩니다.

8. 책임감 강화 실습: 팀원들이 업무를 위임 받았을 때 책임감을 느끼는 방법에 대해 배우는 실습. 이를 통해 팀원들은 자신의 역할과 책임에 대한 인식을 높이고, 이를 업무 수행에 반영할 수 있습니다.

9. 업무 위임과 리더십 스타일: 리더들이 자신의 리더십 스타일에 따라 어떻게 업무를 위임하는지 학습하는 실습. 이를 통해 리더들은 자신의 리더십 스타일을 이해하고, 이에 따라 적절한 업무 위임 방법을 선택할 수 있습니다.

10. 업무 위임의 장단점 토론: 팀원들이 업무 위임의 장단점에 대해 토론하고, 자신의 견해를 나누는 실습. 이를 통해 팀원들은 업무 위임의 이점과 한계에 대해 더 깊이 이해하고, 이에 대한 자신의 생각을 표현하는 기회를 얻습니다.

자율성과 지원의 균형

자율성과 지원의 균형이란, 팀원들이 자율적으로 업무를 수행할 수 있도록 돕는 동시에, 필요한 지원과 가이드라인을 제공하여 팀원들이 업무를 효과적으로 수행할 수 있도록 하는 것을 의미합니다. 이는 업무 위임에서 중요한 요소로, 리더는 팀원들에게 적절한 권한을 부여해야 하며, 동시에 팀원들이 업무를 성공적으로 수행할 수 있도록 적절한 지원과 가이드라인을 제공해야 합니다.

자율성을 부여하는 것은 팀원들이 자신의 역할을 자기 주도적으로 수행하도록 돕는 것입니다. 이는 팀원들이 자신의 역할에 대한 책임감을 더 강하게 느끼게 하고, 그들의 창의성과 적극성을 촉진하는데 중요합니다. 하지만, 이를 위해서는 팀원들이 업무를 수행하는 데 필요한 지식과 능력, 그리고 자원을 갖추고 있어야 합니다. 그렇지 않으면, 팀원들은 자신의 역할을 효과적으로 수행하는 데 어려움을 겪을 수 있습니다.

반면, 지원을 제공하는 것은 팀원들이 업무를 수행하는 데 필요한 지원과 가이드라인을 제공하는 것입니다. 이는 팀원들이 업무를 효과적으로 수행할 수 있도록 돕는 것이며, 팀원들이 자신의 역할을 이해하고, 이를 바탕으로 자신의 업무를 효과적으로 수행할 수 있도록 돕는 것입니다.

따라서, 업무를 위임할 때는 자율성과 지원의 균형을 잘 유지해야 합니다. 팀원들에게 적절한 권한을 부여하면서도, 필요한 지원과 가이드라인을 제공하여 팀원들이 업무를 효과적으로 수행할 수 있도록 도와야 합니다.

업무 위임의 성공적인 실현을 위한 상세 가이드라인

업무 위임은 팀의 효율성을 높이고, 팀원들의 능력을 최대한 활용하기 위한 핵심 전략입니다. 이를 성공적으로 실행하기 위해 고려해야 할 주요 단계는 다음과 같습니다.

1. 업무 선정: 업무 위임의 첫 단계는 어떤 업무를 위임할 것인지 결정하는 것입니다. 이 단계에서는 위임할 업무를 신중하게 고려하며, 그 업무의 중요성과 목표를 명확히 이해해야 합니다. 이는 위임받은 팀원이 업무의 중요성을 인식하고, 그에 따라 책임감을 가지게 하는 데 필수적입니다. 또한 업무의 범위와 세부사항을 명확히 정의하여 팀원이 업무를 정확하게 이해할 수 있도록 해야 합니다.

2. 위임 대상 선정: 다음으로는 업무를 수행할 팀원을 선정해야 합니다. 이 단계에서는 업무를 효과적으로 수행할 수 있는 능력과 자원을 갖춘 팀원을 선정하는 것이 중요합니다. 이를 위해 팀원들의 기술, 경험, 그리고 업무에 대한 이해도를 고려해야 합니다. 또한, 팀원의 능력과 업무의 요구사항이 잘 맞도록 팀원을 선정해야 합니다.

3. 지시와 교육: 선정된 팀원에게 업무의 세부 사항과 목표를 명확하게 알려주는 것이 중요합니다. 이 단계에서는 업무의 목표, 기대되는 결과, 그리고 업무 수행 방법에 대한 명확한 지시를 제공해야 합니다. 필요한 경우, 교육을 제공하여 팀원의 업무 수행 능력을 향상시키는 것이 좋습니다. 이는 팀원이 업무를 효과적으로 수행하도록 돕는 데 중요합니다.

4. 피드백과 평가: 마지막으로, 업무 진행 상황을 주기적으로 확인하고, 적절한 피드백을 제공하여 팀원의 성과를 평가하는 것이 중요합니다. 이 단계에서는 업무의 효과성을 검토하고, 필요에 따라 추가 지시나 교육을 제공해야 합니다. 이는 팀원의 성장을 지원하고, 팀 전체의 효율성을 향상시키는 데 중요합니다. 또한, 이를 통해 팀원은 자신의 성과에 대한 피드백을 받아, 더 나은 성과를 위해 어떤 부분을 개선해야 하는지 알 수 있습니다.

자율성과 지원의 균형에 필요한 실습 자료

1. 업무 위임에 대한 실제 사례 연구: 이 활동은 실제 업무에서의 위임 사례를 분석하고, 성공적인 위임과 그렇지 않은 경우의 차이점을 이해하는 데 도움이 됩니다. 각 사례는 특정 상황, 위임 방법, 결과 등을 상세하게 분석하여, 어떤 방법이 효과적이었는지, 어떤 점이 개선되어야 했는지를 알아봅니다.

2. 업무 위임에 대한 역할 연기 시나리오 및 스크립트: 팀원들이 상호간에 역할을 바꿔가며 위임 상황을 연기해보는 활동입니다. 이를 통해 위임 과정에서의 의사소통 방법, 문제 해결 전략 등을 실습하고, 피드백을 통해 성장할 수 있습니다.

3. 팀원들의 역량과 관심을 고려한 업무 배분 가이드라인: 팀원의 능력, 경험, 관심사 등을 고려하여 업무를 배분하는 방법에 대한 가이드라인을 제공합니다. 이를 통해 각 팀원이 자신의 역량을 최대한 발휘하고, 동시에 팀의 전반적인 효율성을 높일 수 있습니다.

4. 업무 목표 설정 및 달성을 위한 워크샵: 목표 설정의 중요성과 방법, 그리고 목표 달성을 위한 전략 등에 대해 배우는 워크샵입니다. 팀원들이 자신의 업무 목표를 명확히 설정하고, 이를 효과적으로 추진하여 결과를 도출하는 데 도움이 됩니다.

5. 위임된 업무에 대한 피드백 및 평가 기법: 위임된 업무의 진행 상황을 효과적으로 모니터링하고, 필요한 피드백을 제공하는 방법에 대해 배웁니다. 팀원들이 자신의 업무를 더욱 효과적으로 수행할 수 있도록 지원하는데 필요한 기법을 습득합니다.

6. 팀원들의 자율성을 존중하는 리더십 스타일에 대한 워크샵: 팀원들의 자율성을 존중하면서도, 효과적인 지휘를 통해 팀의 성과를 높이는 리더십 스타일에 대해 배우는 워크샵입니다. 리더로서의 역할과 책임, 팀원들의 창의성과 독립성을 존중하는 방법 등에 대해 배웁니다.

7. 위임된 업무의 진행 상황을 모니터링하는 방법에 대한 튜토리얼: 위임된 업무의 진행 상황을 체계적으로 모니터링하고, 그 결과를 관리하는 방법에 대한 튜토리얼입니다. 팀원들이 어떻게 진행되고 있는지 확인하고, 필요하다면 적절한 지원을 제공하여 업무의 효율성을 높이는 방법을 배웁니다.

8. 위임에 대한 적절한 권한 부여에 대한 실습: 위임하는 업무에 대해 적절한 권한을 부여하는 방법에 대해 실습합니다. 이를 통해 팀원들이 필요한 자원과 권한을 갖추어 업무를 효과적으로 수행할 수 있도록 지원합니다.

9. 위임된 업무의 결과에 대한 책임을 지우는 방법에 대한 실습: 위임된 업무의 결과에 대한 책임을 지는 방법에 대해 실습합니다. 이를 통해 팀원들이 자신의 업무에 대한 책임감을 더욱 강화하고, 이를 바탕으로 업무의 효율성과 퀄리티를 높일 수 있습니다.

10. 업무를 위임하는 과정에서 발생할 수 있는 문제 해결에 대한 워크샵: 업무를 위임하는 과정에서 발생할 수 있는 다양한 문제 상황과 그 해결 방법에 대해 배우는 워크샵입니다. 이를 통해 실제 업무에서 발생할 수 있는 다양한 상황에 대비하고, 이를 효과적으로 해결하는 방법을 배웁니다.

위임된 업무의 관리와 평가

위임된 업무의 관리는 리더의 중요한 역할 중 하나입니다. 업무가 효과적으로 수행되는지 확인하고, 필요한 지원을 제공하는 것이 중요합니다. 아래는 위임된 업무의 관리와 평가를 위한 상세 가이드라인으로, 우선 순위에 따라 재배열하고 내용을 확장하여 설명하였습니다.

1. 자원의 제공: 이는 가장 우선적으로 고려해야 하는 관리 방법입니다. 팀원이 업무를 성공적으로 수행하려면 그들이 필요로 하는 도구, 정보, 교육 등의 자원이 제공되어야 합니다. 리더는 팀원들이 어떤 자원을 필요로 하는지 파악하고, 이를 제공함으로써 업무 수행을 돕습니다. 이는 팀원들이 업무에 대한 충분한 이해를 가지고 시작할 수 있게 하며, 효과적인 업무 수행을 가능하게 합니다.

2. 진행 상황의 확인: 리더는 주기적으로 위임된 업무의 진행 상황을 확인해야 합니다. 이를 통해 업무가 계획대로 진행되고 있는지, 팀원이 어떤 어려움을 겪고 있는지 파악할 수 있습니다. 이렇게 하면 리더는 이러한 어려움을 해결하는 데 필요한 지원을 즉시 제공할 수 있으며, 이는 업무의 성공적인 완료를 보장하는 데 중요합니다.

3. 적시의 피드백 제공: 리더는 팀원의 작업에 대해 적시에 피드백을 제공해야 합니다. 이는 팀원이 자신의 성능을 개선하고, 업무를 더 효과적으로 수행할 수 있도록 돕습니다. 피드백은 팀원들이 자신의 성과를 인식하고, 자신의 업무 방식을 개선하는 데 도움이 됩니다.

4. 성과의 평가: 마지막으로, 리더는 위임된 업무의 성과를 평가해야 합니다. 이는 업무의 목표가 달성되었는지, 팀원의 성능이 어떤지를 평가하는 데 사용됩니다. 성과 평가는 팀원들에게 그들의 노력이 인정받는 기회를 제공하며, 동시에 리더에게는 팀원들의 성과를 바탕으로 더 효과적인 위임 전략을 계획하는 데 도움을 줄 수 있습니다.

위임된 업무의 관리와 평가에 필요한 실습 자료

- 위임된 업무의 진행 상황 추적 방법: 업무를 위임한 후, 가장 중요한 것은 위임된 업무의 진행 상황을 효과적으로 모니터링하는 것입니다. 이를 통해 문제가 발생했을 때 즉시 대응할 수 있으며, 업무의 성과를 정확하게 측정할 수 있습니다. 정기적인 체크인, 간헐적인 진행 상황 보고 및 관련 데이터 추적을 통해 위임된 업무가 계획대로 진행되고 있는지 판단할 수 있습니다.

- 성과 측정 및 평가 방법: 위임된 업무의 성과를 측정하고 평가하는 방법은 업무의 성과를 개선하고, 팀원들의 역량을 높이는 데 도움이 됩니다. 명확한 성과 지표를 설정하고, 이를 기반으로 정기적인 평가를 진행하면, 팀원들은 자신들의 성과를 명확히 이해하고 개선할 수 있습니다.

- 피드백 준비 및 제공 방법: 피드백은 팀원들의 성과를 개선하고, 그들의 역량을 개발하는 데 매우 중요합니다. 피드백을 준비할 때는 구체적이고, 명확하며, 비판적이 아닌 건설적인 방향으로 제공해야 합니다. 이로써 팀원들은 자신의 성과를 개선하고, 위임된 업무를 더욱 효과적으로 수행할 수 있게 됩니다.

- 자원 배치 및 관리 방법: 위임된 업무에 필요한 자원을 효율적으로 배치하고 관리하는 것은 업무 성공의 중요한 요소입니다. 필요한 자원을 미리 파악하고, 이를 적절하게 배분하며, 필요에 따라 추가 자원을 확보하는 전략을 세워야 합니다.

- 위임된 업무의 문제점 식별 및 개선 방법: 위임된 업무에서 발생할 수 있는 문제점을 신속하게 식별하고 이를 개선하는 것은 업무의 효율성을 향상시키는 데 중요합니다. 문제점을 식별하는 데는 객관적인 데이터 분석, 팀원들의 피드백, 정기적인 리뷰 등이 도움이 될 수 있습니다.

- 팀원과의 의사소통 및 협업 방법: 팀원과의 효과적인 의사소통과 협업은 업무의 효율성과 성과를 향상시키는 데 중요합니다. 이를 위해서는 적절한 커뮤니케이션 채널의 활용, 팀원들의 의견 존중, 정기적인 팀 미팅 등이 필요합니다.

- 위임된 업무의 효과적인 관리를 위한 전략 개발: 위임된 업무를 효과적으로 관리하기 위한 전략을 개발하는 것은 업무 성과를 최대화하는 데 도움이 됩니다. 이를 위해 명확한 목표 설정, 적절한 성과 지표의 활용, 팀원 간의 역할과 책임 명확화 등이 필요합니다.

- 위임된 업무의 성공 사례 분석: 업무 위임의 성공 사례를 분석하면, 그 사례에서 배울 수 있는 점을 통해 업무 위임 전략을 개선하는 데 도움이 됩니다. 성공 사례를 통해 어떤 요소가 업무 성과를 향상시키는 데 기여했는지, 어떤 접근 방식이 효과적이었는지 등을 알 수 있습니다.

- 위임된 업무의 실패 사례 분석: 업무 위임의 실패 사례를 분석하면, 그 사례에서 배울 수 있는 점을 통해 같은 실수를 반복하지 않도록 돕습니다. 실패 사례를 통해 어떤 요소가 문제가 되었는지, 어떤 접근 방식이 실패로 이어졌는지 등을 알 수 있습니다.
- 업무 위임과 관련된 자주 묻는 질문에 대한 답변 제공: 업무 위임과 관련된 자주 묻는 질문과 그에 대한 답변을 제공하면, 이를 통해 관리자들이 업무 위임에 대한 보다 깊은 이해를 할 수 있습니다. 이는 관리자들이 자신들이 직면한 문제에 대해 어떻게 대응해야 할지, 어떤 접근 방식이 효과적일지에 대한 통찰을 제공할 수 있습니다.

기업 사례

- 삼성전자: 삼성전자는 '디지털 트랜스포메이션'을 통해 업무 프로세스를 개선하였습니다. 이를 통해 업무를 더 효율적으로 위임하고 관리하는 등, 전체적인 업무 효율성을 높였습니다. 이는 삼성전자의 비즈니스 변화에 빠르게 대응하고, 사내 커뮤니케이션을 강화하는데 크게 기여하였습니다.
- 현대자동차: 현대자동차는 '커넥티드 카' 프로젝트를 통해 팀간 협업 및 업무 위임을 강화하였습니다. 이 프로젝트를 통해, 팀원들 간 업무 분담이 더욱 효과적으로 이루어지며, 각 팀원의 역량을 최대한 활용할 수 있게 되었습니다.
- LG전자: LG전자는 '뉴 일 플레이' 프로젝트를 통해 일의 방식을 혁신하였고, 업무 위임 및 관리가 효과적으로 이루어질 수 있게 되었습니다. 이 프로젝트는 팀원들의 업무 수행 방식을 개선하고, 더 효율적인 업무 분배를 가능하게 함으로써, 전체 조직의 생산성을 높였습니다.
- 네이버: 네이버는 AI 및 빅데이터를 활용하여 업무 프로세스를 개선하였습니다. 이를 통해, 업무를 더욱 정확하게 분석하고, 효과적으로 위임하며, 효율적으로 관리하는 것이 가능해졌습니다.
- 카카오: 카카오는 워크플로우 자동화 도구를 도입하여 업무를 더 효율적으로 위임하고 관리하였습니다. 이 도구를 통해, 업무 프로세스를 더욱 세분화하고, 각 업무 단계를 명확하게 관리하며, 업무를 효과적으로 위임하는 것이 가능해졌습니다.
- SK텔레콤: SK텔레콤은 '디지털 트윈' 기술을 활용해 업무 프로세스를 시뮬레이션하였습니다. 이를 통해, 업무를 위임하고 관리하는 과정을 시각화하고, 더욱 효율적인 업무 분배를 가능하게 하였습니다.
- KT: KT는 클라우드 기반 협업 도구를 도입하여 업무 프로세스를 개선하였습니다. 이를 통해 업무를 더욱 효율적으로 위임하고 관리할 수 있게 되었습니다. 클라우드 기반의 협업 도구를 통해, 팀원들 간의 커뮤니케이션이 강화되고, 업무 프로세스가 더욱 투명해졌습니다.

- 롯데칠성음료: 롯데칠성음료는 스마트 팩토리를 도입하여 업무 프로세스를 개선하였습니다. 이를 통해 업무를 더 효과적으로 위임하고 관리할 수 있게 되었습니다. 스마트 팩토리를 통해, 제조 과정에서의 업무 분배가 더욱 효율적으로 이루어지며, 생산성이 높아졌습니다.
- GS리테일: GS리테일은 AI 기반의 재고 관리 시스템을 도입하여 업무 프로세스를 개선하였습니다. 이를 통해 업무를 더 효과적으로 위임하고 관리할 수 있게 되었습니다. AI 기반의 재고 관리 시스템을 통해, 재고 관리 업무가 더욱 효율적으로 이루어지며, 재고 관련 이슈를 빠르게 해결할 수 있게 되었습니다.
- CJ대한통운: CJ대한통운은 데이터 분석을 통한 업무 프로세스 개선을 추진하였습니다. 이를 통해 업무를 더 효과적으로 위임하고 관리할 수 있게 되었습니다. 데이터 분석을 통해, 업무 프로세스의 문제점을 쉽게 파악하고, 이를 기반으로 업무 분배와 관리 방법을 개선하였습니다.

시각 자료 및 도구

- 프로젝트 관리 도구: Asana, Trello, Jira 등의 프로젝트 관리 도구는 업무를 위임하고 진행 상황을 실시간으로 확인하는 데 필수적입니다. 이 도구들은 프로젝트의 전체적인 개요를 파악하고 개별 작업을 추적하는 데 도움이 됩니다. 이를 통해 리더는 팀원들이 각각 어떤 작업에 참여하고 있는지, 그리고 그 작업이 어떤 상태인지 쉽게 파악할 수 있습니다.
- 커뮤니케이션 도구: Slack, MS Teams 등의 커뮤니케이션 도구는 팀원 간 원활한 소통을 가능하게 합니다. 이러한 도구를 통해, 실시간 대화를 통한 빠른 피드백이 가능하며, 팀원 모두가 참여하여 정보를 공유하고 문제를 해결할 수 있습니다.
- 업무 위임 템플릿: 업무 위임에 필요한 정보를 기록하고 공유하는 업무 위임 템플릿은 업무 분배 및 추적을 체계화하는 데 도움이 됩니다. 이를 통해, 위임 받은 팀원은 자신의 업무를 명확히 이해하고, 필요한 작업을 수행하는 데 필요한 모든 정보를 얻을 수 있습니다.
- 스케줄링 도구: Google Calendar, Outlook 등의 스케줄링 도구는 업무 일정을 관리하고, 일정 변경 사항을 실시간으로 공유하는 데 유용합니다. 이를 통해 모든 팀원이 중요한 마감일이나 회의 등을 놓치지 않고, 효과적으로 시간을 관리할 수 있습니다.
- 시각화 도구: Tableau, PowerBI 등의 데이터 시각화 도구는 업무 성과를 시각적으로 파악하고 공유하는 데 매우 유용합니다. 이 도구들을 사용하면 복잡한 데이터를 이해하기 쉬운 시각적 형태로 변환하여, 팀원 모두가 업무 성과를 쉽게 이해할 수 있습니다.
- 클라우드 스토리지: Google Drive, Dropbox 등의 클라우드 스토리지는 자료를 안전하게 저장하고 쉽게 공유하는 데 필요합니다. 이런 도구들을 사용하면, 팀원들은 언제 어디서나 필요한 자료에 접근할 수 있습니다.

- 온라인 설문 도구: Google Forms, SurveyMonkey 등의 온라인 설문 도구를 활용하여 팀원들의 의견을 수집하고, 피드백을 제공할 수 있습니다. 이는 의사 결정 과정에서 중요한 역할을 하며, 팀원들의 참여를 유도합니다.
- 프로세스 맵 도구: Lucidchart, Miro 등의 프로세스 맵 도구는 업무 프로세스를 시각적으로 표현하고 이해하는 데 도움이 됩니다. 이를 통해, 팀원들은 자신의 업무가 전체 프로세스에서 어떤 위치에 있는지를 이해하고, 자신의 업무가 팀의 목표 달성에 어떻게 기여하는지를 볼 수 있습니다.
- 문서 공유 도구: Google Docs, Notion 등의 문서 공유 도구는 업무 정보를 실시간으로 공유하고 업데이트하는데 중요합니다. 이를 통해, 팀원들은 항상 최신의 정보를 바탕으로 작업할 수 있습니다.
- 온라인 미팅 도구: Zoom, Google Meet 등의 온라인 미팅 도구는 원격으로 업무 협의를 할 수 있게 합니다. 이러한 도구를 사용하면, 지리적 제약 없이 팀 미팅을 진행하고, 실시간으로 피드백을 주고 받을 수 있습니다.

업무 목표 설정 및 달성을 위한 워크샵

이 워크샵은 목표 설정의 중요성과 방법, 그리고 목표 달성을 위한 전략 등에 대해 배우는 프로그램입니다. 팀원들이 자신의 업무 목표를 명확히 설정하는 방법을 실용적으로 학습하고, 이를 효과적으로 추진하여 최종적인 결과를 도출하는 데 필요한 도구와 전략을 제공합니다.

이 워크샵을 통해 참가자들은 개인적으로 또는 팀으로 목표를 설정하고, 그 목표를 달성하기 위해 필요한 단계를 계획하고 실행하는 방법을 이해하게 됩니다. 이러한 과정은 팀원 전체의 생산성 향상과 성과 개선에 크게 기여할 것입니다.

워크샵의 실습 방안 및 과정은 다음과 같이 구성될 수 있습니다.

1. 목표 설정 워크샵 개요 공유: 워크샵의 목표와 내용을 공유하고, 팀원들이 목표 설정의 중요성을 이해하도록 합니다.

2. 목표 설정 이론 세션: 목표 설정의 기본 원리와 전략에 대해 교육합니다. SMART(구체적, 측정 가능, 달성 가능, 현실적, 시간을 정한) 목표 설정 원칙 등을 소개합니다.

3. 개인별 목표 설정 실습: 팀원 각각이 자신의 업무에 대한 목표를 설정하는 시간을 가집니다. 이때, 각 팀원이 SMART 원칙에 따라 목표를 설정하도록 안내합니다.

4. 피드백 및 리뷰 세션: 팀원들이 설정한 목표를 공유하고, 다른 팀원들과 리더로부터 피드백을 받는 시간을 가집니다.

5. 목표 달성 전략 논의: 각 팀원이 자신의 목표를 달성하기 위한 전략을 설정하고 이를 공유합니다. 이때, 특정 목표를 달성하기 위해 필요한 리소스, 시간, 도구 등을 고려합니다.

6. 워크샵 정리 및 마무리: 워크샵을 통해 배운 내용을 복습하고, 앞으로의 행동 계획을 설정합니다. 팀원들이 워크샵에서 배운 내용을 실제 업무에 적용할 수 있도록 도와줍니다.

업무를 위임하는 과정에서 발생할 수 있는 문제 해결에 대한 워크샵

이 워크샵은 업무를 위임하는 과정에서 발생할 수 있는 다양한 문제 상황과 그에 대한 해결 방법을 깊이 있게 배우는 과정입니다. 이러한 문제 상황은 예기치 않게 발생할 수 있는데, 이 워크샵을 통해 그러한 상황들에 대비하는 능력을 향상시킬 수 있습니다.

실제 업무에서 발생할 수 있는 문제를 예방하고, 만약 그런 문제가 발생하더라도 이를 효과적으로 해결하는 방법을 배우게 됩니다. 따라서 이 워크샵은 업무를 위임하는 과정에서 발생할 수 있는 다양한 문제를 신속하고 효과적으로 해결하는 데 큰 도움이 될 것입니다.

워크샵의 실습 방안 및 과정은 다음과 같이 구성될 수 있습니다.

1. 상황 설정과 롤플레이: 워크샵의 시작 부분에서는 업무 위임 과정에서 발생할 수 있는 다양한 상황을 설정합니다. 이를 바탕으로, 참가자들은 그 상황에 맞는 역할을 수행하게 됩니다. 이를 통해, 참가자들은 실제 업무 상황을 체험하고, 이를 해결하기 위한 전략을 적용해 봄으로써 실질적인 학습 효과를 얻을 수 있습니다.

2. 문제 해결 전략 논의: 롤플레이 이후, 참가자들은 각 상황에서 발생한 문제를 해결하기 위한 전략에 대해 논의합니다. 이 과정에서, 참가자들은 다양한 해결 방안을 제시하고, 이를 서로 논의해 볼 수 있습니다.

3. 전략 실행과 피드백: 논의된 전략을 바탕으로, 참가자들은 다시 한 번 역할을 수행하며 해당 전략을 실행해 봅니다. 이후, 전략의 효과성에 대해 피드백을 주고 받습니다.

4. 반성 및 배운 점 공유: 워크샵의 마지막 부분에서는, 참가자들이 각자의 경험을 바탕으로 반성하고 배운 점을 공유합니다. 이를 통해, 참가자들은 실습을 통해 얻은 경험을 돌아보고, 이를 바탕으로 앞으로의 업무에 적용할 수 있는 인사이트를 얻을 수 있습니다.

이 모든 학습을 통해, 학습자들은 업무 위임의 중요성과 그 방법에 대한 깊은 이해를 가지게 되었을 것입니다. 이를 바탕으로, 학습자들은 자신의 업무 환경에서 이러한 지식과 전략을 적용하여 팀의 역량을 강화하고 업무 효율성을 향상시킬 수 있을 것입니다.

이번 장을 통해, 학습자들은 업무를 효과적으로 위임하는 방법, 그리고 이를 통해 팀원 간의 커뮤니케이션을 강화하고 업무 효율성을 높이는 방법에 대해 학습하게 되었습니다. 또한, 실제 기업 사례를 통해 이에 대한 이론적인 지식을 실제 업무 상황에 어떻게 적용하는지에 대해 이해하게 되었습니다.

이러한 지식을 바탕으로, 학습자들은 자신의 업무 환경에서 업무 위임의 원리와 전략을 실질적으로 적용하게 되어, 팀의 역량을 강화하고 업무 효율성을 향상시킬 수 있을 것입니다. 이를 위한 다양한 업무 도구와 워크샵을 통해 실질적인 실행 방법에 대해 학습하였습니다.

따라서, 이번 장을 통해 학습자들은 업무 위임의 중요성을 인식하고, 이를 효과적으로 수행하는 방법에 대한 깊은 이해를 가지게 되었습니다. 이를 바탕으로 학습자들은 자신의 업무 환경에서 이를 적용하여, 팀의 역량을 강화하고 업무 효율성을 향상시킬 수 있을 것입니다.

제 25 장

업무에 대한 열정: 조직을 영감으로 이끄는 힘

이 장에서는 리더의 열정이 팀과 조직에 어떻게 영감을 불어넣는 중요한 요소가 되는지를 설명합니다. 리더의 열정은 팀원들의 참여 의지와 동기를 부여하고, 조직 전체에 긍정적인 에너지를 전파합니다. 이것은 팀원들의 창의성과 혁신을 촉진하며, 조직의 경쟁력을 높이는 데 도움이 됩니다. 더불어, 리더의 열정은 조직의 문화를 형성하고, 조직의 정체성을 확립하는 데 중요한 역할을 합니다.

학습 개요

이 장에서는 리더의 열정이 팀과 조직에 어떻게 영감을 불어넣는 중요한 요소가 되는지를 설명합니다. 리더의 열정은 팀원들의 참여 의지와 동기를 부여하고, 조직 전체에 긍정적인 에너지를 전파합니다. 이것은 팀원들의 창의성과 혁신을 촉진하며, 조직의 경쟁력을 높이는 데 도움이 됩니다. 더불어, 리더의 열정은 조직의 문화를 형성하고, 조직의 정체성을 확립하는 데 중요한 역할을 합니다.

학습 내용 및 목표

- 열정의 중요성과 리더십 강화: 이 항목에서는 리더의 열정이 조직 내에서 어떻게 큰 영향력을 발휘하는지에 대한 이해를 목표로 합니다. 리더의 열정은 직원들에게 동기를 부여하고 그들의 의욕을 높일 수 있습니다. 이를 통해, 리더는 직원들의 열정을 자극하고, 그 결과 조직의 전반적인 성과를 증진시키는 방법을 배울 수 있습니다.
- 열정 유지 및 전파 기술: 이 항목에서는 개인의 열정을 지속적으로 유지하는 방법과 그 열정을 팀원에게 어떻게 효과적으로 전파하는지에 대해 배웁니다. 이 과정에서는 열정을 유발하고 유지하는 데 필요한 다양한 전략과 기법을 배우게 됩니다. 이들 기법은 리더가 자신의 열정을 더욱 잘 전달하고, 팀원들의 열정을 불러일으키는데 매우 도움이 됩니다.
- 동기부여와 열정의 연결고리: 이 항목에서는 열정이 팀원의 동기부여에 어떻게 긍정적인 영향을 미치는지에 대해 깊이 있게 탐색합니다. 열정은 팀원들이 자신의 일에 더욱 열중하게 만들 수 있으며, 이를 통해 팀원들이 자신의 일에 더욱 투자하도록 동기부여하는 방법을 이해하게 됩니다. 이는 조직의 전반적인 생산성과 효율성을 향상시키는 데 중요한 역할을 합니다.

예상 학습 성과

- 리더는 어떻게 열정을 효과적으로 전파하여 팀원들의 열정을 불러일으키는 방법을 학습할 수 있습니다. 이는 조직의 성과 향상에 중요한 첫걸음이며, 팀원들이 더 높은 목표를 세우고, 더 열심히 노력하며, 더 큰 성과를 이루려는 욕심을 갖게 됩니다.
- 리더의 열정이 팀원들의 창의성과 혁신을 촉진하는 방법을 이해하게 됩니다. 이는 조직의 경쟁력 향상에 기여하며, 변화와 도전을 받아들일 수 있는 유연성을 갖게 해 시장에서 경쟁력을 유지합니다.
- 열정을 효과적으로 전파하고 유지하는 전략을 배우며, 이를 실제 업무에 적용하는 방법을 학습하게 됩니다. 이를 통해 조직의 목표 달성에 필요한 긍정적인 에너지와 열정을 지속적으로 유지할 수 있습니다. 결과적으로, 이런 긍정적인 에너지가 조직 전체에 확산됩니다.
- 조직 내에서의 열정과 동기부여에 대한 이해를 더욱 깊게 합니다. 이렇게 하면 리더와 팀원 모두가 높은 동기부여와 참여를 경험하게 되고, 팀원들이 자신의 업무에 더욱 투자하도록 도와주는 방법을 이해하게 됩니다.

이론적 배경과 근거

다니엘 핑크(Daniel Pink)의 "Drive: The Surprising Truth About What Motivates Us"에서는 자율성, 숙련, 목적의 중요성과 함께 열정이 직원의 성과에 어떤 영향을 미치는지 설명합니다. 이러한 요소들이 리더와 팀원 모두의 내적 동기를 부여하여 더 높은 성과로 이끌 수 있음을 강조합니다.

그는 저서에서 자율성, 숙련, 목적의 중요성을 강조하며, 이들 요소가 어떻게 직원의 성과에 영향을 미치는지에 대한 분석을 제공합니다. 이러한 요소들은 단순히 업무를 수행하는 동기를 넘어, 리더와 팀원 모두에게 내적 동기를 부여하며 이를 통해 더 높은 성과를 도출할 수 있다는 점을 강조합니다. 열정이라는 요소는 이 모든 것을 가능하게 만드는 주요한 힘으로, 열정이 있을 때만 진정한 성과를 창출할 수 있다는 점을 강조합니다.

다니엘 핑크는 저서에서 자율성, 숙련, 목적이라는 세 가지 요소가 모두 갖춰지면 사람들이 가장 최선의 성과를 내고, 가장 만족스러운 일을 할 수 있다는 점을 지적합니다. 이들 요소는 사람들이 동기를 부여받고, 목표를 세우고, 그 목표를 향해 나아가는 데 필요한 힘을 제공합니다.

그의 연구에서 가장 중요한 발견 중 하나는 열정의 역할입니다. 그는 열정이 사람들이 자신의 일에 더 많은 동기와 힘을 부여하는 데 중요한 역할을 한다는 것을 밝혔습니다. 사람들이 자신의 일에 열정을 가지면 그들은 일을 더 잘하고, 더 큰 성과를 내며, 더 큰 만족감을 얻는다는 것입니다.

핑크는 이러한 열정이 리더와 팀원 모두에게 중요하다고 강조합니다. 리더는 자신의 열정을 팀원들에게 전파함으로써 그들의 동기를 높이고, 그들의 성과를 향상시킬 수 있습니다. 반대로, 팀원들은 자신의 열정을 통해 더 높은 목표를 세우고, 더 많은 노력을 기울이며, 더 큰 성과를 얻을 수 있습니다.

이러한 연구 결과는 모든 조직에서 중요한 교훈을 제공합니다. 우리는 모두 자신의 일에 대한 열정을 발견하고, 그 열정을 통해 더 높은 성과를 낼 수 있음을 이해해야 합니다. 이것이 바로 우리가 모두 추구해야 할 목표이며, 이것이 바로 진정한 성공을 이루는 방법입니다.

1. "The Power of Passion and Perseverance" (2016) by Angela Duckworth: 이 책에서 Duckworth는 열정과 인내력이 성공에 어떤 영향을 미치는지에 대해 탐구합니다. 그녀는 이 두 가지 요소가 개인과 조직 모두에게 중요하다는 것을 밝혔습니다.

2. "The Passionate Leader: How to Leverage Passion to Inspire Great Leadership" (2019) by Richard J. Leider: 이 책에서 Leider는 리더가 어떻게 자신의 열정을 활용하여 팀과 조직을 영감으로 이끌 수 있는지에 대한 실용적인 방안을 제시합니다.

3. "Leading With Passion: The Leader's Guide to Impact and Influence" (2020) by John Baldoni: Baldoni는 이 책에서 리더가 어떻게 자신의 열정을 활용하여 팀과 조직의 영향력을 높일 수 있는지에 대해 설명합니다.

4. "The Passion Paradox: A Guide to Going All In, Finding Success, and Discovering the Benefits of an Unbalanced Life" (2020) by Brad Stulberg and Steve Magness: 이 책에서 Stulberg과 Magness는 열정이 어떻게 성공과 균형 잡힌 삶에 영향을 미치는지를 탐구합니다.

5. "Passion and Leadership: The Surprising Role of Passion in Leadership" (2021) by Robert Vallerand: Vallerand은 이 책에서 열정이 리더십에 어떤 역할을 하는지에 대해 깊이 있는 연구를 제공합니다.

최신 이론적 배경과 근거

1. "Passionate Leadership in Education" (2020) by Brent Davies와 Barbara J. Davies: 이 책에서는 교육 분야에서의 열정적인 리더십의 중요성에 대해 탐구하며, 리더가 자신의 열정을 팀과 조직에 어떻게 전달하는지에 대한 실제 사례를 제공합니다.

2. "The Passion Principle: The Power of Taking a Stand" (2021) by Robert J. Anderson와 William A. Adams: 이 책에서는 리더가 자신의 열정을 팀과 조직에 효과적으로 전달하는 방법을 배울 수 있습니다. 특히, 리더가 어떻게 자신의 열정을 활용하여 팀과 조직의 문화를 변화시키고 개선하는지에 대한 실용적인 지침을 제공합니다.

3. "The Power of Passionate Leadership" (2021) by Joshua Spodek: 이 책에서는 열정적인 리더십이 팀과 조직의 성과에 어떤 영향을 미치는지에 대해 깊이 있는 연구를 제공하며, 리더가 어떻게 자신의 열정을 활용하여 팀과 조직의 성능을 향상시킬 수 있는지에 대한 실용적인 지침을 제공합니다.

4. "Passion: The Secret Ingredient of Successful Leaders" (2022) by Richard Lepsinger: 이 책에서는 리더가 어떻게 자신의 열정을 활용하여 팀과 조직에 영감을 불어넣는 방법을 배울 수 있습니다. 특히, 리더가 어떻게 자신의 열정을 활용하여 팀과 조직의 창의성과 혁신을 촉진하는지에 대한 실용적인 지침을 제공합니다.

5. "Innovative Leadership: The Power of Passion" (2022) by Michael A. Genovese: 이 책에서는 열정적인 리더십이 팀과 조직의 혁신에 어떤 영향을 미치는지에 대해 깊이 있는 연구를 제공하며, 리더가 어떻게 자신의 열정을 활용하여 팀과 조직의 혁신을 촉진하는 방법을 배울 수 있습니다.

6. "The Passion-Driven Leader: A Guide to Cultivating Passion in Your Team" (2022) by David Long: 이 책에서는 리더가 어떻게 자신의 열정을 활용하여 팀의 열정을 유발하는 방법을 배울 수 있습니다. 이 책은 팀의 열정을 유발하고 유지하는 전략과 기법을 제공하며, 이를 통해 리더가 팀의 성과를 향상시킬 수 있습니다.

열정의 중요성과 리더십 강화

열정은 리더십의 핵심 구성 요소입니다. 리더가 자신의 열정을 팀원들과 공유함으로써, 그들은 팀원들의 열정을 불러일으키고, 그들의 창의성과 혁신을 촉진하며, 그들의 성과를 향상시키는 데 중요한 역할을 합니다. 따라서, 리더는 자신의 열정을 팀원들과 공유하고, 그들의 열정을 불러일으키는 방법을 배워야 합니다. 이를 통해, 그들은 팀의 전체적인 성과를 높일 수 있습니다.

1. 열정과 리더십: 열정은 리더십의 핵심 요소입니다. 리더가 자신의 열정을 팀원들과 공유하면 그들의 참여와 투입도가 높아지며, 이는 창의성과 혁신을 촉진하고 성과를 향상시키는데 중요한 역할을 합니다. 이는 리더가 팀의 전체적인 성과를 높이는 방법을 학습하는데 중요한 단계입니다. 리더의 열정은 팀원들에게 향상된 동기와 힘을 부여하며, 이는 그들이 더 높은 수준의 성과를 달성하는 데 필수적입니다.

2. 열정의 힘: 열정은 리더가 자신의 목표를 달성하는 데 필수적인 동기를 제공합니다. 리더가 자신의 업무에 대한 열정을 가지면, 그들은 더 큰 도전에 적극적으로 대응하고, 더 높은 수준의 성과를 달성하려는 의욕을 갖게 됩니다. 이렇게 하면 이 의욕이 팀원들에게 전달되어 그들도 더 높은 성과를 추구하게 됩니다.

3. 열정의 전파: 리더는 자신의 열정을 팀원들에게 전파하여 팀의 전체적인 성과를 높일 수 있습니다. 리더가 열정을 효과적으로 전달하면 팀원들은 자신의 업무에 대한 열정을 느끼게 되고, 이는 그들의 창의성과 혁신을 촉진하며, 그들의 성과를 향상시키는 데 중요한 역할을 합니다.

4. 열정과 성과: 열정은 팀의 전반적인 성과를 향상시키는 역할을 합니다. 열정적인 리더의 팀은 일반적으로 더 높은 수준의 성과, 고객 만족도, 이익을 달성하는 경향이 있습니다. 이는 리더와 팀원 모두가 더 높은 목표를 세우고, 더 열심히 일하고, 더 높은 성과를 달성하도록 동기를 부여하는 열정의 힘을 보여줍니다.

5. 열정과 동기부여: 마지막으로, 열정은 팀원들의 동기부여를 높이는 데 매우 중요합니다. 팀원들이 자신의 업무에 대한 열정을 느끼면, 그들은 더 높은 수준의 성과를 달성하려는 의욕을 갖게 됩니다. 이는 그들이 더 열심히 일하고, 더 많은 노력을 기울이며, 더 높은 성과를 달성하게 됩니다. 이렇게 동기부여가 높아지면, 팀원들의 창의성과 혁신이 촉진되어 조직의 전반적인 생산성과 효율성이 향상될 수 있습니다.

열정의 중요성과 리더십 강화 실습 자료

- 개인 리더십 스타일의 자가 평가: 자신의 리더십 스타일을 깊이 이해하고 분석해야 합니다. 이 통해, 어떤 상황에서 자신의 열정을 가장 효과적으로 전달할 수 있는지 알아볼 수 있습니다. 이를 위해 SWOT 분석, 피드백 수집, 멘토링 등 다양한 방법을 사용할 수 있습니다.
- 열정과 동기부여의 관계에 대한 분석: 리더의 열정이 팀원들의 동기부여에 어떻게 영향을 미치는지 이해하는 것이 중요합니다. 팀원들이 어떻게 자신의 업무에 대한 열정을 느끼게 되는지, 그리고 그것이 어떻게 그들의 성과에 영향을 미치는지에 대한 사례 연구를 통해 이를 확인할 수 있습니다.
- 열정 전달 기술의 실습: 리더는 자신의 열정을 팀원들에게 효과적으로 전달하는 기술을 실습해봐야 합니다. 실제 사례를 바탕으로, 팀 빌딩 활동, 워크숍, 피드백 세션 등을 통해 이를 실습해 볼 수 있습니다.
- 열정적인 리더십의 효과에 대한 연구: 열정적인 리더십이 팀의 성과에 어떤 영향을 미치는지에 대한 깊이 있는 연구가 필요합니다. 이를 통해, 열정적인 리더십이 팀의 동기부여, 창의성, 생산성, 그리고 전반적인 성과에 미치는 영향을 이해할 수 있습니다.
- 열정 유발 전략의 모의 실습: 리더는 팀원들의 열정을 유발하는 전략을 실습해 보아야 합니다. 가상의 팀을 이용하여, 동기부여 전략, 팀 빌딩 활동, 개인적인 성취를 인정하는 방법 등을 통해 이를 실습해 볼 수 있습니다.
- 열정과 창의성의 관계에 대한 분석: 열정이 팀원들의 창의성을 어떻게 촉진하는지에 대한 사례 연구를 통해 이를 확인해야 합니다. 이를 통해, 열정이 해결해야 할 문제에 대한 새로운 아이디어를 도출하고, 그 해결책을 실제로 구현하는데 필요한 동기를 제공하는 방법을 이해할 수 있습니다.
- 열정적인 리더십의 장단점에 대한 토론: 열정적인 리더십의 장점과 단점을 이해하는 것이 중요합니다. 이를 위한 토론을 통해, 어떤 상황에서 열정적인 리더십을 적용해야 하는지에 대해 이해하고, 이를 통해 팀의 성과를 최대화할 수 있는 방법을 찾아야 합니다.
- 선도적 역할 수행을 위한 열정 전달 방법에 대한 워크숍: 리더는 자신의 열정을 팀원들에게 어떻게 효과적으로 전달할 수 있는지에 대한 실질적인 방법을 배우는 워크숍을 통해 이를 실습해 볼 수 있습니다. 이를 통해, 리더는 자신의 열정을 팀원들에게 효과적으로 전달하고, 팀원들의 열정을 유발하는 방법을 더욱 효과적으로 이해하게 됩니다.
- 열정과 팀 성과의 상관관계 분석: 열정이 팀 성과에 어떤 영향을 미치는지에 대한 깊이 있는 연구를 통해 이를 확인해야 합니다. 이를 통해, 열정적인 리더십이 팀의 성과를 어떻게 향상시키는지에 대한 이해를 높일 수 있습니다.
- 열정적인 리더십을 위한 행동 계획 작성: 마지막으로, 리더는 개인적인 열정을 활용하여 팀의 성과를 향상시키기 위한 행동 계획을 작성해야 합니다. 이 계획은 리더의 개인적인 목표, 팀의 목표, 그리고 그 목표를 달성하기 위한 구체적인 전략을 포함해야 합니다.

열정 유지 및 전파 기술

열정 유지 및 전파 기술은 리더가 조직 내에서 긍정적인 에너지와 열정을 유발하고 유지하는 전략과 기법에 관한 내용입니다. 이는 리더가 팀원들의 동기부여를 높이고, 꾸준히 높은 성과를 내기 위한 환경을 조성하는데 필수적인 역량입니다.

1. 열정 유지 기술: 리더의 열정을 유지하는 것이 가장 우선입니다. 리더는 자신의 열정을 유지하기 위해 가장 관심 있는 목표를 설정하고, 그 목표를 달성하기 위해 필요한 자원과 시간을 투자해야 합니다. 리더의 열정이 약해지는 것을 방지하기 위해, 자신이 가장 중요하게 생각하는 가치와 목표에 집중하고, 이를 지키기 위한 노력을 계속하는 것이 중요합니다. 실패나 어려움을 만나더라도, 이를 학습의 기회로 삼아 자신의 열정을 계속 유지할 수 있도록 해야 합니다.

2. 열정 전파 기술: 리더의 열정은 자신만의 것이 아니라, 팀원들에게도 전달되어야 합니다. 리더는 자신의 열정을 보여주는 행동과 언어를 통해 팀원들에게 자신의 열정을 전달할 수 있습니다. 팀원들이 리더의 열정을 볼 수 있도록, 리더는 자신의 열정을 감추지 않고 표현해야 합니다. 또한, 팀원들의 열정을 인식하고 그들이 자신의 열정을 표현할 수 있도록 돕는 것도 중요합니다. 이를 통해 팀원들은 자신의 업무에 대해 더욱 열정적으로 느낄 수 있고, 이는 결국 팀의 성과를 높일 수 있습니다.

3. 열정 유발 전략: 리더는 팀원들의 열정을 유발하는 전략을 만들어야 합니다. 이는 팀원들이 자신의 업무에 대한 열정을 느낄 수 있는 환경을 조성하는 것을 포함합니다. 이 환경은 팀원들이 자신의 열정을 자유롭게 표현하고 추구할 수 있는 기회를 제공해야 합니다. 또한, 리더는 팀원들의 업무 성과를 인정하고 보상하여, 그들의 열정을 유발하고 유지하는데 도움을 줘야 합니다.

4. 실제 업무에 적용하는 방법: 모든 기술과 전략은 실제 업무에 적용되어야 효과를 발휘할 수 있습니다. 이를 위해 리더는 자신의 열정 유지 및 전파 기술을 평가하고 개선해 나가야 합니다. 리더는 팀원들의 열정을 유발하고 지원하는 방법을 지속적으로 모색하고, 그 결과를 통해 팀의 성과를 개선해 나가야 합니다. 이 과정에서 리더는 팀원들과의 상호작용을 통해 피드백을 얻고, 이를 바탕으로 자신의 기술과 전략을 개선해 나가야 합니다.

열정 유지 및 전파 기술 실습 자료

- 자신의 열정을 탐색하는 워크샵: 이 워크샵에서는 리더들이 자신의 직무에 대한 본질적인 열정을 발견하고 이해하는 방법에 대해 깊이 있게 탐색합니다. 이를 위해 다양한 연습과 활동을 통해 개인의 가치, 흥미, 특징 등을 분석하고, 이를 바탕으로 자신의 진정한 열정을 찾는 방법을 배울 수 있습니다.

- 열정을 목표 설정에 연결하는 연습: 리더들이 자신의 열정을 팀의 목표와 어떻게 연결시킬 수 있는지에 대해 실습하는 세션입니다. 이를 통해 리더들은 개인의 열정과 조직의 목표 사이의 연관성을 이해하고, 이를 팀의 성과 향상에 활용하는 방법을 배울 수 있습니다.
- 열정을 표현하는 기술 훈련: 자신의 열정을 어떻게 효과적으로 표현하고 전달할 수 있는지에 대한 실용적인 훈련을 제공합니다. 이를 통해 리더들은 자신의 열정을 구체적이고 강력한 메시지로 전달하는 방법을 배울 수 있습니다.
- 팀원의 열정을 인식하고 지원하는 방법 탐색: 리더들이 팀원들의 열정을 어떻게 인식하고 지원할 수 있는지에 대한 실질적인 방법을 탐색하는 세션입니다. 이를 통해 리더들은 팀원들의 열정을 더 잘 이해하고, 이를 조직의 성과 향상에 활용하는 방법을 배울 수 있습니다.
- 열정 유발 환경 조성 실습: 팀원들이 열정을 느낄 수 있는 환경을 어떻게 조성할 수 있는지에 대한 실습을 진행합니다. 이를 통해 리더들은 열정을 유발하고 지속할 수 있는 조직 문화와 환경을 만드는 방법에 대한 실질적인 경험을 얻을 수 있습니다.
- 열정과 성과의 관계 분석: 리더들은 열정이 성과에 어떤 영향을 미치는지에 대한 분석을 실습합니다. 이를 통해, 열정이 어떻게 조직의 성과와 효율성을 향상시키는지에 대한 심도 있는 이해를 얻을 수 있습니다.
- 팀원의 열정을 업무에 연결하는 전략 개발: 리더들은 팀원들의 열정을 업무에 어떻게 연결시킬 수 있는지에 대한 전략을 개발하는 실습을 진행합니다. 이를 통해, 리더들은 팀원들의 열정을 조직의 성과 향상에 직접적으로 활용하는 방법을 배울 수 있습니다.
- 성과 인정과 보상을 통한 열정 유발 전략 마련: 팀원들의 성과를 인정하고 보상하여 열정을 유발하는 전략을 마련하는 실습을 진행합니다. 이를 통해 리더들은 팀원들의 성과를 적절하게 인정하고 보상함으로써 그들의 열정과 몰입도를 높일 수 있는 방법을 배울 수 있습니다.
- 열정 유지 및 전파 기술 평가: 리더들은 자신의 열정 유지 및 전파 기술을 어떻게 평가하고 개선할 수 있는지에 대한 실습을 진행합니다. 이를 통해, 리더들은 열정 전달의 효과성을 지속적으로 향상시키는 방법을 배울 수 있습니다.
- 팀 성과 개선을 위한 열정 유발 전략 실행: 마지막으로, 리더들은 실제 업무에 열정 유발 전략을 적용하고 그 효과를 평가하는 실습을 진행합니다. 이를 통해 리더들은 실질적인 업무 상황에서 열정 유발 전략을 적용하고 그 결과를 분석하는 경험을 얻을 수 있습니다.

동기부여와 열정의 연결고리

동기부여와 열정은 밀접하게 연결되어 있습니다. 일반적으로, 열정은 개인이 특정 활동에 대해 강한 관심을 가지고 그 활동을 즐기며, 그 활동에 대한 긍정적인 감정과 에너지를 느낄 때 발생합니다. 이러한 열정은 개인이 그 활동을 지속적으로 수행하도록 동기부여합니다.

1. 열정의 역할: 개인이 특정 활동에 대해 강한 관심을 가지고 그 활동을 즐기며, 그 활동에 대해 긍정적인 감정과 에너지를 느낄 때 발생하는 열정은 개인이 해당 활동을 지속적으로 수행하도록 동기부여합니다. 열정은 개인의 동기부여를 증가시키고 유지하는 중요한 역할을 합니다. 이는 개인이 그 활동을 지속하고, 그 활동에 대한 성과를 높이는 데 큰 영향을 미칩니다.

2. 동기부여의 역할: 동기부여는 개인이 특정 목표를 달성하기 위해 필요한 행동을 취하도록 이끕니다. 이는 개인이 특정 활동에 대한 관심을 가지고 그 활동을 즐기도록 동기부여하는 역할을 합니다. 따라서, 동기부여는 개인의 열정을 유발하고 유지하는 데 중요한 역할을 합니다.

3. 동기부여와 열정의 상호작용: 동기부여와 열정은 상호작용적인 관계를 가지고 있습니다. 동기부여는 개인이 특정 활동에 대한 열정을 유발하고, 그 열정은 다시 개인이 그 활동을 지속적으로 수행하도록 동기부여합니다. 이러한 상호작용은 개인이 그 활동에 대한 더 높은 수준의 성과를 달성할 수 있도록 돕습니다. 이는 개인의 능력을 최대한 발휘하고, 그를 통해 조직 전체의 성과를 향상시키는 데 중요한 역할을 합니다.

동기부여와 열정의 연결고리 실습 자료

- 열정과 동기부여의 관계를 탐색하는 워크샵: 이 워크샵에서는 개인의 열정이 동기부여에 어떤 방식으로 영향을 미치는지에 대해 심도 있게 살펴봅니다. 이는 각 개인의 열정이 그들의 업무 성과와 직무 만족도에 어떤 영향을 미치는지 이해하는 첫걸음입니다.
- 열정을 동기부여로 전환하는 기술 훈련: 이 훈련에서는 개인의 열정을 구체적인 동기부여로 전환하는 방법에 대해 배웁니다. 이를 통해, 팀원들이 자신의 열정을 실제 업무 성과로 이어질 수 있는 동기부여로 변환하는 방법을 학습할 수 있습니다.
- 열정과 동기부여의 상호작용 분석: 이 실습에서는 열정과 동기부여가 어떻게 서로 상호작용하는지에 대해 분석해봅니다. 이를 통해, 열정이 어떻게 동기부여를 증진시키는지, 반대로 동기부여가 어떻게 열정을 불러일으키는지에 대한 이해를 높일 수 있습니다.
- 열정 유발을 위한 피드백 기법 실습: 이 활동에서는 팀원들의 열정을 유발하기 위한 효과적인 피드백 기법을 실습합니다. 이를 통해 리더들은 자신의 피드백이 팀원들의 열정에 어떤 영향을 미치는지 실질적으로 경험하고 이해할 수 있습니다.

- 열정과 동기부여를 통한 목표 설정 실습: 이 실습에서는 열정과 동기부여를 활용하여 효과적인 목표를 설정하는 방법을 배웁니다. 이를 통해, 팀원들이 자신의 열정과 동기부여를 가지고 구체적이고 도전적인 목표를 설정하는 방법을 학습할 수 있습니다.
- 동기부여 전략 개발: 이 실습에서는 개인의 열정을 유발하고 유지하는 동기부여 전략을 개발합니다. 이를 통해, 리더들은 팀원들의 열정을 지속적으로 유발하고 유지하는 방법에 대해 배울 수 있습니다.
- 열정과 동기부여의 영향력 분석: 이 분석 실습에서는 열정과 동기부여가 팀의 성과에 어떤 영향을 미치는지에 대해 살펴봅니다. 이를 통해, 리더들은 자신의 리더십 스타일이 팀의 성과에 어떻게 영향을 미치는지에 대해 깊이 있게 이해할 수 있습니다.
- 열정과 동기부여를 활용한 리더십 개발 워크샵: 이 워크샵에서는 리더가 열정과 동기부여를 팀 관리에 어떻게 적용할 수 있는지 배웁니다. 이를 통해, 리더들은 자신의 리더십 스타일을 개선하고, 팀의 성과를 향상시키는 방법을 학습할 수 있습니다.
- 열정 유발과 동기부여 전략의 평가: 이 실습에서는 개인이나 팀의 열정 유발 및 동기부여 전략을 어떻게 평가하고 개선할 수 있는지에 대해 배웁니다. 이를 통해, 리더들은 자신의 리더십 전략이 팀의 성과에 어떤 영향을 미치는지에 대해 평가하고, 필요한 경우 그 전략을 개선할 수 있습니다.
- 열정과 동기부여를 통한 목표 설정 실습: 이 실습에서는 열정과 동기부여를 활용하여 효과적인 목표를 설정하는 방법을 배웁니다. 이를 통해, 팀원들이 자신의 열정과 동기부여를 가지고 구체적이고 도전적인 목표를 설정하는 방법을 학습할 수 있습니다.

기업 사례

- 애플(Apple): 2020년에 애플은 직원들의 열정과 창의성을 최대한 활용하여, iPhone 12 등의 혁신적인 제품을 성공적으로 출시했습니다. 이러한 혁신은 애플의 핵심 가치 중 하나인 '혁신'을 잘 보여주며, 애플 직원들이 얼마나 열정적으로 일하는지를 입증합니다.
- 마이크로소프트(Microsoft): 마이크로소프트는 직원들의 열정을 바탕으로 2020년에 다양한 소프트웨어 업데이트와 새로운 서비스를 출시했습니다. 이를 통해 마이크로소프트는 기존 제품을 개선하고, 새로운 시장을 개척하는 데 열정을 보였습니다.
- 구글(Google): 2020년에 구글은 직원들의 열정과 창의성을 촉진하기 위해 다양한 내부 프로젝트와 해커톤을 주최했습니다. 이러한 활동은 구글의 혁신적인 기업 문화를 보여주며, 직원들이 자기 주도적으로 창의적인 아이디어를 제안하고 실행할 수 있는 기회를 제공합니다.
- 아마존(Amazon): 아마존은 직원들의 열정을 활용하여 2020년에 새로운 서비스를 개발하고

성공적으로 시장에 출시했습니다. 아마존은 항상 직원들의 열정을 바탕으로 새로운 기술과 서비스를 탐구하고, 그것을 고객에게 제공함으로써 시장을 선도해왔습니다.

- 테슬라(Tesla): 테슬라는 직원들의 열정을 활용하여 2020년에 전기 자동차 및 에너지 저장 시스템 분야에서 혁신적인 제품을 출시했습니다. 테슬라의 직원들은 지속 가능한 에너지 해결책에 대한 열정을 바탕으로, 새로운 기술과 디자인을 개발하고 있습니다.

- 삼성전자(Samsung Electronics): 삼성전자는 직원들의 열정을 활용하여 2020년에 갤럭시 S20, Z Flip 등의 혁신적인 제품을 선보였습니다. 삼성전자의 직원들은 기술에 대한 열정과 고객의 요구에 대한 이해를 바탕으로, 최고의 제품을 개발하는 데 노력을 기울이고 있습니다.

- 넷플릭스(Netflix): Netflix는 직원들의 열정을 이용하여 다양한 콘텐츠를 제작하고, 관객들에게 새로운 시청 경험을 제공했습니다. Netflix의 직원들은 스토리텔링에 대한 열정과 창의력을 바탕으로, 전 세계 관객에게 다양한 장르와 형식의 콘텐츠를 제공합니다.

- 스타벅스(Starbucks): Starbucks는 직원들의 열정을 바탕으로 2020년에 새로운 메뉴 아이템을 개발하고 성공적으로 시장에 출시했습니다. 스타벅스의 직원들은 고객에게 최고의 경험을 제공하기 위한 열정을 가지고 있으며, 이러한 열정은 새로운 메뉴 개발과 서비스 향상에 큰 도움이 됩니다.

- 페이스북(Facebook): 페이스북은 직원들의 열정을 바탕으로 2020년에 다양한 새로운 기능과 서비스를 개발하였습니다. 페이스북의 직원들은 사용자 경험 개선에 대한 열정을 가지고 있으며, 이를 바탕으로 사용자들에게 더 나은 서비스를 제공하기 위해 노력하고 있습니다.

- 스포티파이(Spotify): 스포티파이는 직원들의 열정을 활용하여 2020년에 다양한 새로운 플레이리스트와 개인화 기능을 개발했습니다. 스포티파이의 직원들은 음악에 대한 열정을 가지고 있으며, 이를 바탕으로 사용자들에게 개인화된 음악 청취 경험을 제공하는 데 기여하고 있습니다.

시각 자료 및 도구

- 프로젝트 관리 도구: 열정 유발 및 동기부여 전략의 실행 및 진행 상태를 추적하는데 효과적입니다. 이 도구는 전략의 실행을 계획하고, 일정을 관리하며, 진행 상황을 모니터링하는 기능을 제공합니다. 이를 통해 리더는 팀의 열정과 동기부여를 높이는 전략을 효과적으로 이행할 수 있습니다.

- 마인드맵 도구: 열정과 동기부여에 관한 아이디어를 시각화하고 정리하는데 도움이 됩니다. 이 도구를 사용하면 복잡한 아이디어나 개념을 명확하게 이해하고, 관련된 아이디어를 연결하고, 전체적인 구조를 한눈에 파악할 수 있습니다.

- 인포그래픽 도구: 복잡한 정보나 데이터를 학습하고 이해하기 쉬운 시각적 형태로 전환하는데 사용됩니다. 이 도구는 통계적 데이터, 프로세스, 타임라인 등의 정보를 효과적으로 시각화하여, 이해를 돕고 기억에 남게 합니다.
- 데이터 시각화 도구: 열정과 동기부여의 영향력에 대한 분석 결과를 시각적으로 표현하는데 도움이 됩니다. 이 도구를 사용하면 복잡한 데이터를 쉽게 이해할 수 있는 그래프나 차트로 변환하여, 분석 결과를 명확하게 파악할 수 있습니다.
- 온라인 설문 도구: 팀원들의 열정과 동기부여 수준을 측정하고 평가하는데 사용할 수 있습니다. 설문조사를 통해 팀원들의 열정 수준, 관련 변수, 향후 개선 방향 등의 정보를 수집하고 분석할 수 있습니다.
- 히트맵 도구: 팀원들의 열정이나 동기부여 수준을 시각적으로 표현하는데 유용합니다. 이 도구는 팀원들의 열정 수준이나 동기부여 수준을 색상의 강도로 나타내어, 한눈에 파악할 수 있게 합니다.
- 스토리보드 도구: 열정 유발 전략의 구상 및 시연을 위한 시각적 프레임워크를 제공합니다. 이 도구를 사용하면 아이디어를 시각적으로 표현하고, 전략의 구현 과정을 단계별로 시뮬레이션할 수 있습니다.
- 프레젠테이션 도구: 열정과 동기부여에 관한 연구 결과나 전략을 효과적으로 전달하는데 도움이 됩니다. 이 도구를 사용하면 정보를 명확하고 직관적인 방식으로 표현하여, 청중의 이해를 촉진하고 효과적인 커뮤니케이션을 지원할 수 있습니다.
- 콜라보레이션 도구: 팀원들과 함께 열정 유발 및 동기부여 전략을 개발하고 실행하는데 사용됩니다. 이 도구는 팀원들 간의 소통과 협업을 지원하여, 팀원 모두가 전략의 개발과 실행 과정에 참여하고, 각자의 역할을 잘 수행할 수 있게 합니다.
- 감정 지도 도구: 팀원들의 감정 상태와 그 변화를 추적하고 이해하는데 도움이 됩니다. 이 도구를 사용하면 팀원들의 감정 상태를 시각적으로 표현하고, 그 변화를 시간에 따라 추적하여, 팀원들의 열정과 동기부여에 영향을 미치는 요인을 파악할 수 있습니다.

자신의 열정을 탐색하는 워크샵

이 워크샵에서는 리더들이 자신의 업무에 대한 본질적인 열정을 발견하고 이해하는 방법을 깊이 탐색합니다. 이 과정은 리더들이 자신의 직업에 대한 깊은 이해와 열정을 발견하게끔 도와줍니다.

이를 위해 우리는 개인의 가치, 흥미, 특징 등을 분석하는 다양한 연습과 활동을 실시합니다. 이러한 연습을 통해, 참가자들은 자신의 진정한 열정을 찾는 방법을 배우게 될 것입니다.

이것은 참가자들의 직업에 대한 열정을 더욱 불태우고, 그들이 더욱 효과적으로 업무를 수행할 수 있게 돕는 중요한 과정입니다. 워크샵의 실습 방안 및 과정은 다음과 같이 구성될 수 있습니다.

1. 자기소개 및 기대치 공유: 각 참가자가 자신을 소개하고 워크샵에서 기대하는 바를 공유합니다.

2. 가치 및 흥미 분석: 참가자들이 자신의 가치와 흥미를 분석하는 연습을 합니다. 이를 위해 다양한 활동을 진행할 수 있습니다. 예를 들어, 가치 카드 정렬 활동, 흥미 점검표 작성 등을 활용할 수 있습니다.

3. 자신의 열정에 대한 토론: 참가자들이 자신의 열정에 대해 토론하는 시간을 가집니다. 각자가 자신의 열정에 대해 이야기하고, 다른 사람들의 이야기를 듣는 것은 자신의 열정을 더욱 깊이 이해하는 데 도움이 됩니다.

4. 열정을 발견하는 연습: 참가자들이 자신의 열정을 발견하고 이해하는 연습을 합니다. 이를 위해, 각자가 자신의 생애에서 가장 열정적으로 느낀 순간을 기억해보고, 그 때 무엇이 그들을 그렇게 만들었는지를 고민해볼 수 있습니다.

5. 액션 플랜 작성: 마지막으로, 참가자들이 자신의 열정을 직장에서 어떻게 활용할 수 있는지에 대한 액션 플랜을 작성합니다. 이 과정에서는, 참가자들이 자신의 열정을 활용하여 어떤 변화를 만들고 싶은지, 그 변화를 만들기 위해 어떤 행동을 취해야 하는지에 대해 고민합니다.

이런 방식으로 진행하는 워크샵은 참가자들이 자신의 직무에 대한 본질적인 열정을 발견하고 이해하는 데 도움이 될 수 있습니다.

열정 유발 전략의 모의 실습

리더는 팀원들의 열정을 유발하는 전략을 실습해 보아야 합니다. 이를 위해, 가상의 팀을 구성하여 실질적인 연습을 할 수 있습니다. 이 연습의 한 부분으로, 여러 동기부여 전략을 활용해 보는 것이 포함될 수 있습니다. 이는 팀원들이 더욱 열정적이고 효과적으로 일하도록 도와줄 수 있습니다.

또한, 팀 빌딩 활동을 통해 팀원들 간의 협업과 의사소통을 향상시키는 방법을 배울 수 있습니다. 이는 팀원들이 서로를 더 잘 이해하고, 공동의 목표를 향해 더욱 효과적으로 일할 수 있도록 도와줍니다.

마지막으로, 개인적인 성취를 인정하고 보상하는 방법을 배울 수 있습니다. 이는 팀원들이 자신의 노력이 인정받고, 그들의 공헌이 가치있음을 느끼게 해줍니다. 워크샵의 실습 방안 및 과정은 이러한 핵심 개념을 중심으로 구성될 수 있습니다.

1. 팀 구성: 워크샵 참가자들을 4~5명씩의 작은 그룹으로 나눕니다. 이런 형태의 작은 그룹은 팀원들이 서로 더 가깝게 협력하고, 서로의 성공을 축하하며, 개인적인 성취를 인정하는 데 더욱 효과적입니다.

2. 동기부여 전략 실습: 각 팀은 서로 다른 동기부여 전략을 개발하고 이를 실습해 보아야 합니다. 이는 팀원들이 어떻게 효과적으로 동기를 높이고, 팀의 성과를 향상시키는지 이해하는데 도움이 됩니다. 전략을 개발한 후, 각 팀은 자신들의 전략을 다른 팀원들에게 발표하고 피드백을 받습니다.

3. 팀 빌딩 활동 실습: 이 과정에서는 팀원들이 서로를 더 잘 이해하고, 서로의 강점을 인정하며, 서로에게 동기를 부여하는 활동을 진행합니다. 이것은 팀원들이 서로에 대해 더 잘 이해하고, 서로의 역량을 더 잘 활용하며, 서로를 더욱 존중하게 만들어 줍니다.

4. 개인적인 성취 인정 실습: 마지막으로, 각 팀원은 자신의 개인적인 성취를 다른 팀원들에게 공유하고, 이를 인정받습니다. 이 과정은 팀원들이 서로의 성공을 인정하고 축하하며, 서로에게 동기를 부여하는 데 중요한 역할을 합니다.

5. 피드백 및 반성: 워크샵의 마지막 부분에서는 각 팀이 자신들의 경험을 공유하고, 어떤 전략이 효과적이었는지, 어떤 부분이 개선되어야 하는지에 대해 토론합니다. 이는 팀이 자신의 성과를 평가하고, 더 나은 전략을 개발하는 데 도움이 됩니다.

이 단원을 통해 학습자들은 열정과 동기부여가 조직 내에서 얼마나 중요한지에 대한 깊은 이해를 얻을 수 있습니다. 그들은 열정과 동기부여가 개인의 성과 뿐 아니라 팀 전체의 성과에 어떻게 영향을 미치는지에 대한 명확한 인식을 갖게 됩니다. 이런 이해를 바탕으로, 학습자들은 자신과 팀의 성과를 향상시키는 방법에 대한 실질적인 학습을 했습니다.

핵심적으로, 학습자들은 자신의 열정을 발견하고, 그 열정을 어떻게 업무에 적용할 수 있는지에 대한 방법을 배웠습니다. 이는 그들이 자신의 업무에 대한 열정을 불태울 수 있게 만들며, 이로 인해 그들은 업무를 더욱 효과적으로 수행할 수 있게 됩니다. 이 과정을 통해, 그들은 열정을 유발하고 동기부여하는 전략을 개발하고 실행하는 방법을 학습했습니다. 이는 팀원들이 더욱 열정적으로 일하도록 도와주는 것입니다.

마지막으로, 학습자들은 자신의 성취를 어떻게 인정하고 보상해야 하는지에 대한 방법을 배웠습니다. 이는 팀원들이 자신의 노력이 인정되고, 그들의 열정이 가치있음을 느끼게 해줍니다. 이런 경험은 그들에게 업무에 대한 열정을 불태우는 데 큰 도움이 될 것입니다. 이 과정을 통해, 그들은 업무를 더욱 효과적으로 수행하는 데 필요한 동기부여를 얻을 수 있을 것입니다.

제 26 장

선지자 역할: 미래 예측을 통한 조직 지도

이 장에서는 리더의 선지자 역할이 미래 트렌드를 파악하고, 이를 조직 전략에 반영하여 성장을 주도하는 것임을 설명합니다. 이 역할은 불확실성을 줄이고 조직의 방향성을 제공하는 중요한 역할을 하며, 변화하는 시장 환경에 대응하고 경쟁력을 유지하는 것이 필수적입니다. 리더는 이를 통해 조직을 미래로 이끌고, 변화에 대응하여 조직의 성장과 발전을 촉진할 수 있습니다.

학습 개요

이 장에서는 리더의 선지자 역할이 미래 트렌드를 파악하고, 이를 조직 전략에 반영하여 성장을 주도하는 것임을 설명합니다. 이 역할은 불확실성을 줄이고 조직의 방향성을 제공하는 중요한 역할을 하며, 변화하는 시장 환경에 대응하고 경쟁력을 유지하는 것이 필수적입니다. 리더는 이를 통해 조직을 미래로 이끌고, 변화에 대응하여 조직의 성장과 발전을 촉진할 수 있습니다.

학습 내용 및 목표

- 선지자 역할의 정의 및 중요성: 이 섹션에서는 리더가 선지자 역할을 하는 것이 무엇을 의미하는지, 그리고 왜 그것이 중요한지에 대해 탐구합니다. 미래를 예측하고 그에 따라 조직을 안내하는 능력은 미래 지향적 리더십의 핵심 요소입니다.
- 미래 트렌드 예측 기술: 시장 변화와 기술 발전은 예측할 수 없는 것처럼 보일 수 있지만, 우리는 여기에서 그것들을 예측하는 방법을 학습합니다. 이를 통해 리더들은 미래 트렌드를 이해하고 그에 따라 조직의 방향성을 결정하는데 필요한 도구를 갖추게 됩니다.
- 전략적 방향 설정: 조직의 미래 비전을 설정하고 이를 위한 전략적 계획을 수립하는 것은 리더의 주요 역할 중 하나입니다. 이 섹션에서는 이러한 과정이 어떻게 이루어지는지, 그리고 리더가 이 과정에서 어떤 역할을 하는지에 대해 배웁니다.

예상 학습 성과

- 조직의 미래 비전과 목표를 설정하는 데 필요한 전략적 접근법을 습득하게 되는데, 이는 조직의 성장과 발전을 위해 중요한 요소입니다.
- 변화 관리와 혁신을 촉진하여 조직의 리더십을 강화하게 되는데, 이는 조직이 지속적으로 변화하고 성장하는 환경에서 생존하고 번영하는 데 필요한 핵심 역량입니다.
- 미래 트렌드를 예측하고 이를 조직의 전략에 통합하는 선지자 역할의 중요성을 인식하게 되는데, 이는 조직이 미래의 불확실성을 관리하고, 변화를 미리 예측하고 대응하는 능력을 키우는데 도움이 됩니다.
- 미래 변화에 대응하고, 이를 통해 조직의 목표를 달성하는데 필요한 도구와 기법을 습득하게 되는데, 이는 조직의 장기적인 성공을 위해 필수적인 스킬입니다.

이론적 배경과 근거

선지자 역할에 관한 이론적 토대는 피터 드러커(Peter Drucker)의 깊이 있는 연구와 작업에서 찾아볼 수 있습니다. 드러커는 미래에 대한 이해와 그것의 창조에 대한 중요성을 강조했습니다. 그의 유명한 견해 중 하나는 "미래를 예측하는 가장 좋은 방법은 그것을 창조하는 것"이라는 것입니다. 이 말은 그의 많은 이론 중에 특히 눈에 띄는 구절로, 그는 리더가 미래에 대한 명확한 비전을 갖는 것이 얼마나 중요한지 강조했습니다. 더 나아가 그는 이 비전을 조직의 전략에 통합시키는 것이 필수적이라고 주장했습니다. 이로 인해 조직은 미래의 변화와 도전에 대응할 수 있는 강력하고 유연한 전략을 개발할 수 있게 되었습니다.

선지자 역할에 관한 이론적 토대는 피터 드러커(Peter Drucker)의 깊이 있는 연구와 작업에서 찾아볼 수 있습니다. 드러커는 미래에 대한 이해와 그것의 창조에 대한 중요성을 강조했습니다. 그의 유명한 견해 중 하나는 "미래를 예측하는 가장 좋은 방법은 그것을 창조하는 것"이라는 것입니다. 이 말은 그의 많은 이론 중에 특히 눈에 띄는 구절로, 그는 리더가 미래에 대한 명확한 비전을 갖는 것이 얼마나 중요한지 강조했습니다. 더 나아가 그는 이 비전을 조직의 전략에 통합시키는 것이 필수적이라고 주장했습니다. 이로 인해 조직은 미래의 변화와 도전에 대응할 수 있는 강력하고 유연한 전략을 개발할 수 있게 되었습니다.

드러커의 이런 견해는 오늘날 많은 조직과 리더가 미래를 예측하고 그 예측을 바탕으로 조직이 나아가야 할 방향을 정립하는 데 큰 영향을 끼쳤습니다. 미래를 예측하는 것은 쉽지 않은 일이지만, 이는 리더의 주요 역할 중 하나로 간주되고 있습니다.

선지자 역할이라는 것은 리더가 미래의 트렌드를 이해하고, 그 트렌드를 조직의 전략에 반영하여 조직의 성장과 발전을 이끌어 내는 능력을 요구하는 것입니다. 이것은 리더에게 직접적인 영향을 미치며, 조직의 성공에 결정적인 역할을 합니다.

리더는 미래의 시장 동향과 변화를 예측하는 능력을 키워야 합니다. 이는 조직의 목표와 비전을 설정하고, 그에 따라 전략을 수립하는 데 필요한 핵심 역량입니다. 또한, 이런 능력을 통해 조직은 시장 변화에 빠르게 대응하고, 경쟁 우위를 확보할 수 있습니다.

이번 장에서는 선지자 역할의 중요성을 이해하고, 미래 트렌드 예측 기술을 학습하며, 전략적 방향 설정 방법을 배우게 됩니다. 이를 통해 조직의 미래 비전과 목표를 설정하는 데 필요한 전략적 접근법을 습득하고, 변화 관리와 혁신을 촉진하여 조직의 리더십을 강화하는 방법을 배우게 됩니다.

1. "The Future Is Faster Than You Think": 피터 H. 디아만디스와 스티븐 코틀러는 이 책에서 빠르게 발전하는 기술이 미래를 어떻게 바꿀 것인지에 대해 탐구하였습니다. 이들은 인공지능, 드론, 로봇 등의 기술이 사회, 경제, 삶의 모든 측면에 어떤 영향을 미칠지에 대해 예측하였습니다.

2. "21 Lessons for the 21st Century": 유발 하라리는 이 책에서 21세기의 주요 도전과 기회에 대해 탐색하였습니다. 그는 기술, 정치, 사회 등 다양한 분야에서 발생하는 변화가 미래에 어떤 영향을 미칠지에 대해 집중적으로 분석하였습니다.

3. "The Second Machine Age": 에릭 브린욜프슨과 앤드류 맥아피는 이 책에서 디지털 기술의 빠른 발전이 미래의 경제와 사회에 미칠 영향에 대해 탐구하였습니다. 이들은 인공지능, 로봇, 네트워크 등의 기술이 노동 시장, 경제 성장, 불평등 등에 어떤 영향을 미칠지에 대해 예측하였습니다.

4. "AI Superpowers": 카이푸 리는 이 책에서 인공지능이 미래의 경제와 사회에 미칠 영향에 대해 탐구하였습니다. 그는 중국과 미국의 AI 발전이 글로벌 경제와 사회에 어떤 영향을 미칠지에 대해 예측하였습니다.

5. "Homo Deus: A Brief History of Tomorrow": 유발 하라리는 이 책에서 인간의 미래에 대해 탐구하였습니다. 그는 기술, 생명 공학, 인공지능 등이 인간의 삶과 사회에 어떤 영향을 미칠지에 대해 예측하였습니다.

최신 이론적 배경과 근거

1. "The Code Book: The Science of Secrecy from Ancient Egypt to Quantum Cryptography": 사이먼 싱은 이 책에서 암호학의 역사와 미래에 대해 탐구하였습니다. 그는 양자 컴퓨팅의 발전이 암호학과 보안에 어떤 영향을 미칠지에 대해 예측하였습니다.

2. "The Fourth Industrial Revolution": 클라우스 슈밥은 이 책에서 제4차 산업 혁명의 도래와 그것이 미래에 미칠 영향에 대해 탐구하였습니다. 그는 인공지능, 빅데이터, 인터넷의 발전이 경제와 사회에 어떤 영향을 미칠지에 대해 예측하였습니다.

3. "The Industries of the Future": 알렉스 로스는 이 책에서 미래의 산업 트렌드에 대해 탐구하였습니다. 그는 로봇, 유전자 공학, 암호화폐 등의 기술이 미래의 산업과 경제에 어떤 영향을 미칠지에 대해 예측하였습니다.

4. "The Inevitable: Understanding the 12 Technological Forces That Will Shape Our Future": 케빈 켈리는 이 책에서 미래의 기술 트렌드에 대해 탐구하였습니다. 그는 인공지능, 가상 현실, 클라우드 컴퓨팅 등의 기술이 미래의 생활과 사회에 어떤 영향을 미칠지에 대해 예측하였습니다.

5. "The Future of the Professions": 리처드 서스킨드와 다니엘 서스킨드는 이 책에서 전문직의 미래에 대해 탐구하였습니다. 그들은 인공지능과 디지털 기술의 발전이 법률, 의학, 교육 등의 전문직에 어떤 영향을 미칠지에 대해 예측하였습니다.

선지자 역할의 정의 및 중요성

선지자 역할이란 리더가 미래의 트렌드와 변화를 예측하고 그것을 조직의 전략과 방향성에 반영하는 역할을 말합니다. 이는 리더가 조직의 미래를 예측하고 이에 따라 조직의 비전과 목표를 설정하는 능력을 포함합니다. 선지자 역할의 중요성은 다음과 같습니다.

1. 미래 예측: 선지자 역할을 하는 리더는 미래의 시장 트렌드와 변화를 예측하고 이를 조직의 전략에 반영합니다. 이를 통해 조직은 미래의 변화에 빠르게 대응하고, 변화에 적응하는 능력을 확보할 수 있습니다.

2. 조직의 방향성 설정: 선지자 역할을 하는 리더는 조직의 미래 비전과 목표를 설정하는 역할을 합니다. 이를 통해 조직은 확실한 방향성을 가지고 미래를 향해 나아갈 수 있습니다.

3. 변화 관리: 선지자 역할을 하는 리더는 조직 내의 변화를 관리하고 이를 통해 조직이 지속적으로 변화하고 성장하는 환경에서 생존하고 번영하는 데 중요한 역할을 합니다.

4. 리더십 강화: 선지자 역할은 리더가 조직 내에서 리더십을 강화하고 조직의 장기적인 성공을 위한 핵심 역량을 개발하는 데 도움이 됩니다.

이런 이유로, 선지자 역할은 조직 리더의 핵심 역할 중 하나로 간주되며, 리더가 조직을 성공적으로 이끄는 데 중요한 역할을 합니다.

선지자 역할의 정의 및 중요성 실습자료

- 리더의 역할: 선지자 역할을 수행하는 리더의 중요성과 방법에 대해 학습합니다. 리더는 미래의 트렌드를 예측하고 이를 조직의 전략에 반영하여 조직의 성장과 발전을 이끌어 내는 역할을 합니다. 이 역할은 조직의 목표와 비전을 설정하고, 그에 따라 전략을 수립하는 핵심적인 역량을 요구합니다.
- 미래 트렌드 분석: 미래의 시장 트렌드를 분석하고 이를 바탕으로 조직의 전략을 설정하는 방법에 대해 학습합니다. 미래 트렌드를 적절히 파악하고 이를 전략에 반영하는 것은 조직이 미래의 변화에 빠르게 대응하고, 변화를 미리 예측하고 대응하는 능력을 키우는데 도움이 됩니다.
- 비전 세우기: 조직의 미래 비전을 세우는 방법을 배웁니다. 비전은 조직의 목표를 명확히 정의하고 이를 달성하기 위한 전략을 수립하는 기반을 제공합니다. 비전을 설정하는 것은 조직의 방향성을 제시하고 구성원들의 행동을 안내하는 중요한 역할을 합니다.
- 전략적 계획 수립: 조직의 비전을 바탕으로 전략적 계획을 수립하는 방법을 배웁니다. 계획 수립은 조직의 자원을 효과적으로 활용하여 목표를 달성하는 방법을 제시하며, 조직의 효율성과 생산성을 향상시킵니다.

- 변화 관리: 미래의 변화를 관리하는 방법을 배웁니다. 변화를 관리하는 능력은 조직이 끊임없이 변화하는 환경에서 생존하고 번영하는 데 필수적입니다. 이를 통해 조직은 시장 변화에 빠르게 대응하고, 경쟁 우위를 확보할 수 있습니다.
- 변화에 대응하는 리더십: 변화에 대응하는 리더십 스타일과 그 중요성에 대해 학습합니다. 변화에 능동적으로 대응하는 리더십 스타일은 조직의 유연성을 향상시키고, 변화에 빠르게 적응하는 능력을 개발하는데 중요합니다.
- 혁신 촉진: 조직 내에서 혁신을 촉진하는 방법을 배웁니다. 혁신은 조직이 지속적으로 성장하고 발전하는 데 필수적이며, 이를 통해 조직은 새로운 기회를 창출하고, 경쟁력을 강화할 수 있습니다.
- 조직 문화의 중요성: 조직 문화가 선지자 역할을 수행하는 데 어떻게 도움이 되는지 배웁니다. 건강한 조직 문화는 효과적인 리더십을 촉진하고, 구성원들의 참여와 헌신을 높이는데 중요한 역할을 합니다.
- 조직 내 커뮤니케이션: 조직 내에서 효과적인 커뮤니케이션을 유지하는 방법을 배웁니다. 효과적인 커뮤니케이션은 조직의 목표와 비전을 명확히 전달하고, 구성원들의 참여와 헌신을 높이는데 중요합니다.
- 리더의 능력 개발: 선지자 역할을 수행하는 리더가 필요로 하는 능력을 개발하는 방법을 배웁니다. 이러한 능력은 미래 트렌드를 예측하고, 이를 조직의 전략에 통합하는 데 필요하며, 이를 통해 조직은 미래의 불확실성을 관리하고 변화를 미리 예측하고 대응하는 능력을 키울 수 있습니다.

미래 트렌드 예측 기술

미래 트렌드 예측 기술은 변화하는 시장과 환경을 이해하고 미래에 어떤 변화가 일어날지 예측하는 능력입니다. 이 기술은 조직이 미래를 준비하고, 효과적인 결정을 내리고, 기회를 창출하는데 중요한 역할을 합니다.

1. 시나리오 계획: 이 기법은 여러 가능한 미래를 탐색하여 미래에 대한 광범위한 이해를 돕습니다. 이를 통해 미래에 대한 불확실성을 줄이고, 조직이 효과적으로 대응할 수 있는 전략을 개발하는 데 도움이 됩니다.

2. 델파이 기법: 이는 전문가의 의견을 수집하고 합의를 도출하는 방법을 활용하여 미래 트렌드를 예측하는 데 사용됩니다. 이 기법은 통찰력 있는 트렌드 예측을 제공하며, 정책 결정, 기획, 전략 수립에 유용합니다.

3. 트렌드 분석: 이는 과거와 현재의 데이터를 분석하여 미래의 트렌드를 예측하는 방법입니다. 이 기법은 시장 트렌드, 소비자 행동, 기술 변화 등을 이해하는 데 도움이 됩니다.

4. 기술 로드맵: 이는 기술의 발전 방향과 그 영향을 시각화하는 도구로, 기술의 발전과 관련된 미래 트렌드를 예측하는 데 도움이 됩니다.

이러한 기술을 효과적으로 활용하기 위해서는 각기 다른 분야의 지식과 전문가의 의견을 종합하고, 여러 가지 가능성을 열어두는 융합적 사고가 필요합니다. 또한, 이런 예측은 정확한 결과를 제공하기보다 가능한 미래를 탐색하는 도구로 사용되어야 합니다.

미래 트렌드 예측 기술

1. 시나리오 기획 실습: 이 실습에서는 다양한 가능성 있는 미래 시나리오를 기획합니다. 이 과정을 통해 미래에 대한 이해도를 높일 수 있습니다. 이를 통해 미래에 발생할 수 있는 다양한 상황을 미리 예측하고 대비하는 능력을 키울 수 있습니다.

2. 델파이 방법 실습: 델파이 방법은 전문가 의견 수집 및 합의 도출을 통한 미래 트렌드 예측 방법입니다. 이 실습을 통해 전문가의 의견을 수집하고 분석하는 방법을 배우게 됩니다.

3. 트렌드 분석 실습: 트렌드 분석은 과거와 현재의 데이터를 분석하여 미래 트렌드를 예측하는 방법입니다. 이 실습을 통해 데이터 분석 기법을 활용하여 미래 트렌드를 예측하는 방법을 배우게 됩니다.

4. 기술 로드맵 작성 실습: 기술 로드맵은 기술의 발전 방향과 그 영향을 시각화하는 도구입니다. 이 실습을 통해 기술 로드맵을 작성하는 방법을 배우게 됩니다.

5. 융합적 사고 실습: 융합적 사고는 다양한 분야의 지식을 종합하고 여러 가지 가능성을 열어두는 사고 방식입니다. 이 실습을 통해 융합적 사고를 통해 미래 트렌드를 예측하는 방법을 배우게 됩니다.

6. 정보 수집 실습: 미래 트렌드 예측에 필요한 정보를 어떻게 효과적으로 수집하는지에 대한 방법을 배우는 실습입니다. 다양한 정보 출처를 활용하는 방법과 정보를 분석하고 정리하는 방법을 배우게 됩니다.

7. 전문가 인터뷰 실습: 전문가 인터뷰는 미래 트렌드 분석에 도움이 될 수 있는 방법입니다. 이 실습에서는 전문가를 인터뷰하는 방법과 그 정보를 분석하는 방법을 배우게 됩니다.

8. 데이터 분석 실습: 미래 트렌드 예측에 활용 가능한 데이터 분석 기법을 배우는 실습입니다. 다양한 데이터 분석 도구와 기법을 활용하여 미래 트렌드를 예측하는 방법을 배우게 됩니다.

9. 소비자 행동 예측 실습: 소비자 행동 변화를 예측하는 실습입니다. 소비자 행동 패턴을 분석하고 이를 바탕으로 미래의 소비자 행동을 예측하는 방법을 배우게 됩니다.

10. 기술 변화 예측 실습: 기술 변화를 예측하는 실습입니다. 기술의 트렌드를 분석하고 이를 바탕으로 미래의 기술 변화를 예측하는 방법을 배우게 됩니다.

전략적 방향 설정

전략적 방향 설정은 조직이 미래에 어떤 경로를 따라야 할지를 결정하는 과정입니다. 이는 조직의 비전, 목표, 전략을 정의하고, 이를 실현하기 위한 계획을 수립하는 것을 포함합니다. 전략적 방향 설정은 조직의 성공과 생존에 결정적인 요소이며, 조직의 리더는 이 과정에서 핵심적인 역할을 수행합니다. 이를 효과적으로 실현하기 위해서는 명확한 비전과 목표, 정확한 정보, 합리적인 의사결정, 그리고 효과적인 계획 수립이 필요합니다. 전략적 방향 설정에는 다음과 같은 과정이 포함됩니다.

1. 비전과 목표 설정: 조직의 장기적인 비전과 그를 실현하기 위한 목표를 설정합니다. 이는 조직의 방향성을 제공하며, 모든 의사결정과 활동의 기준이 됩니다.

2. 내부 및 외부 환경 분석: 조직의 내부 강점과 약점, 외부 기회와 위협을 분석합니다. 이를 통해 조직이 직면한 현실을 정확히 이해하고, 전략적인 결정을 내릴 수 있습니다.

3. 전략 수립: 분석된 정보를 바탕으로 조직의 전략을 수립합니다. 이는 조직이 비전과 목표를 달성하는 데 필요한 행동 방향을 제시합니다.

4. 계획 수립: 전략을 실현하기 위한 구체적인 계획을 수립합니다. 이는 조직의 자원을 효과적으로 활용하여 목표를 달성하는 방법을 제시합니다.

전략적 방향 설정 실습 자료

- 비전과 목표 설정 실습: 이 실습은 당신의 조직이 장기적으로 어디로 가고자 하는지, 어떤 목표를 달성하고자 하는지를 명확히 하는 과정입니다. 이 과정에서 당신은 조직의 핵심 가치와 미션을 이해하고, 이를 바탕으로 비전과 목표를 설정하게 됩니다.

- SWOT 분석 실습: 이 실습은 당신의 조직이 직면한 강점, 약점, 기회, 위협을 분석하는 과정입니다. 강점과 약점은 조직 내부의 요소를, 기회와 위협은 외부 환경을 분석하여 찾아냅니다. 이를 통해 조직이 어떤 전략을 취해야 하는지에 대한 통찰을 얻을 수 있습니다.

- 전략 수립 실습: SWOT 분석을 바탕으로 조직의 전략을 수립하는 과정입니다. 이 실습에서는 어떤 목표를 달성하기 위해 어떤 경로를 선택할 것인지, 어떤 자원을 어떻게 활용할 것인지 등에 대해 결정하게 됩니다.

- 계획 수립 실습: 전략을 실현하기 위한 구체적인 계획을 수립하는 과정입니다. 이 과정에서는 목표를 달성하기 위해 어떤 일을 언제, 어떻게, 누가 할 것인지를 결정하게 됩니다.

- 비즈니스 모델 캔버스 실습: 이 실습은 조직의 비즈니스 모델을 시각화하고 평가하는 과정입니다. 모델을 통해 당신의 조직이 어떻게 가치를 창출하고, 이를 어떻게 고객에게 전달하며, 이 과정에서 어떤 수익을 얻을 것인지를 명확히 할 수 있습니다.
- 경쟁자 분석 실습: 이 실습은 당신의 조직이 시장에서 어떤 위치에 있는지, 어떤 경쟁 우위를 갖고 있는지 분석하는 과정입니다. 이를 통해 당신은 조직의 경쟁력을 강화하고, 시장에서 더 나은 위치를 차지할 수 있는 전략을 수립할 수 있습니다.
- 마케팅 전략 개발 실습: 이 실습은 당신의 조직의 제품이나 서비스를 시장에 효과적으로 전달하기 위한 마케팅 전략을 개발하는 과정입니다. 여기에서는 타겟 고객을 정의하고, 이들의 요구와 행동을 이해하며, 이를 바탕으로 효과적인 마케팅 메시지와 채널을 결정하게 됩니다.
- 재무 계획 수립 실습: 이 실습은 당신의 조직의 재무 목표를 달성하기 위한 재무 계획을 수립하는 과정입니다. 여기에서는 예상 수익, 비용, 투자 등에 대해 계획하고, 이를 바탕으로 예산을 작성하게 됩니다.
- 리더십 스타일 실습: 이 실습은 당신이 조직의 전략적 방향을 효과적으로 이끌어가는 데 필요한 리더십 스타일을 탐색하는 과정입니다. 여기에서는 다양한 리더십 이론을 배우고, 자신에게 가장 잘 맞는 리더십 스타일을 찾아냅니다.
- 성과 측정 실습: 이 실습은 전략적 방향 설정의 성과를 측정하고 평가하는 방법을 배우는 과정입니다. 여기에서는 목표 달성도, KPI, 재무 성과 등 다양한 성과 지표를 이용해 성과를 측정하게 됩니다.

기업 사례

- 삼성전자: 삼성전자는 세계적인 전자기기 제조사로서, 혁신적인 기술로 시장을 선도하고 있습니다. 특히 인공지능(AI)과 5G 기술을 활용한 제품과 서비스를 개발하여 미래 시장을 개척하고 있습니다. 이를 통해 삼성전자는 스마트폰, 태블릿, 가전제품 등 다양한 분야에서 연결성과 편의성을 강화하고 있습니다.
- 마이크로소프트: 마이크로소프트는 IT 산업의 거인으로, 클라우드 컴퓨팅과 인공지능 서비스를 활용하여 디지털 변환의 미래를 선도하고 있습니다. 특히 Azure 클라우드 플랫폼과 Cortana AI 비서 등의 서비스를 통해 기업들의 디지털 전환을 수월하게 돕고 있습니다.
- 아마존: 아마존은 전자상거래 부문의 선두주자로, 클라우드 컴퓨팅과 무인 배송 드론, AI 비서 등을 개발하여 다양한 산업의 미래를 제시하고 있습니다. 아마존의 혁신적인 서비스는 소비자의 쇼핑 경험을 새롭게 만들고, 물류와 배송 분야에서도 새로운 표준을 세우고 있습니다.

- 테슬라: 테슬라는 전기 자동차와 자율주행 기술의 선두주자로, 자동차 산업의 미래를 개척하고 있습니다. 테슬라의 혁신적인 기술은 환경 친화적인 교통 수단의 중요성을 강조하고, 운전의 안전성과 편의성을 향상시키는 데 기여하고 있습니다.
- 넷플릭스: 넷플릭스는 스트리밍 서비스의 선두주자로, 영화와 TV 산업을 혁신하고 있습니다. 개인화된 콘텐츠 추천 알고리즘을 개발하여 미디어 산업의 미래를 모색하고 있으며, 이를 통해 사용자에게 맞춤형 콘텐츠를 제공하고 있습니다.
- 스페이스X: 스페이스X는 우주산업의 미래를 개척하고 있는 혁신 기업입니다. 재사용 가능한 로켓 기술을 개발하고 상업적 우주여행을 추진하여 우주 탐사와 우주 여행의 새로운 가능성을 열고 있습니다.
- 바이오엔테크: 바이오엔테크는 mRNA 기반 백신을 개발하여 코로나19 팬데믹에 대응하며 바이오기술의 미래를 제시하였습니다. 이 회사의 혁신적인 기술은 바이오기술 분야의 미래를 열고, 전 세계의 사람들에게 보다 안전하고 효과적인 백신을 제공하는 데 기여하였습니다.
- 줌: 줌은 비디오 커뮤니케이션 플랫폼을 제공하여 원격 근무와 원격 교육의 미래를 모색하고 있습니다. 이 회사의 서비스는 코로나19 팬데믹으로 인한 원격 활동이 증가하면서 개인과 기업의 필수 도구가 되었습니다.
- 에어비앤비: 에어비앤비는 공유 경제 모델을 활용한 숙박 서비스를 제공하여 여행과 숙박 산업의 미래를 개척하고 있습니다. 이 회사의 플랫폼은 전 세계의 여행객들에게 다양한 숙박 옵션을 제공하며, 개인화된 여행 경험을 가능하게 하고 있습니다.
- 바이두: 바이두는 인공지능과 자율주행 기술을 활용한 서비스를 개발하여 중국 시장에서 기술의 미래를 선도하고 있습니다. 이 회사의 기술은 중국의 디지털 경제를 강화하고, 사람들의 생활을 향상시키는 데 기여하고 있습니다.

시각 자료 및 도구

- 데이터 시각화 도구: 이 도구는 복잡한 데이터를 이해하기 쉬운 형태로 표현하며, 통계적 분석 결과를 그래프나 차트 등의 시각적 형태로 표현해 주는 기능이 있습니다. 이를 통해 사용자들은 데이터의 패턴이나 트렌드를 쉽게 파악할 수 있습니다.
- 대시보드 도구: 중요한 정보를 한눈에 볼 수 있도록 효과적으로 정리하는 도구입니다. 이 도구를 통해 데이터를 수집, 분석, 표시하여 의사 결정 프로세스를 더욱 간편하고 효과적으로 만듭니다.
- Gantt chart 도구: 프로젝트의 일정과 진행 상황을 시각적으로 표현하는 도구입니다. 각 작업의 시작 및 종료 시간, 작업 간의 관계, 전체 프로젝트의 진행 상황 등을 한눈에 파악할 수 있게 해줍니다.

- 프로토타이핑 도구: 제품이나 서비스의 초기 모델을 시각적으로 제작하는 도구입니다. 이 도구를 사용하면 아이디어를 빠르게 현실화시킬 수 있으며, 사용자 경험을 테스트하고 피드백을 얻는 과정을 단순화 할 수 있습니다.
- 마인드맵 도구: 아이디어와 개념을 시각화하고 구조화하는 데 도움이 되는 도구입니다. 복잡한 정보를 조직화하고, 아이디어를 브레인스토밍하며, 문제를 해결하는 데 유용합니다.
- 인포그래픽 도구: 정보를 시각적으로 표현하고 전달하는 데 도움이 되는 도구입니다. 복잡한 정보를 간결하고 이해하기 쉬운 시각적 형태로 변환하여, 사용자의 이해를 돕습니다.
- 3D 모델링 도구: 물체나 환경을 3차원으로 시각화하는 도구입니다. 제품 디자인, 건축 설계, 게임 개발 등 다양한 분야에서 활용됩니다.
- 플로우차트 도구: 프로세스나 시스템의 흐름을 시각적으로 표현하는 도구입니다. 작업 순서나 단계를 명확하게 파악하고, 문제 해결을 위한 과정을 시각적으로 표현할 수 있습니다.
- 스토리보드 도구: 아이디어를 시각적으로 표현하고 순서를 나열하는 도구입니다. 비디오 제작, 애니메이션, 프레젠테이션 등의 프로젝트에서 시나리오를 시각화하고 구성하는 데 유용합니다.
- 맵핑 도구: 지리적 데이터를 시각적으로 표현하는 도구입니다. 지리 정보 시스템(GIS)과 같은 도구를 사용하여, 데이터를 지리적 컨텍스트 내에서 시각화하고 분석할 수 있습니다.

"비전 세우기 워크샵" 실습 방안 및 과정

1. 목표 설정: 워크샵이 성공적으로 진행되기 위해서는 초기에 명확한 목표 설정이 필요합니다. 이 과정에서는 조직의 미래 비전을 세우고, 그 비전을 달성하기 위한 구체적인 전략을 수립합니다. 목표는 구체적, 측정 가능하며, 달성 가능해야 하며, 시간적 기한을 갖고 있어야 합니다.

2. 참가자 모집: 워크샵의 참가자는 조직의 다양한 부서와 역할에서 선발되어야 합니다. 이는 다양한 관점과 전문 지식을 모으는 것이 중요하기 때문입니다. 참가자들의 다양성은 미래 비전을 설정하는 과정에 신선한 아이디어와 창의적인 접근 방식을 제공할 수 있습니다.

3. 시장 조사: 워크샵의 참가자들이 현재 시장 상황, 경쟁 상황, 고객의 요구 등을 이해하도록 돕는 것이 중요합니다. 이 정보는 미래 비전을 설정하는 데 필요한 기반을 제공하며, 조직이 현재 위치에서 미래에 이르기까지의 경로를 계획하는 데 도움이 됩니다.

4. 브레인스토밍 세션: 참가자들이 자유롭게 아이디어를 제시하고 논의하는 시간을 가집니다. 브레인스토밍은 창의적인 생각을 촉진하고, 새로운 비전과 전략에 대한 아이디어를 도출하는 데 도움이 됩니다. 이 과정에서는 모든 참가자의 의견을 존중하고, 다양한 아이디어를 받아들일 수 있는 열린 분위기를 유지하는 것이 중요합니다.

5. 비전 제안: 각 참가자나 팀이 자신들의 비전을 제안합니다. 제안된 비전은 조직의 미래 모습을 포괄하며, 그것을 달성하기 위한 전략을 포함해야 합니다. 비전 제안은 참가자들이 미래에 대한 자신의 생각과 아이디어를 공유할 수 있는 기회를 제공합니다.

6. 피드백 및 수정: 제안된 비전에 대해 다른 참가자들이 피드백을 제공합니다. 피드백은 비전의 개선점을 파악하고, 전략을 수정하고 개선하는 데 도움이 됩니다. 이 과정에서는 서로의 의견을 존중하고, 개방적인 피드백을 받아들이는 것이 중요합니다.

7. 최종 비전 결정: 모든 피드백과 수정을 거친 후, 참가자들은 최종 비전을 결정합니다. 이 비전은 조직의 미래를 안내하는 데 사용되며, 조직의 모든 구성원이 공유하고 나아갈 방향을 제시합니다. 최종 비전은 조직의 가치와 목표를 반영하며, 조직이 추구하는 미래를 명확하게 표현해야 합니다.

기술 로드맵 작성 워크샵 실습 방안 및 과정

1. 목표 설정: 워크샵의 목표를 설정하는 것은 가장 중요한 단계입니다. 목표를 설정함으로써 참가자들이 워크샵에서 어떤 결과를 도출하려고 하는지 명확히 이해하게 됩니다. 이는 참가자들이 워크샵의 방향성을 이해하고, 효과적으로 참여할 수 있도록 돕습니다.

2. 참가자 결정: 로드맵 작성에 관련된 모든 이해관계자들을 워크샵에 초대하는 것이 중요합니다. 이는 기술 전문가, 제품 관리자, 마케팅 팀, 세일즈 팀 등 다양한 관점에서 로드맵을 바라볼 수 있게 해, 더욱 풍부하고 다양한 아이디어를 얻을 수 있도록 합니다.

3. 시장 트렌드 및 기술 동향 파악: 참가자들은 각자의 전문 분야와 경험에 기반하여 시장 트렌드와 기술 동향에 대한 정보를 수집하고 공유합니다. 이를 통해 참가자들은 시장의 변화와 기술의 발전에 따른 가능성에 대해 깊이 이해하게 됩니다.

4. 로드맵 구조 설정: 로드맵의 구조를 설정하는 것은 로드맵의 효과성을 결정짓는 중요한 단계입니다. 로드맵의 타임라인을 설정하고, 주요 기술, 제품 또는 서비스, 개발 일정, 마일스톤 등 로드맵에 반영되어야 할 중요 요소들을 결정합니다.

5. 로드맵 작성: 이제 참가자들은 각자의 관점에서 로드맵을 작성합니다. 이 과정에서 참가자들은 서로의 의견을 공유하고 통합하여, 조직 전체의 미래에 대한 공통된 이해를 형성하게 됩니다.

6. 로드맵 검토 및 수정: 로드맵이 작성되면, 참가자들은 이를 검토하고 필요한 부분을 수정합니다. 이 과정에서 참가자들은 로드맵을 공유하고 피드백을 주고 받으며, 로드맵을 개선하고 완성도를 높입니다.

7. 로드맵 공유 및 실행: 완성된 로드맵은 조직 내에 공유되어, 모든 이해관계자들이 기술 개발 및 제품 전략을 이해하고 실행할 수 있도록 합니다. 이는 조직 전체가 일관된 방향성을 가지고 움직일 수 있도록 돕습니다.

이 장을 모두 읽고 이해하는 학습자들은 조직의 미래를 예측하고 모양을 만드는데 필요한 다양한 도구와 기법에 대해 배울 수 있습니다. 학습자들은 또한 이러한 도구와 기법을 어떻게 활용하여 조직의 비전을 설정하고 기술 로드맵을 작성할 수 있는지에 대한 실질적인 이해를 갖게 됩니다.

또한 학습자들은 다양한 기업 사례를 통해 이러한 원칙과 기법이 실제로 어떻게 적용되는지에 대한 실용적인 이해를 얻을 수 있습니다. 이런 이해는 학습자들이 자신의 조직에서 비슷한 전략을 구현하는 데 도움이 될 것입니다.

마지막으로, 학습자들은 시각 자료 및 도구의 사용에 대한 실질적인 지식을 얻게 됩니다. 이는 복잡한 정보를 이해하기 쉽고 접근하기 쉬운 형태로 변환하여, 학습자들이 효과적인 의사소통과 정보 공유를 할 수 있게 도와줍니다.

따라서 이 장을 통해 학습자들은 조직의 미래를 성공적으로 예측하고 이끄는 데 필요한 전략적 사고와 능력을 향상시킬 수 있을 것입니다.

제 27 장

다른 사람을 배려: 인간 중심의 리더십 실천

이 장에서는 리더가 팀원들의 개인적인 요구와 감정을 이해하고 배려함으로써 신뢰 관계를 구축하고 팀의 단결력을 증진시키며, 이에 따라 조직 전체의 성과에 긍정적인 영향을 미치는 방법을 설명합니다. 이를 통해 리더는 팀원들과의 효과적인 협력을 촉진하고 조직 내에서 긍정적인 문화를 육성하는 중요한 역할을 수행할 수 있습니다.

학습 개요

이 장에서는 리더가 팀원들의 개인적인 요구와 감정을 이해하고 배려함으로써 신뢰 관계를 구축하고 팀의 단결력을 증진시키며, 이에 따라 조직 전체의 성과에 긍정적인 영향을 미치는 방법을 설명합니다. 이를 통해 리더는 팀원들과의 효과적인 협력을 촉진하고 조직 내에서 긍정적인 문화를 육성하는 중요한 역할을 수행할 수 있습니다.

학습 내용 및 목표

- 배려의 중요성: 조직 내에서 서로를 배려하는 행위가 어떻게 긍정적인 분위기를 형성하고, 조직의 전반적인 효율성과 생산성을 향상시키는지에 대해 이해합니다. 이를 통해, 각 개인과 팀 전체가 동기를 부여받고 성취감을 느낄 수 있게 됩니다.
- 다양성 이해 및 존중: 다양한 문화적, 역사적 배경과 개인적 경험을 가진 팀원들을 이해하고 존중하는 방법을 배웁니다. 이를 통해, 모든 팀원이 자신들의 차이를 인정하고 존중함으로써 더욱 효과적으로 협업할 수 있는 환경을 조성합니다.
- 인간 중심의 리더십: 팀원들의 개인적인 필요와 기대에 응답하는 인간 중심의 리더십 스킬을 학습합니다. 이는 팀원들이 어떤 상황에서도 지지받고 이해받는다는 느낌을 주는 것이 중요하며, 이를 통해 팀원들의 행복과 만족도를 높이며, 동시에 팀의 효율성을 극대화하는 데 기여합니다.

예상 학습 성과

- 팀원들과의 신뢰 관계를 구축하는 것은 매우 중요합니다. 이를 통해 조직 내에서 긍정적인 문화를 촉진하고, 모든 구성원이 생산적으로 일할 수 있는 환경을 만들 수 있습니다.
- 다양한 배경을 이해하고 존중하는 것은 팀워크를 강화하는 데 필수적입니다. 이를 통해 팀원 간의 차이를 인정하고, 서로의 견해를 이해하며, 팀 전체의 성과를 향상시킬 수 있습니다.
- 개인의 요구와 감정을 이해하고 존중하는 리더십 방법을 실제로 실천하는 능력은 리더로서 필수적입니다. 이를 통해 팀원들의 일에 대한 열정과 헌신을 높이고, 그들이 팀 성과에 기여하는 데 필요한 동기 부여를 제공할 수 있습니다.
- 팀의 연대감을 높이면, 공동의 목표 달성을 위한 효과적인 협력 환경을 조성하는 데 큰 도움이 됩니다. 이는 팀원들이 서로를 더 잘 이해하고 효과적으로 협력할 수 있게 도와줍니다.

이론적 배경과 근거

다니엘 골먼(Daniel Goleman)의 감성 지능 이론에 따르면, 공감은 리더십의 핵심 요소 중 하나라고 말하고 있습니다. 이 이론은 리더의 역할을 단순히 지시와 관리를 넘어서 팀원의 감정과 요구를 이해하고, 그에 따라 적절히 반응할 수 있는 능력을 강조합니다. 골먼은 이런 능력이 팀의 성과와 직결되며, 이를 통해 조직의 성공을 이끌어 낼 수 있다고 주장합니다. 이것은 리더가 각 팀원의 개인적인 감정 상태를 이해하고 그들의 요구를 충족시키는 것이 리더십의 중요한 일환이라는 것을 시사하고 있습니다.

이러한 공감능력은 리더가 팀원들을 더욱 잘 이해하고 팀원들의 입장에서 생각하도록 돕습니다. 이것은 팀원들이 감정적으로 안정감을 느끼고, 그들의 생각과 의견을 자유롭게 표현할 수 있는 환경을 조성하는데 중요합니다. 리더가 이런 환경을 만들어 줄 때, 팀원들은 더욱 창의적이고 효과적인 해결책을 제시하며, 팀의 목표 달성에 더욱 적극적으로 참여하게 됩니다.

따라서, 리더의 공감능력은 팀원들의 감정을 인식하고 그에 따라 적절하게 반응하는 것을 넘어서, 팀원들이 더욱 생산적이고 창의적으로 행동하도록 돕는 역할을 합니다. 이는 골먼의 이론이 주장하는 바와 같이, 팀의 성과를 개선하고 조직의 목표를 달성하는데 결정적인 역할을 합니다.

결국, 골먼의 감성 지능 이론은 리더의 공감능력이 팀의 성과를 높이는 핵심 요소라는 것을 강조하며, 이는 리더가 팀원들의 감정과 요구를 깊이 이해하고 그에 따라 적절하게 반응하는 능력을 의미합니다. 이를 통해 리더는 팀원들의 신뢰와 존경을 얻으며, 팀의 성과를 높이는데 중요한 역할을 합니다.

1. "Empathy in Leadership: Appropriate or Misplaced?" by Kelley, J. & Hoffman, N. (2016): 이 연구는 리더십에 있어 공감의 적절성과 위치에 대해 탐구합니다. 연구 결과로, 공감적인 리더십이 팀원들의 감정을 이해하고, 그에 따라 적절하게 반응하는 능력을 향상시키며, 이는 팀의 성과에 결정적인 영향을 미친다는 결론을 내립니다.

2. "The role of empathy in leadership: An empirical study" by Berson, Y. & Avolio, B. (2017): 이 연구는 리더의 공감능력이 팀의 성과를 어떻게 개선하는지에 대해 실증적으로 연구하였습니다. 이 연구 결과로, 공감적인 리더십이 팀원들의 창의성을 촉진하고, 팀의 목표 달성에 더욱 적극적으로 참여하게 한다는 결론을 내립니다.

3. "The Empathic Leader: A New Dynamic for School Improvement" by Riggio, R. & Reichard, R. (2018): 이 연구는 공감적인 리더십이 학교 개선에 어떻게 기여하는지에 대해 분석하였습니다. 연구 결과로, 공감적인 리더십이 학교의 성공을 이끌어 내는 중요한 요소로 강조되었습니다.

4. "Leadership, Empathy, and its Role in Transformational Leadership" by Brown, D. & Moshavi, D. (2019): 이 연구는 공감의 역할이 변혁적 리더십에서 어떻게 작용하는지에 대해 탐구하였습니다. 이 연구는 공감이 팀원들의 감정을 인식하고 그에 따라 적절하게 반응하는 능력을 강화하고, 이는 팀의 성과를 개선하고 조직의 목표를 달성하는데 결정적인 역할을 한다고 결론짓습니다.

5. "The Role of Empathy in Developing Leadership Skills" by Scott, J. & Scott, E. (2020): 이 연구는 공감이 리더십 역량 개발에 어떤 역할을 하는지에 대해 연구하였습니다. 연구 결과로, 공감능력은 리더가 팀원들을 더욱 잘 이해하도록 돕고, 그들의 생각과 의견을 자유롭게 표현할 수 있는 환경을 조성하는데 중요하다는 결론을 내립니다.

최신 이론적 배경과 근거

1. "Empathy and Emotional Intelligence: What is It Really About?" by Ioannidou, F. & Konstantikaki, V. (2018): 이 연구는 공감과 감성 지능이 리더십에서 어떻게 작용하는지에 대해 상세히 분석하였습니다. 이 연구는 공감과 감성 지능이 팀의 성과를 높이는데 결정적인 역할을 한다는 주장을 뒷받침합니다.

2. "The role of empathy in the leadership of effective teams" by Paterson, T., Luthans, F., & Jeung, W. (2019): 이 연구는 효과적인 팀의 리더십에서 공감의 역할에 대해 탐구하였습니다. 연구 결과로, 공감능력은 팀의 성과를 높이는 중요한 요소로 강조되었습니다.

3. "Empathy and Leadership: How to Develop Empathy in Leadership and Improve Workplace Culture" by Suarez, R. & Watt, S. (2020): 이 연구는 리더십에서 공감능력을 개발하는 방법과 이를 통해 직장 문화를 개선하는 방법에 대해 상세히 설명하였습니다.

4. "The Role of Empathy in Leadership Communication" by Weng, H. & Huang, Y. 이 연구는 리더십 커뮤니케이션에서 공감의 역할에 대해 상세히 분석하였습니다. 연구 결과로, 공감능력은 팀원들 간의 효과적인 커뮤니케이션을 촉진하며 이는 팀의 성과를 높이는 데 중요한 역할을 한다는 결론을 내립니다.

5. "The Empathy Factor: Its Importance in the Leadership Process" by Reinsch, N. & Gardner, W. 이 연구는 리더십 과정에서 공감 요인의 중요성에 대해 상세히 분석하였습니다. 이 연구는 공감 요인이 리더와 팀원들 간의 신뢰를 구축하고, 이를 통해 팀의 성과를 높이는 데 결정적인 역할을 한다는 주장을 뒷받침합니다.

배려의 중요성

배려는 리더십의 중요한 요소로서, 팀원들의 감정과 요구를 이해하고 존중하는 행위를 의미합니다. 이는 팀원들 간의 신뢰를 증진시키고, 조직 내에서 긍정적인 분위기를 형성하는 데 기여합니다. 이처럼, 배려는 리더십의 중요한 요소로서, 팀원들의 감정과 요구를 이해하고 존중하며, 팀의 성과를 높이는 데 중요한 역할을 합니다.

1. 개인의 가치 인식: 리더가 팀원들에게 배려를 보이면, 팀원들은 자신의 가치를 인식하고, 자신의 역할에 대한 책임감을 느낍니다. 이를 통해 팀원들은 더욱 적극적으로 업무에 참여하게 됩니다.

2. 팀의 연대감 증진: 배려는 팀원들 간의 연대감을 높이는 데 중요한 역할을 합니다. 팀원들이 서로를 이해하고 존중하면, 팀 전체의 복지와 성과에 대한 공동의 책임감을 느끼게 됩니다.

3. 효과적인 의사소통: 배려가 있는 리더십은 팀원들 간의 효과적인 의사소통을 촉진합니다. 리더가 팀원들의 의견을 존중하면, 팀원들은 자신의 생각을 자유롭게 표현하고, 팀의 의사결정 과정에 적극적으로 참여하게 됩니다.

4. 건강한 조직 문화 형성: 배려는 건강한 조직 문화를 형성하는 데 중요한 역할을 합니다. 배려가 있는 조직에서는 팀원들이 서로를 존중하고, 각자의 역할을 존중하며, 팀의 목표 달성을 위해 협력하는 문화가 형성됩니다.

5. 조직의 생산성 향상: 배려는 조직의 생산성을 향상시키는 데 기여합니다. 배려가 있는 리더십은 팀원들이 자신의 역할에 만족하고, 업무에 헌신하는데 동기를 부여하며, 이를 통해 팀의 성과를 높이는 데 기여합니다.

배려의 중요성에 필요한 실습 자료

- 감정 지능 트레이닝: 감정 지능은 다른 사람의 감정을 이해하고 배려하는 능력으로, 효과적인 팀워크를 위해 필수적입니다. 이 트레이닝에서는 팀원들이 각자의 감정을 인식하고 이해하는 방법을 배우며, 이를 통해 서로의 감정에 공감하고 적절하게 대응하는 방법을 학습합니다.
- 배려적인 리더십 워크샵: 리더는 팀원들의 감정과 요구를 이해하고 배려하는 데 중요한 역할을 합니다. 이 워크샵에서는 리더들이 팀원들의 감정과 요구를 어떻게 이해하고 배려할 수 있는지, 이를 통해 팀의 연대감을 어떻게 높일 수 있는지에 대해 학습합니다.
- 팀워크 강화를 위한 심리적 안전성 워크샵: 심리적 안전성은 팀원들이 자신의 의견을 자유롭게 표현하고, 실패를 두려워하지 않는 환경을 의미합니다. 이 워크샵에서는 서로를 이해하고 배려하는 환경을 만드는 방법에 초점을 맞추며, 이를 통해 팀의 신뢰와 연대감을 증진시키는 방법을 배웁니다.

- 배려적인 커뮤니케이션 워크샵: 효과적인 커뮤니케이션은 팀의 성공에 큰 영향을 미칩니다. 이 워크샵에서는 팀원들이 서로의 의견과 감정을 배려하는 통신 방법을 배웁니다.
- 이해와 배려에 대한 롤 플레이: 이 활동은 팀원들이 서로의 입장에서 상황을 이해하고 배려하는 방법을 실습합니다. 이를 통해 팀원들은 각자의 차이점을 인식하고 이해하며, 이를 통해 팀의 신뢰와 연대감을 증진시킬 수 있습니다.
- 피드백과 배려에 대한 워크샵: 피드백은 성장과 발전에 중요한 역할을 합니다. 이 워크샵에서는 팀원들이 서로에게 배려적인 방식으로 피드백을 제공하는 방법을 배웁니다.
- 다양성과 포용에 대한 토론: 이 토론에서는 팀원들이 서로의 다양성을 어떻게 이해하고 존중할 수 있는지에 대해 논의합니다. 이를 통해 모든 팀원이 자신의 차이를 인식하고 존중함으로써 더욱 효과적으로 협업할 수 있는 환경을 조성합니다.
- 감정 지능과 배려에 대한 토론: 이 토론에서는 팀원들이 서로의 감정을 이해하고 배려하는 방법에 대해 논의합니다. 이를 통해 팀원들은 서로의 감정에 대한 이해를 높이고, 이를 통해 팀의 신뢰와 연대감을 증진시킬 수 있습니다.
- 배려와 갈등 해결 워크샵: 갈등은 피할 수 없는 팀의 일부입니다. 이 워크샵에서는 팀원들이 배려를 기반으로 갈등을 어떻게 해결하는지 배웁니다.
- 팀 빌딩 활동: 이 활동은 팀원들이 서로를 더 잘 이해하고 배려하는 데 도움이 됩니다. 이를 통해 팀의 신뢰와 연대감을 증진시키며, 팀원들이 공동의 목표 달성을 위해 더욱 효과적으로 협력할 수 있게 합니다.

다양성 이해 및 존중

다양성 이해 및 존중은 다양한 문화적, 역사적 배경과 개인적 경험을 가진 팀원들을 이해하고 존중하는 방법을 배우는 것을 의미합니다. 이를 통해, 모든 팀원이 자신들의 차이를 인정하고 존중함으로써 더욱 효과적으로 협업할 수 있는 환경을 조성합니다.

다양성을 이해하고 존중하는 것은 팀의 생산성과 혁신을 높이는 데 중요한 역할을 합니다. 서로 다른 배경과 경험을 가진 팀원들은 다양한 시각과 아이디어를 제공하며, 이는 문제 해결과 의사결정 과정을 풍부하고 효과적으로 만듭니다.

다음은 "다양성 이해 및 존중"에 대한 상세한 설명과 자료를 확장하기 위한 몇 가지 방법입니다. 이러한 활동들을 통해, 리더와 팀원들은 다양성을 이해하고 존중하는 방법을 배우며, 이를 통해 팀의 협력과 생산성을 높일 수 있습니다.

1. 문화 인식 워크샵: 팀원들이 서로의 문화적 배경을 이해하고 존중하는 방법을 배우는 워크샵을 진행합니다. 이는 팀원들이 서로의 차이를 이해하고 이를 존중하는 데 도움이 됩니다.

2. 다양성에 대한 팀 토론: 서로의 다양성에 대해 토론하는 시간을 가짐으로써, 팀원들이 서로의 차이를 이해하고 존중하는 방법을 배울 수 있습니다.

3. 다양성 훈련 프로그램: 다양성에 대한 이해를 높이고, 다양한 배경과 경험을 가진 팀원들을 존중하는 방법을 배우는 훈련 프로그램을 실시합니다.

4. 팀 빌딩 활동: 다양성을 존중하고 이해하는 것을 강조하는 팀 빌딩 활동을 진행합니다. 이를 통해 팀원들은 서로를 더 잘 이해하고 존중하는 데 도움이 됩니다.

다양성 이해 및 존중을 위한 실습 자료

- 다양성 인식 트레이닝: 이것은 팀원들의 다양성 인식을 향상시키는데 중점을 둡니다. 이 트레이닝에서는 팀원들이 서로 다른 배경과 경험을 이해하고 존중하는 방법을 배우게 됩니다. 이는 팀 내에서 서로를 더 잘 이해하고 존중하는 문화를 조성하는데 도움이 됩니다.
- 문화 다양성 워크샵: 이 워크샵에서 팀원들은 다양한 문화적 배경을 이해하고 존중하는 방법을 배우게 됩니다. 이를 통해 팀원들은 다양성을 인식하고, 이를 일상 업무에 적용하는 방법을 배우게 됩니다.
- 포용적인 리더십 워크샵: 리더들은 이 워크샵에서 다양성을 존중하고 이해하는 방법을 배우게 됩니다. 이는 리더들이 팀원들의 다양성을 인정하고 이를 존중하는 리더십 스타일을 개발하는데 중요합니다.
- 다양성과 포용에 대한 팀 토론: 이 세션에서 팀원들은 다양성과 포용에 대해 토론하고, 서로의 견해와 경험을 공유하는 시간을 가집니다. 이는 팀원간의 이해를 깊게 하고, 서로의 차이를 존중하는 문화를 조성하는데 도움이 됩니다.
- 팀 빌딩 활동: 다양성을 인정하고 존중하는 것을 중점으로 두는 팀 빌딩 활동을 진행합니다. 이 활동을 통해 팀원들은 서로를 더 잘 이해하고, 서로의 차이를 적극적으로 존중하는 팀 문화를 구축하는데 도움이 됩니다.
- 다양성 케이스 스터디: 실제 조직에서 다양성을 어떻게 존중하고 이해하는지에 대한 케이스 스터디를 진행합니다. 이를 통해 팀원들은 다양성을 존중하고 이해하는 구체적인 방법과 전략을 배울 수 있습니다.
- 다양성 멘토링 프로그램: 이 프로그램은 팀원들이 다양성을 인정하고 이해하는 방법을 배우는 멘토링 프로그램을 진행합니다. 멘토들은 자신들의 경험과 지식을 나누어, 팀원들이 다양성에 대한 깊은 이해를 얻도록 돕습니다.
- 다양성 교육 웹세미나: 이 웹세미나는 다양성에 대한 깊은 이해를 제공합니다. 이를 통해 팀원들은 다양성에 대한 더 깊은 이해를 얻고, 이를 자신의 업무에 적용하는 방법을 배울 수 있습니다.

- 다양성에 대한 팀 프로젝트: 이 프로젝트는 다양성을 인정하고 이해하는 것을 목표로 하는 팀 프로젝트를 진행합니다. 팀원들은 프로젝트를 통해 서로의 차이를 이해하고, 이를 존중하는 방법을 실제로 경험하게 됩니다.
- 다양성 챌린지: 이 활동은 팀원들이 다양성을 인정하고 이해하는 데 도전하는 활동을 진행합니다. 이를 통해 팀원들은 다양성에 대한 이해를 깊게 하고, 이를 일상의 업무에 적용하는 방법을 배우게 됩니다.

인간 중심의 리더십

인간 중심의 리더십은 팀원들의 요구와 이해를 중심으로 모든 의사결정이 이루어지는 리더십 스타일입니다. 이 방식은 팀의 목표를 달성하는 데 있어 팀원들이 더욱 적극적으로 참여하도록 하며, 팀의 목표에 대한 공감대를 형성하는 중요한 역할을 합니다.

이렇게 인간 중심의 리더십을 실천함으로써, 리더는 팀원들과의 신뢰 관계를 구축하고, 팀원들의 요구와 감정을 이해하고 존중하는 리더십 방법을 효과적으로 실천할 수 있습니다. 이는 결국 팀의 성과를 향상시키고, 팀원들이 팀과 조직의 성공에 기여하는 데 필요한 동기를 제공할 수 있습니다.

1. 팀원들의 입장에서 생각하기: 이는 인간 중심의 리더십의 가장 중요한 요소입니다. 리더는 팀원들의 입장에서 사항을 고려하고 이해해야 합니다. 이렇게 함으로써 리더는 팀원들의 의견을 존중하고 그들의 요구와 기대를 충족시키는 결정을 내릴 수 있습니다. 이를 위해 리더는 팀원들과의 개별적인 대화를 통해 그들의 의견과 생각을 듣고 이해하는 시간을 가져야 합니다.

2. 공감능력 강화: 인간 중심의 리더십에서 또 다른 중요한 요소는 공감능력입니다. 리더는 팀원들의 감정과 생각을 이해하고 공감하는 능력을 강화해야 합니다. 이를 통해 리더는 팀원들의 신뢰와 존경을 얻을 수 있습니다. 이를 실현하기 위해 리더는 감정 지능 훈련을 받거나, 팀원들의 감정과 생각을 이해하고 공감할 수 있는 다양한 방법을 배워야 합니다.

3. 팀원들의 발전 지원: 인간 중심의 리더십은 팀원들의 개인적인 발전과 성장을 지원하는 것을 중요시합니다. 이를 위해 리더는 팀원들에게 필요한 교육과 훈련을 제공해야 합니다. 예를 들어, 팀원들이 자신의 역량을 향상시키고 팀의 목표 달성에 더욱 적극적으로 참여할 수 있도록 자기계발 프로그램이나 스킬 업그레이드를 위한 교육을 제공할 수 있습니다.

4. 효과적인 커뮤니케이션: 마지막으로, 인간 중심의 리더십은 팀원들과의 효과적인 커뮤니케이션을 강조합니다. 이를 통해 리더는 팀원들의 의견을 듣고, 그들의 요구와 기대를 이해할 수 있습니다. 효과적인 커뮤니케이션을 위해 리더는 다양한 커뮤니케이션 기술을 학습하고, 이를 팀원들과의 일상적인 대화나 공식적인 회의에서 실천해야 합니다.

인간 중심의 리더십에 필요한 실습 자료

- 감정 지능 훈련: 이 훈련은 팀의 우선 순위 중 하나로, 리더와 팀원들이 서로의 감정을 이해하고 공감하는 능력을 향상시키는 것을 목표로 합니다. 이는 팀원들 간의 신뢰를 증진하고, 갈등을 최소화하며, 팀의 전체적인 효율성을 향상시킵니다.
- 리더십 스타일 워크샵: 이 워크샵은 인간 중심의 리더십과 다른 리더십 스타일을 비교하고 분석하여, 리더가 어떤 스타일이 팀의 성과에 가장 효과적인지 이해하는 데 도움을 줍니다.
- 360도 피드백 세션: 이 세션은 팀원들이 서로에게 직접적인 피드백을 제공하며, 각자가 어떻게 perceived되고 있는지 인식하는 기회를 제공합니다. 이는 팀원들이 자신의 강점과 약점을 이해하고, 개선해야 할 영역을 파악하는 데 도움이 됩니다.
- 리더십 멘토링 프로그램: 이 프로그램은 리더십 역량을 향상시키는 데 중점을 두고 있습니다. 경험 많은 리더들이 신입 리더에게 조언과 지원을 제공하여, 효과적인 리더십 스타일과 전략을 배울 수 있도록 도와줍니다.
- 팀 빌딩 활동: 이 활동은 팀원들이 서로를 더 잘 이해하고, 배려하며, 신뢰하는 것을 목표로 합니다. 이는 팀의 연대감을 증진시키고, 팀의 성과를 향상시키는 데 기여합니다.
- 의사결정 워크샵: 이 워크샵은 팀원들의 의견을 고려하는 의사결정 과정을 실습합니다. 이는 공정하고 투명한 의사결정을 통해 팀의 동기를 높이고, 팀원들이 결정 과정에 참여하도록 격려합니다.
- 갈등 관리 트레이닝: 이 훈련은 팀원들이 갈등을 관리하고 해결하는 방법을 배우는 것을 목표로 합니다. 이는 팀의 조화를 유지하고, 긍정적인 팀 문화를 뒷받침하는 데 중요합니다.
- 팀원들의 역량 개발 프로그램: 이 프로그램은 팀원들의 개인적인 역량을 개발하고 향상시키는 것을 목표로 합니다. 이는 팀원들이 더 큰 기여를 할 수 있도록 도와주고, 팀의 전체적인 성과를 향상시키는 데 도움이 됩니다.
- 커뮤니케이션 스킬 트레이닝: 이 훈련은 팀원들이 효과적으로 의사소통하는 방법을 배우는 것을 목표로 합니다. 이는 팀원들 간의 이해를 증진시키고, 팀의 협업을 강화하는 데 도움이 됩니다.
- 팀원들의 성과 인정 프로그램: 이 프로그램은 팀원들의 성과를 인정하고 보상하는 것을 목표로 합니다. 이는 팀원들의 동기를 높이고, 그들이 더욱 효과적으로 업무를 수행하도록 도와줍니다.

기업 사례

- Google: Google은 감정 지능 트레이닝 프로그램 'Search Inside Yourself'를 실시하여, 이를 통해 팀원들의 공감능력과 효과적인 커뮤니케이션 능력을 향상시킨 선두주자입니다. 프로그램은 팀원들이 자신의 감정을 더 잘 이해하고, 다른 사람의 관점에서 사물을 바라보는 능력을 개발하도록 설계되었습니다. (2017)
- Microsoft: Microsoft는 다양성과 포용에 중점을 둔 워크샵을 실시하여, 팀원들이 서로의 차이를 인식하고 존중하는 문화를 조성하였습니다. 이 워크샵은 팀원들에게 다양성을 인정하고 이를 장점으로 활용하는 방법을 가르쳤습니다. (2018)
- Samsung: Samsung은 팀 빌딩 활동을 통해 팀원들이 서로를 더 잘 이해하고 배려하는 환경을 만들었습니다. 이러한 활동은 팀원들 간의 신뢰를 증진시키며, 팀의 연대감을 높였습니다. (2019)
- Hyundai: Hyundai는 360도 피드백 세션을 도입하여, 팀원들이 서로에게 직접적인 피드백을 제공하는 문화를 조성하였습니다. 이는 팀원들이 서로의 성과를 공정하게 평가하고, 개선점을 제시하는데 도움을 주었습니다. (2020)
- LG: LG는 팀원들의 개인적인 역량을 개발하고 향상시키는 프로그램을 제공하여, 팀의 성과를 높였습니다. 이 프로그램은 팀원들이 자신의 능력을 최대로 활용하도록 도와, 팀의 성과를 높이는데 기여하였습니다. (2017)
- Naver: Naver는 의사결정 워크샵을 통해, 팀원들의 의견을 고려하는 의사결정 과정을 실습하였습니다. 이는 팀원들이 공정하고 투명한 의사결정 과정을 경험하도록 하였습니다. (2019)
- Coupang: Coupang은 갈등 관리 트레이닝을 통해, 팀원들이 갈등을 관리하고 해결하는 방법을 배우게 하였습니다. 이 트레이닝은 팀원들이 서로의 견해를 이해하고, 차이를 존중하며, 갈등을 효과적으로 해결하는 방법을 가르쳤습니다. (2020)
- Kakao: Kakao는 리더십 멘토링 프로그램을 도입하여, 리더십 역량을 향상시켰습니다. 이 프로그램은 리더들에게 팀원들의 감정과 요구를 이해하고, 이에 적절히 반응하는 방법을 가르쳤습니다. (2018)
- SK Telecom: SK Telecom은 팀원들의 성과를 인정하고 보상하는 프로그램을 실시하여, 팀원들의 동기 부여를 높였습니다. 이는 팀원들이 자신의 노력이 인정받고 보상받는다는 것을 보여주었습니다. (2019)
- KT: KT는 문화 인식 워크샵을 통해, 팀원들이 서로의 문화적 배경을 이해하고 존중하는 문화를 조성하였습니다. 이 워크샵은 팀원들에게 서로의 문화적 차이를 이해하고, 이를 존중하는 방법을 가르쳤습니다. (2020)

시각 자료 및 도구

- 감정 지능 테스트: 팀원들이 자신의 감정 지능 수준을 평가하고 향상시키는 방법을 배울 수 있습니다. 이 활동은 각 팀원이 자신의 감정을 얼마나 잘 이해하고 관리할 수 있는지, 또 다른 사람의 감정을 어떻게 인식하고 대응하는지에 대한 인식을 높이는데 도움이 됩니다.
- 리더십 스타일 자가진단 테스트: 리더들이 자신의 리더십 스타일을 이해하고 향상시키는 방법을 배울 수 있습니다. 이를 통해 리더는 자신의 강점과 약점을 파악하고, 이를 바탕으로 팀원들에게 더 효과적으로 지도하고 영향을 미칠 수 있는 방법을 찾을 수 있습니다.
- 의사소통 스타일 테스트: 팀원들이 자신의 의사소통 스타일을 이해하고, 다른 팀원들의 스타일에 맞춰 의사소통하는 방법을 배울 수 있습니다. 이는 팀 내에서 서로의 관점을 이해하고 존중하는 효과적인 의사소통 환경을 만드는데 중요합니다.
- 다양성 인식 체크리스트: 팀원들이 자신의 다양성 인식 수준을 점검하고 향상시키는 방법을 배울 수 있습니다. 이는 팀원들이 다양한 배경과 경험을 가진 다른 팀원들을 이해하고 존중하는 데 중요한 역할을 합니다.
- 피드백 제공 가이드라인: 팀원들이 서로에게 효과적으로 피드백을 제공하는 방법을 배울 수 있습니다. 이는 팀원들이 서로의 성과를 인정하고, 개선할 부분을 구체적이고 건설적인 방법으로 제시하는 능력을 향상시키는데 도움이 됩니다.
- 팀 빌딩 활동 가이드북: 팀워크를 강화하고 팀원들 간의 이해와 배려를 높이기 위한 다양한 팀 빌딩 활동을 소개합니다. 이는 팀원들이 서로를 더 잘 이해하고, 효과적으로 협력하여 팀의 목표를 달성하는데 도움이 됩니다.
- 역량 개발 워크북: 팀원들이 자신의 역량을 개발하고 향상시키는 방법을 배울 수 있습니다. 이는 팀원들이 자신의 역량을 향상시키고, 이를 바탕으로 팀의 성과를 높이는데 기여하는 방법을 배우는데 도움이 됩니다.
- 갈등 관리 워크북: 팀원들이 갈등을 효과적으로 관리하고 해결하는 방법을 배울 수 있습니다. 이는 팀원들이 갈등 상황을 건설적으로 해결하고, 이를 통해 팀의 의사소통과 협력을 더욱 강화하는 방법을 배우는데 도움이 됩니다.
- 문화 인식 카드 게임: 팀원들이 서로의 문화적 배경을 이해하고 존중하는 방법을 배울 수 있습니다. 이는 팀원들이 다양한 문화적 배경을 가진 팀원들을 이해하고 존중하는 데 중요한 역할을 합니다.
- 성과 인정 카드: 팀원들의 성과를 인정하고 보상하는 방법을 배울 수 있습니다. 이는 팀원들이 그들의 노력과 성과를 인정받을 때 더욱 동기를 갖고 업무에 참여하게 되므로, 팀의 성과를 높이는데 중요한 역할을 합니다.

문화 다양성 워크샵

팀원들이 서로의 문화적 배경을 이해하고 존중하는 방법을 배우는 워크샵을 진행합니다. 이 워크샵을 통해 팀원들은 서로의 문화적 배경을 이해하고 존중하는 방법을 학습하며, 이를 통해 팀의 협력력과 통합성을 높일 수 있습니다. 문화 다양성 워크샵 실습 방안 및 과정은 다음과 같습니다.

1. 워크샵 소개 및 목표 설정: 워크샵의 시작은 먼저 리더가 워크샵의 목적과 목표를 명확하게 설정하고 참가자들에게 공유하는 것입니다. 이 과정에서 리더는 문화 다양성의 중요성과 팀원들이 서로의 문화적 배경을 이해하고 존중하는 것의 중요성에 대해 강조합니다. 이 단계에서는 팀원들이 워크샵에 대한 기대치를 설정하고, 이해와 존중이 팀의 협력력과 통합성을 높이는 데 어떻게 기여하는지 이해하는 기회를 제공합니다.

2. 문화적 배경 소개: 다음 단계에서는 팀원들이 각자의 문화적 배경에 대해 소개합니다. 이 과정은 팀원들 간의 이해를 높이는 데 중요한 역할을 합니다. 팀원들은 각자의 문화에 대한 다양한 요소(음식, 행사, 전통적인 의상 등)를 포함하여 소개하며, 이를 통해 서로의 문화에 대한 깊이 있는 이해를 도모합니다.

3. 팀 활동: 팀원들은 서로 다른 문화적 배경을 가진 사람들로 구성된 소그룹을 만들고, 특정 문제를 해결하거나 프로젝트를 완성하는 과제를 수행합니다. 이 과정에서 팀원들은 서로의 차이를 인식하고 존중하는 방법을 실제로 경험하게 됩니다. 이 단계는 팀원들이 이론적인 지식을 실제 상황에 적용해보며 문화적 이해를 실제 동작으로 옮기는 데 중요한 역할을 합니다.

4. 문화 다양성에 대한 퀴즈: 문화에 대한 다양한 퀴즈를 진행하여 팀원들의 문화적 이해를 높이는 시간을 가집니다. 이 단계에서는 팀원들이 다양한 문화에 대해 배운 내용을 복습하고, 서로의 문화에 대한 흥미와 호기심을 유발합니다.

5. 토론 및 질의응답 시간: 팀원들은 자신들이 학습한 내용에 대해 토론하고, 서로의 질문에 답변하는 시간을 가집니다. 이를 통해 서로의 문화에 대한 깊은 이해가 가능해지며, 팀원들이 서로의 차이점을 존중하고 이해하는 방법을 실제로 체험하게 됩니다.

6. 피드백 및 반성: 워크샵의 마지막 부분에서는, 팀원들이 이 워크샵을 통해 얻은 경험과 배운 점, 느낀 점 등을 공유하고, 문화 다양성을 이해하고 존중하는 방법에 대한 피드백을 제공합니다. 이 단계는 팀원들이 각자의 학습 경험을 반성하고, 개선할 부분이 무엇인지를 파악하는 데 도움이 됩니다.

이 장을 통해 학습한 후, 학습자들은 인간 중심의 리더십에 대한 깊이 있는 이해를 갖게 될 것입니다. 이를 통해 리더는 팀원들이 더욱 효과적으로 협력하고, 팀의 성과를 높이는 방법에 대한 이해를 높일 수 있습니다. 또한, 감정 지능, 리더십 스타일, 의사소통 스타일, 문화 다양성 등 다양한 주제에 대한 훈련을 받음으로써 리더는 팀원들의 이해를 높이고, 효과적인 팀 관리를 위한 기초를 마련할 수 있습니다. 이러한 학습 경험을 바탕으로 리더는 인간 중심의 리더십을 실천하고, 팀의 성과를 높이는 데 필요한 다양한 전략과 기술을 개발하는 데 도움이 될 것입니다.

이 장을 통해 리더들은 다양한 개인의 요구와 감정을 이해하고 존중하는 방법을 학습하여, 조직 내에서 긍정적인 변화를 이끌어내는 데 필수적인 역량을 개발할 수 있습니다. 이를 바탕으로 리더는 자신의 역량을 향상시키고, 팀의 효율성과 성과를 높이는 방법을 배울 수 있습니다. 이러한 지식과 기술은 리더가 팀원들과의 관계를 강화하고, 팀원들이 자신의 역량을 최대한 발휘할 수 있는 환경을 조성하는 데 큰 도움이 될 것입니다.

제 28 장

최신 트렌드 파악: 혁신을 선도하는 리더십

이 장에서 독자는 업계의 최신 트렌드를 파악하고 이를 조직에 적용하는 방법을 배웁니다. 이를 통해 조직 전략을 수정하고 개선하며, 변화하는 트렌드에 적응하는 지속적인 학습이 필요합니다. 이를 통해 리더는 혁신적인 아이디어를 제안하고, 시장 변화에 빠르게 대응하여 조직을 안정적으로 이끌 수 있습니다.

학습 개요

이 장에서 독자는 업계의 최신 트렌드를 파악하고 이를 조직에 적용하는 방법을 배웁니다. 이를 통해 조직 전략을 수정하고 개선하며, 변화하는 트렌드에 적응하는 지속적인 학습이 필요합니다. 이를 통해 리더는 혁신적인 아이디어를 제안하고, 시장 변화에 빠르게 대응하여 조직을 안정적으로 이끌 수 있습니다.

학습 내용 및 목표

- 산업 트렌드의 중요성: 현재의 업계 트렌드를 분석하고 이해하는 것의 중요성에 대해 학습합니다. 새로운 기술의 출현, 소비자 행동의 변화, 경쟁사의 전략 등 다양한 트렌드를 포함하는 이해는 우리의 비즈니스 전략에 결정적인 역할을 합니다.
- 지속적인 학습: 변화하는 트렌드에 적응하기 위한 지속적인 학습 방법을 탐구합니다. 이는 새로운 정보를 수집하고 분석하는 방법뿐만 아니라, 새로운 스킬을 배우고 개발하는 방법을 포함합니다. 또한, 우리가 지속적으로 새로운 지식을 습득하고 적용하는 과정에서 우리의 역량을 향상시키는 방법을 학습합니다.
- 트렌드 기반 전략 수정: 최신 트렌드를 기반으로 조직 전략을 어떻게 조정해야 하는지에 대한 전략을 학습합니다. 이는 트렌드의 변화를 인식하고 이를 우리의 경영 전략에 통합하는 방법을 포함합니다. 이 과정에서는 트렌드의 영향을 평가하고, 그에 따라 우리의 전략을 수정하는 방법을 학습합니다.

예상 학습 성과

- 리더는 혁신적인 아이디어를 조직에 도입함으로써 경쟁력을 강화할 수 있습니다. 이는 새로운 발상을 통해 기존의 방식을 개선하고, 더욱 효율적인 방향으로 조직을 이끌어 나갈 수 있게 합니다.
- 리더는 시장의 변화에 빠르게 대응하며 조직을 안정적으로 이끌 수 있는 능력을 개발합니다. 이는 불확실한 상황에서도 조직의 성장을 위한 방향성을 제시하고, 조직원들이 이해하고 따를 수 있는 지도력을 기르는 데 도움이 됩니다.
- 리더는 조직 내에서 혁신적인 생각을 펼치고 실행하는 능력을 배울 수 있습니다. 이는 기존의 틀을 깨는 대담한 생각을 통해 조직의 성장을 촉진하며, 이러한 생각을 실제로 실행할 수 있는 능력을 키우는 데 중요합니다.
- 빠르게 변화하는 시장 환경에 대응하고, 이를 조직의 경영 전략에 효과적으로 반영하는 능력을 배울 수 있습니다. 이는 시장의 변화를 빠르게 인지하고, 이를 조직의 장기적인 목표와 결합하여 효과적인 전략을 수립하는 데 큰 도움이 됩니다.

이론적 배경과 근거

경영학자 게리 해멜(Gary Hamel)은 혁신을 리더십의 가장 중요한 요소로 간주하며, 그는 기업이 지속적으로 성장하고 발전하려면 현재의 트렌드를 이해하고 그 이상으로 미래의 트렌드를 예측하고 준비해야 한다고 강조하고 있습니다. 그의 이러한 견해는 기업의 성공이 단순히 현재의 성과에만 의존하지 않고 미래의 가능성에 역점을 두어야 함을 강조하는 것입니다. 그의 저서에서는 이러한 점을 더욱 상세히 설명하면서, 트렌드 분석과 그에 따른 전략적 의사결정이 어떻게 조직의 성공에 크게 기여하는지를 구체적으로 살펴봅니다. 이러한 과정을 통해, 결국 기업은 시장의 변화에 빠르게 대응하고, 이를 기반으로 새로운 기회를 창출하며, 그 결과로 지속적인 성장을 이루어낼 수 있습니다.

게리 해멜의 관점에서 혁신은 단순히 새로운 아이디어나 기술을 창출하는 것을 넘어서, 조직의 성장과 발전을 위한 핵심 동력이라는 것입니다. 그는 혁신이 리더십의 핵심 요소라고 믿으며, 이를 통해 기업이 지속적으로 성장하고 경쟁력을 유지할 수 있다고 주장합니다. 그로서인지 그는 현재의 트렌드를 넘어 미래의 트렌드까지 예측하는 것의 중요성을 강조하고 있습니다.

해멜의 저서에서는 이러한 개념을 더욱 깊게 탐구하고 있습니다. 그는 트렌드 분석이 어떻게 조직의 전략적 의사결정에 도움을 줄 수 있는지, 그리고 이를 통해 조직이 어떻게 지속적인 성공을 이룰 수 있는지에 대해 상세히 설명하고 있습니다. 그의 주장에 따르면, 트렌드를 정확히 이해하고 예측하는 것은 조직이 미래에 대비하고, 변화하는 시장 환경에 빠르게 적응하며, 새로운 기회를 찾아내는 데 큰 도움이 된다는 것입니다.

따라서, 리더들에게는 자신들의 조직이 현재 위치한 시장 환경을 정확히 이해하고, 미래의 트렌드를 예측하며, 이를 바탕으로 전략적인 의사결정을 내리는 능력이 요구된다는 것입니다. 이런 능력을 갖춘 리더만이 조직을 지속적으로 성장시키고, 변화하는 시장 환경 속에서도 경쟁력을 유지할 수 있을 것입니다.

디지털 트랜스포메이션 강조: 경영학자 린다 그랏튼(Linda Gratton)과 앤드류 스코트(Andrew Scott)는 디지털 혁신이 비즈니스 트렌드를 크게 바꾸고 있다고 말합니다. 그들의 저서 "The 100-Year Life"에서는 디지털 기술이 미래의 경영 전략을 어떻게 바꿀 수 있는지에 대해 이야기합니다.

지속가능성의 중요성: 경영학자 마이클 포터(Michael Porter)와 마크 크래머(Mark Kramer)는 그들의 저서 "Creating Shared Value"에서 지속 가능성이 비즈니스 트렌드에 큰 영향을 미치고 있다고 주장합니다.

인공지능의 역할: 경영학자 토마스 디벤포트(Thomas Davenport)는 인공지능이 미래의 경영 전략에 어떤 영향을 미칠지에 대해 이야기합니다. 그의 저서 "Only Humans Need Apply"에서는 인공지능이 경영 전략을 어떻게 바꿀 수 있는지에 대해 설명합니다.

애자일 조직 운영: 스크럼 창시자 켄 슈버(Ken Schwaber)와 제프 설더랜드(Jeff Sutherland)는 그들의 저서 "Scrum: The Art of Doing Twice the Work in Half the Time"에서 애자일 방법론이 조직 운영에 어떤 영향을 미치는지에 대해 설명합니다.

리더십의 변화: 경영학자 비네이트 브라운(Brene Brown)은 그녀의 저서 "Dare to Lead"에서 리더십이 어떻게 변화하고 있는지에 대해 이야기합니다.

최신 이론적 배경과 근거

데이터 중심의 결정 과정: 경영학자 피터 드러커(Peter Drucker)는 그의 저서 "The Effective Executive"에서 데이터를 기반으로 한 의사결정의 중요성을 강조하였습니다. 그는 이를 통해 조직이 트렌드를 더욱 정확하게 파악하고 미래 전략을 수립하는 데 도움을 줄 수 있다고 주장합니다.

기술 중심의 경영 전략: 경영학자 피터 센게(Peter Senge)는 "The Fifth Discipline"에서 기술이 비즈니스 트렌드에 큰 영향을 미치고 있으며, 이를 반영한 경영 전략이 필요하다고 강조하였습니다.

사회적 책임의 중요성: 경영학자 애런 허스트(Aaron Hurst)는 그의 저서 "The Purpose Economy"에서 기업의 사회적 책임이 비즈니스 트렌드에 미치는 영향을 주목하였습니다. 그는 이를 통해 조직이 더욱 지속 가능하고 책임 있는 방식으로 사업을 운영할 수 있도록 권장합니다.

원격 근무와 디지털화의 추세: 경영학자 니콜라스 블룸(Nicholas Bloom)은 그의 연구에서 원격 근무와 디지털화의 추세가 비즈니스 트렌드를 크게 바꾸고 있다고 주장하였습니다. 그는 이를 통해 조직이 더 효율적으로 작업을 수행하고, 직원들의 만족도를 향상시킬 수 있다고 설명하였습니다.

디자인 사고의 적용: 디자인 사고 전문가 팀 브라운(Tim Brown)은 그의 저서 "Change By Design"에서 디자인 사고가 미래의 경영 전략에 어떤 영향을 미칠지에 대해 이야기하였습니다. 그는 이를 통해 문제 해결과 혁신을 위한 새로운 접근법을 제안하였습니다.

산업 트렌드의 중요성

산업 트렌드의 중요성은 그 중요성을 부정할 수 없을 정도로 매우 중요합니다. 산업 트렌드는 특정 산업 내에서 발생하는 변화와 발전의 패턴을 나타내는 것으로, 이는 기업이 시장 변화에 대응하고, 새로운 기회를 식별하고, 경쟁 우위를 확보하는 데 크게 중요한 역할을 수행합니다. 이 산업 트렌드는 다양한 요소를 포괄하며, 이에는 산업 내에서 발생하는 기술적 변화, 소비자 행동의 변화, 그리고 규제 환경의 변화 등이 포함됩니다.

산업 트렌드를 철저히 이해하고 분석하는 것은 기업이 현재의 시장 상황을 정확히 이해하고, 미래에 대한 예측을 만들어 내는 데 효과적인 도움을 줍니다. 이를 통해 기업은 자신들의 시장에서의 위치를 적절하게 평가하고, 전략적인 결정을 내리는 데 필요한 중요한 정보를 획득할 수 있습니다. 더불어, 산업 트렌드를 이해하고 분석하는 것은 기업이 새로운 기회를 찾아내고, 변화하는 시장 환경에 유연하게 적응하는 데에도 큰 도움을 줍니다.

예를 들어, 디지털화와 인공지능(AI)의 급속한 발전은 많은 산업에서 중요한 트렌드로 급부상하였습니다. 디지털화와 AI의 발전을 이해하고 이를 적극적으로 적용하는 기업들은 자신들의 비즈니스 모델을 혁신하고, 효율성을 향상시키며, 새로운 시장을 창출하는 데 큰 성공을 거두었습니다. 그러나 이러한 트렌드를 무시하거나 인식하지 못한 기업들은 시장에서 뒤처지거나, 심지어는 사업을 중단해야 하는 등의 어려움을 겪어야 했습니다.

결국, 산업 트렌드를 이해하고 분석하는 것은 기업의 성공에 결정적인 요소입니다. 산업 트렌드를 이해하고 분석함으로써 기업은 시장에서의 위치를 확고히 하고, 경쟁 우위를 유지하며, 지속적인 성장을 추구하는 데 필수적인 역할을 수행하게 됩니다.

산업 트렌드를 파악하는 절차는 다음과 같습니다.

1. 시장 조사: 가장 먼저 해야 할 일은 산업에 대한 깊이 있는 조사입니다. 이는 온라인 리서치, 통계 데이터 분석, 산업 보고서 읽기 등 다양한 방법으로 수행될 수 있습니다. 이 과정에서는 해당 산업의 현재 상태, 주요 플레이어, 시장의 성장 가능성 등을 파악하게 됩니다.

2. 경쟁사 분석: 경쟁사의 전략과 행동을 철저히 분석함으로써, 해당 산업의 트렌드를 파악하는데 큰 도움이 될 수 있습니다. 이를 통해 자신의 사업 전략을 조정하거나 개선하는 데 필요한 통찰력을 얻을 수 있습니다.

3. 고객 피드백 분석: 고객의 피드백과 요구 사항을 분석하여, 시장의 변화와 소비자의 행동 패턴에 대한 인사이트를 얻을 수 있습니다. 이는 제품이나 서비스를 개선하고, 고객 만족도를 높이는 데 중요한 역할을 합니다.

4. 산업 전문가의 의견 수렴: 산업에 대한 전문가의 의견을 듣는 것은 산업 트렌드를 파악하는데 큰 도움이 됩니다. 이들은 종종 미래의 트렌드를 예측하고, 산업의 변화에 대한 깊은 이해를 가지고 있습니다. 이들은 종종 미래의 트렌드를 예측하며, 산업의 변화에 대한 깊은 이해를 가지고 있습니다. 따라서 그들의 조언은 시장의 전반적인 방향성을 이해하는 데 매우 중요하며, 예측하지 못한 새로운 기회나 위협을 발견하는 데 도움이 될 수 있습니다.

5. 지속적인 모니터링: 마지막으로, 산업 트렌드는 끊임없이 변화하므로, 지속적인 모니터링과 업데이트가 필요합니다. 이를 통해 기업은 시장 변화에 신속하게 대응할 수 있으며, 항상 최신 트렌드를 반영한 전략을 수립하고 실행할 수 있습니다. 이는 기업이 경쟁력을 유지하고, 시장에서 성공적으로 성장할 수 있도록 지원합니다.

산업 트렌드의 중요성에 대한 실습자료

- 산업에 대한 깊이 있는 조사를 위한 온라인 리서치 툴 사용법: 온라인 리서치 툴을 활용하면 산업 동향, 경쟁사 정보, 소비자 트렌드 등 다양한 정보를 효과적으로 수집할 수 있습니다. 이를 통해 산업에 대한 깊이 있는 이해를 바탕으로 사업 전략을 수립하거나 수정할 수 있습니다.
- 통계 데이터 분석을 위한 기본적인 통계 소프트웨어 사용법: 통계 소프트웨어를 통해 수집된 데이터를 분석하면 시장의 트렌드를 파악하거나 소비자 선호도를 이해하는 데 도움이 됩니다. 이를 통해 사업 전략에 반영할 수 있습니다.
- 산업 보고서를 효과적으로 읽고 이해하는 방법: 산업 보고서는 특정 산업의 현황과 트렌드를 파악하는 데 중요한 자료입니다. 보고서를 효과적으로 읽고 이해하면 사업의 방향성을 설정하거나 수정하는 데 도움이 됩니다.
- 경쟁사 분석을 위한 SWOT 분석 방법: SWOT 분석을 통해 경쟁사의 강점, 약점, 기회, 위협을 파악할 수 있습니다. 이를 통해 경쟁사 대응 전략을 수립하거나 상대적인 위치를 파악하는 데 도움이 됩니다.
- 고객 피드백 수집 및 분석 방법: 고객 피드백은 제품이나 서비스의 개선 방향을 도출하는 데 중요한 자료입니다. 고객의 소리를 청취하고 이를 분석하면 고객 만족도를 높이는 방안을 도출할 수 있습니다.
- 고객 피드백을 바탕으로 제품이나 서비스 개선 방안 도출하는 방법: 고객 피드백을 통해 제품이나 서비스의 문제점을 파악하고 이를 개선하는 방안을 도출할 수 있습니다. 이를 통해 제품이나 서비스의 품질을 높일 수 있습니다.
- 산업 전문가의 의견을 수렴하는 방법, 예를 들어, 인터뷰나 패널 토론 참여: 산업 전문가의 의견은 사업 전략을 수립하거나 시장 트렌드를 파악하는 데 중요한 참고 자료입니다. 전문가 인터뷰나 패널 토론에 참여하면 새로운 인사이트를 얻을 수 있습니다.
- 산업 트렌드를 지속적으로 모니터링하는 방법, 예를 들어, 구글 알림 설정 방법: 산업 트렌드를 지속적으로 모니터링하면 시장 변화에 신속하게 대응할 수 있습니다. 구글 알림과 같은 도구를 활용하면 트렌드 변화를 실시간으로 파악할 수 있습니다.
- 시장 변화에 신속하게 대응하는 방법, 예를 들어, 애자일 기법 사용 방법: 애자일 기법을 활용하면 변화하는 시장 환경에 더 빠르고 유연하게 대응할 수 있습니다. 이를 통해 사업의 경쟁력을 유지하거나 강화할 수 있습니다.
- 최신 트렌드를 반영한 전략 수립 및 실행 방법: 최신 트렌드를 반영한 전략을 수립하고 실행하면 사업의 성장 가능성을 높일 수 있습니다. 이를 통해 기업이 미래의 시장 변화에 더욱 잘 대비할 수 있습니다.

지속적인 학습

지속적인 학습은 개인이나 조직이 빠르게 변화하는 환경에 적응하고, 지속적으로 성장하고 발전하는 데 필수적입니다. 이를 위한 절차를 우선 순위에 따라 재배열하고 설명하면 다음과 같습니다.

1. 학습 목표 설정: 학습의 첫 단계는 어떤 지식이나 기술을 습득할 것인지, 그리고 그것을 어떻게 활용할 것인지 명확하게 설정하는 것입니다. 이는 학습의 방향성을 제시하고, 학습의 효과를 측정하는 기준을 제공합니다. 학습 목표는 명확하고 구체적이어야 하며, 가능한 한 스스로 달성할 수 있는 것이어야 합니다.

2. 학습 자료 탐색: 학습 목표가 설정되면 다음 단계는 그 목표에 부합하는 학습 자료를 찾는 것입니다. 학습 자료는 책, 논문, 온라인 강의, 워크샵 등 다양한 형태가 있을 수 있으며, 이러한 자료를 통해 새로운 지식이나 기술을 습득하는 데 필요한 정보를 얻을 수 있습니다.

3. 학습 방법 선택: 다양한 학습 자료를 바탕으로, 가장 효과적인 학습 방법을 선택해야 합니다. 이는 개인의 학습 스타일, 학습 환경, 학습 자료의 형태 등에 따라 달라질 수 있습니다. 예를 들어, 일부 사람들은 시각적인 학습 방법을 선호할 수 있으며, 다른 사람들은 실습 중심의 학습 방법을 선호할 수 있습니다.

4. 학습 실시: 선택한 학습 방법을 통해 실제로 학습을 실시하는 단계입니다. 이 과정에서 학습 자료를 깊이 이해하고, 새로운 지식이나 기술을 실습하는 것이 중요합니다. 이 단계에서는 학습한 내용을 정리하고, 이해하는 데 어려움이 있는 부분을 다시 복습하는 것이 도움이 될 수 있습니다.

5. 학습 내용 적용: 마지막으로, 학습한 내용을 실제 문제 해결이나 작업 수행에 적용해봐야 합니다. 이를 통해 학습한 내용의 실질적인 가치를 확인하고, 학습의 효과를 실제로 경험할 수 있습니다. 학습한 내용을 실제 상황에 적용해 보는 것은 지식을 습득하는 것뿐만 아니라, 그 지식을 활용하는 능력을 기르는 데도 매우 중요합니다.

이렇게 지속적인 학습을 통해 개인이나 조직은 새로운 기회를 찾아내고, 더 나은 성과를 달성하는 데 크게 도움이 됩니다. 이는 현대의 빠르게 변화하는 사회에서 개인과 조직이 경쟁력을 유지하고 지속적으로 성장하는 데 중요한 요소입니다.

지속적인 학습에 대한 실습 자료

- 효과적인 노트 작성법: 학습한 내용을 체계적으로 정리하고 기억하기 위한 방법을 학습합니다. 이는 개인의 이해도를 높이며, 복습과정에서 시간을 절약하는 데 도움이 됩니다.
- 시간 관리 기법: 효율적인 학습을 위해 시간을 어떻게 관리할지에 대한 전략을 배웁니다. 이를 통해 학습 시간을 최적화하고, 목표를 세우고 이를 달성하는 데 필요한 기법을 익힙니다.

- 개인 학습 스타일 분석을 위한 테스트: 자신만의 학습 스타일을 파악하여 어떤 학습 방법이 가장 효과적인지를 알아봅니다. 이는 학습 효율을 높이는 데 중요한 첫 걸음입니다.
- 온라인 학습 플랫폼 사용법: Coursera나 Udemy와 같은 온라인 학습 플랫폼을 활용하는 방법을 배웁니다. 이를 통해 다양한 학습 자료를 쉽게 접하고, 학습의 폭을 넓힐 수 있습니다.
- 자기 피드백 기법: 자기 피드백을 통해 학습 과정과 결과를 스스로 평가하고 개선하는 방법을 배웁니다. 이를 통해 학습의 효과를 극대화하고, 지속적인 개선을 추구할 수 있습니다.
- 피어 학습 기법: 같이 학습하는 사람들과 정보를 공유하고, 서로의 이해를 높이는 방법을 배웁니다. 이는 학습 경험을 풍부하게 하며, 다양한 관점을 이해하는 데 도움이 됩니다.
- 학습 동기 부여 방법: 학습 동기를 유지하고, 학습 목표 달성에 필요한 동기를 얻는 방법을 배웁니다. 이를 통해 학습에 대한 열정을 불러일으키고, 목표에 대한 집중력을 높일 수 있습니다.
- 빠르게 변하는 산업 트렌드를 관리하는 방법: 산업 트렌드를 지속적으로 모니터링하고, 이를 학습에 반영하는 방법을 배웁니다. 이를 통해 변화하는 시장에 대응하며, 새로운 기회를 적극적으로 찾아나갈 수 있습니다.
- 새로운 지식을 실무에 적용하는 전략: 학습한 지식을 실제 업무에 적용하고 그 결과를 평가하는 방법을 배웁니다. 이를 통해 이론을 실제로 연결시키고, 실제 성과를 창출하는 능력을 키울 수 있습니다.
- 지속적인 학습을 위한 생활 습관 형성 방법: 일상 생활에서 지속적으로 학습하는 습관을 어떻게 기를 수 있는지에 대한 방법을 배웁니다. 이를 통해 학습을 일상의 일부로 만들고, 지속적인 성장을 추구하는 데 도움이 됩니다.

트렌드 기반 전략 수정

트렌드 기반 전략 수정은 산업 내의 변화를 파악하고 이를 기반으로 기업의 경영 전략을 적절하게 조정하는 과정을 의미합니다. 이는 기업이 시장의 변화에 신속하게 대응하고, 자신의 경쟁력을 유지하며, 새로운 기회를 찾아내는 데 중요한 역할을 합니다.

1. 트렌드 분석: 이것은 모든 전략 개정의 첫 번째 단계이며 가장 중요합니다. 이 단계에서는 시장 조사, 경쟁사 분석, 고객 피드백 분석 등 다양한 방법을 사용하여 산업 내의 주요 트렌드를 확인합니다. 이 과정에서는 기술적 변화, 소비자 행동의 변화, 규제 환경의 변화 등 산업 내의 모든 중요한 요소를 심도 있게 이해해야 합니다. 이는 조직이 시장의 변화를 앞서 이해하고, 이 변화에 대응할 수 있는 강력한 전략을 구축하는 데 필수적입니다.

2. 전략 수정: 트렌드를 분석한 후에는 이러한 트렌드가 조직의 현재 전략에 어떤 영향을 미치는지 파악하고, 전략을 어떻게 수정해야 효과적으로 이러한 트렌드에 대응할 수 있는지에 대한 전략을 수정해야 합니다. 전략 수정은 조직이 새로운 트렌드에 적응하고, 이를 통해 경쟁 우위를 유지하고, 새로운 기회를 찾아내는 데 중요한 역할을 합니다.

3. 전략 실행: 수정된 전략을 실제로 실행하는 단계입니다. 이 단계에서는 수정된 전략이 실제로 효과적으로 작동하는지 확인하고, 필요한 경우 추가적인 수정을 통해 전략을 더욱 개선해야 합니다. 전략 실행은 조직이 실제로 트렌드에 대응하고, 이를 통해 성공적인 결과를 달성하는 데 중요합니다.

4. 평가 및 모니터링: 마지막으로, 전략의 효과를 평가하고, 지속적으로 모니터링하는 단계입니다. 이 단계는 조직이 전략의 성과를 측정하고, 향후 전략 수정에 필요한 피드백을 얻는 데 중요합니다. 이를 통해 조직은 전략의 효과성을 지속적으로 평가하고, 필요한 경우 전략을 개선하거나 수정할 수 있습니다.

트렌드 기반 전략 수정에 대한 실습 자료

- 시장 조사 방법론: 다양한 시장 조사 기법들을 통해 산업 트렌드를 파악하는 방법을 배웁니다. 이를 통해 시장의 동향, 소비자의 선호도, 경쟁사의 전략 등 다양한 정보를 획득할 수 있습니다. 이 정보는 조직이 비즈니스 전략을 수립하고 실행하는 데 필요한 핵심적인 기반을 제공합니다.
- 고객 피드백 분석: 고객의 피드백과 요구 사항을 분석하여 시장 변화와 소비자 행동 패턴을 이해하는 방법을 배웁니다. 이를 통해 조직은 고객의 요구와 기대를 더 잘 이해하고 이에 적절하게 대응하는 전략을 마련할 수 있습니다.
- 경쟁사 분석 방법론: 경쟁사의 전략과 행동을 분석하여 산업 트렌드를 이해하는 방법을 배웁니다. 이를 통해 조직은 경쟁 환경을 더 잘 이해하고 자신의 전략을 효과적으로 수립하고 조정할 수 있습니다.
- 산업 전문가의 의견 수렴 방법론: 산업 전문가의 조언을 얻는 방법과 그 의견을 트렌드 분석에 어떻게 활용할 수 있는지를 배웁니다. 이를 통해 조직은 전문가의 독특한 시각과 경험을 활용하여 더욱 신뢰성 있는 전략을 수립할 수 있습니다.
- SWOT 분석: 기업의 강점, 약점, 기회, 위협을 분석하는 방법을 배웁니다. SWOT 분석을 통해 조직은 자신의 비즈니스 환경을 더 잘 이해하고 이를 바탕으로 전략을 효과적으로 수립하고 구현할 수 있습니다.
- 전략 수정 방법론: 분석한 트렌드를 바탕으로 기업 전략을 어떻게 수정해야 하는지에 대한 방법을 배웁니다. 이를 통해 조직은 변화하는 시장 환경에 유연하게 대응하고 자신의 비즈니스 목표를 달성하기 위한 최적의 경로를 찾을 수 있습니다.

- 전략 실행 방법론: 수정된 전략을 실제로 어떻게 실행하는지에 관한 방법을 배웁니다. 이를 통해 조직은 전략을 실행에 옮기는 과정에서 발생할 수 있는 여러 도전과 장애를 극복하고 성공적인 결과를 달성할 수 있습니다.
- 전략 평가 방법론: 실행된 전략의 효과를 어떻게 평가하고 지속적으로 모니터링하는지에 대한 방법을 배웁니다. 이를 통해 조직은 실행된 전략이 목표에 부합하는지, 시장 변화에 적절하게 대응하는지 등을 평가하고 필요한 경우 전략을 조정할 수 있습니다.
- 어떻게 효과적으로 피드백을 수집하고 이를 전략 수정에 반영할 것인지: 피드백 수집 방법과 이를 통해 얻은 피드백을 전략 수정에 어떻게 반영하는지에 대한 방법을 배웁니다. 이를 통해 조직은 고객, 직원, 파트너 등 다양한 이해 관계자의 의견과 피드백을 효과적으로 수집하고 이를 바탕으로 전략을 수정하고 개선할 수 있습니다.
- 지속적인 모니터링 방법론: 산업 트렌드의 지속적인 모니터링 방법과 그 중요성에 대해 배웁니다. 이를 통해 조직은 시장의 변화에 신속하게 대응하고, 변화하는 트렌드와 기회를 적시에 포착하고 이를 자신의 전략에 효과적으로 통합할 수 있습니다.

기업 사례

- 넷플릭스: 코로나19 팬데믹으로 인한 홈스테이 증가와 함께 온라인 스트리밍 수요가 급증하였습니다. 이에 넷플릭스는 다양한 콘텐츠를 제공하며 시장 변화에 신속하게 대응하였습니다. 특히, 원작 IP와 오리지널 콘텐츠에 집중하여 사용자들의 만족도를 높였습니다.
- 배달의민족: 코로나19 팬데믹으로 인해 배달 수요가 크게 증가하였습니다. 배달의민족은 이 변화를 빠르게 포착하여 서비스를 확장하였고, 신속한 배달과 다양한 메뉴 선택지를 제공함으로써 시장 변화에 효과적으로 대응하였습니다.
- 에어비앤비: 코로나19 팬데믹으로 인한 여행 시장의 변화에 대응하여 에어비앤비는 가상 체험 등의 새로운 서비스를 소개하였습니다. 이를 통해 여행을 가지 못하는 고객들에게도 다양한 경험을 제공하며, 사업 영역을 확장하였습니다.
- 쿠팡: 쿠팡은 로켓배송 서비스를 확장하여 고객에게 빠른 배송 서비스를 제공하였습니다. 이를 통해 고객 만족도를 높이고, 온라인 쇼핑 경험을 향상시켰습니다.
- 삼성전자: 삼성전자는 스마트홈 사업을 확장하였습니다. AI와 IoT를 활용하여 소비자의 생활 습관 변화에 적극적으로 대응하였습니다. 이를 통해 사용자 친화적인 제품을 개발하며 기업 이미지를 강화하였습니다.
- 현대자동차: 현대자동차는 지속가능한 미래 모빌리티 시장에 대응하였습니다. 전기차와 자율주행차의 개발에 집중하여 미래 자동차 시장의 선도적인 위치를 확보하였습니다.

- 네이버: 네이버는 AI 기술을 활용하여 검색 엔진과 추천 시스템을 개발하였습니다. 사용자 경험을 향상시키며, 사용자의 행동 패턴을 바탕으로 개인화된 서비스를 제공하였습니다.
- 카카오: 카카오는 카카오뱅크와 카카오페이 등의 핀테크 사업을 확장하였습니다. 디지털 금융 시장에 적극적으로 대응하여 사용자에게 다양한 금융 서비스를 제공하였습니다.
- LG전자: LG전자는 홈 어플라이언스 분야에서 AI와 IoT 기술을 적극적으로 도입하였습니다. 사용자의 변화하는 요구에 맞추어 인공지능 가전제품을 개발하며, 스마트홈 시장에서 경쟁력을 강화하였습니다.
- SK텔레콤: SK텔레콤은 5G 통신 기술을 활용하여 새로운 서비스와 사업 모델을 개발하였습니다. 변화하는 통신 환경에 적극적으로 대응하여, 고객들에게 더 빠른 통신 환경을 제공하였습니다.

시각 자료 및 도구

- Google Trends: 이 도구는 검색어의 인기도를 시간, 지역, 인기 주제 등 다양한 요소에 따라 확인할 수 있는 강력한 기능을 제공합니다. 이를 통해 사용자들이 현재 어떤 주제에 대해 가장 많이 이야기하고 있는지, 어떤 지역에서 특정 검색어가 가장 많이 검색되고 있는지 등의 트렌드를 쉽게 파악하고 분석할 수 있습니다. 이는 시장의 동향을 이해하고 적절한 마케팅 전략을 수립하는 데 매우 유용합니다.
- PowerBI: 마이크로소프트에서 제공하는 PowerBI는 데이터 분석과 시각화를 위한 우수한 도구입니다. 여러 데이터 소스를 연결하여 복잡한 데이터를 쉽게 분석하고 시각화할 수 있으며, 사용자 친화적인 인터페이스를 통해 누구나 쉽게 데이터를 이해하고 분석할 수 있습니다.
- Tableau: Tableau는 복잡한 데이터를 시각적으로 표현하고 분석할 수 있는 강력한 소프트웨어입니다. 특히 대용량 데이터를 다루는 데 효과적이며, 시각화를 통해 빠르게 인사이트를 얻을 수 있습니다. 이는 데이터 기반의 결정을 내리는 데 매우 유용합니다.
- Sisense: Sisense는 대용량 데이터를 효과적으로 분석하고 시각화하는 데 사용됩니다. 비즈니스 지표를 한눈에 확인하고 실시간으로 데이터를 분석하여 의사 결정 과정을 빠르고 효과적으로 지원합니다.
- QlikView: QlikView는 사용자가 데이터를 직접 조작하고 탐색할 수 있어 효과적인 분석이 가능한 시각화 도구입니다. 이를 통해 사용자는 복잡한 데이터를 직관적으로 이해하고, 더 깊은 통찰력을 얻을 수 있습니다.
- Infogram: Infogram은 인포그래픽, 차트, 보고서 등 다양한 형태의 시각화를 제작할 수 있습니다. 이를 통해 복잡한 데이터를 이해하기 쉬운 형태로 변환하여, 의사 결정자나 고객에게 정보를 명확하게 전달할 수 있습니다.

- ChartBlocks: ChartBlocks는 온라인에서 빠르게 차트나 그래프를 만들 수 있는 도구입니다. 이를 통해 대량의 데이터를 시각화할 때 시간을 단축하고, 복잡한 데이터를 쉽게 이해할 수 있는 그래픽으로 변환할 수 있습니다.
- Datawrapper: Datawrapper는 데이터를 쉽게 시각화하는 도구입니다. 특히 데이터 기반의 기사나 보고서를 작성할 때 이 도구를 활용하면, 복잡한 정보를 직관적이고 이해하기 쉬운 방식으로 표현할 수 있습니다.
- RAWGraphs: RAWGraphs는 웹 기반의 도구로, 사용자가 데이터를 시각적으로 표현할 수 있게 돕습니다. 복잡한 데이터를 단순화하여 다양한 차트와 그래프로 표현하는 것이 가능하며, 이를 통해 데이터를 더욱 효과적으로 이해하고 분석할 수 있습니다.

트렌드 분석 워크샵

트렌드 분석 워크샵에서는 참가자들이 산업 트렌드를 파악하고 이를 자신의 업무에 적용하는 방법을 배울 수 있습니다. 워크샵에서는 트렌드 분석 방법론, 시장 조사 기법, 고객 피드백 분석 등 다양한 주제를 다룹니다. 또한, 참가자들은 실제 사례를 통해 트렌드 분석의 중요성을 이해하고, 이를 통해 조직의 비즈니스 전략을 더욱 효과적으로 수립하고 실행하는 방법을 배울 수 있습니다.

트렌드 분석 워크샵 실습 방안 및 과정은 다음과 같습니다.

1. 트렌드 이해를 위한 브레인스토밍: 참가자들이 현재 자신들이 생각하는 주요 트렌드에 대해 공유하고 토론하는 시간을 갖습니다. 이를 통해 다양한 관점에서 트렌드를 이해하고 분석하는 능력을 기릅니다.

2. 시장 조사 및 데이터 분석: 참가자들이 실제 시장 데이터를 수집하고 분석하는 과정을 진행합니다. 이를 통해 트렌드 분석에 필요한 실질적인 기술을 습득하고, 데이터를 바탕으로 한 실질적인 트렌드 분석 능력을 기릅니다.

3. 경쟁사 분석 실습: 참가자들이 특정 산업 내의 경쟁사를 분석하고, 그들의 전략과 행동을 통해 산업의 트렌드를 파악하는 과정을 진행합니다. 이를 통해 경쟁 환경을 이해하고 트렌드를 분석하는 능력을 기릅니다.

4. 트렌드 기반 전략 수립 실습: 참가자들이 분석한 트렌드를 바탕으로 자신들의 전략을 수정하거나 새롭게 수립하는 과정을 진행합니다. 이를 통해 트렌드를 실질적인 전략에 반영하는 능력을 기릅니다.

5. 프레젠테이션 및 피드백: 참가자들이 자신들의 트렌드 분석 결과와 전략을 발표하고, 다른 참가자들로부터 피드백을 받는 과정을 진행합니다. 이를 통해 참가자들은 객관적인 평가를 통해 자신들의 분석 능력과 전략 수립 능력을 개선할 수 있습니다.

전략 수정 방법 워크샵

분석한 트렌드를 바탕으로 기업 전략을 어떻게 수정해야 하는지에 대한 방법을 배웁니다. 기업의 전략 수정 방법에 대한 실습 방안 및 과정은 다음과 같습니다.

1. 트렌드 이해 및 분석: 워크샵 시작 전, 참가자들은 각자 분석한 산업 트렌드에 대한 정보를 공유합니다. 이 과정에서는 트렌드의 내용 및 영향력, 기업에 미칠 가능성 있는 영향 등을 토론합니다.

2. 전략 목표 설정: 기업의 현재 전략과 목표를 재확인하고, 분석된 트렌드를 반영해서 어떤 부분을 개선하거나 변경해야 할지 논의합니다.

3. 아이디어 스톰링: 개선점이나 변경점에 대한 아이디어를 제시하는 시간을 가집니다. 참가자들은 자유롭게 의견을 제시하며, 그 중에서 가장 효과적일 것으로 생각되는 아이디어를 선정합니다.

4. 전략 수정 계획 수립: 선정된 아이디어를 바탕으로 전략 수정 계획을 수립합니다. 계획 수립 과정에서는 구체적인 행동 방안, 시간표, 필요한 자원 등을 고려해야 합니다.

5. 피드백 및 수정: 수립된 계획을 워크샵 참가자들과 공유하고 피드백을 받습니다. 피드백을 통해 계획을 개선하고 수정합니다.

6. 계획 실행 및 평가: 계획을 실행하고, 일정 시간 후 그 효과를 평가합니다. 효과 평가를 바탕으로 필요한 경우 계획을 재조정하거나 추가적인 행동을 결정합니다.

이 장을 통해 학습한 내용은 현재의 산업 트렌드를 이해하고 이를 기업 전략에 효과적으로 반영하는 방법에 대한 깊이있는 이해를 제공합니다. 학습자들은 다양한 시장 조사 방법론, 고객 피드백 분석, 경쟁사 분석 등을 통해 현재의 산업 트렌드를 파악하는 방법을 배우게 됩니다. 또한, 이러한 트렌드를 바탕으로 기업의 비즈니스 전략을 어떻게 수정하고 수립할 수 있는지에 대한 방법론도 학습하게 됩니다.

학습자들은 이를 통해 실질적인 기업 환경에서 변화하는 시장 상황에 유연하게 대응하고, 효과적인 전략을 수립하는 능력을 향상시킬 수 있을 것입니다. 또한, 워크샵을 통한 실질적인 트렌드 분석과 전략 수정 실습을 통해 이론적인 지식을 실질적인 업무에 적용하는 방법을 배우게 됩니다.

그 결과, 학습자들은 자신들이 속한 조직이나 기업의 비즈니스 전략을 향상시키는 데 도움이 될 수 있는 중요한 기술과 지식을 습득하게 될 것입니다. 이는 결국 조직이나 기업의 경쟁력 향상과 성과 개선에 기여하게 됩니다.

제 29 장

유연한 리더십 스타일: 상황에 맞는 리더십 적용

이 장에서는 다양한 상황에 맞는 리더십 스타일을 선택하고 적용하는 방법을 배울 것입니다. 이는 조직의 다양한 요구에 효과적으로 대응하는 핵심 역량입니다. 이를 통해, 리더는 다양한 리더십 스타일을 이해하고, 상황에 적합한 스타일을 선택함으로써 조직의 효율성과 성과를 높일 수 있습니다.

학습 개요

이 장에서는 다양한 상황에 맞는 리더십 스타일을 선택하고 적용하는 방법을 배울 것입니다. 이는 조직의 다양한 요구에 효과적으로 대응하는 핵심 역량입니다. 이를 통해, 리더는 다양한 리더십 스타일을 이해하고, 상황에 적합한 스타일을 선택함으로써 조직의 효율성과 성과를 높일 수 있습니다.

학습 내용 및 목표

- 리더십 스타일의 유연성: 리더로서의 역할은 상황에 따라 달라질 수 있으며, 이러한 상황에 적절하게 대응하기 위해 다양한 리더십 스타일을 적용할 수 있는 유연성을 가져야 합니다. 이를 이해하는 것이 중요합니다.
- 적합한 리더십 스타일 선택: 리더십 스타일은 그 적용 상황에 따라 그 효과가 크게 달라집니다. 따라서, 다양한 상황을 고려하여 어떤 리더십 스타일이 가장 효과적인지를 학습하고 이를 실제로 적용해 보는 경험을 통해 자신만의 리더십 스타일을 발전시켜나갈 수 있습니다.
- 리더십 스타일의 다양성: 리더십 스타일은 다양하며, 이들 각각은 그 특성에 따라 서로 다른 효과를 낼 수 있습니다. 이러한 다양한 리더십 스타일을 이해하고 그들 각각의 효과를 비교하는 것을 통해, 자신의 리더십 스킬을 더욱 획기적으로 발전시킬 수 있습니다.

예상 학습 성과

- 다양한 상황에서 최적의 리더십 스타일을 적용함으로써, 조직의 효율성과 성과를 높이는 것이 중요합니다. 이는 리더가 팀의 역량을 최대한 활용하고, 팀원들의 역량을 향상시키는 데 도움이 됩니다.
- 리더십 접근의 다양성을 통해 조직 내 유연성과 적응력을 강화하는 것은, 빠르게 변화하는 비즈니스 환경에서 필수적인 요소입니다. 이를 통해 조직은 변화에 빠르게 대응하고 새로운 기회를 포착할 수 있습니다.
- 조직의 다양한 요구 사항을 이해하고 이에 맞는 리더십 스타일을 적용하는 능력은, 리더가 팀원들의 다양한 요구와 기대에 부응하면서 효과적인 결과를 달성하는 데 도움이 됩니다. 이는 팀원들의 만족도를 높이고, 그들의 헌신도를 증가시킵니다.
- 상황에 따라 리더십 스타일을 유동적으로 조정하는 능력은, 리더가 다양한 상황과 도전에 효과적으로 대응할 수 있게 합니다. 이는 리더가 조직의 목표 달성을 위해 필요한 전략을 성공적으로 실행하는 데 도움이 됩니다.

이론적 배경과 근거

리더십 이론 중 하나인 '상황적 리더십 이론'은 리더가 상황에 따라 리더십 스타일을 조정해야 한다는 주장을 핵심으로 가지고 있습니다. 이 이론은 허시와 블랜차드라는 두 학자에 의해 개발되었으며, 그들의 연구에 따르면, 리더는 팀원의 성숙도와 상황에 따라 요구되는 역할에 맞추어 리더십 스타일을 유동적으로 변경해야 합니다. 이는 리더가 상황에 따라 다양한 스타일을 유연하게 사용할 수 있어야 한다는 것을 의미합니다. 이렇게 리더의 역할이 상황에 따라 변화하는 상황적 리더십 이론은 효과적인 리더십을 실현하기 위한 중요한 이론 중 하나로 인정받고 있습니다.

리더십 이론 중 하나인 '상황적 리더십 이론'은 리더가 상황에 따라 리더십 스타일을 조정해야 한다는 주장을 핵심으로 가지고 있습니다. 이 이론은 심리학자인 허시(Hersey)와 경영학자인 블랜차드(Blanchard)에 의해 개발되었으며, 그들의 연구에 따르면, 리더는 팀원의 성숙도와 상황에 따라 요구되는 역할에 맞추어 리더십 스타일을 유동적으로 변경해야 합니다.

상황적 리더십 이론은 리더가 상황에 따라 다양한 스타일을 유연하게 사용할 수 있어야 한다는 것을 의미합니다. 이는 특정한 리더십 스타일만을 고집하는 것이 아니라, 상황에 따라 다른 리더십 스타일을 적용할 수 있는 유연성을 갖춰야 한다는 것을 강조합니다.

이렇게 리더의 역할이 상황에 따라 변화하는 상황적 리더십 이론은 효과적인 리더십을 실현하기 위한 중요한 이론 중 하나로 인정받고 있습니다. 리더가 다양한 상황에서 유연하게 대처할 수 있는 능력은 팀의 성과를 크게 향상시키는 요인이 될 수 있으며, 이를 위해 리더는 상황을 정확히 판단하고 적절한 리더십 스타일을 적용하는 능력이 요구됩니다.

1. "변화하는 시대의 리더십 스타일" 이 연구는 빠르게 변화하는 시대에 필요한 리더십 스타일에 대해 분석하였습니다. 특히, 디지털화와 급변하는 비즈니스 환경 등에 적응하려면 리더들이 상황에 따라 유연하게 리더십 스타일을 변경해 나가는 능력이 중요하다는 결론을 내렸습니다.

2. "리더십 유형과 팀 성과 간의 관계" (2020): 이 연구에서는 다양한 리더십 스타일이 팀 성과에 어떤 영향을 미치는지를 분석하였습니다. 여기서 중요한 발견은 상황에 따른 적절한 리더십 스타일의 적용이 팀 성과를 향상시키는 데 결정적인 요소라는 점입니다.

3. "리더십 스타일에 관한 메타분석" (2020): 이 연구는 리더십 스타일과 조직적 성과 간의 상관관계를 분석하였습니다. 상황에 따라 리더십 스타일을 조정하는 유연성이 성과 향상에 중요한 역할을 하는 것으로 나타났습니다. 이는 리더가 상황에 맞는 적절한 리더십 스타일을 선택하고 적용함으로써 팀과 조직의 성과를 높일 수 있음을 보여줍니다.

4. "상황적 리더십 이론의 확장" 이 연구에서는 상황적 리더십 이론에 새로운 차원을 추가하였습니다. 특히, 팀원들의 개인적 성향과 조직문화 등을 고려하는 리더십 스타일의 적용이 필요함을 주장하였습니다. 이는 리더가 개인과 조직의 특성을 이해하고 이에 따른 적절한 리더십 스타일을 적용하는 것이 중요함을 강조합니다.

5. "리더십 유연성과 조직의 적응력" 이 연구에서는 리더십의 유연성이 조직의 적응력을 높이는 데 어떤 역할을 하는지를 탐구하였습니다. 유연한 리더십 스타일을 쓰는 리더들이 조직 내의 변화에 더 빠르게 대응하고, 이를 통해 조직의 적응력을 향상시키는 것으로 나타났습니다. 이는 리더의 유연성이 조직의 미래 준비성과 변화 관리 능력에 크게 기여한다는 것을 보여줍니다.

최신 이론적 배경과 근거

1. "디지털 시대의 리더십 스타일" 이 연구는 현대 사회에서 가장 중요한 변화 중 하나인 디지털화와 그것이 리더십 스타일에 미치는 영향에 초점을 맞추었습니다. 디지털 기술의 발전은 리더들이 직면하는 상황과 도전을 변화시키며, 이에 맞는 새로운 리더십 스타일이 필요하게 만들었습니다. 디지털 리더십은 팀원들과의 원격 커뮤니케이션, 디지털 플랫폼에서의 협업, 디지털 변화 관리 등 새로운 역량을 필요로 합니다.

2. "리더십 스타일과 조직문화의 상호작용" (2020): 리더십 스타일과 조직문화는 서로 깊게 연결되어 있으며, 이 연구는 그 상호작용을 분석하였습니다. 리더의 스타일은 조직문화를 형성하는 데 큰 영향을 미치며, 반대로 조직문화는 리더십 스타일을 양성하거나 제한하는 역할을 합니다. 효과적인 리더는 조직문화를 이해하고 이를 반영하는 리더십 스타일을 적용함으로써, 조직의 성과를 향상시킵니다.

3. "리더십 스타일과 조직의 변화관리" 조직은 지속적으로 변화를 관리해야 하는데, 이 연구는 리더십 스타일이 이 변화관리에 어떻게 영향을 미치는지 분석하였습니다. 변화를 성공적으로 이끌기 위해서는 리더십 스타일이 중요한 역할을 합니다. 리더는 조직의 변화를 적극적으로 이끌고, 변화에 대한 저항을 관리하며, 팀원들이 변화를 받아들이고 적응할 수 있도록 도와야 합니다.

4. "다원화된 조직에서의 리더십 스타일" (2020): 다양한 배경과 경험을 가진 사람들로 구성된 조직에서는, 리더십 스타일이 특히 중요합니다. 이 연구는 이러한 다원화된 조직에서 어떤 리더십 스타일이 효과적인지 분석하였습니다. 유연한 리더십 스타일은 다양한 팀원들의 요구와 기대를 충족시키는 데 필요하며, 이를 통해 조직의 성과를 향상시킬 수 있습니다.

5. "리더십 스타일과 직무 만족도의 관계" 직무 만족도는 조직의 성과에 큰 영향을 미치는 요인이며, 이 연구는 리더십 스타일이 직무 만족도에 어떤 영향을 미치는지 분석하였습니다. 리더십 스타일에 따라 팀원들의 직무 만족도가 크게 달라질 수 있으며, 이는 팀원들의 헌신도, 생산성, 그리고 조직에 대한 충성도에도 영향을 미칩니다.

리더십 스타일의 유연성

리더십 스타일의 유연성은 리더가 다양한 상황에 적절하게 대응하고, 그 상황에 가장 효과적인 리더십 스타일을 적용하는 능력을 의미합니다. 이는 조직의 다양한 요구사항과 문제에 효과적으로 대응할 수 있는 핵심 역량이며, 이를 통해 조직의 성과를 최대화할 수 있습니다.

이러한 유연성을 가진 리더는 다양한 상황에서 효과적으로 대응할 수 있으며, 이를 통해 조직의 성과를 최대화할 수 있습니다. 이는 팀원들의 만족도를 높이고, 그들의 역량을 향상시키며, 조직의 목표를 성공적으로 달성하는 데 도움이 됩니다.

리더십 스타일의 유연성은 다음과 같은 요소로 구성됩니다.

1. 상황 인식: 리더가 현재 상황을 정확하게 파악하고, 그 상황에 가장 적합한 리더십 스타일을 선택할 수 있는 능력입니다. 이를 위해 리더는 상황의 다양한 요소를 고려해야 합니다. 이러한 요소에는 팀원들의 역량과 성향, 작업의 성격, 조직의 문화 등이 포함됩니다.

2. 스타일 선택: 리더가 상황에 따라 다양한 리더십 스타일 중에서 가장 적합한 스타일을 선택하는 능력입니다. 이를 위해 리더는 각 리더십 스타일의 장단점을 이해하고, 그것이 특정 상황에서 어떤 결과를 초래할 수 있는지를 예측해야 합니다.

3. 스타일 적용: 리더가 선택한 리더십 스타일을 실제로 적용하는 능력입니다. 이는 리더가 자신의 행동과 의사소통 방식을 적절하게 조정하고, 그것을 팀원들에게 명확하게 전달할 수 있어야 합니다.

4. 피드백과 반응: 리더가 자신의 리더십 스타일의 효과를 평가하고, 필요한 경우 스타일을 조정하는 능력입니다. 이를 위해 리더는 팀원들의 피드백을 수용하고, 그것을 통해 자신의 리더십 스타일을 개선해야 합니다.

리더십 스타일의 유연성에 대한 실습 자료

- 리더십 스타일 이해: 리더십 스타일에 대한 기본적인 이해는 가장 중요한 단계입니다. 다양한 리더십 스타일에 대해 학습하고, 각 스타일의 특징, 장단점을 이해하는 것이 필요합니다. 이는 각각의 상황에 가장 적합한 리더십 스타일을 선택하는 데 필요한 기초적인 지식을 제공합니다.
- 상황 분석: 각각의 상황을 분석하고 이해하는 연습을 합니다. 어떤 리더십 스타일이 해당 상황에 가장 적합한지를 판단하는 능력을 훈련하는 것은 중요합니다. 이는 상황에 따라 유연하게 리더십 스타일을 조절할 수 있는 능력을 기르는 데 도움이 됩니다.
- 리더십 스타일 적용: 이 단계에서는 실제 상황에 대응하는 리더십 스타일을 적용해봅니다. 특정 상황에 어떤 리더십 스타일이 가장 효과적인지를 경험적으로 배우는 것은 중요합니다. 이를 통해 상황에 따른 적절한 리더십 스타일 선택과 적용의 중요성을 체득할 수 있습니다.

- 피드백 수용과 반영: 리더로서 팀원들로부터의 피드백을 수용하고, 이를 통해 자신의 리더십 스타일을 개선하는 연습을 합니다. 이는 팀원들의 관점에서 리더의 행동을 평가하고, 이를 통해 리더십 스타일을 더욱 세밀하게 조정하는 데 도움이 됩니다.
- 케이스 스터디: 실제 조직에서의 리더십 스타일 적용 사례를 분석하고, 어떤 스타일이 효과적이었는지, 왜 그런 선택을 했는지를 고민해봅니다. 이를 통해 다양한 상황과 문제에 대한 실질적인 사례를 통해 리더십 스타일을 적용하는 방법을 배울 수 있습니다.
- 시뮬레이션 게임: 다양한 상황을 가정한 시뮬레이션 게임을 통해, 실제 상황에 가까운 환경에서 리더십 스타일의 유연성을 훈련합니다. 이를 통해 상황에 따른 리더십 스타일 조정의 중요성을 체득하게 됩니다.
- 롤 플레이: 특정 상황을 가정하고 롤 플레이를 통해 다양한 리더십 스타일을 직접 적용해봅니다. 이는 상황에 따라 리더십 스타일을 실질적으로 적용하는 방법을 배우는 데 도움이 됩니다.
- 팀 프로젝트: 팀 프로젝트를 통해 실제 팀 상황에서 리더십 스타일을 적용하고, 팀원들의 반응과 결과를 통해 피드백을 얻습니다. 이를 통해 실제 상황에서 리더십 스타일의 효과를 직접 확인하게 됩니다.
- 멘토링: 유연한 리더십 스타일을 가진 선배 리더로부터 실질적인 조언과 피드백을 받습니다. 이를 통해 리더십 스타일을 적용하는 데 있어 실질적인 조언과 경험을 공유받을 수 있습니다.
- 자기 반성: 마지막으로, 자신의 리더십 스타일, 그리고 그것이 팀과 조직에 어떤 영향을 미치는지에 대해 깊이 반성해봅니다. 이를 통해 자신의 리더십 스타일을 더욱 개선하고, 더욱 효과적인 리더가 될 수 있습니다.

적합한 리더십 스타일 선택

리더십 스타일을 선택하고 적용하는 것은 리더의 핵심 역량 중 하나입니다. 이것은 각각의 상황에 따라 가장 효과적인 스타일을 깊이 이해하고, 그 스타일을 적절하게 적용하여 조직이나 팀의 목표를 달성하는 데 도움이 되는 능력을 요구합니다.

이러한 스타일은 조직의 문화, 팀 구성원의 개성 및 성취하려는 목표에 따라 달라질 수 있습니다. 따라서 리더는 상황을 정확히 판단하고, 가장 적합한 리더십 스타일을 선택하고 적용하여, 팀이나 조직의 성공을 위해 필요한 방향성을 제공해야 합니다.

이러한 과정을 통해 리더는 적합한 리더십 스타일을 선택하고 적용함으로써 팀과 조직의 성과를 높이는 데 기여할 수 있습니다. 이는 리더의 중요한 역량이며, 이를 향상시키기 위해 지속적인 학습과 연습이 필요합니다.

이를 위한 과정은 다음의 주요 단계로 구성됩니다.

1. 리더십 스타일의 이해: 가장 처음에는 리더는 다양한 리더십 스타일을 이해해야 합니다. 이는 각 리더십 스타일의 특성, 장단점, 그리고 어떤 상황에서 이 스타일이 가장 효과적인지에 대한 깊은 이해를 필요로 합니다. 이를 위해 리더는 지속적인 학습을 통해 이러한 요소들을 학습하고, 이의 적용에 대한 지식을 확립해야 합니다.

2. 상황 분석: 다음으로, 리더는 상황을 정확하게 분석하고 이해해야 합니다. 이는 팀의 현재 상황, 팀원들의 요구와 기대, 그리고 주어진 작업의 특성 등을 고려하는 것을 포함합니다. 이러한 분석은 리더가 적합한 리더십 스타일을 선택하는 데 중요한 역할을 합니다.

3. 적합한 리더십 스타일의 선택: 리더는 상황 분석과 리더십 스타일에 대한 이해를 바탕으로 최적의 리더십 스타일을 선택해야 합니다. 이때, 리더는 자신의 판단력을 신뢰하고, 팀과 조직에 가장 큰 이익을 가져다 줄 수 있는 선택을 해야 합니다. 이는 리더의 창의성과 독창성을 동반하며, 리더가 자신의 리더십 스타일을 형성하는 데 중요한 단계입니다.

4. 적합한 리더십 스타일의 적용: 마지막으로, 리더는 선택한 리더십 스타일을 효과적으로 적용해야 합니다. 이는 리더가 팀원들에게 명확한 지시를 내리고, 팀원들의 행동을 적절하게 가이드하며, 필요한 경우 피드백을 제공하는 등의 방법으로 이루어지며, 이를 통해 리더는 팀과 조직의 성과를 높일 수 있습니다.

적합한 리더십 스타일 선택에 대한 실습 자료

- 롤 플레이: 특정 상황을 가정하고 롤 플레이를 통해 다양한 리더십 스타일을 직접 적용해보는 활동입니다. 이를 통해, 실제 상황에서 어떤 리더십 스타일이 효과적일 수 있는지 직접 체험해 볼 수 있습니다.
- 시뮬레이션 게임: 특정 상황을 가정한 시뮬레이션 게임을 통해, 실제 상황에 가까운 환경에서 리더십 스타일을 적용하고 평가하는 연습을 합니다. 이를 통해 다양한 리더십 스타일의 효과를 객관적으로 평가해 볼 수 있습니다.
- 사례연구 분석: 다양한 조직에서의 리더십 스타일 적용 사례를 분석하고, 그 중 어떤 스타일이 성공적으로 적용되었는지, 그 이유는 무엇인지를 분석합니다. 실제 사례를 통해 얻은 지식은 이론적 지식보다 이해가 빠르고 적용하기도 쉽습니다.
- 팀 프로젝트: 실제 팀 상황에서 리더십 스타일을 적용하고, 팀원들의 반응과 결과를 통해 피드백을 얻는 실습을 합니다. 이를 통해, 실제 조직 내에서 리더십 스타일이 어떻게 작용하는지를 이해할 수 있습니다.
- 멘토링: 경험 많은 리더들로부터 실질적인 조언과 피드백을 받는 멘토링 시간을 가집니다. 이를 통해 실무에서의 리더십 스타일 적용에 대한 실질적인 조언을 얻을 수 있습니다.

- 자기 반성: 자신의 리더십 스타일과 그 효과에 대해 깊이 반성하고, 개선 방안을 찾는 시간을 가집니다. 이를 통해 자신의 리더십 스타일의 장단점을 이해하고, 개선 방향을 설정할 수 있습니다.
- 피드백 수용과 반영: 팀원들로부터의 피드백을 수용하고, 이를 통해 자신의 리더십 스타일을 개선하고 적용하는 연습을 합니다. 이를 통해, 팀원들의 의견을 반영한 리더십 스타일을 구축할 수 있습니다.
- 워크숍 참여: 리더십 스타일에 대한 워크숍에 참여하여 다양한 리더십 스타일에 대해 학습하고 토론합니다. 이를 통해 다른 사람들의 의견을 듣고, 그에 대해 토론하며 자신의 리더십 스타일을 확장하고 개선할 수 있습니다.
- 리더십 세미나 참가: 다양한 리더십 관련 세미나에 참가하여 최신 리더십 이론과 전략에 대해 알아봅니다. 이를 통해 리더십에 대한 최신 트렌드와 이론을 이해하고, 이를 자신의 리더십 스타일에 반영할 수 있습니다.
- 평가도구 활용: 다양한 리더십 평가도구를 활용하여 자신의 리더십 스타일을 진단하고 개선 방안을 찾습니다. 이를 통해, 자신의 리더십 스타일을 객관적이고 체계적으로 평가하고, 그에 따른 개선 방안을 도출할 수 있습니다.

리더십 스타일의 다양성

리더십 스타일의 다양성은 리더가 다양한 상황에 맞는 다양한 리더십 방식을 가지고 있음을 의미합니다. 이는 리더가 상황, 팀원들의 개별적인 요구사항, 그리고 조직의 목표에 따라 리더십 스타일을 조정하고 적용할 수 있는 능력을 의미합니다.

이러한 다양성을 가진 리더는 다양한 상황에서 효과적으로 대응할 수 있으며, 이를 통해 팀과 조직의 성과를 높일 수 있습니다. 이는 팀원들의 만족도를 높이고, 그들의 역량을 향상시키며, 조직의 목표를 성공적으로 달성하는 데 도움이 됩니다. 다음은 리더십 스타일의 다양성을 구성하는 요소들입니다.

1. 자기 인식: 리더는 자신의 리더십 스타일과 강점, 약점을 명확히 인식해야 합니다. 이를 통해 리더는 각 상황에서 자신의 강점을 활용하고, 약점을 보완할 수 있는 리더십 스타일을 선택하고 적용할 수 있습니다. 자기 인식에는 리더 자신의 성격, 가치관, 행동 방식 등에 대한 깊은 이해가 필요하며, 이를 통해 리더는 자신이 가장 효과적으로 작동하는 상황을 파악할 수 있습니다.

2. 다양한 리더십 스타일의 이해: 리더는 다양한 리더십 스타일에 대한 깊은 이해를 가지고 있어야 합니다. 이를 위해 리더는 각 리더십 스타일의 특징, 장단점, 그리고 적절한 적용 상황에 대해 학습하고 이해해야 합니다. 여기에는 명령형, 통합형, 변혁적, 트랜잭션 등 다양한 리더십 스타일에 대한 이해가 포함됩니다.

3. 상황에 따른 리더십 스타일의 적용: 리더는 각 상황에 따라 가장 적합한 리더십 스타일을 선택하고 적용해야 합니다. 이는 리더가 팀원들의 요구와 상황, 그리고 조직의 목표에 따라 리더십 스타일을 유연하게 조정하고 적용하는 능력을 필요로 합니다. 예를 들어, 팀원들이 독립적으로 일할 수 있는 역량을 갖춘 경우, 변혁적 리더십 스타일이 효과적일 수 있습니다.

4. 피드백과 개선: 리더는 팀원들과 다른 이해관계자들로부터의 피드백을 수용하고, 이를 통해 자신의 리더십 스타일을 개선해야 합니다. 이는 리더가 자신의 리더십 스타일을 지속적으로 평가하고, 필요한 경우 개선하고 적용하는 능력을 의미합니다. 이를 위해 리더는 개방적인 마음가짐을 가지고 피드백을 받아들이며, 필요한 변화를 적시에 인식하고 적용하는 능력이 필요합니다.

리더십 스타일의 다양성에 대한 실습 자료

- 다양한 리더십 스타일에 대한 워크숍 참여: 리더십 스타일의 이해는 먼저 다양한 스타일에 대한 지식을 축적하는 것부터 시작합니다. 워크숍은 이를 위한 좋은 기회로, 다양한 리더십 스타일에 대해 학습하고 이에 대한 토론을 통해 리더십 스타일의 다양성을 이해하는 시간을 가집니다.
- 리더십 스타일 진단 도구 활용: 자신의 현재 리더십 스타일을 파악하는 것은 개선의 첫걸음입니다. 다양한 리더십 스타일 진단 도구를 활용하여 자신의 리더십 스타일을 파악하고, 향후 개선 방향을 설정하는 데 도움이 됩니다.
- 리더십 스타일에 대한 사례 연구 분석: 이론적인 학습을 바탕으로 실제 사례를 분석하면 더욱 세부적인 이해를 할 수 있습니다. 다양한 조직과 상황에서의 성공적인 리더십 스타일 적용 사례를 분석하여, 자신의 리더십 스킬을 향상시킵니다.
- 롤 플레이: 이론적인 학습과 사례 분석을 바탕으로 실제로 리더십 스타일을 적용해보는 시간이 필요합니다. 특정 상황을 가정하고 롤 플레이를 통해 다양한 리더십 스타일을 직접 적용해봅니다.
- 팀 프로젝트: 실질적인 리더십 스킬은 팀에서의 실제 상황에서 도출됩니다. 실제 팀 상황에서 다양한 리더십 스타일을 적용하고, 팀원들의 반응과 결과를 통해 피드백을 얻는 실습을 합니다.
- 멘토링: 경험 많은 리더들로부터 실질적인 조언과 피드백을 받는 멘토링 시간을 가집니다. 멘토의 경험과 지식은 리더십 스킬 향상에 큰 도움이 됩니다.
- 세미나 참가: 리더십이란 끊임없이 변화하는 필드입니다. 따라서 최신 리더십 이론과 전략에 대해 알아보기 위해 다양한 리더십 관련 세미나에 참가합니다.

- 자기 반성: 스스로를 돌아보는 것은 성장의 첫걸음입니다. 자신의 리더십 스타일과 그 효과에 대해 깊이 반성하고, 개선 방안을 찾는 시간을 가집니다.
- 피드백 수용과 반영: 팀원들로부터의 피드백은 중요한 자산입니다. 그들의 의견을 수용하고, 이를 통해 자신의 리더십 스타일을 개선하는 연습을 합니다.
- 시뮬레이션 게임: 다양한 상황을 가정한 시뮬레이션 게임을 통해, 실제 상황에 가까운 환경에서 리더십 스타일의 다양성을 실습합니다. 이를 통해 유효한 리더십 스타일을 더욱 효과적으로 익힙니다.

기업 사례

- Google의 애자일 리더십: Google은 애자일 리더십 스타일을 활용하여 빠르게 변화하는 시장 환경에 효과적으로 대응하였습니다. 애자일 리더십은 변화와 불확실성이 많은 환경에서 리더가 유연하게 대응하고, 빠르게 결정을 내리며, 팀원들의 창의성과 혁신을 촉진하는 것을 중요시하는 리더십 스타일입니다.
- 아마존의 혁신 리더십 아마존은 혁신 리더십 스타일을 활용하여 기업의 지속적인 성장과 혁신을 이끌었습니다. 혁신 리더십은 기존의 방식에 얽매이지 않고 새로운 아이디어와 방법론을 적극적으로 도입하며, 실패를 두려워하지 않는 문화를 조성하는 것을 중심으로 하는 리더십 스타일입니다.
- Apple Inc.에서의 서번트 리더십: Apple의 CEO인 Tim Cook은 서번트 리더십 스타일을 활용하여 직원들의 창의성과 혁신을 촉진하였습니다. 서번트 리더십은 리더가 자신의 이익이 아닌 팀원들의 이익과 성장을 우선시하는 리더십 스타일입니다.
- 카카오의 민주적 리더십 카카오는 민주적 리더십 스타일을 통해 직원들의 참여와 피드백을 적극적으로 수용하였습니다. 민주적 리더십은 모든 구성원의 의견을 존중하고 결정 과정에 참여하도록 유도하는 리더십 스타일입니다.
- 페이스북의 미션 중심 리더십: 페이스북은 미션 중심 리더십 스타일을 통해 조직의 비전과 목표를 달성하였습니다. 미션 중심 리더십은 조직의 목표와 비전을 중심으로 팀원들을 이끄는 방식의 리더십 스타일입니다.
- 삼성전자의 변화관리 삼성전자는 리더십 스타일의 변화를 통해 기업 문화를 혁신하고, 글로벌 경쟁력을 강화하였습니다. 리더십 스타일의 변화는 조직의 변화를 촉진하고, 그 변화를 관리하는데 필요한 리더십 역량입니다.
- 현대자동차의 트랜스포메이셔널 리더십 현대자동차는 트랜스포메이셔널 리더십을 활용하여 기업의 디지털 변환을 성공적으로 이끌었습니다. 트랜스포메이셔널 리더십은 리더가 팀원들을 개인적으로 영향력 있는 방식으로 이끄는 리더십 스타일입니다.

- 네이버의 사회적 리더십 네이버는 사회적 리더십 스타일을 활용하여 사회적 가치 창출을 추구하였습니다. 사회적 리더십은 리더가 자신의 조직이 사회에 미치는 영향을 고려하고, 사회적 책임을 이행하는 것을 중요시하는 리더십 스타일입니다.
- 롯데그룹의 윤리적 리더십 롯데그룹은 윤리적 리더십 스타일을 활용하여 기업의 사회적 책임을 이행하였습니다. 윤리적 리더십은 정직, 공정, 책임감 등의 윤리적 가치를 중심으로 행동하는 리더십 스타일입니다.
- LG전자의 변화관리 : LG전자는 리더십 스타일의 변화를 통해 조직의 성과와 직원 만족도를 높였습니다. 조직의 변화를 성공적으로 이끄는 리더십 스타일은 팀원들의 변화에 대한 저항을 관리하고, 변화를 받아들이고 적응할 수 있도록 도와주는 중요한 역할을 합니다.

시각 자료 및 도구

- 리더십 스타일 진단 도구: 리더의 현재 리더십 스타일을 파악하고, 개선 방향을 찾는데 도움이 됩니다. 이 도구는 리더의 행동 패턴, 의사결정 스타일, 커뮤니케이션 방식 등을 분석하여 리더십 스타일을 진단하고, 필요한 개선 사항을 제안합니다.
- 리더십 스타일 매트릭스: 상황에 따른 적절한 리더십 스타일을 선택하는 데 도움을 줍니다. 이 도구는 다양한 상황과 문제에 대응하기 위한 리더십 스타일의 적용을 지원하며, 각 상황에 가장 효과적인 리더십 스타일을 결정하는데 도움을 줍니다.
- 피드백 도구: 팀원들로부터 피드백을 받아 리더십 스타일을 개선하는 데 도움을 줍니다. 이 도구를 통해 팀원들의 의견과 제안을 체계적으로 수집하고, 이를 바탕으로 리더십 스타일의 개선 방향을 설정할 수 있습니다.
- 리더십 스타일 비교 차트: 다양한 리더십 스타일을 한 눈에 비교하고 이해할 수 있게 도와줍니다. 이 차트는 리더십 스타일 간의 차이점과 각각의 장단점을 명확하게 제시하여, 리더가 자신에게 가장 적합한 스타일을 선택하는 데 도움을 줍니다.
- 리더십 스타일 변화 추적 도구: 시간에 따른 리더의 리더십 스타일 변화를 추적하고 분석하는 데 도움을 줍니다. 이 도구는 리더의 성장과 변화를 시각적으로 보여주며, 리더십 스타일의 변화 추세를 파악하는 데 유용합니다.
- 시뮬레이션 도구: 다양한 상황을 가정하여 리더십 스타일을 실험하고 훈련하는 데 도움을 줍니다. 이 도구는 실제 상황을 모방하여 리더가 다양한 상황에 대응하는 능력을 향상시키는데 도움을 줍니다.
- 롤 플레이 스크립트: 특정 상황을 가정하여 리더십 스타일을 직접 경험하고 훈련하는 데 도움을 줍니다. 이 도구는 실제 상황을 재현하여 리더가 직면할 수 있는 다양한 상황에 대해 사전에 대응해 볼 수 있게 합니다.

- 멘토링 가이드라인: 경험 많은 리더로부터 실질적인 조언과 피드백을 받는 멘토링을 진행하는 데 도움을 줍니다. 이 가이드라인은 리더의 성장을 지원하며, 멘토링 과정에서 얻은 통찰을 리더십 스타일 개선에 활용할 수 있습니다.
- 케이스 스터디 분석 도구: 실제 리더십 스타일 적용 사례를 분석하고, 그 효과와 원인을 이해하는 데 도움을 줍니다. 이 도구를 통해 리더는 다른 조직이나 리더들의 경험과 성공 사례를 학습하고, 그것을 자신의 상황에 적용하는 것을 돕습니다.
- 자기 반성 가이드라인: 자신의 리더십 스타일과 그 효과에 대해 깊이 반성하고, 개선 방안을 찾는 데 도움을 줍니다. 이 가이드라인은 리더가 자신의 행동과 선택을 고찰하고, 그것이 팀과 조직에 미치는 영향을 이해하는 데 도움을 줍니다.

상황 분석 워크샵

훌륭한 리더는 상황에 따라 적절한 리더십 스타일을 선택하고 적용하는 핵심 역량을 가져야 합니다. 상황 분석 워크샵은 참가자들이 다양한 상황을 분석하고 이에 가장 적합한 리더십 스타일을 결정하는 능력을 향상시키는 곳입니다. 이 워크샵에서 참가자들은 팀의 현재 상태, 팀원들의 요구와 기대, 주어진 작업의 특성 등을 고려하여 상황을 정확히 이해하는 방법을 배웁니다. 이를 통해 상황에 따른 적절한 리더십 스타일을 선택하고 적용하는 능력을 개발하게 됩니다.

이렇게 워크샵을 통해 참가자들은 상황 분석, 리더십 스타일 선택, 롤 플레이, 피드백 받기, 회고 등의 과정을 통해 리더십 능력을 향상시킬 수 있습니다. 이는 참가자들이 다양한 상황에서 최적의 리더십 스타일을 적용하여 조직의 효율성과 성과를 높이는 데 도움이 됩니다.

상황 분석 워크샵의 실습 방안 및 과정은 다음과 같습니다.

1. 상황 설정: 워크샵은 다양한 가상의 상황을 참가자들에게 제시하는 것으로 시작합니다. 이 상황은 팀 구성원들의 다양한 역량과 성향, 작업의 성격, 조직의 문화 등을 반영해야 합니다. 이 단계에서는 참가자들이 상황을 이해하고, 그 상황에서 요구되는 리더십 역할을 파악하는 능력을 훈련합니다.

2. 상황 분석: 이후 참가자들은 제시된 상황을 분석하게 됩니다. 이 단계에서는 문제점, 도전과제 등을 파악하고, 이를 해결하기 위해 어떤 리더십 스타일이 필요한지를 고민합니다. 상황 분석 능력은 리더십의 핵심입니다.

3. 리더십 스타일 선택: 분석한 상황에 가장 적합한 리더십 스타일을 선택하는 단계입니다. 각 리더십 스타일의 장단점을 고려하여, 그것이 특정 상황에서 어떤 결과를 초래할 수 있는지를 예측합니다. 이 단계에서는 리더십 스타일의 이해와 선택 능력을 훈련합니다.

4. 롤 플레이: 선택한 리더십 스타일을 실제로 적용해보는 롤 플레이를 진행합니다. 이를 통해 참가자들은 리더십 스타일을 실제 상황에 어떻게 적용하는지 경험하게 됩니다. 롤 플레이는 이론을 실제로 경험하고, 그 효과를 확인하는 중요한 과정입니다.

5. 피드백과 반응: 롤 플레이 후, 참가자들은 피드백 시간을 가집니다. 다른 참가자들이나 강사로부터 피드백을 받고, 그 피드백을 통해 자신의 리더십 스타일을 개선하는 방법에 대해 논의합니다. 이 단계에서는 참가자들이 자신의 장단점을 인식하고, 개선 방안을 찾는 능력을 훈련합니다.

6. 회고: 워크샵의 마지막 단계에서는 참가자들이 그날의 워크샵에서 배운 점, 느낀 점을 공유하고, 앞으로 어떻게 이를 실제 리더십에 적용할 것인지에 대해 계획을 세웁니다. 회고는 학습을 정리하고, 앞으로의 행동 계획을 세우는 중요한 과정입니다.

다양한 리더십 스타일에 대한 워크숍

다양한 리더십 스타일에 대한 워크샵을 준비하는 과정에서는 실질적인 실습을 통한 이해 향상이 중요합니다. 이를 위해, 우리는 워크샵의 실습 방안 및 과정을 우선순위에 따라 신중하게 재배열하였고, 각 핵심 개념을 상세히 설명하였습니다. 이를 통해 참가자들이 리더십 스타일에 대한 깊은 이해를 얻고, 자신의 리더십 스타일을 발전시킬 수 있을 것을 기대합니다.

다양한 리더십 스타일에 대한 워크샵은 참가자들에게 다양한 리더십 스타일에 대한 깊은 이해를 제공하고, 그들 자신의 리더십 스타일을 발전시키는 데 도움을 줍니다. 이를 통해 참가자들은 자신의 리더십 능력을 향상시키고, 조직의 효율성과 성과를 높이는 데 기여할 수 있을 것입니다.

1. 리더십 스타일 소개: 워크샵의 첫 번째 단계에서는 다양한 리더십 스타일들을 소개하고 토론합니다. 각각의 스타일이 가지고 있는 특징, 장점, 단점과 그 스타일이 가장 효과적으로 작용하는 상황을 상세히 설명합니다. 이 단계는 참가자들이 각각의 리더십 스타일에 대해 깊이 있는 이해를 갖게 하려는 것이 목표입니다.

2. 사례 연구: 두 번째 단계에서는 실제 조직에서 적용된 다양한 리더십 스타일에 대한 사례 연구를 제공합니다. 각 사례는 특정 리더십 스타일의 적용과 그 결과를 분석하며, 이론과 실제의 연결을 강조합니다. 이를 통해 참가자들은 이론적인 지식을 실제 상황에 어떻게 적용할 수 있는지에 대한 이해를 높일 수 있습니다.

3. 롤 플레이: 세 번째 단계에서는 사례 연구를 바탕으로 한 롤 플레이 활동을 진행합니다. 참가자들은 특정 상황을 가정하고, 그 상황에서 어떤 리더십 스타일이 가장 적합한지를 판단하게 됩니다. 참가자들이 리더십 스타일을 실제로 적용해 보고 그 효과를 체감하는 기회를 제공합니다.

4. 토론 시간: 롤 플레이 이후에는 참가자들끼리 각 리더십 스타일에 대해 토론하는 시간을 가집니다. 참가자들은 각자의 경험과 견해를 공유하고, 다른 참가자들의 생각을 들으며 리더십 스타일에 대한 깊이 있는 이해를 도모합니다.

5. 피드백 및 반영: 토론 시간 후에는 참가자들이 워크샵 진행자와 다른 참가자들로부터 피드백을 받는 시간을 가집니다. 이 피드백을 통해 참가자들은 어떻게 리더십 스타일을 개선하고, 미래에 어떻게 리더십 스타일을 더 효과적으로 적용할 수 있는지 학습합니다.

6. 회고: 마지막으로 워크샵이 끝날 때에는 참가자들이 그들이 배운 내용과 경험에 대해 회고하는 시간을 가집니다. 참가자들은 자신들이 어떤 깨달음을 얻었는지, 어떤 점을 개선해야 하는지, 그리고 어떤 리더십 스타일을 다음에 시도하고 싶은지를 공유하며, 워크샵에서 배운 내용을 복습하고 확정합니다.

이 장에서 학습자들은 다양한 리더십 스타일과 그 중요성에 대해 이해하게 됩니다. 각 리더십 스타일의 특성과 장단점을 배우며, 어떤 상황에서 어떤 스타일이 가장 효과적인지 감각을 키울 수 있습니다.

조직에서 성공적으로 적용된 리더십 스타일 사례를 통해 이론과 실제 간의 연결을 이해하는 기회를 제공합니다. 롤 플레이와 토론을 통해 이론적 지식을 실제 상황에 적용하고, 그 결과를 체험하며 리더십 스타일을 직접 경험해 볼 수 있습니다.

피드백과 반영을 통해 자신의 리더십 스타일을 개선하고, 더 효과적으로 적용하는 방법을 배우게 됩니다. 회고를 통해 어떤 깨달음을 얻었는지, 어떤 점을 개선해야 하는지, 그리고 어떤 리더십 스타일을 다음에 시도하고 싶은지를 고민하며, 자신만의 리더십 스타일을 발전시키는 데 도움이 됩니다.

이 장을 통해 학습자들은 다양한 리더십 스타일에 대한 깊은 이해를 바탕으로, 자신의 리더십 능력을 향상시키고, 조직의 효율성과 성과를 높이는 데 기여하는 효과적인 리더가 되는 데 도움이 될 것입니다.

제 30 장

효율성: 조직과 팀의 성능 최적화

이 장에서는 효율성을 통해 조직과 팀의 성과를 최대화하는 방법을 배울 수 있습니다. 이는 자원과 시간을 최적화함으로써 가능하며, 이를 통해 조직의 목표를 달성하고 팀원들의 업무 만족도를 향상시키는 데 기여합니다. 여기서는 효율성을 높이는 전략과 기법을 소개합니다.

학습 개요

이 장에서는 효율성을 통해 조직과 팀의 성과를 최대화하는 방법을 배울 수 있습니다. 이는 자원과 시간을 최적화함으로써 가능하며, 이를 통해 조직의 목표를 달성하고 팀원들의 업무 만족도를 향상시키는 데 기여합니다. 여기서는 효율성을 높이는 전략과 기법을 소개합니다.

학습 내용 및 목표

- 효율성의 중요성: 효율적인 자원과 시간 관리는 조직 내에서 성과를 크게 향상시킬 수 있는 중요한 요소입니다. 이를 통해 각 개인과 팀, 그리고 조직 전체의 목표 달성을 위한 효과적인 방법을 이해합니다.
- 자원 관리 최적화: 자원을 어떻게 효율적으로 배분하고 관리할 수 있는지에 대한 전략을 학습합니다. 이는 조직의 효율성을 향상시키고, 더 나아가 조직의 성과를 높이는 데 도움이 됩니다.
- 시간 관리 기술: 업무 시간을 효과적으로 관리하는 기법을 배우게 됩니다. 이를 통해 개인의 생산성을 증가시키는 데 도움이 될 뿐만 아니라, 조직 전체의 업무 효율성을 향상시킬 수 있습니다.

예상 학습 성과

- 리더는 조직 내에서 사용 가능한 모든 자원을 최대한 효과적으로 활용하여, 조직의 전반적인 성과를 극대화하는 중요한 역할을 수행합니다.
- 효율적인 시간 관리를 통해, 리더는 개인의 업무 능력을 향상시키는 것뿐만 아니라, 팀 전체의 생산성 또한 향상시킬 수 있습니다. 이로 인해 업무 효율성이 크게 향상될 수 있습니다.
- 리더가 효율성을 통해 조직의 목표 달성에 기여하는 방법은 다양합니다. 이에는 자원 효율성의 증대, 시너지 효과의 창출, 그리고 목표 설정과 달성을 위한 전략적 방향성의 제공 등이 포함될 수 있습니다.
- 효율적인 리더십은 팀원들의 업무 만족도를 높이는 데에도 중요한 역할을 합니다. 리더가 효율적으로 일을 처리하면, 팀원들은 덜 스트레스 받고, 더욱 집중하여 업무를 수행할 수 있게 되며, 이는 결국 팀원들의 만족도 향상으로 이어집니다.

이론적 배경과 근거

자원 관리 이론과 시간 관리 기법을 기반으로 한 효율적인 리더십은 조직의 성과를 극대화하는 데 주요 역할을 합니다. 리더는 조직 내의 다양한 자원을 적절하게 배분하고, 시간을 효과적으로 활용함으로써 조직의 목표를 달성하는 데 필요한 전략을 개발하고 실행합니다.

자원 관리는 모든 조직에서 중요한 요소로 작용합니다. 이는 리더가 팀원들에게 주어진 작업을 완료하는 데 필요한 적절한 자원을 할당하려는 노력을 포함합니다. 이는 또한 리더가 조직 전체의 리소스를 검토하고, 그것들이 가장 효과적으로 사용되도록 조직 내에서 리소스를 재배치하는 데 필요한 능력을 포함합니다.

시간 관리 기법은 리더십의 다른 중요한 측면입니다. 효과적인 시간 관리는 팀의 생산성을 향상시키는 데 중요합니다. 리더는 시간을 효과적으로 관리함으로써 팀원들이 제시된 시간 내에 작업을 완료하도록 돕습니다. 이는 팀원들이 더 효과적으로 일할 수 있도록 해주며, 이는 전반적인 팀의 성과를 향상시키는 데 기여합니다.

이론과 실제 사이의 교차점에서, 많은 연구들이 리더의 자원 배분과 시간 관리 결정이 팀의 성과에 중대한 영향을 미친다고 보고하고 있습니다. 이러한 연구 결과는 효율적인 리더십이 얼마나 중요한 지를 강조하며, 이는 리더십 역량을 향상시키는 데 중요한 근거를 제공합니다. 이러한 이해는 리더가 자신의 리더십 스타일을 개선하고, 조직의 성과를 향상시키는 데 도움이 될 수 있습니다.

1. "Leadership, Resource Allocation and Corporate Social Responsibility" (Choi & Lee, 2020) 리더십이 자원 배분과 조직의 사회적 책임 사이에서 어떤 역할을 하는지 탐색합니다.

2. "Leadership Styles and Organizational Performance: A Predictive Analysis" (Jeon, 2020) 다양한 리더십 스타일이 조직의 성과에 어떻게 기여하는지 예측 분석을 제공합니다.

3. "Resource Management and Its Impact on Sustainable Organizational Performance" (Lee & Park, 2020) 자원 관리가 지속 가능한 조직 성과에 미치는 영향을 탐색합니다.

4. "The Impact of Leadership on Workgroup Effectiveness: A Resource Management Perspective" (Kim & Yoon, 2020) 리더의 자원 배분 능력이 팀의 성과에 미치는 영향에 대한 심층적인 연구를 제공합니다.

5. "The Role of Time Management in Remote Work Efficiency" (Choi, 2021) 원격근무의 효율성에서 시간 관리의 역할을 조사합니다.

최신 이론적 배경과 근거

1. "Leadership and Organizational Efficiency: An Empirical Analysis of the Role of Leadership Styles" (Kim, 2021) 다양한 리더십 스타일이 조직의 효율성에 어떻게 영향을 미치는지에 대한 실증적 분석을 제공합니다. 이 연구는 리더십 스타일이 조직의 효율성과 생산성에 어떤 영향을 미치는지에 대한 깊이 있는 이해를 제공합니다. 이는 효율적인 리더십 스타일이 조직의 성공을 뒷받침하는 방법을 이해하는 데 매우 중요합니다.

2. "The Role of Efficient Leadership in Enhancing Team Performance" (Choi & Jeon, 2022) 효율적인 리더십이 팀 성과 향상에 어떤 역할을 하는지를 연구합니다. 이 연구는 효과적인 리더십이 어떻게 팀의 성과를 향상시키는지에 대한 중요한 통찰력을 제공하며, 이는 리더들이 팀 효율성을 향상시키는 방법을 이해하는 데 중요합니다.

3. "A Study on the Relationship Between Efficient Leadership and Job Satisfaction" (Jeon & Kim, 2021) 효율적인 리더십과 직무 만족도 사이의 관계를 연구합니다. 이 연구는 리더십 효율성이 팀원들의 직무 만족도에 어떻게 영향을 미치는지에 대해 조사하며, 이는 효율적인 리더십이 팀원들의 업무 만족도를 어떻게 향상시킬 수 있는지 이해하는데 중요합니다.

4. "Time Management in the Digital Age: Challenges and Opportunities" (Lee & Yoon, 2022) 디지털 시대의 시간 관리에서의 도전과 기회를 탐색합니다. 이 연구는 디지털 시대에서 시간 관리의 중요성을 강조하며, 이는 리더들이 효과적인 시간 관리 전략을 개발하고 적용하는데 유용합니다.

5. "Effective Resource Management and Its Impact on Organizational Success" (Kim & Park, 2022) 효과적인 자원 관리가 조직의 성공에 미치는 영향을 조사합니다. 이 연구는 자원 관리가 조직의 성공에 어떻게 기여하는지에 대해 조사하며, 이는 리더들이 자원을 효과적으로 활용하는 방법을 이해하는데 중요합니다.

6. "Optimizing Resource Allocation in Organizations: A Systematic Review" (Park, 2022) 조직 내 자원 배분 최적화에 관한 체계적 리뷰를 제공합니다. 이 연구는 조직의 자원을 어떻게 최적화하고 배분하는지에 대해 체계적으로 분석하며, 이는 리더들이 조직의 자원을 효과적으로 관리하는 방법을 이해하는데 중요합니다.

7. "Leadership Styles and Their Impact on Employee Productivity" (Yoon & Kim, 2022) 리더십 스타일이 직원의 생산성에 어떻게 영향을 미치는지 조사합니다. 이 연구는 리더십 스타일이 직원의 생산성과 그들의 업무 만족도에 어떤 영향을 미치는지에 대해 깊이 있게 조사하며, 이는 효율적인 리더십 스타일을 개발하는 데 중요합니다.

효율성의 중요성

효율성은 조직 내에서 최대의 결과를 달성하기 위해 사용할 수 있는 자원을 최적화하는 데 중요한 역할을 합니다. 이는 시간, 자금, 인력과 같은 중요한 자원을 적절하게 배분하고 관리하는 것을 포함합니다. 효율성이 높은 조직은 각 과정에서 자원 낭비를 최소화하고, 더 빠르게, 더 적은 비용으로 목표를 달성할 수 있습니다.

효율성은 또한 개인과 팀의 생산성을 높이는 데도 중요합니다. 효율적인 작업 방식을 채택함으로써, 직원들은 더 적은 노력으로 더 많은 결과를 내는 데 기여할 수 있습니다. 이는 더 나은 작업 만족도, 더 높은 직무 성과, 그리고 전반적인 조직의 성공으로 이어질 수 있습니다.

효율성은 리더십의 중요한 측면 중 하나입니다. 효과적인 리더는 자원을 올바르게 배분하고, 작업을 잘 조직화하며, 시간을 효과적으로 관리하여 팀의 효율성을 높일 수 있습니다. 이러한 능력은 팀의 성과를 향상시키고, 조직의 목표 달성을 가속화하는 데 결정적인 역할을 합니다.

따라서, 효율성의 중요성을 이해하고 이를 향상시키는 방법을 배우는 것은 모든 리더에게 필수적인 스킬입니다. 이를 통해 리더는 자신의 팀과 조직이 더 높은 수준의 성공을 달성하는 데 기여할 수 있습니다.

효율성에 대한 이해는 단순히 빠르게 작업을 완료하는 것이 아니라, 가능한 최고의 결과를 달성하기 위해 사용 가능한 모든 자원을 가장 효과적으로 활용하는 것을 포함합니다. 이는 적절한 시간 관리, 업무 프로세스의 효율적인 조직화, 그리고 적절한 자원 배분을 요구합니다.

효율성은 또한 팀의 동기부여와 직무 만족도에도 영향을 줍니다. 효율적으로 작업을 관리하고 시간을 활용하는 것은 팀원들이 자신의 업무를 잘 처리하고 성과를 달성하는 데 도움이 됩니다. 이는 팀원들의 업무 만족도를 높이고, 그들의 업무에 대한 열정과 애착을 높이는 데 기여할 수 있습니다.

이러한 이유로, 효율성의 중요성을 인식하고 그것을 향상시키는 방법을 배우는 것은 모든 리더에게 중요합니다. 효율성은 팀과 조직의 전반적인 성공에 결정적인 역할을 하며, 리더는 이를 통해 조직의 전반적인 성과와 팀원들의 만족도를 높일 수 있습니다.

효율성의 중요성은 다음 구성요소들로 이루어져 있습니다. 이러한 구성요소들은 효율성의 중요성을 이해하는 데 필수적이며, 이를 통해 리더는 조직의 성과를 높이고, 팀원들의 만족도를 향상시키는 데 기여할 수 있습니다.

1. 자원 최적화: 이는 효율성의 핵심적인 요소로, 시간, 자금, 인력 등의 중요한 자원을 적절하게 배분하고 관리하는 방법에 대한 이해를 기반으로 합니다. 자원을 올바르게 활용하면, 더 빠르게 더 많은 결과를 달성할 수 있습니다.

2. 업무 프로세스의 효율적인 조직화: 업무의 효율성을 높이기 위해, 업무 프로세스를 잘 조직화해야 합니다. 이는 작업을 어떻게 분배하고, 어떻게 시간을 할당하고, 어떤 결과를 기대하는지에 대한 명확한 이해를 요구합니다.

3. 적절한 시간 관리: 시간은 매우 중요한 자원이며, 효율적으로 관리하면 생산성을 크게 향상시킬 수 있습니다. 시간을 효과적으로 관리하면, 팀원들이 시간 내에 작업을 완료하도록 도울 수 있으며, 이는 전반적인 팀의 성과를 향상시키는 데 기여할 수 있습니다.

4. 팀의 동기부여와 직무 만족도: 효율적으로 일을 처리하면, 팀원들은 덜 스트레스 받고, 더욱 집중하여 업무를 수행할 수 있게 되며, 이는 결국 팀원들의 만족도 향상으로 이어집니다. 이러한 만족도는 팀원들의 업무에 대한 열정과 애착을 높여, 전반적인 팀의 성과를 높이는 데 기여합니다.

5. 전반적인 조직의 성공: 효율성은 팀과 조직의 전반적인 성공에 결정적인 역할을 합니다. 효율성이 높은 조직은 각 과정에서 자원 낭비를 최소화하고, 더 빠르게, 더 적은 비용으로 목표를 달성할 수 있습니다. 이는 조직의 경쟁력을 향상시키며, 장기적인 성공을 보장하는 데 기여합니다.

효율성의 중요성에 대한 실습 자료

1. 효율성 개선을 위한 목표 설정 실습 : 효율성을 개선하기 위한 첫 걸음은 명확한 목표를 설정하는 것입니다. 이는 우리가 어디로 가고자 하는지를 명확히 이해하고, 그에 따라 자원을 적절하게 배분하는 데 도움이 됩니다. 이 실습에서는 SMART 기준에 따라 목표를 설정하는 방법을 배우게 됩니다.

2. 자원 최적화를 통한 효율성 증대 실습: 목표를 설정한 후에는, 이를 달성하기 위해 필요한 자원을 최적화하는 방법을 학습합니다. 이는 비용, 시간, 인력 등의 자원을 적절히 배분하고 관리하는 방법을 익히는 것을 포함합니다.

3. 자원 할당과 우선순위 설정을 통한 효율성 향상 실습: 자원 최적화와 함께, 우선순위 설정 또한 중요한 역할을 합니다. 이 실습에서는 업무의 우선순위를 어떻게 설정하고, 이에 따라 어떻게 자원을 적절히 할당하는지에 대해 배웁니다.

4. 프로세스 매핑을 이용한 효율성 분석 실습: 효율성을 향상시키기 위해서는 현재의 업무 프로세스를 정확하게 이해하는 것이 중요합니다. 이 실습에서는 프로세스 매핑을 통해 업무 프로세스를 시각화하고, 비효율적인 부분을 찾아내는 방법을 배웁니다.

5. 업무 프로세스 재설계를 통한 효율성 개선 실습: 비효율적인 프로세스를 찾아낸 후에는, 그 프로세스를 개선하는 방법을 학습합니다. 이 실습에서는 업무 프로세스의 재설계 방법을 배워, 효율성을 개선하는 방법을 익힙니다.

6. 프로젝트 관리 도구를 활용한 효율성 향상 실습: 효율성 향상을 위해 도구를 활용하는 방법도 중요합니다. 이 실습에서는 다양한 프로젝트 관리 도구를 활용하여, 업무를 더 효율적으로 관리하는 방법을 배웁니다.

7. 효율적인 의사결정 기법을 활용한 효율성 향상 실습: 효율적인 의사결정은 효율성 향상에 중요한 역할을 합니다. 이 실습에서는 의사결정 과정에서 효율성을 높이는 기법을 배웁니다.

8. 시간 관리 기술을 활용한 효율성 향상 실습: 시간은 가장 중요한 자원 중 하나입니다. 이 실습에서는 시간을 효과적으로 관리하고, 업무를 빠르게 처리하는 방법을 배웁니다.

9. 팀원 간의 역할 분배와 협업을 통한 효율성 증대 실습: 팀의 효율성을 높이기 위해서는, 각 팀원의 역할 분배와 협업이 중요합니다. 이 실습에서는 팀원 간의 역할 분배와 협업을 통해 효율성을 어떻게 증대시킬 수 있는지를 배웁니다.

10. 피드백과 코칭을 통한 효율성 향상 실습: 피드백과 코칭은 개인의 업무 효율성을 높이는데 중요한 역할을 합니다. 이 실습에서는 피드백과 코칭을 통해 효율성을 어떻게 향상시킬 수 있는지를 배웁니다.

자원 관리 최적화

자원 관리 최적화는 조직의 성공을 위해 필수적인 요소입니다. 이는 조직 내의 모든 자원, 예를 들어 시간, 인력, 재무, 물리적 자원 등을 가장 효과적으로 사용하여 목표를 달성하는 과정을 포함합니다. 이러한 자원을 적절하게 배분하고 효율적으로 관리함으로써, 조직은 더 높은 생산성과 효율성을 달성할 수 있습니다.

자원 관리 최적화는 여러 가지 전략을 사용하여 달성할 수 있습니다. 첫째, 리더는 팀의 각 구성원이 필요한 자원을 가지고 작업을 수행할 수 있도록 자원을 적절하게 배분하는 것이 중요합니다. 이를 통해 각 팀원은 그들이 수행하는 업무에 필요한 모든 자원을 확보할 수 있으며, 이는 전반적인 팀의 생산성을 높이는 데 기여합니다.

둘째, 리더는 자원을 낭비하지 않도록 주의를 기울여야 합니다. 이는 불필요한 비용을 줄이는 것을 의미하며, 이는 조직의 재무적 효율성을 높이는 데 기여합니다. 이는 또한 더 많은 자원을 조직의 핵심 목표 달성에 집중할 수 있도록 해주므로, 자원을 더 효과적으로 활용하는 것을 가능하게 합니다.

셋째, 리더는 조직의 장기적인 성공을 위해 자원 관리를 계획하고 최적화해야 합니다. 효과적인 자원 관리는 조직이 장기적으로 자신의 목표를 달성하는 데 필요한 자원을 확보하고 유지할 수 있게 해주므로, 이는 조직의 지속 가능성과 안정성을 확보하는 데 중요한 역할을 합니다.

넷째, 리더는 조직의 목표와 연계된 자원 배분 전략을 개발해야 합니다. 이는 조직의 목표를 달성하는 데 가장 중요한 역할을 하는 자원에 우선순위를 두는 것을 의미합니다. 이를 통해, 리더는 조직의 목표 달성에 가장 크게 기여하는 자원에 집중하고, 이는 전반적인 조직의 효율성과 생산성을 향상시키는 데 기여합니다.

따라서, 자원 관리 최적화는 모든 리더가 마스터해야 하는 중요한 기술입니다. 이를 통해 리더는 조직의 효율성을 높이고, 생산성을 증가시키며, 조직의 장기적인 성공을 확보할 수 있습니다. 이는 또한 리더가 그들의 팀을 보다 효과적으로 지원하고, 팀원들이 그들의 업무를 보다 효율적으로 수행할 수 있게 하는 데 필요한 기반을 제공합니다. 이 모든 것이 결국은 전반적인 조직 성과의 향상으로 이어집니다.

자원 관리 최적화에 대한 실습 자료

- 자원 분배와 할당에 대한 실전 연습: 이 실습에서는 팀원들에게 가장 적합한 역할을 할당하고, 각 업무에 필요한 자원을 적절하게 배분하는 방법을 학습합니다. 이를 통해 팀의 전반적인 작업 효율성을 향상시킬 수 있습니다.
- 효과적인 자원 관리를 위한 계획 작성 실습: 자원 관리 계획을 작성하는 방법을 학습합니다. 이 계획은 팀의 목표를 달성하고, 자원을 최적화하는 데 필요한 전략을 포함해야 합니다.
- 자원 낭비 방지 전략 개발 실습: 자원을 효율적으로 활용하고 낭비를 최소화하는 방법을 학습합니다. 이를 통해 조직이 목표를 더 빠르고 효율적으로 달성할 수 있습니다.
- 장기적인 자원 관리 계획 구축 실습: 장기적인 관점에서 자원을 관리하고 계획하는 방법을 학습합니다. 이를 통해 조직이 안정적이고 지속적인 성장을 이룰 수 있습니다.
- 자원 최적화를 통한 목표 달성 전략 개발 실습: 자원을 최적화하고 이를 통해 조직의 목표를 달성하는 전략을 개발하는 방법을 학습합니다. 이를 통해 조직의 효율성과 생산성을 향상시킬 수 있습니다.
- 자원 관리 도구의 활용 실습: 다양한 자원 관리 도구를 활용하는 방법을 학습합니다. 이 도구들은 자원 배분, 할당, 추적 및 관리를 더 효과적으로 할 수 있게 도와줍니다.
- 팀원들의 역할과 자원 배분 최적화 실습: 팀원 각각의 역할을 최적화하고, 이를 통해 자원 배분을 효율적으로 하기 위한 방법을 학습합니다. 이를 통해 팀원 각각의 생산성을 극대화할 수 있습니다.
- 자원의 우선순위 결정과 관리 실습: 자원의 우선순위를 결정하고, 이를 관리하는 방법을 학습합니다. 이를 통해 중요한 작업에 더 많은 자원을 배분할 수 있고, 덜 중요한 작업에는 덜 배분할 수 있습니다.
- 비용 효율적인 자원 관리 방안 모색 실습: 자원을 비용 효율적으로 관리하는 방법을 학습합니다. 이를 통해 조직의 비용을 최소화하고, 자원을 더 효과적으로 활용할 수 있습니다.
- 자원 관리의 피드백과 개선 전략 수립 실습: 자원 관리의 피드백을 수집하고, 이를 바탕으로 개선 전략을 수립하는 방법을 학습합니다. 이를 통해, 자원 관리의 효율성을 지속적으로 향상시킬 수 있습니다.

시간 관리 기술

시간 관리 기술은 개인이나 조직이 목표를 달성하기 위해 시간을 효과적으로 활용하는 방법에 대한 일련의 원칙, 실천, 도구, 그리고 기술입니다. 이 중요한 기술은 목표 설정, 우선순위 설정, 계획 수립, 일정 관리, 업무 분배, 그리고 업무 추적 등 다양한 요소를 포함하며, 이들은 리더가 팀의 시간을 최적화하고, 업무를 효과적으로 조직화하며, 목표를 달성하는 데 필요한 모든 자원을 활용하는 데 중요한 도구입니다.

이러한 시간 관리 기술은 팀의 작업 만족도를 높이고, 팀의 전반적인 성과를 향상시키는 데 기여합니다. 효율적인 시간 관리는 작업의 품질과 생산성을 높이며, 이는 팀원들의 업무 만족도 향상으로 이어집니다. 이런 방식으로, 시간 관리 기술은 팀의 성과를 극대화하는 데 중요한 역할을 합니다.

1. 목표 설정: 목표 설정은 개인이나 팀이 달성하고자 하는 목표를 명확하게 정의하고, 그에 따라 시간을 배분하는 첫 단계입니다. 이는 작업이 목표와 일치하도록 하며, 이는 전반적인 효율성을 향상시킵니다. 목표 설정은 팀원들이 목표를 이해하고, 그에 따라 행동하도록 돕습니다.

2. 우선순위 설정: 목표 설정 후에는 가장 중요하거나 긴급한 업무를 결정하고 그것들에 집중할 수 있도록 우선순위를 설정해야 합니다. 우선순위 설정은 팀의 시간을 가장 중요한 업무에 활용하도록 돕습니다. 이를 통해 리더는 팀의 자원을 최대한 효과적으로 활용할 수 있습니다.

3. 계획 수립: 계획 수립은 개인이나 팀이 시간을 효과적으로 활용하기 위해 미리 일정을 계획하는 단계입니다. 계획은 일정을 조직화하고, 업무를 효과적으로 분배하며, 기한을 준수하는 데 도움이 됩니다. 또한, 계획은 예상치 못한 문제나 지연이 발생했을 때 대응 방안을 마련하는데 중요합니다.

4. 일정 관리: 일정 관리는 개인이나 팀이 주어진 시간 내에 업무를 완료할 수 있도록 일정을 관리하는 기술입니다. 이를 통해 리더는 팀의 업무를 효과적으로 조직화하고, 일정을 관리하며, 기한을 준수할 수 있습니다.

5. 업무 분배: 업무 분배는 리더가 팀의 업무를 효과적으로 분배하여 각 팀원이 가장 잘 할 수 있는 업무에 집중할 수 있도록 하는 기술입니다. 이를 통해 팀의 전반적인 생산성과 효율성을 높일 수 있습니다.

6. 업무 추적: 마지막으로, 업무 추적은 리더가 팀의 진행 상황을 모니터링하고, 필요한 경우 조정하는 기술입니다. 이를 통해 리더는 업무가 예정대로 진행되고 있는지 확인하고, 필요한 경우 적시에 조정할 수 있습니다.

시간 관리 기술에 대한 실습 자료

- 목표 설정 및 시간 배분 실습: 이 실습에서는 효율적인 시간 관리의 기초를 마련하는 목표 설정과 시간 배분에 대해 배웁니다. 각 업무에 대한 중요도와 긴급성에 따라 시간을 적절하게 배분하는 방법을 실습합니다.
- 우선순위 설정을 위한 실습: 이 실습에서는 각 업무의 우선순위를 결정하는 방법을 배웁니다. 이를 통해 중요한 일을 먼저 처리하고, 시간을 효과적으로 활용할 수 있습니다.
- 효과적인 계획 수립 실습: 이 실습에서는 효과적인 계획을 수립하는 방법을 학습합니다. 효율적인 시간 관리를 위해 계획 수립은 필수적이며, 이를 통해 업무의 흐름을 조절하고, 업무의 진행 상황을 체크하는 등의 활동을 수행합니다.
- 일정 관리 기법 실습: 여러 가지 일정 관리 기법을 배우는 실습입니다. 이를 통해 업무를 계획하고, 일정을 관리하는 능력을 향상시킬 수 있습니다.
- 업무 분배 전략 실습: 이 실습에서는 업무를 효율적으로 분배하는 전략을 배웁니다. 적절한 업무 분배는 팀의 생산성을 높이는데 중요한 요소입니다.
- 프로젝트 추적 및 모니터링 실습: 프로젝트의 진행 상황을 효과적으로 추적하고 모니터링하는 방법을 배우는 실습입니다. 이를 통해 팀의 업무 진행 상황을 확인하고, 필요한 조치를 취하는 능력을 향상시킬 수 있습니다.
- 시간 관리 도구 활용 실습: 다양한 시간 관리 도구를 활용하는 방법을 배우는 실습입니다. 이를 통해 시간 관리 능력을 향상시키고, 업무 효율성을 높일 수 있습니다.
- 다중 업무 관리 및 시간 활용 실습: 여러 업무를 동시에 관리하고, 시간을 효과적으로 활용하는 방법을 배우는 실습입니다. 이를 통해 다중 업무를 처리하는 능력과 시간을 최대한 효율적으로 활용하는 능력을 향상시킬 수 있습니다.
- 기한 준수를 위한 시간 관리 실습: 기한을 준수하기 위해 시간을 어떻게 관리해야 하는지를 배우는 실습입니다. 이를 통해 업무를 시간 내에 완료하는 능력을 향상시킬 수 있습니다.
- 시간 관리를 통한 생산성 향상 실습: 시간 관리 기법을 활용하여 생산성을 향상시키는 방법을 배우는 실습입니다. 이를 통해 시간을 효과적으로 활용하여 더 많은 업무를 완료하는 능력을 향상시킬 수 있습니다.

기업 사례

- 삼성전자의 효율성 개선을 위한 스마트 팩토리 도입 사례 (2020): 삼성전자는 생산 효율성을 향상시키기 위해 AI와 IoT 기술을 결합한 스마트 팩토리를 도입했습니다. 이를 통해 생산 과정을 자동화하고, 작업 효율을 극대화하며, 품질 관리를 강화했습니다.
- 현대자동차의 디지털 트랜스포메이션을 통한 생산성 향상 사례 (2020): 현대자동차는 IT 기술을 활용하여 전사적인 디지털 변화를 추진했습니다. 이를 통해 생산성을 향상시키고, 비용을 절감하며, 고객 서비스를 향상시켰습니다.
- LG전자의 R&D 프로세스 최적화를 통한 시간 관리 개선 사례 LG전자는 연구개발 프로세스를 최적화하여 시간 관리를 개선했습니다. 이를 통해 제품 개발 시간을 단축하고, 효율성을 향상시켰습니다.
- 네이버의 클라우드 기반 자원 관리 시스템 도입 사례 네이버는 클라우드 기반의 자원 관리 시스템을 도입하여 자원 배분과 활용을 최적화했습니다. 이를 통해 비용 효율성을 높이고, 시스템 운영의 효율성을 향상시켰습니다.
- 카카오의 원격근무 환경에서의 효율성 관리 사례 카카오는 원격근무 환경에서의 효율성을 관리하기 위해 다양한 도구와 시스템을 도입했습니다. 이를 통해 원격근무의 생산성을 향상시키고, 직원들의 업무 만족도를 높였습니다.
- SK텔레콤의 AI 기반 시간 관리 도구 도입 사례 SK텔레콤은 AI 기반의 시간 관리 도구를 도입하여 업무 효율성을 향상시켰습니다. 이를 통해 업무의 우선 순위를 빠르게 파악하고, 업무 진행 상태를 효과적으로 관리했습니다.
- KT의 데이터 분석을 통한 자원 배분 최적화 사례 KT는 데이터 분석을 활용하여 자원 배분을 최적화했습니다. 이를 통해 효율적인 자원 배분을 가능하게 하고, 업무 효율성을 높였습니다.
- 포스코의 스마트 제조 시스템을 통한 효율성 향상 사례 포스코는 스마트 제조 시스템을 도입하여 제조 과정의 효율성을 향상시켰습니다. 이를 통해 생산 과정의 자동화를 실현하고, 품질 관리를 강화했습니다.
- 삼성바이오로직스의 품질 관리 프로세스 최적화를 통한 효율성 증대 사례 삼성바이오로직스는 품질 관리 프로세스를 최적화하여 효율성을 증대시켰습니다. 이를 통해 제품의 품질을 높이고, 작업 효율성을 향상시켰습니다.
- 셀트리온의 디지털 트윈 기술을 활용한 생산 효율성 개선 사례 셀트리온은 디지털 트윈 기술을 활용하여 생산 효율성을 개선했습니다. 이를 통해 생산 과정의 시뮬레이션을 가능하게 하고, 품질 관리를 강화했습니다.

시각 자료 및 도구

- Gantt Chart: 프로젝트 관리를 위한 간트 차트 프로젝트의 전체적인 타임라인과 개별 작업의 진행 상태를 한 눈에 파악할 수 있게 해주는 도구입니다. 이는 프로젝트의 생명주기 동안 필요한 작업을 시각적으로 표현하며, 어떤 작업이 동시에 발생하는지, 어떤 작업이 다른 작업에 의존하는지 등을 명확하게 보여줍니다.
- Time Tracker: 시간 추적 도구를 이용한 효율성 극대화 어떤 작업에 얼마나 많은 시간이 소요되는지를 정확하게 파악하고 분석함으로써, 시간 관리 능력을 향상시키고 생산성을 극대화하는 데 도움이 되는 도구입니다.
- Kanban Board: 칸반 보드를 활용한 작업 관리 작업의 현재 상태를 시각적으로 표현해주어, 팀원들이 작업 흐름을 쉽게 파악하고 관리할 수 있게 도와주는 도구입니다. 칸반 보드는 작업의 우선순위 설정, 작업 흐름의 효율화 등에 도움을 줍니다.
- Data Visualization: 데이터 시각화를 통한 효율성 분석 복잡한 데이터를 이해하기 쉬운 형태로 변환하고, 데이터에서 유용한 인사이트를 추출하는데 도움이 되는 도구입니다. 이는 팀이나 조직의 성과를 분석하고 향상시키는 데 유용합니다.
- Pareto Chart: 파레토 차트를 이용한 우선 순위 설정 가장 중요한 문제나 작업을 식별하고 우선순위를 결정하는 데 도움이 되는 도구입니다. 이는 80/20 법칙에 따라, 전체 결과의 대부분이 소수의 원인에 의해 발생한다는 원리를 시각적으로 나타냅니다.
- Performance Dashboards: 성과 대시보드를 활용한 효율성 모니터링 팀이나 조직의 성과를 실시간으로 추적하고 모니터링하는 데 도움이 되는 도구입니다. 이는 성과 지표를 쉽게 이해하고, 성과 개선을 위한 행동을 취하는 데 유용합니다.
- Mind Maps: 마인드 맵을 활용한 브레인스토밍 및 계획 수립 아이디어를 구조화하고 브레인스토밍을 통해 새로운 아이디어를 생성하는 데 도움이 되는 도구입니다. 이는 복잡한 문제를 명확하게 이해하고, 해결책을 찾는 데 유용합니다.
- Flow Charts: 플로우 차트를 이용한 업무 프로세스 개선 업무 프로세스를 시각적으로 표현하고, 프로세스 내에서의 병목 현상이나 비효율성을 식별하는 데 도움이 되는 도구입니다. 이는 업무 프로세스를 개선하고 효율성을 향상시키는 데 유용합니다.
- Bubble Diagram: 버블 다이어그램을 활용한 자원 배분 각 작업에 필요한 자원을 시각적으로 표현하고, 자원 배분을 계획하는 데 도움이 되는 도구입니다. 이는 자원을 효율적으로 관리하고, 작업의 성공 가능성을 높이는 데 유용합니다.
- Pie Charts: 파이 차트를 이용한 시간 분배 분석 각 작업에 소비되는 시간을 시각적으로 표현하고, 시간 관리를 개선하는 데 도움이 되는 도구입니다. 이는 시간을 효율적으로 활용하고, 작업 우선순위를 결정하는 데 유용합니다.

팀원들의 역할과 자원 배분 최적화 실습 워크샵

이 워크샵의 목표는 팀원들 각각의 역할을 최적화하고, 이를 통해 자원 배분을 효율적으로 하는 방법을 학습하는 것입니다. 워크샵을 통해, 팀원들은 자신의 역할을 최적화하고 이를 통해 자원 배분을 효율적으로 하는 방법을 실습하게 됩니다. 이러한 과정을 통해 팀원들 각각의 생산성을 극대화할 수 있습니다.

팀원들의 역할과 자원 배분 최적화 실습 워크샵의 세부적인 과정은 아래와 같은 순서로 진행됩니다.

1. 역할 인식 및 이해: 워크샵은 팀원들이 각자의 역할과 책임에 대해 명확히 이해하도록 하는 것으로 시작됩니다. 각 팀원에게 자신의 역할을 설명하고 이를 팀에 공유하게 하는 과정을 통해, 팀원들은 서로의 역할에 대한 이해를 높일 수 있습니다. 이 과정은 팀원들이 서로의 역할에 대한 존중과 이해를 향상시키는 데 중요합니다.

2. 기술 및 능력 매핑: 다음 단계는 팀원들의 개별 기술과 능력을 매핑하는 것입니다. 이 과정을 통해 각 팀원이 어떠한 역할을 가장 잘 수행할 수 있는지를 파악하고, 이를 최대한 활용할 수 있도록 합니다. 이는 팀원들이 자신의 능력을 최대한 발휘할 수 있도록 돕는 데 있어 중요합니다.

3. 자원 배분 계획: 세번째로, 팀원들의 역할과 능력을 바탕으로 자원을 효율적으로 배분하는 계획을 세웁니다. 이 계획은 각 팀원이 가장 잘 수행할 수 있는 업무에 집중하도록 하기 위한 것입니다. 이를 통해 팀의 효율성과 생산성을 극대화할 수 있습니다.

4. 역할 및 자원 배분 최적화 실습: 네번째 단계로, 실제 프로젝트나 작업을 통해 역할 및 자원 배분을 최적화하는 방법을 실습합니다. 팀원들이 각자의 역할에 맞게 작업을 수행하고, 이를 통해 전체적인 팀의 성과를 향상시키는 것을 목표로 합니다. 이 과정은 실질적인 경험을 통해 배운 내용을 실제 상황에 적용해 보는 데 중요합니다.

5. 피드백 및 개선: 마지막으로, 실습을 통해 얻은 경험을 바탕으로 피드백을 주고 받습니다. 이를 통해 역할 및 자원 배분의 효율성을 높이기 위한 개선 방안을 도출합니다. 이 과정은 팀의 강점과 약점을 파악하고, 이를 개선하는 데 중요한 역할을 합니다.

일정 관리 기법 실습 워크샵

일정 관리 기법 실습 워크샵은 참가자들에게 다양한 타임 관리 전략을 경험하고 연습할 기회를 제공하는 프로그램입니다. 워크샵의 목표는 참가자들이 다양한 일정 관리 방법론에 대해 이해하고, 그 중에서 자신의 업무 스타일과 가장 잘 맞는 방법을 찾아내는 것입니다. 워크샵은 여러 세션으로 구성되며, 각 세션에서는 다른 일정 관리 기법에 초점을 맞춥니다.

참가자들은 워크샵에서 자신의 일상 업무에 어떻게 기법을 적용할 수 있는지 계획을 세울 시간을 가집니다. 이를 통해 배운 기법들을 실제 업무에 효과적으로 적용하는 방법을 탐색하게 됩니다. 일정 관리 기법 실습 워크샵을 통해 참가자들은 업무 효율성을 향상시키는 다양한 기법을 체험하고, 실제 업무에 적용하는 방법을 배울 수 있습니다.

일정 관리 기법 실습 워크샵의 방안 및 과정은 아래와 같습니다

1. 워크샵 소개: 워크샵의 개요를 제공하여 참가자들이 워크샵의 목표와 프로세스를 이해할 수 있도록 합니다. 이 단계에서는 워크샵의 전체적인 흐름을 설명하고, 각 세션에서 다룰 주제를 소개합니다. 이를 통해 참가자들이 워크샵에서 얻을 수 있는 이점과 학습 내용에 대한 예상을 설정할 수 있습니다.

2. 기본 개념 소개: 이 세션에서는 다양한 일정 관리 기법에 대한 기본 개념과 원칙을 소개하고 설명합니다. 이는 타임 블로킹, 퍼도르 방법, 토마토 기법 등을 포함할 수 있습니다. 각 기법의 원리, 장점, 단점, 적용 방법 등을 상세히 설명하며, 참가자들이 각 기법에 대한 깊은 이해를 가질 수 있도록 합니다.

3. 실습 세션: 학습한 기법들을 실제로 적용해보는 시간을 가집니다. 참가자들은 각기 다른 기법을 사용해 실제 업무를 계획하고 일정을 관리해 봅니다. 이 과정에서 참가자들은 자신의 업무 스타일과 가장 잘 맞는 기법을 찾아내는 기회를 가질 수 있습니다.

4. 피드백 및 평가: 각 참가자는 자신이 사용한 기법에 대해 피드백을 주고 받으며, 어떤 기법이 자신의 업무 스타일에 가장 잘 맞는지를 평가합니다. 이 과정은 개인적인 피드백과 그룹 토론을 통해 이루어지며, 참가자들이 자신의 경험을 공유하고 서로로부터 배울 수 있는 기회를 제공합니다.

5. 후속 계획: 워크샵이 끝난 후에도 이러한 기법을 계속 사용하고 개선하는 방법에 대해 논의합니다. 이 단계에서는 참가자들이 워크샵에서 배운 내용을 일상 업무에 지속적으로 적용하는 방법을 탐색합니다. 이를 위해 개인별 액션 플랜을 설정하고, 워크샵 후 지속적인 학습과 개선을 위한 자료와 도구를 제공합니다.

이 장을 완전히 이해하고 학습한 학습자들은 다음과 같은 중요한 목표와 성과를 얻게 될 것입니다.

첫째, 학습자들은 조직과 팀의 성능을 최적화하는 방법론에 대한 깊은 이해를 얻게 됩니다. 이를 통해 그들은 자신의 역할을 최적화하고, 효율적인 자원 배분을 통해 팀의 생산성을 극대화하는 방법을 배울 수 있습니다.

둘째, 학습자들은 다양한 일정 관리 기법에 대해 배우게 됩니다. 이를 통해 그들은 개인적인 업무 효율성을 향상시키고, 시간을 효과적으로 활용하는 방법을 배울 수 있습니다.

셋째, 학습자들은 실제 업무에 이러한 기법과 원칙을 적용하는 방법을 배울 수 있습니다. 이를 통해 그들은 실제 업무 상황에서 문제를 해결하고, 업무 성과를 향상시키는 방법을 배울 수 있습니다.

마지막으로, 학습자들은 팀의 효율성과 생산성을 높이는 방법에 대한 실질적인 경험을 얻게 됩니다. 이를 통해 그들은 실제 업무 상황에서 이러한 방법론을 적용하고, 그 효과를 평가하는 능력을 향상시킬 수 있습니다.

이러한 모든 학습 과정을 통해, 학습자들은 자신의 업무 성과를 향상시키고, 팀의 성과를 높이는 데 필요한 기술과 지식을 얻게 될 것입니다.

작가 인사말 혜천(慧天) 이지해

안녕하세요, 이지해입니다. 이번에는 "리더십 마스터플랜: 조직 성공을 위한 효과적인 리더십의 30가지 특성"이라는 주제로 책을 집필하게 되었습니다. 현대카드, 인터파크, 인셀덤 등 다양한 조직에서의 경험과 지식을 바탕으로 이 책을 준비하였고, 그 과정에서 리더십의 본질과 중요성에 대해 깊은 이해를 얻을 수 있었습니다.

이 책은 저의 개인적인 경험뿐만 아니라, 다른 조직의 리더들과의 인터뷰, 그리고 수많은 리더십 관련 서적과 연구를 통해 얻은 인사이트를 토대로 집필되었습니다. 특히, 회사의 통폐합을 통한 구조조정 과정의 책임을 맡으면서 느꼈던 교훈들은 이 책의 중요한 부분을 차지하고 있습니다.

리더십이란 단순히 지시와 명령을 내리는 것을 넘어서, 팀원들과의 협력을 통해 공통의 목표를 달성하는 데 있어 중요한 역할을 하는 것입니다. 이 책에서는, 이러한 리더십의 본질을 이해하고 실제로 어떻게 적용할 수 있는지를 설명하고자 합니다.

각 장에서는 조직의 성공을 위해 리더가 갖추어야 할 핵심적인 리더십 특성들을 다루고 있으며, 이론적 배경과 풍부한 사례 연구를 통해 각 특성이 실제로 어떻게 적용될 수 있는지를 상세히 설명하고 있습니다.

제가 이 책을 집필하게 된 것은, 리더로서의 제 역할을 더욱 성장시키고 싶어하는 모든 분들이, 제 경험과 지식을 통해 조금이라도 도움을 받을 수 있기를 바라는 마음에서였습니다. 리더십은 타고난 것이 아니라, 배우고, 연습하고, 시행착오를 겪으며 발전시켜나가는 능력입니다. 이 책이 여러분의 리더십 발전에 도움이 되고, 조직의 성공을 이끌 수 있는 발판이 되기를 진심으로 기원합니다.

마지막으로, 이 책이 여러분의 일상과 조직 내 활동에 적극적으로 적용하며, 더욱 효과적인 리더로 성장하는데 도움이 되기를 바랍니다. 여러분의 성장을 위해 제가 가진 모든 지식과 경험을 나누는 것이 바로 저의 가장 큰 보람이 될 것입니다.

작가 인사말 여여(如如) 안형렬

안녕하세요, 저는 "리더십 마스터플랜: 조직 성공을 위한 효과적인 리더십의 30가지 특성"의 저자 안형렬입니다.

이 책은 저의 30년 간의 경험과 지식을 바탕으로, 독자분들과 함께 리더십에 대한 근본적인 질문과 고민을 나누기 위해 쓰여졌습니다. 여기에는 리더십의 본질을 깊이 이해하고, 효과적인 리더십을 실현하는 데 필요한 30가지 특성이 상세하게 설명되어 있습니다.

저는 여러 회사를 운영하고, 120여 개의 전문신문(인터넷신문)을 발행하는 등의 경험을 통해, 리더로서의 중요한 역할과 그에 따른 책임에 대해 깊게 생각해 볼 수 있는 기회가 있었습니다.이러한 경험들은 대학원에서 창업 및 벤처학을 전공하면서 보다 깊은 리더십에 대한 이해를 갖게 되었습니다.

이 책은 저의 실질적인 경험과 학문적 연구를 바탕으로, 현대 조직이 직면한 도전을 극복하고 성공으로 이끌 수 있는 리더십의 핵심 요소들을 제시합니다. 각 장에서는 특정 리더십 특성을 상세하게 다루며, 이론과 실제 사례를 통해 그 특성이 조직 내에서 어떻게 작용하는지를 설명합니다.

저는 이 책을 통해 여러분이 리더로서, 그리고 조직의 선장으로서 필요한 지식과 도구를 얻기를 바랍니다. 변화하는 비즈니스 환경에서도 조직이 번창하고, 여러분이 훌륭한 리더로 성장할 수 있기를 진심으로 바랍니다.

이 책이 여러분의 개인적인 성장과 조직의 성공을 이끌어내는데 도움이 되길 바라며, 여러분의 리더십 여정에 이 책이 실질적인 도움과 영감을 제공할 것임을 확신합니다. 감사합니다.

마무리 Epilogue

"리더의 자질: 효과적인 리더십의 30가지 특성"이라는 교육적인 책을 읽으면서, 이 책이 제공하는 깊은 통찰력과 지식을 통해 학습의 중요성을 강조하는 것을 발견할 수 있습니다.

이 책은 리더십의 다양한 측면을 탐구하며, 그 중에서도 특히 지속적인 학습과 자기 개발의 중요성을 강조합니다. 이를 통해 우리는 성장하고 발전하는 능력이 리더로서의 역량을 끊임없이 향상시키는 데 어떻게 중요한 역할을 하는지를 더욱 깊이 이해하게 되었습니다. 이 책은 우리에게 지속적인 학습의 중요성을 일깨워주며, 이를 통해 리더로서의 우리의 역량을 끊임없이 발전시키는 방법을 가르쳐줍니다.

이 책은 리더십에 필요한 다양한 특성들을 체계적으로 구성하고 이해하도록 돕는 데 중점을 두고 있습니다. 이는 누구든지 자신의 리더십 스타일을 개발하고 활용할 수 있게 합니다. 또한, 이러한 특성들이 실제 상황에서 어떻게 효과적으로 적용될 수 있는지에 대한 실용적인 방법을 제시하고 있습니다. 이는 이론을 실제로 적용하는데 도움이 됩니다.

또한, 이 책은 변화를 선도하고 성공적인 결과를 이끌어내는 리더를 양성하는 데 있어 중점을 두고 있습니다. 이를 통해 독자들은 자신의 리더십 능력을 향상시키고 조직 내에서 더 큰 영향력을 발휘할 수 있게 됩니다. 이 책을 통해 학습하게 된 독자들은 자신의 리더십 스타일을 개선하고 발전시키는 방법에 대해 배우게 되었으며, 이 과정에서 자신들이 주도하는 조직의 변화를 이끌어내는 능력을 갖추게 되었습니다.

그리고 독자들의 리더십 능력을 향상시키는데 필요한 다양한 전략과 기술을 제공하고, 이를 통해 개인의 성장과 조직의 성공을 돕는 역할을 하고 있습니다. 이런 일련의 과정을 통해 이 책이 리더십 역량 개발에 있어 중요한 도구가 되었음을 자랑스럽게 생각하며, 앞으로도 계속해서 독자들의 성장을 위한 도움을 줄 수 있기를 바랍니다.

이 책은 단순히 리더십에 대한 이론적인 지식을 제공하는 것을 넘어서, 독자들이 자신의 리더십 역량을 꾸준히 개선하고 향상시키는 실질적인 방법을 제시하고 있습니다. 이를 통해 독자들은 지속적으로 이러한 지침을 실천하게 되어, 자신의 리더로서의 경력을 성공적으로 펼치는 동안, 조직의 변화를 선도하고 성공적인 결과를 도출하는 능력을 갖추게 될 것입니다. 이는 개인의 성장뿐만 아니라 조직 전체의 발전을 위한 필수적인 요소이며, 이 책을 통해 독자들은 이를 체계적으로 배워나갈 수 있을 것입니다.

이 책은 독자들의 리더십 여정을 시작하는 중요한 첫걸음입니다. 단순히 정보를 습득하는 것 이상으로, 이를 통해 독자들은 지속적으로 리더로서의 역량을 향상시킬 수 있습니다. 이 책의 깊이 있는 지식과 통찰력이 독자들의 리더십 능력을 향상시키는데 도움이 되기를 바라며, 생각을 확장시키고 새로운 가능성을 열어줄 수 있는 가이드가 되길 기대합니다.

이 책은 리더십의 본질에 대한 핵심 이해를 제공하며, 독자들은 이를 통해 자신의 리더십 여정을 계속 발전시키는 방법을 배울 수 있습니다. 또한, 이 책은 리더로서의 경력을 성공적으로 펼치는 데 필요한 역량을 갖추는데 도움이 됩니다. 독자들은 이 책을 통해 리더십의 다양한 측면에 대해 깊은 이해를 얻고, 자신의 리더십 스타일을 개발하고 향상시킬 수 있습니다.

이 책이 제공하는 귀중한 지식을 통해, 독자들은 자신의 리더십 능력을 더욱 향상시키고, 그들의 리더십 여정을 더욱 성공적으로 나아갈 수 있을 것입니다. 이 책은 리더십에 대한 깊이 있는 이해를 제공하며, 실제 리더십 상황에서 어떻게 행동해야 하는지에 대한 실질적인 조언을 제공합니다. 독자들은 이 책의 도움을 받아 자신의 리더십 스타일을 개발하고, 효과적인 리더로서 자신의 역량을 발휘할 수 있을 것입니다.

이 책을 통해 배운 통찰력과 지식을 바탕으로, 독자들은 자신들의 리더십 능력을 더욱 강화하고, 그들의 리더십 여정을 더욱 진취적으로 나아가게 될 것입니다. 우리는 이 책이 선사하는 교훈과 지식이 독자들에게 리더십 역량 개발에 있어 가장 중요한 가이드라인이 되어줄 것을 기대합니다. 이 책이 독자들에게 리더십 개발의 중요한 밑거름이 되어주길 바라며, 그들이 더욱 성공적인 리더가 될 수 있기를 기대합니다.

2024년 05월 01일 혜천(慧天) 이지해 / 여여(如如) 안형렬

KB074809

SEASTERS

해녀들

해녀들

SEASTERS

채현 장편소설

네오픽션

목차

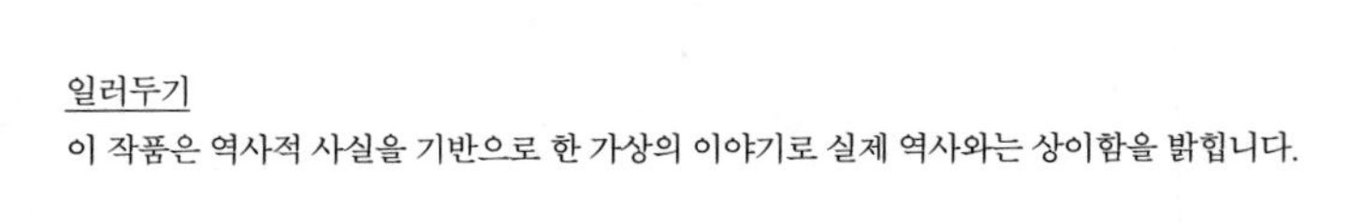
일러두기
이 작품은 역사적 사실을 기반으로 한 가상의 이야기로 실제 역사와는 상이함을 밝힙니다.

바당밭으로

언덕바지에 놓인 비탈밭. 저만치 옥빛 바당(바다)이 보이는 검은 땅에 보리가 자라고 있다. 봄볕에 한창 이삭이 패고 봉봉해질 시기이건만 누런 잎들이 축축 늘어졌다. 춘기를 머금고 자라는 것은 엉뚱하게도 뚝새풀, 여뀌 같은 잡초. 보리가 먹을 양분까지 죄 빨아먹고는 검질기게도 뿌리를 내렸다.

아비 한씨는 따비로 돌을 골라내고 서복은 어미 세화댁과 함께 골갱이를 쥐고 밭을 기어다녔다. 잡풀을 뜯어낼 때마다 서복의 앙다문 입술이 불룩거렸다.

밭담* 곁에는 까탈스러운 인상의 일인 지주가 팔짱을 끼고 서 있었다. 말도 안 통하는데 틈만 나면 나와 훈수질이었다. 저도 답

* 밭 주변에 쌓은 담.

답은 했던지 오늘은 순사보* 판구를 끌고 나왔다. 하루이틀 일이 아닌데도 영 거북살스럽다. 세화댁도 껄끄러운지 평소같지 않게 손놀림이 어줍었다.

"칙쇼(젠장)!"

바당을 힐끔거리던 서복의 고개가 쑥 들어갔다. 티나지 않게 눈알만 굴렸는데도 귀신같이 알아채고 불호령이었다. 세화댁과 한씨가 지주 앞으로 달려갔다. 지주가 쏘아대는 말을 판구가 더듬거리며 통변했다.

"에…… 나 땅이라는 마음으로 일허라게. 잡초 하나를 뽑아도 나가 주인이다 허고……. 조선 사름덜(사람들)은 그런 게 없어서 나라도 망허고 농사도 망허라 거라. 하이 하이, 이삭이 가불가불 허다고 뭣이렌 햄신디(뭐라고 하는데), 금비를 진작에 뿌렸으민 땅이 이추룩 거칠었을탸?"

나 땅이라는 마음으로, 나가 주인이다 허고……. 개소리허네. 서복이 실소했다.

원래부터 한씨의 땅이었다. 조부의 조부로부터 물려받아 서복이 태어나기 전부터 한씨네 땅이었고 서복이 죽은 후에도 한씨네 땅일 것이었다. 여기가 한씨네 땅인 걸 모르는 이는 아무도 없었다. 토지조사사업이란 걸 한다고 할 때 무심했던 것은 당연해서였다. 너도 알고 나도 아는 걸 굳이 뭐 허러 신고꺼장, 번잡시

* 일제 강점기 순사의 업무를 보조하던 직위.

럽게스리. 당연한 것을 되새기고 번잡한 일을 부러 할 만큼 한가롭지가 않았다. 손뼘만 한 틈만 있어도 잡초를 뽑고 물을 길어다 날라야 했다. 잡초 뽑고 물 길어다 나르느라 손끝이 닳아지고 발톱이 뽑히는 동안 땅은 남의 것이 되었다.

어느 날 다나카인지 나카무라인지 하는 놈이 와서는 여기가 저의 땅이라 했다. 조부의 조부로부터 물려받은 땅이우다. 근방 사람들은 다 알아마씨. 조상 대대로 물려받은, 그래서 너도 알고 나도 아는 당연한 사실이 알아먹을 수 없는 문서 쪼가리 앞에서는 아무것도 아닌 것이 되었다. 땅이 거칠고 푸석해 묵정밭이나 다름없수다게. 아비의 말에 서복이 보란 듯이 발을 쿵쿵 굴렀다. 흙먼지가 뿌옇게 일자 새 주인은 눈썹을 찌푸렸다. 그는 선심 쓰듯 소작을 주겠다 했다. 하던 대로 하라고, 크게 달라지는 것은 없을 거라고. 그의 말이 맞았다. 신새벽부터 밤늦도록 뼈가 부서지게 일하는 건 같았다. 소출의 칠 할을 다나카인지 나카무라인지 하는 놈한테 갖다 바쳐야 한다는 것만 뺀다면 다른 것은 지나치게 없었다.

"그러게, 금비 좀 사다 뿌리지 그러셨수꽈? 이래가지고 먹어질 거나 이시쿠과?"

판구가 제가 지주라도 되는 양 단춧구멍만 한 눈을 깝작거렸다. 세화댁과 한씨는 두 손을 맞잡고 연신 굽신거렸다. 비료대가 비싸다는 말은 꺼내지도 못한다. 외상을 쓰라 하지만 이자만 한 달에 이 할이다. 값도 값이지만 금비를 몇 해 쓰면 땅이 못 쓰게 된다고들 했다. 굴묵*에서 긁어낸 재, 갯가에서 주워온 듬북, 통시에 모인 똥오줌을 쌓고 삭히는 일은 고단하긴 해도 땅 다칠 걱정은 없었다. 그래도 일인들은 무조건 금비를 쓰라 했다. 제 땅이지만 제 땅이 아니기에 지력이 상하든 말든 저희 알 바가 아니었고 당장 손에 들어오는 소출을 늘리는 것이 저들의 목표이자 수확이었다.

해어진 갈중의**를 걸친 내외의 등허리가 후줄근히 젖어들었다. 꼭 다리 잡힌 방아깨비들 아니라. 서복이 씁쓸한 시선을 밭으로 떨구었다.

멀리서 "물때 됐수다!" 하는 소리가 들렸다. 서복이 벌떡 일어섰다. 지주의 눈살이 꼿꼿해졌다. 서복이 주춤거리며 밭을 나섰다.

"어머니, 아버지, 나 물에 감수다."

"서복아, 물건 하영(많이) 해오라."

판구가 들창코를 벌름거리며 히죽 웃었다.

"통변헐 때 말이라,"

노상 하듯 무시하고 지날 줄 알았던 서복이 바짝 다가서자 판구는 반갑기보다 당황한 기색이었다.

"반말허지 말아. 우리 어멍 아방이 너 친구냐?"

"그, 그게 아니라, 통변을 정확허게 허느라고 그러는 거주.

* 제주도의 전통 난방 시설로 구들에 불을 지피기 위해 만든 구멍.

** 감물을 들인 옷의 일종.

……그, 그러는 너는, 무사(왜) 나안티 반말이냐? 나가 너보담 일곱 살이나 많은디.”

서복이 판구를 물끄러미 보았다.

“너 코 나왐쩌.”

판구가 당황해서 소맷자락으로 코를 마구 문질렀다.

“뭐라, 코 안 나와신디.”

의아해하는 판구를 노려보며 서복이 돌아섰다. 지주가 무슨 일이냐는 듯 마뜩잖은 눈빛을 보내자 판구는 실없이 웃으며 뒤통수를 긁었다.

“물때 됐수다! 물질허레 갑주!”

밭에서 멀어지자 서복이 소리쳤다. 짜증 섞인 소리를 건너편 밭에서, 그 건너편 밭에서 받았다. 물때를 알리는 소리가 드는물 파도처럼 마을 곳곳으로 밀려들었다.

*

갯가와 맞붙은 초가집 마당에선 달복이 닭들을 모아놓고 솔개 울음소리를 내고 있었다. 솔개 피하는 연습을 시키려는 것인데 정작 닭들은 마당을 기어다니는 갯강구를 쪼아 먹느라 정신이 없었다. 두 팔을 퍼덕거리던 달복이 마루에 털썩 앉으며 두덜거렸다.

“이것덜, 죄다 그냥 잡아먹어 불 거 닮아(잡아먹힐 것 같아).”

서복이 정지(부엌)로 들어섰다.

"조왕할마님, 자손덜 먹을 것 호끔(조금) 내와줍서."

찬장 위 조왕사발에 절부터 한 서복이 채롱에다 밥 한 주걱을 펐다. 밀기울과 좁쌀이 섞인 거친 밥이었다. 소금된장 한 숟갈 얹고 우영밭에서 상추 몇 장을 뜯었다. 서복은 상추를 더 뜯으려다 말고 밥도 한 숟갈 덜어냈다. 질구덕*에 채롱을 담고는 물옷과 지들커(땔감)를 챙겼다. 불을 피울 때는 바싹 마른 감태나 보리낭, 조짚 등을 주로 썼는데 밥은 두고 가더라도 절대 잊지 말아야 할 것이 지들커였다. 삼복더위 무렵이 아니면 불턱에서는 꼭 불을 피웠다. 안 그러면 몸이 얼어 물질을 할 수가 없었다. 불을 쬐어야 물질을 하니 지들커는 테왁**만큼이나 중한 준비물이었다. 어쩌다 지들커를 못 챙겨 가면 종일 다른 해녀들의 눈총을 받을 정도였다. 서복은 지들커를 충분히 담고 그 위에 테왁을 얹었다.

"닭덜 그만 괴롭히고 글자 공부나 허라게."

"글자 공부는. 물 거리레(뜨러) 가야는디."

"이따 나가 와서 가크메. 얼른 책 보라게. 선생님 되젠 허믄 지금부터 부지런히 해야주."

"언니도 참. 나가 선생님을 어찌 할 것가?"

"공부만 열심히 허믄 못헐 거 뭐 있나? 강평국, 고수선 선생추

* 물건을 등에 지고 나르는 큰 바구니.

** 해녀들이 물질할 때 쓰는 공 모양의 도구.

룩 선생도 허고 의사도 헌다."

"그 삼춘덜허고 나허고 같은가."

달복이 다리를 달랑이며 입을 삐죽거렸다. 서복이 곱게 눈을 흘기며 질구덕을 멨다.

"다를 건 뭐라? 해보지도 않고 그런 소리 허는 거 아니라."

바당에 가까워지자 파도 소리보다 화통한 웃음소리가 먼저 들렸다. 서복이 걸음을 재촉해 불턱으로 들어섰다. 선배 해녀들이 물질 준비하느라 분주하게 움직이고 있었다. 서복이 큰 소리로 인사하고 물옷부터 갈아입었다. 빗창을 챙기고 망사리를 확인하는데 만삭의 덕순이 뒤뚱거리며 들어섰다. 서복이 얼른 일어나 덕순의 질구덕을 받아들었다. 번번이 미안하다며 덕순이 수줍게 웃었다.

"아이고, 배 좀 보라. 오늘이라도 아기 나오쿠다."

억대의 말에 덕순의 얼굴이 붉어졌다. 홍조 띤 두 볼에 좀 전과는 달리 자랑스러운 기색이 묻어났다.

"이추룩 배가 불렀는디 물질해도 되쿠과?"

서복이 묻자 덕순이 작은 목소리로 대답했다.

"아직 달포 정도 남았저."

억대가 고개를 주억거렸다.

"달포믄 한참이주. 난 아기 낳는 날도 물에 들었주게. 물질허다 궂은물이 터져가지고 얼마나 놀랬는지. 겨우 불턱에 올라앉

앉더니 아기가 탁 털어져부는 거라."

"아기 나오는 줄도 모르고 물질했수과?"

서복이 눈을 동그랗게 떴다.

"그날따라 배가 꾸작꾸작 아프긴 했는디 탈이 난 줄만 알았주. 전날 잔치집 갔다 도새기(돼지고기) 몇 점 얻어먹었거든. 느랑 퍽퍽헌 것만 먹다 기름진 게 들어갔으니 뱃구레가 요동치나 보다 헌 거라. 아기 나올 때는 됐어도 배가 덜 나와서 더 있다 나오겠거니 했단 말이라."

"덜 나온 게 아니고 원래 이만치 나와 있었으니 몰른 거주."

석실이 통통한 뱃살을 꼬집자 억대가 괄괄하게 웃었다.

"배가 불르믄 물질허기 어렵지예?"

서복이 물었다.

"어려우나마나 그냥 허는 거주. 숨이 차긴 해도 물에 들믄 헐만 허여. 배 아프믄 테왁 위에 엎어졌다가 누그러지믄 물에 들고. 아기 뺘 맞출 때야 신산스러워도 쭈그려 앉아 검질매는(김매는) 것보담사 한참 낫주."

억대가 쑥으로 족쇄눈을 문지르며 대꾸했다. 그렇게 하면 물에 들어도 안경알에 습기가 차지 않았다.

"그래도 배 속에 넣고 있을 때가 젤로 편주. 낳아놓으민 젓 먹이고 얼르고 재우고, 헐 일이 아흔아홉 가지라. 그 와중에 물질은 쉽나. 배는 바람이 안 빠져갖고 둥둥 뜨주, 뼈마디는 시려서 흘락흘락허주. 아기 낳고 하도 용을 써서 지금껏 뼈가 복삭허덴 말이라."

딸 셋 낳은 석실의 말을 아들 셋 낳은 억대가 받았다.

“나도 만재 놈 낳을 때만 해도 어찌 될까 싶어서 사흘은 쉬었는디 족은놈(작은아들) 낳고서는 곧장 물에 들었주. 세 놈이 나만 보고 있는디 누웡 있질 못허크라라게. 몸 풀고 조리만 잘했어도 이 부억대가 오늘날 중군으로 떨어져시크냐? 두실 삼춘을 잇는 대상군 감이주. 암, 그렇고말고.”

아기 낳고 키우는 일을 서복은 듣기만 해도 겁이 더럭 나는데 당사자들은 태연자약이었다. 소심한 덕순마저 배죽이 웃고 있었다.

“어크거, 뽀딱헌 아들을 셋이나 낳았는디 며칠 드러누우민 어떵? 잘난 서방 있겠다, 손 야문 시어멍 있겠다.”

“서방이고 시어멍이고 상전 노릇이나 안 허믄 감지덕지주.”

“허기사, 난 하늘이 노래지도록 진통을 했는디 딸 낳았다고 시어멍이 메밀가루도 안 먹여줘라게. 어떵사 설룹던지. 시어멍더러 달리 암퉑의 넋이렌 허는 거 아니가?”

말끝에 석실이 아차 해서 덕순을 보았다.

덕순은 양반집에서 아들 낳으려고 들인 후처였다. 남편 응현은 양반 핏줄인 것 외에는 아무 자랑할 것 없는 사내였다. 아이를 못 낳는다는 이유로 조강지처를 내치고 여기저기 혼담을 넣었지만 좋다 하는 집이 없었다. 사람됨이 졸렬하고 아내를 박대한다는 것이 알려진 탓이었다.

할 수 없이 평민 집안 여식인 덕순을 들였는데 덕순마저 오래도록 태기가 없었다. 사람들은 막돼먹은 놈이 씨까지 부실하다 수군거렸다. 응현은 밖에서는 모르는 척 안 듣는 척 점잔을 떨다가 집에만 오면 덕순에게 오두발광을 했다. 상소리를 퍼붓고 매질을 해댔다. 평민 집안이나 어려서부터 삼종지도를 배우고 열녀전을 읽은 덕순은 그저 묵묵히 견딜 뿐이었다. 견딘다 하여 괴롭지 않은 것은 아니어서 밤이면 이불 속에서 속울음을 울곤 했다.

무간지옥에서 덕순을 구한 것은 배 속에 깃든 생명이었다. 아이를 가졌다는 것을 알게 된 그날로 응현은 매질을 멈추었다. 이따금씩 산부에게 좋다는 것들을 구해와 던져주기도 하였다. 덕순이 아니라 제 씨를 위하는 것이었지만 그것만으로도 황감할 따름이었다.

하지만 기꺼운 것도 잠시, 산달이 다가오면서 또 다른 불안이 엄습했다. 딸을 낳으면 어쩌나 하는 것이었다. 응현은 딸을 낳거든 윗목에 엎어두라 했다. 무표정한 얼굴로 농인지 아닌지 모를 소리를 하는 날이면 덕순은 지독한 염몽에 시달렸다. 사람도 뭣도 아닌 푸르죽죽한 것을 낳는 꿈이었다. 덜덜 떨며 윗목에 엎어두면 그것이 어머니, 어머니, 부르며 웃었다.

"듣자니께 하도리 구장네 며느리가 시할망 무덤 동자석 코를 삶아먹고 아들을 낳았넨."

"그래서 아들 낳으믄 소박맞는 각시가 무사 있냐게?"

억대가 무심결에 말꼬리를 낚아챘다가 입을 합 다물었다.

"자식 주시는 거야 삼신할망 마음이다만 속는 셈치고 한번 해보라게."

석실이 달래듯 말했지만 덕순은 난감한 미소만 지을 뿐이었다.

"메께라(아이고), 꼴에 양반이라고 그런 건 싫덴 햄쩌?"

석실이 혀를 찼다. 억대가 밀가루 포대로 만든 물옷을 입다 말고 배를 쑥 내밀었다.

"아쉬운 대로 나 배라도 만지라게. 이 부억대가 월영마을 음기다 이기고 아들만 셋 낳은 여자 아니가. 영험한 동자님보다는 못해도 아주 무용허진 않을 거여."

억대의 너스레에 한바탕 웃음이 터졌다.

불턱에서의 수다는 언제나 그렇듯 바당밭에 대한 칭송으로 이어졌다. 친정에는 사흘 내리 못 가도 바당에는 사흘 아니라 석 달이라도 올 수 있다고. 남편도 자식도 뜻대로 안 되지만 바당에서는 내 한 몸 바지런히 움직이면 손에 쥐고 오는 게 있다고. 암만암만, 바당만한 게 없다고, 바당 없었으면 진작에 죽었을 목숨이라고. 매번 하는 이야기를 해녀들은 늘 새롭다는 듯 침을 튀겨가며 떠들었다.

"그러니 바당이 얼마나 좋은 거고! 안 그러냐, 서복아?"

서복은 웃기만 했다.

어려서부터 물질을 잘해 애기상군이라 불렸지만 바당이 좋다거나 물질이 재미있다는 생각은 딱히 해본 적이 없었다. 마을 여자들은 전부 물질을 하고 노상 보고 자란 게 그것이니 저도 당연히 하나 보다 하였고 이것저것 건져오는 것 또한 적잖으니 물에

드는 것뿐이었다. 끼니를 마련하고 달복의 학비를 모으려는 것이지, 바당이 좋아서 혹은 물질이 재미있어서 하는 것이 아니었다. 그런 서복에게 선배 해녀들의 말은 낯설기만 하였고 그들은 서복이 아직 어려 모른다며 흥흥 웃었다.

"살 서끄고 사는 신랑허고는 사랑을 안 해도 바당허고는 사랑을 허주. 게으름다리로 누워 밥 차려라 졸라대길 허여, 돈 벌어오라 타박을 허여? 그저 바당같이 품 너른 사내를 만났어야 허는디, 지지리도 복도 엇주."

"지금이라도 신랑 걷어차불고 개가허라게."

"걷어찬다고 걷어차질 종내기라? 치맛자락 붙들고 십 리도 쫓아올 인간이라."

"허기사, 춘화네야 금슬 하나는 좋으난. 소나이(사나이)는 작아도 콩싸라기라더니 서방님이 비쩍 말랐어도 아랫도리는 제법 실헌 모양이라?"

"실허기는. 오물좆에다 말라비틀어진 해삼만 해가지고 먹잘 것도 읏어."

"꼭 커야 맛인가? 쬐끄만 것도 놀리기 나름이주."

"놀릴 줄을 모르니 허는 말 아니라? 앞도 몰르고 뒤도 몰르고 멋없이 찔러대기만 허니 재미가 있어야주. 지 좆 찔러 넣기만 허믄 되는 줄 안다니까. 찔러봤자 간에 기별도 안 가는 거, 뭐 그리 대단허다고."

"사내들이 뭘 몰라도 한참 몰르는 거주. 자고로 여자는 바위에 붙은 전복 찾듯이 보드랍게 쓸어줘야 몸이 열리는 법인디."

"경허난 말이주. 달고 나온 게 좃뿐이라? 손도 있고 셋바닥도 있는디 아껴뒀다 국 끓여먹을라는지. 잘만 쓸어줘도 둥게둥게 놀아지는 게 지집덜인디, 그걸 몰라."

"사내놈덜 모르는 것이 하나둘이라? 한겨울에 물질허민 낫으로 살을 저미는 거 같고, 한여름에 물질허민 숯불에 타 죽는 거 같은디 안자리에 드러눠둠서 어이 뜻뜻허키여, 어이 씨원허키여, 헛소리나 해쌓는 종내기덜 아니라."

질탕한 농이 푸념으로 이어지는데 깍지가 들어섰다. 고개만 까딱하고는 돌아앉아 옷을 벗는 모양새가 새치름하다. 깍지는 늘 물옷을 받쳐 입고 왔다. 아랫도리만 대강 가리고 물옷 갈아입는 해녀들을 물색없다 여기는 때문이었다. 물옷도 달랐다. 무명에 검은 물 들이긴 마찬가지여도 옷깃에 꽃을 수놓고 머릿수건에도 곱게 문양을 박아 넣었다.

"깍지 넌 바당에 사내 숨겨둬시냐? 아님 문게(문어) 객주리(쥐치), 서방으로 맞을라고?"

얼굴이 타지 않게 머릿수건을 몇 번이고 고쳐 매는 깍지를 억대가 놀렸다.

"문게 객주리는? 깍지는 섬에서, 아니 조선에서 젤로 잘난 사내한테 시집가켜."

석실이 장단을 맞췄다.

"젤로 잘난 사내가 아니라 젤로 돈 많은 사내를 찾아야 헐 판이주. 너네 아방 요즘 술까지 먹는다매? 아주 복쟁이(복어) 똥물 먹듯 헌덴 허는디 그냥 뒁 되크라?"

깍지의 아비 김씨는 동네에서 알아주는 노름꾼이었다. 병으로 아내를 잃은 후 뱃일도 작파하고 노름판에 들어앉은 지 여러 해. 얼마 전에는 살림 밑천인 배도 날렸다. 저러다 하나 있는 딸까지 팔아먹겠다고 뒷말이 수다했다.

"물에 드는디 그런 얘긴 무사 햄수꽈? 사름 오장 뒈싸지게(뒤집어지게)!"

깍지가 고개를 발딱 쳐들었다.

"걱정허는 소리주게."

"그리 걱정되민 억대 삼춘이 우리 아방 데리고 살게마씨."

"뭐라?"

억대가 되받아치려는데 두실이 들어섰다.

"물질 전에 큰소리 내는 거 아니라."

나직한 한마디에 억대와 깍지의 입이 꽉 다물렸다.

대상군인 두실은 물질 전마다 갯가 할망당에 정성을 드리고 왔다. 방금도 비손을 하고 온 참이었다. 할망당의 기운을 받아선지 안 그래도 근엄한 얼굴이 한층 위엄 있어 보였다.

두실이 미간에 주름을 세우고 먼 바당으로 시선을 두었다. 바람과 파도를 읽는 것이었다. 바당을 살펴 해녀들을 안전하게 이끄는 것이 대상군의 첫 번째 소임이었다. 섬의 바람과 파도는 하루에 열두 번도 더 바뀌었다. 특히나 이 무렵 봄바당은 그야말로 천

태만변, 한 치 앞을 가늠하기 어려웠다. 그것은 곧 해녀들의 운명이기도 했다. 돌풍 한 번이, 굼뉘 하나가 해녀들을 저승길로 쓸어갔다. 생사화복이 천명이라, 쓸려가는 것이 저 하나라면 뭐 그리 대수겠냐만은 월영 해녀들의 목숨이 제 한마디에 달렸으니 두실은 바당 앞에서 늘 무섭고 무거웠다. 거의 평생을 벗 삼아 살아왔어도 안다 할수록 익다 할수록 모르고 낯선 것이 바당이었다.

"어머니, 오늘은 완전 명지바당*마씨."

바당 읽는 시간이 길어진다 싶었던지 석실이 두실 곁으로 다가왔다.

"그래도 조심, 또 조심해사 헌다. 다들 달섬에는 얼씬도 말고. 이추룩 사발물일 때 물알(바닷속) 뒈싸지기 일쑤여."

깍지가 입술을 삐죽였다.

상군들이 물질하는 웃밧** 한편에 솟은 달섬은 조류가 거칠게 휘돌아 접근이 어렵지만 그만큼 물건이 많았다. 만만치는 않더라도 깍지나 서복 정도라면 못할 것도 아니건만 두실은 절대 허락하지 않았다. 요왕(용왕)할망이 드나드는 곳이라 동티 난다는 것이었다. 요왕할망이 정말 있는지 없는지 아무도 모르고, 봤다는 사람 하나 없어도 사람들은 그리 믿었다. 믿든 안 믿든 해녀들에게 대상군의 말은 또한 법이라 깍지는 번번이 입술만 삐죽일

* 명주처럼 곱고 잔잔한 바다.

** 조간대의 상층.

뿐이었다.

"물엣것은 요왕할마님이 골라 멕인다. 주시는 것만 받는 게 해녀라. 더 받젠 허민 벌 받나."

깍지의 속을 들여다보듯 두실이 덧붙였다. 천 번 만 번도 더 들은 잔소리에 깍지는 넌더리를 냈다.

"하영 받으민 좋주게, 흥."

"그러다 물숨* 먹주."

서복이 밀**을 귀로 밀어 넣으며 받아쳤다.

"놈이사 물숨을 먹든 말든 너가 뭔 상관이라? 귓고냥이나 틀어막으라게."

서복과 깍지의 눈빛이 험악하게 얽혔다. 두실의 맵찬 눈초리를 받고서야 둘의 시선이 풀어졌다. 두실이 빗창을 등허리춤에 찔러 넣고 테왁을 들었다.

"가게."

다른 해녀들이 뒤를 따랐다. 맨 뒤에 선 석실이 바당물을 제 몸에 끼얹으며 중얼거렸다.

"할마님, 오늘도 우리 해녀덜 잘 보살펴줍서."

띄엄띄엄 자리를 잡은 해녀들이 자맥질을 시작했다. 서복도

* 물속에서 참는 숨.
** 밀랍을 끈끈하게 뭉쳐 만든 귀마개.

팔다리를 몇 번 휘젓고는 크게 숨을 들이켜고 고개를 처박았다. 찬 바닷물에 와시시 소름이 돋으며 정신이 번쩍 났다. 일인 지주며 깍지며 속시끄러운 것들이 쑥 내려가는 듯했다. 서복이 바당의 품을 파고들듯 조심스러우면서도 힘차게 두 팔을 저었다. 바당은 너른 품을 기꺼이 내주었다. 부드러운 물살이 다독이듯 서복의 몸을 쓸었다.

단숨에 열 발 물속을 내려가자 둥글넓적한 전복이 눈에 들어왔다. 가느다란 더듬이를 내밀고 옴질거리던 녀석이 낯선 기척을 알아차렸는지 시침을 떼고 눌러앉았다. 서복이 시선을 고정한 채 빗창을 고쳐 쥐었다. 단번에, 빠르게. 두실은 전복이 빗창 물 틈을 주지 말라고 했다. 전복이 빗창을 물면 웬만해선 빼내질 못하는데 빗창이 아깝고 전복이 아쉬워 힘싸움을 벌이게 된다고, 그러다 숨이 다할 때쯤 물 위로 올라가려면 이미 늦다는 것이었다. 노련한 해녀들이 물숨 먹는 것도 열에 예닐곱은 전복 때문이었다. 두실의 말을 다시금 떠올리며 서복이 날을 밀어 넣는 동시에 제꺽 꺾었다. 전복이 버티는가 싶더니 둥실 떠올랐다.

됐다!

전복을 소중히 쥐고 올라온 서복이 참았던 숨을 터뜨렸다. 휘이익, 새 울음 같은 숨비소리*가 길게 터져 나왔다. 못한 숨을 들이쉬느라 심장이 벌떡대는 와중에도 전복의 실한 무게감이 흡족

* 해녀들이 잠수했다가 물 밖으로 올라오며 휘파람처럼 내는 숨소리.

했다. 세 근은 족히 될 듯했다. 양너돈*은 받겠구나게. 시작이 좋았다. 전복에 입을 짝 맞추고 망사리에 담는데 시커먼 돌고래 한 마리가 다가왔다. 찢어진 지느러미를 본 서복이 활짝 웃었다.

"먹돌아!"

서너 해 전쯤 그물에 걸린 걸 구해준 이후로 찾아오는 돌고래였다. 어찌 오나 싶은데 선배 해녀들 말로는 서복의 숨비소리를 알아듣는 걸 거라 했다. 자주 보니 정도 들어 이름도 붙여줬더랬다. 큼직한 몸체가 유난히 새까맣고 반들반들해 먹돌이라고 불렀다.

먹돌은 콧잔등으로 우미(우뭇가사리)를 한가득 몰아왔다. 서복이 우미를 망사리에 넣고는 성게를 잡아와 깨뜨려주었다. 노란 성게알을 호로록 먹고는 먹돌이 주둥이를 까딱거렸다. 서복이 몸을 솟구쳤다 잠수하자 먹돌도 똑같이 따라했다. 물속에서 서복 주위를 뱅글뱅글 돌던 먹돌이 저만치 가더니 서복을 향해 빠르게 헤엄쳤다. 은빛 잔물고기떼가 서복의 몸을 간질였다. 서복이 물 위로 올라 휘이익, 숨비소리를 내자 먹돌도 고개를 빼고 끼이익 끼이익, 소리를 냈다.

"먹돌아, 들러키라(뛰어올라라)!"

서복이 소리치자 먹돌이 펄쩍 뛰어올랐다. 먹돌이 공중제비 돌듯 몸을 틀며 바당으로 떨어지자 물기둥이 솟았다. 물벼락을

* 조선시대 화폐 단위로 20전을 뜻한다.

함빡 맞은 서복이 깔깔대며 웃었다. 그런데 꼬리를 장난스럽게 탕탕 치던 먹돌이 갑자기 휭하니 돌아서서 가버렸다. 서복이 주위를 두리번거렸다. 역시나. 머구리 왜선이 다가오고 있었다.

발동선 소리에 다른 해녀들도 풀쑥풀쑥 떠올랐다. 다들 못마땅한 얼굴이었다. 머구리는 청동 투구에 공기 호스를 달고 물에 드는 잠수부였다. 물속에서 버틸 수 있는 시간이 길어 작업량도 많았다. 숨 닿는 만큼만 숨비질하며 어린 것 약한 것 내일 먹을 것은 남겨두는 해녀들과 달리 머구리들은 보이는 대로 물건을 쓸어갔다. 머구리가 한번 들면 바당 씨가 마른다고 할 정도였다. 저들은 다른 곳으로 옮기면 그만이지만 마을 바당을 터 삼는 해녀들로서는 논밭을 털리는 것이나 다름없었다.

일인 어부들이 명당자리에 배를 세우고 머구리를 내려보냈다. 해녀들이 저리 가라 팔을 휘저었지만 눈도 깜짝하지 않았다. 오래지 않아 어른 키만 한 망사리가 올라왔다.

"저놈덜이 우리 물건 몬딱 쓸어감쩌!"

석실이 물속에서 발을 동동 굴렀다. 얼마 후 두 번째 망사리가 올라왔다.

"이 오소리 잡놈덜아, 당장 꺼지지 못허냐!"

억대가 주먹을 부르쥐고 고함쳤다.

"꺼져라, 이놈덜아!"

"저리 가란 말이다!"

어부들이 여유작작 머구리를 올렸다. 머구리를 태우고는 슬금

슬금 물러나는가 싶더니 급하게 방향을 틀었다. 물보라가 세차게 일면서 해녀들이 짠물을 뒤집어썼다. 골탕을 먹이려 일부러 그런 것이었다. 물건은 물건대로 빼앗기고 물벼락까지 맞은 해녀들의 얼굴이 일그러졌다. 너울에 물멀미가 나는지 덕순이 구역질을 했다.

"이놈덜이 부러 그런 거라!"

당장이라도 쫓아갈 기세인 억대를 석실이 말렸다. 언제 가버렸는지 왜선은 뵈지도 않았다. 해녀들은 왜선이 사라진 쪽으로 욕설을 내뱉었다. 상대 없는 욕지거리는 매가리가 없어 나오자마자 바닷속으로 툭툭 떨어졌다.

"다덜 일허라."

두실이 침을 퉤 뱉고는 몸을 틀었다. 해녀들이 얼굴을 훔치고 제자리로 돌아갔다.

물질 마친 해녀들이 뭍으로 올라왔다. 다리에 힘이 풀려 기어나오면서도 망사리는 악착같이 끌고들 나왔다. 마중 나온 가족들에게 망사리를 넘기고서야 철푸덕 철푸덕 주저앉았다.

"에고고, 팔다리 허리여!"

"실려죽어지키여게(얼어 죽겠구나)!"

앓는 소리가 여기저기서 터져 나왔다.

서복의 망사리는 한씨가 받아들었다. 깍지와 덕순은 나온 이가 없었다. 깍지는 익숙한 듯 제 몸을 눕히다시피 해서 망사리를 끌었다. 배가 나온 덕순은 그마저도 여의치 않았다. 주저앉았던 서복이 몸을 일으켰다. 시퍼런 입술을 달달 떨며 미안하다 하는 덕순을 향해 서복이 빙긋이 웃었다.

"미안허덴 말 맙서. 한 바당에 드는 사름덜은 식구나 마찬가지우다."

갯가에서 멀찍이 떨어진 곳에서 경부보* 승일이 이 풍경을 지켜보고 있었다.

"저년들은 다 벗고 부끄러운 줄도 모르나."

감정이 느껴지지 않는 매끈한 표정과 말투. 하지만 속에서는 짜증이 다글다글 끓고 있었다.

제주로 온 지 열흘째. 아비는 견문 넓힌다 생각하고 석 달만 참으라 했지만 승일은 단 사흘 만에 질려버리고 말았다. 온 섬에 진동하는 짠내도, 왼종일 들려오는 파도 소리도, 아무리 씻어내도 찝찌름하게 남는 소금기도 넌덜머리가 났다. 더군다나 제주 읍내도 아닌 동쪽 촌구석 주재소라니. 종로경찰서에서 혁혁한 공을 세우며 출세가도를 달려온 자신이 아닌가. 이런 인재가 콧구멍만 한 촌구석에 처박힌 것은 승일 개인으로서도, 제국으로서도 막대한 손실이 아닐 수 없었다. 이게 다 빌어먹을 형 승봉 때문이었다.

* 일제 강점기 경찰관 계급.

자라는 내내 속을 알 수 없던 승봉이 반일 단체에 가담했다는 제보가 들어온 것이 보름 전. 아비는 무식한 놈이 혈기만 왕성해서 멋모르고 한 짓이라 항변했지만 씨알도 안 먹혔다. 무식한 놈들이 멋모르고 반일 운동하던 시대는 애진작에 지났다고요! 저의 충고도 늦되긴 마찬가지였다. 곧바로 전보 명령이 내려졌고 바로 다음 날 이 섬으로 떨어졌다. 그리고 지금까지, 승일은 섬을 벗어날 방도에만 골몰하고 있었다.

가장 확실한 방법은 승봉을 잡아 누명을 벗는 것이었다. 가쓰시게 총독 앞에 꿇어앉혀 충성 맹세라도 하게 하고 군소리하는 인간들에게는 아비의 노다지 금광에서 나오는 금덩이 두엇씩 안기면 될 일이었다. 그래도 아쉽다 싶으면 형에게 손가락 한두 개 자르라 하고.

문제는 조선을 한 손으로 주무른다는 아비도 형의 소재조차 파악하지 못하고 있다는 것이었다. 제보한 인간을 어찌어찌 찾긴 했는데 조사를 위해 소환하려 하자 벽에 머리를 찧고 죽어버렸다. 형과의 연고는 당연히 밝혀내지 못했다. 새삼스레 쓴물이 치밀었다. 앞뒤 생각도 없이 펄펄 뛰다 제풀에 뒤져버리는 족속들. 이러니 조센징들은 틀려먹었다는 소리가 나오는 것이다. 국민성이 이렇게 후진적인데 반만 년 역사니, 오백 년 종사니 떠들어봐야 무슨 소용 있는가. 잘난 이씨 왕가가 오뉴월 장마에 토담 무너지듯 흐물어지는 것만 보더라도. 그래도 한 나라의 왕족인데 목숨만 살려달라 납작 엎드려 발발 떠는 꼴들이라니. 새삼스례 실소가 흘러나왔다.

이제 조선에 남은 유일한 기회는 제국뿐이라고, 승일은 생각했다. 자신의 기회 또한 제국에 있을 것이었다. 제국을 위해 공(公)을 세워야 했다. 형이라는 과(過)가 있으면 어떤가. 과를 덮을 만큼 공을 세우면 되는 것이다. 그러자면 어정쩡한 인사로는 택도 없었다. 손에 꼽을 만큼 거물이거나 규모가 커야 했다. 때마침 상해에서 테러리스트가 섬으로 잠입했다는 첩보가 들어왔다. 포착된 인원은 한 명이나 더 많을 수도 있었다. 승일은 경성으로 돌아갈 기회임을 직감했다. 중추원 고문 김제호의 아들이 아닌 김승일로 우뚝 설 기회이기도 했다. 놓칠 수 없고 놓쳐서도 안 되는 운증용변의 기회!

"저게 다 벗은 게 아니고 물옷이렌 헌 건디마씨."

판구의 물렁한 목소리가 새파란 결기를 비집고 들어왔다.

"오른쪽이 트여가지고 입고 벗기가 아주 편헙주. 물에 젖어도 단추만 불러불민 삭 벗어지고 삭 벗어지고."

"고 군은 주재소 들어온 지가?"

"구장 허시는 아방이 주선해주셔가지고 열아홉부터 시작해시난 햇수로 딱 십 년짼주."

"순사보로 십 년이라. 대단하구만."

"대단은요. 부족헌 인사가 지금껏 주재소 밥 먹는 것만도 용헙주."

"그러네."

"예?"

"고 군 참 용하다고."

승일이 판구의 어깨를 두드렸다. 판구가 눈을 끔벅이다 좋은 말이겠거니 하고 웃었다. 승일의 표정이 아까보다 어두워졌다. 기회를 잡기가 결코 수월치 않을 듯싶었다. 원래 하늘이 내리는 기회란 그런 법이니까. 승일이 불뚝거리는 마음을 다독였다. 나 김승일은 반드시 경성으로 돌아간다. 무슨 일이 있어도 잠입했다는 테러리스트 놈을 절대 놓치지 않을 것이다. 짠내 나는 바당을 보며 승일이 주먹을 불끈 쥐었다.

조합이 악귀신이라

물질을 마친 해녀들은 해녀조합으로 향했다. 수확한 물건을 조합에 팔기 위해서였다. 고래 들어오는 날인지 조합 옆 고래 공장 앞에 해체 인부들이 모여 있었다. 고래피쟁이라 불리는 인부들이 조센삐 조센삐, 부르며 히득댔다. 상의를 벗은 인부가 요상한 소리를 내며 숫돌 찬 허리춤을 앞뒤로 흔들었다. 덕순이 배를 감싸며 고개를 틀었다. 다른 해녀들은 익숙한 듯 무감한 표정으로 지나쳤다. 뱃고동 소리가 울렸다. 인부들이 입맛을 짭 다시며 사다리와 칼을 들고 부두로 향했다.

이윽고 피비린내가 조합 마당까지 넘어왔다. 신물을 삼키며 한참을 기다려서야 조합 서기보* 삼동이 느릿느릿 나타났다. 목욕이

* 서기의 아래 단계로, 현재의 9급 공무원에 해당하는 직급.

라도 하고 왔는지 길쭉한 얼굴이 번지르르했다. 삼동은 당고바지 주머니에 양 손을 찌른 채 구둣발로 망사리를 툭툭 찼다. 돌멩이라도 섞었나 확인하는 것이었다. 우미 같은 건 아예 발로 꾹꾹 밟았다. 물건 상한다고 해녀들이 질색을 해도 듣지 않았다.

"시작허게마씨."

해녀들이 일렬로 서서 망사리를 저울 위에 올렸다. 삼동이 저울눈을 읽으면 말라깽이 일인 직원이 받아 적었다. 해녀들은 장부에 적힌 무게대로 돈을 받았다.

돈을 받은 석실이 고개를 갸웃거렸다. 분명 어제만큼 해왔는데 돈이 적다는 것이었다. 삼동이 망사리를 다시 저울에 올렸다.

"네 근하고 열 돈쭝. 어제는 네 근 반이었으니 족은 게 맞수다."

저울을 보려고 고개를 빼는 석실을 보고 삼동이 피식 웃었다.

"보믄 알아지쿠강?"

삼동이 직접 확인해보라며 비켜서고는 장부도 내밀었다. 석실의 얼굴이 벌게졌다.

"마, 맞는 거 닮으다(같다)."

"맞는 거 닮은 게 아니고 맞는 거우다. 사름보다 정확헌 게 저울이고 저울보다 더 정확헌 게 이 배삼동이 눈이라마씨."

억대가 석실의 편을 들어 나섰다.

"우리도 나으믄 나았주, 못하진 않을 거구만. 우리사 자식새끼보다 망사리를 더 많이 지는 사름덜 아니라? 져보믄 대강 안단 말여. 감으로는 분명 어제랑 비슷한디 무게를 달리 부르니께……."

"게난(그러니까) 그 감이란 것이 저울보다 정확허우꽈?"

"저울이사 정확헌덴 해도 읽는 건 사름 아니라?"

"어째 나가 저울을 잘못 읽는단 말로 들렴수다? 이 배삼동이가 삼춘덜추룩 까막눈도 아닌디 무사 경(그렇게)허쿠과?"

"게난 이상허덴 허는 거주."

"지금 무신 말을 허고 싶은 거꽈?"

삼동의 눈이 가늘어졌다. 억대가 입술을 뚱하게 내밀고 시선을 돌렸다. 둘 사이를 가르듯 두실이 빈 망사리를 들고 일어섰다.

"일 다 봤으민 가게."

서복이 제 것과 덕순의 망사리를 챙겼다. 석실과 억대가 삼동을 흘겨보고 뒤따랐다. 어깨가 축 늘어져 마당을 나서는 해녀들을 보며 삼동이 코웃음을 쳤다.

집에 돌아온 서복은 테왁 망사리를 부려놓자마자 물허벅(물동이)을 졌다. 물을 길어온 뒤에는 솟덕에 쌓인 재거름을 긁어내 모아놓고 우영밭에서 채소를 뜯어 상에 올렸다. 저녁상을 들이고서야 겨우 엉덩이를 붙일 수 있었다.

"물팡* 옆에 묘목은 뭐꽈?"

서복이 물었다.

"소나무라. 구장이 산에다 심으렌 햄쩌."

* 물허벅을 놓는 돌 선반.

한씨가 밥상 한가운데 놓인 양푼에서 좁쌀밥을 한 숟갈 크게 떴다.

"우리 밭 갈 시간도 없는디 뭔 나무를 심어마씨?"

그냥 줬다 해도 황당할 판인데 억지로 사라 했단다.

"돈 읏덴 허난 세간이라도 팔렌. 완전 도로보(도둑)놈덜이라."

"그런 말 함부로 허지 맙서. 누가 들으민 어떵허젠 경햄수꽈?"

세화댁이 방문 쪽을 흘깃 보았다.

"요새 순사덜이 일없이 왔다 갔다 허는디 어떵 불안허우다."

"그놈덜 어슬렁거리는 거야 어디 하루이틀가? 뭐 뜯어먹을 거 없나 허고 돌아다니는 게 그놈덜 일인디."

"아무래도 찜찜허여서. 당분간만이라도 서복이 너도 야학을 안 나갔음 싶은디."

"갑자기 야학 얘기가 무사 나왐수꽈?"

"거기 선생도 왜놈덜안티 밉보인 사름 아니라. 괜히 엮여서 험헌 일 당헐까 봐 겁난단 말이라."

"왜놈들이 곱게 보는 조선 사름도 있수과?"

서복이 밥을 우물거리며 대꾸했다.

"판구 삼춘허고 삼동이 삼춘?"

달복이 끼어들었다.

"그 인간덜은 조선 사름 아니라. 왜놈 쪽바리주."

서복의 대답에 세화댁이 기겁해서 손사래를 쳤다. 한씨가 물로 입안을 울걱울걱 헹구고는 혀를 찼다.

"지집이 쓸데없이 공부를 허난 간이 배 밖으로 나오는 거주. 왜놈덜 아니래도 야학은 다닐 게 아니라. 지집년이 공부해서 뭐 헐티? 일만 잘허믄 되주."

서복이 숟갈을 탁 소리나게 내려놓았다.

"공부허는디 사내가 어디 있고 지집이 어디 있수과? 공부를 어디 좃으로 햄수꽈?"

"그건 언니 말이 맞주. 좃으로는 딴 걸 허는 거주."

깐족거리던 달복이 한씨에게 꿀밤을 얻어맞고는 뒤통수를 문질렀다.

"내년부터는 달복이도 데리고 다닐 거우다. 보통학교도 보내고 상급학교도 보낼 거우다. 학비는 나가 물질해서 댈 거난 돈 걱정은 맙서예."

서복이 야무지게 책보를 챙겨들고 집을 나섰다.

*

월영강습소는 보통학교에 딸린 창고를 개조해 만든 낡은 교실이었다. 호롱불만 앞뒤로 밝힌 어둑한 교실 안으로 해녀들이 하나둘 들어왔다. 흙벽에는 '아는 것이 힘' '소년이로학난성(少年易老學難成)*' 같은 문구가 붙어 있었다. 문밖을 살피고 온 교사 선욱

* '소년은 늙기 쉬우나 학문을 이루기는 어렵다'라는 뜻.

이 칠판 위 일장기를 떼자 뒤에 감춰둔 태극기가 나왔다.

역사 수업을 하는 날이었다. 선욱이 칠판에 한반도 지도를 그리고 단군왕검으로부터 시작되는 역사를 찬찬히 읊어 내렸다. 부드러운 말투에 소리까지 한껏 죽이니 자장가가 따로 없었다. 종일 밭일에 물질까지 하고 온 해녀들의 눈꺼풀이 자꾸만 감겨 내렸다. 억대는 아예 엎어져서 코를 드렁드렁 골았다. 허벅지를 꼬집어가며 눈을 치뜨던 서복도 밀려드는 졸음 앞에 백기를 들고 말았다. 전복 따는 꿈이라도 꾸는지 서복의 입꼬리가 씰룩거렸다.

한 차례 물질을 끝낸 해녀들이 불턱으로 모여들었다. 음력으로 춘삼월이래도 물에 들고 나면 온몸이 퍼렇게 얼었다. 오늘 불턱 당번인 석실이 불 피워 덥힌 물을 한 바가지씩 건넸다. 해녀들이 물을 머리꼭대기에다 얹어 쓰고는 따개비처럼 붙어 앉았다.

편한 대로 앉은 것 같아도 바당에서처럼 정해진 자리가 있었다. 대상군 두실은 조짚불과 가장 가까우면서 연기가 안 가는 자리에 앉았다. 상군인 서복과 깍지가 그 좌우를 차지하고 중군인 석실과 억대가 맞은편이었다. 하군인 덕순은 연기와 불티를 뒤집어쓰며 곁불이나 겨우 쬐어야 하지만 아이를 뱄다 하여 서복 옆에 앉을 수 있었다. 중군만 되어도 자리가 옹색하지만 불평하는 이는 없었다. 불턱에서는 나이나 경력보다 물질 실력이 우선이었다. 나이가 어려도 물질을 잘하면 그만큼 존중받았다. 상군에 대한 예우가 깍듯한 것이 해녀 사회의 법도였다.

"왜선이 안 오니 물알이 퉤싸지고 지랄이여."

억대가 몸을 떨며 뚜데기*를 여몄다.

"그래도 머구리덜 몰려오는 것보다야 낫지 아녀?"

석실이 좁쌀미음 담긴 솥을 휘휘 저었다.

머구리 이야기가 나오자 기다렸다는 듯 불평이 쏟아졌다.

머구리 한 놈이 해녀 열댓 명 몫이라더라. 그놈덜이 죄 쓸어가는 통에 물건이 없다. 값나가는 전복, 소라는 다 빼앗기고 허구헌 날 바당풀만 뜯고 앉았으니 돈이 될 턱이 있나. 그놈덜이 전복, 소라만 캐나? 남의 미역밭에 들어가 미역도 잘라간다더라, 순 도로보놈덜 아니라? 당장 주재소에 잡아 처넣어야지, 무사 못 잡는 거라? 잘못허는 건 아는지 배 이름을 가리고 훔쳐간다더라. 그런다고 못 잡아? 산으로 꽁꽁 숨은 독립투사도 잘만 찾아내던디! 못 잡는 게 아니라 안 잡는 거주. 듣자 허니 조합으로도 주재소로도 뇌물을 엄청 먹인다더만. 지들끼리 한통속이니 뭐 허레 잡으쿠과?

곧이어 조합이 성토 대상이 되었다.

성산포 어느 마을에서는 아예 해녀덜더러 전복을 잡지 말라 불허령을 내렸다더라. 전복 잡은 해녀도 잡아가고 전복 사간 동네 사람도 잡아갔단다. 바당밭에 있는 걸 무사 못 잡아가게 허나? 해산물 보호네 뭐네 허는디 다 핑계라. 우리가 전복을 못 잡

* 해녀들이 보온을 위해 걸치는 네모진 천.

아가민 그게 다 누구 차지라? 왜놈 머구리덜허고 아마(일인 해녀)들만 노나는 거 아니라? 그러니 우리가 산 설고 물 설은 타관 객지까지 출가*를 나가는 거주. 누구는 유람이라도 가는 줄 아는디 웃기는 소리주. 내 손바닥처럼 훤한 바당에서도 힘든 물질을 뭐허레 남의 바당까지 나가서 허냔 말이라. 맨날 도로보년이라고 시비 붙고 제주 가시나, 보제기(어부)년 소리 들어가멍!

"해녀덜 좋으라고 만들어놓은 조합을 죄다 군늉다리** 같은 놈덜이 차지해불었으니 지금에 와서 대체 우리가 좋은 게 뭐라? 물건 값 헐치주, 온갖 명목으로 돈 뜯어가주, 대체 뭘 해주냔 말이라."

열이 오르는지 억대가 뚜데기를 벗어던졌다.

억대의 말대로 조합의 애초 취지는 해녀들을 위하자는 것이었다. 조합이 생기기 전까지 해녀들은 개별적으로 물건을 팔았다. 객주들은 물건을 후하게 사준다 약속하고 고리대로 돈을 빌려주었다. 물건 값을 받아야 빌린 돈을 갚고 생활도 하는데 객주들은 차일피일 지급을 미뤘다. 이자는 치솟고 돈은 바닥났다. 해녀들은 객주들에게 다시 돈을 빌리고 그 대가로 물건을 헐값에 넘겼다. 객주들은 일인들이 운영하는 해조회사에서 자금 지원을 받으면서 해녀들의 물건을 싸게 팔았다. 그들의 수작을 빤히 알

* 다른 지역으로 나가서 하는 물질. 일본이나 러시아까지 가기도 했다.
** 음험하고 흉악한 사람.

면서도 해녀들은 어쩌지 못했다. 객주들은 출가 물질을 주선했다. 출가라도 나가야 식구들을 먹이니 그들과 거래를 끊을 수 없는 것이었다. 거기에 거간꾼들까지 끼었다. 이들은 객주와 중개해준다는 명목으로 거간료를 뜯어갔다. 안 그래도 적은 값에 고리대 이자 주고 거간료 주고 나면 남는 게 없었다. 해녀들은 뼈가 부서져라 일을 하고도 매일같이 굶주렸다.

보다 못한 제주 유지들이 나서 해녀조합을 만들었다. 당국은 내내 무시하다 이태 만에 겨우 허가를 내주었다. 여러 해 고생 끝에 마침내 조합이 생기면서 해녀들은 물건을 공동으로 판매할 수 있게 되었다. 물건을 공동 경매에 붙이고 판매는 조합이 관할했다. 조합의 공동 판매고는 매년 늘어났고 그만큼 해녀들의 운신은 자유로워졌다. 한결 숨통이 트였다.

하지만 일인 제주도사가 해녀조합장을 겸하게 되면서 조합은 빠르게 변질되기 시작했다. 조합이 물건을 살 수 있는 상인들을 지정하는 지정판매제가 실시되었다. 상인들은 자기들끼리 결탁해 입찰 가격을 낮추었다. 시세의 절반도 안 되게 값이 내려갔지만 조합은 제지하지 않았다. 애초에 조합과 상인들은 한편이었다. 다른 사람에게 물건을 팔 수 없으니 해녀들은 울며 겨자 먹기로 물건을 내주었다. 거기에 조합비며 선주 임금, 거간료가 또 붙었다. 열 냥을 벌면 손에 쥐는 것은 두 냥 남짓. 해녀들을 보호하기 위해 만든 조합이 해녀들 피 빨아먹는 악귀신이 되어버린 것이었다.

"배삼동이 그놈이 젤로 나쁜 놈이라. 우리 사정 지만치 아는 사름이 어디 있어? 갈치가 갈치 꼴랭이(꼬리) 끊어먹는다고 왜놈덜보다 더헌다니까."

석실이 미음을 나눠주며 말을 받았다.

"그놈이야 돈 버는 일에나 신경 쓰까. 우리덜안티는 관심도 읏주게. 왜놈덜안티 착 달라붙어 알랑방구 뀌느라 바쁘주. 듣자니까 뇌물도 하영 먹인덴 허여."

"뇌물을 받는 게 아니고?"

"받는 게 있으니 주는 거주. 조합 서기보 월급이야 빤헌디."

"허기사. 그놈 시계니 반지니 주렁주렁 쇠붙이 걸치고 다니는 거 보믄 뒷돈을 엄청 받아 처먹는 거라. 배삼동이 달리 개삼동이라?"

억대가 침을 튀겨가며 열변을 토하는데 덕순이 슬며시 옆구리를 찔렀다. 삼동과 판구가 오고 있었다.

"하영덜 잡아수꽈?"

삼동이 불턱 너머로 고개를 내밀었다. 물옷 입은 해녀들 훔쳐보느라 그 와중에도 눈알이 재게 굴렀다. 깍지가 신경질을 내며 돌아앉았다.

"어제처럼 물질 호끔 해오고선 돈 적다고 두덜거리민 아니 됩니다예."

들으라고 하는 말에 석실의 얼굴이 구겨졌다.

"바쁘신 해녀조합 서기보께서 이디꺼장 무신 일이우꽈? 누가 보믄 놀고먹는 줄 알쿠다."

억대가 뚜데기를 도로 주워 걸치며 빈정거렸다.

"에이, 눈코 뜰 새 없이 바쁜 와중에도 현장 조사 나온 겁주. 해녀 삼춘덜 살피는 일이 젤루 중헌 일이난마씨."

"살피기야 조합에서 살피민 될 거 아니라?"

까칠한 분위기에 판구가 삼동을 잡아끌었다. 삼동이 판구를 뿌리치며 불턱으로 발을 들였다.

"현장에서 살피는 거허고 조합에서 살피는 것이 같으우꽈?"

"기여?"

억대가 삼동에게 성큼성큼 다가갔다.

"그러믄 우리 다 벗고 이시난 서기보 양반도 벗고 들어와게."

억대가 삼동의 바지춤을 움켜쥐었다. 그러더니 기겁해 뒷걸음질 치는 삼동의 조끼 주머니에서 회중시계를 낚아채 바당으로 던져버렸다.

"나, 나 시계!"

삼동이 소리쳤다. 일본에서 들여오느라 한참을 기다려 산 시계였다. 값도 값이지만 대를 이어 시계를 만든다는 장인의 것이라 구하기도 쉽지 않았다.

"당장 건져옵서!"

"뭘 건져오란 말고? 전복허고 우미는 벌써 이만큼 건져놨는디?"

억대가 천연덕스럽게 자리로 돌아갔다. 다른 해녀들도 딴청이었다. 삼동이 판구에게 주워오라 했다. 삼동의 말이라면 껌뻑 죽는 판구도 새하얗게 질려선 도리질을 쳤다. 어릴 적 서복을 놀렸다가 서복과 깍지가 물속에서 잡아끄는 바람에 빠져 죽을 뻔한 이후로 물이라면 아주 질색을 했다. 삼동의 시선이 깍지에게 향했지만 깍지는 어이없다는 듯 콧방귀만 뀔 뿐이었다.

"에이 씨!"

삼동이 욕설을 뇌까리며 바지를 걷었다. 양말과 구두를 가지런히 벗어놓고 바위를 조심조심 디뎌가며 물가로 향했다. 바위에 쭈그려 앉아 여기저기 더듬어봤지만 시계는 잡히지 않았다. 고개를 돌려 해녀들을 노려보고 팔을 뻗는데 파도가 크게 쳤다. 삼동이 흠칫하며 그대로 미끄러졌다. 놀라 벌어진 입으로 짠물이 들어찼다.

"사, 살려줍서! 살려줍서!"

판구만 발을 동동 구를 뿐 해녀들은 본 척도 않았다. 겨우 바위로 기어 올라온 삼동이 켁켁거리며 물을 토했다.

"서기보 양반, 게서 뭐 험이우꽈? 혹시 이거 찾는 거라?"

억대가 손에 쥔 회중시계를 흔들어 보였다. 삼동이 허둥지둥 달려와선 시계를 낚아챘다.

"어크거, 다 젖었네. 감기 걸리켜. 이거라도 한 그릇 먹고 가크라?"

석실이 미음 그릇을 내밀었다. 해녀들이 웃음을 참느라 입을 막았다. 삼동이 그릇을 밀어 던지고 불턱을 나왔다. 그제야 터져 나온 웃음소리가 뒤통수를 따갑게 쪼아댔다.

"게메(그러게), 너는 삼춘덜안티 뭐 헌다고 시비를 붙엄시냐게. 삼춘덜이 어디 보통내기덜일고?"

"이 배삼동이는 보통내기라? 경허고, 시비를 붙은 게 아니라 현장 조사 나온 거라니까!"

판구가 옷자락을 비틀어 짜주며 고개를 주억거렸다.

"기여 기여, 현장 조사고 뭐고 다 좋은디 웬만허면 삼춘덜은 건드리지 말라. 너도 이 마을 사름 아니냐. 해녀 삼춘덜허고 척져 봐야 좋을 거 하나 없주."

삼동이 판구의 손길을 쳐내며 콧방귀를 뀌었다.

"물질이나 허는 년덜이 뭐가 대단허다고! 니가 그렇게 물렁허니까 사름덜이 우습게 보는 거 아니가?"

"순사안티 뺨 맞고 마누라 친다드니, 괜히 나안티 화풀이라."

"나 저년덜 가만 안 두켜. 무식해서 아직 상황 파악덜이 덜 된 모양인디, 그러다 큰코덜 다치주. 두고 보라게."

삼동이 어금니를 바득 물었다.

*

"곤니찌와, 마쓰다 상!"

목욕을 하고 늘어지게 낮잠까지 자고 사무실로 들어서던 삼동이 구십 도로 허리를 꺾었다. 마쓰다는 삼동에겐 눈길도 주지 않고 삼동의 어깨너머로 정중히 고개를 숙였다. 시선을 좇아가니 순사복 입은 사내가 서 있었다. 그 옆에선 판구가 그새 또 반갑다고 손을 흔들어댔다. 새로 왔다는 경부보로구만. 허여멀건한 게 생긴 것부터 재수 없네. 무시하고 들어가려는데 마쓰다가 손가락을 까딱였다.

"종로경찰서 경부보 기무 상이시다. 인사드려라."

종로경찰서는 무슨, 월영주재소에 있으믄서. 다 지나간 과거가 뭔 소용이냐게. 현재가 중허주. 속으로 궁시렁거리며 고개만 까딱하자 마쓰다가 제대로 인사하라고 인상을 썼다.

"그냥 두십시오. 조센징인가?"

삼동은 헛웃음을 뱉을 뻔했다. 일본이 대세임을 일찌감치 파악하고 일본말과 문화를 누구보다 열심히 배운 덕에 왜인보다 더 왜인 같다는 소리를 듣는 삼동이었다. 그런 삼동에게도, 조선 사람인 줄 뻔히 알고 저도 조선 사람이면서 일본말로 조센징이냐 묻는 승일의 태도는 민망하고 우스웠다.

"마을에서 함께 자란 동생이우다. 어릴 적부터 니노미야상 밑에서 일해서 내지 말도 엄청 잘허지마씨."

판구가 자랑하듯 대답했지만 승일은 들은 척도 하지 않았다.

"조센징들이 원래 경우가 없고 무식하지요. 특히나 이 섬 조센징들은 정도가 심하더군요. 이래서 정신 개조가 중요합니다. 아무리 내지 말을 하고 내지인처럼 먹고 입으면 뭐 합니까? 속알맹이가 조센징인데. 바로 여기, 여기를 바꿔야 진짜가 되는 것이

지요."

승일이 삼동의 관자놀이를 툭툭 쳤다. 삼동의 얼굴이 날콩 씹은 마냥 일그러지는데 마쓰다는 고개를 주억거리며 기다렸다는 듯 맞장구를 쳤다.

"그렇지요, 그렇지요! 역시 그 아버지에 그 아들이십니다. 아버님의 고명이야 익히 들었지만 아드님께서도 못지않으시군요. 대일본제국이 귀한 인재를 가졌습니다. 귀한 분께 차를 대접할 기회를 주시겠습니까?"

"영광입니다."

마쓰다가 웃으며 방으로 안내했다. 놀고들 있네. 차 한 잔 마시면서 거들먹거리는 꼴들 허고는. 삼동은 나란히 들어가는 두 사람의 뒷모습을 시퉁하게 보았다.

"어떠냐, 우리 경부보님. 엄청 멋지주? 잘생기고 키도 크고. 경성 사람들은 다 저추룩 귀티가 흐르카? 동경 유학도 갔다 왔다는디 역시 배운 티가 난다, 안 그러냐?"

"귀티는 개뿔. 허여죽죽헌 게 비실비실, 피죽도 못 얻어먹은 놈 같구만. 마쓰다 새끼는 선떡을 먹고 체했나, 뭘 저리 히쭉대?"

판구가 흐흐 웃으며 팔짱을 꼈다.

"너 아직도 아까 일로 부에 난 거? 사내자식이 그깟 일로 그러냐? 자자, 우리 아랫놈들은 연초나 태우러 가게."

"누가 아랫놈이라?"

삼동이 홱 뿌리치고는 밖으로 나갔다.

*

마당에선 물질 마친 해녀들이 삼동을 기다리고 있었다. 오돌오돌 떨면서도 삼동을 보는 눈에 웃음기가 맺혔다. 삼동은 인상을 구기며 저울 앞에 앉았다. 저울눈은 보는 둥 마는 둥 대충대충이었다. 해녀들의 눈에 불안한 빛이 떠올랐다.

"이거, 제대로 잰 거라?"

석실이 조심스레 되물었다. 어제보다 반절은 더 해왔는데 이번에도 무게가 비슷하게 나왔다는 것이었다. 다른 해녀들도 무게가 적은 것 같다고 중얼거렸다. 삼동이 무시하고 들어가려하자 웅성거리는 소리가 커졌다.

"그추룩 못 믿으커근 삼춘덜이 읽어봅서! 이것도 직접덜 쓰고!"

삼동이 장부를 내동댕이치고 저울을 발로 찼다. 원체 개삼동이라 호가 났어도 이리 거칠게 날뛰기는 처음이라 해녀들은 적잖이 놀랐다.

"다른 뜻이 있는 게 아니라. 어제와 차이가 지니 묻는 거주."

두실이 점잖게 타일렀다.

그때 삼동의 눈에 승일과 판구가 나오는 것이 보였다. 마쓰다와 다른 직원들이 입구까지 나와 그들을 배웅했다. 마쓰다는 간이라도 빼줄 듯 비굴하게 웃고 있었다. 수족처럼 구는 자신에겐 한 번도 보인 적 없는 표정이었다. 삼동의 배알이 뒤틀렸다.

"다덜 꿇어앉으라."

해녀들은 잘못 들었나 하는 얼굴이었다.

"귓고냥이 막혔냐? 꿇어앉으라고!"

멀뚱히 선 해녀들을 헤치고 삼동이 억대의 뺨을 후려쳤다. 무방비로 서 있던 억대가 나자빠졌다.

"억대 삼춘!"

서복과 석실이 억대에게 달려갔다.

"이거 뭐 허는 짓이우꽈!"

서복이 억대를 일으키며 소리쳤다.

"너덜이야말로 뭐 허는 짓이라? 나가 삼춘 삼춘 해가멍 사람 대접해주니 눈에 뵈는 게 없어?"

"너 지금 말 다했나!"

석실의 말에 삼동이 눈을 뒤집었다.

"지금 뭐렌 핸? 해녀조합 서기보안티 감히 너라고? 나가 아즉 가게 심부름 댕기던 종내긴 줄 아냐!"

삼동이 성큼성큼 다가서자 석실이 움찔했다.

"그만허라."

두실이 막아섰다.

"뭐꽈? 대상군이 해녀덜안티나 대상군이주, 나안티도 그런 줄 알암수꽈?"

씩씩거리는 삼동을 물끄러미 바라보던 두실이 말없이 무릎을 꿇었다.

"어머니!"

"두실 삼춘!"

해녀들의 입에서 울음 같은 탄식이 터져 나왔다. 두실은 꿈쩍하지 않았다. 득의양양해진 삼동이 조소를 머금고 해녀들을 보았다.

해녀들이 쓰러지듯 하나둘 무릎을 꿇었다. 맨 무릎이 모난 자갈에 쓸려 피가 났다. 해녀들이 흐느끼기 시작했다. 서러워서, 분해서 우는 울음이었다. 울음을 참으려 입을 앙다문 서복의 눈에서도 눈물이 뚝뚝 떨어졌다.

갑작스러운 소란에 승일 무리의 시선이 삼동 쪽을 향했다. 삼동이 보란 듯이 고개를 쳐들었다. 봐라, 이놈아. 내가 이런 사람이다. 아무것도 모르는 육지 촌놈이 감히 뉘한테 정신 개조 운운이라. 해녀들에게도, 승일에게도 본때를 보였다는 생각에 삼동의 어깨에 힘이 잔뜩 들어갔다.

하지만 승일이 멀찍이 돌아 조합을 빠져나가자 삼동은 얼굴을 일그러뜨렸다. 무시하는 것이 분명했다. 천한 해녀들과 동류로 취급당한 것만 같아 삼동의 속이 재차 곤두섰다. 판구가 삼동과 해녀들을 번갈아 보며 어쩔 줄 몰라 하다가 승일을 쫓아갔다.

한편 해녀들 중 울지 않는 이는 깍지뿐이었다. 깍지는 삼동보다 해녀들에게 더 화가 났다. 뻔히 삼동의 성질머리를 알면서 굳이 따지고 들어 이런 상황을 만든 것이, 결국엔 이런 우세나 당하고 청승스럽게 울기나 하는 것이 짜증스러웠다. 그래봐야 뭐가 달라지는가? 괴로운 일만 더할 뿐이다. 당장만 보더라도 잠자코 있던 자신까지 피해를 보지 않았는가.

어리석고 무식한 주제에 목청만 큰 여자들. 깍지는 자신도 해녀지만 해녀들이 너무나도 싫었다. 아무데서나 벗고 큰 소리로 웃고 떠드는 여자들이 싫었다. 맨날 삭신이 쑤신다고 끙끙대면서도 물에만 들면 우악스러워지는 여자들이 싫었다. 그들처럼 가족들 먹이느라 고생이란 고생은 다 하면서도 감때스럽다, 드살세다 욕이나 먹으며 살고 싶지 않았다. 함께 있으면 자기도 모르는 새 닮아질 것 같았다. 생김도, 행동도, 사나운 팔자마저도.

마음 같아서는 하루라도 빨리 물질을 그만두고 싶었다. 그들에게서 멀어지고 싶었다. 아비의 노름빚만 없었다면 진작에 관뒀을 것이다. 덜 벌더라도 다른 일을 했을 것이다. 노름빚만 아니었다면, 노름빚만 아니었다면. 빚을 떠올리자 심장이 새카맣게 타들어가는 것 같았다. 눈앞이 까마득하고 맷돌 얹은 듯 가슴이 답답했다. 불안하게 흔들리는 시야에 우는 서복이 잡혔다. 너년은 뭘 잘했다고 울어!

그제껏 서복에게 쌓였던 감정이 치받쳤다. 서복 곁에 있으면 늘 그랬다. 잘못하는 것 없이 잘못하는 것 같고 못난 것 없이 못난 것 같았다. 물질을 똑같이 잘해도 사람들은 서복만 칭찬했다. 두실의 뒤를 이을 대상군감이라 했다. 그 칭찬하는 소리가 꼭 저를 나무라는 소리로 들렸다. 너는 왜 서복처럼 착하고 싹싹하지 못하냐고, 왜 서복처럼 선배 해녀들을 돕지 않냐고, 왜 서복처럼,

왜 서복처럼, 왜 서복처럼!

자신도 그럴 수 있었다. 노름하는 아비가 없고 어미가 살아 있고 잘 따르는 동생도 하나쯤 있었다면 얼마든지. 그저 운이 좋았을 뿐이면서, 저 같은 처지였다면 크게 다를 수 없었을 거면서 책망하는 듯한 서복의 눈빛을 대할 때면 화가 뻗쳐올랐다. 사람들이 잘났다 잘났다 허니 정말 잘난 줄 아는 거주! 그래봐야 헛똑똑이, 물질이나 허는 년 주제에! 절망과 불안을 땔감 삼은 미움은 금세 단불이 되어 타올랐다. 언젠가 네년도 큰코다칠 날이 있을 거라고, 그때 잘난 한서복이 어찌 허는지 보자고. 독기 서린 눈빛이 서복에게 꽂혔다.

*

"즈이, 이거부터 가르쳐줍서."

강습소에 들어선 서복이 저울을 서탁 위에 쾅 내려놓았다.

"훌륭헌 조상님덜 이야기도 좋고 우리나라가 어찌 생겨먹은지도 다 좋은디, 우리는 저울눈 읽는 법부터 배워사허쿠다."

선욱이 어안이 벙벙한 채 고개를 끄덕였다.

그날부터 해녀들은 저울눈 읽는 법, 일본말로 숫자 읽고 쓰는 법을 배우기 시작했다. 여느 때와 달리 조는 이가 하나도 없었다. 졸기 대장 억대마저도 눈꺼풀을 억지로 벌려가며 수업을 들었다. 서복도 눈을 반짝이며 열심이었다.

기타나이, 데테이케, 구소타레!

“아이고, 졸립다게.”

물질 준비를 하는 해녀들이 연방 하품을 해댔다. 그간은 강습소에서 잠이라도 보충했는데 공부하느라 잠을 못 자니 다들 눈 밑이 거뭇했다. 그래도 힘들다 불평하는 이는 없었다.

“두고 보라. 나가 얼른 배워가지고 개삼동이 놈 코를 납작허게 해주켜.”

억대는 틈만 나면 다짐을 놓았다.

해녀들은 불턱에서 쉬는 중에도 손가락에 물을 묻혀가며 숫자를 쓰고 외웠다. 파도 소리를 가림막 삼아 선욱이 가르쳐준 숫자 노래도 불렀다.

“이치(いち)품대상 이완용아, 니(に)굴돌사 못할망정 상(さん)천리내 이씨 왕토 시(し)백만을 도매하여 고(ご)정채미 된단 말가,

로쿠(ろく)조참사 좋은 날경 시찌(しち)조욕을 아느냐, 하찌(はち)도인민 요동한다, 규(きゅう)적규(きゅう)걸 우리 형제 쥬(じゅう)대지목 때였구나, 센(せん)고역적 이완용아, 망(まん)고역적 이완용아."*

흥이 난 억대가 테왁을 장구 삼아 두드리며 엉덩이를 흔들었다. 해녀들도 얼씨구절씨구 어깨춤을 추었다.

마지막 물질이 시작되자 먹돌이 다가왔다. 서복이 평소처럼 성게를 집어 나오는데 먹돌 대신 머구리 왜선이 보였다.

"먹돌아!"

다른 왜선들이 연이어 나타났다. 어디로 갔는지 먹돌은 어느새 보이지 않았다.

"서복아, 나게**!"

해녀들이 손을 흔들었다. 왜선이 너무 많아 작업이 어렵다고 판단한 것이었다. 서복이 해녀들에게 먼저 나가라 손짓했다.

자맥질을 몇 차례 하고서야 먹돌을 발견했다. 먹돌은 왜선들 사이에서 갈팡질팡하고 있었다. 사방에서 들려오는 발동기 소리

* "일품대상 이완용아, 이군불사 못할망정 삼천리 내 이씨 왕토 사백만을 도매하여 오정채미 된단 말가, 육조참사 좋은 날경 칠조욕을 아느냐, 팔도인민 요동한다, 구적구걸 우리 형제 십대지목 때였구나, 천고역적 이완용아, 만고역적 이완용아."

** 물질하다 뭍으로 가는 것을 뜻한다.

에 놀란 모양이었다. 머구리를 내려 보낸 일인 어부가 먹돌을 가리켰다. 다른 어부가 작살을 가지고 왔다.

"먹돌아, 도망쳐라!"

서복이 팔을 휘저으며 소리쳤지만 먹돌은 듣지 못했다. 서복이 휘이익, 숨비소리를 냈다. 먹돌이 서복 쪽으로 몸을 트는 동시에 작살이 날아왔다. 작살이 아슬하게 먹돌의 옆구리를 스쳤다. 다른 왜선의 어부들도 먹돌을 발견하고 뱃전으로 모여들었다. 먹돌 뒤편 어부들이 그물을 펼쳤다. 피할 새도 없이 그물은 먹돌을 덮쳤다. 먹돌이 공포에 질려 몸을 마구 흔들었다. 빠져나가려 하면 할수록 그물은 먹돌을 옭아맸다. 어부들이 괴성을 지르며 작살을 날렸다. 먹돌이 끽끽, 쇠된 소리를 내질렀다.

"먹돌아!"

서복이 입을 앙다물고 왜선 쪽으로 다가갔다.

"어크거, 큰일나부런. 서복이 저 아이 어쩌려고 저러냐게?"

지켜보던 해녀들이 발을 동동 굴렀다.

"이녁넨(너희는) 나라게."

두실이 말했다. 마뜩잖게 보고 있던 깍지는 두말없이 갯가로 헤엄쳤다.

"어머니꺼장 나사민 진짜 일 커집네다."

석실이 말렸다. 두실은 말없이 반대편 왜선 쪽으로 향했다.

"틀려먹었다. 덕순이는 먼저 나라게!"

석실과 억대가 한숨을 쉬며 두실을 따랐다.

서복과 두실이 머구리에 연결된 공기 호스를 빗창으로 끊었다. 먹돌에 정신이 팔렸던 어부들이 허겁지겁 머구리 줄을 끌어당겼다. 그 사이 석실과 억대가 그물을 찢었다.

"먹돌아, 가라!"

찢어진 틈으로 빠져나온 먹돌이 끼이익, 날카롭게 울며 사라졌다. 머구리들이 혼절한 채 올라왔다. 어부들이 욕을 하며 작살을 흔들어댔다. 서복이 그들을 마주 노려보았다. 석실이 서복을 돌려세웠다. 해녀들이 서복을 호위하듯 에워싸고 갯가로 향했다.

*

"다덜 괜차녀꽈?"

유난히 지친 해녀들의 모습에 선욱이 걱정스레 물었다.

"안 허던 공부덜 허느라고 피곤해 그런 겁주."

석실의 둘러대는 말에 선욱이 환하게 웃었다.

"그래서 오늘은 여러분을 위해 특별 교사를 모셨수다."

특별 교사라니 갑자기 뭔 말인가 하는데 넉실이 들어섰다.

"넉실아!"

서복이 벌떡 일어났다. 동기간인 석실도 몰랐는지 눈이 휘둥그랬다. 대판(오사카)에서 도착하자마자 곧장 온 거라 했다.

넉실은 서복, 깍지와 함께 월영마을 삼총사였다. 한 마을 동갑내기들인데다 셋 다 못 말리게 말썽꾸러기였다. 틈만 나면 오름으로 들판으로 뛰어다니며 온갖 장난을 치고 바당에 들어 자맥질을 했다. 헤엄을 잘 못 치는 넉실은 서복과 깍지가 잠수 시합을 벌이면 심판을 맡곤 했다.

셋 다 기세가 왈왈스러워 드센 사내놈들도 함부로 장난을 걸지 못했다. 하나만 거슬려도 셋이 합세해 덤벼들었다. 싸움이 벌어질라치면 넉실이 따귀부터 갈겨 기선 제압을 했다. 상대가 어리벙벙한 사이 서복이 몸을 던지고 깍지가 널브러진 상대를 향해 사납게 내붙였다. 이쯤하면 웬만한 사내애들도 울음을 터뜨리기 일쑤였다. 아예 건드리지 않는 게 수라 셋이 나타나면 사내애들은 슬금슬금 자리를 뜨곤 했다.

좀 더 자라서는 엇비슷한 시기에 가슴이 부풀고 초경을 했다. 땅땅 뭉친 종아리를 주무르며 마을 사내애들 중 누가 나은지, 나중에 어떤 사내와 혼인하고 싶은지 같은 이야기를 나누었다. 제 몸에 일어나는 변화에 대해 은밀히 속닥거리기도 했다. 그 즈음부터 서복은 깍지와는 어쩐지 서먹해졌지만 넉실과는 더욱 친해졌다. 동기간처럼 붙어 다니며 서로에 대해서라면 모르는 것 없이 자잘한 비밀까지 나누었다. 그렇게 한 몸처럼 자란 넉실이 대판으로 일하러 가고서는 한 번도 보지 못한 터였다.

"편안덜 허우꽈?"

넉실이 장난스럽게 치맛자락을 들어 올리며 인사를 했다.

"왜말을 가르쳐달라셔서 오긴 왔는디 민망허우다. 왜말이라민 여기 계신 정 선생님께서 훨씬 잘헐 건디. 그래도 뭐라 헐까, 학교에서 배우는 교양 있는 말허고 실지로 쓰는 말허고는 호끔 틀리니까예. 그런 거라민 몇 가지 알려드릴 수 있을 것 닮수다게."

'きたない, 出て行け, くそたれ!'

녁실이 칠판에 일본 글자를 적고는 유창하게 읽어 내렸다.

"기타나이, 데테이케, 구소타레!"

해녀들이 오오, 하며 탄성을 내질렀다.

"나가 대판 가서 처음 배운 말이우다. 뜻은, '더러워, 꺼져, 빌어먹을 놈아!'"

탄성이 뚝 끊겼다.

"대판 가기 전에 왜말 공부헌답시고 나 이름은 어쩌고 열심히 공부해갔는디 그런 말은 노시 쓸 데가 읏어마씨. 나가 누군지 물어보는 사름이 아무도 읏어수다. 거기서 난 그냥 조센삐니까예."

순식간에 침울해진 분위기를 의식한 녁실이 밝게 웃었다.

"어차피 복잡헌 말은 배워도 모르잖수과? 골만 아프고. 요런 말덜 알아두민 저놈이 날 욕허는구나 알아먹고 여차허민 되받아칠 수도 있어마씨."

"허기사. 나도 그놈덜안티 허고 싶은 말은 괴다 욕밖에 없더라만."

억대의 너스레에 해녀들이 낮게 웃었다. 분위기가 조금 가벼워졌다.

"자, 그럼 따라해보게마씨. 기타나이, 데테이케, 구소타레!"

해녀들이 몸을 흔들며 낭랑하게 따라 읊었다.

"기타나이, 데테이케, 구소타레!"

"한 번 더! 기타나이, 데테이케, 구소타레!"

해녀들이 목소리를 더욱 높였다.

"기타나이, 데테이케, 구소타레!"

*

"소라가 여섯 근에 우미 다섯 근 삼십 돈쭝, 다음."

서복이 삼동을 보며 손을 들었다.

"옆으로 비켜사줍서."

"무사, 새삼스럽게 저울 구경이라도 헐라고?"

"예. 저울 구경허고 싶으니까 호끔만 비켜봅서."

이죽거리던 삼동의 얼굴에서 웃음기가 가셨다. 서복은 태연했다. 삼동이 짜증을 누르려는 듯 한숨을 푹 내쉬고는 고개를 끄덕였다. 무릎을 꿇린 후로 해녀들의 분위기가 심상치 않고 스스로도 조금 과했다고 찔려하던 터라 져주기로 한 것이었다. 삼동이 한 발짝 옮기고 됐냐는 눈빛을 보냈다. 서복이 다부진 표정으로 다가섰다. 삼동이 이게 왜 이러나 하는 얼굴로 저울추를 들었다.

"소라가 네 근, 미역이 세 근허고 스무 돈쭝, 전복 한 근짜리 하나, 다음."

저울추 옮기는 손이 재빨랐다. 서복이 미간을 찌푸리며 눈에 힘을 주었다. 다른 해녀들도 함께 집중했다.

"소라가 다섯 근에 우미가 네 근허고 육십 돈쭝, 전복이,"

"잠깐, 멈춰봅서!"

삼동이 멈칫했다.

"우미 다섯 근 아니라? 지금 올린 거 다섯 근짜리 같은디."

"이게 어찌 다섯 근이라? 네 근짜리주."

"줘봅서."

"주믄 너가 아냐게?"

"알든 모르든 일단 줘보게마씨."

삼동이 저울추를 내리고 전복을 올렸다.

"보여달란 말 못 들었수과?"

"쓸데없이 실랑이헐 시간 읏다게. 나 바쁜 사름이여."

"우리 서기보 님께서야 아무리 바빠도 우리 해녀덜이 젤로 중헌 사름 아니라?"

억대가 빈정거렸다. 삼동이 인상을 쓰고 노려보자 억대도 맞보았다.

"오늘 단체로 뭐 잘못 먹었수과? 곱게 대해주난 또 성질덜이 뻔치는 거꽈?"

"아까 올린 추 보여줍서양."

서복이 삼동에게 다가가 손을 내밀었다.

"한서복이, 곱게 말헐 때 들어가라."

"추 보여달라고요. 안 보여주믄 나가 찾으쿠다."

서복이 저울추를 뒤적였다. 삼동이 벌떡 일어나 저울추를 발로 찼다. 서복이 나뒹구는 저울추를 주워와서는 저울에 올렸다 내렸다 반복했다.

"이게 미쳐시냐!"

삼동이 서복의 손목을 붙들고 이를 드러냈다.

"그 손 놔라."

두실이 나와 삼동의 손을 떼어냈다.

"대상군이랍시고 나서지 말렌 했수다!"

삼동이 두실을 잡아먹을 듯 노려보았다.

"추 보여주믄 빨리 끝날 일이여."

두실이 담담히 대꾸했다.

"그러게 말여. 누군 한가해서 이러고 있는 줄 아나? 안 그렇수과, 삼춘덜?"

석실이 거들었다.

"왜, 저울추에다 금칠이라도 했수과? 우리가 보믄 닳기라도 허냔 말이오, 서기보 양반?"

억대도 가세했다.

"고(ご)우다. 넷이 아니고 다섯!"

그 사이 추를 찾아낸 서복이 소리쳤다. 석실이 추를 받아들고 다른 해녀들에게 보였다.

"맞다, 고다, 고! 고정채미헐 때 고!"

"서복이 말이 맞아마씨!"

이제까지 다섯 근을 네 근으로 잰 거냐, 다른 망사리들도 전부 다시 재봐야 하는 거 아니냐, 하는 말들이 튀어나왔다.
"숫자도 몰르믄서 뭐라 씨부리는 거라!"
삼동이 악을 썼다. 서복이 잠자코 직원의 장부를 집어와 일부터 십까지 일본어로 썼다. 깍지를 제외한 해녀들이 입을 모아 숫자를 읽었다. 못 볼 것을 보기라도 한 양 삼동의 입이 벌어졌다.
"이제 보니 서기보 양반이 까막눈이구만. 지금껏 숫자도 못 읽으믄서 서기보를 허였저게. 조합에서도 알암신가?"
"알믄 서기보를 시켜시크냐? 이제라도 알려줘야 허쿠다."
"다, 다덜 입 닥치라!"
삼동이 당혹스러움을 감추지 못한 채 해녀들을 노려보았다.
"인제부터는 우리가 허쿠다."
서복이 분한 투로 말을 이었다.
"매번 경허지 아녀수꽈? 우리더러 직접 허라고. 앞으로는 저울도 우리가 읽고 장부도 우리가 쓰쿠다."
"그거 좋은 생각이우다. 공사다망허신 서기보께서 저울꺼장 직접 읽을 거 뭐 있수과? 이런 잡일은 우리 해녀덜안티 맡기고 서기보께서는 중헌 일 헙서예."
석실이 맞장구를 치자 해녀들이 옳소 옳소, 하며 손뼉을 쳤다. 삼동의 얼굴이 벌겋게 달아올랐다.
"그간 보아온 정을 생각해서 조합에다가는 말허지 아녀쿠다. 누구추룩 의리도 몰르는 불다당캐(불한당)는 아니난예."
게메, 누구허곤 달르지, 해녀들이 다시 맞장구를 치는데 판구와 순사들이 들이닥쳤다. 소리치고 손뼉 치던 해녀들이 일순 잠잠해졌다.

"머구리 호스 자른 일로 선주덜이 고발을 했수다양."

판구가 한껏 무게를 잡았다.

"무신거라? 그놈덜이 먼저 우리 바당에 들어왔는디 잡아가려민 그놈덜을 잡아가야주, 무사 우리덜을 잡아간대?"

"게메마씸! 놈의 바당 넘어오믄 옆 마을 이웃끼리도 사생결단을 허고 두릉싸움*을 허는디 그깟 호스랑 그물 자른 게 대수라?"

"판구 너 말해보라. 너네 어멍도 살아 있었으민 우리랑 한 패로 싸웠을 건디, 경허민 너네 어멍도 잡아갈 것가?"

석실과 억대가 번갈아 따지고 들자 판구의 기세가 눈에 띄게 쪼그라들었다.

"거기서 죽은 어멍 얘기가 무사 나왐수꽈?"

"너 생각에도 우리가 잘못했단 말가? 말을 해보라!"

"그물이야 그렇다 쳐도…… 머구리 줄을 끊으민 됩네까?"

삼동이 이때다 싶어 말을 보탰다.

"사름 숨 쉬는 줄을 끊으민 살인죄 아니라?"

판구가 화색이 되어 고개를 끄덕거렸다.

"암만 암만, 사름 숨구멍 틀어막은 거나 똑고타마씨."

"살인죄? 그놈덜이 죽기라도 했단 말가? 더위 먹은 강생이(강

* 여럿이서 하는 싸움.

아지)마냥 숨 헐떡대며 깨나는 걸 이 두 눈으로 똑똑히 봤는디. 경허고 머구리 놈덜이 물건 몬딱 쓸어가는 거는, 그거는 살인죄 아니라? 그놈덜 왔다가민 우린 쫄쫄 굶어 뒤질 판인디."

억대가 소리쳤다.

"머구리덜이 죽진 않았지만서도 살인미수도 죄가 되어마씨. 어쨌거나 고발이 들어와시난 조사를 해야쿠다. 저허고 같이 주재소로 갑주. 어느 삼춘이 호스를 끊었수과?"

주재소라는 말에 해녀들이 얼어붙었다. 아무리 순사복을 입었어도 판구는 한데서 나고 자란 이웃이고 조카였지만 주재소는 달랐다. 붙들려 가면 성한 꼴로는 못 나오는 곳이 주재소였다. 세상에 다시 없는 지옥이고 불구덩이였다. 다들 눈을 둥그렇게 뜨고 눈치만 보는데 서복이 입을 뗐다.

"나가,"

"나여."

그때 두실이 말을 가로채며 앞으로 나섰다. 석실이 재빨리 서복의 손을 잡아 제 옆으로 붙여 당겼다.

"삼춘이…… 경해수꽈?"

두실이 나서리라 예상은 했으면서도 판구는 난감한 얼굴이었다. 두실이 무섭기도 무서웠지만 일가 고모뻘인 두실을 잡아갔다가 궨당(혈족, 친족)들에게 시달릴 일을 생각하니 벌써부터 머리가 지끈거렸다.

"줄 끊은 사름이 하나가 아니엔 햇게."

"몇이엔 해냐? 둘이엔 해냐, 셋이엔 해냐?"

"그것은 아직 조사 중이우다."

판구가 뒷머리를 긁었다. 호스를 끊은 인원에 대해서는 어부들의 진술이 엇갈렸다. 둘이라는 이도 있고 다섯이라는 이도 있었다.

"정확히 몇인지도 모르고 고발을 했단 말가? 주재소에서 그런 엉터리 고발도 받아주느냐?"

억대가 얼른 끼어들었다.

"일전에 나더러는 정확히 어느 왜선인지 몰르믄 고발이 안 된다더니, 그새 법이 바뀐 거라?"

석실도 거들고 나서자 주재소를 성토하는 해녀들의 목소리가 다시 높아졌다.

"나라도 잡아갈 테냐, 이러고 빈손으로 갈 테냐?"

울상이 된 판구에게 두실이 나지막이 속삭였다.

"정말로 삼춘이 했수과? 끊어먹은 머구리 줄이 두 갠디 혼자서 잘랐다고요?"

두실은 빤히 보기만 했다. 동료 순사들이 험궂은 얼굴로 육모방망이를 꺼내들었다. 당장이라도 해녀들을 내려칠 듯했다. 판구가 머리를 벅벅 긁으며 마지못해 고개를 끄덕였다. 순사들이 두실을 묶었다. 묶이는 두실을 보고 재차 나서려는 서복을 석실이 붙들었다. 돌아보자 석실은 가만히 고개만 저었다.

"이걸로 끝나는 게 아니우다. 조사허고 다시 올 거난 공범이 있다믄 주재소로 옵서. 자백을 허민 정상참작을 허쿠다."

판구가 제법 으름장을 놓고 걸음을 뗐다. 의연하게 순사들을 따라가는 두실을 보며 해녀들이 발을 동동 굴렀다. 삼동은 그저 신이 났다. 드센 해녀들이 꼼짝도 못 하는 꼴을 보니 묵은 체증이 싹 가시는 기분이었다. 게다가 오늘 일도 구렁이 담 넘어가듯 넘어가게 되었으니 제사 덕에 이밥 얻어먹은 격이 아닌가. 실실거리던 삼동이 판구를 쫓아 나갔다.

"판구 성님, 잠깐만요!"

판구가 뜨악한 얼굴로 돌아보았다. 삼동은 나이로는 한 살 아래여도 생시는 고작 석 달 차이라며 판구야 판구야, 하다가 저 아쉬울 때만 꼭 성님이라 불렀다.

"그 새로 왔다는 에리뜨(엘리트)랑 술 한잔허게마씨."

뜬금없는 말에 판구가 눈만 끔벅였다. 아비 때문에 출세한 무능력자라는 둥, 겉만 번지르르한 놈들 때문에 내선합일이 더딘 거라는 둥 승일을 두고 갖은 험담을 늘어놓던 삼동이 승일을 보자 하니 의아할 수밖에.

"경부보님 면상도 재수 없고 말투도 재수 없어서 두 번은 보기 싫다더니."

삼동이 변죽 좋게 웃었다.

"그 인간이, 아니 경부보님이 호끔 재수 없긴 허주. 그래도 경성에서 이디꺼장 오셨는디 손님 대접은 해줘야주. 그게 또 섬 인심 아니라? 나가 거허게 한잔 살 테니께 자리 한번 만들어보라게."

판구가 어리떨떨한 얼굴로 고개를 끄덕였다.

두실이 끌려가는 걸 보고 있을 수밖에 없던 해녀들은 황망함에 어찌할 바를 몰랐다. 어떻게든 막아야 하는 것 아닌가 싶었지만 무엇도 하지 못했다. 두실이 나설 때 생각한 바가 있을 터라 함부로 나설 수 없었고 괜히 나섰다가 자신까지 끌려갈까 봐 두려워 나서지 못했다. 둘 중 후자의 마음이 더 크고 강했기 때문에 해녀들은 하릴없이 황괴했다. 누구도 입을 떼지 못했고 눈도 맞추지 못했다. 격랑에 말려 바당 밑 골짜기에 처박혀버린 듯 암담한 침묵이 해녀들을 짓눌렀다. 삼동은 꼴 좋다는 조소를 날리며 사무실로 들어가버렸고 해녀들은 삼동에게 더 따지지도 못하고 망연하게 서 있었다.

몽둥이마냥 정수리에 꽂히는 햇볕을 고스란히 받아내던 해녀들이 하나둘 말없이 자리를 떴다. 치 떨리는 수모를 겪고서도 밥을 짓고 물을 길어야 했다. 해녀들은 지금껏 그렇게 살아왔고 달리 사는 방법을 알지 못했다. 마지막까지 남은 석실이 서복의 어깨를 도닥여주고 가고서도 서복은 발을 떼지 못했다. 집이 아니라 다른 데로 가야 할 성싶은데 그게 어디인지 감감했기에. 알더라도 그리 간다 단언할 수 없어서, 하여 숫제 모르고 싶은지 이미 알면서도 모른 척하고 있는지 도무지 알 수 없었기에. 서복은 해가 기울도록 한참을 더 서 있었다.

가마득한 심정으로 집에 돌아온 서복은 물허벅을 졌다. 서복 역시 달리 사는 법을 알지 못했고 매일 지던 물허벅은 유난히 무거웠다. 터덜터덜 물허벅을 지고 가는데 깨지고 부서지는 소리가 요란하게 울렸다. 고래고래 내지르는 목소리는 응현이었다.

"덕순 삼춘!"

서복이 뛰어드는데도 응현은 아랑곳하지 않았다.

"지집이 부끄러운 줄도 몰르고 큰소리를 내? 천것들과 어울려 다니더니 천것이 다 되었구나!"

조합에서의 일을 전해들은 모양이었다.

"무사 영햄수꽈(왜 이러십니까)? 덕순 삼춘은 한 마디도 안 했수다!"

아까의 수치스러움이 터져 나와 서복의 목소리가 컸다.

"이 천한 년이 감히 뉘 앞에서 눈을 똑바로 뜨고! 보라, 너가 물질을 다니니 이년덜꺼정 나를 우습게 보는 거 아니가? 내일부터 당장 그만두라! 이딴 것도 던져불라게!"

응현이 테왁을 집어 들자 덕순이 매달리듯 응현의 바짓가랑이를 붙들었다.

"그거 부수민 우리 세 식구 어찌 먹고 삽네까? 아무리 분기가 나셔도 생계를 박살내민 되쿠과?"

"이제 하늘 같은 지아비한테 훈계질이라? 이년, 너도 쫓겨나고 싶으냐?"

응현이 덕순을 향해 테왁을 내던졌다. 서복이 몸을 던져 덕순을 감쌌다. 부딪히며 나동그라진 테왁이 쪼개졌다. 서복이 지고 온 물도 죄다 쏟아졌다.

"이게 무신 난리우꽈?"

넉실이 달려왔다. 덕순이 배를 잡고 신음했다. 응현이 경멸스럽다는 듯 여자들을 노려보고는 방으로 들어가버렸다. 서복과 넉실이 덕순을 부축해 일으켰다.

*

세화댁이 익숙한 듯 안자리에 덕순을 눕히고 상처를 살폈다.

"지 핏줄 상헐까 봐 애 들고서부턴 잠잠허더니 오늘은 무신 일이라."

덕순은 아이가 괜찮은지부터 물었다. 세화댁이 다행히 탈은 안 난 듯하지만 아이가 놀라긴 했을 거라 했다. 덕순이 아이 달래듯 배를 도닥였다.

"아기는 삼신할망이 보살펴주는 거난 너무 걱정 말라게."

덕순을 생각해 화를 참던 세화댁도 응현이 테왁을 부숴버렸다는 말에 분통을 터뜨렸다. 칠성판 지고* 사는 해녀들에게 테왁은 이승으로 돌아오는 목숨줄이었다. 몸이 약해 물질을 일찍 그만두었지만 세화댁도 해녀고 월영의 여자였다. 뿐더러 테왁을

* '죽음을 무릅쓰고 사지에 들어가다'라는 뜻.

깨는 것은 같이 안 살겠다는 뜻이었다. 지 핏줄 배에 품은 여자의 테왁을 깨는 게 인간 종내기냐며 세화댁이 가느다란 목소리를 높였다. 덕순은 마냥 죄스러운 얼굴이었다. 괜히 엉뚱한 사람 붙들고 허물한다 싶었던지 세화댁이 한숨을 내쉬고 두실의 일을 물었다.

"너네 어멍은 또 어떵 경헌 거렌? 소싯적에야 성미가 불 같았어도 한실 삼춘 그리 가고서는 없는 듯 사시더니 무사 갑자기……."

세화댁이 말을 끊었다. 두실의 언니 한실은 두실 일가에게, 아니 월영마을 사람들에게 일종의 금기어였다.

어려서부터 애기상군으로 이름을 날리며 어머니에 이어 대상군이 된 한실은 어질고 영특해 마을의 자랑거리였다. 이웃 마을 젊은 해녀들은 한실 같은 자식 낳기를 비손하고 늙은 해녀들은 며느리로 들이려고 비손했다. 혼담 넣은 사내 중 제일 똑똑하고 성실한 이를 골라 혼인을 했는데 반년도 되지 않아 죽어버렸다. 재가하라는 권유가 이어졌지만 한실은 듣지 않았다. 남편에 대한 정절 따위가 아니라 살고 죽음이 참으로 허무하다는 생각 때문이었다.

청상으로 조용히 살아가던 어느 날 죽은 남편이 꿈에 나타나 귀한 인연이 오실 거라 했다. 범상치 않은 꿈이다 싶어 물질을 쉬고 집에 있는데 탁발승이 찾아왔다. 풍족치 않은 형편이지만 한실은 정성껏 밥을 차리고 남은 곡식은 모두 시주했다. 밥을 깨끗

이 비운 승려는 간밤에 관음보살께서 나타나 이곳으로 가라셨다며 보답으로 자그마한 관음보살상을 건넸다. 그날로 불가에 귀의한 한실은 얼마 후 속세의 삶을 정리하고 출가했다.

승려가 된 한실은 선방에 들어앉아 면벽하지 않았다. 마을 사람들을 부처라 여기고 손 적시고 발에 흙 묻혀가며 수도했다. 사람들은 그런 한실을 더욱 믿고 의지했다.

경술국치 이듬해, 한실은 법정사라는 작은 절을 세우고 절을 함께 세운 도반들과 항일운동을 결의했다. 살아 있고서야 부처도 있고 불법도 있을진대 나라 없는 백성은 너무도 쉽게 죽어나갔다. 부처 삼은 이들의 삶을 구하는 것. 그것이 한실에게 부처의 길이었다. 칠백의 승려와 신도 들이 분연히 일어났다. 적지 않은 수였으나 어제까지도 밭 갈고 고기 잡던 범인(凡人)들이 태반이었다. 봉기군은 금세 괴멸되었고 끝까지 저항하던 한실은 총을 맞고 죽었다. 한실을 잃은 고통과 그를 지키지 못했다는 죄책감이 남은 이들을 괴롭혔다. 아프고 죄스러워 사람들은 한실의 이름을 차마 입에 올리지 못했다.

"넉실이 너 어디 가는 길 아니라난?"

서복이 말을 돌렸다.

"너 보러 오는 길이라."

"나를? 무신 일로?"

"동무 보러 오는디 무신 일이 이시크냐? 그냥 얼굴 보러 오는 거주."

말은 그리 하는데 따로 용무가 있는 낯빛이었다. 서복이 바람이나 쐬자며 집을 나섰다.

이자 타타카완 이자

해가 지고 있었다. 봉선화를 짓깨어놓은 듯 주홍빛 햇살이 내려앉은 바당은 보석처럼 반짝였다.

"여전히 예쁘다게."

넉실이 탄식하듯 중얼거렸다.

"너는 언니 보구정도 않더냐? 어째 그리 소식이 읏어난."

서복이 능청을 떨자 넉실이 콧등을 찡긋하며 눈을 흘겼다.

"치이, 언니는 무슨. 여즉 콩방울만 헌 게."

"영 큰 콩방울 봤이냐?"

"대판 가민 너만 헌 콩방울 널어졌저게."

실없는 소리를 주고받던 서복이 어깨를 늘어뜨렸다.

"미안허다. 나가 괜히 나사가지고."

두실이 잡혀간 것도, 덕순이 매를 맞은 것도 따지고 보면 다 자신 때문이었다.

"뭔 소리냐? 그러민 먹돌이가 작살에 맞아도 가만있어야 허나? 개삼동이 놈이 저울눈을 속이는디 눈만 끄먹거리고 있어?"

"그래도 나만 촘아시믄(참았으면) 조용히 넘어갔을 건디……."

"너 때문 아니라. 그 몽그라먹은 놈덜 때문이주. 나 그놈덜 만나민 볼탁서니(볼따구니)덜 확 후려불켜."

넉실이 야무지게 빰 때리는 시늉을 했다. 유난히 맵던 넉실의 손을 떠올리고는 서복이 웃었다.

"알잖여, 우리 어멍. 너 아니라 누구라도 그리 나서시카. 그러니 대상군이시지 아녀나게. 다행히 머구리덜이 별 탈 없이 깨어났덴 허난 어멍도 금세 나오실 거라."

"그래도 안에서 고초가 이만저만이 아니건디게."

"판구네 아지방이 말 넣어본덴 햄쩌. 안에 판구도 있고. 걱정 안 해도 되어."

"판구야 꼴랭이 순사인디, 뭔 힘이나 이시크냐?"

"우리 궨당이 얼마나 무서운지 몰라? 우리 어멍 다치기라도 허민 지놈은 뼈를 못 추릴 텐디? 지가 대신 맞는 한이 있어도 우리 어멍은 절대 못 건드리게 허키여."

촌마을에서 힘깨나 쓴다는 구장도, 그 무섭다는 궨당도 일본 순사들 앞에선 아무것도 아니라는 것쯤은 서복도 알았다. 넉실 역시 모르지 않을 것이었다. 그럼에도 자신을 다독이려는 마음이 고마워 서복은 고개를 끄덕였다.

"저거, 넉실이 아니라?"

물허벅을 지고 가던 깍지가 둘을 발견하고 멈춰 섰다. 오랜만이니 인사라도 할까 하다 그만두었다. 서복과 멀어지면서 넉실과도 어색해졌다. 저건 맨날 서복이만 좇아다니니까. 대판에서 오자마자 쪼르르 달려갔구만. 나신디 연락도 안 허고. 빈정이 상한 깍지가 앵돌아서려다 멈칫했다. 둘이 무슨 얘길 저리 하나 궁금해진 것이었다.

"나가 너를 탓허젠 온 게 아니라……."

넉실이 치마 속에 묶어온 보따리를 내밀었다.

"이거 좀 맡아주라게."

서복이 보따리를 받아들었다.

"상허는 것은 아니난 남의 손만 안 타게, 아무 데나 처박아두민 될 거라."

주인이 찾으러 올 때까지만 맡아달라고 했다. 두실을 잡아간 후 순사들이 들이닥쳐 집을 뒤집어놓는 통에 여차하면 뺏길 뻔했다는 것이었다. 주먹만한 보따리는 제법 묵직했다. 서복이 두말없이 품에 넣자 넉실이 피식 웃었다.

"무사?"

서복이 물었다.

"안 들어보나(물어보니)?"

"무신거(뭐)를?"

"이게 뭐냐고."

"너가 말허구정허믄 말허겠지."

"별거 아니라. 알아봐야 좋을 거도 없고. ……그래도 들어보민 말허주."

서복이 잠시 생각하다 대꾸했다.

"됐저."

넉실이 고개를 절레절레 흔들었다.

"너는 참 봐도 봐도 몰를 거여. 대찬 건지 멍청헌 건지."

"이왕이믄 좋은 거로 해주라게."

두 사람이 동시에 쿡 웃었다.

"대판서 지내는 건 괜차녀냐?"

"그냥저냥."

"허기사, 고향서도 이리들 버치는디 타향에서는 오죽허크냐? 그래도 대판 공장서는 월급도 하영 주고 대접도 잘해준다던디. 달복이도 틈만 나민 너추룩 대판 가구정허덴 노래를 불른다게."

넉실이 헛웃음을 웃고는 공장에서 겪은 일들을 담담히 들려주었다. 기숙사에 갔더니 이불이라고 한 채 나눠주는 게 시커멓게 때가 끼고 빈대와 이가 득실거렸단다. 바꿔달라 했더니 단칼에 거절당했다고.

"약이라도 뿌려달렌 허난 뭐라는 줄 알아? 빈대안티 나 물지 말렌 부탁허렌게. 여기도 오만 신이 다 있다만 빈대할망꺼장 있는지는 미처 몰랐주."

작은 실수라도 하면 주먹이 날아오고 식사는 늘 보리밥에 단무지뿐. 가뭄에 콩 나듯 생선이 나올 때도 있는데 제주에서는 비료로나 쓸 썩은 물고기라고 했다. 그나마도 꼬리나 머리 한 토막.

“그걸 사름 먹으라고 준단 말가?”

“우리는 사름이 아니난게.”

서복의 표정이 굳어졌다. 타국에서, 특히나 일본에서 지내기가 쉽지 않을 거라 짐작은 했지만 이 정도일 줄은 몰랐다. 다들 대판 가면 돈 많이 번다 하고 일본이 세계에서 제일가는 나라라고 하니 여기보담은 낫겠지 했었다.

“어차피 인제는 가젠 해도 못 가지.”

“뭔 소리야?”

“나가 파업이라는 걸 했어.”

열악한 환경을 참다못해 시정을 요구했는데 공장 측이 들은 척도 안 해서 점거 농성을 하게 됐다고 했다. 농성이 길어지자 공장주는 경찰 투입을 요청했다. 일인 노동자도 함부로 대하는 경찰들이 조선인을 곱게 둘 리 없었다. 경찰들이 들어오기 전날 밤 넉실은 조선인 동료들과 기계에 걸린 실을 죄다 끊어버리고 도망쳐왔다.

“어쩌자고 그런 엄청난 짓을,”

서복이 입을 다물었다. 머구리 호스를 끊어먹은 제가 할 말이 아니었다.

“속은 시원허키여만.”

“시원허기도 허고 서글프기도 허고.”

녁실이 씁쓸하게 웃었다.

"우리가 대단헌 걸 요구했다민 또 몰라. 그저 점심, 저녁에는 밥을 먹게 해줘라, 이불은 여름허고 겨울 한 채씩 해주고 한 달에 한 번만이라도 빨아줘라, 뭐 이런 거였단 말이라. 이깟 거를 파업꺼장 해가멍 얘기해야 헌다는 게 참 구질허덴 말이주."

녁실이 바닥에 눈을 둔 채 말을 이었다.

"삼춘덜 사정도 별반 다르잖다는 걸 알지만은 나가 너나 깍지만큼만 물질을 했어도 진즉에 돌아왔저. 똑같이 개고생을 허믄 고향이 낫주. 암암, 백번 낫구말고. 근디 서복이 너도 알다시피 나가 똥군 중의 똥군이잖냐."

그래서 웬만하면 참으려고 했다. 그런데 해도 너무했다. 상황은 점점 더 나빠졌고 공장 측은 뭐가 문제인지조차 몰랐다.

"애초에 알려는 마음이 없는 거라. 우리를 빈대, 벼룩 보듯 허니까."

그래서 일을 놓았다. 노동자들을 그저 일만 하는 빈대, 벼룩으로 아는 이들에게 그들이 빈대, 벼룩이 아니라는 걸, 말도 하고 생각이라는 것도 할 줄 아는 인간이라는 걸 알려주려면 그 방법밖에 없었다.

"파업이렌 허난 말은 거창헌디, 공장에 앉아서 구호 몇 번씩 외치는 게 전부였지. 두루멍청허주. 그래가지고 뭣이 된다고, 몬딱 총부텀 쏴갈기고 갈아엎어부렸어야 허는 것을……. 사장 놈은 경찰안티 우리가 공장을 때려 부순다 어쩐다 헌 모양인디 멀쩡한 공장을 왜 때려 부수냐게? 공장을 부수믄 당장 일자리가 날라가는디. 거지도 제 동냥그릇은 안 깨뜨리는 법이잖여."

"……."

"공장 윗대가리덜이고 경찰덜이고 끝꺼장 우리를 빈대, 벼룩으로만 본 거주. 빈대, 벼룩같이 구니 그런 대접밖에 더 받으크냐?"

"첨부터…… 안 될 걸 알았구나게."

"빈대, 벼룩이 튀어봐야 누가 겁이나 먹나게? 때려죽이믄 그만인디."

"그걸 알멍도 무사 일을 벌였시니?"

"계속 이렇게 싸우다 보민 달라진다 허드라고."

"누게가?"

"막쓰 렌닌인가 허는, 엄청나게 유식헌 사름이 있는디, 그 사름이 우리같이 힘없는 사름덜이 다 같이 들고 일어나민 세상이 뒤집힐 거라 했다는 거라."

힘없는 사름덜이 들고 일어나민……. 서복의 뇌리에 그러다 스러진 몇몇 이름들이 스쳤다. 그중에는 한실도 있었기에 서복의 얼굴은 조금 어두워졌다.

"있잖냐, 쩌기, 영길리인가 허는 데선 우리 같은 사람덜이 나라를 다스린댄다. 왕도 허고 정승 노릇도 헌덴. 진짜렌."

넉실이 목소리를 낮추어 속삭였다. 농인 줄 알았는데 표정이 진지했다. 자신과 넉실 같은 사람들이 왕이 되고 정승이 된다니.

아무리 넉실의 말이라도 좀처럼 믿기지 않았다.

"거기서는 우리추룩 못 살고 못 배운 사름덜을 제일로 친덴 허여. 죽어라 일 안 해도 잘만 먹고살고 개돼지 취급도 안 받는덴. 그게 옳은 세상이주. 조선도 경 돼야 허지 않겠냐?"

진작에 없어진 나라의 이름을 넉실은 그리운 친구 부르듯 불렀다.

"그럼 거기서는…… 누가 우리 같은 사름덜이라?"

"……?"

"우리 같은 사름덜이 위에 이시믄 아래도 누가 있을 거 아니가?"

"위도 아래도 없는 거주. 누구나 똑같이 잘산덴 이 말이라."

"누구나 똑같이…… 요만큼 차이도 없이?"

"그렇다는 거라!"

"그게 가능헌가?"

혼잣말처럼 중얼거린 말에 넉실이 힘주어 대답했다.

"가능허게 만들어사주."

"누게가?"

"너허고 나 같은 사름덜이."

넉실이 이자 타타카완 이자*, 이자 타타카완 이자, 콧노래를 흥얼거리며 한쪽 눈을 감고 총 쏘는 시늉을 했다. 그게 가능하냐고,

* '자, 싸우자, 이제'라는 뜻의 일본어. 〈인터내셔널가〉의 한 구절이다.

가능한 일이면 왜 지금껏 되지 않았냐고 묻고 싶었지만 왠지 넉실을 곤란하게 할 것 같았다. 서복은 대신 다른 것을 물었다.

"대판에 안 가믄 어쩔 생각이라?"

"쏘련으로 가보카 햄서."

쏘련이라니. 대판보다 더 낯선 지명이었다.

"맨날 이불을 빨아주니 마니, 반찬을 하나 주니 두 개 주니 허멍 싸우는 게 능청웃어서. 우리는 무사 이래야 허는지, 평생 이러고 살 수밖에 없는지 알고 싶덴 말이주."

쏘련이란 델 가면 알 수 있는 걸까. 그 전에, 그런 걸 꼭 알아야 하나.

가져본 적 없는 의문이었다. 서복의 세상을 이루는 물음들이란 어떻게 하면 잠수를 더 깊이 오래 할 수 있는지, 전복을 잘 따려면 어떻게 해야 하는지, 성게를 손질할 때 어떻게 하면 손이 덜 아린지 같은 것들이었다. 이외의 것은 생각하지 않았고 이외의 것이 존재한다는 것조차 모르고 살았다. 이미 가진 물음들만으로 충분히 버거웠다. 그런 서복에게 넉실의 말은 이국의 언어처럼 생경하고 난해했다.

서복은 넉실을 잘 알았다. 수줍거나 긴장하면 콧등을 찡긋한다든지 잘 때 두 팔을 번쩍 들고 잔다든지 하는 자잘한 습관과 버릇 들, 좋아하고 싫어하는 음식, 하다못해 등허리 흉터가 언제 생겼고 엉덩이 점이 어디에 박혔는지까지 알았다. 그런데 지금 앞에 앉은 넉실은 모르는 사람 같았다. 자신은 월영마을 꼬맹이 그대로인데 넉실 혼자 훌쩍 커버린 것도 같았다. 서복의 어깨가 움츠러들었다.

"어멍 걱정허키여게. 인제 들어가봐야주. 간만에 요왕할마님께 인사나 드리고 가게."

넉실이 일어섰다. 할망당 뒤에 몸을 숨기고 이야기를 엿듣던 깍지가 황급히 자리를 떴다. 그런 줄 모르는 넉실은 그저 추억에 잠긴 얼굴이었다.

"깍지랑 셋이서 만날 여기 와서 기도했잖여. 너허고 깍지허고 서로 물질 잘허게 해달라고 빌다가 싸운 거, 기억나냐?"

굳었던 서복의 얼굴이 풀어졌다.

어릴 적 물에서 놀다 지치면 할망당에 와 기도를 드리곤 했다. 밥 실컷 먹게 해줍서, 오늘은 물 거리레 안 가게 해줍서, 이번 설에는 고운 설빔 하나 내려줍서 같은 엇비슷한 소원들을 빌고는 기도가 이뤄지라 서로 축원하였다. 그러면 정말 할망이 바람을 들어주실 것 같아 기분이 좋아졌었다. 하지만 오늘 드리는 기도는 너무도 다를 것 같았다. 그리고 앞으로도 내내. 순간 한기가 끼치듯 서복의 마음이 시큰했다. 소중하게 품고 있던 뭔가를 잃은 기분이었다. 이미 오래 전에 잃었는데 저만 모르고 있었던 것 같기도 했다.

"나가 너 편 들었덴 깍지가 한 보름을 말도 안 붙이고 쌩하게 굴었잖니. 난 그냥 싸우지 말렌 한마디 했는디, 단단히 삐쳐가지고서는."

"그랬나?"

"그걸 까먹었어? 그때 깍지 달래느라고 나가 혹할망안티 가서 시리빵꺼장 사오고 생고생을 했는디, 다 까먹었단 말이라?"

"어제 일도 깜박깜박허는디 그때가 언제라고."

들썽거리는 마음을 감추느라 서복의 목소리가 심두룽했다.

"메께라, 우리 한서복이 평생 배굶을 일은 읏이켜. 죄다 까묵어버리난."

"기여, 안 먹어도 배불르다."

넉실이 피식 웃으며 할망당 앞에 섰다. 그리고는 두 손을 모으고 눈을 감았다. 서복이 곁눈으로 넉실을 보았다. 넉실이 무엇을 저리 비는지 알 수 없었다. 바로 옆에 선 넉실이 저만치 멀어 보였다. 이렇게 멀어지다가 결국에는 완전히 사라져버리기라도 할까 서복이 저도 모르게 넉실의 치맛자락을 쥐었다. 넉실이 곁눈질로 찡긋 웃고는 다시 눈을 감았다. 서복은 넉실을 보며 기도했다. 할마님, 이 아이가 무슨 기도를 하는지 이제 나는 모르쿠다. 앞으로도 영영 모를 거우다. 그게 뭐래도 이뤄줍서예. 허튼 짓헐 아이는 아니우다게. 넉실의 마음속을 모르더라도, 모르는 채로 서복은 진심으로 빌었다.

어느새 사위가 어둑했다. 한창 달이 밝을 보름이건만 달은 먹장구름에 가려 보이지 않았다. 소리 없이 깊어진 어둠이 둘의 등허리에 짙푸르게 얹혔다.

*

그 시각 삼동은 승일을 상석에 앉혀두고 갖은 아양을 떨어대고 있었다. 취기를 핑계 삼아 신나게 떠들고 있었지만 속내는 과히 편치 못했다. 옛 주인이던 니노미야에게 부탁해 월영에서 제일가는 요릿집까지 예약했건만 승일은 무덤덤했다. 취하는 기색도 없이 꼿꼿하게 앉아선 뭘 물어도 한두 마디, 박가분 바른 듯 허연 낯짝으로 고개나 끄덕거리고 있었다. 입술 끝을 묘하게 올리고 웃는 꼴이 언뜻 숫되어 보이기까지 하나 삼동의 눈에는 그 마음속이 뻔드름히 보였다. 혐오하고 있었다. 자신도, 요릿집도, 이 섬도. 겉으로는 웃으면서 속으로는 같은 인간으로도 보지 않는 것. 그런 종류의 멸시를 평생 겪어온 삼동에게는 너무도 익숙한 눈빛과 표정이었다. 나 같은 놈허고는 한패로 어울리고 싶지 않다는 거지. 오냐, 네놈이 언제까지 이 배삼동이를 무시할 수 있나 보자. 삼동이 웃으며 이를 악물었다.

"이제부터는 진짜 술로 대접허쿠다."

삼동이 손짓하자 기모노 입은 종업원이 투박한 호리병을 받쳐들고 왔다. 고소리술이었다. 고소리술은 제주의 토박이술로 청주를 끓여 만든 술이다. 차조로 빚어 만드는 탁주인 오메기술을 만들 때 맑은 윗국만 떠내 무쇠솥에 넣고 끓인다. 증기를 소주 내리는 고소리에 모으면 고소리 주둥이로 술이 한 방울씩 떨어진다. 방울방울 모은 술을 물허벅에 담아 일 년쯤 익히면 고소하고 은은한 맛과 향을 낸다. 그런데도 독하기는 제법 독하여 안동 소주, 개성 문배주와 더불어 조선의 삼대 독주로 꼽힌다.

삼동이 호들갑을 떨며 승일과 제 잔에 술을 가득 따랐다. 판구도 잔을 내밀었지만 못 본 척 술병을 내려놓았다. 판구는 계면쩍게 웃으며 제 손으로 잔을 채웠다.

"경부보님의 건승과 대일본제국을 위하여, 건빠이(건배)!"

술을 한 모금 삼킨 승일이 미간을 찡그렸다. 이놈아, 인제 진짜 술맛을 봤냐? 삼동이 속으로 킬킬거렸다. 미끄덩한 낯짝이 움찔거리는 것이 고소해 술이 다 달았다.

"제주가 육지에 비허민 쬐그만 섬이래도 결코 우습게 보민 안 되어마씨. 이 고소리술처럼 독한 게 제주고 제주 사름이우다."

삼동이 안주로 나온 말고기 육회를 우적우적 씹으며 말을 이었다.

"이 섬이 원래 나라에서도 손 못 대는 불다당캐덜 떠내려 보내던 곳 아니우꽈. 대대로 그런 놈덜만 모아놨으니 어릿두릿헌* 놈덜 천지가 되어불언마씨. 일천팔백구십팔 년 방갑이부터 시작해서 이재수, 강우백이, 이런 놈덜이 그냥 나온 게 아니라. 다 내림받은 천성이 거친 탓이주마씨."

삼동이 승일 쪽으로 다가앉았다.

"그중에서도 제일 드센 게 바로 해녀덜이우다. 이번에 직접 겪

* 서툴고 어리석어 어찌할 줄 모르는 모양.

으셨잖수과? 머구리 호스를 끊는 것은 사름 목숨을 끊어버리는 거나 매한가진디 보통 지집이라민 엄두나 나쿠과? 그런 짓을 눈도 깜짝 안 허고 해치우는 것이 해녀덜입주. 이름만 해녀주, 왈짜패나 다름엇우다게. 왈짜패로 치자민 잡혀간 고두실이가 오야봉(우두머리) 격입주. 고두실이가 혼자 했다고 잡아뗀데 허는디 말도 안 되는 소리라. 아랫것들 보호헐라고 덮어쓰려는 겁주. 일단 그 패거리덜을 몬딱 잡아들여가지고 철저히 조사를 해야 허여마씨."

승일이 술잔을 내려놓으며 심상한 투로 물었다.

"배 군이 고두실의 진술 내용을 어떻게 아나? 수사 내용은 기밀 사항인데."

삼동과 판구의 안색이 동시에 변했다. 삼동이 재빨리 둘러댔다.

"이 마을에서 고두실이 성정을 몰르는 사름이 엇는디 그 정도야 빤헙주."

삼동과 판구가 잔뜩 긴장해 눈치를 보았지만 승일은 딱히 책잡지 않고 넘어갔다.

"머구리선과 해녀들 사이 다툼은 흔한 일로 알고 있네만. 그때마다 전부 잡아들이면 섬사람들이 남아나겠나?"

승일이 섬 상황에 대해서는 깜깜무식일 줄 알았던 삼동은 다시금 놀랐다.

"경해도 월영 해녀덜은 특히나 무작스러워서 허천 보민(허투루 보면) 안 되어마씨. 그 고두실이라는 해녀가 보통 여자가 아니란 말이우다."

"사내들까지 해녀들을 무서워하니 더 날뛰는 게지."

"경헌 게 아니라……."

"자네들은 더 놀다 오지."

승일이 일어섰다. 사람 말하는데 이게 무슨 경우라, 싸가지 없는 새끼. 하여간 육지 놈덜은 상종헐 것덜이 못 된다니까. 궁시렁거리며 삼동이 재킷을 걸쳤다. 죽치고 앉았던 판구가 삼동의 눈총을 받고 미적미적 일어섰다.

"월영서는 해녀덜 단속만 잘허민 되어마씨. 고년덜만 단도리 잘허민 골 아픈 일은 엇일 거우다. 여기 계시는 동안은 그것만 명심협서. 나머지야 이 배삼동이가 죄 봐드릴 거난예."

삼동이 손을 비비며 흐흐 웃었다. 승일이 예의 알 수 없는 미소를 지어 보이고 돌아섰다.

*

물에 든 서복이 다른 해녀들과 멀찍이 떨어졌다. 대충 물질하는 시늉만 하다가 해녀들이 물질에 여념이 없는 사이 달섬 쪽으로 자맥질했다. 파도가 없는 날인데도 조류가 휘돌아치는 통에 방향 잡는 데만도 애를 먹었다. 요왕할마님 출타 준비하시나. 보름이면 요왕할망은 용궁의 문무백관을 이끌고 달구경을 나온다 했다. 평소에도 달섬은 출입 금지지만 이즈음에는 특히나 조심

했다. 문무백관 먹을 양식이라고 근처에선 물건도 따지 않고, 부득이하게 주변을 지나야 하면 할망 노하지 말라고 큼직한 전복이나 소라를 떨어뜨렸다. 보름에는 아예 달섬 쪽은 쳐다도 보지 말라. 두실이 입버릇처럼 하던 이야기였다.

예예, 알암수다. 근디 이번엔 어쩔 수 엇우다게.

넉실의 보따리 때문이었다. 순사들이 마을 드나드는 횟수가 눈에 띄게 늘었다. 아무 집에나 들어가 고팡을 뒤지고 세간을 들쑤신다 했다. 서복네 살림살이야 뒤지고 말고 할 것도 없지만 보따리가 걸렸다. 두고 다니자니 순사들이 걱정이고, 가지고 다니자니 잃어버릴까 걱정이었다. 고민 끝에 서복은 달섬 바위굴을 떠올렸다.

달섬 아래에는 바위굴이 하나 있는데 밖에서는 안이 잘 안 보이고 안으로는 파도가 잔잔해서 뭔가 감춰두기 맞춤했다. 겁 없고 철없던 시절에는 깍지와 전복 껍데기나 유리구슬 같은 것들을 모아두곤 했었다. 어린 것들이 수시로 들락거렸어도 동티 한 번 안 났으니까. 서복이 불안한 마음을 애써 다독였다. 요왕할마님, 마지막으로 딱 한 번만 봐줍서양. 서복이 미리 따놓은 전복을 떨어뜨리고 수면 아래로 내려갔다.

호위신장처럼 날카롭게 솟은 기암들을 지나쳐 내려가자 우묵한 바위굴이 나왔다. 세상의 색이란 색은 다 모아놓은 듯 형형색색 연산호들이 화려한 휘장처럼 입구에 매달려 있었다. 고운 산호는 바당에 빠져 죽은 해녀들의 넋이라던데. 설움이 깊을수록 알록달록한 색을 낸다고 했다. 뭍에는 없는 색을 발하며 피어 있는 산호들이 안쓰러우면서도 둥골이 선득했다.

산호 사이사이 경비병처럼 자리 잡은 범돔떼와 전갱이떼가 침입자를 반갑잖게 주시했다. 입구를 짚고 몸을 밀어 넣으려는데 손에 잡힌 바위가 미끄덩 내려앉았다. 거대한 문어였다. 빨판이 다닥다닥 붙은 다리가 서복의 키 절반치는 될 듯했다. 요왕할망 이신가. 할망이 아니더라도 큰 문어는 물구신이라 해하면 안 되지만 얼굴에라도 들러붙으면 수가 없었다. 다른 데라면 물 위로 올라가 해녀들에게 떼어달라 하지만 여기선 그럴 수도 없었다. 여차하면 호멩이로 내리찍을 준비를 하고 서복이 중얼거렸다. 제발 물러나줍서. 할마님 계신 데서 살생 안 허게 도와줍서. 서복의 청을 들었는지 문어가 굼틀거리며 물러섰다.

잽싸게 바위굴 안으로 들어가자 여기가 바닷속인가 싶게 평온했다. 아늑하고 따뜻했다. 어릴 적 드나들던 때와 달리 내부가 환했다. 햇눈처럼 희디흰 산호들이 화초처럼 피어 있고 새끼 자리돔과 주걱치떼가 유유히 오갔다. 여기가 할마님 품이구나게. 잔뜩 긴장했던 사지가 노글노글 풀어졌다. 붉은 자리돔 하나가 서복의 코끝을 톡톡 건드렸다. 서복이 간지러워 콧등을 찡그렸다. 손을 뻗으니 자리돔이 손톱 끝을 톡톡 건드렸다. 손가락을 까딱하자 자리돔이 제자리에서 빙글빙글 돌았다. 서복도 자리돔을 따라 빙글빙글 돌았다. 아무데도 안 가고 여기서만 살아시민 좋키여. 어멍, 아방허고 달복이꺼장 불러서. 느른하게 몸을 펴는데 갑자기 두실의 호통이 귓전을 때렸다. 물에 홀리민 안 되어! 서복이 눈을 번쩍 떴다. 산호와 자리돔은 간곳없고 눈앞은 그저 암흑이었다. 머리털이 삐쭉 서고 온몸 거죽이 오그라드는 것 같았다. 서복이 조급한 손길로 앞을 더듬어 기둥을 찾았다. 보따리를 꺼내 단단히 묶을 때쯤엔 숨통이 졸아드는 듯했다. 이를 악물고 동굴을 박차고 나간 서복은 있는 힘껏 몸을 솟구쳐 비명 같은 숨비소리를 내질렀다.

"서복이가 웬일이냐? 망사리를 반도 못 채우고. 모처럼 개삼동이 놈도 안 보이고 머구리선도 안 와서 물질헐 맛 났는디. 두실 삼춘 걱정되어 그런 거?"

물질 마치고 나온 억대가 별일이라는 듯 물었다.

"어멍이야 곧 풀려날 건디 뭔 걱정이라? 먹돌이가 안 와 경헌 거 닮다."

석실이 심상한 투로 받았다.

"달거리 허젠 허는지 몸이 무겁수다."

둘러대는 서복을 깍지가 묘한 눈빛으로 보았다.

삼동 옆에 서복이, 말라깽이 직원 옆엔 석실이 섰다. 저울추와 장부를 확인하느라 둘 다 고개를 있는 대로 뺐다. 삼동은 대놓고 싫은 기색을 하면서도 하지 말라고는 못 했다. 해녀들은 이번에야말로 제대로 돈을 받겠다는 생각에 잔뜩 흥분해 있었다.

"이게 뭐라?"

억대가 받아든 돈을 다시 셌다. 금액이 예전과 별반 차이가 없었다. 다른 해녀들도 마찬가지였다.

"돈이 무사 이거밖에 안 되엄수꽈?"

서복이 삼동에게 물었다.

"시세가 떨어졌다게. 근당 십팔 전이라."

"근당 이십 전이 아니고? 며칠 상간에 시세가 이만치 떨어져서마씨?"

삼동이 무성의하게 고개를 끄덕거렸다. 빤한 수작이었다. 무게를 속일 수 없자 값을 내려버린 것이었다. 안 그래도 시가의 절반밖에 주지 않으면서 그걸 다시 끌어내리다니, 해녀들은 기가 막혔다. 삼동은 그래봐야 니들이 어쩔 거냐는 얼굴로 돈을 내밀었다.

"돈 안 받을 거라?"

서복이 빙글거리는 삼동을 노려보며 돈을 받았다. 해녀들이 입을 꾹 다물고 돌아섰다. 조합을 나서는 발길에 분기가 실려 있었다.

누가 오자 하지 않았는데도 해녀들은 자연히 불턱으로 향했다. 모여 앉자마자 참았던 분노가 터져 나왔다.

"죽어라 물건을 해와도 버는 돈은 갈치 꼴랭이만 허니, 어찌 살아지쿠과?"

"살라는 게 아니고 죽으라는 거주."

"나 한 목숨이믄 당장이라도 죽어불키여. 자식 놈덜 때문에 못 죽주. 자식새끼는 뭐 헌다고 줄줄이 싸질러놔서는, 아이고 나 팔자야."

"죽긴 무사 죽어마씨? 누구 좋으라고. 그놈덜이 우리 같은 년덜 죽는다고 눈이나 하나 끔쩍허쿠과?"

"제놈덜이 물질을 해봤어, 물건 손질을 해봤어? 물질 한번 허고 나오민 입안이 다 부르트고 성게 손질허젠 허민 손끝이 다 모지라지는디. 지놈덜이 이 고생을 안덴 말이라!"

"물질 한번 안 해봤는디 알 턱이 있나. 사무실에 앉아서 그저 어떵허믄 우리 해녀덜 벗겨먹으까 그 고민만 허는 거주. 우리가 나서니 당장 가격 낮추는 거 봅서. 헐 수만 있다믄 우리 속곳꺼장 벗겨갈 놈덜이라."

"속곳만 벗겨가카마씨? 배 갈라 배설꺼장 털어갈 놈덜입주. 왜놈덜 그런 쪽으로 머리 돌리는 거는 비상허여마씨."

"하이고, 왜놈덜 오기 전에는 꽃세월이었나? 개삼동이 놈은 왜놈이라 그 지랄을 허여? 건지(건더기) 먹는 놈이나 국물 먹는 놈이나 매 일반이라."

"그래도 이추룩 쫄리지는 않았주."

그때 넉실이 불턱에 들어섰다. 올 때가 넘었는데 오지 않는 석실을 찾으러 나온 것이었다. 서복이 손가락을 입술에 세워 붙이고 앉으라 시늉했다. 심상찮은 분위기를 읽은 넉실이 서복 곁으로 가 앉았다.

"일단은 왜놈덜을 제주에서, 아니 이 조선에서 몬딱 몰아내야 켜. 그러믄 개삼동이 같은 놈덜이야 제풀에 떨어지주."

"그놈덜을 어떵 몰아내크라? 임금님도 꼼짝을 못 헌다는디."

"왜놈덜이 똥고망 하나는 질기디 질긴 놈덜이라. 팔도에서 들고 일어나서 만세를 불러도 안 되고 독립투사덜이 그렇게 쏴 죽여도 안 된다 허니. 참말로 큰일 아니라?"

평소보다 거센 불평이 궂은물 터지듯 쏟아져 나왔다.

"허믄 당장에 헐 수 있는 거를 허민 어떵허쿠과?"

가만히 듣고 있던 넉실이 입을 떼자 해녀들의 시선이 쏠렸다.

"우리가 헐 수 있는 거를 허켄 허는 말이우다."

"헐 수 있는 거라……. 글 배우고 저울 읽는 거도 배웠는디 또 뭐를 허카? 개삼동이 놈을 바당에라도 던져버리카? 그건 자신있는디."

억대의 말에 해녀들이 너도 나도 같이 하자며 장단을 맞췄다.

"삼춘덜 이야기를 듣자 허니 일단은 지정판매제가 제일 문제인 것 닮은디, 맞수과?"

"게게. 그게 아주 우리덜을 털어먹는거라."

"허믄 그것부터 없애믄 어떵허크라?"

"하이고, 그러기만 허믄사 세상 좋주! 그리만 된다면야 개삼동이 놈을 업고 다닐 거라."

"업고만 다녀? 머리꼭지 위에 얹고 다니렌 해도 경 허주."

생각만 해도 좋은지 해녀들의 입이 이만큼씩 벌어졌다.

"그러믄 경 말해봅주."

해녀들이 웃고 떠들던 자세 그대로 말을 멈췄다.

"뭣이렌 말허여?"

석실이 물었다.

"지정판매제를 없애달라고요."

"누게신디?"

"조합에서 허는 것이니 조합더레 말헙주. 달리 말헐 데가 있수과?"

"달리 말헐 데가 있으나 마나 조합에다 말헌다고 그놈덜이 들어주크냐게?"

"말이라도 해보는 겁주."

억대가 치맛자락에 코를 팽 풀었다.

"택도 없주! 그걸로 배불리는 놈덜이 몇인디. 곱게 얘기해서 들어줄 종내기덜이 아니라."

"게믄 쎄게 얘기허게마씨."

"넉실아, 지금 말장난허는 자리 아니라."

석실이 주의를 주었다.

"장난허자는 게 아니고 진지허게 허는 얘기우다."

석실의 얼굴에 걱정이 어리는 것을 못 본 체하며 넉실이 추자도 이야기를 꺼냈다. 거기도 어업조합이 문제라 어민들이 조합에 쳐들어갔다고 했다. 공동판매를 금지하고 조합장을 교체하라고 요구했다는 이야기에 해녀들의 눈이 반짝거렸다.

"근디 그 사름덜 몬딱 잡혀가지 아녀수꽈?"

우물거리며 뱉은 덕순의 물음에 그 눈빛들은 단번에 꺼져들었다. 무거운 침묵이 불턱을 메웠다.

"말이라도 해보게마씨."

서복이 혼잣말하듯 중얼거렸다. 해녀들의 시선이 이번에는 서복에게 모였다. 서복이 넉실을 힐긋 보며 말을 이었다.

"아, 말은 해볼 수 있지 아녀크넨 말이우다. 우리가 말 못허는 빈대, 벼룩도 아닌디."

넉실이 서복을 보며 씨익 웃었다.

"글쎄, 그놈덜이 몰라 정헌덴(저러냔) 말이라. 말헌다고 들어줄 놈덜이라믄 진작에 들어줬주."

춘화네가 퉁박을 놓았다.

"모를 수도 있주게. 쥐 형편 알아주는 고양이는 없는 법이난예."

넉실이 거들었다.

"똑 쳐들어가야만 우리 뜻을 전헐 수 있는 건 아니난예. 일단 뭐가 문제고 뭐를 고쳤으믄 허는지 우리의 뜻을 전달해보는 겁주. 그래도 안 되믄 별 수 없는 거주만은, 해보지도 아녀고 포기헐 거 뭐 있수과?"

넉실이 이어 하는 말에 해녀들이 웅성거렸다. 찬성하는 이들도 있고 안 된다는 이들도 있었다. 넉실과 서복의 말이 틀린 건 아니지만 소용없을 거라는 의견도 있었다. 갑론을박을 벌이던 해녀들이 비슷한 생각을 하며 입을 다물었다.

"이럴 때 대상군이라믄 뭐렌 해시코예?"

"어멍이라믄……"

석실이 중얼거렸다.

"바른 길이믄 가렌 했을 겁주."

넉실이 뒷말을 이었다. 해녀들이 다시 고민에 빠졌다.

"만약에 얘기를 헌다믄 어떵 허믄 되크라? 그냥 무턱대고 찾아가서 얘기헌다고 될 일은 아닐 거 닮은디."

서복의 물음에 넉실이 대답했다.

"요구서를 써보믄 어떵허쿠강? 이러이러헌 점이 부당허고 힘드니까 시정해달라고. 정식으로 모양새를 갖춰서 이야기를 허민 조합에서도 마냥 무시헐 수는 없을 거우다."

이번에는 침묵이 오래도록 이어졌다. 파도 소리 위로 해녀들의 한숨 소리만 이따금씩 얹혔다.

"넉실이 말마따나 밀져봐야 본전 아니우꽈? 한번 해보게마씨. 요구서를 쓰믄 전달허는 것은 나가 허쿠다."

서복이 눈치를 살피며 입을 뗐다. 억대가 무릎을 쳤다.

"기여, 맨날 법이니 절차니 들먹이는 놈덜이니 지덜 좋아허는 대로 한번 해줘보주."

억대까지 나서자 다른 해녀들도 하나둘 동조하는 분위기로 기울었다.

"종이 쪼가리 하나 전달헌다고 큰일 나는 건 아니난예."

"그렇주. 추자도추룩 쳐들어가는 거도 아니난게."

"자자, 그러믄 이제부터 요구서라는 걸 만들어보쿠다."

넉실이 돌바닥을 탕탕 내리치고 다 같이 손뼉까지 쳤는데 다시금 어색한 침묵이 찾아들었다. 서복이 새카만 눈썹을 머쓱하게 올리며 말했다.

"일단 얘기만 허고, 쓰는 것은 정 선생님안티 부탁허쿠다."

영허영은 못 살주

"이게 뭐라고?"

책상에 발을 올리고 신문을 읽던 삼동이 서복을 넘겨보았다.

"우리 해녀덜 요구서라고요. 몇 번 말햄수꽈?"

"이걸 너덜이 썼다고?"

"우리덜 요구서인디 누게가 써시쿠과? 우리가 쓴 겁주."

삼동이 요구서를 팔랑팔랑 흔들며 코웃음을 쳤다.

"기역 니은 자도 모르는 것덜이 이걸 썼다고?"

"글자야 정 선생님이 썼어도 전부 우리가 헌 이야기덜이니 우리가 쓴 거 맞수다."

"이것덜이 다덜 미친 거라! 감히 여기가 어디라고 이딴 걸 들고 와!"

삼동이 벌떡 일어나 요구서를 갈기갈기 찢었다.

"이거 누가 시킨 거라? 정선욱이 그 새끼지? 바른 대로 말허여!"

"몇 번을 말햄수꽈? 우리가 써수다게!"

"무식헌 년덜이 쓰긴 뭘 써? 불령선인 놈이 사주헌 거주! 정선욱이 이 새끼, 한동안 잠잠헌다 했더니 인제는 잠녀덜 상대로 선동질을 허여? 당장 잡아 족쳐버려야지!"

사무실로 들어오던 마쓰다가 눈살을 찌푸렸다. 삼동이 얼른 허리를 굽히며 별일 아니라고 말했다. 서복이 품에서 요구서를 한 장 더 꺼냈다.

"나는 분명히 전달해수다."

서복이 삼동을 노려보고는 홱 돌아나갔다. 삼동이 혀를 차며 요구서를 구겨 쓰레기통에 버렸다.

"무식헌 년덜이 어디서 못된 것만 배워가지고. 하여간에 그놈의 야학부터 쓸어버려야 헌다니까."

잠시 후 삼동이 신문을 내려놓았다. 무슨 생각에선지 던져버린 요구서를 주워들고 찬찬히 읽어내렸다.

서복이 조합 마당을 나오자마자 주저앉았다.

"서복아, 괜차녀냐?"

기다리고 있던 석실과 억대, 넉실이 달려왔다. 세 사람도 같이 들어가겠다는 걸 괜히 싸움이라도 붙을까 혼자 가겠다고 우긴 서복이었다. 나름 마음을 단단히 먹었는데도 두 다리에 힘이 쭉 빠졌다.

"개삼동이 놈, 지랄허더냐?"

"뻔허주 뭐. 개삼동이 성질머리가 어디 갈 거라?"

두 사람이 서복을 다독였다.

"일단 우리가 헐 일은 했으니까 지들려봅주(기다려보죠)."

넉실의 말에 서복이 입술을 앙다물고 일어섰다.

*

"조합 일이야 어찌 하든 조합 권한 아닌가?"

말투는 부드럽지만 귀찮게 하지 말라는 소리였다.

"물론 원칙적으로는 그렇주. 근디 일전에도 말씀드렸다시피 해녀조합은 다른 조합덜허고는 달라마씨. 해녀덜이 한 해에 벌어들이는 돈이 삼십만 원이 넘엄수다. 삼십만 원이민 쌀이 이만 가마라. 월영을, 아니 이 섬을 먹여 살리는 게 바로 우리 해녀조합이라 말이우다."

어마어마한 금액에도 승일은 무반응이었다. 삼동이 서복에게 받은 요구서를 승일 쪽으로 밀었다.

"이게 정선욱이라는 야학 선생이 쓴 건디, 이놈이 어려서부터 불령선인으로 유명헌 놈이우다. 몇 해 전에는 소년선봉대를 만들어가지고 어린애들을 숙데기더니 인제는 해녀덜을 들쑤시고 있는 거라. 사회주의인지 뭔지 공부헌답시고 어울리는 놈덜이 있는디 보나마나 그놈덜이 한패거리가 되어 벌이는 일입주. 요새 사회주의자입네 허는 인간덜 보민 몬딱 불령선인들 아니우꽈? 그놈덜꺼정 다 잡아들여부러야주, 경 아녀믄 종내는 화근거리가 될 거우다."

"배 군은 사회주의가 뭔지 아나?"

난데없는 질문이 날아들었다.

"그게 뭐, 한마디로 말허기는 쉽지 않으디……."

"요즘은 밥은 이밥이요, 산은 금강산, 주의는 사회주의라 한다네. 여기 사람들이야 모르겠지만 경성에서는 개나 소나 주의자라고 떠들고 다닌 지 오래지. 사회주의자라고 잡아들이면 이 나라 청년들 태반은 감옥에 처넣어야 할 걸세."

"경부보님도 사회주의 허는 분이우꽈?"

승일이 삼동을 빤히 보았다.

"아니, 제가 뭐 경부보님허고 사상적인 토론을 허자는 것은 아니고예."

삼동이 개가 꼬리 말아 넣듯 시선을 피하며 화제를 돌렸다.

"그 잡혀온 고두실이 말이우다. 지난번에 미처 말씀을 못 드렸는디 그 언니 되는 사름이 유명헌 반일 인사였수다."

반일 인사라는 말에 승일의 눈빛이 변했다. 삼동이 틈을 놓치지 않고 한실이 청상과부가 된 후 스님이 된 이야기, 승려와 신도들을 모아 반란을 일으킨 이야기를 줄줄이 읊어댔다.

"그때 나선 사름덜이 칠백은 족히 될까, 마을에서 안 나선 사름덜이 없주게. 잡혀간 사름만 예순이 넘어시난. 부처 믿는다는 거도 순 거짓부렁이라. 아니믄 그리 살생을 허쿠과? 이놈덜이 얼마나 악랄헌가 허민 주재소를 습격해서 순사들을 포박하고 불을 놓아불언마씨."

계급 높은 순사들은 더 험한 꼴을 당했다며 삼동은 있는 일, 없는 일을 나오는 대로 주절거렸다. 어쨌건 요지는 이참에 해녀들을 단도리해야 한다는 것이었다.

"한낱 계집들 두고 너무 호들갑 떠는 것 아닌가?"

승일의 말에 삼동이 발끈했다.

"고한실이도 계집이었수다게. 해녀덜은 요왕님 배 속을 들락거리는 년덜이라 겁대가리가 읏어마씨. 지난번 일만 해도 그렇수다. 사름 명줄 끊는 것도 예사로 아는 년덜인디 뭔 짓을 못 허쿠과? 게난, 전날 말씀드린 대로 그때 몬딱 잡아들여시민 그년덜이 감히 이런 걸 써시쿠과? 이제라도 잡아다 족쳐야주, 경 아녀믄 큰일 내울 것덜이우다."

젠장할 놈의 상판대기. 듣는지 마는지, 좋은지 싫은지 당최 알 수가 없다. 삼동이 인내심을 발휘하며 마지막 미끼를 던졌다.

"고한실이가 출가허던 해 고두실이가 사라졌덴 말이우다. 그러다 고한실이 죽고 삼 년 뒤에 갑자기 고두실이가 돌아왔는디 고두실이가 어디서 뭐를 했는지 아는 사름이 하나토 읏어마씨. 어지간히 을러댔는지 어린 딸년덜꺼정 입을 싹 다물고. 그때 고두실이가 만당 사름이렌 허는 얘기가 암암리에 돌았주마씨."

만당이라면 승려들의 항일 결사대였다. 비밀 조직이라 정확한 구성원과 행적은 알려져 있지 않지만 몸을 숨기고 축지하는 비술을 익혀 일인들을 쥐도 새도 모르게 암살한다고들 했다. 승일의 미끈한 표정에 웃음기가 엷게 감돌았다. 이놈이 왜 웃어? 그 미소가 너무 해맑아서 어쩐지 섬찟해지는데 승일이 이만 가보라고 손을 내저었다. 본론은 이제부턴디. 삼동이 머뭇거리자 승일의 눈살이 미세하게 잡혀들었다. 삼동이 입맛을 다시며 물러났다. 삼동의 뒷모습이 완전히 사라지자 승일이 낮은 목소리로 말했다.

"고두실 자료 가지고 오지."

한실과 두실 자매 이야기에 전전긍긍하고 있던 판구가 불에 덴 듯 튀어 올랐다. 경부보가 해녀 일에는 무관심하니 적당히 조사하는 척하고 두실을 내보내자 하려던 참이었다. 삼동이 나타나서 뜬금없이 옛날이야기를 주워섬길 줄은 꿈에도 몰랐다. 판구가 머뭇거리며 조서를 내밀었다.

"테러리스트 조사는 어찌 되고 있나?"

승일이 조서를 훑어보며 물었다.

"아직은 이렇다 헐 만한 게……."

"고 군은 테러리스트가 여기 왜 왔다고 생각하나?"

"그것이…… 테러리스트난 테러허레 온 거 아니쿠과?"

승일이 눈을 들어 판구를 보았다. 인상이라도 쓸 줄 알았는데 예의 알 듯 모를 듯한 미소를 띠고 있었다.

"정신 나간 놈이 아니고서야 이런 촌구석에서 무슨 테러를 하겠나? 여긴 바다하고 똥 싸제끼는 망아지 새끼들밖에 없는데."

다른 것도 많은디, 생각하며 판구가 예예, 대답했다.

"이 마을 누군가를 만나러 온 거다."

"예예, 예? 누구를 만나러 와시카마씨?"

승일의 눈은 여전히 웃고 있었다. 판구가 제 실수를 알아차리고 황급히 덧붙였다.

"아, 그걸 제가 알아봐야 허는 겁주. 조용히, 티 나지 않게. 지금 당장 나가보쿠다."

달려 나가는 판구를 보는 승일의 시선이 서서히 서늘해지더니 아래로 향했다.

"고두실, 일천팔백팔십삼 년생. 올해로 쉰. 반일 인사의 동생이자 만당의 일원이라. 재미있는 사람을 이제야 알았구만."

조서를 내려놓는 승일의 얼굴에 들뜬 기색이 배어났다.

"한번 봅시다. 다 늙은 계집도 쓸 만한 미끼가 될지."

*

그날 밤 두실이 풀려났다. 소식을 들은 해녀들이 두실의 집으로 모였다. 판구와 그 아비가 사방팔방 손을 쓴 덕에 심한 고문은 당하지 않았지만 제대로 못 먹고 못 자서 얼굴이 말이 아니었다. 서복은 죄송하다 말도 못 하고 고개만 푹 숙이고 있었다.

"무사덜 경 앉아시니게. 다덜 송장 되어 나오는 주재소에서 두

발로 걸어나왔으민 천행이주."

보다 못한 두실이 한 소리 했다.

"기여. 누게 보민 우리 어멍 장례 치르는 줄 알쿠다. 이만허민 재기(빨리) 나온 편이라, 삼춘덜."

넉실의 말에 억대가 부러 밝은 목소리를 내었다.

"그건 그렇주. 안에서도 덜 고생허였다니 다행이고. 꼴랭이 순사래도 판구 덕 좀 봐시쿠다?"

석실이 쿡 웃었다.

"안 그래도 어멍 데려다주멍 어찌나 으스대던지, 지가 아주 주재소장이고 제주도사라. 그래도 없는 거보담은 낫아주. 두루붕이(바보) 판구 덕을 다 보고 세상 오래 살고 볼 일이여."

"맨날 코를 닷 질은 흘리던 놈이 사름됐주."

"아직 사름 더 돼사키여, 그놈은. 개삼동이 졸졸 쫓아댕기는 것부텀 그만둬야주."

"어쨌거나 주재소 놈덜도 못 건드리는 우리 대상군께서 나오셨시니 우리 해녀덜은 인제 걱정이 엇우다게."

억대의 말에 두실이 의아한 표정을 지었다. 석실이 두실에게 요구서를 낸 저간의 상황을 설명했다.

"우리가 바라는 바허고 개선 사항을 딱 정리해가주고 개삼동이 놈안티 줬수다게. 글은 강습소 정 선생이 써줬는디 글씨가 얼마나 고운지, 반듯반듯 찍어놓은 거추룩……."

신나게 부연하던 억대가 두실의 굳은 표정에 말끝을 얼버무렸다. 역시 신나하던 해녀들이 입을 다물고 눈빛을 주고받았다. 서복이 주눅든 얼굴로 입을 뗐다.

"제가 허자고 헌 거우다. 삼춘덜은 말렸는디 나가 우겼수다게. 잘못……헌 거우꽈?"

"이미 벌려놓고 잘잘못을 따지믄 뭐허냐게."

두실의 단호한 말에 서복의 고개가 뚝 떨어졌다. 해녀들도 죄인처럼 고개를 숙였다. 잠시 후 두실이 말했다.

"……잘했저."

서복과 해녀들의 고개가 퍼뜩 들렸다.

"참말이우꽈?"

서복이 울 듯한 얼굴로 묻자 두실이 고개를 끄덕였다.

"거 봅서, 우리 어멍도 찬성헐 거렌 허지 아녀수꽈?"

넉실이 좋아라 하며 서복의 어깨를 감쌌다.

"그만덜 가보라게. 쉬어야겠다."

두실이 무뚝뚝한 얼굴로 손을 내저었다. 해녀들이 긴장한 낯빛으로 저들끼리 눈치를 보며 물러났다.

마당으로 나온 서복이 쭈뼛거리며 넉실에게 채롱을 내밀었다.

"무신거라?"

참기름 바른 반숙 달걀이었다. 손주가 아프면 할머니가 약으로 만들어준다는 귀한 음식이었다.

"식구덜허고나 먹주, 뭐 허레."

"받으라게. 경 아녀믄 죄스러워서."

넉실이 채롱을 내려놓고는 바래다준다며 따라나섰다.

"벌금…… 하영 나왔주?"

서복이 물었다.

"그걸 너가 무사 신경 쓰나?"

"나 때문에 그 사단이 났는디 신경을 안 써?"

"그것이 대상군이 허는 일이라고 몇 번을 말했나. 벌써부터 대상군 흉내 내는 거라 뭐라? 넌 아직 멀었저. 어멍은 어멍 일 헌 거니까 너는 너 일이나 허여."

"얼마 나왔는지 말해보라게."

"얼마 나왔으민, 너가 보태젠?"

"재기."

넉실이 마지못해 대답했다.

"십이 원."

"십이 원? 십이 원이믄 대판 왕복 뱃삯 아니라?"

많겠지 생각은 했어도 예상을 훨씬 웃도는 액수에 서복의 입이 벌어졌다.

"왜놈덜이 약아져서는 인제 옥살이 안 시키고 벌금 물린덴. 옥살이를 허겠다 해도 억지로 몰아내분다는 거라."

"……내가 호끔이라도 보태크라."

"너가 뭔 돈이 있어서? 어멍 잡혀가고선 넋이 빠져가지고 물질도 잘 못했젠 핸게."

"아무리 없어도 그거 낼 돈은 있다게. 나가 다 내야 맞는 법인디 그러질 못해서 미안허다."

"됐저. 석실 언니허고 나허고 쌈짓돈 좀 헐믄 되여. 너꺼장 안 나사도 돼."

"받아주라게. 경 아녀민 나가 두실 삼춘 편히 못 보지."

"아이고, 됐다는데 참."

넉실이 멈춰 서서 서복을 흘겨보다가 고개를 끄덕였다.

"기여, 한서복의 고집을 누게가 이기크라? 너 좋을 대로 허라게. 무리는 말고."

넉실이 피식 웃고는 물었다.

"하영 걱정되지?"

"당연히 걱정되지. 연세도 하신디. 금세 나오랐덴 해도 얼굴이 하영 상했저게."

"어멍 말고. 요구서 낸 일."

서복이 잠시 침묵하다 고개를 끄덕였다.

"겁나더냐?"

서복이 또 뜸을 들이다 고개를 끄덕였다. 기울어진 서복의 얼굴이 어둠 속에서도 붉었다.

"나도 경했지. 걱정되고 겁나고. 맨날 보는 공장장안티, 맨날 허는 얘기 허는디도 입이 버쩍버쩍 마르더라고. 명색이 월영마을 고넉실이가 다리가 후달달거리고. 근디 그게 그놈덜이 놓은 덫이라. 평소에도 고분고분해야 좋은 일꾼이다, 열심히 일해야 헌다, 일허는 것만으로도 감사헌 일이다, 아침저녁으로 떠들어대멍 지들안티 못 대들게 세뇌를 시켜놓으니 당연헌 소리 한마디 허멍도 벌벌 떤단 말이주. 잘못허는 거 없이 잘못허는 거 같고 괜히 나를 탓허게 되고. 하나도 잘못허는 게 없는디, 잘못은 지놈덜이 허고 있는디 말여."

"……두실 삼춘도 탐탁허지 아넌 듯헨게. 이미 일을 벌어졌덴 허난 넘어간 거 닮아."

"그런 게 아니라."

서복이 의아한 얼굴로 넉실을 보았다.

"옳은 일이라, 그래서 더 걱정허는 거라."

옳은 일이기에 다칠 수 있고 더한 일도 겪을 수 있다는 걸 알기에 선뜻 잘했다 하지 못하는 것이라고.

"우리 어멍은 언니를 잃어봤잖아."

넉실이 덧붙이는 말에 서복의 마음이 무거워졌다.

"만약에 조합에서 안 들어주민 어떵헐 거라?"

"거기꺼장은 생각 못 해봤지. 생각해봐야 답도 없고."

"포기헐 거라?"

서복이 모르겠다며 고개를 흔들었다.

"그놈덜이 안 들어준다고 빗창이라도 들고 쳐들어가크라 어떵허크라."

넉실이 잠시 생각하다 대답했다.

"그건 그때 가서 고민해보민 되지. 해녀조합은 공장이랑은 또

달르지. 공장이야 일헐 사름이 넘쳐나지만 조합은 그런가? 아무나 물질허는 것도 아니고 아마덜 데리고 오는 것도 한계가 있을테고. 공장추룩 무조건 무시허진 못헐 거라."

위로하는 말인 줄 알면서도 서복 역시 그랬으면 싶었다.

"서복아."

"응."

"그른 일 허는 거 아니난 당당허라게."

넉실이 서복의 어깨를 두드렸지만 서복은 말이 없었다. 넉실이 하는 말을, 머리로는 알았지만 몸과 마음은 그렇지 못했다. 요구서를 들고 조합으로 갈 때, 삼동이 눈을 부라리고 고함칠 때 겁이 나고 주눅이 들었다. 괜히 밉보여 손해만 보는 거 아닌가 하는 후회가 무시로 밀려왔다. 제일 참기 힘든 것은 죄책감이었다. 큰 잘못을 저지른 것 같았다. 넘지 말아야 할 선을 넘은 것만 같았다. 이해할 수 없고 이해하고 싶지 않은 감정이었다. 하지만 부인하려 해도 그 시커먼 감정이 제 마음에 떡하니 자리 잡고 있었다.

"정 마음이 그리 안 먹어지믄 외우라게. 아니믄 홈치 잊어불라게. 너 까묵는 거 잘허지 아녀냐게."

넉실이 마음속을 들여다보기라도 하듯 조언했다.

"언니가 좋은 말씀 해주는디 예, 허고 대답을 해야지."

넉실이 서복의 목에 팔을 감고 제 옆구리에 끼었다. 서복이 지지 않고 넉실의 겨드랑이를 간지럽혔다. 간만에 어린 시절로 돌아간 듯 짓궂은 장난이 이어졌다. 두 사람의 웃음소리가 밤하늘

별빛처럼 반짝거렸다.

*

다음 날 동이 트기도 전 깍지가 불턱에 들어섰다. 물때까지는 시간이 남아 있어 불턱은 텅 비어 있었다. 깍지가 얼른 옷을 벗고 족쇄눈을 꼈다. 그리고는 주변을 살피더니 민첩하게 바당으로 들었다.

얼마 후 깍지가 나오고 해녀들이 하나둘 도착했다. 깍지는 새치름한 표정으로 무쇠솥에 끓인 물을 제 몸에 끼얹었다.

“어크거, 느렁텡이 깍지가 웬일이라? 물꺼장 다 끓여놓고. 오늘 소가 강생이를 나키여?”

“무신거, 물에도 벌써 들었단 난 거라?”

“한기가 들어서 물만 끼얹었수다.”

“하이고, 별일이여게.”

다들 웃는데 서복만이 긴장한 낯으로 깍지를 살폈다. 깍지는 서복의 시선을 모르는 척 빗창을 갈았다.

물에 든 서복이 해녀들 몰래 달섬 쪽으로 빠르게 헤엄쳤다. 얼른 동굴로 내려가 보따리를 확인했다. 다행히 보따리는 그대로 있었다. 잠시 고민하던 서복이 보따리를 한 번 더 묶고는 물 위로 올라갔다.

해녀들이 긴장한 얼굴로 조합 마당에 들어섰다. 요구서에 대한 말이 언제 나오려나 그것만 기다리고 있는데 삼동은 저울눈을 읽기만 했다. 역시나 내주는 돈은 후려친 값 그대로였다.

"뭐꽈?"

서복이 물었다.

"뭐가?"

삼동이 심드렁히 대꾸했다.

"우리가 전달헌 요구서 못 봤수과?"

"봤는디."

"근디 돈을 무사 이거밖에 안 주는 거우꽈? 거기다 분명히 적지 않았수과? 물건 값이 시세보다 너무 싸니 시정해달라고."

"니미럴! 너네가 시정해달라민 바로 시정해줘야 허나? 경헐 거믄 한서복이 너가 조합장 허고 서기 허라. 너 맘대로 다 허라."

"조합에서는 무신거렌 헙데까?"

서복이 받아치고 싶은 걸 꾹 참으며 애써 좋은 말투로 다시 물었다. 삼동과 입씨름해봐야 좋을 게 없었다.

"우리 요구서를 보고 무신거렌 말을 했을 거 아니우꽈? 뭐를 어떻게 조치를 해준다든지 개선을 해준다든지."

"조합이 경 한가헌 덴 줄 아나?"

"해녀조합이 해녀덜 일도 안 봐주멍 대체 뭐 때문에 바쁜 거라? 조합 웃사람덜이 바쁘민 서기보라도 가타부타 말을 해야 헐 거 아니라?"

석실이 가세했다.

"서기보야 해녀덜 알몸이나 훔쳐보러 다니느라 그럴 틈이 나크라?"

억대의 비아냥에 삼동이 벌떡 일어나 망사리를 발로 찼다.

"좋게덜 대해주난 눈에 뵈는 게 읏나! 다덜 매운 맛을 또 봐야크라?"

"애꿎은 물건은 뭐 헌다고 차? 저번처럼 귀뚱배기나 갈겨보주?"

삼동이 씩씩거리며 다가가 억대의 멱살을 잡았다. 억대도 지지 않고 멱살을 움켜쥐었다.

"경 사름을 치고 싶으민 날 쳐라."

두실이 나섰다. 삼동이 두실과 억대를 번갈아보다가 부르쥔 손을 뿌리쳤다.

"조합에서 논의할 시간이 읏었덴 허민 우리가 좀 더 지들리주. 근디 이 돈 받고는 물건 못 내주크라."

두실이 망사리를 도로 집어 들고 돈을 내밀었다. 삼동의 얼굴에 당혹스러운 빛이 스쳤다. 서복과 억대, 석실도 망사리를 챙기고 받은 돈을 내놓았다. 다른 해녀들에 이어 덕순까지 쭈뼛거리며 돈을 내놓자 삼동의 얼굴이 시뻘게졌다.

"지금 무신거덜 허는 거라! 한번 해보자는 거라?"

삼동이 펄펄 뛰고 발광을 해대도 해녀들은 지난번만큼은 겁을 먹지 않았다. 그저 고까운 눈빛으로 삼동을 쳐다볼 뿐이었다. 삼동이 안 되겠다 싶었는지 태도를 바꾸었다.

"이런 식으로 나오민 삼춘덜안티 좋을 거 하나 없수다게. 물건 가져가봐야 딴 데 팔 수도 읏어마씨? 경솔허게 행동덜 말고 차분히 생각헙서."

그때 깍지가 망사리를 내밀었다.

"나는 팔쿠다."

"깍지 너 뭐 허는 거냐?"

억대가 소리쳤다.

"이거, 억대 삼춘이 팔아줄 거우꽈?"

"그 돈을 받고 물건을 정말 내준다고?"

"어차피 딴 데 팔아먹지도 못헐 거, 난 삼춘덜처럼 먹일 식구도 없고 가져가봐야 썩히기만 헐 거. 뼛골 빠지게 해온 물건을 그냥 버리란 말이우꽈?"

말문이 막힌 억대가 입만 벌리고 있었다. 해녀들의 따가운 시선이 쏟아졌지만 깍지는 아랑곳하지 않았다.

"뭐 햄수꽈? 안 받을 거우꽈?"

깍지가 짜증스럽게 망사리를 흔들었다. 깍지와 해녀들을 번갈아 보던 삼동이 히죽 웃으며 망사리를 받았다.

"더 팔 사름 엇수꽈?"

해녀들이 서로 눈치만 살폈다.

"게민 마음대로덜 헙서."

삼동이 해녀들이 내놓은 돈을 걷어가버렸다. 쿳노래를 흥얼거리는 삼동의 뒷모습을 노려보던 해녀들이 깍지를 향해 비난을 쏟아냈다. 치사하다, 어떻게 우릴 배신할 수 있냐, 되바라진 년 저럴 줄 알았다. 험한 말이 이어져도 깍지는 듣는 시늉도 하지 않았다.

"다 같이 좋자고 허는 일인디 깍지 너만 달리 행동허민 되나?"

두실이 나직하게 꾸짖었다.

"다 같이 망허자는 게 다 같이 좋자고 허는 일이우꽈? 애초에 난 동의헌 적도 엇어마씨."

"값을 제대로 받으민 너안티도 좋을 거 아니냐?"

석실이 말했다.

"누가 값을 제대로 쳐준덴 햄수꽈? 어느 세월에마씨. 떡 줄 사름은 생각도 엇는디 김칫국 마시는 겁주."

"경허니 영허는(이러는) 거 아니라! 떡 아니라 부스러기라도 줄 생각을 좀 허라고. 우리는 뭐 아숩지가 않아서 이러는 줄 아나? 물건 몬딱 긇여 묵고 삶아 먹으믄 그걸로 끝이난 말이라!"

억대가 분통을 터뜨리자 깍지도 맞대들었다.

"돈 더 준다민 누게가 말덴 허쿠과? 요구서니 뭐니 다 좋수다게. 근디 저놈덜이 들어먹을 놈덜이우꽈? 애당초 말이 통허는 놈덜이어야 바라기도 허고 대화도 허는 겁주. 땅에 떨어진 고물도 안 주는 놈덜안티 떡 부스러기 내놓으렌 허는 것이 말이 되냔 말이우다!"

"……."

“경허고 나는 노름빚을 갚아야마씨. 노름빚 이자가 한 달에 얼만지 알암수꽈? 나는 팔자 좋은 삼춘덜허고는 처지가 달라서 당장 내 손에 들어오는 한 푼이 아쉬와마씨. 이자 대신 물어줄 거 아니민 나신디 그런 소리 허지 맙서!”

깍지가 되려 큰소리를 치고 가버리자 해녀들은 그저 황당할 따름이었다. 전혀 예상치 못한 전개였다. 삼동이 난리를 부렸으면 부렸지, 깍지가 저리 나올 거라고는 생각지도 못했다. 서복도 당황해 멍하니 서 있었다. 해녀들의 시선이 두실에게 모였다. 어찌하면 좋겠냐고 해녀들이 눈으로 묻고 있었다. 두실이 망사리를 내려놓았다.

“일단 물건은 내려두라. 값은 다시 계산해서 받게.”

서복과 석실, 억대가 망사리 속 물건을 바닥에 부렸다. 다른 해녀들도 머뭇거리다 물건을 내렸다. 마당 한가운데 해산물 무더기가 봉분처럼 쌓였다.

“가게.”

두실이 돌아섰다. 뒤따르는 해녀들이 젖먹이라도 묻고 오는 듯 자꾸만 뒤를 돌아보았다.

다음 날 조합으로 들어서던 해녀들의 얼굴이 일그러졌다. 어제 두고 간 물건이 마당에 그대로 있었다. 삼동과 직원도 보이지 않았다. 휴일처럼 휑한 분위기에 해녀들은 동요했다. 두실의 표정도 굳어졌다.

"날이 따뜻해져서 이대로 두민 물건이 상허쿠다."

덕순이 울상을 지었다.

"이게 다 돈인디 조합에서 그냥 두크냐? 돈 벌라고 눈이 벌게진 놈덜인디."

억대의 말이 끝나자마자 말라깽이 직원이 쪼르르 나왔다. 억대가 그것 보라는 듯 턱을 쳐들었다. 그러나 직원은 깍지의 물건만 받아들고는 무게도 재지 않고 돈을 내주었다. 평소보다 많은 금액이었다.

"지금 무신거 허는 거우꽈?"

직원이 석실의 물음을 무시하고 그냥 지나치려 하자 억대가 막아섰다.

"지금 무신거 허는 거넨 들엄네게(묻잖냐)!"

직원이 일본어로 대답하자 억대가 조선말로 하라고 눈을 부라렸다. 직원이 서툰 조선말로 더듬거리며 지시받은 대로 하는 것뿐이라 했다.

"무슨 지시? 우리 물건은 저리 두고 깍지년 물건만 받으라고 했다고? 누게라? 누게가 그딴 소릴 허여?"

직원이 겁먹은 얼굴로 뛰어 들어갔다.

"이런 개 같은 경우가 어디 있냐게! 오냐, 한번 해보자. 누게가 아쉬운지 한번 허고 싶은 대로 해보라고!"

"다덜 물건 내려두라."

두실이 말했다. 해녀들이 어제보다 더 불안한 얼굴로 망사리를 내렸다.

사흘 후. 조합 마당에 들어서기도 전에 악취가 진동했다. 기어이 물건이 상해버리고 만 것이었다.

"이거 다 어떵헐 거라?"

"나 목숨줄 끊어다 해가지고 온 건디!"

해녀들이 하나라도 건져볼 셈으로 썩은 해산물 더미를 뒤졌다. 오늘은 말라깽이 직원도 보이지 않았다. 웬일로 깍지가 안 나왔다 했더니 이제는 아주 한 패가 되어버린 모양이라고, 억대가 펄펄 뛰었다. 덕순은 구역질을 하면서도 성한 물건을 찾아내느라 정신없이 손을 놀리고 있었다.

"덕순이 삼춘, 무리허지 맙서게."

서복이 말리자 덕순이 넋 나간 얼굴로 주저앉았다.

"다 상했수다. 먹지도 못허게 몬딱 상해불었수다게."

다른 해녀들도 망연자실한 표정이었다. 억대가 물건을 내던지며 악을 썼다.

"이놈덜아, 다 나오라! 다 나와서 이거 어떵헐 건지 말해 봐! 니들이 안 나와? 그럼 나가 들어가키여! 너놈덜 몬딱 다 엎어불키여!"

깍지를 제외한 해녀들이 모두 불턱에 모였다. 다들 소리 높여 깍지를 욕했다. 덕순이 그럴 만한 사정이 있지 않냐고 감쌌다가

오히려 화만 북돋웠다.

"그만두라. 우리를 괴롭히는 건 깍지가 아니라 해녀조합이라."

두실의 말에 그제야 해녀들이 입을 다물었다.

"조합 본부로 가게마씨."

조합을 나오면서부터 말이 없던 서복이 나직하게 말했다.

"어차피 해녀조합 일은 본부에서 다 결정허는 거 아니우꽈? 직접 가서 우리 의견을 전달허게마씨."

"기여! 쓸데없이 개삼동이 놈 붙들고 힘 뺄 거 뭐 있냐게? 우리가 가게마씨. 본부에서야 무슨 수를 내도 내주지 아녀쿠광?"

억대가 동의하고 나섰다.

"본부에서도 안 들어주민 어떵허쿠과?"

"어떵허긴 뭘 어떵허난. 수를 내줄 때꺼장 버티고 있어야주. 이참에 담판을 지어부는 거라."

"기여, 어떵허든 담판을 지어야주. 영허영은(이렇게는) 못 살주!"

바짝 독이 오른 해녀들은 당장이라도 조합 본부로 몰려갈 기세였다.

본부가 있는 성내까지는 걸어서 열 시간. 배를 탄대도 가깝지 않은 거리였다. 적어도 며칠은 벌이를 포기해야 하는데 이미 닷새를 공친 해녀들로서는 큰 부담이었다. 무엇보다 결과가 좋으리라는 보장이 없었다. 춘구석 지부 인간들도 해녀들을 깔아보는데 본부 사람들이 해녀들을 만나줄지부터 의문이었다. 괜히 나섰다 조합 눈 밖에 나서 물질을 아주 못 하게 될 수도 있었다.

"대표 몇 사름을 뽑으믄 어떵허쿠과? 다 같이 가믄사 제일 좋주만은 돈도 적잖이 들 테고 시일이 얼마나 걸릴지도 몰르니까마씨."

서복의 제안에 해녀들도 좋다 했다.

"나가 대표로 가주."

두실이 나서자 서복이 고개를 저었다.

"두실 삼춘은 안 되지마씨. 몸도 펜치 아넌디마씨? 주재소에서도 나사지 말렌 했덴허멍마씨. 이번에는 뒤를 맡아줍서예."

대표라면 당연히 두실이라 생각했던 해녀들이 의아한 눈빛으로 서복을 보았다.

"나가 가쿠다."

서복이 일어섰다.

"잘헐 수 있을지는 몰르쿠다만은 그래도 말을 꺼내시난 허는데꺼장은 해보쿠다. 며칠 물질 쉰덴 당장 네 식구 굶어죽는 건 아니난예."

"나도 가키여. 안 가민 홧병남직허난 가사키여(홧병 날 것 같아 가야겠어). 서방안티 말해영 배도 내놓으렌 허키여."

억대에 이어 석실도 손을 번쩍 들었다.

"고두실이 큰년이 빠질 수 있어마씸? 나도 가야주. 이리 셋이믄 될 거 닮은디 다덜 어떵 생각햄수꽈?"

해녀들이 찬성의 뜻으로 손뼉을 쳤다. 걱정스러운 표정이었던 두실도 세 사람이 단호한 빛이자 마지못해 고개를 끄덕였다.

*

며칠 후 야심한 시각. 평소 같으면 벌써 곤드라졌을 해녀들이 월영포구로 삼삼오오 모여들었다. 시루떡에 주먹밥, 말린 문어 다리와 미역귀까지 바리바리 싸들었다. 셋이서 열흘은 족히 먹을 양이었다.

“우리신디 아주 오지 말렌 허는 생이라.”

억대가 웃으며 식량 꾸러미를 받아들었다.

“바람이 더 세졈수다. 안개도 왁왁허고.”

넉실이 하늘을 올려다보았다. 저녁부터 부슬대던 빗발이 굵어지면서 바람도 강해지고 있었다.

“요번 영등할망이 며느리 데령와 영허는 거난. 걱정 말라게. 난바르* 나가민 이보다 더한 바람에도 바당 위에서 자느네.”

억대가 큰소리치며 호탕하게 웃었다.

“서복이 너 괜찬으크냐? 영 비 맞으민 고뿔 걸릴 텐디.”

넉실이 서복의 웃옷 앞섶을 여며주며 걱정했다.

“어릴 적에나 경했주. 인제는 끄떡엇저. 너나 어멍 모시고 재기 들어가라게.”

* 먼 바다로 나가서 하는 물질.

두실이 세 사람의 손을 차례로 잡았다. 굳이 말하지 않아도 두실의 마음이 오롯이 전해졌다. 식량 꾸러미를 등딱지처럼 짊어진 세 해녀가 배에 올랐다. 해녀들의 처지만큼이나 작고 남루한 배였다. 하지만 세 사람의 표정만은 군선에라도 오른 듯 당당하고 비장했다.

억대의 남편 봉석이 삿대로 배를 밀어냈다. 포구에 남은 해녀들이 손을 흔들었다. 눈물 찍는 이도 있었다. 배가 안개 속으로 완전히 사라질 때까지 두실이 해녀들을 바라보았다.

바당에 들자 넉실의 걱정대로 날씨는 점점 궂어졌다. 비는 어느새 장대비가 되고 바람도 거칠어졌다. 배가 흔들리면서 내려놓았던 식량 꾸러미가 갑판 위를 굴렀다. 서복이 꾸러미를 잡으려다 휘청했다. 하마터면 바당으로 떨어질 뻔하는 것을 억대가 겨우 붙들었다.

"아무래도 돌아가야크라. 성내 가기 전에 물고기밥 뒘직허다."

석실이 빗줄기에 눈을 겨우 뜨고 말했다. 억대와 봉석도 같은 의견이었다. 서복이 입술을 깨물며 고개를 끄덕였다.

다음 날 아침 해녀들이 다시 불턱에 둘러앉았다. 대표로 나섰던 이들은 면목 없다는 듯 고개만 떨구고 있었다.

"너 잘못이 아니여. 모든 일에는 때가 있는 법이여."

두실이 위로했다.

"바람만 자민 다시 가쿠다."

억대의 말에 두실이 고개를 저었다.

"걸어가게."

"예?"

요왕님이 바당길을 안 열어주시니 뭍으로 가자는 것이었다. 대표들만 갈 것이 아니라 다 함께 가자고 했다. 의외의 제안에 해녀들의 눈이 동그래졌다.

"그러다 조합에서 시위라도 허는 줄 알고 오해허민 어떵허쿠과?"

덕순이 기어드는 목소리로 물었다.

"경허믄 시위도 해불쿠다."

서복이 얼결에 뱉어놓고 저부터 흠칫 놀랐다. 해녀들의 표정도 굳어졌다. 넉실이 해녀들의 반응을 살피며 말을 얹었다.

"시위라고 어렵게 여길 거 엇수다. 옛날에 백성덜이 북 두드리고 왕신디 읍소허던 거랑 비슷허다 생각허민 되어마씨."

"조합에서는 싫어헐 건디."

"싫어해도 별 수 없는 겁주. 이대로라민 물질도 못 허고 딱 죽게 생기지 아녀수과? 우리도 힘든 거 이만큼 촘고 있는디 조합이렌 조합 좋은 대로만 허믄 되냔 말이우다."

서복이 말했다.

"서복이 말이 맞수다. 당장에야 싫다 해도 결국에는 삼춘덜 얘기 들어주는 게 조합으로써도 이득이우다. 삼춘덜이 물질 못 허민 결국 조합도 손해 아니우꽈? 우리라고 죽어라 일만 해야 허는 거 아니우다. 부당헌 일이 있으믄 들을 수도 있고 따질 수도 있는 겁주."

넉실이 말했다.

"정 선생님도 비슷헌 말을 허여수께? 무조건 입 다물고 당허기만 허는 게 능사가 아니렌."

서복과 넉실이 번갈아 하는 말에 해녀들이 그건 그렇지만, 하는 표정으로 한숨을 쉬었다.

"조합도 조합이지만 주재소에서도 가만있지 않을 텐디."

덕순은 벌써부터 겁에 질린 얼굴이었다. 주재소라는 말에 서복도 더는 말을 잇지 못했다. 조합도 넘기 어려운 산이지만 주재소는 곱절은 두려운 존재였다.

"서복이 말이 맞다."

거들고 나선 것은 뜻밖에도, 두실이었다.

"우리가 태극기 들고 만세 불르켄 허는 것도 아니지 아년가. 다른 사름도 아니고 해녀덜이 해녀조합 본부에 의견 내러 가겠다는디 뭐가 문제크냐. 시위라 허든 뭐라 허든 그른 일은 아니난."

서복의 표정이 상기되었다. 매사에 신중하고 까다로워 때로는 답답하게까지 느껴지는 두실이 자신의 의견에 손을 들어준 것이었다. 말을 뱉어놓긴 했지만 서복 역시 마음 한구석에 두렵고 주저하는 마음이 있었다. 요구서 한 장 낸 것만으로도 죄인마냥 겁이 났는데 이래도 될까, 정말 큰일 나는 것은 아닐까 하는 생각이 목구멍을 콕콕 쑤셨다. 그런데 두실의 한마디가 서복의 불안과 두려움을 말끔히 밀어냈다. 용기가 불끈 솟으며 못할 것 없다는 생각이 들었다. 해녀들은 눈빛을 주고받으며 두런거렸다.

"기여, 열 살 먹은 어린아이덜토 허는 걸 우리가 못 허크냐?"

억대가 결심한 듯 주먹을 쥐었다. 농업학교 시위에 참여했다 무기 정학을 당한 장남 만재를 두고 하는 말이었다. 다른 학교에서 동맹 휴학을 벌인 이야기, 종달리에서 농민조합을 결성한 이야기가 이어졌다. 풀 죽었던 해녀들의 눈에 힘이 들어가고 목소리가 다시 커졌다.

"우리 월영 해녀덜도 해봅주. 까짓 거 죽기밖에 더 허쿠강?"

해녀들이 주먹을 불끈 쥐는데 깍지가 들어섰다. 곱지 않은 시선에도 깍지는 개의치 않고 물질 준비를 했다. 억대가 퉁명스럽게 말했다.

"다 같이 본부에 가기로 했쩌. 이번에도 따로 놀민 바당엔 못 들 거라. 알아시냐?"

"물질이야 조합 관할 아니우꽈? 억대 삼춘이 무슨 권리로 바당에 든다 못 든다 험이우꽈?"

깍지는 눈도 들지 않고 대꾸했다.

"뭐여, 깍지 넌 이번에도 따로 놀겠다 이 말이라?"

"깍지야, 딴 건 몰라도 이건 함께해야주. 다덜 물질 못헐 거꺼장 감수허고 벌이는 일인디."

석실이 좋은 말로 달랬다.

"경허난 나가 그걸 왜 감수해야 허냔 말이우다. 그런다고 조합 놈덜이 눈 하나 깜짝허쿠광? 애시당초 되지 않을 일이주. 난 노름허는 아방이랑 달라서 승산 없는 싸움은 관심엇수다게. 삼춘덜토 무용헌 작당 그만덜 협주게. 잘났다는 사내놈덜도 찍소리 못 허고 빌빌 기는디 우리 같은 천헌 지집덜이 나사봐야 뭔 소용이 이시쿠과?"

"천헌 지집이니 국으로는 못 이시크라(가만히는 못 있겠다)!"

억대가 깍지의 빗창을 낚아챘다.

"남의 빗창은 무사 건드럼이우꽈? 부정 타게스리!"

"오냐, 부정 타렌 만졌다! 어쩔 테냐?"

"나가 틀린 말 했수과? 그래서 잡혀가민 누가 책임지냔 말이우다. 삼춘덜이 우리 아방 노름빚 대신 갚아줄 거꽝?"

깍지가 지지 않고 고래고래 악을 썼다.

"그놈의 노름빚, 노름빚! 빚 있는 년이 여기서 너뿐이냐?"

억대가 빗창을 내동댕이치려는 걸 덕순이 겨우 말렸다.

"오늘은 물질 안 헌다. 같이 안 허크건 깍지 넌 그만 들어가라."

두실이 말했다. 깍지가 두실을 노려보다 발딱 일어서서 나갔다. 서복이 빗창을 받아들고 깍지를 쫓아 달렸다.

"나랑 얘기 좀 허게!"

깍지가 서복의 붙드는 손을 뿌리쳤다.

"너도 정신 차려, 이년아! 숭어 튀민 복쟁이도 튄덴 핸게, 웃기지도 아념쩌. 너가 언제부텀 조합 일에 신경 써시니게? 전복 하나, 문게 하나 더 잡는 거에 눈이 벌거허던 년이."

"맞어, 눈이 벌겅허게 전복, 문게 잡아도 당최 소용이 없어 이러는 거여. 너도 조합이 부당허다는 것은 알지 아녑시냐?"

"조합만 부당허냐? 부당헌 걸로 따지믄 이 섬이, 아니 조선 전체가 부당허주. 게서 너가 뭘 어쩔 건디? 조합이랑 싸운 담엔 이 섬이랑 싸우고 나중엔 조선 전체랑 싸우기라도 헐 참이라?"

"억지소리 허지 말라."

"너야말로 억지소리 허지 말라. 넉실이 년이야 피내림이 글러먹어 경헌다 치지만은 넌 무신거고? 넉실이 년이 장단 맞춰주난 너가 정말 별것이라도 되는 줄 아는가? 자발없이(줏대없이) 초랭이짓 부리지 말고 상황 파악이나 똑바로 허란 말이라!"

"뜬금없이 넉실이 얘기는 무사 나오는 거라?"

"왠지는 너가 더 잘 알거주."

깍지가 코웃음을 치며 홱 돌아섰다.

다덜 목숨 걸어서마씨

강습소에서는 수업 대신 시위 준비가 시작되었다. 다른 사람들도 해녀들의 주장을 알 수 있게 하자는 선욱의 의견에 따라 팻말과 현수막을 만들기로 했다. 해녀들이 바라는 바를 말하면 넉실이 구호로 다듬고 선욱이 받아 적었다. 선욱은 그날 나눠줄 유인물도 만들었다. 글을 모르는 사람들을 위해 그림으로도 그렸다. 넉실과 선욱 덕분에 시위 준비는 한결 수월하게 진행되었다.

해녀들을 모으는 것은 해녀들의 몫이었다. 서복과 억대, 석실은 매일 저녁 마실 다니는 척 집집을 돌며 해녀들을 설득했다. 흔쾌히 하겠다는 이도 있었지만 손사래를 치는 이가 더 많았다. 세 사람은 굴하지 않고 현재 조합의 문제가 무엇인지, 해녀들이 왜 나서야 하는지 설명했다. 끈질긴 설득에 마음을 바꾸는 해녀들도 하나둘 생겼다.

*

어느 집이고 씩씩하게 들어서던 서복이 정낭 앞에서 머뭇거렸다. 마을 초입에 위치한 깍지의 집이었다. 알기로는 서복의 집과 비슷한 시기에 지었다는데 다듬는 손길이 없어선지 한참은 쇠락해 보였다. 서복이 망설이다 헛기침을 하며 마당으로 들어섰다. 깍지는 우미를 널어 말리고 있었다.

"하영 바쁜가?"

깍지는 돌아보지도 않았다.

"흠흠, 내일 본부 가는 날이라. 정오에 장터서 모일 거라. 사름덜안티 나눠줄라고 만든 유인물인디 하나 두고 가키여."

"까막눈 약 올리냐? 필요엇이난 들고 가라."

"글 말고 그림도 있저. 경허고 글이야 낭중에라도 배우믄 되주."

"너나 하영 배와. 난 팔자 좋게 글 배울 시간 엇이난."

"그래도 너도 해녀인디, 장터에는 안 나오더라도 우리가 무신 말을 허는지는 알아얄 거 아니라."

"아, 맨날 허는 말덜 허겠지!"

정이월 바람살마냥 냉랭한 반응이었다. 서복이 무슨 말인가를 더 하려다 그만두고 유인물만 놓고 돌아섰다. 그러고도 연이어 들리는 기척에 깍지가 빽 소리를 질렀다.

"관심엇덴 허는디 무사 지랄이라, 사름 성가시게!"

"무신거, 나 말앙도 성가시게 허는 사름이 또 있나? 우리 깍지

인기 많구나야!"

히죽 웃으며 들어서는 것은 서복이 아니라 삼동이었다.

"머리검은중(도둑)이라? 남의 집에 기척도 없이 들게."

"우리 사이에 무신 말을 경 섭허게 허나."

깍지가 손질해둔 우미를 들이밀었다.

"거 참, 성질 급허기는. 만사 제쳐놓고 달려온 사름신디 너무 햄쩌."

삼동이 거드름을 피우며 마루에 앉았다.

"아지방이 주재소에 잡혀갔주기. 노름허당 싸움이 붙어서 된통 맞았다게."

우미를 널던 깍지가 발딱 일어섰다.

"근디 무사 우리 아방을 잡아간 거라?"

"먼저 날려드난(달려드니) 잡아갔주. 아지방도 참 자발없니라, 하고만헌 사름 중에 하필 니노미야 상안티 시비를 걸어가지고서는."

일본인, 그것도 제주에서 손꼽히는 거상을 건드렸으니 잡아간 거다. 깍지가 다시 쭈그려 앉았다.

"안 가보젠? 매타작을 호되게 당헐 텐디."

"나가 간덴 맞을 매를 덜 맞으카."

"덜 아프게는 맞을 수 있주. 나가 호끔만 힘을 쓰민 곱게 빼올 수도 있고. 주재소허고 니노미야 상안티 적당히 기름칠 좀 허민,"

"매 맞고 정신이나 차리렌 허라."

"너는, 아방안티 그게 헐 말이라? 그래도 아지방이 성정은 선헌 사름 아니라."

"경 좋으민 너네 아방 허라게. 빚도 대신 갚고."

"빚이 아직도 한참이주? 참 너네 아방도, 소심해빠진 인간이 노름판에선 어떵 경 대찬 거라."

삼동이 깍지 곁으로 내려와 앉았다.

"경허지 말고 깍지 너도 이참에 큰 거 한뭇 잡아보크라?"

삼동이 주변을 두리번거리고는 목소리를 낮췄다.

"우리 마을에 테러리스트가 하나 들어왔덴게. 경성에서 내려온 경부보가 이놈 잡젠 눈이 뻘게서 내부에서 포상금꺼장 건 모양이라. 우리 같은 사름덜토 단서 넘겨주민 제법 떼어줄 거라?"

"촌구석에 테러리스트는 뭔 놈의 테러리스트. 넋 빠진 놈이 아니고서야."

"나 생각에도 그런디 판구 놈 말로는 확실허덴 허여. 있는 거라곤 바당밖에 없는 마을에 폭탄 터뜨리렌 온 건 아닐 테고, 필시 돈 뽑아먹젠 온 거라. 그놈덜 맨날 허는 소리 있잔여게. 군자금이니 뭐니. 육지에선 더 받아먹을 데가 없으니 이디꺼장 온 거주. 말이 테러리스트주, 너 말대로 넋 빠진 놈일 거라. 경 아녀믄 여길 왔을라고. 그게 우리안티 잘된 일이주. 한번 덤벼볼 만허다는 거 아니라."

"……."

"너나 나나 월영이라민 손바닥 보듯 훤허지 아녀게. 동네 오갈 때 허천 보멍 다니지 말고 잘 보라게. 못 보던 놈이나 수상헌 놈이시민 바로 나신디 연통 넣고."

"가도 주재소로 가주, 무사 너신디 가?"

"주재소가 아무나 드나드는 덴 줄 아냐? 고발하러 갔다가 되려 너가 잡혀갈 수도 있다게."

"관심 없어. 넋 빠진 거지새끼라도 테러리스트민 총 한 자루는 가졌을 건디 뭐 헌다고 덤비냐게? 너도 괜히 깐죽대지 말라게. 개죽음당허고 싶지 아녀믄."

삼동이 성질을 내려다 참고 배실배실 웃었다.

"허기사, 지집이 허기는 위험헌 일이주. 그런 중차대헌 일은 이 배삼동이안티 맡기고 넌 반일 행위나 고발허여. 팔자는 못 고쳐도 빚 사분지 일은 갚을 수 있을 거라?"

"나는 그런 어려운 말은 몰르난 확 우미나 갖고 가."

"어려울 게 뭐 있냐게. 나라에서 허는 일에 반대허민 그게 다 반일 행위라. 조합 일에 어깃장 놓는 것도 반일 행위주. 조합에서 허는 일이야 전부 나라 잘되라고 허는 일이난."

삼동이 은근슬쩍 깍지의 어깨에 팔을 얹었다.

"어쨌거나 테러리스트 얘기는 너만 알고 있어야 헌다. 판구 놈이 아무안티도 말허지 말렌 신신당부를 했는디 특별히 너안티만 알려주는 거난. 어떠냐, 월영에서 나만큼 너를 생각해주는 사름토 없지?"

"가렌 했다."

"그렇잖냐. 사정 빤히 아는 해녀 삼춘덜토 다 너 생각은 요만큼도 안 해주고,"

"가라고!"

삼동이 진정하라는 듯 손바닥을 내보이고 일어섰다. 삼동이 나가자 깍지가 손질하던 우미를 내동댕이쳤다.

*

그날 밤 월영강습소에서는 시위를 앞두고 최종 회의가 열렸다. 다들 피로에 절어 있으면서도 눈빛만은 반짝거렸다.

"내일 모일 사름덜이 얼마나 되크니?"

두실이 물었다.

"갓막에서도 온덴 허고 무주개, 어등개에서도 온덴 허난 수십은 되크라."

석실이 대답했다.

"그추룩 뛰어다닌 보람이 있저이."

억대가 뿌듯하게 웃었다.

"지금껏 삼춘덜 애 하영 썼는디 내일꺼장만 고생헌덴 생각허고 힘내줍서."

서복의 말에 해녀들이 손을 내저었다.

"고생이렌 헐 것도 엇저."

"기여, 우리 좋을라고 허는 일인디."

"내일 어멍이 나사민 모두덜 나와주고 읍사무소 지나 성내꺼장 가는 거우다. 외따로 떨어지지 말고 잘덜 따라붙읍서."

서복이 마지막으로 동선을 확인했다. 해녀들이 큰 소리로 알겠다고 대답했다.

시위는 두실이 앞장서기로 했다. 몸 상태도 몸 상태였지만 주재소로부터 요주의 인물로 찍힌 터라 넉실을 제외한 모두가 말렸지만 소용없었다. 사지가 멀쩡한데 뒤에 설 순 없다고 했다. 대상군의 자존심이라 했지만 사실은 해녀들의 안위를 걱정하는 것이었다. 해녀들은 마지못해 두실에게 앞자리를 맡겼다. 두실이 앞장서서 나서면 해녀들이 뒤따르고 본부 측에 해녀들의 주장을 알린 뒤 해산한다. 이것이 내일 시위 계획이었다.

"경허믄 오늘은 이만덜 가서 푹 쉬시고 내일 보게마씨."

해녀들이 들뜬 걸음으로 돌아가고 서복이 강습소에 남아 뒷정리를 했다.

"내일 시위에 나도 나가쿠다."

정리를 돕던 선욱이 말했다. 시위를 해본 경험이 많으니 앞장을 서겠다는 것이었다. 서복이 잠시 생각하다 마음만 받겠다고 했다. 선욱에게까지 피해가 가선 안 되었다.

"이건 우리 해녀덜 일 아니우꽈? 우리 일에 우리가 나사야주, 다른 사름 앞세우믄 저놈덜이 우습게 볼 거우다. 죽이 되든 밥이 되든 우리 힘으로 해보쿠다."

"덕순 씨 말대로 조합에서는 물론이고 주재소에서도 가만있지 않을 거우다."

서복 역시 모르지 않았다. 매를 맞을 수도 있고 잡혀갈 수도 있었다. 설령 성내까지 무사히 간다 해도 이야기가 잘될 가능성은 크지 않았다. 하지만 방법이 없었다. 이것 말고는 할 수 있는 게 없었다. 선택한 것도 결정한 것도 아니었다. 강요당한 선택이고 마지못한 결정이었다. 누군가는 해녀들의 자존심을 이야기했지만 자존심 이전에 생존이 걸린 문제였다. 살길이어서 가는 것이 아니라 가만있으면 죽는 수밖에 없기에 가는 것이었다. 함께하는 해녀들 모두 이 사실을 잘 알고 있었다.

"말은 안 해도 삼춘덜토 각오하고 있을 거우다. 죽기 전에 빽소리라도 내보자고 벌이는 일 아니우꽈? 다덜 말은 안 해도 목숨 걸어서마씨."

"그런 마음으로 학생덜이 나사는디 선생이 어떵 보고만 이시쿠강?"

서복이 선욱을 물끄러미 보다 입을 뗐다.

"해녀덜은 요왕님이 살라 허믄 살고 죽으라믄 죽는다는 마음으로 하루하루 살아감수다. 우리도 사름이난 겁도 나고 걱정도 되지만은 닥치믄 또 해내는 것이 우리 해녀덜입주. 경허난 선생님도 걱정맙서."

선욱이 다시 무어라 하려는데 서복이 자르고 들었다.

"처음 강습소 생긴다 했을 때 얼마나 기뻤는지 알암수꽈? 보통학교 가는 아이덜 볼 때마다 부러워만 했는디 강습소가 생기고 날더러도 공부시켜준다 허난 세상에 이런 일이 다 있나 해서 마씨. 나뿐만이 아니고 삼춘덜 다덜 경해수다. 맨날 졸긴 해도 공부헌덴 하영 좋아덜 해십주."

"……."

"경허난 선생님은 여기서 오래오래 우리 같은 해녀덜, 글도 가르치고 숫자도 가르쳐줍서. 그게 우리 해녀덜 돕는 길이우다."

"경해도……."

"해녀가 우리만 있고 끝날 거 아녀지 않으꽈? 나 다음에도, 그 다음에도 해녀덜이 있을 텐디 그 아이덜토 선생님이 가르쳐줘얄 거 아니우꽈? 선생님은 선생님 일 헙서. 우리 일은 우리가 헐 거 마씨."

선욱이 망설이다 결국 고개를 끄덕였다. 그제야 서복이 활짝 웃었다.

*

두실은 집 대신 월영오름으로 향하고 있었다. 우묵한 산굼부리에 다다른 두실이 사면의 소사나무 군락지로 가 바닥을 쓸었다. 깊게 박아둔 돌부처의 머리끝이 손에 잡혔다. 두실이 만들어 둔 표식이었다.

한실과 함께한 이들이 죽은 후 일인들은 경계의 뜻으로 시체를 방치했다. 일인들의 눈이 겁나 사람들은 시신을 거두지도 못

했다. 죽은 이들은 새에 쪼이고 비바람에 쓸리며 느리게 흩어졌다. 남은 이들은 제가 쪼이고 쓸리는 심정으로 또 한 번의 죽음을 견뎌야 했다.

두실이 돌아왔을 때 그 고통을 잊지 못한 이들이 사죄하며 울었다. 그중 하나가 한실과 승려들이 쓰던 옷가지와 책들을 은밀히 건넸다. 두실은 그것들을 수습해 시신 대신 묻었다. 소사나무 군락지는 한실이 즐겨 찾던 곳이었다. 산굼부리(분화구) 위로 달이 떠오르면 가슴이 방망이질 치듯 벅차오른다고, 달덩이 같은 얼굴로 환히 웃었었다. 그 웃음이 그리 급히 질 줄 알았을까. 알았더라면 떠나지 않았을 것이다. 인사도, 기약도 없이 사라져버리지 않았을 것이다.

몰르난 경 해실 테주. 알았더라도 달라시카. 한 시절 너로 살았으니 그걸로 됐다게.

한실이라면 그리 말할 것이고 두실 또한 그걸 모르지 않으나, 이곳에 오면 쓴물이 올라왔다. 뻗쳐오르는 화기를 다스리듯 두실이 주변에 돋아난 잡초를 뽑았다.

그때 인기척이 들렸다. 몸을 낮추고 돌아보자 넉실이 술병 든 구덕을 들어 보이며 웃고 있었다.

두 사람은 무덤 자리에 술을 뿌리고 자신들도 음복했다.

"몸이 아직 편찮은디 괜차녀쿠과?"

드러내어 말리진 않았어도 넉실 역시 두실이 걱정되긴 마찬가지였다.

"너네 이모 말이여."

두실은 뜬금없이 한실 이야기를 꺼냈다. 두실이 한실을 입에 올리기란 좀체 없는 일이어서 넉실이 숨을 죽였다.

"물질을 정말 잘했저게. 인어가 있다민 저러지 않겠나 헐 만큼 물에 들민 반지롱(반반)허고 펠롱펠롱(반짝반짝)허였주게. 경 급허게 가고서는 나 생각했다. 아, 그 사름이 정말로 인어였고나. 요왕할망이 불쌍헌 자손덜 구제허젠 말젯딸(셋째 딸)을 보냈고나. 아꼽은(어여쁜) 딸이라 금세 데려가불었고나."

"……."

"너네 이모는 스님이 되어서도 해녀의 마음으로 살았을 거라. 나가 다른 건 몰라도 그건 알주. 물에 들든 물 밖에 있든, 대상군이란 그런 거난예."

한실의 얼굴처럼 둥근 보름달이 산굼부리 위로 떠올랐다. 희부염한 빛이 소사나무 군락을 비췄다. 앙상한 가지마다 도톰한 꽃눈이 맺혀 있었다.

"어머니, 꽃눈이 저리 돋아 금세 꽃 필 거 같수다."

두실이 눈부신 듯 소사나무를 바라보며 고개를 끄덕였다.

"경헐 테주. 경해사주."

두 사람은 말없이 술잔을 비우고 기도하듯 달을 우러렀다. 달을 보는 두 사람의 눈매가 꼭 닮아 있었다.

그 시각 깍지는 집에서 삯바느질을 하고 있었다. 갈적삼을 꿰

매는 손길이 평소와 달리 둔팍했다.

"아얏!"

바늘에 찔렸는지 깍지가 손가락을 입에 물었다. 화풀이하듯 바느질감을 내던진 깍지가 문을 박차고 나갔다.

*

"경부보님, 경부보님!"

막 퇴근하려는 승일을 삼동이 막아섰다. 숨이 턱까지 차오른 삼동이 씨근거리며 문서를 꺼냈다.

"이넌덜, 나 영헐 줄 알았수다게! 이거 좀 봅서!"

해녀들이 만든 유인물이었다. 승일이 대강 읽더니 적당히 들어주는 척하고 넘기면 될 걸 무어 그리 유난을 떠냐 대꾸했다. 삼동은 그리 가볍게 볼 일이 아니라며 가슴을 두드렸다.

"월영뿐만 아니라 다른 마을에서도 온덴 햄수다. 자칫 해녀덜이 몰려서 대규모 시위라도 벌어지민 어떵허쿠과?"

재킷을 걸치던 승일이 멈칫했다.

"예상 인원이 얼만가?"

"수십, 아니 수백은 족히 될 거우다."

삼동이 일단 지르고 보자는 식으로 대답했다. 승일의 말끔한 눈썹이 위로 올라갔다 내려왔다. 승일이 재킷을 도로 옷걸이에 걸고 자리에 앉았다.

닷새마다 열리는 월영장터는 근방에서 가장 큰 장이었다. 싸전과 포목점, 잡화점, 어구점, 목공소 등이 즐비한 장터 거리에는 집에서 짠 말총갓이니 무명이니 하는 것부터 키우던 닭, 갓 뽑아 나온 상추잎까지 바리바리 싸들고 나온 광주리장수들이 줄줄이 앉아 있었다. 한편에서는 사당패들이 접시를 돌리고 재비를 돌며 익살을 떨어댔다. 둥그렇게 둘러선 구경꾼들 옆으로 삼동을 비롯한 조합 직원들이 모였다.

"그년덜 나오민 바로 머리채를 잡아서 끌고 오라. 보나마나 몇 되지 않을 테니까 맨 앞에 선 년덜만 끌고 나오민 되어. 알아지크라?"

시계를 힐끔거리던 삼동이 빠르게 지시한 후 마쓰다를 향해 고개를 숙였다.

"마쓰다 상, 신빠이시나이데 구다사이. 수구 슈료이따시마스(마쓰다 씨, 걱정하지 마십시오. 금방 끝내겠습니다)!"

마쓰다는 귀찮아 죽겠다는 얼굴로 담배만 피웠다.

두실이 장터로 들어섰다. 동트기 전 목욕재계하고 할망당에 기도를 올리고 오는 길이었다. 포목점에서 천을 고르는 척하던 서복이 두실과 눈을 맞추었다. 두실이 고개를 낮게 끄덕이고 장터 한가운데로 걸어갔다. 담담한 표정인데도 사람들이 저도 모르게 물러서며 길을 터주었다. 어물전을 어슬렁거리던 석실과 억대가 긴장한 빛으로 두실을 주시했다. 두실이 머릿수건을 단단히 고쳐 매고 품에서 빗창을 꺼내들었다.

"지금이우다!"

서복이 석실과 억대에게 외쳤다. 두실이 빗창을 높이 들자 세 사람이 크게 소리 지으며 뛰어나갔다. 다른 해녀들도 빗창을 뽑아들고 뒤를 따랐다. 함성 소리에 마쓰다가 피우던 담배를 떨어뜨렸다. 모여드는 해녀들을 보고서는 더욱 놀란 얼굴이었다. 이 정도까지 모일 줄은 몰랐던 삼동도 당황한 기색이었다. 승일의 관심을 끌려고 수백이라 했는데 허튼 말이 아니었다. 마쓰다는 알아서 잘 처리하라 하고는 허둥지둥 자리를 피했다.

"에이, 덕덜남의 씨*! 니놈덜은 뭐 허나, 재기 나가라게!"

삼동이 얼떨떨하게 선 직원들을 떠밀고 저도 뛰어나가려는데 그 앞으로 덕순이 배를 내밀고 느릿느릿 걸어갔다. 삼동이 덕순을 밀치고 뛰어가는데 퍽, 소리가 나며 사타구니가 축축해졌다.

"이건 또 뭐라!"

내려다보니 달복이 깨진 달걀을 들고 입을 불퉁하게 내밀고 있었다.

"해녀조합은 악법을 폐지허라! 해녀조합은 해녀덜을 보호허라!"

두실의 굵은 음성이 장터를 울렸다.

"해녀조합은 악법을 폐지허라! 해녀조합은 해녀덜을 보호허라!"

* '씨알머리 없다'는 뜻의 제주어 욕설.

해녀들이 따라 외쳤다.

"저리 비켜!"

"독새기(달걀) 값은 물어주고 갑서!"

달복이 삼동의 옷자락을 붙들었다. 삼동이 달복을 떼어내려 했지만 달복은 끈질겼다. 그 사이 두실이 정리해온 요구 사항을 읊었다.

"지정판매제를 없애고 가격 등급은 지정헌 대로 매겨라! 계약금은 우리 해녀덜이 보관헐 수 있게 하라! 금후로 악덕 상인에게는 상권을 절대 허락허지 말 것이며 그간 해녀덜의 손해를 보상허라! 악덕 상인과 결탁헌 부도덕한 직원도 해고허고 조합 재정을 명명백백히 공개허라!"

"아니, 저년덜이!"

삼동이 이를 악물었다. 악덕 상인이라면 니노미야를, 그와 결탁한 부도덕한 직원이라면 자신을 일컫는 것이었다. 어릴 적 자신을 채용해준 니노미야 덕분에 돈도 벌고 해녀조합에도 취직할 수 있었다. 평생의 은인에게 몇 가지 편의를 제공했기로서니 악덕 직원에 부정 결탁이라니, 저런 억지가 어디 있나! 삼동이 달복을 힘껏 밀어뜨리고 달려갔다.

"뭐 허는 짓덜이라! 다덜 주재소에 끌려가고 싶어 안달났수과? 빨리 해산헙서!"

서복이 삼동과 직원들이 달려오는 것을 보고 소리쳤다.

"삼춘덜, 단단히 붙어줍서!"

해녀들이 바위 밑에 숨은 보말들처럼 다닥다닥 붙어 섰다. 석실과 억대가 덩치 큰 해녀들과 함께 시위대를 에워쌌다.

"보제기년덜이 부끄러운 줄도 모르고!"

달려오던 삼동이 억대의 배에 튕겨 나동그라졌다.

"너 지금 뭐라 했나? 보제기년이라?"

삼동이 욕설을 내뱉으며 한 번 더 달려들었지만 이번에도 발라당 넘어졌다. 해녀들이 달걀이 묻어 축축해진 사타구니를 가리키며 낄낄거렸다. 삼동은 몸을 웅크려 사타구니를 가렸다. 억대가 직원들을 향해 빗창을 쳐들었다.

"오기만 허라, 전복 따듯이 네놈덜 명줄도 따줄 거난!"

직원들이 목을 쑥 집어넣었다.

"이제 본부로 가게마씨!"

서복의 외침에 두실이 앞장섰다. 해녀들이 따라가며 구호를 외쳤다. 구경꾼들이 길을 터주며 손뼉을 쳤다. 해녀들의 목소리가 더욱 커졌다.

"해녀조합은 물건 값을 마음대로 깎지 마라! 물건 값은 제때 줘라! 어린애덜과 할망덜 조합비는 면제해줘라!"

그때 판구와 순사 몇이 자전거를 타고 나왔다. 삼동이 구르듯 달려갔다.

"무신거 허당 인제 오냐! 재기 저년덜 잡아넣으라게!"

판구가 삼동의 사타구니를 보고 오줌이라도 지렸냐며 눈살을 찌푸렸다.

"지금 그게 중허냐? 허연 새끼는 어디 갔냐?"

판구가 쉿, 하며 손가락을 입술에 갖다 붙이고는 중대 임무를 수행 중이니 나중에 이야기하자고 했다. 황당해하는 삼동을 지나 판구와 순사들이 행렬을 뒤쫓았다. 두리번거리던 삼동이 시위를 구경하던 남자를 밀치고 그가 타고 있던 자전거를 빼앗아 탔다. 죽어라 페달을 밟아 구좌면사무소에 도착한 삼동은 매무새를 만질 겨를도 없이 면장 사무실로 뛰어들었다.

"글쎄, 날더러 뭘 어쩌라는 거라."

면장이 삼동의 가랑이를 힐긋 보며 이맛살을 찡그렸다.

"뭐든 허여줍서. 저년덜 지금 본부로 가민 면장이나 나나 끝이우다, 끝."

"지금 나가도 끝날 거 같은디. 누구든 걸리기만 허민 다 때려죽일 기세라멍."

면장이 지금이라도 본부 차원에서 긴급 회의를 소집하자고 했다. 삼동은 답답해 속이 터질 것 같았다. 조합장도 공석인데 어느 세월에 회의를 소집하고 논의를 하나.

"일단 급헌 불부터 꺼삽주."

"경허난 그 급헌 불을 무사 나가 꺼야 허나 말이라. 자네도 있고 마쓰다 상도 있지 아년가."

해녀조합 지부장이라는 새끼가. 생색나는 일에는 어떻게든 앞에 서려 하면서 이런 일엔 꼬리부터 말고 드는 것이 윗대가리란 족속들이었다. 당장 면상이라도 후려치고 싶은 걸 애써 참으며 삼동이 거듭 회유했다.

"월영에서 조합장을 대신헐 만헌 인물이 면장님밖에 더 있수과? 조합장이야 제주도사가 겸허는 자리렌 정해놨으니 어쩔 수 없지만 그런 규정만 아니민 면장님이 고작 지부장을 허쿠과? 조합장을 몇 번씩 허고도 남주."

언감생심, 그런 소리는 말라면서도 싫지는 않은지 면장의 입꼬리가 실룩거렸다.

"경해서, 날더러 뭘 어떵허렌 허는 거."

"요구 조건을 들어준덴 헙서."

"무신거?"

면장은 본부와 의논도 없이 그런 결정을 할 수는 없다고 딱 잘랐다.

"어차피 들어줄 거 아니난 괜차녀우다. 일단 달래서 해산시켜얍주. 지금은 저년덜 발길을 붙드는 게 젤로 중허우다게."

"경허믄 나중에 말을 바꾼다고? 그때야말로 나를 죽이려 들 건디?"

"주재소에서 뒷배가 되어줄 건디 지깟 년덜이 어떵 덤빌 말이우꽈?"

"주재소에서 나서준다고? 거기서야 콩고물 받아먹는 거나 관심있주, 이런 일은 성가셔하잖여? 오늘만 해도 나 몰라라 허고 있지 아년가."

"그게, 김 경부보가 다 생각허는 바가 있어서 그런 거인디, 그 속사정꺼장은 기밀 사항이라 지금 말씀드릴 수가 없고예. 나가 나중에 찬찬히 설명을 드리쿠다."

"김 경부보라민 경성서 왔다는 사름 말가? 자네가 그 사름허고 얘기를 했다고?"

삼동이 승일과의 관계를 잔뜩 부풀려 떠벌렸다. 승일이 요릿집까지 예약해 자신을 초대했다는 둥 배포가 맞아 호형호제하기로 했다는 둥 수시로 만나 업무를 논의한다는 둥 바람을 담은 허풍이 청산유수로 흘러나왔다.

"그게 정말이라?"

삼동이 다리를 척 꼬며 대꾸했다.

"거 참, 면장님도. 이 배삼동이가 언제 헛말허는 거 봤수과?"

행진하는 해녀들 앞으로 면장이 쭈뼛거리며 나섰다.

"뭐꽈?"

두실이 무뚝뚝하게 물었다. 면장이 확인하듯 뒤편에 선 삼동을 흘긋 보았다. 삼동이 얼른 이야기하라고 손을 흔들었다.

"저, 정말 영 본부꺼장 갈 참이라? 이디서 본부가 어디라고."

"두 다리 멀쩡헌디 어디든 못 가크냐? 그건 면장이 걱정헐 것이 아니우다."

"일단 진정덜 허고……."

"진정은 면장님부터 헙서. 꼭 지 똥 소리에 놀란 몽생이(망아지)

같수다."

억대의 말에 해녀들이 와그르르 웃었다. 두실이 걸음을 떼자 면장이 시뻘게진 얼굴로 막아섰다.

"나허고 얘기 좀 허주."

"일전에 우리 해녀덜이 전달헌 요구서는 읽어봤수과?"

"지금 당장 읽어보크라. 일단 들어가서 냉수라도 한 잔 마시고 허심탄회허게 얘길 해보게."

"지금껏 요구서도 안 읽어본 사름허고 무슨 얘길 헙니까? 필요엇수다."

면장이 매달리듯 두실을 붙들었다.

"그거 안 읽어도 나는 자네들이 무신거를 바라는지 다 안다게. 나만큼 자네덜 사정 잘 아는 사름이 어디 이시니?"

알기는 뭘 아냐고, 그걸 아는 사람이 이때까지 손 놓고 있었냐는 야유가 쏟아졌다. 면장이 원망스러운 얼굴로 삼동을 돌아보고는 소리쳤다.

"아, 알았네. 자네덜 요구를 들어주크라!"

뜻밖의 말에 야유가 멎었다.

"우리 요구를 들어준덴마씨? 전부 다마씨? 지정판매제도 없애주는 거우꽈?"

서복이 눈을 동그랗게 뜨고 물었다.

"그렇다니까! 이 자리에 있는 배삼동 서기보가 확실히 약조허는 바라."

해녀들이 개삼동이 말을 어찌 믿냐고 되받아쳤다. 면장의 좁은 이마에서 땀이 비 오듯 흘렀다. 삼동은 제대로 얘기하라고 눈썹을 씰룩거렸다. 해녀들과 삼동 사이에 낀 면장이 기어들어가는 목소리로 말했다.

"나가…… 보증허크라."

"정말이우꽈? 우리덜 앞에서 약속헐 수 있수꽈?"

"그렇다니까."

"지부장 자리를 걸고 맹세허는 겁주예?"

서복이 거듭 다짐을 놓자 면장이 체념한 듯 고개를 끄덕거렸다. 해녀들이 환호하며 펄쩍펄쩍 뛰었다. 면장이 한숨을 푹 쉬며 땀을 훔쳤다. 삼동은 억지 미소를 지어 보이며 이를 부득 갈았다.

*

"사아십 년 전 그 옛날에 고향 산천 등지고 여기저기 떠다아니는 가아련헌 인생, 어제는 도옹쪽에 오늘 다아시 서어쪽에 갈 곳 없는 물에 뜬 풀이라."

억대가 구성진 자락을 뽑아내고 막걸리를 들이켰다. 석실이 억대의 입에 삶은 소라 한 점을 집어넣었다.

"크으, 달구나 달아. 술도 달고 구젱이(소라)도 달고. 맨날 영 달기만 허민 얼마나 좋으카."

"아이고, 맨날은 바라지도 아녀녜. 보름에 한 번, 아니, 한 달에 한 번이라도 영 좋으민 살맛나주."

"아이고, 동네잔치가 벌어졌수다예."

술도가에서 술을 더 받아온 넉실이 혀를 내두르며 들어섰다. 말 그대로 해녀들의 잔칫날이었다. 강습소에는 책과 공책 대신 막걸리와 안주가 벌려졌고 바닥에 퍼질러 앉은 해녀들은 얼근히 취해 웃고 떠들었다. 술이라면 입에도 대지 않는 선욱도 한 자리 차지하고 앉아 막걸리를 홀짝이고 있었다.

"아까 면장 표정덜 봔? 어멍 앞에서 발발 떠는 꼴이 어떵사 고소허던지."

석실이 고소하다는 듯 키득거렸다.

"개삼동이 놈 낯짝은 어떻고. 복어처럼 잔뜩 독이 올라가지고 볼따구를 불룩거리는디 대가리가 빵 터져버리는 줄 알안게."

억대가 삼동 흉내를 낸다며 볼을 부풀렸다.

"대상군이 구호를 외치멍 앞으로 나사는디 경 멋져라게, 나 가슴이 다 탕탕해라(두근거렸어)."

술을 안 먹고도 덕순의 얼굴이 발그레했다.

"아이고, 누게 어멍인디 경 아녀크냐?"

석실이 두실의 팔짱을 끼며 웃었다.

"원래 진짜 고수덜은 우리 대상군추룩 조용헌 법이주. 눈빛으로 제압해버린단 말이라. 거들먹거리던 조합 놈덜, 우리 대상군 앞에서 야코죽는(기죽는) 거 봤주?"

억대가 이번에는 두실의 흉내를 냈다.

"어떵, 이추룩 허믄 됩네까?"

넉실이 과장되게 미간을 찌부러뜨리는 통에 웃음이 터졌다. 다른 해녀들도 저마다 눈에 힘을 줘보고는 서로의 모습에 배를 잡고 웃어댔다.

*

반면 요릿집에 모인 사내들은 말없이 술만 푸고 있었다. 삼동은 해녀들한테 밀려 거짓 약속이나마 한 것이 못내 분했다. 이게 다 승일 때문이었다. 미리 귀띔까지 해주었건만 어째서 아무 조치도 취하지 않은 건가. 덜 떨어진 판구 놈은 해녀들 호위하느라 딸려 보냈느냔 말이다.

"이제 어떵헐 거우꽈?"

"별 탈 없이 해산했으니 된 거 아닌가."

승일이 무성의하게 대답했다.

"별 탈 없이 해산허긴마씨, 면장이 지정판매제를 없앤다고 약속을 했수다. 지정판매제가 어떤 제도우꽈? 이 섬을 먹여 살리는 밥줄이자 드센 해녀덜을 통제허는 뼈대 같은 법이우다. 이게 보통 일이 아니라마씨."

삼동이 술잔을 소리 나게 내려놓았다.

"경부보님께서 제주가 어떵 돌아가는지 아직 몰르셔서 그러는디,"

승일이 손을 들어 삼동의 말을 막았다. 오늘 상황을 되짚어보는 중이었다. 삼동에게서 시위 소식을 들었을 때 가장 먼저 떠오른 것이 테러리스트였다. 해녀들이 장터에서 시위를 한다면 평소보다 많은 사람이 몰릴 테고 여차하면 소요로 번질 수도 있었다. 몰래 누군가를 접촉하자면 그보다 좋은 기회는 없었다. 시위를 이용해 움직인다! 그간 테러리스트들을 소탕하며 쌓은 동물적인 직감이 그렇게 말하고 있었다. 장터에 있는 사람들을 모두 검문했고 해녀 무리에 판구를 붙여 수상한 인물이 섞여들었는지 확인했다. 그런데 없었다. 예상이 빗나가다니. 오늘 같은 기회를 놓칠 리가 없는데. 나타났는데 못 잡은 건가, 처음부터 나타나질 않은 건가. 전자라면 용납이 안 되고 후자라면 납득이 안 됐다. 제 생각 속으로 파고드는 승일을 삼동이 끄집어 당겼다.

"곧 신임 도사가 순회를 오젠 허지 아념수꽈? 취임허자마자 월영에서 이런 일이 있었다는 걸 알민 기분이 좋으쿠과?"

그래서 내가 이 고생을 하는 것 아니냐. 너 같은 놈과 천한 해녀들이 날뛰는 꼴까지 봐주면서. 승일이 마음과는 달리 옅게 웃어 보였다. 삼동이 바싹 다가앉았다.

"지정판매제를 계속 시행헌덴 허민 그년덜은 또 들고 일어날 거우다. 이번엔 이 정도로 넘어갔지만은 그때는 단호허게 처분해사쿠다."

해녀들한테 물렁하게 굴면 농사 짓는 놈들, 장사하는 놈들까지 죄다 들고 일어날 거라고, 그러면 이 섬 전체가 반일 인사 소굴로 전락하는 건 시간문제라고 삼동이 열을 내어 떠들어댔다. 승일의 귀에 들어오는 것은 해녀들이 또 시위를 벌일 거라는 말뿐이었다. 두 번째 기회. 승일은 테러리스트가 이것만은 절대 그냥 넘기지 않으리라 확신했다.

*

"뒷간 가나 했더니 여기서 무사 영 있나?"

운동장 구석에 쪼그리고 앉았던 서복이 고개를 들었다.

"머리가 어질어질해서, 바람 쐬고 있었주."

넉실이 피식 웃으며 옆에 앉았다.

"너는 어떵 이 나이 먹도록 거짓말 하나를 못 허나. 나이 헛먹었다게."

"무신 소리라?"

"무신 소린지는 너가 더 잘 알겠지."

"……티 나나?"

넉실이 고개를 끄덕였다. 서복이 한숨을 쉬자 술 냄새가 희미하게 번졌다.

웃고 떠드는 와중에도 자꾸만 초조한 마음이 일었다. 조합 지부장이나 되는 면장이 직접 약속까지 했으니 다 잘된 거라고 혼자 다독여보는데도 이상하게 목구멍에 가시 걸린 듯 말끔치가 않았다.

"일이 너무 쉽게 풀려도 불안헌 법이주. 하도 어렵게 어렵게만 살아놓으니 적응이 안 되는 거라."

"나가 괜히 경허는 거겠주?"

"너 예감이 맞을 수도 있저."

굳어지는 서복을 보며 넉실이 씁쓸한 미소를 지었다.

"그럼 어떵허나."

"어떵허긴 뭘 어떵해. 별 수 없는 거주."

"……."

"그렇다 해도 아직 일어나지 않은 일이고 정말 일어날지 어떨지는 몰르는 거 아니? 경허믄 오늘은 그냥 기뻐허민 되는 거라. 걱정헌다고 될 일이 안 되지도 않고, 안 될 일이 되지도 아녀난. 물질도 똑같지 아녀냐?"

넉실의 말이 옳았다. 내일 물질을 할 수 있을지는 내일이 되어봐야 아는 거고 미리 걱정한다고 날이 개고 파도가 잠잠해지는 것은 아니었다. 앞일은 모르는 것. 그러기에 함부로 낙관할 수 없지만 그렇다고 비관할 필요도 없는 것이었다. 바당이 고요하든 돌풍이 불든 항시 같은 표정인 선배 해녀들이 그제야 조금 이해가 되었다. 낙관도 비관도 하지 않고 지금을 있는 그대로 받아들이는 것. 그것이 평생 물질을 할 수 있는 힘이었다. 지금 디딘 자리만 보면서 한발 한발 나아가는 것이었다. 물질도, 인생도 그런 것인지도 몰랐다. 추를 단 듯 무겁던 마음이 조금은 가벼워졌다.

"술이나 먹으레 가자게. 억대 삼춘이 다 먹어치운 거 닮다."

"너 술은 먹을 줄 아냐?"

서복이 묻자 넉실이 무슨 소리냐는 듯 눈을 크게 떴다.

"나 대판 공장서도 알아주는 술고래였저. 괄괄한 소나이들도 나만큼 먹는 사람 없었다게."

"칫, 대판서 순 허세만 배워왔저게."

"진짜렌. 나 말을 못 믿으냐?"

"어디 우리 몽생이 말이 참말인가 한번 보카?"

서복이 싱긋 웃으며 손을 내밀었다. 넉실이 서복의 손을 잡아 일으켰다. 두 사람은 잡은 손을 씩씩하게 흔들며 걸었다.

빗창 소리가 천지를 진동하니

며칠 후 마을 곳곳에 벽보가 붙었다. 해녀들은 멀뚱히 벽보를 보았다. 억대가 벽보 붙이는 말라깽이 직원에게 무슨 일이냐 묻자 직원은 불에 데인 강아지마냥 도망쳐버렸다. 서복이 벽보를 뜯어 강습소로 향했다.

*

"허, 쑹헌(이게 무슨 일이야)! 이것덜이 허멩이(허수아비) 문서를 날린 거라?"

벽보는 지정판매제를 이전과 같이 시행한다는 공고문이었다. 억대가 자신들을 얼마나 우습게 봤으면 면전에서 한 약속을 어기냐고 분통을 터뜨렸다. 다른 해녀들도 목청을 높였다.

"정말 지정판매제를 없앤다는 글이 아니우꽈?"

서복이 재차 확인했다. 선욱이 난감한 얼굴로 고개를 끄덕이자 타박하는 목소리가 튀어나왔다.

"나 영헐 줄 알았어! 경허난 이런 거 해봐야 소용없다 경해신디. 개삼동이 놈안티 돈푼이나 안겨주고 잘봐달라고 허는 게 백번 나낫겠지."

"춘화네, 지금 그게 무신 말이라?"

석실이 눈썹을 내려뜨렸다.

"암만해도 방도를 잘못 낸 거 닮덴 허는 말이주. 그놈덜이 한번 들고 일어난다고 바뀔 놈덜이 아닌디."

"뭣이, 지금 시위를 헌 게 잘못이란 거라?"

억대가 눈을 부릅뜨자 춘화네가 입을 삐죽거렸다.

"언제 잘못했덴 했나. 그놈덜안티는 안 먹히는 방법이렌 이 말이주. 개나 소나 시위허는 세상이 됐다고 해도 우리꺼장 나살 것은 없었다게. 괜히 꼴만 우습게 되어불신게."

"꼴이 우습게 되어? 누게가 우습게 됐덴 허는 거라?"

"춘화네 말도 틀린 건 아니라. 달라지는 거 하나 없이 조합안티 미운털만 박히게 생겨시니. 개삼동이 놈, 보나마나 이번 일 핑계 삼아 더 괴롭히젠 헐 건디 그 몽니(심술)를 어떵 견디나게?"

다른 해녀가 춘화네 편을 들었다.

"지난번에 보난 주재소에서도 나왔던디, 설마 추자도추룩 잡으레 오는 건 아닐 테주?"

"주재소에서 잡으레 온다고?"

"우리덜을 다 잡아 가둔덴 말이라?"

"잡아 가두기만 허여? 밟고 때리고 오만 행패를 다 부릴 건디."

실체 없는 두려움은 빠르게 전염되었다.

"영 될 줄 알아시민 그냥 촘아줄 걸 경해수다. 괜히 건드려가지고 덧나기만 허큰게."

"지금이라도 면장허고 개삼동이 놈안티 가서 잘 이야기해보카마씨? 우리가 잘못했덴 허고."

"어크거, 우리가 잘못은 무신 잘못을 허였는디?"

억대가 책상을 탕탕 쳤다.

"말이 경허다는 거주. 비위나 맞춰주젠 말이라. 똥이 무서워서 피허나, 드러와서 피허주."

"무서워서 피허는 거 닮은디. 어린 조캐덜 앞에서 부끄러운 줄 알아, 이 사름아!"

"부끄럽다니, 나가 무신걸 했다고 부끄러운 줄 알렌 허는 거라! 현실적으로 생각을 허젠 말이주, 현실적으로!"

"그저 창자 빠진 양 빌빌거리자는 게 현실적인 거라? 경해가지고 무신 해녀라고! 경 겁이 나믄 당장 물질 관두고 집구석에나 이시라게."

"너가 뭔데 나신디 물질을 관두라 말라 허는 거라? 너가 뭔데!"

춘화네와 억대가 벌떡 일어나더니 서로의 멱살을 쥐었다.

"삼춘덜, 진정덜 헙서!"

서복이 말렸다. 억대가 억울해하며 서복에게 소리쳤다.

"서복이 너도 지금 듣지 아년, 춘화네 말허는 거. 신난다고 술 처먹을 땐 언제고 인제 와 딴소리라? 복쟁이추룩 쫄아가지고. 사름이 덕대가 조꼬만허니까 속도 좁은 생이라."

"경허는 넌 몸뚱이가 봉끄랑허고(통통해서) 간도 퉁퉁 붓인거라?"

"무신거!"

두 사람이 머리채를 잡으며 엉겨 붙었다. 말리던 다른 해녀들도 양편으로 갈려 싸우기 시작했다. 강습소 안은 금세 아수라장이 되었다.

"아이고, 삼춘덜, 우리끼리 싸우믄 어떵헙네깡? 쌉지들 맙서게!"

서복과 넉실이 두 팔을 흔들며 막으려 했지만 뒤엉킨 해녀들 사이에 휩쓸려 휘청대기만 할 뿐이었다. 선욱은 쉽사리 끼지 못하고 입술만 잘근잘근 씹었다.

"그만덜 허라."

두실이 말했다. 해녀들이 듣지 않자 두실이 책상을 세게 내리쳤다.

"지금 이게 무신 꼴덜이라!"

두실이 목소리를 높이자 해녀들이 동작을 멈췄다. 억대와 춘화네가 산발이 된 채로 씩씩거리며 물러났다. 해녀들도 계면쩍은 얼굴로 떨어져졌다.

"싸울 상대는 따로 있는디 엉뚱헌 사름 붙잡고 머리채 뜯어봐야 무신거 헐 거라! 지금 상황이 영 된 게 누게 때문이렌 말고!"

이어지는 호통에 해녀들이 고개를 떨구었다.

"기여, 이게 다 개삼동이 놈 때문이라! 나 이놈을 당장 바당에 빠뜨려불켜!"

팔을 걷어붙이고 나가려는 억대를 두실이 가로막았다.

"배삼동이 던져불믄 뭐가 해결되나. 그게 정말 우리가 해야 헐 일이라?"

억대가 열을 삭히며 자리에 앉았다.

"서복이 너 생각은 어떵허니?"

두실이 서복을 보며 물었다. 해녀들의 시선도 서복에게 모였다. 그 눈빛이 무섭고 무거워 서복이 시선을 떨구었다.

춘화네를 말리긴 했지만 서복 역시 두려웠다. 아무렇지 않게 지정판매제를 재개하는 조합의 행태는 그들이 해녀들을 어찌 보고 있는지 명징하게 보여주고 있었다. 나서봐야 소용없다는 노골적인 무시와 경멸. 해녀들을 겁내기는커녕 앞으로도 전혀 신경 쓰지 않겠다는 과시이자 선언.

조합은 힘을 가진 거대 조직이었다. 돈이 있고 사람이 있고 권력이 있었다. 그러나 해녀들에겐 아무것도 없었다. 조합도, 해녀들도 그 사실을 잘 알았다. 잘 알기에 두렵고 두렵기에 약해지는 것이었다. 그것을 두고 소심하고 비겁하다 한다면 완전히 틀렸다고 할 수는 없으나 억울했다. 잘못한 것도 없는데 소심하고 비겹하다 욕까지 먹어야 한다니, 너무 가혹하지 않은가.

하지만 그것이 현실이라 하여 그저 당하고 있을 수만은 없었다. 지금껏 참았지만 알아주는 이는 하나도 없었다. 갈수록 더한 것을 요구하고 더한 것을 견디라 하였다. 뭐라고 한마디라도 할라치면 지금까지 잠자코 있다가 왜 그러느냐 면박을 주었다. 모욕과 굴종은 아무리 참아도 더해지기만 할 뿐, 절대 감해지지 않았다. 그렇다면 우리는 어찌 할 것인가.

서복이 눈을 들어 넉실을 보았다. 넉실이 가만히 고개를 끄덕였다. 그만두어도 괜찮다고, 여기까지 한 것만도 대단하다고 그 눈빛이 말하고 있었다. 어쩌면 그 눈빛 덕분인지도 몰랐다. 서복의 입에서 저도 예상치 못한 말이 흘러나온 것은.

"시위를…… 한 번 더 허게마씨."

누군가 시위를 해서 이 사달이 났는데 또 시위를 하자는 거냐고 궁시렁거렸다. 맞장구치는 소리들이 이어졌다. 그들의 말이 옳았다. 또 시위를 하면 조합과 주재소는 더욱 강경하게 나올 것이었다. 돈과 사람과 권력을 휘둘러 해녀들을 짓누르려 할 것이 분명했다. 이제까지 해왔듯 부당한 처우를 감수하고 적당히 숙여주며 비위를 맞춰주는 게 가장 현명한 방법일 수도 있었다. 하지만 이대로 물러나고 싶지 않았다. 조합 윗대가리들이 멍청하고 겁 많은 년들이라고 비웃는 것도 싫고 해녀들이 우리가 경해주마(그렇지 뭐), 하며 자조하게 되는 것도 싫었다. 무엇보다 참을 수 없는 것은 이번의 시위가 다른 마을 해녀들, 그리고 이후의 해녀들에게 싸우지 말아야 할 근거가 될 거라는 사실이었다. 저것 보라고, 그러니 싸우면 안 된다고, 싸워봤자 소용없다고. 그러려고 용기를 낸 것이 아니었다. 고작 그딴 것이 되자고, 바당만 알던 여인들이 길 위에 나선 것이 아니었다. 약한 것만도 억울한데 틀리기까지 할 수는 없었다.

서복이 용기를 끌어내어 입을 뗐다.

"그놈덜이 한 번 들고 일어난다고 바뀔 놈덜이 아니렌 했지예? 이제 한 번 헌 거 아니우꽈? 첫술에 배부르고 첫 물질에 망사리 채와지는 거과? 밥 한 그릇은 먹어야 배가 불르고 물질도 몇 달은 해야 망사리도 채와지는 거 아니우꽈?"

"아이고, 다덜 물어보민 첫 물질에 망사리 꽉꽉 채왔덴덜 헐 건디?"

석실이 슬쩍 던진 농에 쨍하게 굳어 있던 해녀들이 피식 피식 웃었다.

"예예, 경 대단헌 삼춘들이난 한 번만 더 해봅주게. 이제꺼장 조합에서 억지를 부려도 기여 기여 허멍 촘아주지 아녀수꽈? 먹고 살자니 싸울 시간이 없고 싸워봐야 좋을 게 없으니 너그럽게 봐준 건디 저놈덜이 그걸 모르는 거우다. 우리가 두루붕이에 모르기렌 경허는 줄 아는 생이라마씨. 인제는 더는 못 촘넨 허는 것을 알려줘야 허쿠다. 우리가 두루붕이렌 고자 입 다물고 있은 게 아니라는 것을 똑똑히 보여줘야 허쿠다."

강습소 안이 잠잠했다. 해녀들이 복잡한 표정으로 각자 생각에 잠겼다. 서복이 해녀들 한 사람 한 사람과 눈을 맞추며 말을 이었다.

“여기 모인 우리덜만 물질허고 끝나는 거라믄 나도 촘으렌 허쿠다. 조합허고 맞붙어봐야 피곤허기나 허고 당장에 득 될 것도 없으니 그게 낫인 일일 수도 이서마씨. 근디 우리 다음에도 해녀덜이 나올 거 아니우꽈? 우리 딸덜이, 경허고 그 딸덜이 계속 물질헐 거 아니우꽈? 이런 비참헌 일을 나가 당하는 것도 신경질나는디 우리 딸덜이, 그 딸덜이 당헌덴 허믄 얼마나 부에가 나쿠광? 한 번 더 해보게마씨. 되든 안 되든 허는 데꺼장 해보는 거우다. 경해사 우리 다음 해녀들안티도 당당헐 수 있지 아녀쿠과? 졌더라도 나는 최선을 다했다, 말이라도 해야 되지 아녀쿠강 이 말이우다.”

서복의 목소리에 울음기가 배어났다. 해녀들의 눈가가 천천히 젖어들었다. 넉실도 빨개진 눈으로 서복을 보며 고개를 끄덕였다. 춘화네가 헛기침을 흠흠, 하고 입을 뗐다.

“딱 한 번만이라. 이 짓을 세 번은 못 헌다이.”

“인생은 삼세번인디 세 번꺼장은 해보주.”

억대가 말을 받았다.

“메께라, 그때는 그놈덜 죽고 나도 죽는 거라.”

억대가 클클대며 춘화네에게 눈을 찡긋했다. 춘화네가 눈을 흘기고는 피식 웃었다.

“기여, 말 못 허는 짐승도 첫 번에는 혼내지 아녀는 법이여. 그놈덜안티 한 번 더 기회를 줘보주."

석실이 큰 소리로 말했다. 해녀들이 맞장구를 치며 손뼉을 쳤다. 두실의 얼굴에도 흐뭇한 빛이 번졌다. 뜻이 모였다. 당장 날부터 잡기로 했다. 선욱이 기다렸다는 듯 다음 장날에 신임 도사가 마을을 순회한다는 소식을 전했다.

"제주도사라민 해녀조합장 아니라! 잘 됐다게. 서기보나 지부장 같은 쭉쟁이덜 상대헐 거 없이 이참에 조합장허고 담판을 짓자게."

시일이 얼마 남지 않았으니 빠르게 움직여야 했다. 당장 대강의 계획을 세우고 역할을 나누었다. 강습소 안이 아까와는 다른 열기로 후끈해졌다.

회의는 밤이 이슥해져서야 끝이 났다. 해녀들이 어깨와 허리를 두드리며 강습소를 나섰다. 고단한 기색이 역력한 중에도 눈빛들이 비장했다. 강습소 주변을 촘촘히 에워싼 어둠이 흥분한 낯빛들을 감춰주었다. 건물 밖에 숨어 있던 깍지도 어둠 속으로 몸을 밀어 넣었다.

*

한 번 해봤으니 일사천리일 줄 알았던 준비는 뜻밖의 난항에 부딪혔다. 시위에 나오겠다는 해녀들이 현저히 줄어든 것이었다. 조합의 공고문에 기대를 접어버린 이들도 있었지만 아비나

남편이 성화를 해서 나갈 수 없다는 이들이 많았다. 그 사이 조합과 주재소에서 사내들을 불러놓고 한바탕 협박을 늘어놓은 것이었다. 집안 남자들에게 심하게 매질을 당한 해녀들도 여럿이었다. 사내들은 서복 등을 향해서도 눈을 모로 뜨고 호통을 쳐댔다. 시위 날에는 아예 집을 지키고 있을 거니 쓸데없는 짓들 말라고 했다. 펄펄 뛰는 아비와 남편 들을 겨우 말리며 해녀들은 힘없이 고개를 내저었다.

못 나온다는 이들을 억지로 끌어낼 수는 없고 몇몇만 모이더라도 시위는 할 생각이었지만 수가 적으면 아무래도 힘이 떨어질 것이었다. 조합에서도 귀담아 들어줄 리 만무했다.

서복은 물질도 쉬고 강습소에 나와 해녀들을 모을 방도에 골몰했다. 넉실과 선욱까지 머리를 모아도 이렇다 할 방안은 떠오르지 않았다.

"우리 집 술을 풀주."

비방을 낸 것은 뜻밖에도 춘화네였다.

"경허믄 되쿠다!"

넉실이 왜 진작 그 생각을 못 했을까 무릎을 치며 눈을 동그랗게 떴다.

춘화네는 술도가집 맏딸이었다. 어려서부터 보고 자란 덕인지 손맛을 타고났는지 술 담그는 솜씨가 일품이었다. 마을에서도 정평이 나 있어 동네 사내들이 춘화네 술 한 잔 얻어먹으려고 춘화네 서방에게 그렇게 알랑방귀를 꿔어댄다 했다.

"그걸로 되쿠과?"

선욱이 미심쩍은 투로 물었다. 넉실이 고개를 갸웃하다가 선욱이 술을 못 먹는다는 사실을 떠올리고 웃었다.

"되쿠다! 무조건 되쿠다!"

춘화네가 술을 푼다고 하면 모르긴 몰라도 동네 사내들 절반은 몰려들 거라고 서복이 설명했다.

"반착만? 다리 힘 없는 하르방덜도 기어서라도 올 거라."

넉실의 말에 선욱이 이제야 알겠다는 듯 고개를 끄덕였다.

"고맙수다, 삼춘. 정말 고맙수다!"

서복이 춘화네의 손을 잡았다.

"이게 마지막이라고 분명히 말했저. 나중에 가서 나신디 겁쟁이니 무신거니 허지 말라이."

춘화네가 단단히 다짐을 놓았다.

"아끼는 술꺼장 내주는디 누가 삼춘신디 겁쟁이렌 허쿠과? 그런 사름 있으민 나가 달려가서 혼내주쿠다."

넉실이 너스레를 떨며 춘화네를 덥석 안았다. 서복도 춘화네를 안았다. 선욱은 일어서서 손뼉을 짝짝 쳤다.

서복과 석실, 억대는 춘화네의 계획을 은밀히 실어다 날랐다. 시위 소식을 들은 다른 마을 해녀들이 함께하겠다고 나섰다. 한층 힘이 난 해녀들은 이번에야말로 해녀들의 힘을 보여주겠다는 각오를 다지며 열성적으로 움직였다.

*

"덕순이 삼춘 아니우꽈?"

늦은 밤 해녀들을 만나고 돌아오던 서복이 정낭 앞에 선 덕순을 보고 깜짝 놀랐다. 반사적으로 상한 곳이 없나 살피는 눈길에 덕순이 민망한 듯 웃었다.

"오늘은 그런 거 아니라."

"경허믄 이 시간에 무신 일이우꽈? 일단 들어글읍서게."

덕순이 아니, 하며 사발 그릇을 내밀었다.

"하영은 못 가져오고 호끔만 덜어왔저. 뜻뜻헌 때 먹으라."

"강엿 아니우꽈? 이거 주젠 이제꺼장 날 지들려수꽈? 들어가서 있을 거 아니꽈? 아니믄 놔뒹 가든지마씨. 몸도 무거운디."

"그…… 준비는 잘 되어감쭈?"

"예. 다덜 열심이우다."

"너가 잘해주난 영햄쭈. 같이 허지 못해…… 미안허다."

덕순은 여전히 시위에 대해 회의적이었다. 지난번 서복의 말에 감동하여 제일 많이 훌쩍대긴 했어도 조합이 달라질 거라고는 생각하지 않았다. 남편 말대로 어리석고 무용한 짓이었다. 조합의 공고문은 덕순의 의심을 더욱 확고하게 만들었다. 그럼에도 함께하지 못한다는 죄책감이 들었다. 발 벗고 뛰어다니는 해녀들을 보면 부끄럽고 미안했다. 그리고 그런 자신에게 덕순은 놀라고 있었다.

당장의 생계만 해결할 셈으로 물질을 시작했다. 잠시 잠깐의 방편으로 여겼을 뿐 제 일이라 생각하지 않았다. 남편이 큰소리치는 대로 한 자리 차지하기만 하면 곧장 그만둘 거였다. 방에 들어앉아 길쌈하고 밥 짓는, 원래의 자리로 돌아갈 생각이었다. 당연히 자신이 해녀라고 여기지도 않았다. 조합 일도 반은 남일이었다. 겁이 많고 소심한 탓이기도 했지만 물질을 그만두면 저와는 상관없는 일이다 여기는 몫이 컸다. 요구서를 써내는 일도 지난번 시위도 가만히 앉아 보기만 했다. 매질하는 남편, 만삭인 상태를 걱정한 해녀들은 제게 나서라 하지도 않았다.

이번에도 여느 때처럼 뭐라는 사람 없이 보고만 있는데 마음이 점점 불편해졌다. 모난 자갈 위에 앉은 것 같았다. 몇날 며칠을 고민하던 덕순은 모난 자갈의 정체를 깨달았다. 부채감이었다. 자신이 찬성하든 반대하든 불턱에서 결정된 일인 만큼 함께 해야 한다는 생각을 부지불식간에 하고 있었던 것이다. 해녀들은 저와는 다른 사람이라 여겼던 자신이 스스로 해녀라고, 불턱의 일원이라고 생각하고 있었다. 당혹스러운 한편 마음 한구석이 군불 지핀 듯 뜨뜻해졌다. 겪을수록 해녀들은 억세고 물질은 고달프기만 한데 어째서 이런 기분인지는 알 수 없었다. 다만 뭐라도 하고 싶어졌다. 시위에 나서지는 못해도 제 마음을 표현하고 싶었다. 당장에 헐 수 있는 거를 허민 어떵허쿠과? 회의 때 넉실이 했던 말이 떠올랐다. 엿기름을 짜 밥에 넣고 삭히고 끓였다. 팔이 빠져라 젓고 또 저으면서 덕순은 처음 물질하던 때를 떠올렸다.

온통 무서운 것들 천지였다. 바당도 무섭고 해녀들도 무서웠다. 단번에 물속으로 고꾸라져야 하는데 겁이 많아 고개를 세게 처박지 못했다. 물만 먹고 질겁하여 떠오르기 일쑤였다. 채워야 하는 망사리는 못 채우고 일없는 배만 동그래졌다. 해녀들은 그런 자신을 놀리며 낄낄거렸다. 하루하루가 괴로웠다. 물질할 걱정에 뜬눈으로 밤을 지새우고 물질 나갈 때면 죽으러 가는 사람마냥 다리를 질질 끌며 걸었다. 돌아올 때마다 물질을 접겠다고 다짐했다. 다른 일을 해도 이만큼 고되면 굶지는 않으리라 생각했다. 그래도 새날이 되고 물때가 되면 불턱으로 나갔다.

그때는 죽지 못해 나간다고 생각했는데 이제 와 돌아보니 자신을 잡아끈 것은 다름 아닌 해녀들이었다. 이웃 할망 해녀가 버리려는 낡은 테왁을 얻어와 쓰는 저에게 자기는 이제 새 테왁을 들였다며 쓰던 테왁을 던져준 해녀들이, 짓궂게 놀려대면서도 빈 망사리에 물건 한 주먹씩을 덜어주던 해녀들이, 입술이 새파래져 덜덜 떠는 저에게 말없이 뚜데기를 덮어주던 해녀들이 울면서도 바당에 들게 했던 힘이고 이유였다. 성정이 불같이 거칠어서 눈도 마주치지 못했던, 하는 말마다 상스러워 말도 섞기 싫었던 이들이 저를 살리고 먹인 이들이었다.

그 면면을 떠올리자 자꾸만 웃음이 났다. 솥을 젓는 손에 힘이 들어갔다. 팔이 떨어져 나갈 듯 아팠지만 덕순은 쉬지 않았다. 얼른 먹여주고 싶었다. 따뜻하고 달콤한 것을 다른 누구도 아닌 해녀들에게 먹이고 싶었다. 사소하고 보잘것없는 일이나마 이것이 덕순의 진심이고 최선이었다.

"미안허다니 무신 말씀이우꽈? 지난번에도 중헌 역할 해신디 그런 소리 맙서."

"나가 중헌 역할을 했다고?"

"기주마씨. 달복이랑 합세해서 개삼동이 놈을 막지 아녀수과?"

"나야 지나가기만 했는디."

"그 덕분에 해녀들이 모이지 아녀수꽈? 단번에 후루룩 몰려드니 조합 놈덜도 어떵 못헌 거고마씨. 덕순이 삼춘 아니었으믄 어영부영허당 하나썩 잡혀갈 뻔했주마씨."

"그게 무신 큰일이라고."

"시위를 도왜시믄(도왔으면) 다 큰일헌 겁주. 앞에 서고 뒤에 서고는 아무 차이 없는 거우다. 다 같이 큰일이라마씨."

서복의 말이 덕순의 속을 읽기라도 한 것 같았다.

"정말 경 생각햄서?"

서복이 당연한 것 아니냐는 듯 고개를 끄덕이자 덕순이 수줍은 듯 얼굴을 붉혔다.

"참, 이거 식기 전에 한적 먹어보라."

서복이 강엿을 손가락으로 폭 찍어 입안에 넣었다. 고이 품에 넣고 있었던 강엿이 아직 따끈하고 말랑했다.

"아이고, 잘 좃구와져서(잦혀서) 맛 좋수다게."

"입에 맞이냐? 너무 달진 아녀냐?"

"나 입에 딱이우다. 영 맛 좋은 강엿은 오랜만에 먹엄수다게."
좋아하는 서복을 보는 덕순의 표정이 그 어느 때보다 환했다.

*

두 번째 시위 전날 최종 점검을 마치고 돌아가는 길에 넉실이 좀 걷고 싶다며 서복을 따라왔다. 그 뒤를 깍지가 은밀히 따르는 것을 두 사람은 알지 못했다.

"진짜 봄났저. 봄 냄새가 난다게."

넉실이 두 팔을 벌려 심호흡을 했다. 그러고 보니 바람이 제법 부는데도 찬기가 거의 느껴지지 않았다. 설늙은이 얼어 죽는다는 꽃샘잎샘 추위도 다 지난 모양이었다. 꽃무릇 잎이 제법 돋았으니 곧 조록나무가 붉은 꽃을 피워 올리고 벚꽃과 유채꽃도 해사한 빛깔로 섬을 물들일 것이었다. 매년 미역 캐는 허채로 봄을 알았던 서복은 봄이 틔워놓은 뭍의 징표들을 새삼스럽게 둘러보았다.

"괜차녀냐?"

서복이 가볍게 한숨을 뱉었다. 처음은 몰라서 용감했다지만 두 번째는 그렇지가 않았다. 어떤 일이 벌어질지 저쪽에서 어찌 나올지 어느 정도 가늠이 되니 더욱 두려웠다.

"걱정 말아. 너 혼자 허는 거 아니난. 삼춘덜도 있고 우리 어멍도 있고, 뭣보다 언제나 너 편인 나도 있네게."

“어이고, 엄청 든든허다게.”

“경허고…….”

넉실이 낮은 목소리로 재빠르게 속삭였다.

“내일 시위 때 물건 주인이 올 거라.”

더 많은 해녀들이 오기로 해서 번잡할 텐데, 걱정하자 넉실이 고개를 저었다.

“일부러 날을 경 잡은 거라. 사름덜 사이에 섞이는 게 제일 안전허난. 너만큼 요망진 사내가 올 거난 걱정 말고 물건이나 잘 챙겨 나오라게.”

긴장해서 고개를 끄덕이는 서복을 보고 넉실이 장난스럽게 물었다.

“근디 끝꺼장 뭔지 안 들어볼 거라?”

“알믄 좋을 거 엇덴 허멍. 경헌다고 대답해줄 너도 아니고.”

넉실이 잠시 사이를 두었다 말했다.

“그거, 대판 동포덜이 모아준 군자금이라.”

공장 월급 대부분을 고향에 보내는 노동자들이 제 생활비를 아끼고 아껴 모은 거라 했다. 감춰준 공이 있으니 알려줘야 할 것 같다고, 고맙다 하며 넉실이 서복의 손을 잡았다.

“그 돈이 상해로 가서 총이 되고 칼이 될 거. 귀헌 돈이주.”

서복이 입을 떡 벌렸다. 파업을 하고 점거 농성을 벌인 것만으로도 놀라웠는데 군자금이라니. 독립운동이란 자신과는 전혀 무관한 이야기인 줄만 알았던 서복은 당장이라도 무슨 일이 벌어질 듯 가슴이 벌떡거렸다. 서복이 퍼뜩 주위를 살피는 바람에 깍지가 잽싸게 몸을 숙였다. 이따금 파도 소리만 건너오는 밤길은 고요하고 한적했다.

"요사이 주재소에서 밤낮없이 동네 들쑤시고 다니는 거 몰라? 들키믄 큰일 나크라."

"걱정 말아. 서복이 너안티 피해 안 가도록, 절대 안 들키고 받아갈 거라."

"나신디 피해가 올까 봐 허는 말이 아니라. 분위기가 심상치 아녀난 걱정이 되어 허는 말이주. 게나제나 대체 어떵 경헌 일도 벌리냐? 대단허다, 고넉실이."

"나야 중간에서 전달만 허는 거라 대단헐 것도 없다게."

"그건 어디 보통 일이냐?"

"시위허는 한서복이만이 헐라구?"

"시위야 나가 허는 게 뭐 있나게. 대상군허고 다른 삼춘덜이 다 나사고 난 뒤에 서 있기만 허는 건디."

"앞에 서나 뒤에 서나 무신거가 경 달라서."

제가 덕순에게 했던 말을 똑같이 하는 넉실을 보며 서복이 피식 웃었다. 넉실도 서복을 보며 웃었다.

"괜차녀크라?"

이번에는 서복이 물었다.

"괜차녀지 않으믄 어떵헐 거라? 이미 벌인 일인디."

"허기는."

"서복아."

"응."

"괜차녈 거지만은…… 괜차녀지 아녀도 괜차녈 거라. 난 경 마음먹엄쩌."

넉실의 시선이 먼 곳을 향해 있었다. 서복이 그런 넉실을 바라보다 가만히 손을 잡았다. 투박하고 거칠한 그 손을 놓칠새라 꽉 쥐었다. 넉실이 멈칫하더니 갑자기 손을 빼고 뛰기 시작했다.

"나 잡으믄 꽈배기!"

서복이 넉실을 쫓아 달리며 소리쳤다.

"꽈배기 한 개로는 안 돼여! 세 개는 먹을 거다!"

두 사람의 웃음소리가 어두운 밤길을 울렸다. 잡풀 뒤에 엎드렸던 깍지가 궁시렁거렸다.

"지랄덜 허네."

*

날이 밝자마자 장이 섰다. 지게, 달구지를 끈 장꾼들이 아침도 거른 채 모여들고 약장수, 사당패도 일찌감치 자리를 잡았다. 신임 도사를 보려고 많은 사람이 몰릴 테니 한몫 잡아보겠다고 단단히들 벼르고 있는 것이었다. 삼동과 조합 직원들은 어물전을 도는 척하며 상황을 살피고 있었다. 지난번에 식겁한 마쓰다는 현장 지휘는 삼동에게 떠넘기고 아예 주재소 안에 틀어박혔다.

다른 직원들도 겁을 먹은 듯했지만 그날과 달리 순사들이 쫙 깔린 걸 보고 안도하는 눈치였다. 순사들은 둘씩 짝지어 장터 곳곳을 누볐다. 해녀들은 잔뜩 긴장했지만 신임 도사 때문이려니 생각했다.

"경부보님, 이번에는 확실헌 겁주?"

삼동이 한쪽에 선 승일에게 속삭였다. 승일이 특유의 묘한 미소를 지었다.

가게를 구경하는 척하던 서복이 넉실에게 다가갔다. 좌우를 빠르게 살피고는 보따리 담은 채롱을 건넸다. 넉실이 채롱을 품에 넣고는 태연히 지나갔다. 두 사람을 깍지가 주시하고 있었다. 넉실은 닭과 달걀을 늘어놓은 달복의 좌판으로 가 앉았다.

잠시 후 한 청년이 좌판으로 와 달걀 값을 물었다. 짧은 흥정 끝에 넉실이 달걀과 함께 채롱을 건넸다. 채롱을 받아든 청년이 빠르게 걸었다. 청년을 눈으로 쫓던 깍지가 맞은편에서 달려와 그와 부딪혔다. 청년은 넘어지는 와중에도 채롱을 놓치지 않았다. 놀란 척 괜찮으냐 물으면서 멀찍이 선 삼동에게 눈빛으로 신호를 보냈다. 청년은 채롱을 품에 꼭 안은 채 잰 걸음으로 장터를 빠져나갔다. 삼동이 고개를 까딱하자 판구와 순사들이 청년을 뒤쫓았다.

닭을 사라고 소리치던 넉실의 머리 위로 그림자가 드리웠다. 순사들이었다. 넉실이 순사들도 달걀 사러 왔냐며 너스레를 떨다가 좌판을 엎고 냅다 뛰었다.

그와 동시에 두실의 양옆으로 순사들이 조용히 다가서며 팔짱을 꼈다. 두실이 뿌리치려 버둥거리자 승일이 총구를 허리께에 댔다.

"얌전히 가지. 다른 사람까지 다치게 하고 싶지 않으면."

두실의 표정이 복잡해졌다. 자신이야 아무래도 좋지만 다른 해녀들이 다쳐서는 안 되었다. 내가 없어도 시위를 할 수 있을까. 두실의 눈이 장터를 훑었다. 서복이 빠르게 돌아다니며 해녀들에게 신호를 보내고 있었다. 아직 어린애인 줄만 알았는데 벌써 저리 컸구나게. 어느 새 처녀티가 완연한 서복을 두실이 부신 듯 바라보았다. 제가 섬을 떠난 게 저 나이 즈음이었으려나. 내 인생 내가 살겠다 하고 가족과의 연도 끊고 섬을 떠났더랬다. 한실은 제가 떠날 걸 알면서도 붙들지 않았었다. 청춘의 열기로 끓어오르는 두실을 모르는 척하는 것으로 한실은 두실을 믿어주었다. 그 단단한 믿음이 생의 고비고비를 넘게 했다. 이제는 자신이 믿어줄 차례였다. 승일이 총으로 허리를 찔렀다. 두실이 서둘러 시선을 거두고 순사들을 따라나섰다.

해녀들에게 신호를 보내고 제자리로 돌아온 서복이 곁눈으로 두실의 위치를 확인했다. 서복의 시선이 흔들렸다. 두실이 없었다. 허투루 자리를 뜰 두실이 아니었다. 급히 소피라도 보러 가셨나. 침착하려 애쓰는 서복의 곁을 넉실이 스치며 뛰어갔다. 사정을 물을 새도 없이 순사들이 바짝 쫓아 달려오고 있었다. 서복이 반사적으로 뒤따르려 몸을 트는데 누군가 서복의 손을 잡았다. 선욱이었다.

"선생님, 넉실이가 잘못된 거 닮수다."

"경핸 따라갈 거우꽈?"

선욱이 시선을 앞에 둔 채 말했다.

"뭐라도 해얍주. 동무가 잡혀가는디 보고만 이서져마씨?"

"시위는 어떵허고마씨."

"그게, 두실 삼춘도 안 보염수다. 두실 삼춘이 있어야 신호를 허는디."

"두실 삼촌도 잡혀갔수다."

"예? 두실 삼춘이 뭣을 했다고요! 아직 일도 벌이기 전인디!"

"두실 삼춘 읏이민 그만둘 거우꽈?"

"일단 넉실이부터 따라가보고……."

"서복 씨가 말허지 아녀수꽈? 서복 씨만을 위해 허는 일이 아니라고. 서복 씨 다음에 올 해녀덜을 위해 허는 일이라고. 그 전엔 또 뭐라 해낫수과? 삼춘덜이 다덜 목숨 걸었다 허지 아녀수꽈? 목숨 걸고 나온 해녀덜을 저버릴 거꽈?"

"해녀덜을 저버리는 것이 아니라 친구를 지키려는 거우다!"

"서복 씨가 가민 넉실 씨를 지킬 수 있수꽈? 순사덜을 물리치고 구해내기라도 허쿠과? 두실 삼춘 없다고 시위를 그만두민 삼춘덜 배신허고 도망치는 거허고 뭐가 달라마씨?"

"도망치는 게 아니라!"

"정신 차립서, 서복 씨! 시작도 안 해보고 접으민 되쿠과! 물질을 나갔으민 풍초라도 줏어 와얍주. 이거 맨날 서복 씨가 허는 얘기 아니우꽈, 안 그렇수과!"

그때 판구와 순사들이 장터를 빠져나가는 청년을 덮쳤다. 청년은 사력을 다해 저항했지만 이내 붙들려 채롱을 빼앗겼다. 사람들이 비명을 지르며 물러섰다. 평화롭던 장터가 순식간에 어수선해졌다. 그것이 신호라도 되듯 장터를 돌던 순사들이 한쪽으로 모여 섰다.

"어멍이 순사덜신디 잡혀갔수다! 아무래도 일이 틀어진 거 닮수다!"

두실을 찾기 위해 장터를 돌아다니던 석실과 억대가 서둘러 뛰어왔다.

"아무래도 이놈덜이 도사가 아니라 우리 때문에 나온 모양이라. 우리 몬딱 잡아넣을라고."

억대가 순사들을 노려보며 중얼거렸다.

"어떵, 오늘은 접어야크라?"

석실이 물었다. 서복이 굳은 듯 서 있었다. 석실과 억대가 걱정스러운 빛으로 시선을 주고받았다.

"기여, 무리헐 거 읏다. 오늘은 일이 되지 않을 모양이니 일단 물러나고 다시 날을 잡아보게."

석실이 서복의 어깨를 도닥였다. 한동안 생각에 잠겼던 서복이 무겁게 고개를 저었다.

"영 흩어지믄 다시는 모이지 못해마씨."

"헌덴민 어떵헐 거라? 대상군도 웃고, 나랑 석실이는 순사덜을 막어야 허는디."

억대 역시 근심스러운 얼굴이었다.

"나가…… 허쿠다."

떨리는 목소리로 서복이 말했다.

"괜차녀크라?"

서복이 대답 대신 선욱을 보았다. 선욱이 흔들림 없는 눈빛으로 서복을 보고 있었다. 서복이 두 사람을 향해 고개를 끄덕여 보였다. 석실과 억대가 잠깐 고민하더니 서복의 어깨를 두드려주고 자리로 돌아갔다.

"서복 씨."

선욱이 입을 떼자 서복이 괜찮다는 듯 손을 들어보였다. 선욱이 고개를 끄덕이고 돌아섰다. 혼자 남은 서복이 다리에 힘이 풀려 순간 비칠했다. 놀이판을 접고 자리를 뜨던 사당패 하나가 서복을 붙들었다.

"장딴지에 힘 딱 주시오. 판도 벌리기 전에 기가 빠져버리면 되겠슴까?"

낯선 이의 속삭이는 말에 정신이 번쩍 났다. 어느 새 각자 위치로 돌아간 석실과 억대, 선욱이 자신을 바라보고 있었다. 심호흡을 한 서복이 걸음을 뗐다.

한 걸음, 한 걸음, 그리고 한 걸음.

걸음마를 배우는 어린애처럼 서복은 천천히 걸었다. 흉흉한 분위기를 감지한 상점들은 문을 걸어 닫고 장꾼들은 좌판을 걷고 있었다. 그 와중에 긴장한 얼굴로 주변을 살피며 서거나 앉은 여자들이 눈에 들어왔다. 햇빛과 짠물에 닿아 꺼칠해진 살갗, 고랑처럼 깊이 팬 주름, 갈라지고 비틀어진 손가락, 죽음을 등에 지고 사는 자들의 애달픈 눈빛. 자신의 과거이자 현재이면서 미래일 모습들이었다. 평생을 물질밖에 모르고 산 이들이 살아보겠다고, 더는 이렇게는 안 되겠어서 온갖 비난과 두려움을 무릅쓰고 여기에 왔다. 여기까지, 왔다. 결코 여기가 끝이어서는 안 되었다. 시작이어야 했다. 지금까지와는 다른, 새로운 시작. 나 자신을 위해서, 그들을 위해서, 얼굴도 이름도 모를 다음의 해녀들을 위해서도 그래야 했다. 모두가 그 일념 하나로 이 자리에 있었다. 서복의 눈에 눈물이 차올랐다. 제 몸 전체가 심장이 된 듯 쿵쿵 울리고 가슴뼈가 부서져나갈 것처럼 뻐근했다. 뻐개질 듯한 가슴팍으로 해녀들의 마음이 제게 흘러들었다. 그 마음 한 자락 한 자락을 전부 헤아릴 수 있을 것 같았다. 수십 수백 갈래로 흘러든 마음들이 들끓어 올랐다. 들끓는 마음들이 터져 나오듯 쉰 목소리가 갈라져 나왔다.

"해녀조합은, 약속을 지켜라! 지정판매제를 없앤다는……."

서복의 목이 메었다.

"약속을 지켜라!"

맺지 못한 구호를 완성한 것은 다른 해녀들이었다. 빗창을 든 해녀들이 함성을 지르며 뛰쳐나왔다. 싸전에서, 포목점에서, 잡화점에서, 어구소에서, 목공소에서. 좌판 앞에 쭈그리고 앉아 무명천 괜스레 들어보며 몸에 대보던 이, 상추잎 한 묶음 사든 이, 달걀 값 흥정하던 이들이 우르르 모여들었다. 수십 수백 명이 아니었다. 족히 천 명은 넘을 듯한 여인들이 장터를 메우고도 모자라 길목까지 들어찼다. 끝내 부서질 것을 알면서도 기어이 뭍으로 들이치는 파도처럼 모이고 또 모여들었다. 익은 얼굴도 낯선 얼굴도 있었다. 그이들이 서복의 눈에는 하나도 달리 보이지 않았다. 모두가, 바당의 얼굴을 하고 있었다. 저 역시 같을 것임을 서복은 보지 않고도 알았다.

"해녀조합은 약속을 지켜라! 지정판매제를 폐지하라!"

해녀들의 구호에 장터가 떠나갈 듯 울렸다. 서로의 존재에 놀라는 동시에 안도하고 감격한 해녀들은 눈물을 흘리며 구호를 외쳤다. 해녀조합은 약속을 지키라고, 해녀들 다 죽이는 지정판매제를 없애라고. 제발 살려달라는 호소이자 살고 싶다는 절규가 비명처럼 터져 나왔다.

"모두 잡아들여!"

승일의 신호에 모여 있던 순사들이 이열 횡대로 펼쳐 서더니 착검한 총을 해녀들을 향해 겨누었다. 앞줄에 선 해녀들이 비명을 질렀다. 멜락 주저앉는 이도 있었다. 뒤에 선 해녀들이 그들을 일으켰다. 해녀들이 누가 먼저랄 것도 없이 곁에 선 이의 손을 잡았다. 꺼칠한 손과 손이, 떨리는 눈빛과 눈빛이 이어졌다. 손으로 눈으로 전해오는 온기에 해녀들은 조금씩 안정을 되찾았다.

"불법 집회는 불허헙니다. 당장 해산헙서. 지금 해산허민 문제 삼지 아녀쿠다."

판구가 확성기를 들고 외치자 삼동도 기세등등하게 소리쳤다.

"여기 나온 삼춘덜, 나가 다 기억허쿠다. 당장 돌아가지 아녀민 평생 물질 못 허게 허쿠다."

평생 물질 못 한다는 말에 해녀들 사이에 불안한 기운이 감돌자 작지만 단단한 노랫소리가 흘러나왔다.

"우리들은 제주도의 가이없은 해녀들, 비참한 살림살이 세상이 안다."

석실이었다. 그러자 해녀들도 하나둘 따라 부르기 시작했다.

"추운 날 무더운 날 비가 오는 날에도 저 바당 물결 위에 시달리는 몸, 아침 일찍 집을 떠나 황혼 되면 돌아와 어린아이 젖먹이며 저녁밥 짓는다, 하루 종일 해놨으나 버는 것은 기막혀, 살자하니 한숨으로 잠 못 이룬다."

노래는 흐느낌이 되었다가 절규가 되었다. 해녀들이 눈물을 흘리며 악을 썼다. 온몸을 비틀어대며 노래했다. 섧디 섧게 살아온 한평생이 눈물이 되고 노래가 되어 토해져 나왔다. 울부짖는 것도 다독이는 것도 모두 해녀들이었다. 그래 그래, 네 설움 네 고통, 나만은 알지. 몸이 부서지게 물질하고도 고작 몇 푼 쥐어드는 그 설움을, 어둑선한 새벽 살을 찢는 찬 바당에 뛰어드는 그 고통을 나만은 알지. 다른 사람 다 몰라도 나만은 알지. 맞잡은 손으로 울부짖음과 다독임이 뜨겁게, 뜨겁게 전해졌다. 맨 앞에서 노래하는 서복의 가슴 속에서도 설명할 수 없는 뜨거운 덩어리가 자꾸만 치받쳐 올랐다.

"해녀조합은 약속을 지켜라! 지정판매제를 폐지하라!"

서복이 다시 구호를 외쳤다. 판구와 삼동의 말을 덮으려는 듯, 총 든 순사들을 지워버리려는 듯 목청을 높였다. 해녀들도 힘차게 외쳤다.

순사 하나가 승일에게 달려와 신임 도사가 곧 도착한다고 알렸다. 승일이 확성기를 빼앗아 사이렌 버튼을 눌렀다. 귀를 찌르는 경보음에 해녀들이 당황한 틈을 타 순사들이 밀어붙였다. 해녀들이 우왕좌왕 밀려났다.

"다덜 귀부터 막읍서!"

서복이 밀을 귓구멍에 밀어 넣으며 소리쳤다. 해녀들이 허둥지둥 밀을 꺼내 귀를 막았다. 앞줄에 선 억대와 덩치 큰 해녀들이 재빨리 전열을 가다듬자 나머지 해녀들도 잡았던 손을 걸어 팔짱을 꼈다.

"두 번 말하지 않는다. 해산해라."

승일의 말투는 얄밉도록 차분했다.

그때 누군가 도사가 온다고 소리쳤다. 멀리서 신작로를 따라 검은 차가 달려오는 것이 보였다. 승일이 고개를 까딱했다. 순사들이 곤봉을 휘두르며 밀고 들어오기 시작했다. 장꾼이고 해녀고 가리지 않았다. 사람들이 비명을 지르며 흩어졌다. 시위 대열은 순식간에 무너졌다. 서복은 인파에 휩쓸려 넘어졌다. 치이고 밟혀 일어설 수가 없었다. 맨 앞에서 버티던 억대와 석실도 순사들에게 붙들려 매를 맞고 있었다. 퍼뜩 넋실도 없이 혼자 있을 달복이 떠올랐다. 주위를 황급히 둘러봤지만 달복은 보이지 않았다. 고함이라도 치고 싶었지만 목이 잠겨 쇳소리밖에 나지 않았다. 눈물만 줄줄 흘렀다.

난장판이 된 장터로 유유히 들어서는 차가 보였다. 순사들이 해녀들을 말똥 치우듯 밀어 길을 내주었다. 반질반질하게 윤이 나는 승용차는 맞고 밟히는 해녀들 따위 상관없다는 듯 속도를 냈다. 서복이 마른 입술을 깨물며 차를 향해 기었다.

"저년이!"

서복을 발견한 삼동이 달려가려는데 눈앞으로 닭들이 푸드덕 날아올랐다. 삼동이 엉덩방아를 찧었다. 엉겁결에 닭들을 날려 보낸 덕순은 퍼뜩 몸을 웅숭그렸다. 삼동이 후려칠 듯 손을 쳐드는데 달복이 구르듯 달려와 삼동을 밀쳤다. 삼동이 달복의 상의 뒷자락을 답삭 들어올렸다. 삼동을 향해 팔을 버둥거리던 달복의 눈이 커졌다.

"언니!"

서복이 도사의 차 앞으로 뛰어들고 있었다. 해녀들이 비명을 질렀다. 달복이 눈을 질끈 감았다. 끼이익— 차가 급제동했다. 달복이 감았던 눈을 슬며시 떴다. 도사의 차는 서복의 코앞에서 멈춰 서 있었다.

"도사님, 저희 이야기를 들어줍서!"

서복이 다가서며 저희 해녀덜은, 하는데 승일이 공포탄을 쏘았다. 불시에 터져 나온 총성에 해녀들이 놀란 닭들처럼 움츠러들었다. 정신을 추스를 새도 없이 선뜩한 칼날이 서복의 목에 와 닿았다.

"좋게 말헐 때 닥치고 물러서지."

삼동이었다. 서복이 마른침을 삼키고 다시 저희 해녀덜은, 하자 칼날이 목거죽을 파고들었다. 모가지쯤은 단번에 끊어낼 만큼 예리한 칼날이었다. 사위가 고요해졌다. 해녀들이 겁에 질린 얼굴로 서복을 보고 있었다. 멈춰 섰던 차가 부르릉, 시동을 걸었다. 서복이 홱 돌아서며 칼날을 제 목에 눌렀다.

"그래, 죽여라, 이놈아! 우리 해녀덜 다 죽이고 니놈덜끼리 천년만년 잘 먹고 잘 살아보라!"

"이, 이년이 미쳤나!"

눈을 뒤집고 달려드는 기세에 되려 삼동이 뒷걸음질을 쳤다. 서복이 재빨리 몸을 틀어 외쳤다.

"우리덜의 요구에 칼로 대허믄 우리는 죽음으로써 대허쿠다!"

쉬어버린 목소리가 얼어붙은 장터를 울렸다.

"이년이 진짜 죽고 싶어 환장을 했나!"

삼동이 서복의 머리채를 휘어잡았다. 도사의 차가 다시 출발하려는데 날카로운 쇳소리가 들려왔다. 수백은 족히 될 여자들이 빗창과 정게호미를 부딪히며 장터로 들어서고 있었다. 우도의 해녀들이었다.

“바당 건너오젠 호꼼 늦어수다.”

선두의 고수머리 여자가 씨익 웃었다. 우군의 등장에 기운이 난 억대가 저를 잡고 있던 순사를 패대기쳤다. 다른 해녀들도 일제히 반격을 시작했다. 해녀들은 더 이상 일방적으로 당하지 않았다. 격렬한 몸싸움이 시작되었다. 석실이 말라깽이 직원의 멱살을 쥐고 흔들며 소리쳤다.

“이거 다 우리가 번 돈으로 사 입은 거 아니라? 당장 내놔!”

종잇장처럼 흔들리던 직원은 셔츠와 바지, 구두까지 벗어놓고 도망쳤다. 나머지 직원들도 옷이 뜯기고 빼앗겨 거의 알몸이 된 채로 줄행랑을 놓았다.

“경부보님, 쏴버립주! 본보기로 한두 년만 넘어뜨리민 될 거우다.”

삼동이 승일에게 다가와 말하자 승일이 한심하다는 듯 바라보며 대꾸했다.

“한가운데 도사님이 계시다.”

승일의 말대로 도사의 차가 아수라장 한가운데 오도 가도 못하고 갇혀 있었다. 먼저 도사를 빼내야 했다. 승일이 판구와 삼동의 엄호를 받으며 차로 향했다. 도사를 내리게 하고 세 사람이 도사를 에워쌌다. 일단 주재소로 피신시킬 작정이었다.

“도사님, 우리 삼춘덜 얘기 들어주지 아녀고 어디 감수꽈!”

달복이 순사들 다리 사이를 쏙쏙 헤치고 달려와 가로막았다.

"저리 비키라!"

삼동이 밀치려는데 승일이 달복의 이마에 총을 가져다 댔다. 달복이 눈이 휘둥그레져서 승일을 올려다보았다. 삼동과 판구도 놀란 눈치였다.

"달복아!"

덕순이 비명을 질렀다. 승일이 무감한 표정으로 총알을 장전하는 순간 엄청난 덩치들이 승일을 향해 돌진했다. 억대와 고수머리 해녀였다. 막아설 새도 없이 승일은 덩치들에 깔려 나자빠졌다.

"이 몽근 놈이 어디 어린애를 괴롭혀! 놈삐(무)로 대가릴 못아불켜(부숴버릴라)!"

고수머리 해녀의 괄기에 삼동과 판구까지 움찔했다.

"달복아, 괜차녀냐?"

덕순에 이어 서복과 석실이 달려왔다. 해녀들이 점점 몰려들었다. 순사들이 밀어내려 했지만 역부족이었다.

"도사께서는 해녀덜의 요구를 들어줍서!"

서복이 말했다. 해녀들이 구호를 외치며 빗창을 부딪쳤다. 구호와 쇳소리가 천지를 진동시키며 울려 퍼졌다. 굳은 얼굴로 서있던 도사가 승일에게 손짓했다. 뭔가를 속삭이자 승일이 송구스러운 얼굴로 되물었다.

"혼또데스까?"

도사가 고개를 끄덕였다. 승일이 "하이!" 하며 허리를 숙이고는 소리쳤다.

"황공하게도 도사님께서 니년들의 이야기를 들어주시겠다 하신다. 대표 한 명만 나와라."

"우리덜 대표는 두실 삼춘이우다."

서복이 말했다.

"고두실은 반일 테러리스트의 가족에다 사람을 죽이려 한 살인자다. 그런 위험한 자를 도사님과 독대시킬 수는 없다."

승일이 딱 잘라 거절했다. 웅성거리던 해녀들이 서복의 이름을 불렀다. 석실과 억대도 고개를 끄덕였다.

"삼춘덜이 영 한디(이렇게 많은데) 저 혼자 대표를 헐 수는 엇수다. 다른 삼춘덜토 함께 들어가쿠다."

"이년이 감히 어느 안전이라고!"

"다른 삼춘덜토 들어가게 해줍서, 도사님."

서복이 도사를 보며 말했다. 도사가 귀찮다는 얼굴로 고개를 까딱했다. 논의 끝에 석실과 억대, 고수머리 해녀가 함께 들어가기로 했다. 나란히 주재소로 들어가는 대표들을 해녀들이 긴장한 얼굴로 바라보았다.

도사와의 독대

주재소 앞에서는 해녀들과 순사들 간의 몸싸움이 계속되었다. 해녀들은 안에서 무슨 소리라도 들릴까 싶어 몰려들고 순사들은 막아서느라 진땀을 뺐다. 후발대로 온 우도 해녀들이 빗창을 휘두르며 앞으로 나섰다.

"일단 지들려덜보주!"

두실이 외쳤다. 두실은 묶인 채 판구와 서 있었다. 판구가 독대 소식을 전하자 두실은 당장 풀어달라 요구했다. 도사까지 대화를 하겠다고 나서는 판에 두실을 조사실에 가둬둘 핑계가 없긴 했다. 그렇다고 아주 풀어줄 수는 없어서 그 상태로 나온 것이었다. 해녀들이 빗창을 쥔 채 퍼질러 앉아 순사들을 노려보았다. 두실은 뒤쪽에 자리를 잡고 서서 눈을 감았다.

*

기다란 탁자를 사이에 두고 해녀 대표들과 도사가 마주 앉았다. 주재소장과 승일, 마쓰다가 마뜩잖은 표정으로 그 뒤에, 삼동 역시 못마땅한 얼굴로 구석자리에 서 있었다.

서복은 그간 해녀들이 겪어온 어려움과 조합 운영상의 부당함을 조목조목 지적했다. 초반에는 목소리가 떨리고 더듬거리기도 했지만 이내 평정을 찾았다. 지난 시위 이후 지정판매제를 없애겠다고 약속해놓고 일방적으로 어긴 일에 대해 설명할 때는 구좌면장과 삼동을 언급하는 것도 잊지 않았다. 삼동이 눈을 희번덕거렸지만 망설이지 않았다. 마지막으로 해녀들의 요구 조건까지 낭랑히 읊고서 자리에 앉았다. 도사가 손가락을 까딱여 승일을 부르고 짧게 속삭였다.

"너희들이 말하는 바는 충분히 알았다 하신다. 그러니 이제 다들 물러가라."

승일이 도사의 말을 옮겼다. 해녀들은 황당한 표정이었다. 도사와 독대까지 하게 되었으니 뭔가 그럴듯한 약속을 받아낼 거라 기대했는데 달랑 알았다는 말만 하고는 나가라니. 해녀들의 기대를 마저 짓뭉개듯 승일이 채근했다.

"도사님 말씀 못 들었나? 다들 물러가라 하시잖느냐."

"뭐 허고덜 앉았어? 다덜 나가라 허시는디."

삼동은 해녀들을 끌고라도 나갈 참이었다.

"그저 듣기만 허젠, 영 한한헌(이 많고 많은) 사름이 여기 모인 게 아니우다."

화를 누르느라 서복의 목소리가 다시 떨렸다.

"무식해서 말귀를 못 알아먹는군. 도사님께서 이 정도로 말씀하시면 알아서 처분해주시겠다는 뜻이다."

"맞수다. 난 무식해서 말귀를 못 알아먹엄수다. 경허난 무식헌 이년도 알아먹을 수 있게 쉽게 말씀해줍서. 어떤 처분을 해주실 건지 분명히 말씀해줍서. 저희뿐만 아니라 밖에서 기다리는 삼춘덜토 같은 생각일 거우다."

듣기라도 한 듯 창밖에서 해녀들의 함성 소리가 크게 울렸다. 도사가 눈을 가늘게 뜨고 서복을 보았다. 서복이 피하지 않고 시선을 되받았다. 도사가 눈은 서복에게 둔 채 승일에게 다시 무어라 말했다. 승일이 황감하다는 듯 허리를 굽혔다.

"도사님께서 너희의 요구대로 해주시겠다 하신다. 다들 무릎을 꿇고 경의를 표해라."

다른 해녀들이 정말인가 싶어 눈빛을 주고받았다. 잠깐 사이에 말을 바꾸는 것이 영 미덥지 않았다.

"그런 약속은 지난번에도 들었수다. 언제꺼장 약속을 지켜줄 것인지 날짜를 말해줍서."

"한서복이 너 이디가 어디라고!"

목소리를 낮춰 으르렁대는 삼동을 서복은 가볍게 무시했다.

"경부보께선 재기 통변허지 아녀고 무신거 허고 있수과?"

시종일관 무표정하던 도사가 갑자기 묘한 미소를 지었다. 분명 웃고 있는데 냉기가 뿜어져 나왔다. 서늘하면서도 습한, 어딘지 모르게 비릿한 냄새가 흘러나오는 듯한 미소였다. 해녀들은 소름이 와싹 돋아 저도 모르게 몸을 떨었다. 서복 역시 뒷목이 서늘했지만 내색하지 않으려 애썼다.

"이쓰카."

도사가 왼손바닥을 쫙 펼쳤다. 닷새.

"이번엔 믿어도 되쿠과?"

도사가 입술 끝만 올린 채 고개를 끄덕였다.

도사의 말을 믿을 수 있을까. 면장의 말처럼 이 순간을 모면하기 위해 내뱉는 허언일 수도 있었다. 서복은 갈등했다. 그렇다고 믿지 않을 수도 없는 노릇이었다. 마음 같아서는 저들이 좋아하는 문서 쪼가리라도 받아내고 싶었지만 이나마도 없던 이야기가 될까 두려웠다.

문득 저희들의 처지가 새삼스레 서글퍼졌다. 천여 명이 모이고서야 겨우 이야기를 할 수 있고 그러고도 알량한 약속 한마디 받아내는 게 전부다. 닷새 안에 뭘 어떻게 해주겠다 구체적으로 확약을 받아내고 싶어도 저들의 심기를 거슬러 일이 틀어질까 봐 그조차 하지 못한다. 마주 앉아 있지만 실상 해녀들은 한참 낮은 바닥에 겨우 엉덩이를 들이밀고 있는 것이나 다름없었다. 저들이 허락한 자리에, 저들이 허락한 방식으로만 가능한 일이었다. 협상이라고 하지만 다른 선택지는 없었다. 언제라도 내쳐지고 언제라도 짓밟힐 수 있었다. 들어주면 감읍해야 하고 약속을 하면 믿어야 했다. 우리는 왜 이래야 하는지, 평생 이러고 살 수밖에 없는지 알고 싶다던 넉실의 말이 떠올랐다. 그 마음을 조금은 알 것 같았다.

“약속허시는 거우다.”

한 번 더 다짐을 받아내는 것이 서복이 할 수 있는 최선이었다.

“도사님의 약속도 믿지 못할 거면 애초에 여길 왜 들어왔나?”

승일이 조소하듯 빈정거렸다.

저 자는 서복과 넉실의 마음을 평생 알지 못할 것이다. 길 위에 나온 해녀들의 마음도 모를 것이다. 해녀들이 무엇을 무릅쓰고 무엇을 걸었는지 영영 알 수 없을 것이다. 이유는 딱 하나, 몰라도 되기 때문이다. 해녀들과는 처지가 다르니까, 아마 평생 다를 것이니까. 힘없는 자들의 가련한 처지 따위 제 알 바가 아닌 것이다. 서복은 승일의 그 구역질나는 오만함에, 그 오만함이 아마도 그릇되지 않을 것이라는 사실에 화가 났다.

“조합에서 당연히 헐 일을 해준덴 헌 것이고 그나마도 뒤늦은 조치니 무릎 꿇을 만큼 고마운 일은 아니우다. 약속만 지켜줍서. 그러믄 일전의 과오는 덮어둘 거난. 이번에도 헛입 놀리는 거믄 그땐 정말로 가만있지 아녀쿠다.”

벌떡 일어선 서복이 그대로 나갔다. 해녀들이 흥분한 얼굴로 따라 나갔다. 남은 이들은 그저 어이가 없어 입을 벌리고 있을 뿐이었다.

대표들이 나오자 해녀들이 후다닥 일어섰다. 해녀들의 눈빛이 기대와 두려움으로 불안하게 떨리고 있었다. 억대가 앞으로 나가 도사가 해녀들의 요구를 들어준다 약속했음을 알렸다. 환호성이 터져 나왔다. 맨 앞줄에 있던 덕순과 달복이 얼싸안았다.

"그냥 약속헌 것도 아니고 닷새 안에 해준덴 햄수다. 우리 월영의 한서복이가 요망지게 날짜꺼장 받아냈수다게."

석실이 서복을 가운데로 오게 하고 손을 번쩍 들었다. 서복이 다른 해녀들의 손을 맞잡았다.

"한서복이 만세! 우리 해녀덜 만세!"

푼두룽하게 손뼉을 쳐대던 판구가 따가운 시선에 고개를 돌렸다. 두실이 눈을 크게 뜨고 자신을 쏘아보고 있었다. 판구가 얼른 줄을 풀고는 괜스레 두실의 옷자락을 털어주었다. 한쪽에 비뚜름하게 서 있던 깍지가 같이 손뼉을 치려다 짐짓 생콩한 얼굴로 팔짱을 꼈다.

그때 덕순이 배를 감싸 쥐며 주저앉았다. 치맛자락이 젖어 있었다.

"애기 나젠 햄신게!"

해녀들이 나가고 난 소장실은 동장군이 돌아왔나 싶게 싸늘했다. 도사는 팔짱을 끼고 만세 부르는 해녀들을 보고 있었다. 나머지 사람들은 언 동태마냥 빳빳하게 기립했다.

"씻을 수 없는 불충을 저질렀습니다, 도사님! 죄송합니다! 다시는 이런 일이 없도록 하겠습니다!"

주재소장의 몸이 반으로 접혔다. 다른 이들도 얼른 허리를 꺾었다.

"전임 도사가 그러더군. 제주는 조선이되 조선이 아니라고. 그 말 그대로야. 좋아, 아주 흥미로워. 빌빌거리는 피라미들, 지루하잖아. 펄펄 살아 날뛰는 것들이어야 낚는 맛이 있지. 도마 위에 얹어놓으면 살겠다고 퍼덕퍼덕, 아가미를 벌름벌름. 그런 놈들의 대가리를 식도로 댕강. 대가리가 잘린 줄도 모르고 뻐끔거리는 놈들의 아가리에 송곳을 쑥 찔러 넣으면, 안 그래도 멍한 눈깔이 더 멍청해지거든. 아주 볼 만하지."

도사가 크게 웃음을 터뜨렸다. 등골이 서늘해지도록 음산한 웃음소리에 기립한 이들은 웃어야 할지 말아야 할지 눈치만 보고 있었다.

"책임자가 누군가?"

천천히 돌아서는 도사의 얼굴은 언제 웃었냐는 듯 차가웠다. 어색하게 웃고 있던 이들이 얼른 미소를 지웠다. 주재소장이 마쓰다의 옆구리를 찔렀다. 마쓰다가 펄쩍 뛰어오르듯 놀라며 대답했다.

"제, 제주 해녀들이 워낙 무식하고 거칠어 해녀들 관리는 이곳 출신인 서기보가 전담하고 있습니다!"

삼동이 당황해서 말을 받았다.

"저, 저는 미리 주재소에 알려수다."

도사의 눈길이 주재소장을 향했다.

"송구스럽지만 금시초문입니다. 도사님 앞에서 감히 주재소에 책임을 떠넘기려는 겐가!"

주재소장이 삼동을 힐난했다. 삼동이 억울해하며 입을 떼려는데 승일이 재킷 안주머니에서 수첩을 꺼냈다.

"조사가 모두 끝난 후 보고드리려 했습니다만."

승일이 제주의 반일 인사들과 조직을 조사 중이었다며 그간 알아낸 내용을 일목요연하게 읊었다. 대부분 삼동이 일러준 것들이었다.

"이 섬에 불령선인들이 그렇게 많다는 것인가? 과연!"

도사는 어쩐지 반가워하는 기색이었다.

"이들은 최근에는 야학을 세워 교육을 핑계로 사람들을 선동하고 있습니다. 조센징들에게도 교육을 허락하신 천황 폐하의 크신 뜻을 비열하게 악용하는 셈이지요. 이번 해녀들의 소요 역시 야학 교사 정선욱이 사주한 것으로 보입니다."

승일의 말에 주재소장이 버럭 화를 냈다.

"그럼 진작에 정선욱이란 놈을 잡아들였다면 이런 일도 없었을 것 아닌가?"

승일에게만은 쩔쩔 매는 주재소장도 어지간히 다급했던 모양이었다. 승일은 짜증스럽고 가소로웠지만 능숙하게 속내를 감추었다.

"소장님께서도 아시다시피 이 섬에 테러리스트가 잠입했다는 첩보가 있었습니다. 그가 이 마을 누군가와 접촉한다면 바로 정선욱일 가능성이 높기에 잡아들일 수 없었습니다. 고넉실 역시 불령선인 고한실의 일가로 내지에서 노동조합 활동을 한 이력이 있기에 주시하고 있었습니다. 덕분에 테러리스트와 접선하자마자 검거할 수 있었던 것입니다. 정선욱의 경우 직접적인 접선자는 아닙니다만 최근 고넉실의 야학 방문이 잦았던 점, 이번 시위를 주도한 한서복이 두 사람과 친밀하다는 점 등을 고려할 때 그 역시 연루되어 있을 것으로 보입니다. 금일 테러리스트와 접선자 고넉실을 검거하였으니 진술을 확보하는 대로 정선욱과 정선욱이 속한 야체이카* 일당까지 모두 잡아들일 계획입니다."

도사가 콧수염을 만지작거리며 고개를 끄덕였다. 승일이 도사의 반응을 힐끗 살핀 뒤 더욱 비장한 투로 말을 이었다.

"테러리스트가 해녀들의 소요를 이용할 것으로 예상되어 시위를 원천봉쇄할 수 없었습니다. 반일 인사와 테러리스트를 하나라도 더 잡아들이는 것이 대일본제국과 천황 폐하 그리고 도사님을 위한 길이라 판단했기에 이같이 대응했습니다. 이에 대한 처벌은 달게 받겠습니다!"

할복이라도 할 듯 진지한 표정에 도사가 흡족한 듯 입꼬리를 올렸다.

"대일본제국과 천황 폐하를 위한 일에 나 개인의 곤란함을 논

* 일제 강점기, 제주도에서 결성된 사회주의 비밀 조직 단체.

할 것 없다. 이름이 뭐라 했나?"

"기네무라 쇼비입니다! 이길 승(勝) 자에 제국의 일(日) 자를 씁니다."

"대일본제국의 승리라. 훌륭한 이름이군. 이번 일은 자네에게 맡기도록 하지. 그년들은 어찌 처리할 건가?"

"이곳 해녀들이 한 해에 벌어들이는 돈이 삼십만 원, 쌀로는 이만 가마입니다. 해녀들이 이 섬을 먹여 살린다 해도 과언이 아니지요. 해녀들을 제대로 단속하고 관리하는 것이 비단 해녀조합만의 일이어서는 안 된다고 생각합니다. 하여."

"하여?"

"이번 일을 기점으로 저희 경찰이 해녀들 관리에 보다 적극적으로 나서고자 합니다. 무지한 해녀들이 더 이상 불령선인들에게 선동되지 않고 훌륭한 신민으로 성장할 수 있도록 훈계하고 교화할 것입니다. 우선은 시위에 참가한 해녀들을 모두 검거해 조사할 방침입니다. 단순 가담자라 해도 잘못된 일이라는 것은 분명히 일러줄 필요가 있으니 말입니다. 다만 주재소 인력이 현저히 부족하여 다소 시일이 소요될 듯합니다."

그러니까 인력을 충원해달라는 얘기였다. 불호령이라도 떨어질까 주재소장이 승일을 마뜩찮게 보고는 도사를 힐끔거렸다. 잠시 후 도사가 고개를 끄덕였다.

"목포 경찰에 지원 병력 요청해. 전권은 기네무라 경부보가 맡도록 하고."

"성심을 다하여 최고의 부임 선물을 드리겠습니다!"

도사가 승일의 어깨를 두드리고 나갔다. 기립한 자들의 허리가 다시 꺾였다.

"경부보님께서 우리 조합허고 해녀덜을 영 생각해주시는 줄은 미처 몰랐수다게. 제 말은 귓등으로 흘려듣는 줄 알았는디양."

다른 사람들도 나가고 둘만 남자 삼동이 승일을 향해 빈정거렸다.

"배 군은 서기보 되는 데 얼마나 걸렸나?"

승일이 수첩을 주머니에 넣으며 물었다.

"한 오 년 걸려수다. 그건 무사 들엄수꽈?"

"서기는 그거보다는 빨라야 하지 않겠나 싶어서."

승일이 도사가 했듯 삼동의 어깨를 두드리고 나갔다. 눈만 끔벅거리던 삼동이 뒤늦게 성질을 냈다.

"나이도 어린 새끼가 건방지게."

말은 그렇게 하면서도 삼동의 머릿속에선 주판알이 빠르게 움직였다.

*

덕순의 집으로 간 해녀들은 두실의 지휘에 따라 일사분란하게 움직였다. 서복이 방에 보릿짚을 깔고 억대가 덕순을 눕혔다. 달복이 쫓아다니며 집안의 문이란 문은 전부 열어젖히고 장독 뚜

껑까지 열었다. 석실이 먹을거리를 챙겨온다고 제 집으로 달려 갔다. 웅현은 똥 마려운 강아지마냥 마당을 왔다 갔다 했다.

"아이 오는디 어디 사내가 어지렴수꽈(얼씬거립니까)? 재기 나 갑서!"

두실이 호통쳤다. 웅현이 감히 뉘한테, 하고 눈을 치떴다가 덕순의 비명이 커지자 마지못해 나갔다.

덕순의 고통스러운 신음이 계속되었다. 두실이 덕순을 지키고 나머지 해녀들은 마당에 서서 두 손을 모았다.

어느 새 사위가 어둑해지고 이러다 사람 하나 잡겠구나 싶을 즈음 우렁찬 울음소리가 터져 나왔다.

"낫쩌!"

방문이 열리고 두실이 태 버린 짚을 내놓았다.

"덕순이 삼춘은 괜차녀꽈?"

서복이 물었다. 아기도 산모도 아주 건강하다는 말에 해녀들이 안도의 한숨을 내쉬며 손을 맞잡았다.

"고놈 울음소리 한번 시원허네. 크게 될 자식이라."

"배똥줄 적당히 잘 끊어줍서, 어머니."

배똥줄을 너무 짧게 자르면 밤에 오줌을 싸고 너무 길게 자르면 오줌 누는 횟수가 적어진다 했다.

"울음소리가 아덜놈이라!"

양반이랍시고 늘 팔자걸음을 걷는 웅현이 데구르르 뛰어 들어왔다.

"딸이우다."

두실이 아기를 닦이며 무뚝뚝하게 대꾸했다. 응현의 표정이 돌변했다.

"딸이라니! 조천 김씨 가문의 대를 이을 아덜이어사주, 쓸데엇인 딸이라니!"

"삼신할망이 점지해주신 생명이우다. 말 골라서 헙서."

두실에게 거푸 훈계를 들은 응현의 눈자위가 실룩거렸다. 당장 멍석에 말아 싸개질이라도 치고 싶지만 아무리 천것이라도 두실을 함부로 대할 수는 없었다. 두실은 해녀들의 우두머리고 대대로 사람들이 떠받드는 마을의 어른이었다.

"지집이 음전히 처신허지 아녀고 밖으로 나도니 딸년이나 낳는 거주!"

응현이 애꿎은 해녀들을 노려보며 가래침을 돋우어 뱉고는 그대로 나가버렸다.

해녀들이 조용히 방으로 들어섰다. 두실이 아기를 덕순에게 안겨주었다. 아기를 안은 덕순의 눈에서 눈물이 소리 없이 흘렀다. 석실이 개다리소반에 메밀가루로 만든 수제비를 끓여 내왔다. 피 잘 삭으라고 미역도 듬뿍 넣었다. 마음은 고맙지만 덕순은 먹을 염이 나지 않았다. 석실이 숟가락으로 수제비를 떠주었다.

"먹어야 사네. 몸 상해봐야 나만 손해고 알아주는 사름도 없다게. 아이 생각해서라도 먹으라."

"그래, 혼저(어서) 먹어라. 바람벽도 뜯어먹고 싶은 게 산부 아니라."

따뜻한 채근에 설움이 북받친 덕순이 흐느끼며 그릇과 숟가락을 받아들었다. 굵은 눈물방울을 사발로 뚝뚝 떨구며 수제비를 먹는 덕순의 모습에 해녀들이 눈가를 훔쳤다.

"삼춘, 나도 안아봐도 되쿠과?"

덕순이 서복에게 아기를 건넸다. 서복이 긴장한 얼굴로 아기를 안았다.

아기는 작고 가벼웠다. 이 보드랍고 연한 몸에 오롯이 한 생명이 깃들어 있다는 것이 믿기지 않았다. 서복이 아기 볼을 조심스레 쓸었다. 세상에 나오느라 저도 어지간히 용을 썼던지 두 볼이 발갰다. 눈도 못 뜨고 앵앵 울던 아기가 그새 잠이 들었는지 입술만 오물거렸다. 새 부리만큼 조그맣고 붉은 입술을 보고 있자니 서복은 제가 울고픈 심정이었다. 아기가 마주할 생이 그리 친절하지도 아름답지도 않으리라는, 그리하여 이 보드랍고 연한 몸에 생채기가 나고 굳은살이 박일 거라는 사실이 새삼스레 심중을 후벼팠다. 나처럼, 깍지처럼, 넉실이처럼……! 그러고 보니 난리 중에 넉실의 일을 까맣게 잊고 있었다.

"두실 삼춘, 석실 삼춘, 넉실이가……"

"경 아녀도 이따 판구신디 들어보젠 햄쩌."

석실이 걱정 말라는 듯 대답했다.

"난리 통에 무신 오해가 생긴 거주게. 걱정 말라. 넉실이야 죽어라 일만 허는 아인디. 별일이야 이시크냐."

덧붙이는 석실의 얼굴이 어두웠다. 두실은 묵묵히 아기에게 배내옷을 입힐 뿐이었다. 두 사람은 전혀 모르는 눈치였다. 그렇다고 넉실이 대판 공장에서 벌였다는 농성이나 군자금 이야기를 꺼낼 수는 없었다. 서복의 마음이 더욱 무거워졌다.

"영 이쁜 거를 두고 너네 아방은 어째 험헌 말이라."

석실이 시선을 돌려 잠든 아기를 신기한 듯 들여다보았다. 아이 셋을 낳은 여자에게도 생명의 탄생은 여전히 경이로운 모양이었다. 그래, 새로운 생명이 피어난 날이다. 내일은 다시 진창일지라도 오늘은 축하해야 마땅하다. 지금 이 순간만큼은 오롯이 기뻐하는 것이 새로운 생명에게도, 생명을 내린 삼신할망에게도 도리였다. 서복은 석실이 판구에게 들를 때 함께 가야겠다고 생각하며 애써 불안을 밀어냈다.

"게메 말이라. 딸 하나민 부자고 딸 셋이민 한 해에 밭을 한 판씩 산덴 허는디. 너네 아방이 무신걸 몰라도 한참 몰르는 인사라."

억대가 맞장구를 쳤다. 다들 고개를 주억거리면서도 마음 한 구석은 쓰라렸다. 그만큼 이곳 여자들의 삶이 고단하다는 뜻이기 때문이었다. 딸이 좋다는 말도 결국 일 많이 하고 돈 잘 벌어오니 좋다는 거였다.

"경해서…… 아들이여시믄 바랐는디……."

덕순이 중얼거렸다. 양반 가문의 대를 잇기 위해서가 아니라 그나마 조금이라도 덜 고달프게 살라고, 덜 설웁게 살라고. 석실이 그 마음 안다는 듯 덕순의 손을 잡았다.

"오죽허믄 소로 못 나민 지집으로 난덴 허카."

억대가 치맛자락에 코를 팽 풀었다. 갓 태어난 생명이 안쓰러워서, 제 인생이 서글퍼서 해녀들의 눈시울이 다시 붉어졌다.

*

승일은 곧장 지하 조사실로 내려갔다. 장터에서 잡혀온 청년이 묶여 있었다. 어지간히 두들겨 팼는지 몰골이 엉망이었다. 승일은 취조 중이던 순사를 물리고 맞은편 의자에 앉았다.

"제주에는 언제 들어왔나?"

"여드레 전에 왔슴다."

"여드레 전에는 상해에서 들어온 배가 없었는데."

"아, 아흐레 전인가! 하도 맞아서 정신이 오락가락함다. 사람을 이리 막무가내로 두들기다니, 세상천지 이런 법이 어디 있슴까?"

"상해에서 왔다고. 그 먼 데서 여기까진 웬일로?"

"일자리 구하러 왔지요."

승일이 피식 웃었다.

"상해에서 제주까지 일자리를 구하러 왔다. 이 촌구석에서 무슨 일을 하시려고?"

"여기 오면 일본 사람들이 뽑아간다 들었슴다."

"언제적 얘길. 요즘은 갔던 제주 사람도 돌아오는 판국인데."

"그게 정말임까? 그럼 나는 어쩜까? 그 말 하나 믿고 예까지 왔는데."

눈을 끔벅이는 모양이나 말하는 투가 어디 모자란 사람처럼 어벙했다.

"일 구하러 왔다는 놈이 아직 그것도 모르고. 아흐레 동안 뭐 하느라 바쁘셨을까."

"물갈이를 하는지 오자마자 설사병에 걸려가지고 몇날 며칠을 물똥을 싸댔다 말임다. 먹지도 못하고 싸기만 하니 도리 있슴까? 누워만 있어야지. 내, 타지에서 죽는 줄 알았슴다. 아까도 너무 맞아서 물똥을 지릴 뻔하지 않았슴까."

승일이 코를 만지며 청년의 바지춤을 힐긋 보았다.

"지금은 괜찮슴다."

청년이 걱정 말라는 듯 웃어 보였다.

"그건 그렇다 치고."

승일이 보따리를 풀어헤치자 어른 주먹만 한 금두꺼비가 모습을 드러냈다.

"일자리 구하러 내지까지 간다는 사람이 금두꺼비라. 좀 이상하지 않나? 니가 보기엔 어때, 말이 되나?"

"글쎄……. 안 될 거 있슴까?"

승일이 주먹을 날렸다. 청년의 코와 입에서 피가 튀었다. 승일이 제가 맞은 것처럼 낯을 찡그리며 손수건을 꺼내 얼굴과 손을 닦았다.

"이런 거 참 싫어. 저속하고 불결하고 번잡하잖아? 그러니까 우리 쉽게 가자. 서로 힘빼지 말고."

청년이 얼빠진 얼굴로 고개를 끄덕거렸다.

"이게 고넉실이가 대판에서 모은 군자금이고 니놈이 전달책이라는 것까진 이미 알고 있거든. 내가 궁금한 건 그 다음인데,"

"고넉실은 뉘고 군자금은 또 뭡니까?"

승일이 청년을 빤히 보았다.

"저, 정말로 몰라서 묻는 검다. 이거는 말임다,"

승일이 손을 때릴 듯 쳐들자 청년이 반사적으로 몸을 움츠러뜨렸다.

"넌 몰라도 돼. 내가 아니까."

올라간 손이 청년의 머리를 토닥였다.

"누가 모으자고 했고 누가 돈을 얼마씩 보탰고, 이런 자잘한 건 말 안 해도 돼. 괜히 목만 아프잖아. 나도 관심 없고. 무지몽매한 인간들이 살다보면 한 번쯤 실수할 수도 있는 거지. 남들 한다니까 나도 해볼까, 친구 따라 강남 가듯이. 별 볼 일 없는 인생들이 이럴 때 허세 한번 부려보는 거지, 안 그래? 이해해. 그럴 수 있어. 몰라서 그러는 거잖아. 근데 이거 받는 놈들은 아니야. 다 알면서, 조선 독립이라는 게 되도 않는 소리라는 걸 누구보다 잘 알면서 이런 걸 뜯어낸단 말이야. 지들 배불리고 잘난 허영심들 채우느라고 열심히 사는 사람들 껍데기를 벗겨가는 거라고. 요즘 유행하는 말로 가엾은 민중들을 착취하는 거지. 내가 사회주의자는 아니다만 이런 놈들은 못 봐주겠어. 사악하잖아. 내 말,

무슨 말인지 알아?"

청년이 입을 꾹 다물고 승일의 눈치만 살폈다.

"그러니까 너는 아주 간단한 대답만 하면 돼. 이거 받을 사람 이름. 김구, 김규식 아니면 이동녕? 그보다는 더 아래 급인가?"

"그 사람들은 또 누굼까?"

"어려운 모양이군. 니가 접선하기로 한 사람 이름을 대. 어때, 이건 쉽지?"

"그것도 뭔 말인지 모르겠지만…… 이것은 임자가 따로 있는 물건임다."

"좋아, 그 임자의 이름을 대."

승일의 눈이 번뜩였다.

"그게……."

청년이 눈을 질끈 감고 대답했다.

"동팔봉 선생임다."

"동팔봉? 그게 누구지? 어느 계열이야?"

"계열…… 같은 것은 잘 모르겠고 그냥 저희 아부지심다."

"너희 아버지?"

"예. 홍원군 사시는 저희 아부지요. 동씨는 본관이 하나라 전부 광천 동씨임다. 계열 같은 건 따로 없지 말임다."

승일의 표정이 일그러졌다.

"아아, 오해하지 마십쇼. 이거를 훔쳐갖고 나온 거는 절대 아님다. 동팔봉 선생께서 연로하셔서 언제 어떻게 될지 모르니 십칠 대 장손인 제가 보관하는 게 낫겠다 싶어 가지고 나온 검다. 돌아가는 날까지 잃어버리지 않고 잘 보관하겠다고 조상님께 맹세했습다."

"이 덜 떨어진 새끼가 무슨 개수작이야! 이걸로 총 사고 칼 사서 테러리스트들한테 갖다 바칠 거라는 거, 내가 모를 줄 알아!"

청년이 몸을 동그랗게 만 채 기어들어가는 목소리로 말했다.

"테러리스트는 또 뭔 소립까? 당최 알아먹을 수가 없습다. 제주에서는 다들 이렇게 어렵게 말함까?"

"나는 경성 사람이다!"

"어, 어쨌거나 이걸로 총 사고 칼 사지 못함다."

"한 마디만 더 허튼 소릴 지껄이면 혀를 뽑아버릴 거다."

"정말임다! 이거는, 이거는, 가짜란 말임다."

청년이 보란 듯이 두꺼비를 깨물어 보였다. 깨문 자리에 금박이 벗겨졌다. 승일이 금두꺼비를 낚아채 내동댕이쳤다. 금두꺼비는 벽에 부딪히며 반으로 쪼개졌다. 청년이 기겁하며 금두꺼비를 주워들고는 조상님들을 어찌 뵙냐며 데굴데굴 굴렀다.

"이걸 어쩜까! 아이고, 할아부지, 아이고, 아부지!"

승일이 조사실을 박차고 나가 판구를 불렀다.

"고넉실은 뭐라고 하나?"

"모르는 일이렌 햄수다."

별별 말로 을러대도 군자금이니 상해니 하는 것들은 절대 모른다고 하니 판구로서도 미치고 팔딱 뛸 노릇이었다.

“입을 열 때까지 두들겨 패! 그럼 될 거 아냐!”

“넉실이 그 아이가 경헌다고 입을 열 아이가 아닌디…….”

승일의 눈빛에 판구가 찔끔해서 후다닥 조사실로 돌아갔다.

“다른 년들을 잡아와도 버틸 수 있는지 한번 보지.”

판구가 들어간 조사실을 노려보는 승일의 눈에 핏발이 섰다.

호수돈 결사대

어둑한 새벽, 물질 채비를 하고 집을 나서던 깍지가 소스라쳤다. 어둠 속에서 서복이 나타난 것이었다. 서복인 걸 알아차린 깍지가 왈칵 화를 냈다.

"사름 간 떨어져 죽는 꼴 보구정 허냐! 갑자기 나타나서 뭐렌 허는 거라?"

"너가 경했나."

깍지의 짜증을 무지르는 서복의 목소리가 꺼끌했다.

"너가 밀고했덴 말이라. 넉실이가 군자금 모은 거."

"무신 소리라?"

"판구가 다 말핸게."

"판구가 무신걸 말해? 그놈이 뭐를 아는 게 있어서?"

"판구놈 말이 넉실이가 군자금 모은다고 밀고헌 사름이 있덴 했단 말이라!"

"흥, 그게 나엔?"

"너 나가 달섬 동굴에다 묶어둔 거 봤지? 불턱에 제일 먼저 나온 날, 맞지?"

무시하고 걸음을 떼는 깍지를 서복이 붙들어 세웠다.

"너 같은 느렁쟁이가 당번도 아닌 날에 나와서 물꺼장 데와논 거 보고 이상허덴 했어. 너가 그럴 인간이 아닌디. 일전에 숭어가 어쩌고 복쟁이가 어쩌고 헌 얘기도 그래서 헌 얘기고. 나 말이 틀려? 틀리면 틀리덴 해보렌 말이라."

"그래, 나가 고발했다. 어쩔래?"

깍지가 턱을 쳐들며 다가섰다. 되려 말문이 막힌 쪽은 서복이었다. 판구에게 들은 것이 아니라 넘겨짚은 것이었기 때문이다. 지난 밤 판구를 닦달해 넉실에 관한 제보가 있었다는 것을 알아냈을 때 퍼뜩 깍지를 떠올리고도 설마 했었다. 아무리 사이가 소원해졌어도 소꿉동무를 의심할 수 있냐고 스스로를 나무랐었다. 아닐 거라고, 아닐 거라고 밤새도록 속을 눅이다 도저히 안 되겠어서 뛰어나온 참이었다. 아니라는 대답을 들으려고 온 거였다. 말이 되는 소리를 하라는 핀잔을 듣고 싶었다. 그런데 사실이라니. 태연하다 못해 뻔뻔한 깍지의 태도에 서복의 속이 들끓었다.

"넉실이가 너한테도 얘기했냐?"

"못헐 거 있나? 너신디 허민 나신디도 허겠지."

서복이 치솟는 화를 누르느라 한숨을 내쉬었다.

"어떻…… 경헐 수가 있나. 그깟 돈 몇 푼 받자고 동무를 배신허여? 넉실이는 주재소에 갇혀서 당장 무신 사달이 날지 몰르는디 넌 태평허게 물질을 가냐? 너가 그러고도 사름이라?"

"그러는 너랑 넉실이는, 무신걸 경 잘했다고? 너네 때문에 마을에 줄초상 날 뻔헌 거를 나가 막아준 거라. 고맙덴 허진 못헐망정 어디 와서 행패질이라?"

"줄초상이라니, 그건 또 무신 소리냐?"

"독립투사 하나 들어오민 그 마을 사름덜 다 잡아 족치는 거 몰라? 나 아니라도 주재소에서는 독립투사 들어온 거 진즉에 알고 조사허고 있었덴게. 여차허민 사름덜 전부 잡아다 족칠 생각이었는디 나가 고발을 헌 덕에 넉실이허고 그 청년만 잡아간 거란 말이라."

"무신거?"

"난 너네가 독립운동을 허든 지랄을 허든 상관없어. 근디 너네 둘 때문에 애무헌 사름덜꺼장 위험해지민 그건 잘허는 일이라? 서복이 너야 그렇다고 헐 테지. 너는 좋은 사름 되는 거가 제일 중헌 년이난. 나신디 이기적이다, 못돼 처먹었다 허는디 너도 하나 다를 거 없저. 적어도 나는 너추룩 착헌 척은 안 헌다게."

서복이 대답할 말을 찾지 못한 채 입술만 달싹였다. 그때 심상찮은 발소리와 함께 쇠붙이가 절그럭거리는 소리가 울렸다. 이윽고 시커먼 무리가 줄지어 다가오는 것이 보였다. 순사들이었다. 수십은 족히 넘어 보이는 이들이 마을로 들어오고 있었다. 깍지가 반사적으로 서복을 잡아당겼다. 서복이 깍지네 담장 안쪽으로 붙어 앉았다. 앞에 섰던 이가 휘적휘적 걸어왔다.

"이젠 물질 안 해도 되는 거 아니?"

히죽 웃는 이는 삼동이었다. 깍지가 뒤에 늘어선 사람들을 흘긋대며 무심한 척 물었다.

"이 사름덜은 다 무신거?"

"아, 목포에서 오신 손님덜."

"단체로 촌마을 유람이라도 왔나?"

"월영마을 대단허다고 거기꺼장 소문이 난 생이라. 나가 이 마을 대표로다가 안내 좀 해드릴라고."

삼동이 능글맞게 웃으며 속삭였다.

"오늘은 집에서 쉬라게. 물질 혼자 허민 안 되지게?"

"나가 무사 물질을 혼자 허나?"

"나중에 얘기해줄 거난 일단은 들어가 있어."

삼동이 눈을 찡긋하고 가버렸다. 발소리가 사라지자 서복이 벌떡 일어섰다.

"저것덜은 다 무신거라? 목포에서 순사덜이 무사 온 거라?"

"난 아나?"

성질을 내는 깍지의 얼굴에도 당혹감이 비쳤다. 생각해보니 삼동의 말도 이상했다. 깍지 혼자 물질한다는 말은 무슨 뜻인가. 갈피를 잡기도 전에 서복의 머리끝이 찌르르했다. 설마 자신과 삼춘들을 잡으러 온 건가? 도사가 직접 약속을 해놓고도 이번에도 뒤통수를 치려는 건가? 마을로 뛰어가려는 서복을 깍지가 막아섰다.

"할망당으로 가게."

"너가 무신 상관이라?"

"너도 잡혀가구정 허나?"

"잡아가렌 밀고헐 때는 언제고 이제 와서 딴 소리라? 왜, 너도 나추룩 착헌 척허구정 허나?"

"나가 넉실이 넌 잡아가렌 했지, 삼촌덜 잡아가렌 했나?"

"그래서 넌 아무 잘못 없다고?"

"넌 지금 그게 중허나?"

"게믄 무신거가 중허니?"

"무신거가 어떵 되는지 파악부터 허고 움직여야주. 너가 간덴 잡혀갈 삼춘덜이 안 잡혀갈 것도 아니지 아녀? 잔말 말고 나가 갈 때꺼장 꼼짝 말고 있저."

깍지 말대로 지금 상황에서 자신이 마을로 들어간다고 크게 달라질 것은 없었다. 해녀들을 피하게 할 수도, 순사들을 물리칠 수도 없었다. 하지만 그렇다고 삼춘들을 두고 혼자만 도망칠 수는 없었다.

"되도 아녀게 착헌 척허지 말라게."

깍지의 표정이 무서울 정도로 서늘했다. 서복이 마을 쪽을 바라보다 몸을 돌려 할망당 쪽으로 달려갔다.

달려가는 서복의 뒷모습을 보며 깍지가 손톱을 깨물었다. 삼동에게 넉실의 일과 시위 소식을 알릴 때 분명 다른 해녀들은 잡아가지 않는다는 약속을 받았었다. 넉실도 순순히 자백만 하면 함께 자라온 정리를 보아 잘 말해주겠다고 했다. 단순 전달책일 테니 정상을 참작받으면 금방 풀려날 수도 있다고 했다. 그런데 새벽부터 목포에서 칼 찬 순사들이라니. 대체 이 새끼들이 뭔 수작이라. 깍지가 입술을 깨물며 반대편으로 향했다.

깍지가 할망당으로 간 것은 해가 이울 무렵이었다. 해녀들은 물론이고 선욱까지 잡아갔다는 말에 서복은 집으로 내달렸다. 집은 엉망이었다. 세간은 마구잡이로 헤집어져 마당에 널브러져 있었다. 달복이 울며 뛰어나와 서복에게 안겼다. 하는 말을 들으니 순사들이 시위에 나온 해녀들을 모두 잡아갔다고 했다. 덕순만 양반댁 부인이고 갓 몸을 풀었다 사정사정을 하여 겨우 남았다. 언제든 부르면 주재소로 가겠다는 조건이었다.

"도사가 직접 약속을 했덴 헨게 대관절 이게 무신 일이라?"

세화댁의 물음에 한씨가 성을 냈다.

"그놈덜이 한입으로 두말허는 게 하루이틀가? 애초에 그런 놈덜 상대로 대거리허는 게 아니었주. 힘센 놈덜 가진 놈덜이 어디 우리 같은 것덜 사름으로 봐주어냐? 어떵 허든 찍어 누를 생각만 허고 벗겨먹을 생각만 허는 것덜인디. 애초에 세상 이치란 게 그런 거여. 누구는 배알이 문드러져 가만있든가? 괜히 대들어봐야 매닥질이나 당허니 입 다물고 있는 거주. 우리 같은 것덜은 그자

고벳이(가만히) 사는 게 제일이렌 말이라. 여편네덜이 두리멍청허여서는 그걸 몰르고 울러댔으니, 쯧쯧."

그러니 모두 해녀들의 탓이라는 것인가.

부당한 제도를 만든 것도 조합이고 고치겠다 약속한 것도, 그걸 어긴 것도 조합이었다. 애초에 조합이 해녀들을 착취하고 괴롭히지 않았다면 들고 일어나는 일도 없었을 것이다. 모두 조합에서 비롯된 것인데 어째서 해녀들이 욕을 먹어야 하는가. 조합이 하는 착취는 세상 이치라 하면서 해녀들이 참다못해 들고 일어난 것은 어리석은 일이 되는가.

이제껏 조합하고만 싸우는 줄 알았던 서복은 그게 아니라는 것을 깨달았다. 조합이 옳다 하고 조합의 착취를 세상 이치라 하는 이들 모두가 조합의 편이었다. 자신처럼 아비처럼 가난하고 힘없는 자들이라도 언제든 조합의 편일 수 있었다. 현명한 척하는 비난으로, 잠자코 있으라는 훈계로.

"아방은 우리가 고작 대거리나 헌 줄 알암수꽈?"

받아친 서복이 주먹을 쥐고 달려 나갔다.

"너, 어디 가냐? 지금 주재소 가민 안 되어, 너꺼장 잡혀간다니까!"

깍지가 쫓아가며 외쳤지만 서복은 돌아보지 않았다.

마을 신목인 팽나무 앞을 지나던 서복의 앞에 시커먼 복면 무리가 나타났다. 순간적으로 궁에 있는 왕비가 일본 낭인들에게 겁살당했다는 소문이 떠올랐다. 나도 죽이려고? 왕비도 죽이는 놈들에게 한낱 촌구석 해녀 따위는 우스우리라. 이렇게 쥐도 새도 모르게 죽는다고 생각하자 두려움보다 억울함이 치솟았다. 죽을 때 죽더라도 곱게 죽어주지 않을 거여! 서복이 신목 앞에 쌓인 돌탑에서 돌을 집어 던졌다. 복면들은 가볍게 피하며 서복에게 다가왔다. 안 되겠다 싶어 다시 뛰려는데 복면 하나가 공중으로 휘리릭 돌더니 가로막고 섰다. 눈 깜짝할 사이라 서복은 놀라 주저앉고 말았다. 복면이 성큼성큼 다가왔다. 서복은 구차하게 살려달라 하지 않겠다고 다짐하며 눈을 질끈 감았다.

"내가 말하지 않았소. 장딴지에 힘 딱 주라고."

어디선가 들어본 적 있는 말투! 슬며시 눈을 뜨니 복면 위로 드러난 눈이 웃고 있었다. 휘어진 눈에 장난기가 가득했다.

"누게꽈?"

"넉실 동무의 동무니 서복 씨에게도 동무라 해도 되겠지비?"

복면이 손을 척 내밀었다.

"넉실이…… 동무라마씨?"

나지막한 목소리는 분명 여자였다. 그만이 아니었다. 복면을 내리고 씩 웃는 이는 모두 앳돼 보이는 여학생들이었다. 서복이 복면의 손을 외면한 채 바닥을 짚고 일어섰다. 여학생들을 찬찬히 훑어보던 서복의 눈이 휘둥그레졌다.

"당신덜, 장터에 있던 사당패덜 아니우꽈?"

서복과 학생들은 깍지의 집에 둘러앉았다. 언제 순사들이 들이닥칠지 모르니 개중 안전한 곳이 깍지의 집이었다. 깍지는 관심 없다는 듯 돌아앉아 바느질을 하고 있었다.

학생들은 넉실의 군자금을 받으러 온 결사대 대원들이라 했다. 모두 호수돈여고 학생들이라 호수돈 결사대라 한다고. 돌아가며 소개를 하는데 나오는 이름들이 금추, 버꾸, 소흔, 여휘, 초고리 식이었다. 신분을 감추기 위해 별명을 쓰는 거라 했다. 마지막 학생이 초고리라고 할 때 깍지가 쿡 웃었다. 작은 매라는 뜻처럼 정말 몸집이 작았기 때문이었다.

"초고리는 작아도 꿩만 잡는다는 말이 있잖습니까. 체구는 작지만 왜놈들을 혼쭐내주자 하는 마음으로 지은 거랍니다."

"별명대로 아주 매섭지비."

서복을 잡아주었던 여휘라는 이가 맞장구를 치며 히죽 웃었다. 결사대장을 맡고 있다는 초고리는 깍지에게 장소를 내줘 고맙다고 정중히 인사했다. 깍지는 언제 웃었냐는 듯 뾰로통한 표정을 지었다.

"경허난 여러분이 정말로 결사대원덜이렌 허는 거꽈?"

서복은 같은 질문을 반복했다. 기껏해야 자기 또래로 보이는 여자들이 독립운동을 하는 것도 놀라웠지만 무장하고 싸우는 결사대라고 하니 더더욱 믿기지가 않았다. 저보다 어린 나이에 만세운동 했다는 관순이라는 학생의 소문을 얼핏 들은 적은 있다만 실제로 독립운동 하는 제 또래 여자를 본 것은 처음이었다.

"너는 귓고냥이 막혔냐. 이 사름덜이 아까부터 몇 번을 말햄시냐? 결사대원덜 맞덴."

듣다 못한 깍지가 짜증을 냈다.

"평생 보고 자란 친구도 못 믿을 판에 생전 처음 본 사름을 어떵 믿나?"

서복이 빈정대자 깍지가 콧방귀를 뀌었다. 초고리가 웃으며 뭔가를 내밀었다. 붉은색으로 칠해진 올챙이 모양의 나무토막이었다. 서복이 깜짝 놀라며 품에서 같은 모양의 푸른색 나무토막을 꺼냈다. 두 번째 시위 전날 넉실이 보따리가 군자금이라는 걸 알려줄 때 고맙다며 내민 손에 이것이 들려 있었다. 의아해하는 서복을 향해 넉실은 눈만 찡긋했었다. 초고리가 두 나무토막을 맞대자 태극 문양이 되었다. 뒷면에는 '韓(한)'이라는 한자가 완성되어 있었다.

"근디 결사대렌 허는 사름덜이 어떵 장바닥서 재비넘기를 허고 접시를 돌렴수과?"

"군자금을 받으려고 변장한 겁니다."

"아이고, 그 군자금은 청년이 가져갔수다! 그 청년은 넉실이허고 잡혀갔고예. 군자금도 순사 놈덜 손에 뺏겨불었수다게."

"그 사람은 가짜지라."

얼굴이 둥그런 버꾸가 웃으며 그는 미끼였다고 말했다. 청년이 순사들 눈을 끄는 사이 대원들이 진짜 군자금을 빼돌렸다는 것이었다.

"정말이꽈!"

같은 물음이 깍지에게서 먼저 튀어나왔다. 놀라는 서복을 아랑곳하지 않고 깍지가 물었다.

"게믄 넉실이 년이 시위 전날 헌 소리는 뭐우꽈? 분명 요망진 사내가 와서 군자금을 받아갈 거렌 했는디. 나가 똑똑히 들어서 마씨."

"너 우리를 따라다년? 좇아다니멍 우리 말을 엿들은 거라?"

깍지가 들은 척도 않고 대원들 쪽으로 몸을 틀었다.

"아마 거짓 정보를 말했을 거구만요."

버꾸가 말했다.

"나가 따라다니는 걸 알고 일부러 그런 거라마씨? 나가 따라다니는 건 어떵 알고, 아니 그 전에 나가 고발헐 거라고 생각헌 거라? 애초부터 넉실이 년이 날 의심헌 거렌 말이라?"

"깍지 너가 그런 걸 따질 입장이 되나? 고발헌 건 사실 아니."

"처음부터 고발헐 생각은 아니었다게? 근디 넉실이가 첨부터 나를 밀고나 헐 년으로 생각했다는 거 아니! 서복이 너민 몰라도 넉실이가 어떵 나안티 경허나?"

서복은 어이가 없었지만 깍지는 그러거나 말거나 대답을 꼭 들어야겠다는 듯 대원들만 보았다. 난감한 미소를 주고받던 대원들 중 소흔이 나섰다.

"꼭 누굴 못 믿고 의심해서가 아니라 작전 수행 중에는 혹시 모르니께 거짓 정보를 흘리는 경우가 많어요."

다른 대원들도 그랬을 거라고 거들었지만 깍지는 콧방귀를 뀌었다. 그런 깍지를 무시하며 서복이 물었다.

"허믄 넉실이가 나안티 맡긴 건 가짜마씨? 나는 그것도 몰르고 혹시라도 없어질까 잠을 못 잤는디."

"광천 동씨 가문에 대대로 내려오는 업두꺼비라는디. 그것도 딴에는 귀한 물건이유."

버꾸의 말에 대원들이 웃음을 터뜨렸다. 그렇다면 넉실은 서복도 믿지 않은 셈이었다.

"들으난 경찰서에서 테러리스트가 들어왔덴 허는 걸 미리 알았다던디, 게믄 그것도 미끼렌 청년을 일부러 알게 헌 거우꽈?"

깍지는 앞뒤 상황을 파악해보느라 혼자 심각했다.

"예. 제주에 들어오고부터 고 동지 주변에서 수상쩍은 움직임이 감지되어 눈을 돌리기 위해 어쩔 수 없이 서복 씨를 끌어들이게 되었습니다. 고 동지가 많이 미안해했지만 서복 씨 만한 사람이 없다더군요. 하늘이 뒤집혀도 믿을 수 있는 친구라고."

"흥, 나는 하늘이 뒤집혀도 못 믿을 사름이고?"

콧방귀를 뀌는 깍지를 보며 초고리가 미안한 듯 웃었다.

"경허믄 경허덴 귀띔이라도 해주지. 넉실이 그것도 참 의뭉스럽다게."

괘씸하다 싶으면서도 서복의 마음이 한결 가벼워졌다. 어쨌거나 군자금이라도 지킨 것이었다.

"서복이 너안티 얘기했으민 일이 잘 되어시크냐. 너는 거짓말

못허지 아녀. 얼굴은 시뻘게지고 코는 벌름벌름허멍. 단박에 표정부터 달라지는디 너안티 어떵 얘기를 허나?"

깍지가 괜히 서복에게 성질을 부렸다.

"하이고, 그래, 넌 거짓말도 잘허고 고자질도 잘허여서 좋겠다."

깍지가 서복을 흘겨보며 다시 돌아앉았다.

"게믄 무사 영덜 있수과? 군자금 챙겼으믄 혼저덜 섬을 뜨게마씨."

서복이 퍼뜩 정신을 차리고 말했다.

"할 일이 남았어요."

초고리가 말했다.

"군자금 받는 거 말고 또 해야 헐 일이 있수과? 순사 놈덜이 언제 들이닥칠지 몰르는디."

"잡혀간 동지들을 구해야죠."

"다른 동지덜이 더 있수과?"

"해녀 분들이요."

"우리 삼춘덜이…… 동지라마씨?"

초고리가 고개를 끄덕였다. 해녀들이 아니었다면 군자금을 전달받지 못했을 테니 당연히 동지라는 것이었다. 서복이 손을 내저었다. 마음은 고마우나 당치않은 일이었다. 한두 사람도 아니고 수십 명이 넘는 해녀들을 아무리 결사대원이래도 또래의 여학생들이 어떻게 구해낸단 말인가. 가능하다 하더라도 중한 일을 하고 있는 대원들을 위험에 빠뜨릴 순 없었다.

"경허당 여러분꺼장 잡혀갑네다예. 지금 목포에서 칼 찬 순사덜이 어마무시허게 건너왔덴 말이우다. 일단 여러분은 몸부터 피허시고, 넉실이허고 청년은 여기서 어떵 해보쿠다."

"두 사람은 풀려날 수 있을 겁니다. 곤욕은 치르겠지만 증거가 없으니까요."

"게메……."

"은혜는 반드시 갚는 게 우리 호수돈 결사대의 철칙이란 말임다."

거듭 거절하는 서복에게 여휘가 씩 웃어보였다.

"은혜랄 것도 없고 도리어 여러분만 위험해질 거우다. 어쨌거나 이건 우리 해녀덜 일이난 우리가 알아서 해야 허는 겁주."

"그렇게 말하믄 섭해버리제. 둘러치믄 죄다 조선 사람인디, 제주는 조선땅 아니어라?"

버꾸가 정말 섭섭하다는 듯 짙은 눈썹을 쫑긋거렸다. 계속 이어지는 실랑이를 자르고 든 것은 깍지였다.

"진짜 더는 못 들어주것네. 서복이 너가 뭔디!"

깍지는 아예 바느질감을 내던지고 돌아앉았다.

"이 사름덜이 삼춘덜안티 은혜를 갚겄다는디 서복이 너가 무사 싫다는 거라? 너야말로 좋다 싫다 따질 입장이 되나? 자꾸 너가 알아서 헌다는디 무신걸 어떵 알아서 헌다는 거라? 저 사름덜 보내고 너 혼자 주재소로 쳐들어가기라도 헐 거? 설마 판구 그 도라짱 믿고 영허는 거라?"

"아니, 무신걸 어떵 허든지 나가 알아서 헌다는디. 넌 무사 성질이나?"

대꾸하는 서복의 목소리가 기어들어갔다.

"영허난 넌 틀려먹었다는 거라. 너가 지금 되게 착해 보이는 줄 알지? 착허기는 개뿔, 멍청허고 곱곱헌(답답한) 거주. 어이구, 썸찌근(지긋지긋)허여. 넌 어릴 때부터 경허는디 그게 얼마나 사름 화딱지 나게 허는 줄 아나? 지금 이 사름덜이 싫다고 해도 도와달렌 사정해야 되는 판이라. 머릴 달고이시난 생각이란 걸 좀 허란 말이라. 뒷일 생각 안 허고 아무 말이나 허대지 말고."

다다다다 쏘아붙이는데다 조목조목 맞는 말이라 서복의 입이 합 다물렸다.

"경핸 어떵허렌 말이라?"

깍지가 대원들을 보며 물었다.

"범을 잡을라믄 호랑이굴로 들어가야지비."

여휘가 예의 장난기 가득한 얼굴로 한쪽 눈을 찡긋했다.

*

그날 밤 월영주재소 마당에는 군용 트럭이 줄지어 들어왔다. 검거한 해녀들을 본서로 옮기려는 것이었다. 두실을 필두로 석실과 억대, 선욱 등 소위 시위 주동자들이 끌려 나왔다. 뒤이어 녁실과 청년도 나왔다. 판구가 맡은 녁실만 조금 나아보일 뿐 다들 계속된 심문에다 매를 맞아 걷는 것도 힘겨워 보였다. 특히 선욱의 상태가 심각했다. 해녀들이 선욱을 양쪽에서 부축해 트럭 위로 올렸다.

검거자들이 트럭 짐칸에 오르자 제복에 가죽장화까지 갖춘 승일이 나왔다. 빳빳하게 다린 제복에는 군주름 하나 없었다.

"경부보님, 시간이 늦었는디 꼭 지금 가야쿠과?"

판구가 물었다. 내일 날이 밝으면 가는 게 낫지 않겠냐는 것이었다.

"위험한 테러리스트들을 이런 촌구석 주재소에 둘 수야 있나."

말은 그렇게 했지만 검거자들을 본서로 데려가 한시라도 빨리 공적을 과시하려는 생각이었다.

"우리 주재소도 괜차넌디……."

"내일은 우도로 들어가야잖나! 내가 이런 것까지 일일이 일러줘야 하나?"

"……예."

판구가 머리를 긁적이며 운전석에 올랐다.

"산길로 가지."

승일이 조수석에 앉으며 말했다.

"거긴 길이 험허고 어둑어마씨."

"이 섬에 안 험하고 안 어두운 길이 어디 있나!"

판구가 입술을 말아 넣고 시동을 걸었다.

울창한 숲 사이로 난 흙길을 달리던 트럭이 끼익 소리를 내며 멈췄다. 길 한복판에 어린아이가 쭈그리고 앉아 있었다.

"저게 누게라?"

판구가 눈을 끔벅거렸다. 천천히 일어서는 아이는 다름 아닌 달복이었다.

"야, 달복아, 너 이 밤에 여기서 무신거 허나?"

승일이 눈을 가늘게 뜨고 저 아이가 한서복이 동생이냐 물었다. 판구가 못 들은 척 얼른 손을 내흔들며 비키라 소리쳤다.

"잡아오지."

"예? 저 두린아이(어린아이)를 뭐 헌다고……."

"고 군, 오늘 말이 많구만."

판구가 마지못해 트럭에서 내려 달복에게 다가갔다.

"달복아, 일이 곤란허게 됐다게. 일단 나허고 잠깐 가야크라."

"……허낫수다(했어요)."

달복이 중얼거렸다.

"무신거렌 허는 거라?"

"여기 이시렌(있으라고) 해수다."

"누게?"

"언니덜마씨."

말이 끝나는 동시에 총소리와 함께 돌멩이가 된소나기마냥 날아들었다. 트럭 앞 유리창이 깨지고 순사들이 깜짝 놀라 허둥대는 사이 숲에서 한 무리의 복면이 고함을 지르며 튀어나왔다. 서복과 대원들이었다.

"저것들 뭐야! 잡아, 빨리 잡아!"

승일이 제 머리를 감싼 채 소리쳤다. 짐칸에서 우르르 내리던 순사들이 픽픽 쓰러졌다. 사방에서 총알이 날아들고 있었다. 당황한 순사들이 아무 데나 총을 쏘아댔다.

"이 새끼들, 날 죽일 셈이냐! 조준해서 제대로 쏘라고!"

승일이 외쳤지만 순사들의 귀에는 닿지 않았다. 서복이 여휘의 엄호를 받으며 승일이 탄 트럭으로 다가가 빗창으로 바퀴를 찔렀다. 여휘도 단검을 찔러 넣었다. 피슈욱 바람 빠지는 소리와 함께 트럭이 덜커덩 내려앉았다. 승일이 괴성을 지르며 좌석 밑으로 숨었다. 짐칸으로 가자 바짝 긴장했던 해녀들과 선욱이 서복을 알아보고 안도의 숨을 내쉬었다. 청년이 여휘를 향해 활짝 웃으려다 터진 입술이 아픈지 인상을 찡그렸다.

"오랜만임다, 동동구 오라바이."

"여휘 동무, 반갑슴다."

청년이 부어오른 볼을 문지르며 말했다. 어벙한 빛은 사라지고 말투도 또렷했다.

"청년 이름이 동동구라? 무신거, 동동구리무(화장품)라?"

억대가 그 와중에도 농을 하며 킥킥 웃었다. 서복과 여휘가 포승줄을 풀어주고 해녀들을 피신시켰다. 석실과 억대가 각각 두실과 선욱의 팔을 끼고 숲으로 도망쳤다.

"난 안 갈키여."

넉실이 고개를 저었다. 다리도 괜찮고 크게 다친 데도 없으니 남아서 싸우겠다는 것이었다.

"나도 쏘는 법 정도는 어깨너머로 배웠수다."

여휘가 잠시 고민하다 넉실에게 총을 건넸다. 그 사이에도 총격전은 계속되고 있었다. 어둠 속에서도 정확히 급소를 뚫는 총탄에 순사들의 반격은 현저히 줄어들었다.

"고 군, 주재소에 지원 요청해! 얼른!"

승일이 눈만 내밀고 소리쳤다. 판구가 허겁지겁 무전기를 들었다.

*

숲에서 난리가 벌어지는 동안 주재소는 평온했다. 검거자 호송에 대부분의 인원이 차출되고 단순 가담자로 분류된 해녀들과 당직 순사들만 남았다. 삼동은 해녀 관리라는 명목으로 당직실에 눌러앉아서는 순사들과 화투를 치고 있었다. 종일 심문에 시달린 해녀들은 지쳐 잠이 든 상태였다. 한가롭게 화투 타령을 불러젖히던 삼동이 멈칫했다.

"지금 무신 소리 안 들렴수꽈?"

"무신 소리? 아무 소리도 안 들리는디?"

나이든 순사가 허벅지를 긁으며 대꾸했다.

"분명 뭔 소리가 들렸는디."

"무신거, 돈 따놓고 도망치젠 수 쓰는 거민 안 통허여."

"잠깐만 보고 오쿠다."

바지춤을 추스르며 밖으로 나오던 삼동의 입이 떡 벌어졌다. 마소와 돼지, 닭 들이 떼지어 들어오고 있었다.

"이, 이것덜이 다 무신거라?"

갈빛 조랑말 하나가 삼동을 똑바로 보며 푸르륵, 똥을 싸질렀다. 당최 무슨 일인지 어이가 없는데 꽹과리와 북소리가 요란하게 울렸다. 순사들이 허겁지겁 곤봉을 들고 뛰어나오자 기다렸다는 듯 돌무더기가 날아들었다. 삼동과 순사들이 책상 뒤로 숨었다.

"혼저덜 들어옵서!"

빗창을 들고 뛰어드는 이는 깍지였다. 뒤이어 억대의 장남 만재가 북채를 휘두르고 차남 우재가 꽹과리를 두드리며 나란히 들어왔다. 순사들이 호루라기를 불고 총을 꺼내 공포를 쏘았지만 꽹과리 소리에 묻혀버렸다.

"저 불령선인 새끼가!"

삼동이 순사의 총을 빼앗아들고 만재를 겨누었다. 조준하고 방아쇠를 당기려는데 덕순이 눈앞에 나타났다.

"이놈이, 생명 중헌 걸 몰르고!"

덕순이 이고 온 오줌허벅을 삼동의 머리에 쏟아 부었다. 졸지에 오줌을 뒤집어 쓴 삼동이 괴성을 지르며 사지를 털어댔다. 이윽고 잡힌 해녀들의 가족들, 이웃마을 해녀들이 우르르 뛰어들며 허벅에 담아온 썩은 해산물을 마구 던졌다.

"너놈들 때문에 썩어나간 나 살점이다!"

"이건 나 생명줄이라!"

오물 냄새가 진동했다. 삼동과 순사들이 비틀거리며 구역질을 해댔다. 깍지가 순사의 허리춤에서 열쇠뭉치를 잡아 뜯어 덕순에게 건넸다. 순사가 깍지의 머리채를 잡으려 하자 만재가 북채로 순사의 손목을 내리쳤다. 우두 부러지는 소리와 함께 순사가 손목을 붙잡고 주저앉았다.

"오냐오냐 해줬더니, 이년이!"

삼동이 깍지를 향해 달려들었다.

"그추룩 말을 해도 못 알아먹어!"

덕순이 오줌허벅으로 삼동의 뒤통수를 가격했다. 삼동이 눈을 뜬 채로 말똥 위로 엎어졌다. 감옥에서 나온 해녀들은 깍지를 따라 주재소를 빠져나갔다. 주재소는 순식간에 잠잠해졌다. 무전기에서 지원을 요청하는 판구의 소리가 간절히 울렸지만 응답하는 사람은 아무도 없었다.

*

금추가 승일 바로 뒤 트럭에 올라타고 버꾸가 옆자리에 앉았다. 금추가 시동을 거는 동안 버꾸가 권총에 탄창을 갈아 끼웠다.

"자, 가보드라고!"

버꾸가 경쾌하게 외쳤다. 그제야 트럭을 발견한 승일이 허둥지둥 권총을 쏴댔다. 유리가 깨지고 파편이 튀자 금추와 버꾸가 환호성을 질렀다. 두 사람 모두 신이 나서 웃고 있었다.

"저, 저 미친년들!"

트럭에서 내리려던 승일이 멈칫했다. 손잡이가 고장났는지 문이 열리지 않았다. 반대편으로 나가려고 운전석으로 기어가는 승일을 향해 금추의 트럭이 돌진했다. 금추는 승일의 트럭을 그대로 밀어붙였다. 승일이 꽥 소리를 내며 정신을 잃었다. 승일을 끌어내린 두 사람은 휘파람을 불며 승일을 묶었다.

승일을 인질로 삼자 판구와 순사들은 더 나서지 못하고 눈치만 보았다. 금추가 차지한 트럭을 엄폐물 삼아 서복과 대원들도 숨을 골랐다.

"이제 삼춘덜토 다 구했으니 대원 여러분은 혼저 갑서."

서복이 말했다. 넉실도 대원들을 보며 그러라 했다.

"넉실이 너도 가라."

"나신디 어딜 가렌 허는 거라?"

넉실이 눈을 동그랗게 떴다.

"쏘련인가 어딘가 가구정허덴 아넌나. 어멍허고 석실 삼춘은 나가 잘 챙길 거난 걱정 말고 혼저 가라."

"……경허민 같이 가게, 서복아."

서복이 혼자 잡히면 고초가 극심할 것이었다. 초고리도 같은 생각이라며 그리 하자 권했다. 서복이 고개를 저었다.

"나가 우리 삼춘덜허고 바당 두고 어딜 가나?"

"서복아, 그러지 말고,"

"걱정 말아. 월영마을 요망진 애기상군 한서복이, 몰르나?"

서복이 대원들을 향해 고개를 숙였다.

"나 오늘 입은 은혜는 절대 잊어불지 아녀쿠다. 월영마을 해녀도 은혜는 반드시 갚주마씨. 언제든 꼭 보은허쿠다게."

피차 다시 만나자는 기약도, 잘 지내라는 인사도 할 수 없었다. 떠나는 이도 남는 이도 고맙고 미안할 따름이었다. 말로 할 수 없는 마음이 눈빛으로 오갔다. 여휘가 인사라도 하듯 남은 총알을 다다다 쏴버렸다. 건너편에서 슬금슬금 다가서던 순사들이 후다닥 트럭 뒤로 숨었다.

"앞날이 구만 리니 죽지 않으면 다시 만나지지 않겠소."

여휘가 씩 웃으며 손을 내밀었다. 서복이 여휘의 손을 잡았다.

"서복아."

넉실의 눈가에 눈물이 차올랐다. 서복이 넉실의 어깨를 치며 눈을 흘겼다.

"공부 열심히 허라게. 하영 보고 하영 배워가지고 나신디도 다 가르쳐줘야 허여. 난 바당을 지킬 거난 넌 훨훨 날아서……."

말을 채 끝맺지 못하는 서복을 넉실이 끌어안았다. 서복이 넉실의 등을 도닥였다.

"지체 말고. 대원 분들 기다린다."

서복이 억지로 넉실을 밀어냈다. 대원들이 서복과 악수하고 차례로 수풀 속으로 사라졌다. 마지막으로 넉실이 서복의 모습을 눈에 담듯이 바라보고는 돌아섰다. 고맙수다. 하영 고맙수다게. 그들의 뒷모습을 보며 서복이 중얼거렸다.

"으음."

승일이 신음하며 눈을 떴다. 제 옆에 선 서복을 보고 몸을 일으키려다 바닥을 굴렀다. 금추와 버꾸가 사지를 야무지게도 묶어놓은 덕분이었다.

"이거 당장 풀지 못해? 죽으려고 환장했어?"

"그 말은 나보담은 너가 들어야 헐 거 같은디."

서복이 총을 들어 승일의 이마를 톡톡 쳤다. 국화 음각이 새겨진 총은 아비가 총독에게 하사받은 것이었다. 승일이 당황한 빛을 숨기려 어색하게 웃었다.

"그, 그거 내려놔. 총이란 게 다루기 쉬워 보여도 굉장히 위험한 거거든. 총 한번도 안 쏴봤잖아? 잘못하면 손목 날아간다니까? 물질도 해야 하는데 손목이 날아가면 곤란하지 않겠어?"

"경허주. 손목이 날아가믄 곤란허주. 근디 어려울 것은 없어뵈는디."

서복이 아무렇지 않은 얼굴로 총알을 장전했다.

"이추룩 허고."

방아쇠에 손가락을 올렸다.

"쏘믄 되는 거 아니라?"

승일이 정말 쏘는 줄 알고 괴성을 질렀다. 순사들이 총을 장전하고 서복을 겨눴다. 서복은 무심한데 외려 판구가 기겁했다.

"너네가 쏘믄 난 이놈을 쏠 거라. 누게 총알이 빠른지 보게."

"총 내려놔, 이 새끼들아! 손끝 하나 움직이는 놈 있으면 죽여버린다!"

승일이 악을 썼다. 순사들이 머뭇거리며 총을 내려놓았다.

"이러지 말고 우리 차분하게, 이성적으로 대화를 나눠보자구. 일단 그거 내려놓고 주재소로 가서……."

승일이 비굴한 눈빛으로 서복을 올려다보았다.

"무사, 나가 죽이기라도 할까 봐 무섭나?"

"무섭다니, 누가, 내가? 하, 참! 나 대일본제국 경부보 김승일이야! 중추원 고문 김제호 아들 기네무라 쇼비! 아무리 일자무식 계집이어도 김제호는 알지? 조선 총독 다음 자리가 우리 아버지란 말이야. 내가 잘못되면 너와 네 가족, 일가친척, 마을 사람들까지 그날로 싸그리 몰살당할 거다. 그러니까 함부로 날뛰지 말라고!"

"나 너네 아방 몰라. 무식해서."

흥분했던 승일의 얼굴이 퍼렇게 식었다.

"근디 경해도 넌 안 죽이켜."

서복이 총을 멀리 풀숲에 던지고는 줄을 풀기 시작했다.

"난 해녀주, 너네덜추룩 사름 패고 죽이는 불다당캐는 아니난."

승일이 무슨 꿍꿍이냐는 듯 긴장했다가 줄이 다 풀어지자 서복의 멱살을 잡았다.

"살려줬더니 날 죽이젠?"

"그럼 고맙다고 절이라도 할 줄 알았나?"

"절꺼장은 바라지 아녔주만 멱살을 잡을 줄은 몰랐주. 영허니 니네덜이 개불상놈 소리를 듣는 거여."

"이년이 지금 누구더러! 아직 상황 파악이 덜 된 모양인데 너 같은 거 죽이는 건 일도 아냐. 뭐랄 사람 하나 있는 줄 알아?"

"무신거렌 헐 사름은 없어도 아숩긴 헐 테주. 잡은 해녀덜 몬딱 놓쳤는디 나라도 데려가야 면이 서지 아녀크라?"

"너 말고도 주재소에 너 같은 년들 많아. 그년들 주동자로 만드는 거야 일도 아니고."

"거기도 사름이 있어야 말이주. 지금쯤 다 내빼부렀을 건디."

"뭐야!"

승일이 주재소에 무전을 치라고 소리치자 판구가 머뭇거리며 대답했다.

"그것이, 좀 전에 주재소허고 겨우 연락이 닿았는디……. 해녀덜이 쳐들어와서 주재소를 엎어부러서 잡아놓은 해녀덜토 다 도망치고……."

"으아아악!"

승일이 머리를 쥐어뜯고 트럭을 발로 찼다. 그리고는 씩씩거리며 서복의 멱살을 잡아 올렸다. 서복의 얼굴이 시뻘게졌다. 숨이 꼴딱 넘어가려는 찰나 승일을 향해 돌이 날아들었다.

"아주 곱엇인(얼토당토 않은) 사름이로고!"

두실이었다. 해녀들을 피신시키고 돌아온 것이었다. 승일이 서복을 밀어뜨리고 두실에게 다가갔다.

"두실 삼춘, 무사 와수꽈, 재기 도망갑서!"

서복이 손을 내저었지만 두실은 버티고 섰다. 승일이 옆에 선 순사의 총을 빼앗아 장전하고는 두실의 미간에 갖다댔다. 무뚝뚝한 얼굴에는 미동도 없었다. 아쉬울 거 하나 없다는 표정에 총을 쥔 손이 부들부들 떨렸다. 천한 년들이 꼴같잖게 잘난 척은! 아쉬운 쪽은 승일이었다. 서복의 말대로 해녀들이 모두 달아난 상황에서 한 명이라도 더 잡아가는 편이 나았다. 해녀들이 얼마나 극악무도한 것들인지 직접 보여주어야 했다. 죽이는 건 그 다음이어도 늦지 않다. 당장 뒤져도 아쉬울 것 없는 천한 것들하고 나는 차원이 다르니까. 승일은 애써 자존심을 세우며 심호흡을 했다.

"일단 오늘은 돌아가고 내일 지원 요청을 허민 어떵허쿠강?"

판구가 눈치를 살피며 물었다.

"천하의 김승일이 이깟 년들한테 질 줄 아나?"

승일이 총을 허리춤에 끼우며 짐짓 여유로운 투로 대답했다.

"트럭이 다 망가져서 갈 방도가 없는디."

승일이 흐트러진 머리를 착 갈라 넘겼다.

"육지로 못 가면 바다로 가면 될 거 아닌가. 배 수배해, 당장."

먹돌아, 들러키라!

월영포구에는 해무가 자욱하게 깔렸다. 억대의 남편 봉석이 끌려 나왔다. 이렇게 안개가 심하면 배를 못 띄운다고, 폭풍우보다 무서운 게 안개라고 거듭 말했지만 승일은 무시했다. 허튼 수작 부린다고 얻어맞기나 한 봉석은 뚱한 얼굴로 배에 올랐다. 승일은 바다 위에서도 도망갈 년들이라며 서복과 두실을 한 번 더 묶으라고 했다. 판구가 죄인처럼 시선을 뚝 떨구고 두 사람을 묶었다.

서복이 송구스러운 듯 두실을 보았다. 두실은 그저 담담한 표정이었다. 서복에게 돌아오면서 잡힐 것을 각오했을 것이었다. 이미 불령선인으로 찍힌 터라 한 번 더 잡혀가면 무슨 일을 당할지 모르지만 그럼에도 망설임 없이 왔으리라. 여기에 서복이 있기 때문에. 제가 키운 어린 해녀를 위해 성치 않은 몸으로 달려왔을 것이다. 그러니 그저 상군이라 하지 않고 대상군이라 하는 것일 게다.

평생 바당에 든 여인이 바당만큼 너른 품을 가지게 되었을 때 사람들은 그를 대상군이라 불렀다. 두실처럼 훌륭한 대상군이 되고 싶다는 열망과 평생을 쫓아도 두실을 따라갈 수 없으리라는 절망이 씁쓸하면서도 묘한 쾌감을 불러일으켰다. 두실이 서복을 보며 괜찮다는 듯 고개를 끄덕였다. 마음을 도닥이는 듯한 눈빛에 서복이 허리를 곧추세웠다.

두 사람이 배에 오르고 봉석이 돛을 올렸다. 승일이 서두르라며 봉석의 관자놀이에 총구를 겨눴다. 봉석이 삿대로 땅을 밀자 배는 안개 속으로 천천히 스며들었다.

주재소 습격팀은 한발 늦게 포구에 도착했다. 봉석이 불려나갔다는 걸 알아내자마자 달려왔지만 이미 봉석의 배는 보이지 않았다. 깍지가 정박된 배들 사이에서 제 아비의 것이었던 배를 찾아냈다. 배에 오른 깍지가 고물 쪽으로 가서 뱃전을 더듬었다. 열쇠는 다행히 아비가 두던 자리에 있었다.

“인제 너희 배도 아니고 남의 배인디 함부로 타도 되나?”

만재가 물었다.

“무사, 너신디 무신거렌 허카부텐 겁나나? 문제 생기민 나가 물어주민 될 거 아니라.”

“너가 무신 돈이 있어서? 너 빚쟁이인 거 월영에서 모르는 사릅이 없는디."

"빚이 스무 냥이든 스물한 냥이든 그게 그거주. 갈 거라, 안 갈 거라?"

만재가 걱정스러운 얼굴로 열쇠를 받아들었다. 덕순까지 네 사람을 태운 배가 엔진 소리를 울리며 빠르게 포구를 떠났다.

파도는 점점 거세지고 해무도 짙어졌다. 거대한 구렁이 등에 올라탄 듯 배가 솟구쳤다가 내리꽂혔다. 물에 익은 서복과 두실마저 수질이 날 정도였다. 서복은 눈을 감고 숨을 골랐다. 파도가 연신 갑판 안으로 들이쳤다. 차가운 바닷물에 서복이 소스라치며 눈을 떴다. 무심코 먼 바당으로 시선을 던진 서복의 눈이 또렷해졌다. 한 치 앞도 가늠하기 힘들 만큼 두터운 안개 사이로 희끗하게 보이는 것은 달섬이었다. 아까도 달섬을 지났는데. 서복이 봉석을 보았다. 봉석은 무표정한 얼굴로 아딧줄*을 이리저리 당기고 있었다. 평생 배를 몰아온 봉석이 바닷길을 헤맬 리 없었다. 일부러 빙빙 돌고 있는 거였다. 서복이 조심스럽게 주위를 살폈다. 물을 겁내는 판구는 갑판에다 코를 박다시피 쭈그려 앉아 있었다. 승일과 나머지 순사들도 곤혹스러운 얼굴이었다.

"왜 이렇게 흔들려!"

승일이 화를 냈다.

* 돛에 달린 줄. 바람의 방향을 이용할 때 사용한다.

"바당에 바람 불고 파도치니 배 흔들리는 게 당연헙주, 가만 있으민 그게 바당이우꽈?"

봉석은 그러니 애초에 배를 못 띄운다 하지 않았냐고 되려 큰 소리를 쳤다. 승일이 총을 고쳐 쥐며 빨리 가기나 하라고 채근했다. 봉석이 이것저것 만지다 석유등을 밝혔다. 사위가 밝아지면서 시커멓게 들이치는 파도가 보였다.

"뭐 하는 거야, 불 꺼!"

승일이 겁에 질려 소리쳤다. 봉석이 뭔가를 찾는 척 뒤적거리며 석유등을 높이 들었다.

"내 말 안 들리나? 죽고 싶어?"

봉석이 느린 동작으로 석유등을 끄고는 아딧줄을 틀어 돛폭의 방향을 바꾸었다. 그러자 파도를 넘으며 앞으로 나아가던 배가 그 자리에 멈춰 섰다. 바람을 등지지 않고 마주 안았으니 제자리인 것이 당연하나 배를 모르는 승일이나 판구에게는 더없이 이상해 보였다. 게다가 돛의 방향을 살짝만 바꾼 지라 더욱 알아차리기 힘들었다.

"이상허여. 배가 왜 안 간대? 물귀신이라도 오르셨나?"

봉석이 허공을 유심히 보며 중얼거렸다. 배를 에워싸고 있던 해무가 꾸역꾸역 모여 들더니 묘한 형체를 이루었다. 승일이 저도 모르게 봉석에게 붙어 섰다.

"뭐야, 뭘 보는 거야?"

봉석이 시선을 바당에 좀 더 두었다가 떨어뜨렸다. 승일이 께

름칙한 얼굴로 바당과 봉석을 번갈아 보았다. 시커먼 바당에는 바람과 안개와 파도뿐이었다. 파도는 흰 거품을 토해내며 끝도 없이 무더들었다 물러났다. 우르르 파도치는 소리가 제 머릿골을 치는 듯했다. 점점 더 짙어지는 안개는 숨통을 죄어드는 것 같았다. 흠흠, 헛기침을 하던 승일이 왈칵 구역질을 했다.

"달섬 쪽이라!"

희미하게 깜박이는 불빛을 본 깍지가 소리쳤다. 성내로 길을 잡았던 만재가 배를 급히 틀었다. 돌아서는가 싶던 배는 터덜덜덜 소리를 내다 멈춰버렸다. 만재가 당황해서 이것저것 만지고 우재와 덕순까지 달라붙어 들여다봤지만 소용없었다.

"섬에서 자란 놈이 배 하나 제대로 못 모나?"

깍지가 쏘아붙였다.

"너네 아방이 배 관리도 제대로 안 허고 처박아둬서 이런 거 아니냐?"

만재가 억울한 듯 대꾸했다.

"그게 아방 탓이지, 나 탓이라? 무사 나신디 지랄이여."

"이제 어떵허민 좋지?"

덕순의 물음에 깍지가 팔짱을 끼고 난간에 걸터앉았다. 발동기가 고장났거나 기름이 닳았거나 둘 중 하나일 텐데 어느 쪽이어도 손쓸 방법이 없었다. 날이 밝아 다른 배들이 나올 때까지 기다리는 수밖에. 허탈해져서 다들 어깨가 축 늘어지는데 저 멀리서 발동기 소리가 들렸다. 깍지가 입술을 앙다물고 빗창을 쥐었다. 만재는 북채를 들고 덕순은 우재를 가리고 섰다. 소리는 점점 가까워졌다. 깍지가 침을 꿀꺽 삼키며 빗창 쥔 손에 힘을 주었다. 배의 형체가 어슴푸레 보일 무렵 걸걸한 목소리가 건너왔다.

"너네 삼춘덜 어데로 가시니?"

우도의 고수머리 해녀였다. 해녀들이 잡혀갔다는 소식을 듣고 우도 해녀들을 모아 달려오는 참이었다. 깍지가 조금 전 달섬 쪽에서 불이 깜박였다고 말했다. 고수머리가 배에 탄 면면을 보더니 자기들이 갈 테니 여기서 기다리라고 했다. 깍지가 저도 가겠다고 나섰다.

"우리덜이 가도 충분헌다."

고수머리가 손을 내저었다. 그러자 깍지가 대꾸했다.

"삼춘덜은 달섬을 잘 모르지 아녀꽈? 달섬 가까이 가젠 허민 나가 가야헙주."

고수머리가 잠시 고민하다 고개를 끄덕였다. 만재와 덕순이 양쪽에서 잡아 깍지를 넘겨주었다. 깍지를 태운 배는 능숙하게 거친 바당 위를 달렸다.

봉석의 배는 바람과 조류에 휘말려 날뛰고 있었다. 돌개바람이 휘몰아쳐 돛을 조정해봐도 배는 전혀 나아가지 못했다. 승일은 뱃전에 매달려 연신 구토를 했다. 순사들도 토악질을 하느라 정신없었다. 판구는 식은땀을 흘리며 개남보살만 외웠다.

서복은 정신을 놓지 않으려고 필사적으로 애쓰며 빠져나갈 방법을 모색했다. 이 정도 파도라면 서복이라도 자신이 없었다. 그래도 줄만 풀리믄 어떻게든 해볼 텐디. 봉석을 힐끔거리며 기회를 노려보지만 승일 대신 봉석을 지키고 선 일인 순사는 꼿꼿이 서서 눈도 떼지 않았다. 답답한 마음에 한숨을 내쉬던 서복의 머릿속에 퍼뜩 뭔가가 떠올랐다. 혹시. 서복이 물질할 때처럼 숨을 꾹 참았다. 하나, 둘, 셋…… 천천히 열까지 셌을 때 강하고 짧게 숨을 터뜨렸다. 휘이익! 숨비소리가 바당 위를 울렸다. 파도 소리 사이로 짤막하게 울린 숨비소리를 순사들은 알아채지 못했다. 봉석과 두실만이 서복을 보았다. 서복이 줄을 풀어 달라 눈짓하자 봉석이 고개를 끄덕였다.

"아레와…… 난데스까?(저게…… 뭐죠?)"

잠시 후 일인 순사가 바당 저편을 가리켰다. 뱃전에 늘어진 승일이 입가를 손수건으로 닦으며 돌아보았다. 징글징글한 파도만 보일 뿐 별다른 것은 눈에 띄지 않았다.

"멍청한 놈이 물귀신에 홀렸나."

승일이 조선말로 궁시렁거렸다. 일인 순사가 재차 저걸 보라고 손짓했다. 짜증스럽게 고개를 돌리던 승일이 눈을 비볐다. 시커먼 것이 다가오고 있었다. 안개가 장막 걷히듯 서서히 열어지면서 둥그런 보름달이 드러났다. 훤한 달빛에 시야가 트이며 시커먼 것의 정체가 드러났다. 위로 뾰죽 솟은 것은 지느러미였다.

"……쿠지라(고래)?"

한두 마리가 아니었다. 수십 마리는 되어 보였다. 지느러미들이 배 주변을 에워쌌다. 승일은 굳어버렸다. 선두에 찢어진 지느러미를 발견한 서복이 외쳤다.

"먹돌아!"

대답이라도 하듯 승일의 코앞에서 돌고래 한 마리가 쑥 솟았다. 승일이 소리를 지르며 벌러덩 넘어갔다. 순사들도 질겁을 하며 물러났다.

"빠, 빨리 가, 빨리 가란 말이야!"

승일이 소리쳤다.

"사름 맘대로 안 되는 게 세 가지가 있수다. 바당허고 바람. 나머지 하나가 무신건지 알암수꽈?"

봉석이 느릿하게 대꾸했다.

"쓸데없는 소리 지껄이지 말고 속도 높이라고!"

"바로 사름 마음이우다."

봉석이 돛 방향을 홱 틀어 배를 기울였다. 승일과 순사들이 우당탕 넘어졌다. 봉석의 움직임을 보고 흔들림을 예상한 서복과 두실은 이를 악물고 난간을 붙들었다.

"너 이 새끼, 죽여버린다!"

승일이 비틀거리며 봉석에게 다가갔다.

"먹돌아, 들러키라!"

서복의 다급한 외침에 먹돌이 뛰어올랐다. 먹돌이 바당으로 떨어지면서 배가 또 한 번 휘청거렸다. 승일이 당장 저것들을 쏴버리라고 명령했다. 순사들이 허둥지둥 총을 꺼내 돌고래들을 쏘기 시작했다. 먹돌이 끼이익, 소리를 질렀다. 다른 돌고래들도 합세하여 같은 소리를 냈다. 돌고래들의 울부짖는 소리가 우레 같은 파도 소리와 뒤엉켰다.

먹구름이 달을 가렸다. 사위가 검은 물을 뒤집어쓴 듯 어두워지더니 바당이 부르르르 끓기 시작했다. 검은 바당과 검은 하늘, 사방 천지가 진동했다.

"요왕할망이 노허셨고나."

두실이 탄식했다. 승일과 순사들이 핏기 없는 얼굴로 주위를 두리번거렸다.

"끼이이익!"

먹돌이 비명을 지르며 펄쩍 뛰었다. 다른 돌고래들도 함께 솟구쳤다 떨어졌다. 순사들이 짠물을 뒤집어쓰며 비틀거리다 총을 놓치고, 대신 대검을 뽑아 들었다. 갑판으로 몸을 내밀고 찔러댔지만 닿지 않았다. 돌고래들은 끼이익 울며 배 주위를 빠르게 돌았다. 순사들이 배 위에 있던 장대를 집었다. 돌고래들이 다칠까 봐 조마조마한 서복이 먹돌의 지느러미를 눈으로 쫓았다. 안타까운 서복의 마음을 아는지 모르는지 돌고래들은 머리를 내밀었다 숨겼다 하며 떠나지 않았다. 요왕할망이 바당을 통째로 휘갈아대는 듯 배가 요동쳤다.

"저기 보염수다!"

잇따른 총성을 듣고 속도를 높였던 고수머리의 배가 봉석의 배를 발견했다. 하지만 파도 때문에 접근이 여의치 않았다. 깍지가 초조한 얼굴로 입술을 깨물었다.

"이 쿠지라 새끼들, 다 죽여버릴 테다!"

승일이 일인 순사의 총을 빼앗아 탕탕 쏘아댔다. 먹돌이 바닷속으로 쑥 들어갔다가 승일을 덮칠 기세로 솟구쳤다. 승일이 엉덩방아를 찧으며 총을 쏘았다.

"안 돼!"

그와 동시에 서복이 승일을 향해 몸을 던졌다. 두 사람이 한 덩어리가 되어 갑판 위를 굴렀다. 키야앙, 공기 찢는 소리와 함께 먹돌이 바닥으로 떨어졌다. 붉은 피가 바닥을 적셨다.

"먹돌아!"

서복이 엉금엉금 기어 난간으로 고개를 뺐다. 먹돌이 보이지 않았다. 승일이 서복의 뒷덜미를 낚아챘다.

"니년도 죽어라!"

승일의 얼굴이 수귀(水鬼)처럼 일그러졌다. 서복의 눈동자가 크게 벌어졌다. 총구가 불을 뿜는 동시에 두실이 서복을 감싸 안았다.

"삼촌!"

두실이 예의 무뚝뚝한 표정으로 고개를 끄덕였다. 괜찮다 손을 내젓는데 옷섶이 피로 젖어 있었다.

곧바로 배가 뒤집힐 듯한 충격이 느껴졌다. 성난 먹돌이 배를 받아버린 것이었다. 다른 돌고래들도 잇따라 배를 들이받았다. 봉석의 목선이 갈라지기 시작했다. 돛대가 넘어가면서 순사들을 덮쳤다.

"개남보살님, 살려줍서, 제발 살려줍서!"

판구가 갑판에 머리를 박고 손을 비볐다. 승일과 순사들도 갈팡질팡이었다. 그 사이 봉석이 달려와 두실을 풀어주었다. 이어서 서복도 풀어주려는데 매듭이 꼬였는지 줄이 잘 풀리지 않았다. 서복이 두실부터 먼저 살펴달라 했다. 봉석이 옷을 찢어 두실의 상처를 묶었다.

그때 쩌어억, 하는 소리와 함께 배가 반쪽으로 갈라졌다. 손써볼 틈도 없이 동강난 배는 누가 끌어당기기라도 한 듯 순식간에 바닷속으로 사라졌다. 서복도 난간에 머리를 부딪치면서 정신을 잃은 채 빨려 들어갔다. 거대한 파도가 사람들의 비명을 집어삼켰다. 바당이 흰 포말을 뿜으며 포효했다.

"가야크라!"

배가 부서지는 걸 본 고수머리의 배가 죽을 각오로 밀고 들어갔다. 달섬에 가까워지자 허우적대는 사람들이 드문드문 보였다. 깍지가 한쪽을 가리켰다. 두실을 안은 봉석이 팔을 흔들고 있었다. 고수머리와 깍지가 장대를 내밀어 끄집어 올리려는데 판구가 미친 듯이 헤엄쳐와서는 매달렸다.

"사름 건질라는디 웬 개새끼가 매달리고 지랄이여."

고수머리가 판구의 순사복을 보고 장대를 흔들었다. 판구가 물을 거푸 먹으면서도 필사적으로 매달렸다.

"순사복만 입었주, 순 두루붕이 자식이우다."

깍지가 고까운 얼굴로 한마디 해주었다. 고수머리가 혀를 차며 판구를 끌어올려주었다. 다음으로 두실과 봉석을 올렸다. 지혈하느라 묶었던 옷자락은 파도에 휩쓸려 풀어져버렸다. 고수머리가 배에 있던 띠줄을 가져와 상처를 세게 동여맸다.

"서복이마씨? 서복이는 어디 이수꽈?"

바당을 두리번거리며 깍지가 물었다. 봉석이 참담한 표정으로 고개를 저었다.

"서복이안티 무신 일 이시민 다 너 때문이라."

깍지가 죽일 듯이 노려보자 판구가 말없이 고개를 푹 숙이고 웅크렸다.

"일단은 안개가 걷혀시난 달섬 쪽으로 더 가보게마씸."

고수머리의 배가 달섬 쪽으로 다가갔다. 광란하듯 날뛰는 파도를 타고 넘을 때마다 깎아지른 벼랑에서 떨어지듯 심장이 내려앉았다. 달섬에 가까워질수록 파도는 더욱 거세졌다. 선장이 더는 못 들어간다고 소리쳤다. 고수머리가 좀 더 찾아보자며 선장을 달랬다. 깍지는 뱃전을 빙빙 돌며 서복의 이름을 불렀다. 해녀들이 모두 난간에 붙어 서서 서복을 불렀다. 배는 점점 더 위태롭게 흔들렸다. 이러다간 고수머리의 배마저 조류에 휩쓸려 난

파될 것 같았다. 해녀들이 이를 악물고 난간에 매달렸다. 봉석은 두실이 흔들리지 않게 꽉 붙들었다.

"사름 하나 살리젠 허단 다 뒤여지켜? 이만헌 파도에 휩쓸렸으민 이미 죽은 목숨이라. 헐 만큼 했으니 이제 그만 돌아가게."

선장이 얼굴로 날아드는 짠물을 훔치며 고수머리를 설득했다. 틀린 말은 아니라 고수머리도 난감한 얼굴이었다. 깍지는 쉬지 않고 서복을 불렀다. 목소리가 갈라질 정도로 외쳤지만 파도만 휘몰아칠 뿐, 서복은 보이지 않았다.

"나가 들어가보쿠다."

깍지가 말했다.

"안 된다."

두실이 힘겹게 눈을 뜨며 말했다.

"들어가민 보일 수도 있지 아녀꽈?"

"안 된덴 허지 아녀시냐!"

"경허민 서복일 여기 두고 우리끼리 가게마씨? 두실 삼춘이라민 열 번도 더 들어가지 아녀시쿠과? 근디 난 무사 못 들어가게 햄수꽈?"

고수머리와 봉석도 너무 위험하다고 말렸다.

"나가 물질 얼마나 잘허는지 알지 아념수꽈? 예뻐라 허는 서복이 년보담 물질 하나만큼은 훨씬 낫다는 거, 딴 사름은 몰라도 삼춘은 알지 아녀넨 말이우다."

고수머리가 그러면 자기도 함께 들어가겠다 했다.

"달섬을 몰르민 나오기 힘들어마씨. 난 어릴 적부터 여길 천 번도 넘게 드나들었덴 말이우다."

두실이 식은땀을 흘리며 깍지를 보고 있었다.

"딱 한 번만 들어갔다오쿠다. 더 가켄 안 허쿠다, 대상군 삼춘."

깍지가 두실의 눈빛을 정면으로 받았다. 흔들림 없는 눈빛이 두실의 것만큼 단단했다. 두실이 마침내 고개를 끄덕였다.

"딱 한 번이라."

선장이 다들 제정신이냐고 길길이 뛰었다. 봉석과 고수머리가 선장을 돕겠다 나섰다. 봉석이 두실을 판구에게 맡긴 뒤 선장 옆으로 가고 고수머리와 해녀들이 다시 난간에 붙어 서복을 불렀다. 깍지가 이물 쪽으로 향하며 두실을 돌아보았다. 두실의 눈빛이 깍지를 뒤따르고 있었다.

바당은 광포하게 출렁였다. 분노한 요왕할망이 벽력같은 고함을 치며 바당을 뒤흔들고 있었다. 태어나 단 한 번도 바당이 무서운 적 없었던 깍지조차 눈앞이 아찔해 오금이 저릿했다. 깍지가 입술을 깨물고 난간에 섰다.

"서복이 넌, 하여간에 귓것(귀신)이라."

겉옷을 벗자 받쳐 입고 나온 물옷이 드러났다.

"요왕할마님, 서복이 넌은 몰라도 난 살려줍서."

깍지가 숨을 흡 들이키며 바닷속으로 뛰어들었다.

다시, 바당밭으로

기차에서 내리자 형무소 뒷담이었다. 울퉁불퉁한 돌을 가슴께까지 쌓는 제주와 달리 반듯한 돌을 키 넘어 올렸다. 돌담 앞에 서자 안 그래도 한겨울 추위에 잔뜩 움츠린 여자들이 더욱 작아 보였다. 여자들, 세화댁과 달복, 덕순이 몸을 동그랗게 말고 끝이 안 보이게 뻗은 돌담을 따라 걸었다.

형무소는 안과 밖의 차이가 없었다. 지은 지 얼마 안 되었다더니 분명 튼튼한 담을 둘렀는데도 입김이 허옇게 나왔다. 지키고 선 간수의 서슬 퍼런 눈빛 때문일지도 모른다는 생각을 하며 고쳐 앉는데 익숙한 얼굴들이 나왔다. 아니, 익숙하면서도 낯선 얼굴들이었다.

"서복아! 석실 성님, 억대 성님!"

아기를 안은 덕순이 반갑게 소리쳤다. 옆에 앉았던 세화댁이 벌떡 일어났다.

"아이고, 나 강생이! 얼굴이 어떵 영 상해시냐? 아주 반쪽이 되어불었저."

세화댁의 눈에서 눈물이 주룩 흘렀다. 서복의 몰골은 형편없었다. 살이 내린 얼굴 여기저기 멍들고 부어오른 데다 입술은 갈라져 피가 새어나왔다. 석실과 억대도 마찬가지였다.

"고운 얼굴이사 어디 안 가고 여기 그대로 있는디, 무신 걱정이우꽈? 얼굴은 어떵 덕순 삼춘이 더 상헌 것 닮수다."

서복이 너스레를 떨며 씩씩하게 웃었다.

"어크거, 저 아이 뭉갈뭉갈(포동포동)해진 거 좀 보라. 어멍 살 쪽쪽 빨아먹고 하영도 컸저게."

억대가 가림막에 이마를 대고 덕순의 아기부터 보았다. 석실도 아기를 보느라고 이리저리 고개를 틀었다. 잘 보이라고 덕순이 아기를 들어 보였다. 옹알이를 갓 시작한 아기가 입술을 동그랗게 내밀고 해녀들을 보며 뭐라고 뭐라고 했다. 해녀들도 알아듣는다는 듯 응응 게메, 하며 고개를 주억거렸다. 강보를 겹으로 쌌는데도 아기의 뺨이 찬바람에 얼어 발긋했다. 면회 온 이들의 고단한 여정을 보는 듯해 세 해녀의 가슴이 아렸다.

제주에서 목포까지는 먼 길이었다. 어렵사리 면회를 와서 눈물바람하고 나면 보내는 이도, 가는 이도 고달플 것이었다. 남는 마음보다 돌아서는 마음이 더 아플 것이기에 세 해녀는 밝은 모습만 보이자 약속한 참이었다.

"생긴 게 지 어멍 쏙 빼박았저. 성정도 어멍 닮아 순허키여?"

억대가 물었다.

"아니라. 젓 욕심도 많고 성깔머리도 보통이 아니라게."

세화댁이 옷고름에 눈물을 닦으며 대꾸했다.

"섬 여자라믄 응당 경해사주! 잘 먹고 잘 자고 이대로 쑥쑥 잘만 크라게."

서복이 말했다.

"경해도 별일이여! 속알맹이는 아방 닮은 거라?"

석실이 고개를 갸웃거렸다.

"아가신디 무신 섭지근헌(섬쩍지근한) 소리라. 그런 잡놈을 어디다 갖다대여?"

말끝에 세화댁이 입술을 말고 덕순의 눈치를 보았다. 아무리 그래도 남의 서방더러 잡놈이라니. 석실도 실언했다 싶어 민망해하는데 덕순은 그저 웃기만 했다.

"아지방이 아니라 어멍 닮은 거 맞는디양."

달복의 말에 나머지 여자들이 의아한 표정을 지었다.

"덕순이 삼춘 순허다는 것도 옛말입주. 오줌허벅 휘둘러서 개삼동이 놈 머리통 깨먹은 사름신디 순허덴 허민 되쿠과?"

여자들이 맞다 맞다, 무릎을 치며 웃었다. 세화댁이 웃으며 말을 보탰다.

"희한헌 건 대가리 맞은 건 개삼동인디 사름은 덕순이가 바뀌었다 말이라."

늘 있는 듯 없는 듯 음전하던 사람이 조합 일이라면 두 팔을 걷어붙이고 강습소에도 꼬박꼬박 나온다고 했다.

"아지방이 가만이시쿠강?"

"말도 말라게. 덕순이 서방이 지난번추룩 행패 부리고 테왁을 깨불켄 허난 덕순이가 오줌허벅을 들었다 허여. 그랬더니 그 인간이 테왁을 곱게 내려놨다는 거라. 우리 덕순이가 영 자그뭇헐지(야물지) 요왕님이나 알아시카?"

세화댁이 덕순의 말을 어디까지 믿어야 할지 모르겠다며 쿡쿡거렸다.

"정말 휘두르지는 아녀고 들기만 해냐? 우리끼린데 뭐 어떠냐? 솔직허게 말해보라."

억대가 부추겨도 덕순은 수줍게 웃기만 했다. 석실이 고개를 절레절레 흔들었다.

"오줌허벅이 대단헌 거라, 덕순이가 대단헌 거라?"

"우리 딸이 대단헌 겁주."

덕순이 나직이 말하며 미소 지었다.

예전엔 그저 참는 게 최선이라 믿었다. 자기 하나 입 다물고 있으면 다 괜찮다고, 그것이 아녀자의 도리고 미덕이라 여겼다. 그런데 딸이 그리 산다 생각하자 가슴이 터질 듯 열불이 났다. 자신처럼 살라 하고 싶지 않았다. 그 절반의 절반도 닮지 말고 완전히 다른 삶을 살았으면 싶었다. 그러자니 살던 대로 살 수가 없었다. 어미는 모로 걸으면서 자식더러는 앞으로 가라 할 수 없었다.

"나만 겪는 일이라민 무신거든 참겠는디 딸 일이렌 생각허민 눈앞이 왁왁(컴컴)햄쩌."

작은 일 하나도 허투루 넘기지 않고, 이해되지 않는 것 당치않다 싶은 것은 일단 묻는다 했다.

"묻기만 허여? 버짝허게 대여들기도 잘허주게."

"덕순이가 큰 소릴 친다고? 아마떠리(아이고), 안 그래도 우리가 제주 여자덜 다 버려놨다고 원성이 자자헌디 한소리 더 듣게 생겼다게."

"이거는 욕을 먹어도 헐 말이 엇이크라. 세상없는 숫보기를 쌈닭으로 만들어놨시니, 쯧쯧."

"아기 낳아 그래. 원래 아기 낳고 나민 여자덜은 무서운 게 엇어지지 아녀게."

"메께라, 꼭 아기 낳기 전엔 순했던 사름처럼 말씀허시네."

억대와 석실이 주고받는 농에 해녀들이 배를 잡고 깔깔 웃었다. 꼭 알아먹은 것처럼 아기도 고사리 같은 손바닥을 짝짝 치며 웃었다.

"나만 편허게 지내서 면목이 없수다게. 다 같이 그 안에서 버티고 싸웠어야 했는디."

덕순이 얼굴을 붉히며 고개를 떨구었다.

트럭과 주재소를 습격한 다음 날 제주 전역에는 비상경계령이 내렸다. 대대적인 검거 작전으로 서복을 비롯해 도망친 해녀들이 모두 잡혀왔다. 덕순도 예외가 아니었다. 선욱과 제주 야체이

카 회원들도 배후로 지목되어 끌려왔다. 검거자만 백여 명이 넘었다. 마을이 통째로 뒤집혔다.

목포형무소로 이송된 해녀들을 설득한 것은 서복과 석실, 억대였다. 세 사람이 주동했고 다른 사람들은 잘 모르고 한 일이라고, 그저 괸당들이 하자고 하니 한 것일 뿐 멋모르고 끼어든 것이라 하라 했다. 좋다 하는 해녀들은 아무도 없었다.

세 사람은 끈질기게 설득했다. 왜놈들 손에 잡혀 있어봐야 저놈들 좋은 일만 시키는 거라고, 나갈 사람은 나가서 바당을 살리고 마을을 지켜야 한다며. 간곡한 설득 끝에 해녀들은 뜻을 굽히고 심문에서 그렇게 답했다. 이들은 오래지 않아 섬으로 돌아갔고 덕순도 그중 한 사람이었다.

재판부가 빤한 거짓말에 속아 넘어간 것은 아니었다. 검거 이후 해녀들의 석방을 요구하는 시위가 계속되었다. 조합의 부당한 행태에 항의하는 해녀들의 시위도 제주 전역으로 확산되고 있었다. 농민들과 상인들까지 들고 일어날 조짐이라는 보고가 연일 올라왔다. 그만큼 제주에서 크고 중한 이들이 해녀들이었다. 심상찮은 여론에 부담을 느낀 재판부는 일종의 타협책으로 대다수 해녀들을 풀어주는 대신 주동자들에게는 치안유지법과 보안법 위반, 가택침입, 폭력행위 등 죄명이란 죄명은 다 갖다 붙여 선고를 내렸다.

"꼴에 왕 노릇허느라고 민심 잃는 건 겁나는 모양이주."

석실이 혀를 찼다.

"그놈덜이 그런 거 겁내는 놈덜이라? 누구처럼 또 빗창 휘두르고 총 쏴대며 쳐들어올까 봐 겁이 나 그런 거주게."

억대가 서복의 옆구리를 쿡 찌르며 웃었다.

"그래도 죄목 붙은 거에 비허믄 이만허기 천행이주. 경 아녀과?"

애써 밝게 웃어 보이는 서복을 보며 세화댁이 다시 눈물을 찔끔거렸다.

"두실 삼춘은…… 편안허우과?"

서복이 조심스레 물었다.

"다행히 총알이 살짝 스치기만 헌 거라 몸조리만 잘 허민 괜차녀다게. 대상군께서 걱정허지 말라고, 성님덜허고 서복이 나올 때쯤 팔팔허게 낫앙 이시켄 약속했저게."

덕순이 외워온 답을 하듯 어색하게 대답했다.

"물질은 허켄마씨?"

덕순과 세화댁이 선뜻 대답을 못 하자 석실이 나섰다.

"어크거, 우리 어멍이 누게라? 칠성판에 눕기 전꺼장 물에 들 사름 아니라? 아마 자리에 누워서 물질헐 날만 헤아리고 있을 거라, 경 아녀꽈?"

황급히 고개를 끄덕이는 두 사람을 보며 서복의 표정이 다시 어두워졌다.

"면회 온 사름이 우리 말고 또 있저게."

세화댁이 분위기를 바꾸려는 듯 화제를 돌렸다. 이들 말고 올 사람이 누가 있나 하는데 깍지가 새침한 얼굴로 들어섰다. 간만에 동무끼리 회포나 풀라며 다른 사람들이 자리를 피해주었다.

깍지는 억지로 끌려온 사람처럼 팔짱을 끼고 앉았다.

"그동안 잘 지냈냐?"

서복이 묻자 냉랭한 대답이 돌아왔다.

"빚만 스무 냥인 년이 잘 지냈크라?"

평소 같으면 말본새가 그게 뭐냐고 시비를 붙였을 텐데 서복은 환하게 웃었다. 깍지의 여전한 모습이 반가웠다.

"스무 냥 아니고 스물한 냥 아니라? 배 고장내부렀다매."

"스무 냥이고 스물한 냥이고 너가 뭔 상관이라고 남의 빚 얘기는 허여? 너가 갚아줄텨?"

"한 냥은 나가 갚으주."

"하이고, 눈물 나게 고맙다게."

"이추룩 쏴대기만 헐 거믄 여긴 무사 왔나게. 이 시간에 한 푼이라도 더 벌주."

"누게 오고 싶어서 온 줄 아나?"

깍지가 고개를 홱 돌리고는 심상히 덧붙였다.

"몽생이안티서 편지 왔다게."

몽생이라면 넉실의 어릴 적 별명이었다. 서복이 넉실의 이름을 말하려다 간신히 삼켰다.

"잘 지냄젠 해냐?"

"안 죽고 있으니 편지도 했겠지."

"무신거렌 해냐? 어디렌 해냐?"

"난덜 알 말이냐!"

"어떵 지내는지 궁금헌디. 글 읽을 줄 아는 사름덜이 몬딱 여기 들어와부렀으니, 나가서야 알아지큰게."

말이 끝나기도 전에 깍지가 일어섰다. 서복이 벌써 가려는 거냐고 물었다.

"경허믄, 가주. 너허고 나허고 무신 경 자별헌 사이라고? 옥살이 허다 보난 까먹은 모양인디 너허고 나허고 친구 아닌 지 오래라."

"다시 친해질지도 몰라. 사름 앞일은 모르는 건디."

"누게 친해준다고? 난 이제 서복이 너라민 징글징글허여 꿈에서도 보고 싶지 아넌게. 담에 나와서라도 쓸데없이 친헌 척허고 허민 가만 안 두크라. 나, 분명히 말했다."

틱틱거리지만 넉실의 소식을 전해주려고, 자신의 안부를 살피러 온 것임을 서복은 알았다.

"넌 한창 나이에 얼굴이 그게 무신거냐. 꺼칠해가지고. 같잖게 반찬 투정 허지 말고 주는 대로 잘 처먹으라게. 틈틈이 햇볕도 좀 쐬이고."

제 할 말만 하고 새무룩하게 돌아서는 깍지의 등에 대고 서복이 말했다.

"너 말 명심허크라. 그러고…… 고맙다게."

깍지가 멈칫하다가 돌아보지 않고 나갔다. 나가는 모습까지 한결같이 깍지라 서복은 그저 웃었다.

*

석 달 후 언덕바지에 놓인 비탈밭. 바람은 차갑지만 다시 봄이 었다. 다시 봄이어도 땅은 여전히 냉혹했다. 언덕바지 검은 비탈 밭에서는 보리보다 많은 잡풀이 헛자라고 있었다. 독사눈을 하고 선 일인 지주도, 그 옆에서 눈치를 보는 판구도 그대로였다.

"칙쇼!"

물때를 살피느라 손길이 더뎌진 서복을 향해 날아오는 욕설 또한.

시들프게 자란 보릿대를 북돋아주던 서복이 한숨을 쉬며 일어섰다. 골갱이를 쥐고 성큼성큼 다가서자 지주가 저도 모르게 뒷걸음을 쳤다.

"무신거마씨. 나 땅이라는 마음으로 일햄수다. 그추룩 원허던 금비도 뿌리고, 나가 주인이다 허고 일하고 있는디 무신거가 그렇게 불만이우꽈?"

"난다, 나제(뭐야, 왜)?"

"물때 됐소."

서복이 지주를 똑바로 보며 말했다.

"난다요(뭐라고)?"

지주가 판구에게 무슨 말인지 해석하라는 듯 눈짓했다. 판구가 서복의 손에 들린 골갱이를 보고는 입술만 달싹거렸다.

"물때 됐다고, 물때! 당신은 이때꺼장 조선에 살멍 조선말 한마디 못 알아들엄수꽈? 참 곱곱헌 인사라. 나 헐 말은 다해시난 이 멍청헌 왜놈신디 통변 잘 해드립서."

지주가 얼굴이 벌게져서 이년이 뭐라고 떠드는 거냐고 길길이 뛰었다. 서복이 피식 웃으며 골갱이를 내던지고 밭을 나왔다.

"물때 되어수다! 물질허레 갑서!"

서복이 크게 외쳤다. 힘껏 소리를 지르니 속이 다 시원했다. 서복의 소리를 받아 건너편 밭에서도 소리쳤다. 물때를 알리는 소리가 시위날 함성처럼 마을 곳곳으로 퍼져나갔다.

불턱에 들어서자 깍지가 제일 먼저 나와 있었다. 서복이 옆에 앉으며 잘 지냈냐 인사를 건넸다. 깍지는 들은 척도 않고 빗창만 갈았다.

"메께라, 친구는 안 해도 인사는 받아줄 수 있지 아녀냐게? 오랜만인디."

"안녕헐 일이 뭐가 있다고. 잔말 말고, 이거나 둘르라게."

깍지가 뭔가를 툭 던졌다. '서복'이라고 단정하게 수가 놓인 머릿수건이었다.

"이거 나 이름 아니라?"

"야학에서는 맨날 잠만 잤다더니 감옥소에서 글 깨쳤냐? 옥살이도 헐 만허다."

"경허는 넌 글을 언제 배웠나?"

"누구 덕에 물질도 못 나가니 글이나 외웠주. 퍽이나 고맙다게."

깍지가 빈정거리거나 말거나 서복은 헤벌죽 웃었다. 한 땀 한 땀 야물게 박은 티가 완연했다. 바느질이라면 어리보기인 서복에게도 깍지의 정성이 고스란히 전해질 정도였다.

"깍지 너가 날 하영 보고 싶었구나게."

"말도 안 되는 소리 말라."

"이거 매믄 물질이 더 잘 되카?"

서복이 머릿수건을 둘러보는데 때마침 반가운 얼굴들이 들어섰다. 다들 환호를 하며 서복을 반겨주었다. 서복이 이것 좀 보라며 자랑부터 했다.

"아이고, 잘도 곱들락허다(곱다)."

해녀들의 칭찬에 서복이 우쭐거리며 목을 뺐다. 그런 서복을 눈으로 흘기며 깍지가 피식 웃었다.

간만에 함께 하는 물질이라 다들 들뜬 얼굴이었다. 평소보다 목소리가 크고 별말 아닌데도 웃음이 터져 나왔다. 손으로는 물질 채비를 하면서 그간 못 다한 수다를 떠느라 입을 더 부지런히 놀리는데 익숙한 목소리가 들렸다.

"물질 전에 큰 소리 내는 거 아니라."

두실이었다. 해녀들이 깜짝 놀라 일어섰다. 두실이 무덤덤한 얼굴로 자리에 앉아 물옷을 갈아입었다.

"물질헐 수 이시쿠과?"

서복이 두실의 테왁을 옮겨주며 걱정 반 기쁨 반으로 물었다.

"늙다리가 요왕님이 허락허시민 허고 안 허시민 못 허는 거주."

두실이 능숙한 손놀림으로 빗창을 갈았다.

"경해도 의원이 무리허지 말렌 했는디."

석실이 걱정하자 두실은 할망바당이 그냥 있냐고 했다. 할망바당은 수심이 낮고 파도가 적어 비교적 쉽게 물질할 수 있는 곳으로 어린애와 파파노인 들만 들어갈 수 있었다. 상군과 하군의 구역을 나눈 것과 마찬가지로 해녀들이 오래 물질할 수 있도록 하기 위한 해녀들의 배려이고 지혜였다. 할망바당에서 시작해 할망바당에서 끝나는 것이 해녀들의 한 생이었지만 막상 두실의 입에서 할망바당 이야기가 나오자 서글퍼지는 것은 어쩔 수 없었다.

"피믄 지고 익으믄 떨어지는 게 인생사 이치고 섭리여. 다덜 한 길을 가는 것이니 슬퍼헐 일도, 연민헐 일도 아니여."

두실의 말이 옳았다. 여기 모인 해녀들 모두 두실의 길을 따라갈 것이었다. 절대 피할 수 없고 누구에게나 공평하게 닥칠 일이니, 바꿀 수 없는 운명을 두고 슬퍼하고 안쓰러워하는 것은 어리석은 일이었다.

"서복이 넌 바당 살피라."

"바당은…… 대상군이 보셔얍주."

서복이 조심스레 말했다.

"할망바당에 드는 대상군도 있나?"

두실의 말에 해녀들의 표정이 숙연해졌다. 두실은 모든 것을 내려놓고 있었다. 길의 끝에 다다랐다는 것을 겁내지도 부정하지도 않고 담담히 걸어가고 있었다.

"뭣덜 허고 선 거라? 재기덜 채비허라게."

해녀들이 재빨리 자리로 돌아갔다. 두실이 멍하니 선 서복을 올려다보았다. 그 눈빛에 연민과 훈계, 격려가 모두 담겨 있었다. 네가 가야할 길이 고될 것이나 그럼에도 해내야 한다고, 너라면 잘해낼 거라고 두실의 눈이 말하고 있었다. 오롯이 앞서 걸은 이만이 낼 수 있는 깊고 단단한 눈빛이 서복의 어깨를 다독였다.

서복이 입술을 앙다물고 두실이 늘 서던 곳으로 갔다. 두실이 하듯 미간에 주름을 세우고 바당을 바라보았다. 바람과 파도를 읽어야 했다. 그러자면 제 숨을 죽이고 침착해져야 하는데 자꾸만 눈가가 젖어들었다. 두실 때문인지 간만에 본 해녀들 때문인지 깍지의 선물 때문인지 무엇 때문인지 알 수 없었다. 바당 때문인 것 같기도 했다. 끝도 없이 열린 푸른 빛깔과 물비린내, 어지러운 속을 쏴아 쓸어가주는 파도 소리. 꿈에서라도 보고팠던 것들이었다. 매일같이 바당에 나올 때는 한 번도 그려본 적 없는 것들이었다. 기억하고 그리던 모습 그대로 기다려준 바당이, 한결같이 두 팔 벌려 자신을 맞아주는 바당이 그 무엇보다 반갑고 또 고마웠다.

"요왕님, 엄청 보구정해수다게."

눈이 부신 듯 바당을 바라보며 힘껏 공기를 들이마셨다. 이제야 정말 집으로 돌아왔다는 안도감이 들었다.

"오늘 바당은 어떵허우꽈, 대상군마씨?"

억대가 장난스럽게 물었다.

"오늘 파도가 잔잔허니 물질허기 수월허쿠다."

서복이 얼른 눈가를 훔치고 대답했다.

"어머니 나왔다고 요왕할마님이 잘 봐주신 생이라."

석실이 두실을 부축해 앞으로 나왔다.

"아이고, 대상군 노릇 허는 게 경 좋으냐? 서복이 눈빛이 펠롱펠롱허다."

"대상군은 아직 당치도 아녀마씸. 그러고 대상군 노릇이 좋은 게 아니고 바당이 좋은 거우다."

"그렇주? 어떵어떵 해도 바당이 최고주?"

해녀들이 서복 곁으로 다가왔다. 저만치 떨어져 선 깍지를 서복이 팔짱을 껴 끌어당겼다. 깍지는 뭐냐고 짜증을 내면서도 손을 뿌리치진 않았다.

"예예, 좋수다. 하영 좋수다!"

해녀들이 바당을 보았다. 나이도, 생김도 제각각인 해녀들의 눈빛이 바당처럼 깊었다. 바당의 태(胎)에서 나고 자란 여인들은 어느 새 바당과 꼭 닮아 있었다. 품에서 키워낸 딸들을 맞이하듯 푸른 바당이 잔잔한 파도를 밀어주었다. 나란히 선 해녀들의 뒷모습이 바위처럼 단단했다.

"바당, 참말로 좋은 거라! 다덜 가게마씸!"

서복이 외치며 앞장섰다. 해녀들이 바당을 향해 힘차게 걸어 나갔다.

작가의 말

이야기의 시작은, 장면 혹은 문장이다.

『해녀들: seasters』의 경우엔 장면이었다. 그 일은 몹시도 우연처럼 일어났는데 설명하자면 좀 길지만 나는 짧은 이야기를 길게, 긴 이야기는 더 길게 늘어놓는 사람이니까.

나는 제주를 사랑하고 그중에서도 특히 동쪽의 구좌읍을 좋아한다. 이유를 대라면 무엇부터 꼽을지 망설일 테지만 시작은 분명히 말할 수 있다. 당근 주스. 올레길을 걷다 늦어버린 저녁, 가게들이 일찍 파하는 제주에서 폐점 시간이 얼마 안 남은 국숫집을 겨우 찾아냈다. 죄송해하며 들어간 나와 친구에게 해녀 삼춘 사장님은 호쾌하게 국수를 말아주셨고 신선한 채소와 해산물을 아끼지 않은 국수는 당연히도 너무나도 맛있었다. 부른 배를 두드리며 한숨 돌릴 때에 가게 한편에 무심하게, 그야말로 무심하게 툭, 놓인 당근 주스가, 평소 당근이라면 쇠맛 나는 채소 정도의 감흥만 가지고 있던 주제에 새로운 걸 보면 일단 먹고 보는 먹보인 내 눈에 들어왔다. 그리고 죄송함 반 호기심 반으로 산 당근 주스가 정말이지 맛있었던 것이다. 얼마나 맛있었는지 또 한 열 줄 넘게 서술하고 싶지만 이건 진짜다, 싶었다 정도로 줄이고. 알고 보니 구좌는 당근으로 유명한 곳이었고 그때부터 오로지 구좌 당근으로 만든 당근 주스와 당근 케이크를 먹기 위해 제주라면 무조건 구좌, 일단 구좌를 가는 사람이 되었다.

월정리, 세화리, 하도리…… 이름도 어여쁜 곳을 느릿느릿 돌던 어느 날 제주해녀박물관을 발견했다. 해녀에 대해 막연하게나마 관심이 있었던지라 한번 들러나 볼까, 하고 들어갔다. 전시관 입구에는 해녀들의 쉼터인 불턱과 해녀들을 재현한 대형 디오라마가 있었는데 그걸 본 순간 나는 발을 떼지 못했다. '맞닥뜨렸다'고밖에 할 수 없다. 어떤 결정적 장면과 맞닥뜨린 기분.

남은 여행길에서 내내 한 가지 생각을 했다. 해녀들의 이야기를 써야겠다고, 쓰고 싶다고, 써야 한다고.

그렇게 마음먹은 것이 2016년, 2년 후 본격적으로 자료 조사와 구상을 시작해 한 해를 들여 초고를 완성했다. 이렇게 책으로 보이기까지 가능한 모든 공모전에 출품하고 투고를 했으며 그때마다 고쳤고 자음과모음 편집부와도 번갈아가며 교정을 했다. 그럼에도 여전히 부족하고 그래서 부끄럽지만 부끄러움을 무릅쓰고 그 순간의 최선을 내보이는 것도 작가의 일이라 여긴다.

뻔하고 고루하지만, 나에게 다음이 있을지 몰라 고마운 분들을 기록해둔다.

하고 싶은 것을 쫓아 험로만 골라 달려가는 자식을 기어이 믿고 지원해주신 부모님과 응원해준 동생들에게, 너라면 잘할 거라고 잘될 것 같다고 말해준 친구들에게, 나를 잘 모르면서도 기꺼이 내 글을 읽고 감상을 나눠준 분들께, 책이 나올지 안 나올지도 모르는 습작생의 인터뷰와 자문 요청에 흔쾌히 응해준 분들께, 네오픽션상 심사위원 분들과 멋진 파트너가 되어주신 이태은 편집자께 감사드린다.

오늘도 바당밭을 꿋꿋이 지켜내고 계시는 해녀 삼춘들과 제주해녀 문화를 지키고 알리고자 애쓰시는 제주해녀박물관, 관련 연구자 분들의 노고와 열정에 진심으로 경의를 표한다. 참고 문헌에는 추려 넣을 수밖에 없었지만 훨씬 많은 저서와 논문, 자료집, 영상물과 다큐멘터리를 보았고, 『해녀들: seasters』은 온전히 그 저작들에 빚지고 있다. 당신들은 내게도 인생의 결정적 장면을 선사해주셨다.

독학한 탓에 어설픈 구석이 많은 제주어 대사를 제주어를 널리 알리고자 하는 마음 하나로 꼼꼼히 손봐주신 사단법인 제주어연구소 강영봉 소장님, 습작이 완성될 때마다 환호하며 읽어주고 애정 가득한 평을 아끼지 않았던 두 벗들에게는 특별한 고마움을 전한다.

이런 마음들이 있어 나는 습작기 내내 가난한 줄도 무모한 줄도 모르고 그저 반짝일 수 있었다. 어찌할지 몰라 암암할 때면 나는 그것밖에 할 줄을 몰라서 그 다정함들에 기꺼이 기대었다. 내게 무언가 좋은 것이 있다면 오롯이 내가 받은 마음들에서 비롯되는 것임을 안다. 이 책 또한 그러하다.

마지막은 수상 소감에 쓴 문장으로 갈음한다. 쓰는 일은 그저 단순한 직선을 그으며 앞으로 나아가는 건 줄 알았는데 어쩌면 내가 커다란 원을, 혹은 코끼리를, 고래를, 대관람차나 회전목마를, 붉디붉은 꽃을 그리고 있는지도 모르겠다는 생각을 한다. 내가 끝내 무엇을 그릴지는 오래도록 나조차 모를 것이다.

2023년 6월 성미산에서

채헌

참고문헌

강영봉, 『말하는 제주어』, 한그루, 2017

강영삼, 『우리 어멍 또돗한 품, 서귀포 바다』, 지성사, 2007

강영수, 『바다에서 삶을 캐는 해녀: 우도와 해녀 이야기』, 정은출판, 2016

고광민, 『제주 생활사』, 한그루, 2016

고희영, 『물숨: 해녀의 삶과 숨』, 나남, 2015

국립해양박물관, 『바당에서의 삶 그리고 숨비소리』, 2013

김순자, 『해녀, 어부, 민속주: 제주도의 민속 생활어』, 글누림, 2009

김은주, 『명랑해녀』, 마음의숲, 2017

문순덕, 『제주여성 속담의 미학』, 민속원, 2012

문순덕, 『섬 사람들의 음식연구』, 학고방, 2010

서명숙, 『숨, 나와 마주 서는 순간: 숨으로 인생을 헤쳐온 제주해녀가 전하는 나를 뛰어넘는 용기』, 북하우스, 2015

신정일, 『신정일의 새로 쓰는 택리지: 제주도 — 숨겨진 우리 땅의 아름다움을 찾아서』, 다음생각, 2012

이영권, 『새로 쓰는 제주사』, 휴머니스트, 2005

이즈미 세이치, 『제주도: 1935-1965 일본 문화인류학자의 30년에 걸친 제주도 보고서』, 여름언덕, 2014

제주도여성특별위원회, 『살암시난 살앗주: 제주 여성의 생애』, 2006

제주해녀박물관, 『제주해녀의 재조명』, 2011

제주해녀박물관, 『제주해녀항일운동 90주년 기념 특별전 자료집: 빗창 들고 호미 들고, 불꽃 바다로』, 2022
준초이, 『해녀와 나: 바다가 된 어멍, 그들과 함께한 1년의 삶』, 남해의봄날, 2020
하순애, 『제주도 신당 이야기』, 제주대학교출판부, 2008

해녀들

초판 1쇄 인쇄일 2023년 8월 16일
초판 1쇄 발행일 2023년 8월 30일

지은이 채헌
펴낸이 정은영
편집 이태은 박진혜 전유진
디자인 이도이
마케팅 이언영 한정우 전강산 윤선애 이승훈 최문실
제작 홍동근

펴낸곳 네오북스
출판등록 2013년 4월 19일 제2013-000123호
주소 14047 서울시 마포구 양화로6길 49
전화 편집부 (02)324-2347, 경영지원부 (02)325-6047
팩스 편집부 (02)324-2348, 경영지원부 (02)2648-1311
이메일 neofiction@jamobook.com

ISBN 979-11-5740-372-1 (03810)

* 이 도서는 한국출판문화산업진흥원의 '2023년 우수출판콘텐츠 제작 지원' 사업 선정작입니다.